Peacemaker

Van dezelfde auteur:

Nachtlanding

Bezoek onze internetsite *www.karakteruitgevers.nl*
voor informatie over al onze boeken en softwareproducten

Gordon Kent

Peacemaker

Karakter Uitgevers B.V.

Oorspronkelijke titel
Peacemaker
Uitgave
HarperCollins*Publishers*, Londen
Copyright © 2000 by Gordon Kent
Copyright voor het Nederlandse taalgebied © 2003 by The House of Books, Vianen/
Antwerpen
Copyright voor deze editie © 2003 Karakter Uitgevers B.V., Uithoorn

Vertaling
Geert van Linschoten
Omslagontwerp en illustratie
Studio Jan de Boer

ISBN 90 6112 262 7
NUR 332

Opgedragen aan hen die dienen in het geheim.

Proloog

6 april 1994

Zulu droeg een zonnebril en een camouflage-uniform, met op beide kraagpunten een ster die weerkaatste in het zonlicht. Dat waren niet de eerste dingen die je aan hem opmerkte, althans, als je wat dichter bij hem in de buurt kwam. Het eerste wat je aan hem zag was dat iemand ooit eens had geprobeerd met een harde, neerwaartse slag zijn neus af te hakken, waarbij het lemmet wellicht eerst de helm had geraakt, iets was afgeketst, om vervolgens ter hoogte van de brug het harde neusbeen te raken, waardoor er een behoorlijk stuk was verdwenen. Hij had nu een neus die er van opzij uitzag als wat kinderen waarschijnlijk onder een echte heksenneus verstonden, een neus die veel te laag leek te zitten, heel even recht naar voren stak, om direct daarna steil naar beneden af te lopen. Sommige mensen deinsden heel even achteruit wanneer ze die neus voor het eerst zagen.

Zulu was niet zijn echte naam. En dat gold ook voor de naam die in zijn paspoort stond. De mannen om hem heen noemden hem simpelweg Z.

Hij had vier mannen bij zich, net als hij in camouflagepakken gestoken, mannen die te bleek waren om te lang in de zon te kunnen blijven. Hij sprak tegen ze in het Frans, maar omdat een van hen zijn woorden moest vertalen in weer een andere taal, kreeg je de indruk dat het Frans, net als hun Belgische uniformen, bedoeld was om anderen zand in de ogen te strooien. Alle vijf mannen hadden een pistoolholster en handgranaten aan hun koppel hangen, en beschikten over zaken als NAVO-gevechtshelmen, scherfwerende kevlar-vesten en rugzakken die ze een eindje verderop op de grond hadden gezet omdat het zo warm was. Ze maakten de indruk van mannen die op doorreis waren – zeg, ergens op een vliegveld stonden – en die eraan gewend waren niet stil te staan bij de plek waar ze zich nu bevonden, omdat ze spoedig weer heel ergens anders zouden zijn. Ze staken een sigaret op, keken om zich heen en wachtten af.

Elizabeth Momparu was te intelligent om zich van de blanke mannen afzijdig te houden, ondanks het feit dat ze de enige vrouw was. Als ze zich op de achtergrond zou houden, zelfs op basis van zogenaamde verlegenheid, zou dat veel eerder worden opgemerkt. Niet dat ze gemakkelijk over het hoofd kon worden gezien; ze was een imposante vrouw, lang en robuust, met een zware botstructuur. Ze viel de mensen op, of ze wilde of niet. En hier in Afrika zagen de mannen haar al helemaal staan, want ze was de dochter van een generaal, een Hutu, en halfzus van Peter Ntarinada, die op zichzelf al een belangrijk man mocht worden genoemd. De Europese mannen merkten haar op omdat ze er goed uitzag. Een groene jurk waarin haar borsten goed uitkwamen hielp daar nog een handje bij. 'Peter!' riep ze. Ze slaagde erin haar stem een lacherige ondertoon te geven. Ze zette de moeite die ze had om zich hier in de zachte aarde op haar naaldhakken staande te houden nog wat aan. Haar halfbroer draaide zijn hoofd, maar maakte slechts een ongeduldig gebaar met zijn hand. Hij was er net in geslaagd zich tussen het groepje Europeanen te mengen, en hij voelde er niets voor om daar door een vrouw, zelfs niet door een halfzuster, weer uit weggehaald te worden. Peter was agressief – 'trots', zoals de Afrikanen dat noemden – en erg lichtgeraakt, een van die mensen die niet kunnen begrijpen dat je géén gebruik maakt van de macht waarover je eventueel beschikt. En hij hád enige macht. En als alles volgens plan verliep zou hij binnen niet al te lange tijd over nóg meer macht beschikken.

Elizabeth Momparu lachte luid, opdat de groepjes mannen het zouden horen. Er stond een zwart groepje en een blank groepje, van wie Peter de enige was die van het ene naar het andere groepje was overgestoken. Nog steeds lachend liep ze ietwat wiebelend naar hen toe. Peter draaide zich opnieuw om en keek haar ontstemd aan. Ze bleef lachen.

Ze hadden zich verzameld rond de man die Zulu werd genoemd, en die nu met twee blanke, in Belgisch militair uniform gestoken mannen sprak in een taal die Elizabeth niet begreep. Elizabeth was er heilig van overtuigd dat de mannen geen Belgen waren, en ze wist ook zeker dat Zulu geen Fransman was, maar dat zei ze niet. Ze glimlachte alleen maar tegen Zulu's donkere zonnebril en negeerde zijn mismaakte neus.

De zonnebril staarde terug. Waar waren de ogen? Zulu keek neer op de twee 'Belgen'. Hij zei iets, en het volgende moment begonnen de mannen twee lange nylon tassen open te ritsen. Elizabeth wist dat het draagtassen waren waarin ski's werden vervoerd, want ze had in Zwitserland weleens op de lange latten gestaan, maar ze wist ook dat er geen ski's in zaten. Niet hier in Rwanda.

Een andere man in Belgisch uniform mompelde iets in een radio. Hij had een korte antenne gespannen en zijn apparatuur op een plastic zeil neergezet, en luisterde toen even, om vervolgens iets tegen Zulu te roepen, waarbij hij een hand omhoogstak waarvan de vingers gespreid waren, om die hand vervolgens snel achter elkaar te openen en te sluiten, één, twee – tien keer.

'Tien minuten,' zei Zulu tegen Peter. Peter kneep zijn ogen tot spleetjes en tuurde naar de lucht. Hij keek naar Elizabeth, zijn ogen nog steeds half dichtgeknepen. 'Loop niet in de weg,' zei hij in het Frans.

Maar ze kwam wat dichterbij en keek toe terwijl een van de 'Belgen' stukken metaal uit de skitas tevoorschijn haalde. Hij begon ze vervolgens aan elkaar te bevestigen. Elizabeth wist dat hij een lanceerapparaat voor raketten in elkaar aan het zetten was; dat wist ze omdat ze een oorlog had meegemaakt, maar wat ze níet wist was dat het hier om een in Amerika vervaardigde Stinger ging, een raket die vanaf de schouder werd gelanceerd.

'Wil je soms een handje helpen?' zei Zulu tegen haar. Zijn stem klonk griezelig laag, en hij had een accent dat volgens haar én niet Amerikaans én niet Duits was. Hij was gisteravond tijdens het avondeten aardig tegen haar geweest, en daarna ook in bed, en hij was nu alleen maar aardig tegen haar, misschien alleen maar omdat hij de hulp van haar broer nodig had.

'O, ja!' zei ze. Zo enthousiast was ze niet, maar ze dacht dat enig enthousiasme nu geen kwaad kon.

Zulu haalde een camera uit een tas die voor hem op de grond lag. Ze zag direct dat het een erg dure camera was, maar niet het soort dat ze kende, erg plat, vierkant. Maar ze herkende de merknaam op het toestel. 'O!' zei ze, 'ik heb ook een Canon. Zo'n leuk klein dingetje.' Ze begon in haar schoudertas te rommelen, op zoek naar haar eigen fototoestelletje.

'Dit is, denk ik, de enige camera in z'n soort in Afrika.' Hij verraste haar enigszins door zijn gepoch. Vreemd, zo'n bekrompen trekje bij een man die – volgens haar broer – zo belangrijk was. En tegelijkertijd leek hij op een haast kinderlijke manier in zijn nopjes toen hij haar zijn digitale camera liet zien, en hoe die functioneerde.

'Geen film?' zei ze. Ze probeerde zich zo onwetend mogelijk voor te doen – haar 'Marilyn Monroe-act' zoals ze het noemde.

'Geen film. Geen ontwikkelcentrale. Ik druk af via mijn computer.'

'Jouw *computer!* O, gááf! Niet te geloven!' Maar hij was immuun voor haar Monroe-optreden. Het waren de camera en de computer waar hij op kickte. Hij liet haar zien hoe de camera werkte en zei toen: 'Het is jouw taak om foto's van mij te maken. Jij bent de officiële historicus.' Zijn lippen vertrokken zich tot een glimlach. Hij was eraan gewend met mannen om te gaan, vermoedde ze. Zo kreeg hij voor elkaar dat mannen dingen voor hem deden. Zoals het naar Rwanda komen en een Belgisch uniform aantrekken, om vervolgens een raket af te vuren? Ja, ze was er nagenoeg zeker van.

Zulu poseerde met haar broer, zijn witte armen rond Peters zwarte nek, zijn gelaat omhoog gewend naar de lucht. Ze maakte een opname. Zulu poseerde, één voet op een stuk boomstam rustend, wijzend in de richting van een wolk. Zulu die tussen het groepje Afrikanen ging staan, duidelijk poserend, terwijl hij net deed alsof hij hun iets uitlegde. De mannen waren stuk voor stuk soldaten van haar broer, Hutu's, en stuk voor stuk bewapend met automatische Heckler & Koch-geweren, stuk voor stuk gestoken in camouflagepakken en slappe bush-hoeden; nu zette Zulu ze een voor een in een bepaalde houding, alsof hij een of ander toneelstuk aan het regisseren was, totdat ze dicht opeen stonden, de geweren in de aanslag, alle kanten uit kijkend, alsof ze iets bewaakten. Elizabeth maakte de foto. Het leek bijna misplaatst; een onaantrekkelijke man die blijkbaar tóch bijzonder ijdel was, maar ze besefte zeer wel dát hij dat was.

Zou ze het lef hebben om een foto met haar eigen cameraatje te maken? Beter nu dan er nog langer mee te wachten, dacht ze. Ze haalde hem tevoorschijn. Het toestelletje was fel roze, niet bepaald iets dat je moest proberen te verbergen. Ze bracht het omhoog naar haar oog. Ze richtte haar zoeker op het groepje militairen.

'Wacht even!' schreeuwde Zulu.

Ze verstijfde, de zoeker ter hoogte van haar oog. Door de zoeker kon ze hem niet zien, dus draaide ze haar hoofd iets naar links, zag een klein rechthoekig stukje van de wereld aan haar voorbijglijden, en daar had je 'm. Was hij kwaad? Was hij van plan haar iets aan te doen?

'Ik ben nog niet klaar,' zei hij. Hij gleed met een hand door zijn haar en liep naar de zwarte mannen, waarbij hij werd gevolgd door haar zoeker, nam het automatische geweer van een van hen over en richtte ermee op de bush. 'Klaar,' zei hij, zijn gezicht zodanig draaiend dat zijn heksenneus tegen de schaduw afgetekend stond. Ze maakte de foto.

'Oké?' vroeg ze opgewekt.

'En nu een keertje met míjn camera, alsjeblieft.'

Ook die foto maakte ze.

'En nu zo.' Hij zwaaide de loop van het wapen naar voren en richtte het op haar. Recht op haar gezicht. Recht op de camera. Een van de Afrikanen moest lachen, ging toen naast Zulu staan en richtte zijn geweer ook, en toen kwamen er nog wat mannen naar hem toe, en toen allemaal, tien, twaalf man, die om hem heen kwamen staan, sommigen schuddebuikend van het lachen, stuk voor stuk hun wapen op haar richtend, net zolang tot zij met beide camera's foto's van hen had gemaakt. Ze wist dat de geweren geladen waren.

Toen riep de radioman iets en liep Zulu naar de twee mannen die de lanceerbuizen in elkaar hadden gezet. Een van hen gaf hij een klap op de schouder en kwam vervolgens op een drafje naar Elizabeth gelopen. 'Zodra ik het zeg maak je een foto.' Hij legde heel even een vinger op haar roze cameraatje. 'Doe dat ding weg.'

'Nog ééntje dan?' smeekte ze hem, waarbij ze als een kind iets door haar knieën ging en zich wat kleiner maakte.

'Maar dan wel snel.'

Hij liep naar de radioman, en ze maakte gehaast nog één opname, waarbij ze probeerde hem en de twee mannen met de lanceerinstallaties in beeld te krijgen; ze draaide door en deed een paar stappen achteruit in de hoop dat een van hen zijn lanceerbuis op de schouder zou zetten, maar ze hadden het nog te druk op de grond.

'Doe dat ding wég!' zei een stem achter haar. Haar broer.

'Hij zei dat ik er nóg een mocht nemen.' Ze veerde op haar tenen op en neer.

'Dit zijn serieuze zaken, Elizabeth! Heb je dan geen flauw idee wat zich hier afspeelt?'

'Het is een *déjeuner sur l'herbe,* toch? Een *piek-niek?*' Ze grijnsde hem dwaas aan. 'Ik ben niet op mijn achterhoofd gevallen, Peter.'

'Ik vind het niet prettig als je foto's neemt.'

'Hij heeft me gevráágd ze te nemen! En bovendien, als het aan jou ligt doet het er helemaal niet toe welke foto's er zijn gemaakt, hè? Trouwens, dit zouden allemaal Belgen moeten zijn, dus wat zegt het nou eigenlijk?'

De Belgen waren in Rwanda als vredesmacht. Dat gold ook voor de Fransen. Vijfentwintighonderd man, die de 'vrede' probeerden te handhaven in een land dat al sinds afgelopen augustus tot zijn knieën in het bloed rondkloste. En nu was haar broer betrokken bij iets waardoor alle afgrijselijke gebeurtenissen weer helemaal opnieuw zouden beginnen. Daar wist ze erg veel vanaf; ze behoorde tot de Hutu-elite, verkeerde altijd in de periferie van de besprekingen en bijeenkomsten. Men vertrouwde haar omdat ze de dochter van een generaal en de halfzuster van Peter was, en omdat ze haar hele leven over privileges en luxeartikelen had kunnen beschikken waarvan de meesten van haar landgenoten zich nauwelijks konden voorstellen dat ze bestónden.

'Doe nú die camera weg!' siste hij haar toe. Zulu schreeuwde iets tegen zijn mannen. Iemand holde weg.

'O – poeh!' zei ze. En maakte een foto van Peter terwijl hij woedend haar kant uit keek, zwaaide de camera de andere kant uit en maakte er toen een van de 'Belgen' die net op dat moment een van de lanceerbuizen omhoogbracht. Toen grijnsde ze breed naar haar halfbroer, stopte de roze camera vervolgens omslachtig in haar tas en trok toen langzaam de rits dicht. Ze lachte hem uit, recht in zijn boze gezicht, liep toen ietwat wiebelend over de zachte aarde, waarbij haar zorgvuldig gekapte haar op en neer deinde en ze de digitale camera van Zulu als een edelsteen tussen haar vingers hield.

Zulu gebaarde naar de Rwandese soldaten, droeg hun op zich te verspreiden.

'Helemaal om ons heen!' schreeuwde hij. 'Aan beide kanten! Jullie verdwijnen hier zodra ik daartoe opdracht geef. Als dit achter de rug is moeten we hier zo snel mogelijk weg!' Hij zocht naar Peter, vond hem. 'Zeg tegen ze dat ze zich een meter of vijftig verderop moeten positioneren! Ik wil een ruime verdedigingsgordel – ik wil niet dat iemand in de buurt kan komen – ' Hij keek opnieuw om zich heen. 'Waar is mijn camera? Aha – ' Hij holde naar Elizabeth. 'Die neem ik weer van je over. Nee, wacht even – maak nog één opname van mij en de jongens – '

Hij hurkte achter de twee raketschutters neer, die met hun rug naar haar toegekeerd zaten en de lanceerbuizen in noordelijke richting naar de lucht gericht hielden. 'Oké – maak maar een opname – Goed. Nog eentje – ' Hij veranderde van positie, gebaarde dat ze iets opzij moest, zodat ze hem opnieuw en profil zou fotograferen, maar ze deed weer snel een stapje terug, zodat zijn gezicht, zijn neus, toch nog goed te zien waren, terwijl hij net deed alsof hij de twee schutters een opdracht gaf. 'Klaar? Geef mij de camera maar weer. Hartelijk bedankt.' Hij glimlachte haar weer toe, de glimlach die bij de mannen blijkbaar wél werkte, maar op haar geen enkele uitwerking had. 'Goed gedaan.' Toen was hij weer terug bij de mannen met de lanceerbuizen, sprekend met hen in die andere taal.

En toen hoorde ze het vliegtuig. Aanvankelijk was het weinig meer dan een subliminaal gerommel, vervolgens een zacht gebulder dat afnam tot een soort gesis en gezucht, hoewel nu een iel gehuil van lucht die over de vleugels werd geleid over de andere geluiden begon neer te dalen. Ze tuurde naar de lucht in het noorden. De ochtendbewolking had zich reeds opgestapeld, maar had de gebruikelijke regen nog niet losgelaten; die zou nu over hen heen trekken en ergens verder naar het oosten vallen. De wolken waren zodanig wit dat haar ogen er pijn van deden; ze kneep ze halfdicht en probeerde het vliegtuig te zien, dat boven de boomtoppen moest zitten. Ze bad dat het geen civiel vliegtuig zou zijn. *Laat het een militair toestel zijn,* bad ze. *Laat het een toestel van de VN zijn.* Desnoods een Belgisch of een Frans toestel. Misschien dat ze met name hén wilden treffen. Dat zou hun strategie kunnen zijn, om een VN-toestel neer te halen, op die manier de onrust alleen nog maar verder aanwakkerend. *Niet dat andere toestel,* bad ze. Als het dat andere toestel zou zijn, dan zouden ze met z'n allen in een hel terechtkomen.

Zulu stootte één enkel woord uit, en een van de schutters zette een voet iets naar achteren en zakte wat door de knieën. Zulu had het vliegtuig gezien en nu probeerden zij het tegen de felwitte achtergrond van de wolk óók te ontdekken. Waar zat het ergens? Ze zocht te veel in de verte, dat had ze kunnen weten; ze had zich in de luren laten leggen door het motorgeluid.

'Daar heb je 'm,' zei Peter. De anderen hadden het toestel ook al gezien.

En toen zag zij het ook, verrassend duidelijk en dichtbij. Het was een civiele Boeing 747. *Alstublieft, God, nee,* bad ze.

Het vliegtuig kwam hun kant uit, steeds meer hoogte verliezend, bezig met zijn aanvliegroute naar het vliegveld van Kigali. Het iele gehuil van de wind deed pijn aan haar oren. Ze drukte haar handen tegen haar oren, keek met een vertrokken gelaat omhoog, alsof ze een angstig kind was.

Eén Stinger spoot met een laag gebulder en een lange rookpluim achter zich aan de lanceerbuis uit. Ze volgde de baan van het projectiel, dat iets bij het vliegtuig leek weg te draaien. *Laat het missen, God. Laat het dat toestel missen,* bad ze. Het rookspoor nam de vorm van een spiraal aan, maar begon plotseling snel hoogte te winnen. Vervolgens leek het een hele tijd bewegingloos in de lucht te hangen. *Ze hebben haar gemist,* dacht ze heel even. Het passagiersvliegtuig joeg met een hoog, gierend geluid langs het glijpad links van hen, steeds verder in de richting van de bomen zakkend, en de raket was nergens te zien. Zoekend, op zoek naar de warmtebronnen van het toestel –

En toen kreeg de Stinger het vliegtuig te pakken. De Boeing spatte uit elkaar. Een felle lichtflits spoot aan de bovenkant van de romp naar buiten, hoewel het toestel nog een ogenblik lang de indruk wekte intact te zijn en onverstoorbaar door te vliegen. Maar toen verspreidden zich vanuit dat withete centrum vlammen en rook, en het staartgedeelte, dat nu helemaal van het toestel was losgekomen, begon naar beneden te vallen. Het voorste gedeelte van het toestel werd nagenoeg geheel aan het oog onttrokken door lichtflitsen en vuur; een volgende explosie rukte het toestel uit elkaar; een vleugel en een motorgondel leken zijwaarts door de lucht te zeilen, en de vuurbal stortte richting aarde.

Ze merkte dat ze op haar tenen was gaan staan, en dat ze een hand voor haar mond had geslagen. Ze huilde. Peter schudde haar door elkaar en trok haar weg. 'Zwakkeling!' schreeuwde hij tegen haar. 'Zwakkeling! Stomme trut!'

Iedereen aan boord van het civiele toestel, onder wie de presidenten van Rwanda en Burundi, kwam om het leven. Beiden waren Hutu. Tutsi-rebellen kregen de schuld.

Kort daarna werden tien Belgische leden van de VN-vredesmacht door Rwandese militairen – allen lid van de presidentiële garde – omgebracht.

Toen begonnen Hutu's Tutsi's te vermoorden. De moorden werden niet willekeurig gepleegd. Op vijftien april werden meer dan duizend Tutsi's omgebracht: ze hadden toevlucht gezocht in een kerk, waarna er handgranaten naar binnen werden gegooid. Op zevenentwintig april waren er aan beide kanten al honderdduizend doden gevallen. Maar toen ging het helemaal mis met de Hutu-strategie, en in augustus was het Rwandese Patriottistische Front van de Tutsi's in staat om in Rwanda de macht te grijpen, en ergens tussen een half miljoen en één miljoen Hutu's waren genoodzaakt hun land te ontvluchten, waarbij ze voornamelijk naar Zaïre trokken.

De man die Zulu werd genoemd was toen al vertrokken. Op dezelfde dag dat het presidentiële vliegtuig werd neergehaald had hij met een ander toestel het land verlaten. Nadat er in Abeche in Tsjaad was bijgetankt, bracht de bijna antieke Bristol Britannia 252 hem naar Tobroek, aan de boorden van de Middellandse Zee, waarna er werd doorgevlogen naar een militair vliegveld ten zuiden van Belgrado, de hoofdstad van Joegoslavië. 'Zulu' werd iemand anders, iemand die ten zuiden van de stad zijn eigen trainingskamp en zijn eigen wapendepot had, iemand die door de autoriteiten in Belgrado zowel werd gevreesd als gehaat, maar zonder wie ze nooit in staat zouden zijn in hun eigen land de etnische overwinning te behalen, een etnische overwinning die bepalend was voor hun politieke overleven.

Deel een

De vrienden

1

Bosnië, februari 1996

De zee was grijs, de lucht vlak bij de horizon roze, met daartussen een zilveren streep. Het zag er even koud uit als een ochtendschemering in Canada, maar dit was het Middellandse-Zeegebied in februari. Koud.

Hij voelde het bokken van zijn toestel, en daaronder het op en neer gaande dek, en daar weer onder het kloppende hart van het schip; hij voelde dit alles, maar zonder ze in feite te voelen, omdat hij dit al zolang deed dat ze in feite normaal waren geworden, en steeds wanneer hij terug aan de wal was zorgde het ontbreken van al die trillingen ervoor dat hij zich enigszins uit balans voelde, alsof er iets ontbrak in het universum.

'Klaar achterin, luitenant?'

Vermoeidheid was als een grote, obscene vogel op hem neergestreken. *Kraai die langs de weg aan kadaver pikt.* Hij schudde een paar keer met zijn hoofd, probeerde weer helder na te denken, beseffend dat hij half was weggedommeld, gewekt door de stem van de piloot, die hem zojuist via de intercom had toegesproken. Was hij klaar? Klaar voor wéér zo'n strafklusje van Suter, nóg zo'n vernedering, nóg zo'n demonstratie dat hij, Suter, luitenant-ter-zee der eerste klasse was, en Alan Craik slechts een luitenant-ter-zee der tweede klasse, en dat Alan een reusachtige vergissing had begaan door duidelijk te laten merken dat hij Suter maar een klootzak vond?

'Yo,' zei hij.

'O-ké! En wég zijn ze, zoals de aap zei – '

Toen hij achteruitlopend in de maaimachine terechtkwam, maakte Alan de zin voor hem af. De puck viel en de katapult ramde een heel stel G's in hun borst, terwijl het toestel in de richting van de horizon werd geslingerd. Heel even was het net als vroeger, en werd hij overvallen door een golf van opwinding, maar toen was het alweer verdwenen.

Ze vlogen in de richting van de opgaande zon, naar dunne wolkenslierten die nog het meest leken op keurig gekamd, zij het enigszins uitgedund haar. Alan Craik keek achterom en zag het vliegdekschip, nu al klein, en een torpedobootjager, nog net zichtbaar in de nevel, een paar mijl verderop. Verbitterd besefte hij dat hij was opgezadeld met een klusje voor een derdeklasser, en ergens achter hem, aan boord van het schip, probeerde luitenant-ter-zee der derde klasse Baronik Alans job te doen, om daar vervolgens een puinhoop van te maken omdat hij nog maar een derdeklasser was, en ltz1 Suter zou hem het leven zuur maken zoals een wezel een kip het leven zuur kon maken, uitermate tevreden met het feit dat hij dit fraaie stuk warm vlees geheel naar eigen inzicht alle hoeken van de kamer kon laten zien. Luitenant-ter-zee der derde klasse Baronik was niet gewiekst genoeg geweest om enige ruimte tussen hem en Alan te creëren, dus maakte dat hem tot warm vlees door associatie. En hij was te jong en te bang om tegen Suter te zeggen dat hij hem met rust moest laten, zoals Alan had gedaan.

Alan zuchtte eens. God, wat was hij moe. Hij had de afgelopen drie dagen vier uur geslapen, en nu dit. Een verlies-verliessituatie: als hij zich niet uit de naad werkte zou Suter hem alle kloteklussen geven die er maar te vinden waren; als hij zich wél uit de naad werkte ging Suter met alle eer aan de haal – om hem vervolgens op te zadelen met alle kloteklussen die er maar te doen waren. Voor Alan, die deze job heerlijk vond en voor wie werken gelijk stond aan léven, was het beter zich dood te werken en dan in elk geval zeker te weten dat hij zijn uiterste best had gedaan, maar om op die manier Suter tegelijkertijd een handje bij zijn carrière te helpen was geen prettig idee. En het werd nog erger gemaakt door het feit dat Suter in feite Alans leven bepaalde, zijn lot in handen had – híj bepaalde welke opdrachten hij kreeg, welke werkzaamheden Alan diende uit te voeren, wat er in zijn conduitestaat kwam te staan. En Suter had vreselijk de pest aan hem. 'Ze denken dat je Gods natte droom bent,' had Suter hem eens toegesist. 'Men denkt dat jij het neusje van de zalm bent, Craik, en ík weet dat dat níet zo is! Ik kijk dwárs door je heen! Jij bent alleen maar een portie geluk en een dosis shit met een lintje eromheen, en ík was van plan dat pakje eens op m'n gemak open te maken. De mensen hebben medailles aan je opgehangen alsof het kerstboomballen zijn – nou, vergeet dat verder maar, meneer. Dat is vanaf nú afgelopen! Je komt bij deze trip niet eens in de búúrt van gloriedaden – vergéét het verder maar!'

En wat nog erger was, Suter was goed in zijn werk. En niet bepaald op zijn achterhoofd gevallen.

'Als je achterin even wilt pitten, luitenant, ga je gang. We hebben nog een paar uur te gaan en er is onderweg toch niets te zien.'

'Zou je de stewardess willen vragen of ze zo vriendelijk zou willen zijn mijn bed uit te klappen?' zei Alan.

'Jeetje, dat zou ik best willen doen, maar ze is momenteel druk in de weer in de eerste klasse.'

Alan glimlachte, de glimlach uit gewoonte, zijn zeedienstglimlach. Hij begon aan zijn vrouw te denken, aan zijn huis, en hoe het zou zijn als deze verrotte tour achter de rug was. Hij moest in slaap zijn gevallen, want het volgende wat hij zich bewust was, was de stem van de piloot, die hem vertelde dat ze nog maar vijf minuten vliegen van de kust verwijderd waren en dat hij wakker kon worden.

'Ik moet zijn weggedommeld.'

'Hé, ik dacht dat ik achterin een lijk vervoerde! Over vier minuten bereiken we de kust. We passeren momenteel de eilanden – ' Hij begon met een beschrijving van de toeristische hoogtepunten in de omgeving, maar maakte met een klik een eind aan het gesprek om met de verkeersleiding in de clinch te gaan. Alan raadpleegde zijn eigen kniebord: Split lag ergens links van hem in de nevel; dan moest Dubrovnik ergens rechts van hen liggen, ergens aan de kust, die er vanaf deze hoogte uitzag als een veeg met een smerige duim. Pal onder hen lag het eiland Brac, een van een hele keten voormalige vakantie-eilanden die helemaal doorliep tot aan Dubrovnik. Vandaag de dag mochten die eilanden niet bepaald vakantiebestemmingen worden genoemd, bedacht hij. Hij had nergens in de inlichtingenrapporten gelezen dat daar gevochten werd, maar het was hier overal oorlog geweest, de walgelijke pijniging van een natie die geheel in zichzelf gekeerd raakte. Beneden waren waarschijnlijk alleen maar dichtgetimmerde hotels en wantrouwen te vinden; recht voor hem uit, op het vasteland, vonden de échte gruwelijkheden plaats. Hij had daar al het een en ander van gezien. Een paar weken geleden was er een zogenaamd 'vredesakkoord' ondertekend, maar mensen die er volkomen eender uitzagen, die een gemeenschappelijke geschiedenis en gemeenschappelijke problemen hadden, moordden elkaar nog steeds uit, als een in een hoek gedreven dier dat zijn eigen poten opvrat.

Boven het vasteland was het weer abominabel. Sarajevo ging zoals gewoonlijk onder een dikke wolkenlaag schuil. De voedselvluchten van de VN waren net beëindigd en het vliegveld was zojuist overgenomen door de NAVO. Alan keek naar de wolkentoppen, voelde hoe zijn ogen bijna dichtvielen, knikte naar voren –

'We hebben toestemming om te landen. Controleer je riemen even, luitenant. Je weet hoe het gaat – schietstoelpositie is standaardprocedure. Bereid je voor – ' Hij voelde de vertrouwde wijde bocht en het gelijktijdige snel verliezen van hoogte, het afnemende motorvermogen, de druk waarmee hij tegen zijn riemen werd geduwd, maar verder leek het in niets op een landing op een vliegdekschip – hier was geen landingshaak nodig, want hier hadden ze een baan die lang genoeg was om er met passagiersvliegtuigen gebruik van te maken. Alan zag het net iets te dicht in de buurt staande massief van de berg Igman, vele hectaren vuile sneeuw, terwijl lage, donkere wolken de duistere hellingen aan het gezicht onttrokken en er nu huizen onder hen door begonnen te schieten, een uitgebrande auto –

Een doffe dreun en het korte gepiep van banden die de baan raakten, ze zwaaiden een fractie van een seconde een graadje naar links en weer terug, en toen waren ze geland. Er flitste een radarinstallatie langs, twee vrachtwagens schuin ervoor op een stukje dat van sneeuw was ontdaan, verder overal hoge sneeuwhopen, een Frans logo. Het toestel rolde nu uit, het motorlawaai niet langer een hoog gehuil; ze draaiden naar links een taxibaan op, minderden nog verder wat vaart en begonnen toen aan de lange taxibaan die naar het intake-gebouw leidde. Toen Alan uit het toestel klom werd hij begroet door koude, vochtige windvlagen: welkom in Joegoslavië.

Hij liet zijn adem ontsnappen. Zes uur hier. Om tien minuten werk te doen dat ook door een derdeklasser uitgevoerd had kunnen worden. Terwijl hij met zijn spullen in de richting van de loods ploeterde die door het IFOR als plaatselijk hoofdkwartier was ingericht, begon het te sneeuwen.

De Franse officier tekende voor ontvangst van het pakje en gaf hem koffie (verdomde goed – bitter, versgezet) en vroeg hem of hij zin had om te blijven lunchen (eveneens verdomde goed, misschien zelfs wel met wijn erbij), maar toen stak een Canadese majoor met de zorgelijke trekken van een oude aap zijn hoofd om de hoek van de deur en riep: 'Is dat Craik?'

De Fransman trok een grimas en knipoogde naar Alan. 'Net aangekomen, majoor.'

'Deze kant uit, Craik.' De zorgelijke rimpels werden nog wat dieper en de majoor draaide zich om, keek vervolgens nog even achterom en zei: 'Welkom en zo. Het is momenteel nogal een puinhoop.'

Alan werd geacht hier zes uur te blijven rondhangen, om vervolgens een lift naar Aviano te krijgen, daar weer zes uur te wachten, om uiteindelijk opgepikt te worden door een toestel dat hem enigszins in de buurt van het vliegdekschip zou kunnen brengen. Dat was een ideetje van Suter geweest. Men ging ervan uit dat hier helemaal níets gebeurde, op het overdragen van een stelletje achterhaalde luchtfoto's na dan. 'Eh – ' zei hij ietwat stompzinnig tegen de zich verwijderende rug, ' – volgens mijn orders moet ik naar – '

'Jouw orders zijn gewijzigd!' kaatste de stem terug.

Zou dat de hand van Suter weer zijn?

Alan haalde zijn schouders op, probeerde zich tegen zijn oververmoeidheid te verzetten en liep achter de majoor aan, die het vertrek al uit was. Hij bevond zich in een gehavende gang, zwarte modder op de vloer, met de hand geschreven aanduidingen op uit notitieboekjes gescheurde velletjes papier die als oude vlaggetjes aan punaises hingen – 'G-3', 'S&R', 'Liaison'. Hij liep langs een geïmproviseerd mededelingenbord, waarvan de meeste dagorders zowel in het Engels als het Frans waren opgesteld. Ach, het ging hier per slot van rekening om Canadezen. Boven op het mededelingenbord stond 'UNPROFOR', het acroniem voor de UN Protection Force, die hier nu bezig was zich terug te trekken.

'Hierheen!' De majoor zat in een klein kantoortje dat ooit een toilet was geweest, vóórdat de wasbak eruit was gerukt. Een ongebruikelijk toilet ging nagenoeg schuil onder een hoge stapel paperassen. 'Francourt, majoor bij het Canadese leger. Je kent het wel.' Hij overhandigde hem wat berichtenformulieren: zijn orders. Alans ogen schoten eroverheen – '... tijdelijke taak... commandant UNPROFOR/commandant IFOR Sarajevo... liaison en het behulpzaam zijn bij het verzamelen van inlichtingen...' Wat wás dit voor flauwekul?

De majoor nam het woord weer. 'Je kent UNPROFOR, wat we doen – '

'Ik dacht dat jullie IFOR waren.'

De majoor schudde zijn hoofd. 'UNPROFOR. Wij gaan hier weg, zíj komen hierheen.' Hij gebaarde met zijn hoofd naar de voorzijde van het gebouw, waar de Franse officier zich bevond. 'Helaas zijn sommigen van ons nog hier.'

'Jawel, majoor.'

'De Fransen en de Canadezen zitten hier beneden, en meer naar boven zijn het voornamelijk mensen van ons en de Italianen.' Hij keek Alan aan. 'Tuzla.' Dat was 'meer naar boven', bedoelde hij. Er was daar behoorlijk gevochten. 'Daar bewaarden we de vrede, ha-ha. Je weet hoe het gaat. Hier staat dat jij dat Afrikaanse Kissy-willy spreekt, klopt dat?' Hij zwaaide met een velletje papier.

'Kiswahili? Een beetje – '

'Goed. En ook nog eens Italiaans, staat hier. Goed, precies de knaap die ik nodig heb. We hebben hier een probleem. Ik begrijp het niet helemaal, maar er is hier een Keniaanse medische eenheid gestationeerd die momenteel enorm veel lawaai maakt, en ik heb nog geen tijd gehad om me ermee te bemoeien. Er is naar jou gevraagd. Dick Murch – ken je hem?'

Zijn hersenen werkten traag vanwege het gebrek aan slaap, en het gebeurde veel te snel allemaal – Joegoslavië, winter, sneeuw, en dan plotseling Kenianen en Swahili. Murch. 'Murch. Ja – van de Canadese militaire inlichtingendienst – '

'Hij heeft speciaal naar jóu gevraagd.' De majoor wapperde opnieuw met het velletje papier. 'Jouw baas heeft ons laten weten dat je voor deze klus geknipt bent.' De majoor, een man met achtenswaardige gevoelens, wierp Alan een enigszins ongelovige blik toe. Het ging hier uiteindelijk om een kloteklus, wát het dan ook precies mocht zijn – koud, onaangenaam, vergeefs. Alan zag dat de majoor begreep dat Alans baas een pesthekel aan hem had. De stem van de majoor klonk bijna verontschuldigend: 'Nou – lang duurt het in elk geval niet. En je hoeft alleen maar goed te luisteren, hè? En je kunt de foto's die je hebt meegebracht nu zelf aan Murch geven; dat bespaart ons weer een hoop geregel.'

Nou, dacht Alan, in elk geval zou er vóór zijn vertrek nog sprake zijn van een lunch met wijn.

'Er vertrekt een vliegtuig over – ach, dat had een half uur geleden al moeten opstijgen, maar ze vertrekken hier nu eenmaal nóóit op tijd. Een van jullie toestellen.' Hij bedoelde te zeggen dat de VS het vliegveld van Tuzla opnieuw in gebruik hadden genomen en dat ze het gelijk grootschalig hadden aangepakt. Alan betwijfelde of die steek onder water betreffende het te laat zijn op waarheid berustte; zowel de Amerikaanse luchtmacht als de marine beschikten over een strakke organisatie. De majoor had alleen de smoor in omdat hij nog steeds híer was. 'Dalembert zal je wijzen bij welk toestel je moet zijn.' Daar gíng de lunch met wijn. En de lunch zelf waarschijnlijk ook. Een stemmetje in zijn hoofd zei: *Je hebt je weer behoorlijk in de nesten weten te werken!* Het zou de stem van Harry O'Neill geweest kunnen zijn, een van zijn imitaties ten beste gevend. God, wat had hij het prettig gevonden als hij O'Neill momenteel bij zich had gehad! De vriendschapsband tussen hen beiden zou er ongetwijfeld voor kunnen zorgen dat hij deze ellende heelhuids kon afronden. Hij en O'Neill waren vijf jaar geleden tijdens hun eerste tour aan boord van een vliegdekschip samen IO – inlichtingenofficier – geweest, en hadden kans gezien om met hun genialiteit en driestheid de Golfoorlog te winnen (daarbij af en toe bijgestaan door een stuk of wat piloten). O'Neill zou precies hebben geweten hoe hij met Suter om had moeten gaan. Trouwens, O'Neill zou ook precies hebben geweten hoe hij met Alan om moest gaan. *Je bent goed, lieverd – je bent écht heel goed –*

'Heb je een wapen?' vroeg de majoor.

Wapen. Wapen? Alan moest zich concentreren. 'Ik heb een schouderholster met pistool in m'n bagage zitten.'

'Doe dat ding dan om. Ze vuren daar namelijk op ons. En dan bedoel ik ook *op ons*. Doe die rangonderscheidingstekenen af, trouwens, doe alles af wat glimt.' Hij stak een vinger omhoog. 'Niet vergeten: als je een of andere arme drommel probeert te helpen die op het punt staat door zijn broer overhoop te worden geschoten, zullen ze zich vervolgens beiden tegen jóu keren en ga jíj eraan.' Hij maakte van zijn hand een pistool en deed net of hij Alan op de korrel nam.

Alan zuchtte eens lang en diep. Hij liet zijn rugzak op de grond zakken en ging op zoek naar zijn 9 mm. Browning. Hij had zich inderdaad weer behoorlijk in de nesten weten te werken.

Fort MacArthur, North Carolina.
De in Georgian-stijl opgetrokken bakstenen gebouwen, de groene gazons en de oude bomen deden het geheel op de campus van een universiteit lijken. De lo-

kalen zagen eruit als collegezalen. De studenten, dertigers en veertigers, zouden voor postdoctorale studenten door hebben kunnen gaan. Maar dat waren ze niet. Dit was de moeilijkste school in Amerika, met het hoogste percentage weggestuurde cursisten, het hoogste percentage afvallers, terwijl een hoop leerlingen het van pure uitputting voor gezien hielden. Het instituut werd door mensen binnen de inlichtingengemeenschap 'de Ranch' genoemd.

Harry O'Neill zat ontspannen in een van de studentenbankjes. In tegenstelling tot de rest luisterde hij aandachtig naar de briefing over Afrika. De rest had een dusdanige houding aangenomen dat je eruit zou kunnen opmaken dat Afrika helemaal niet bestond. De leraar, een case-officer die niet langer als zodanig werkzaam was, wees met een laseraanwijzer naar een kaart waarop wél de nationale grenzen waren aangegeven, maar waarop verder geen namen stonden, en stelde vragen op de berustende toon van iemand die wist dat hij vandaag geen antwoorden hoefde te verwachten.

'Welk land is dit?' vroeg hij bijna bits. En toen niemand reageerde, zei hij: 'O'Neill?'

'Rwanda,' mompelde O'Neill.

'En dit?' Stilte. Hij knikte naar Harry. O'Neill zei: 'Burundi.'

Het felle lichtvlekje bewoog weer. De leraar wachtte, wierp een snelle blik in de richting van O'Neill. 'Zaïre.' Toen: 'Centraal-Afrikaanse Republiek. Tsjaad – '

De leraar schakelde de aanwijzer uit en leunde met zijn achterste tegen de tafel, de armen over elkaar geslagen, en zei: 'Oké, oké. Jullie weten wat zich daar allemaal afspeelt? Heb je misschien zin om uit de losse pols een korte samenvatting van de toestand in Centraal-Afrika te geven, meneer O'Neill?'

Harry glimlachte. 'Uit de losse pols, meneer, laat eens zien – twee jaar geleden stortte er een vliegtuig neer – sommige mensen zeggen dat het toestel werd neergeschoten – met aan boord de presidenten van Rwanda en Burundi. Toen brak de hel los, waarbij de twee grootste etnische groepen, de Hutu's en de Tutsi's, elkaar begonnen uit te moorden. De Tutsi's wonnen en dreven de Hutu's het land uit, richting oostelijk Zaïre, waar ze nu in grote vluchtelingenkampen leven die worden geleid door hun eigen milities, die kans hebben gezien hun wapens met zich mee te nemen en nog steeds op wraak belust zijn. Er hoeft maar dít te gebeuren en de vlam slaat daar weer in de pan.'

'Hoe komt het toch dat jij dit allemaal weet, en de anderen niet, O'Neill?'

Voor Harry antwoord kon geven, zei een stem achter hem, laag en met een zacht gehinnik: 'Omdat-ie daarvandáán komt, man!'

O'Neill was de enige zwarte man in de klas.

De leraar schoot overeind, het hoofd rood aangelopen. 'Oké – wie zei dat – ?'

Maar Harry O'Neill had niet eens met zijn ogen geknipperd. Hij glimlachte alleen maar en zei zacht: 'O, dat heeft niets te betekenen, meneer. *Ik* weet wie dat zei.'

Toen het lesuur was afgelopen, kwamen de meesten traag in beweging en rekten zich loom uit, maar een man die Richmond heette haastte zich naar de deur en beende met grote passen de gang op. Maar Harry O'Neill was net zo snel; met een paar passen haalde hij hem in en liep met de man op, zijn pas overnemend, waarna hij een arm om de schouder van de ander sloeg; het toonbeeld van welhaast perfecte vriendschap.

'Richmond, Richmond!' zei hij. Hij glimlachte en kneep zacht in Richmonds schouder. O'Neill was op Harvard zowel lid van Phi Beta Kappa als verdediger in het football-team geweest; van het zachte knijpen ging wel degelijk gezag uit. 'Richmond, volgende week oefenen we drie keer ongewapend gevecht, weet je dat? En omdat ik tot de besten van de klas behoor, mag ik mijn eigen tegenstander uitkiezen, wist je dat?' Hij kneep nog eens zachtjes. 'En, Richmond – ' zijn stem nam hetzelfde dikke pseudo-negeraccent aan dat hij in de klas vlak achter zich had gehoord. 'Ik kies jóu uit – *man!*'

Tuzla.

Alan probeerde tijdens de korte vlucht naar Tuzla wat te slapen, maar dat lukte van geen kant. Ze zetten hem op een crash-bestendige stoel met genoeg riemen om hem heen om Hulk Hogan tegen te houden, maar aan enig comfort was geen moment gedacht. Het overgrote deel van het toestel was gevuld met vracht. De Franse koffie had hem weer enigszins in het land der levenden teruggebracht, maar het effect ervan was alweer verdwenen. Hij had de tweede opwelling die bij échte vermoeidheid hoort al achter de rug, die periode waarin je snel geagiteerd raakte, om meestal kort daarna in te storten. Alleen had hij nog helemaal geen tijd gehad om in te storten. Bij Tuzla aangekomen beschreef het toestel één grote bocht en begon vervolgens direct aan de landing, terwijl nog een ander vliegtuig op de baan aan het uitrollen was en een tweede pal achter hen zat. Het leken wel doorstartoefeningen. Alan probeerde een kantoor van UNPROFOR te vinden en kwam er uiteindelijk achter dat datgene wat er nog van over was niet op het terrein van het vliegveld lag; het lag aan de andere kant van de stad, en hij had vervoer nodig. Het leek wel een demonstratie van de Wet van Murphy. Iemand zag kans een vrachtwagen voor hem te regelen.

De chauffeur was een Italiaan, een van die mensen die hun leven wijden aan het zich niet laten imponeren, dus was hij absoluut niet onder de indruk van het feit dat Alan Italiaans met een Napolitaans accent sprak. Desalniettemin was hij bereid te praten, zolang Alan maar duidelijk begreep dat hij zich ook niet door officiersrangen liet imponeren. Toen ze een paar kilometer gereden hadden, stopte hij.

'Goede plek om te piesen,' zei hij in het Italiaans. 'Geen sluipschutters.' Alan herkende het Italiaanse woord voor 'sluipschutters' niet, maar begreep het door de pantomime van de Italiaan. Dat was de twééde keer dat iemand net deed alsof hij een vuurwapen op hem gericht hield. Hij stapte uit en ze stelden zich naast elkaar op. Er waren hier al heel wat vrachtwagens gestopt om de inzittenden in de gelegenheid te stellen zich te ontlasten; het oord was in feite één groot buitentoilet. Hij klom weer terug in de cabine, een klim die een stuk hoger was dan die naar de oude Lockheed S-3 waarin hij twee jaar lang had gevlogen, en even later reden ze rammelend verder. Het was een onvergelijkbaar droefgeestige omgeving, zoals zo vaak gold voor gebieden waar een landoorlog werd gevoerd, overal smerige sneeuw en modder en schade ten gevolge van artilleriebeschietingen, terwijl een vrouw zonder tanden en met een hoofddoekje om en een blik als van een koe keek hoe ze voorbijreden. Aan het begin van de oorlog was er op een plein in Tuzla een mortiergranaat geëxplodeerd, waarbij eenenzeventig mensen om het leven waren gekomen, van wie het merendeel kinderen.

De chauffeur zette Alan af bij iets dat ooit het hoofdkwartier van UNPROFOR was geweest. Maar dat was uiteraard níet de plek waar Murch zich bevond; Murch was in het inlichtingencentrum, dat in een voormalige school was ondergebracht, drie onder het puin liggende blokken verderop. Toen Alan zijn rugzak eindelijk bij het juiste deurloze kantoortje op de grond liet ploffen, keek Murch hem aan en zei: 'Is dit het béste dat de States ons kan sturen? Je ziet eruit als een gemengde vleesschotel in een wegrestaurant.'

'Ik ben kapot.'

'Dan ben je hier op de juiste plaats.' Murch zag er zelf ook niet al te florissant uit. Alan had Murch een paar maanden geleden ergens aan de kust ontmoet; ze hadden daar samen aan een klus gewerkt en ze hadden goed met elkaar kunnen opschieten. Ze waren er achtergekomen dat ze beiden graag visten. Murch was ervan overtuigd dat er hier, zodra het lente werd, gevist kon worden. Zijn enige aanwijzing in die richting was het feit dat Tito vroeger ook had gevist. 'Al gegeten?'

'Iemand heeft me een lunchpakket gegeven. Ik geloof dat ik dat heb opgegeten. De Fransen hadden me een echte maaltijd beloofd. Met wijn.'

'Zullen we eerst naar de kantine gaan om wat te eten, of wil je liever even bijkomen?' Overal stonden dozen en plastic bakken. Murch zat midden in een verhuizing.

'Ik loop op m'n laatste benen, man.'

Murch overhandigde hem een lichtgeel plastic bekertje met zuurvormende koffie en zei: 'Tien minuten. Ik moet je briefen. Dan – ' Hij keek op zijn horloge. 'Dan krijg je acht uur de tijd en dan ga je op pad.'
'Wat bedoel je in godsnaam met "op pad"?'
Murch gebaarde met zijn duim omhoog, richting lucht. 'De heuvel op. We geven je een Humvee, een chauffeur en een schutter mee. Jij gaat op vredesmissie – tussen de Italianen en de Kenianen.'
Dertien minuten later sliep hij.

Oostelijk Zaïre.
De lucht was vochtig van de regen die volgens het seizoen helemaal nog niet had moeten vallen, en veroorzaakte halo's rond de gaslampen in het uit gasbetonblokken opgetrokken gebouw. Insecten vlogen in en uit de halo's. Buiten, ergens in het kamp, lachte iemand; iemand anders gilde. Peter Ntarinada, die in het gebouw in het smerige vertrek zat dat hij zijn kantoor noemde, schoof de hem ten geschenke gegeven fles Glenlivet over de wankelende tafel. 'Ik wil meer geld en ik wil meer wapens,' zei hij.
De Fransman schonk nog wat whisky voor zichzelf in. Heel even trok hij een van zijn wenkbrauwen op. 'We geven niets weg zonder dat daar iets tegenover staat, kolonel. Lascelles zélf heeft gezegd dat het moeilijke tijden zijn.'
'Zonder dat daar iets tegenover staat! Kijk eens hoe ik hier woon! Dit is toch helemaal níets!' Peter griste de fles van tafel en schonk nog wat van het spul in zijn eigen glas. 'Ik leef hier verdomme als de eerste de beste plattelander! Ik leef in dit klotekamp dat is geplaveid met stront omdat we niet over toiletten beschikken – wat meen jíj daartegenover gezet te hebben? Trouwens, zodra we weer terug zijn in Rwanda krijg je je geld. Lascelles weet dat hij zijn geld krijgt. Ik heb namelijk een plan, begrijp je? Om diamanten Angola uit te smokkelen – '
'Ja, ja.' De Fransman knikte op de manier die betekende: zoiets heb je me al drie keer eerder verteld. 'We willen je weer terug in Rwanda hebben, kolonel. Maar we vinden – Lascelles vindt – dat we, willen we je opnieuw van, eh, financiële steun voorzien, dan moeten wij van onze kant ons toch echt, eh, van bepaalde zaken verzekerd weten.'
'Verzekerd.' Ntarinada, een man in oorlog, leek het begrip 'verzekering' niet helemaal te begrijpen. Hij lachte er zelfs om.
'We willen een compagnie echte soldaten inzetten, kolonel. O, ik weet het! Jouw mannen zíjn soldaten, ja, ja, ze zijn ontzettend goed in het in elkaar slaan van burgers en het naar binnen gooien van handgranaten in kerken waar die burgers hun toevlucht hebben gezocht, maar de Tutsi's zijn nu getraind en we

beschikken over inlichtingen dat ze worden geholpen door de Oegandezen en Tanzanianen. Dus – we hebben een soort verzekering nodig, en jij hebt échte soldaten nodig.'

Ntarinada's gezicht verstrakte. Hij liet zijn tong langs zijn lippen glijden. 'Blanke soldaten bedoel je zeker.'

'Eén compagnie. De besten. Die gaan als een mes door de Tutsi's heen, dan kom jij daar direct achteraan. Ja, blank. Sorry – zo zit de wereld nu eenmaal in elkaar, kolonel. Zij hebben de juiste wapens, ze hebben de training, en ze hebben recentelijk ervaring opgedaan. We geven je wapens en geld als je honderd van de beste soldaten accepteert. Om de zaken wat soepeler te laten lopen. Lascelles zal iemand sturen die je al kent die de zaak zal regelen. Een vriend van je. Oké?'

Ntarinada was woedend, maar hij wist zijn woede te onderdrukken. 'Wie dan?'

'Zulu.'

Ntarinda staarde strak voor zich uit. Hij was verrast. En onder de indruk.

'Zulu,' zei de Fransman opnieuw. 'De knaap die hier twee jaar geleden dat vliegtuig uit de – '

Ntarinada stak een hand op. 'Ook hier niet – zeg dat nooit hardop.' Hij liet zijn hand met een zachte klap op tafel vallen. Hij schoof zijn glas een stukje opzij, pakte het weer op, dronk het restje leeg en bracht de fles omhoog om nog wat in te schenken. 'Er is erg veel gebeurd sinds Zulu hier is geweest.'

'Hij heeft ook veel meegemaakt. Bosnië. Hij heeft in Bosnië gevochten.'

Ntarinada knikte. Hij begreep maar al te goed hoe een man als Zulu in zijn eigen land kon vechten. 'Zulu is een goede man. Oké. Zeg tegen Lascelles dat ik oké heb gezegd. Maar breng me geld en een stuk of wat wapens!' Hij nam een slok. 'Ik hou het totale bevel,' zei hij.

De Fransman schudde zijn hoofd. 'Sorry. Zulu.'

'Nooit!'

'Als verzekering.' De Fransman glimlachte. 'Wat dacht je van een – *gedeeld* commando? Jullie zijn nu beiden kolonel.'

Ntarinada wendde zijn blik af en keek naar de schaduwen in het kleine vertrek. Hij keek naar een eeuw lang kolonialisme, de bittere duisternis van het moeten werken voor de blanken. 'Goed,' zei hij. 'Ik zal het commando delen met Zulu.' Hij liet zijn hand langs zijn smalle gelaat glijden, en zuchtte als een man die op het punt stond van uitputting te sterven. 'Schoften zijn jullie.'

Boven Tuzla.

De Canadese chauffeur vond de Humvee grandioos en hield maar niet op dat te demonstreren. Alan onderging de hachelijkste autorit van zijn leven, op die ene keer na dat hij met een dronken Italiaan mee naar Amalfi was gereden. Hij vond de rit op een vreemde manier stimulerend, wat misschien kwam door het feit dat hij acht uur achter elkaar zó diep had geslapen dat hij niet eens had gedroomd. Toch bleef het een prettig idee te weten dat hij deze reis slechts één keer zou hoeven te maken.

Alleen maakte hij deze trip uiteindelijk drie keer – drie keer heen, drie keer terug. En de laatste keer was pas de volgende dag 's middags.

Bij de problemen daarboven was niet zozeer een linguïst nodig, maar eerder iemand die goed kon luisteren. En Alan kon goed luisteren, zoals iedereen die bij de inlichtingendienst carrière hoopt te maken. Het feit dat hij beide talen sprak hielp natuurlijk; voor de Keniaanse arts die de leiding had over de medische eenheid was het een plus om een niet-Afrikaan te horen zeggen dat het *baridi, baridi kabisa* was – verdomde koud, man. En Alan was in Kenia geweest en kon in elk geval praten – voorzover een reiziger daarover kan meepraten – over de kust, over Nairobi en de problemen langs de grens met Soedan. Dus kwam hij er al snel achter dat de echte problemen tussen de Italiaanse militairen en de Keniaanse gewondenverzorgers niet veroorzaakt werden door de idee dat de Italianen racisten zouden zijn, of dat de Kenianen niets van medische zaken af zouden weten, maar voortkwamen uit het feit dat ze hier allemaal al veel te lang waren en dat niemand van hen het gevoel had ook maar íets aan de vrede te hebben bijgedragen, en dat ze nu op het punt stonden te worden teruggetrokken en te worden vervangen door NAVO-troepen. En om het nog erger te maken voelden de ongewapende Keniaanse hospitaalsoldaten zich geïsoleerd vanwege hun huidskleur, en in de steek gelaten door dezelfde mensen die geacht werden hen te beschermen, en hoe ze hun toevlucht namen tot galgenhumor, en dat sommige van hun moppen gingen over het feit dat de Italianen in Ethiopië twee keer in de pan waren gehakt – een keer door de Ethiopiërs zelf en een keer door de Britten en de Kenianen.

Te Koop: Zo goed als nieuw Italiaans geweer. Slechts één keer laten vallen.

De grappen over de Italianen waren eerst belegen geraakt, en vervolgens smakeloos en laag-bij-de-gronds; daarna had men elkaar voor rotte vis uitgemaakt – en was er, moest de dokter toegeven, een handgemeen ontstaan dat op een grootschalige kloppartij was uitgelopen. Het was er fel aan toegegaan.

Dus had Alan geprobeerd verschillende officieren van beide eenheden zover te krijgen dat ze bereid waren naar elkaar te luisteren, en was er uiteindelijk zelfs in geslaagd hen gezamenlijk de kant-en-klaarmaaltijden in dezelfde tent te laten nuttigen – het was lunchtijd, en halverwege de maaltijd kwamen de Italianen met een paar flessen wijn op de proppen – en toen er opnieuw een scheldpartij losbarstte, slaagde hij erin de dokter net voldoende te kalmeren dat de man kon snauwen dat zíj, de Kenianen, voortdurend op hun donder kregen van de Serviërs, die net aan de andere kant van de recentelijk getrokken grens zaten, nauwelijks drie kilometer verderop, en dat de Italianen geen barst deden om daar een einde aan te maken.

'We kúnnen daar helemaal niets aan doen, stomkop!' schreeuwde een Italiaan. Alan vertaalde dit als 'We doen ons uiterste best, meneer!' Een Keniaan bulderde: 'Jullie waren schijtluizen in 1942, en jullie zijn dat nog steeds!', wat Alan gewoon naliet te vertalen. Een andere Keniaan, een al wat oudere chirurg die naar de naam wa Danio luisterde, schudde waarschuwend met zijn wijsvinger naar de Italianen en hield hun voor dat het de burgers waren, de burgers daar, die gefolterd, verminkt en vervolgens vermoord werden, en dat de Italianen daar óók niets aan deden. De hoogst in rang zijnde Italiaan, kapitein Gagliano, stak zijn handen omhoog en zei: 'Niets – we kunnen er helemaal níets aan doen! Bovendien, binnenkort vertrekken we.' Na de lunch stond dokter wa Danio erop dat Alan met hem mee ging naar het ziekenzaaltje, waar hij hem een oude man liet zien bij wie met een bijl beide voeten waren afgehakt en die vijf kilometer door het terrein had moeten kruipen om de Keniaanse eenheid te bereiken.

'Weet u, luitenant, wij Afrikanen worden geacht onbeschaafd te zijn, maar dit is afgrijselijk. Dit zijn geen domme lieden die met een panga rondzwaaien; dit gebeurt opzettelijk, dit is een georganiseerde hel. De Italianen mogen dan wel denken dat we wilden zijn, maar die schoften aan de andere kant van de grens zijn monsters!' Hij bracht Alan naar een vrouw die verschillende keren achter elkaar door steeds weer andere mannen was verkracht, en vervolgens was afgetuigd. Een kind met één hand, en dat de andere was kwijtgeraakt toen het had geprobeerd te voorkomen dat zijn reeds gewonde vader werd onthoofd. Alan had zelf ook een kind. Hij voelde zich onpasselijk worden, en bedacht toen hoe het moest voelen om hier week na week te moeten zitten, niet in staat om aan dit alles een einde te maken...

En Alan kwam de heuvel weer af. Op weg naar beneden bedacht hij hoe er toch iets aan gedaan zou kunnen worden. In zijn hoofd ging een alarmbelletje af, maar dat zette hij af, schonk er verder geen aandacht aan, en luisterde in plaats daarvan naar een inwendig stemmetje dat zei: *Oké, Suter, jij wilt toch zo graag liaison, ondersteuning bij het inlichtingenwerk en zoveel mogelijk nieuwe feiten? Nou, die zal ik je géven, tot het je strot uitkomt.*

Hij vertelde Murch dat het probleem niet bestond uit taal, of uit vervelende grappen of kwam door het feit dat het hier om verschillende nationaliteiten ging, maar dat het probleem voortkwam uit frustratie, militairen en medisch personeel dat gefrustreerd en kwaad was, en dat zich nauwelijks gewaardeerd voelde. Ze wilden eropaf en de Bosnische Serviërs die deze wreedheden begingen vóór zijzelf zouden worden teruggetrokken eindelijk eens een keertje een pak slaag geven.

'We kunnen daar niet naartoe,' zei Murch. 'We zijn beschermers, geen agressors.' De taal van Murch leek op slag een stukje minder krachtig: hij was duidelijk bang.

'Het verhaal doet de ronde dat een week geleden een stel Amerikaanse tanks die kant uit zijn geweest, en dat die gedwongen werden rechtsomkeert te maken.'

'Mm, ja, in een of ander Servisch dorpje hebben vrouwen en kinderen de weg geblokkeerd door op straat te gaan liggen – ze zijn behoorlijk fanatiek daar. Vergeet het verder maar.'

'Het mag wél als het doel van de missie is het gevangennemen van oorlogsmisdadigers.'

'Daar ben ik niet al te zeker van, en bovendien weten we helemaal niet of zich daar wel oorlogsmisdadigers bevinden.'

'De Kenianen zeggen dat ze zeker weten dat op vijftien kilometer van de grens een huis staat dat als commandocentrum voor deze slachtpartijen wordt gebruikt. Ze zeggen dat er gefolterd wordt. Iedereen weet dat, zeggen ze.'

'O, Jezus, Alan – "iedereen – "' Hij was bang voor zijn positie, voor zijn volgende functioneringsgesprek, voor zijn carrière. Hij kon de pot op.

'Luister, die Italianen zijn uitstekende jongens en staan bij wijze van spreken te trappelen om eropaf te gaan. Ze zitten hier nu twee maanden, aan handen en voeten gebonden, en moeten toekijken – tóekijken – hoe daar burgers worden afgeslacht, enkel en alleen vanwege deze belachelijke "grens". Ze willen iets dóen.'

'We willen allemaal wat doen. Alan, we kunnen hier helemaal niets aan – '

'Jazeker, we kunnen wél iets doen.' Hij voelde zich nog steeds kiplekker. Hij had gedacht dat hij wel in zou storten, maar dat was nog steeds niet gebeurd. Het was twee uur 's middags; hij voelde zich uitstekend. Niet gespannen, maar geladen. 'We kunnen dat kloterige foltercentrum in Pustarla uitschakelen.'

'Dat kán helemaal niet! Al, luister, je bent uitgeput, je kunt niet helder meer denken – '

'We beschikken over inlichtingen dat dat huis gebruikt wordt voor het plegen van oorlogsmisdaden, dus mogen we ernaartoe om het uit te schakelen. Snel eropaf, toeslaan en weer weg.'

'Ik heb daartoe het gezag helemaal niet.' Het gezicht van Murch stond nu stijf van de stress. 'Canada is er trots op dat haar UNPROFOR-grondstrijdkrachten niet bij gevechten betrokken zijn geweest.' Zijn stem kreeg iets smekends. 'We zijn hier in feite al vertrokken! IFOR heeft nu de verantwoordelijkheid!'

'UNPROFOR heeft een aanval uitgevoerd op Udbina en heeft daarbij het vliegveld onbruikbaar gemaakt! UNPROFOR heeft in Sarajevo gebruikgemaakt van haar artillerie! Verdomme nog aan toe, en jíj maakt een hoop misbaar over een simpele actie op één enkel huis?'

'Udbina maakte deel uit van Deny Flight. Alan, alsjeblieft! Probeer het eens bij IFOR.'

Beiden wisten ze dat dat nergens op sloeg. Het IFOR-commando bevond zich in Sarajevo, en dat zou ongetwijfeld zeggen dat het een UNPROFOR-probleem was, want vormden de Italianen en de Kenianen niet de laatste resten van UNPROFOR? 'De Italianen zijn het zat. Hun kolonel mag dan misschien tégen zo'n actie zijn, maar die is momenteel een paar dagen met verlof in Dubrovnik. Een aanval op compagniesniveau, meer hoeft van hen niet. We hebben uiteraard helikopters nodig; volgens mij zijn twee stuks voldoende.' Hij dacht aan zijn eigen ervaringen, toen hij tijdens een vuurgevecht door twee heli's van de mariniers in veiligheid was gebracht. Maar deze knapen waren uiteraard geen Amerikaanse mariniers, terwijl de heli's deze keer ook niet onder commando van zijn vrouw zouden staan. 'Wie beschikt er over grote helikopters? Jullie hebben twee splinternieuwe Griffons. Toch? Ik moet de gevechtsinformatie er eens op naslaan.'

'Alan – we beschikken niet over voldoende informatie!'

Alan keek hem nadrukkelijk aan, zag een man die nog geen genoeg had van gelul, misschien zijn leven wel wilde wijden aan gelul. Waarom had hij aanvankelijk gedacht dat hij deze man wel mocht? Hij liep naar het vertrek naast het kantoortje, pakte de envelop met foto's die hij die ochtend had meegebracht – stuk voor stuk foto's die al minstens één keer door zijn handen waren gegaan – haalde er een stuk of wat uit en liep terug naar Murch. Vervolgens pakte hij een vetpotlood en begon kleine cirkels te trekken.

'Wat is dat, verdomme?'

'Dat noemen we nou inlichtingen.'

Murch boog zich wat verder naar voren. 'Verdorie, man – '

'Met een stereoscoop zou ik nog een stuk nauwkeuriger kunnen zijn.'

Murch haalde er eentje tevoorschijn. Binnen een kwartier zag Alan kans om het huis te identificeren dat volgens de verhalen een martelcentrum zou zijn, plus nog vier 'vermoedelijke massagraven' en een bijgebouw dat volgens de patiënt van de Kenianen een martelkamer moest zijn. 'Crematorium,' zei hij terwijl hij iets met een schoorsteen omcirkelde.

'Getver – !'

'Ben je daar weleens geweest?'

'Nee, maar – '

'Dit is even goed als de troep die de CIA aan de president laat zien.' Hij gaf de foto's aan Murch. 'Kopieën aan iedereen die goedkeuring moet geven aan het inzetten van de heli's, plus de Italianen, plus ikzelf, plus de helikopterbemanningen; zorg ook voor uitvergrotingen van het huis en directe omgeving. Problemen mee?'

Murch schudde zijn hoofd. 'Man, je bent me er eentje.' Hij zag eruit alsof hij elk moment in huilen uit kon barsten.

'Je hebt zelf naar mij gevraagd.' Hij raadpleegde de gevechtsinformatie. 'De Fransen hebben vijf Puma's; die zijn behoorlijk pittig – ze hebben die SAS-jongens ermee uit Gorazde weggehaald.'

Uiteindelijk bleek Murch toch niet zo'n lafbek te zijn als Alan even had gedacht: hij zei: 'Je moet de Fransen niet vragen mee te doen.' Alan keek hem aan. De Fransen die oorspronkelijk deel van UNPROFOR uit hadden gemaakt zaten nu bij IFOR, maar in een heel andere sector. Wat was daar mis mee? Murch liet zijn stem dalen tot een gefluister. 'Vraag voorlopig nog niets aan de Fransen, oké?' De twee inlichtingenofficieren keken elkaar aan.

Probleem – hij wil zeggen dat er een probleem is. *Een lek?*

'Ik begrijp wat je bedoelt.'

Terwijl hij zijn materiaal bij elkaar zocht, boog Murch zich over de luchtfoto's. Toen Alan klaar was en op het punt stond te vertrekken, overhandigde Murch hem een foto waarop hij met vetpotlood enkele cirkels had aangebracht. 'Een eindje verderop staan bij een gebouw twee pantserwagens opgesteld – dat is waarschijnlijk het politiebureau. Eentje staat in de sneeuw zonder dat er om hem heen bandensporen te zien zijn, dus ik neem aan dat die defect is. Waarschijnlijk zijn er geen reserveonderdelen voor; ze hebben behoorlijk te lijden onder het embargo.' Murch tikte op de foto en Alan legde hem op het bureau neer en bekeek de opname door het stereoscopische vergrootglas. 'Volgens mij is het een AML, misschien in Frankrijk gefabriceerd, maar die dingen worden zo'n beetje overal in licentie vervaardigd. Oud, maar één ervan is operationeel – moet je eens naar al die bandensporen kijken.' Alan liet een zacht gegrom horen. 'Het lijkt me de verkenningsversie,' vervolgde Murch. 'Alleen bewapend met mitrailleurs. Geen kanon – zie je die schaduw?' Alan gaf Murch een klap op zijn schouder. 'We hebben een paar schutters nodig. Een mooie vangst.' Murch, concludeerde hij, was écht oké. Alleen een beetje – en dan netjes gezegd – een tikkeltje *behoedzaam.*

Ze gingen terug de heuvel op. De negentien jaar oude chauffeur ging helemaal uit zijn dak. De schutter, die achterin zat, was een stuk minder opgetogen; hij hoefde zijn wapen niet eens af te vuren. Eenmaal terug op de heuveltop waren de Italianen nogal sceptisch en de Kenianen uiterst behoedzaam, maar Alan legde uit hoe de klus geklaard zou kunnen worden en vroeg hun vervolgens ja te zeggen. Twee teams plus enkele hospitaalsoldaten. 'Plus ikzelf,' zei de Keniaanse chirurg.

'En jij?' zei de Italiaanse kapitein met het haviksgezicht. Het was duidelijk als uitdaging bedoeld. Deze lieden stonden klaar om aan iederéén de pest te hebben.

'Wil je dat ik meega?'

'Ik wil dat je in je eigen inlichtingen gelooft. Voldoende om mee te gaan, dát bedoel ik.'

Wat had Suter ook alweer gezegd? Was hij niet van plan om Alan uit de buurt te houden van alles wat ook maar enigszins naar roem riekte? Hij grinnikte. 'Ga er maar vanuit dat ik meedoe. Als waarnemer uiteraard.' Hij zei er maar niet bij dat hij het risico liep voor de krijgsraad gesleept te worden.

De Kenianen en de Italianen keken elkaar eens aan.

'Wanneer?'

Alan dacht aan zijn eigen orders, en hoelang het zou duren voor Suter in de gaten zou krijgen dat er iets aan de hand was. 'Op korte termijn,' zei hij.

De Italiaanse officier mompelde: 'Als ik mijn kolonel gelegenheid geef er iets over te horen vóór we het doen, nou – '

De Keniaanse chirurg zei: 'Morgen.'

'Morgen bij zonsopgang,' zei Alan.

De drie mannen keken elkaar aan en schudden elkaar de hand. Hij legde het probleem van de helikopters op het bordje van de Italiaanse kapitein, ging terug naar het Keniaanse veldhospitaal en ondervroeg daar enkele burgers, waarbij hij probeerde zoveel mogelijk harde informatie over het huis in Pustarla te verzamelen. Hij hoopte dat Murch een route samen zou stellen, want hij zou ongetwijfeld over de laatste gegevens betreffende de Servische posities en hun luchtafweer beschikken. Alan meende uit de inlichtingen die aan boord van het schip de ronde deden op te kunnen maken dat er geen luchtafweer wás, maar op de Middellandse Zee varend had hij nauwelijks aandacht besteed aan dit door haat gevoede front, dat geacht werd de Bosnische moslims en de Bosnische Serviërs uit elkaar te houden, en waar de bevolkingsgroepen die toevallig in de minderheid waren door de tegenpartij werden geterroriseerd.

Ze daalden de heuvel weer af en maakten van Murchs computer gebruik om een rapport betreffende vermoedelijke oorlogsmisdaden in het gebied van Pustarla en de daders ervan te schrijven, waarbij ze ook het een en ander van Intelnet gebruikten, en op die manier een min of meer afgerond relaas creëerden van het soort waarmee de admiraals zich het liefst op de hoogte lieten brengen – kaarten, fraaie foto's, sappige citaten van slachtoffers. Murch had een route uitgestippeld en had een écht briefingpakket samengesteld voor gebruik door de mannen die de missie zouden uitvoeren. Hij was Murch op slag weer sympathiek gaan vinden.

'Ken jij misschien een journalist hier?' vroeg hij Murch.

'Ben je gék? Jezus, Craik – '

'Wattisernoumetjou? Heb je soms nog nooit van public relations gehoord? Je dekt je nooit beter in dan door een stukje in de krant, Murch.'

'En als dit nou eens verkeerd afloopt?'

Daar had Alan over nagedacht. 'Als je een bevriende journalist bij de hand hebt, draait het hoe dan ook altijd op een overwinning uit. Ik regel wat kleurenfoto's voor hem en we zorgen ervoor dat hij het verhaal exclusief naar buiten kan brengen. Als ik het hem zou vragen zou hij niet weten hóe dankbaar hij ons moet zijn. Ja of nee?'

'Mijn baas – '

'Vergeet die baas van je nou eens! Ja of nee? Als we het verhaal snel naar buiten brengen, heeft niemand daarna nog het lef om moeilijk te gaan doen. "Dappere UNPROFOR-strijdkrachten komen op voor de mensheid!" Kom op!'

Murch wreef over zijn kin. 'Er loopt hier ergens een Brit rond, ene Gibb. Hij is oké, hij – '

'Zeg hem dat hij over tien minuten bij m'n Humvee moet staan. Hij kan getuige zijn van onze voorbereidingen en hij mag erbij zijn als we terugkomen, eerst om de dappere troepen te interviewen en dat soort flauwekul. Hij kan onder geen beding mee. Ik ben nu weg.'

Toen hij weer terug de heuvel op reed moest de journalist Gibb zenuwachtig lachen toen de Humvee modder en steenslag in de zwarte golf langs de rand van de weg slingerde. Gibb had iets geslikt, en was aanzienlijk beter gezelschap geweest als hij dat níet had gedaan, maar Alan vermoedde dat de man net zo uitgeput was als iedereen om hem heen, en blijkbaar van mening dat hij hulp nodig had – wat dan ook – om hem door de nacht heen te helpen. Alan liet hem achter in het burgerziekenzaaltje van de Kenianen. Hij bracht een halfuur door in het gezelschap van de kapitein met het haviksgezicht en de Keniaanse chirurg en een groepje mannen in gevechtspakken, waarbij de planning werd doorgenomen. Het was de bedoeling dat het simpel werd gehouden, behalve dat alles waarbij de dood betrokken is nooit simpel kan zijn. De kapitein maakte zich zorgen over de pantserwagen, maar hij wilde toch liever geen antitankraketten gebruiken – ze beschikten over oude Canadese Hellers – want die zouden volgens hem weleens dwars door het dunne pantser kunnen gaan zonder te exploderen. In plaats daarvan wilde hij *bullet-trap* granaatwerpers met HEAT meenemen. Alan fronste zijn voorhoofd toen hij dat hoorde, maar mompelde: 'Nou, het is jóuw klus.' Alleen, hijzelf zou ook van de partij zijn. Twee vanuit Zagreb 'omgeleide' Oekraïense Mi-26's zouden om 0300 arriveren, en Alan zou de bemanningen ervan briefen. Ze zouden om 0445 vertrekken. Over zeven uur vanaf nu.

Hij sliep.

Toen hij wakker werd tastte hij naar Rose en mompelde haar naam. Maar zijn hand voelde het gruis op de vloer en hij besefte weer waar hij was, op een veldbed in het compagnieskantoor. Door de deuropening zag hij mannen in vliegeroveralls met elkaar staan praten, stuk voor stuk verlangend ertegenaan te gaan. De helikopterbemanningen. Hij was dwars door hun aankomst heen geslapen. Toen hij overeind kwam voelde hij hoe vermoeid hij écht was, en hij dacht: *Dit is absoluut geen goed idee. Ik ben bekaf.* Maar daar was het nu te laat voor.

Hij stopte zijn portefeuille en zijn identiteitsplaatjes in zijn rugzak en controleerde zichzelf op alles waaruit zou kunnen blijken dat hij Amerikaan was. Zijn horloge. Zijn trouwring; die kreeg hij maar moeilijk van zijn vinger, hij knauwde op de knokkel en kreeg hem uiteindelijk pas af met behulp van wat speeksel. Met enige tegenzin stopte hij de Browning in de tas; hij had die graag meegenomen, maar het wapen was van zijn vader geweest en er was een persoonlijke tekst in gegraveerd. Zelfs zijn ondergoed, want ook daar zat een etiket in. Vervolgens kleedde hij zich helemaal opnieuw aan met de spullen die hij van de Italianen had gekregen. Geen rangonderscheidingstekens. Dit is echt stom, bedacht hij. Hij schoof de rugzak naar de Italiaanse kapitein. 'Mocht er iets met me gebeuren – ík ben anoniem. Mijn mensen komen er op een gegeven moment wel achter.' Hij schreef een kort briefje naar Rose en stopte het velletje papier in zijn rugzak, en probeerde niet te denken aan wat ze zou zeggen als ze hem zo kon zien. En toen was het zijn beurt.

'Het wordt een korte trip, heren – vijftien kilometer naar het doelwit, vijftien kilometer terug. Ik denk dat het elke kant uit zes minuten vliegen is, inclusief uitwijkmanoeuvre. Het doelwit is een huis in een dorpje dat Pustarla wordt genoemd en dat uit slechts één straat bestaat met wat huizen eromheen. Probleem: overal ligt een dikke laag sneeuw. Er was een week voor nodig vóór de wegen in de omgeving waren geveegd, en een deel van dat werk is zelfs met behulp van paarden gedaan – daar hebben we luchtfoto's van. Er zijn maar twee plaatsen waar we veilig met een heli kunnen landen, het voetbalveld van het dorp, dat ik met Bravo heb gemarkeerd, en dit kleinere veldje dat ik Alpha heb genoemd en dat schoongemaakt is – voor een heli, denken we, maar die heli was daar gisteren niet. We denken niet dat er landmijnen liggen. Het is honderd meter tot het doelwit; de afstand van het voetbalveld naar het huis is bijna víerhonderd meter. De dorpsstraat is één grote puinhoop – diepe sporen, ijs, hoge sneeuwwallen eromheen. Het politiebureau ligt driehonderd meter verderop langs de straat; we denken dat daar een man of tien, twaalf zijn ondergebracht, uitstekend bewapend, goedgetraind. Respecteer die knapen! Ze beschikken over twee pantserwagens, waarvan een wellicht onbruikbaar is, want die is niet van sneeuw ontdaan.

We arriveren op Alpha, onze primaire landingszone; Bravo gebruiken we als reserve en daar gaan de heli's heen als er zich problemen mochten voordoen terwijl de troepen bij het doelwit zijn. Dat betekent dat we, als de tijd gekomen is om ons terug te trekken, vierhonderd meter te voet zullen moeten afleggen.' Dat deel van de missie beviel hem allerminst. Vierhonderd meter door de sneeuw kon weleens een erg lange tocht worden.

'Als de Joegoslaven vliegtuigen de lucht in mochten sturen, die hebben slechts veertien minuten nodig om bij ons te komen. Maar áls ze dat doen, krijgen ze de volle laag.' Deny Flight was nog steeds van kracht, ook al heette het nu anders, terwijl de piloten ongeduldig waren omdat er hartje winter helemaal niets gebeurde. De F-16's en F-18's, Jaguars, Hornets, Tornado's en Fighting Falcons van verschillende landen zouden het heerlijk vinden als de Serviërs iets de lucht in zouden sturen, al was het maar een aftandse kip.

De Oekraïense heli's waren met hun eigen bemanningen en beschermingstroepen gearriveerd, twee stevige knapen die beiden een lichte mitrailleur bij zich hadden. Alan overtuigde zich ervan dat er op de terugweg ruimte voor gevangenen en materiaal zou zijn, sloot de boel nogmaals kort met de Keniaanse en Italiaanse grondtroepen. Het zou kantje boord worden: de Kenianen stonden erop dat er per heli twee hospikken meegingen; ze wilden onmiskenbaar meedoen. De Italianen stuurden alles bij elkaar twintig man mee, twee teams die ze Romulus en Remus hadden genoemd. O, shit, waarom ook niet? Gagliano had hem verteld dat de Nederlanders op de heuveltop een mortiereenheid hadden zitten en dat hun vingers jeukten om eens wat spul over de grens te slingeren zodra de militie daar in beweging dreigde te komen; de Canadezen zouden ervoor zorgen dat er twee speciaal voor elektronische surveillance uitgeruste F-16's in de lucht zouden zijn, terwijl de nieuwe eenheid van de Amerikaanse luchtmacht op Tuzla in staat van paraatheid zou verkeren. Hier en daar suggereerden een af en toe schouderophalen, bepaalde blikken en ontwijkend gedrag dat de operatie in elkaar was gezet op een manier waarop soms de hand kon worden gelegd op cruciale reserveonderdelen – een manier die 'heimelijk verwerven' werd genoemd.

'Kapitein Gagliano zal u over de operatie zelf briefen. Ik wil iedereen – iedereen – eraan herinneren waar we precies naar op zoek zijn: inlichtingen. Eén: gevangenen; twee: elektronica – computerspullen, directe verbindingen, berichten, álles; drie: dossiers, inclusief foto's. We gaan eropaf, pakken wat we pakken kunnen, en we verdwijnen weer. Als we op iemand het vuur moeten openen die toevallig ook nog eens oorlogsmisdadiger is – ' Hij keek om zich heen. 'Het versturen van berichten maakt ook deel uit van het inlichtingenwerk. Ik heb er geen probleem mee als er een boodschap wordt overgebracht.' Iemand barstte in lachen uit.

De vertalingen vlogen heen en weer door de tent. De Kenianen en Italianen hadden al contact met de Oekraïners gezocht, en ze hadden kans gezien met z'n allen een soort signaalsysteem in elkaar te flansen, waarbij elk team gebruikmaakte van iemand die het Engels meester was. Maar Alan was zich bewust dat het een dubbeltje op zijn kant zou worden. Snelheid, ze zouden de nadruk moeten leggen op snelheid. Het móest een verrassingsaanval worden. En ze hadden al het geluk van de wereld nodig.

Na de start vlogen de grote helikopters lawaaiig naar het zuiden, een minuut of drie, om vervolgens weer koers in de richting van Srebnik te zetten, alsof ze een stelletje gewonden aan het evacueren waren. Toen draaiden ze scherp naar het oosten, toen naar het oosten en noorden, zestig meter boven de grond. Het was nog steeds donker, maar aan de oostelijke horizon was het eerste licht al zichtbaar. Het interieur van de heli rook naar metaal, warme olie en transpiratie. Iemand liet geluidloos winden, wat de zaak er niet prettiger op maakte.

'Vier minuten.'

Het werd in de heli doorgegeven: *quattro minuti, quattro minuti.*

Alan bevond zich in de tweede helikopter, samen met de Keniaanse chirurg en het aanvalsteam, Remus. Gagliano zat in het eerste toestel, in gezelschap van het Romulus-team, dat voor bescherming tegen de politie zou zorgen. Ze hadden twee schutters bij zich met antitankwapens die vanaf de schouder afgevuurd moesten worden, plus nog een kerel met een roterende granaatwerper. Als alles volgens plan verliep zou Romulus al op straat zijn uitgewaaierd wanneer Alans helikopter landde.

Dertig seconden om het stuk weg af te leggen, bedacht hij, maximaal vijfenveertig als de sporen dieper waren dan verwacht. Hoelang deed je er in het écht over om honderd meter te hollen met volledige bepakking? Hij voelde zich niet helemaal op zijn gemak en ging verzitten. Het Italiaanse scherfvrije vest voelde vreemd aan; en dat gold ook voor de helm. NAVO-spul, maar op de een of andere manier toch niet helemaal passend. Hij was te mager voor die scherfvrije vesten. Hij had een 9mm Beretta in een holster, een wapen dat hij een stuk minder vond dan de Browning. Een andere veiligheid, terwijl je ook op een andere manier druk op de trekker moest uitoefenen. Als hij het wapen echt zou moeten gebruiken, kon dat alleen maar van korte afstand, en zou hij razendsnel moeten zijn. Het beviel hem niets, met een onbekend wapen rond moeten zeulen. Wat dééd hij hier eigenlijk?

'Eén minuut.' *Uno minuto, uno minuto...*

Hij behoorde tot de laatsten die het toestel zouden verlaten, met alleen de Kenianen die na hem kwamen, op de voet gevolgd door de Oekraïense commando's die bij de heli achter zouden blijven. Hij bracht zijn hand naar de gesp van zijn veiligheidsriem, klaar om die los te maken. Waar had hij zijn handschoenen trouwens? Aan zijn handen, uiteraard. Het was hier koud. Vreemd wapen, handschoenen, Jezus –

'Dertig seconden.' *Trenta secondi* –

'Avanti!'

Hij keek toe hoe de Italianen naar buiten sprongen; ze verlieten de heli als appels die uit een mandje rolden. Alan sprong hen na, het duister in, kwam in de sneeuw terecht, wankelde even, voelde toen iemand van achteren tegen hem aan botsen, kwam overeind en volgde de rij gestalten die voor hem uit holden. Het ging bepaald niet in looppas, ze spríntten, althans, die indruk kreeg hij. Iemand passeerde hem, net iets te gretig. Hij fluisterde: 'Nee – ' Dat moest een van de Keniaanse hospikken zijn. *'Polepole, polepole* – ' Maar de man stormde langs hem heen. Alleen dokter wa Danio bevond zich nu nog achter hem, die duidelijk enige moeite met de sneeuw had en op moest passen dat hij niet uitgleed.

Ze bereikten de straat die door het dorp liep. Het leek wel een tunnel: sneeuwhopen die met schoppen hoog aan beide kanten was opgetast, daarbovenuit kale boomtakken die nog het meest op vingers leken en vervolgens een houtskoolzwarte lucht. In het oosten was het nu duidelijk iets lichter. In een paar huizen was een zwak schijnsel te zien, dat misschien niet eens van een elektrische lamp afkomstig was, maar het meeste werd geblokkeerd door de sneeuwbanken. Hij gleed uit op een bevroren gleuf en ging bijna onderuit; vóór hem uit rukten de Italianen op, af en toe slingerend en half glijdend. Zijn voeten maakten luide krakende geluiden, net als de andere voeten, allemaal uit de pas, zoals hij hen had opgedragen, zodat er geen stampend ritme te horen zou zijn. Verder was het overal doodstil. Geen tunnel, maar een graftombe, dáár leek het op. Een graftombe met hollende mannen, hollende gestalten die weinig meer waren dan donkere schaduwen die zich door het dorpje voortbewogen, mocht iemand hen per ongeluk zien. Spoken met nachtzichtbrillen op.

Aan de andere kant van de straat liep een koe. Haar adem kwam er in kleine wolkjes uit. Plotseling week ze uit naar de zijkant en staarde hen met gespreide voorpoten aan. Het dier nam opnieuw een sprong en probeerde terug naar het dorp te hollen, maar gleed daarbij verschillende keren uit.

Hij was nu aan het hyperventileren. Hij had nog maar honderd meter afgelegd en hij hijgde al alsof hij de vijftienhonderd meter had gelopen. Veel te snel, het gaat allemaal veel te snel, schoot door zijn hoofd. Hij durfde niet op zijn horloge te kijken, bang dat hij misschien zou vallen. Toen bereikte hij de oprit en rende hij naar het huis, dat ooit iemands trots moest zijn geweest, een teken van rijkdom in dit verder zo deerniswekkende oord. Het huis stond een stukje van de weg tussen een stuk of wat armoedige boompjes die net hoog genoeg waren om een landing met een helikopter onmogelijk te maken; eromheen stond een lage muur, compleet met de resten van twee pilaren waar ooit het hek aan bevestigd had gezeten, allemaal zaken die op de luchtfoto te zien waren geweest. Gagliano's team had zich al langs de muur verspreid, op die manier enige rugdekking hebbend, terwijl de twee schutters een dusdanige positie hadden ingenomen dat ze de pantserwagen onder vuur konden nemen – mocht die komen.

Hij holde de oprit op. In het huis was nergens licht te zien. Ze hadden nog steeds het voordeel van de verrassing. Eigenlijk hadden ze het huis qua verbindingen van de buitenwereld willen afsnijden, maar er stond een iele radiotoren op het dak waar ze erg moeilijk bij konden komen. Ze zouden gewoon naar binnen stormen, en verder kijken hoe het liep. Iemand voorin had springladingen bij zich, mochten die nodig zijn.

Toen Alan dichterbij kwam, zag hij de gebukte mannen, het wapen in de aanslag, en nog twee, voor hem weinig meer dan vage gestalten, in de buurt van het huis, het steeds dichter naderend. Verscheidene Italianen hadden hun nachtzichtbril omhooggeschoven. De twee man die zich het dichtst bij het huis bevonden moesten de sergeant en zijn tweede man zijn, bedacht hij. Die moesten erachter zien te komen of de deur open was en zonodig de plastic springlading plaatsen. Als ze naar binnen konden, zouden ze dat ogenblikkelijk doen, verdovingsgranaten bij de hand; nog vier man direct achter hen. Ze hoopten het huis binnen te kunnen dringen vóór eventuele verdedigers in actie konden komen. Hoopten ze.

Alan liet zich met zijn gezicht in de richting van de deur in de sneeuw vallen. De Beretta bevond zich in zijn hand. Wanneer had hij dat ding tevoorschijn gehaald? Hij hield zijn adem in. Wat waren ze daar aan het doen? De sergeant en zijn partner waren in een klein portiek verdwenen, iets dat nog het meest op een koekoeksklok leek, compleet met een eigen puntdakje. Alan kon niets zien, en kon toen iemand onderscheiden die zich vooroverboog of geknield stond. Wat was hij verdomme aan het doen; stond hij soms door het sleutelgat te loeren?

De man kwam overeind. *'Aperto,'* fluisterde hij. Open. Jezus, de voordeur was open. Zoals overal in kleine woongemeenschappen.

De vier mannen stonden op, klaar om door te gaan, en er waren bewegingen in het portiek te zien, dat er plotseling anders uitzag, zwarter, de deur was blijkbaar open, en de zwijgende gestalten haastten zich naar voren. Hij wilde ook naar binnen. Hij keek op zijn horloge, maar kon die vanwege de zware handschoen niet vinden. Ach, wat deed het er eigenlijk toe. Het kon nooit meer dan een paar minuten geduurd hebben. Zeker weten. Desalniettemin –

Een schot echode keihard door het huis. Iedereen in de sneeuw verstijfde; je kon het nylon horen ritselen, een stuk ijs horen kraken. Toen brak de hel los, een korte hel, een lawaaierige hel: snel opeenvolgende schoten, te veel om te tellen, de doffe klap van een verdovingsgranaat, direct gevolgd door een lichtflits achter een raam boven, maar ook achter de voordeur. Een stem. Toen schreeuwde iemand, niet in het Italiaans, niet een van zijn mannen. Toen was hij overeind en rende hij naar de deur, en iemand reikte zijn kant uit, een hand op zijn arm. *'Tenente, subito, subito – '* Snel, snel.

'Licht!' bulderde hij in het Italiaans. Snelheid was nu aanzienlijk belangrijker dan onzichtbaarheid. De lichtbundel van een zaklantaarn ketste tegen de geschilderde muren, een of ander afgrijselijk blauw; toen ging in de gang het licht aan, en werd hij naar binnen gewuifd. Boven klonk het gebonk van schoenen en werd er werden er deuren opengeschopt, terwijl ergens buiten een automatische wapen begon te vuren, misschien wel bij het bijgebouw achter het huis; iemand was duidelijk aan het sproeien. Het volume van de schreeuwende stem werd snel minder en ging over in een soort gorgelen, en de Keniaanse hospikken waren al binnen en renden in de richting van een trap, links van Alan. Hij drong zich naar voren, was zich bewust van nog meer schoten buiten, bad dat het niet de pantserwagen maar het andere gebouw zou zijn, de folterruimte. Voor hem lagen kale ruimten, iets dat ooit een soort eetkamer moest zijn geweest, nu een kantoor. Hij zag twee houten bureaus, verschillende stoelen; een kaal peertje aan het plafond wierp een vaal soort licht, nauwelijks meer dan een vaal geelgrijs schijnsel.

'Pak de computer!' schreeuwde hij. Een van de Italianen begon met de monitor te worstelen, en Alan duwde de handen van de man opzij, rukte de snoeren eruit en drukte hem de computer zélf in handen. Hij kende de Italiaanse woorden voor toetsenbord en monitor niet. 'Alleen dít!' riep hij. De man gaf hem door aan iemand anders. Alan liep als een bezetene de kamer door, lades opentrekkend en dossiers op de grond gooiend. Er stond een faxapparaat. Konden ze die meenemen? Zou er iets in zitten dat waardevol genoeg was om dat ding mee te nemen? Nee, concludeerde hij, te groot, te onhandig, het moest een van de allereerste modellen zijn geweest. Met zijn voet schoof hij papieren op een stapel, die door iemand anders in een rugzak werden gepropt. Hij gooide er wat aantekenboekjes bij en een vreemd soort Rolodex, een ding met allemaal adreskaartjes. Toen stond hij een ogenblik lang als verlamd midden in het vertrek, niet in staat tot nadenken. Veel te veel spullen, nauwelijks uit te sorteren. Kon nauwelijks worden gelezen, hij kende de táál niet eens – ach, waarom ook niet – 'Tenente?'

De sergeant stond scherp afgetekend in een halfronde deuropening, donker hout met daaruit dingen stekend die nog het meest op spoelen leken. Hij had een burger bij zich, de armen op de rug gebonden met behulp van plastic handboeien (die ze met veel moeite van de MP's hadden losgepraat). De man had een pyjama aan en was blootsvoets. Alan maakte een geïrriteerd gebaar. 'Neem hem mee!'

'Allemaal?'

'Hoeveel zijn het er?'

'Drie. Slapen boven. Een is – ' Hij maakte een gebaar.

'Neem ze mee, neem ze mee – ze kunnen mooi helpen deze troep te dragen. Wat is er boven?'

'Slaapkamers. Verder niets.'

Alan griste een zaklantaarn van het bureau en sprintte naar boven. De trap had de vorm van een vierkante kurkentrekker, steil omhoogdraaiend. Overal waren zware deuren te zien, die allemaal openstonden. De granaat had brandplekken achtergelaten en het huis stonk ernaar, terwijl er in de lichtbundel van de zaklantaarn rook en stofdeeltjes te zien waren. Hij liep door en scheen in elke kamer met zijn lantaarn, de Beretta in de aanslag, terwijl hij zich onhandig en veel te groot voelde, waarbij hij eerst de lichtbundel naar binnen liet vallen, om dán pas om de hoek van de deur te kijken. De sergeant had gelijk gehad; er leek hier niets te vinden te zijn. Graffiti, oude tijdschriften, een foto van een meisje, kleding. Deze mensen waren geen militairen. Hij had vijf kamers gehad toen hij zijn lichtbundel door de volgende liet glijden, toen er in zijn achterhoofd een belletje ging rinkelen. Hij zwiepte zijn lamp terug, niet wetend wat het was geweest, een vorm of een beeld, hij wist het niet. En in het licht zag hij opnieuw een anonieme kamer, hoewel deze er ongebruikt uitzag, sober zelfs. Maar iets – Een asbak. Hij ging naar binnen en liet het licht van zijn zaklantaarn erop schijnen. Groot, van plastic, leeg. Schoongeveegd. Met rond de rand de tekst 'Chicago Bears Football'.

Het was een kleine wereld. Dít was hem opgevallen, iets dat niet op z'n plaats leek en op een of andere manier aan zijn onderbewustzijn bleef kleven, als klitten die aan een trui bleven haken. Chicago Bears Football. Hier?

Hij pakte de asbak op met dezelfde hand waarmee hij de Beretta vasthield en liet met de ander de lichtbundel van zijn lamp langs de muren glijden. Niets. Ja, tóch iets. Een kleurenfoto, die met doorzichtig plakband tegen het oude behang was bevestigd. Hij liep er wat dichter naartoe en keek ernaar. Wat was het? Een man in camouflagepak die een automatisch geweer boven zijn hoofd hield, met aan zijn voeten iets dat volgens Alan verdomde veel op een lijk leek. Met een viltstift was er iets op de veel te blauwe lucht geschreven. Iets Cyrillisch en onleesbaar. Alan trok de foto van de muur en maakte aanstalten om hem in zijn jack te steken toen hij aan de achterkant ook kleur meende te zien, nog een foto, een vrouw, naakt en –

Hij zag de beweging vóór hij de man hoorde; hij dook weg, zwaaide met de lichtbundel en ving een glimp op van een breed, donker gezicht, vertrokken door een blik die inhield dat hij op het punt stond te vuren. Alan had nog net voldoende tijd om te beseffen dat de man half gekleed was en het daarom koud moest hebben, iemand die in het huis aanwezig was geweest en kans had gezien zich te verbergen, en hij bleef met de lichtbundel zwaaien, met de bedoeling de man te verblinden, hoewel hij hem in feite de gelegenheid bood ergens op de schieten. Het was voor de man beter geweest als hij een onervaren schutter was geweest, maar dat was niet het geval; hij wist voldoende om te richten, en uit gewoonte richt je nu eenmaal op dat wat je kunt zien. Hij had een 9mm CZ die harder klonk dan de granaat en voor een lichtflits zorgde die hen beiden heel even verblindde. Alan schoot puur uit instinct, uit doodsangst, en wist niet zeker of hij daarbij een gil had gegeven of niet. Hij was traag, vanwege het vreemde pistool, dat de verkeerde grootte had, en ook nog eens veel te zwaar was om behoorlijk te kunnen richten! Maar de man was nauwelijks anderhalve meter van hem verwijderd. *Tap-tap, tap-tap.* Vier geluiden die tot twee ineenvloeiden, alsof er nog een paar verdovingsgranaten waren gegooid, vurige lichtflitsen, bloed en beenderen tegen de muur, de geur van koper en geweervuur. Alan deinsde terug, deed een stap opzij, het lichtschijnsel de andere kant uit draaiend, zodat hij niet langer doelwit zou zijn; hij wist dat de andere man op de grond lag en dat zijn oren door het geluid van de schoten niet langer functioneerden, hij was tijdelijk verblind, maar hij wist dat hij iets had gehoord, dat hij in dat vertrek nog iets anders had gehoord – een tweede man misschien?

Zijn hart ging als een bezetene tekeer. Hij bracht opnieuw zijn Beretta omhoog en plotseling baadde de gang in het licht, verbijsterend fel en wit voor zijn aan het donker gewende ogen. Een van de heli's had haar zoeklicht ontstoken. Hij had nog net tijd om te bedenken: *Waarom nu?* – in het besef dat het licht over het huis gleed, maar tegelijkertijd een schaduw op de wand van de gang waarnemend, direct daarna beseffend dat het licht door het venster in een kamer erachter moest komen en op nóg een gestalte viel, want wat Alan zag was als een hand die hem van achteren in de nek greep. De schaduw was niet menselijk, vertekend vanwege de hoek, maar desalniettemin was er iets helemaal verkeerds aan; indrukken tuimelden door zijn onderbewustzijn: *kinderspelletje,* schaduwen die je met handen op de muur kon maken, een konijn, een uil, maar dit was iets onheilspellends; daarna *heks, Halloween-masker* en hij kon er niet direct achterkomen, iets primitiefs fluisterde *kwaad* en toen bewoog de schaduw en zwaaide het licht opzij, werd waterig en zwakker, en Alan kwam in beweging om de deur naast hem te bereiken, alleen een hand en een oog gericht op de plaats waar de kogels vandaan zouden komen.

Hij deed de lamp uit en deed een stap naar voren, heen en weer zwaaiend, plotseling volkomen uit balans, vallend tegen het deurkozijn, maar toch een beweging waarnemend. Hij dook weg, zich zo klein mogelijk makend, en vuurde, in de wetenschap dat hij zou missen omdat hij niets zag. Een lichtflits en een oorverdovende knal, die direct daarna beantwoord werd door een lichtflits vanaf de gang, iets kleiner (een .32 of misschien wel zo'n verdomde Makarov), en hij probeerde de zaklantaarn weer aan te doen, zijn hand plotseling glibberig, de zaklantaarn draaiend om te proberen de rubberknop ervan te vinden, en hij ging aan, en hij zag een gezicht, een groot, gewelddadig gezicht, vuurde opnieuw, en toen was het gezicht verdwenen. Diep voorover bukkend richtte hij de Beretta en haalde de trekker over, en een venster explodeerde naar buiten toen iemand erdoorheen sprong.

Alan kwam overeind. Met zijn linkerkant was iets helemaal fout. Hij gleed uit, besefte dat hij uitgleed in het bloed van de man die hij had neergeschoten, probeerde de gang door te rennen en bereikte het kapotte raam, boog zich voorover en leunde tegen de muur, ondertussen denkend: Welke maniak spring dwars door een raam, het kozijn en passant met zich mee sleurend en zich óók nog eens behoorlijk aan het glas snijdend? – zwiepte met de lichtbundel in de richting van de grond, om onmiddellijk van beneden af onder vuur te worden genomen. Opnieuw deed hij het licht uit. Zijn ogen waren nog steeds half verblind. Beneden hem en een meter of tien van hem verwijderd sprong iemand over de sneeuw weg, en Alan had alleen nog maar de tijd om te zien dat de man naakt en blootsvoets was, vóór de gestalte achter het oude stookhuis verdween dat Alan op de luchtfoto als 'mogelijk crematorium' had geïdentificeerd. Hij vuurde snel achter elkaar vier schoten af en schreeuwde vervolgens om de sergeant.

Waar hing verdomme iedereen úit? Hij begon terug de gang door te lopen, roepend om de sergeant, en viel bijna over de man die hij had neergeschoten, en hij dacht: *De neus, op de schaduw klopte er iets niet met de neus, dáárom dacht ik dat het een heks was.*

Alan richtte de lichtbundel van zijn zaklantaarn op de neergeschoten man. Zijn eigen hand trilde; hij voelde de zweetdruppeltjes langs zijn ribbenkast glijden, zijn onvaste benen. En de pijn in zijn linkerzij. Die klootzak had hem geraakt, had misschien zelfs wel kans gezien een tweede schot op hem te lossen. Dat splintervrije vest had hem gered, maar het deed wél verdomde pijn.

De man lag op zijn rug. Uit zijn mond kwamen luchtbelletjes met bloed. Zijn ogen waren open en Alan voelde dat de ogen hem recht aanstaarden, dwars tegen het licht van zijn zaklantaarn in.

'Hospik!' schreeuwde hij.

'Tenente! Alles in orde met u?' De sergeant bevond zich aan het andere uiteinde van de gang, het automatische geweer in de aanslag.

'Iemand is het raam uit gesprongen! Achter hem aan! Nú!'

De sergeant schreeuwde iets en Alan vóelde eerder hoe beneden mannen naar buiten stormden, dan dat hij het hoorde.

'Ik heb hier één man neer,' zei Alan, terwijl hij zijn lantaarn opnieuw over het lichaam liet spelen.

'Iemand van ons?'

'Van hén.'

'Laat hem maar liggen!'

Shit. Alan haalde scherp adem, beseffend dat hij al enige tijd zijn adem had ingehouden; het geluid ging raspend door zijn borst. Hij schopte het wapen van de man de gang door en liet de lichtbundel van zijn zaklantaarn de andere kant uit zwiepen, alsof het níet zien van de man hem een prettiger gevoel gaf.

Beneden waren bijna alle vertrekken doorzocht en het weinige dat ze mee konden nemen ingepakt. De sergeant had de leiding op zich genomen, en maakte van een of ander onduidelijk systeem gebruik om te bepalen wat er moest worden meegenomen en wat achtergelaten kon worden. Misschien liet hij zich leiden door het gewicht. Het was nu negen minuten geleden dat ze waren geland. Jezus, hij had het idee dat ze al een halve nacht hier waren.

'Alles in orde met u, *tenente?'*

'Jouw mannen hebben boven twee man over het hoofd gezien.'

'Ze zijn de knaap in de sneeuw achternagegaan, maar ik heb ze wél gezegd: géén langdurige achtervolging.' De sergeant liet zich niet gek maken. Hij maakte zich duidelijk meer zorgen over zijn eigen mensen dan over Alans verdwenen oorlogsmisdadiger. Hij kon het hem niet kwalijk nemen.

'De knakker is hartstikke naakt – in de sneeuw!'

De sergeant knikte, alsof hij dat altijd al geweten had. 'Ze willen dat u naar achteren komt,' zei hij. 'Daarna vertrekken we.' Hij was oud voor een militair, en stond wellicht op het punt om met pensioen te gaan; hij was niet van plan zich gek te laten maken door een Amerikaanse inlichtingenofficier. Laat staan door een inlichtingenofficier van de *marine*.

Het andere gebouw was een koeienstal geweest. Enkele van de halsbeugels waren nog aanwezig, links, op een rij. De muren waren van steen, op elkaar gestapeld zonder cement; de vloer, die een halve meter ónder grondniveau lag, bestond voornamelijk uit aangestampte aarde, met helemaal vooraan een gebarsten betonnen platform. Op dat betonnen gedeelte waren drie lichamen neergelegd, allemaal burgers. In de ruimte leek veel te veel bloed aanwezig voor slechts drie lichamen, maar meer dan drie zag hij er niet. Op de achtergrond hing de geur van oude koemest, met daaroverheen een overheersend aroma van bloed, en van uitwerpselen.

'Ze probeerden ons al schietend op afstand te houden. Een van hen was om de een of andere reden wakker; een van onze jongens is geraakt, maar niet ernstig. Wij hebben twee man gevonden. Ze verkeren niet bepaald in goede conditie.' De soldaat keek hem van opzij aan. 'Behoorlijk toegetakeld.'

'Gefolterd?'

De soldaat knikte. Alan liep het vertrek door, rook het braaksel. Hij werd op slag misselijk, was nog steeds aan het hyperventileren. Hier zat het bloed tegen de wanden gespat, terwijl er in de aarden vloer waarschijnlijk een veelvoud daarvan was weggelopen. De halsbeugels waren gebruikt om mensen aan vast te ketenen, met handboeien boven en beneden. Helemaal aan het eind van de ruimte, bijna gecentreerd, stond één enkele stoel tegen de muur. Het leek wel het decor voor een minimalistisch toneelstuk. Tegen de muur stond een grote wastobbe, die halfvol stond met roodgekleurd water, waarvan blijkbaar een gedeelte op de aarden vloer was terechtgekomen. Touwen en een stalen stang, ooit onderdeel vormend van een of ander stuk gereedschap, hingen aan een zware plafondbalk.

'Het vliegtuig,' zei hij. Een bekende foltermethode.

'Van een van die knapen hebben ze de oogleden afgesneden en hem vervolgens neergeschoten. De dokter denkt niet dat hij het haalt.'

Alan haalde de eenvoudige automatische camera tevoorschijn, richtte die en drukte af. Hij voelde dat hij elk moment zou kunnen overgeven. Deels vanwege het feit dat hij bijna gedood was, deels door datgene wat hij hier deed, zag. En dan de pijn in zijn zij. Zijn handen trilden zó hard dat het hem de grootste moeite kostte de camera te richten.

'*Tenente!* Tijd om te gaan!'

45

Hij holde terug naar het huis en maakte drie foto's van het interieur. Misschien dat de krantenman er iets mee kon doen. Hij ging niet terug naar boven.

Ergens klonk een dreun. Hij deed zijn zaklantaarn uit en maakte aanstalten naar de voordeur te snellen. De sergeant greep hem bij een arm en trok hem naar beneden. 'De pantserwagen van de politie. Ze komen deze kant uit rijden.'

Alan keek om zich heen. Het was al bijna licht. Er waren de sergeant, drie soldaten. Hijzelf. Vlammen zetten de sneeuw in een roze schijnsel. De folterschuur stond in brand.

'Alle anderen zijn eruit?'

De sergeant knikte.

'Weg hier?'

De sergeant wees, stond op. Ze renden in de richting van het hek. Eén man bleef achter, gooide iets in de richting van de deur – *wham* – en het huis stond in de hens.

Vanaf de weg klonk een gedempte dubbele klap; misschien dat beide schutters tegelijk hadden gevuurd; vlammen schoten als tongetjes door de boomtakken omhoog, om vervolgens aan de onderkant – aan de andere kant van de muur – uit te dijen. Het drong tot hem door dat het vuren intensiever was geworden, *pop-pops* veraf, en nadrukkelijker geluiden dichterbij. Bij het toegangshek stak de sergeant zijn arm uit, als een verkeersagent, en hield hem tegen, keek, greep hem toen beet en duwde hem in de richting van de heli's. Alan was kwaad, ontstemd door de ruwe behandeling en de onuitgesproken suggestie dat hij hier helemaal niet hóórde te zijn, maar hij wist dat de sergeant gelijk had. Maar hij moest uitkijken, want de kogels boorden zich enkele meters bij hen vandaan in de stenen muur. Hij drukte zich plat tegen de grond. Kapitein Gagliano en de helft van zijn Romulus-team waren in een vuurgevecht gewikkeld met iemand die zich een heel eind verder in de straat bevond, nog een stuk áchter de brandende pantserwagen. De andere kant uit wachtte de rest van Romulus om de terugtocht te dekken. Aan de andere kant van de straat lagen verschillende lichamen in de sneeuw. Servische militieleden, uit het dorpje te hulp geschoten. Eén man had zijn gestreepte pyjama nog aan. De sergeant gebaarde ongeduldig zijn kant uit, en Alan begon te hollen. De wachtende militairen werden groter en groter, en ook zij schoven hem ruw langs hun linie naar achteren, alsof hij eigenlijk nauwelijks van belang was en ze alleen maar wilden dat hij uit hun schootsveld verdween...

Hij maakte zich zo klein mogelijk en rende in de richting van de helikopters.

De temperatuur in de grote tent moest, ondanks de kou buiten, ergens in de buurt van de dertig graden Celsius liggen. Dat kwam niet door de grote propaanbranders, maar door de opeen gepropte lichamen. Italianen, Oekraïners, Kenianen, een Amerikaan – zelfs een paar Nederlandse artilleristen die vanuit hun positie in de heuvels naar beneden waren gekomen, hoewel ze niet voldoende waren geprovoceerd om ook maar één schot af te vuren. Het was er even lawaaiig als in een kleedkamer nadat er op het sportveld een overwinning was behaald, en het meurde er ook ongeveer zo, hoewel de overheersende geur er eentje was van rode wijn, met in de periferie ervan hier en daar wat uit Kenia afkomstig suikerriet.

Hij voelde geen pijn, bedacht Alan. Hij wist in elk geval wat dat nu inhield. De chirurg had hem twee capsules gegeven, zou hem er zelfs vier of misschien wel acht hebben gegeven als hij erom had gevraagd, en daarbovenop kwam dan nog de wijn. Het was niet bepaald datgene wat vroeger Dago Rood werd genoemd, maar Gattinara uit een jaar dat lang genoeg geleden was om nergens meer in de winkels te worden aangetroffen. Met de complimenten van kapitein Gagliano's kolonel, die geschokt was, geschókt, toen hij hoorde wat er gebeurd was (je moest bijna automatisch denken aan Claude Rains in *Casablanca*) maar tegelijkertijd zó opgetogen, dat hij onmiddellijk een paar dozen uit zijn eigen voorraad had laten aanrukken. Speciaal ingevlogen zodra de boodschap was doorgegeven dat ze aan de terugweg bezig waren met slechts drie gewonden, geen doden, en twee heli's vol kostelijkheden.

'Ach, niet bepaald kostelijkheden,' legde Alan langzaam pratend uit aan dokter wa Danio. Hij sprak met de overdreven zorgvuldigheid van een man die te veel wijn op had, net genoeg pijnstillers en onvoldoende slaap. 'Zo te zien hebben we twee grote zakken met Servisch afval meegenomen.' Hij boog zich wat dichter naar de Keniaan. 'En dan bedoel ik dat niet me-ta-fo-risch. Ik heb het over écht afval. Schillen en dat soort dingen.' Samen met wat nuttiger zaken als namen en adressen en computerschijfjes.

Twee Oekraïners dansten op muziek die Alan nog het meest als Afro-pop in de oren klonk, maar hij had het idee dat momenteel álles hem zo'n beetje als Afro-pop in de oren klonk. Hij glimlachte naar de Oekraïners. Toen hij zich weer naar de Keniaanse arts omdraaide om hem te vertellen hoe vermakelijk hij de Oekraïners vond, was deze vervangen door kapitein Gagliano. Gagliano had een glas in de ene hand, en de nek van Alan in de andere. 'Hebben we ze een opdonder verkocht?'

'We hebben ze een opdonder verkocht.'

'We hebben ze een opdonder verkocht!' Gagliano knikte. 'Ik heb gehoord dat je bent geraakt.'

'In de ribben.'

'Heeft niets te betekenen.'

'Het zijn wel míjn ribben.'

'Ribben hebben niets te betekenen. Een van mijn mannen is in zijn nek geraakt. De nek heeft wél iets te betekenen. En een man in zijn arm. Misschien moet die arm worden geamputeerd. Maar die ribben van jou maken geen enkele indruk op mij.' Hij drukte een kus op Alans wang. 'Wat indruk op mij maakt is het feit dat je ons erheen en weer terug hebt gebracht en dat we ze een opdonder hebben verkocht.' Hij hield zijn hoofd iets achterover en probeerde scherp te zien. 'Wil je een Italiaanse medaille?'

'Een mens kan nooit medailles genoeg hebben.'

De kapitein knikte. 'Of genoeg wijn. Wil je nog wat wijn?'

'Ik denk – '

Het volgende moment zat hij op de vloer en keek iemand hem glimlachend aan, god mocht weten waarom. Hij probeerde op te staan, bedacht zich toen en bleef zitten, grinnikend om het lawaai en de warmte en het rumoer. Die combinatie stelde hem in staat zich te herinneren dat hij een man had gedood, deze keer zónder zich er misselijk onder te voelen. *Tap-tap, tap-tap.* Luchtbelletjes met bloed.

'Luitenant?'

Hij keek op. Moest een heel eind omhoogkijken. Een erg lange, uitgemergelde man in burgerkleding. De man vouwde zichzelf in stukken op, bracht zijn hoofd tot hetzelfde niveau als dat van Alan en zei: 'Ze zeggen dat u naar mij op zoek bent.' Hij had een benig, bijna doodshoofdachtig gezicht, en een huid die al lang geleden door acne of een of andere ziekte van talloze kraters was voorzien. 'Ik ben Marco. Vertaler?'

'Ah.' Goed. Dat klonk niet onlogisch. Maar waarom? Aha. Vertaler, ja. Alan stak een vinger omhoog. *'Momento,'* zei hij, voorbijgaand aan het feit dat Italiaans momenteel níet de taal was waar het om ging. Waar had hij het gelaten? Hij beklopte zichzelf en vond het uiteindelijk in de dichtgeknoopte borstzak van het Italiaanse shirt dat hij aanhad. Hij haalde het behoedzaam tevoorschijn en vouwde het open, om het vervolgens op zó'n manier aan Marco te presenteren dat de ietwat frivole achterkant, waarop de incomplete maar onmiskenbaar naakte delen van een vrouw stonden afgebeeld, niet te zien zouden zijn. Het was een foto van de man in camouflagepak dat hij uit het slaapkamertje in het huis had meegenomen. 'Wat staat erop?' vroeg hij. Althans, hij hóópte dat hij dat vroeg.

Marco kneep zijn ogen halfdicht. 'Er staat "Kolonel Zulu tijdens de Slag op het Lijsterveld".'

'Wat betekent dat? "De Slag op het Lijsterveld"?'

Marco wreef over zijn geruïneerde kin. 'Tja. Ach. Dat is iets Servisch, begrijpt

u? De Slag op het Lijsterveld – hmm. Tja.' Hij zuchtte eens diep. 'Dat is iets dat ruim zes eeuwen geleden is gebeurd, oké?'
Dat was helemaal niet oké. Dat sloeg nergens op. Was die knaap dronken of zo?

Detroit.

Radko Panic liet zijn zware jas op de vloer vallen, zonder erbij na te denken, in de wetenschap dat zij hem later op zou hangen, als ze tenminste wist wat goed voor haar was, en uit gewoonte wierp hij een blik naar het prullerige tafeltje waarop ze altijd de binnengekomen post legde. Rekeningen, reclame, aanbiedingen, vermoedde hij, hetzelfde als altijd, maar er zat ook een pakje bij en zijn hart maakte een sprongetje. Zelfs het feit dat het anders was, was al voldoende, maar ook kwam het door de kleur, en door de manier waarop het papier onder zijn vingers aanvoelde, en door het touwtje dat eromheen zat. De oude tijd. Dat ruwe bruine papier, dat rafelige touwtje – relikwieën, wist hij nu, van een technologie die hij had achtergelaten toen hij zijn oude omgeving had verlaten. Het poststempel was Frans, maar hij wist dat dit pakje niet uit Frankrijk afkomstig was.

Ze had zijn maaltijd voor hem klaargemaakt; hij schoof die in de magnetron en drukte zonder na te denken op een paar knoppen, waarbij er een brede grijns op zijn gezicht verscheen. Zeldzaam, die grijns. Uiterst zeldzaam. Hij zag zichzelf in het venster van de magnetron. Hij had op weg naar huis een paar glazen achterovergeslagen in de Rough Tap; die grijns, op de magnetron geplakt alsof die bij dat apparaat hoorde in plaats van bij hém, was een gelukkige grijns. En waarom ook niet? Een man verdiende het om gelukkig te zijn.

Hij pakte een van haar messen en sneed het touwtje door. Hij had verrassend delicate handen voor zo'n grote kerel, maar hij was dan ook instrumentmaker, deed dingen goed, bedreven, wanneer hij nuchter was. Hij sneed het plakband aan beide uiteinden los, vouwde de flappen open en drukte het doosje naar buiten, dat van dun karton was gemaakt, van het soort dat wordt gebruikt om overhemdverpakkingen stevigheid te verlenen. Ook het doosje zat met plakband vast, en ook dat sneed hij los en legde haar mes naast zich neer, zonder bewuste gedachte beseffend dat het mes bot aan het worden was en wat ze er verdomme weer mee had uitgespookt; had ze er soms weer potloden mee aangescherpt?

In het doosje zat een foto en nog iets anders. Hij haalde de foto eruit. Het andere liet hij zitten, als de prijs in een Crackerjack-box. Er waren nog Crackerjack-boxen te vinden geweest toen hij voor het eerst naar Amerika was gekomen. Hij had ze prachtig gevonden.

Op de foto, korrelig en eigenlijk nogal vaag, was een man in camouflagepak te zien, één hand boven het hoofd houdend waarin zich een automatisch geweer bevond. De foto was net te onscherp om goed te kunnen zien wat voor geweer het was. Voor de voeten van de man lag iets zwarts, een bundeltje van het een of ander, een hoopje, een – ja, wat precies?

Hij draaide de foto om. Met grote zwarte letters stond daar geschreven: 'JE JON-GEN BIJ DE SLAG OP HET LIJSTERVELD!!!!'

Ze stapte achter hem naar binnen; hij hoorde haar, draaide zich niet eens om. Hij grinnikte naar de achterkant van de foto. Hij had de uitdrukking 'barsten van trots' weleens gehoord, en wist nu wat dat inhield. Hij had het gevoel dat hij elk moment van pure trots uit elkaar kon spatten.

De magnetron liet zich horen en ze zei iets tegen hem en hij gromde iets haar kant uit, en ze haalde het eten uit het apparaat en zette het voor hem klaar op de plaats aan tafel waar ze eerder al bestek had neergelegd. Haar haar in een of ander ding, een oude badjas om zich heen geslagen, haar gezicht grijs, zacht, ge-rimpeld, donkerrode schaduwen onder de ogen.

'Komt dat – komt dat uit – ?' Als jonge vrouw had ze ooit een plezierige stem gehad; nu klonk die hees, iel. Ze was bang voor hem. En terecht.

Hij hield haar met een ruk de foto voor. Hij ging zitten, pakte de vork en propte zijn mond vol. Toen hij besefte dat ze vlak bij hem stond gebaarde hij dat ze weg moest, en ze trok zich terug naar de aanrecht, terwijl hij de foto on-der het lamplicht hield.

Hij ramde een volgende vork met eten in zijn mond en stak toen een lange vin-ger in het smalle doosje en haalde het kleine voorwerp eruit dat er nog steeds in zat. Het was een menselijk ooglid. Hij moest erom grinniken.

2

Februari – april

De successie van vloten die de Middellandse Zee bewaken is als het draaien van een reusachtig wiel. Bovenaan staat altijd de vloot die ter plekke is – één door kernreactoren aangedreven vliegdekschip, het meest potente wapen ter wereld, waarop de vlag van de commanderend admiraal wappert; twee geleidewapen-kruisers; destroyers en fregatten en onderzeeboten; en rond en achter hen, ondersteunings-, reparatie- en bevoorradingsschepen. Deze schepen blijven een half jaar 'op station' – zes maanden boven aan het wiel – met ragfijne communicatielijnen naar het vasteland, om overal op voorbereid te zijn, maar even alleen op zee als schepen altijd alleen op zee zijn geweest. Dan gaat het wiel draaien, en de battle group op station wendt de steven en zet koers naar de Zuilen van Hercules – de Straat van Gibraltar – terwijl tegelijkertijd de vloot die zich langs de oostkust van de Verenigde Staten heeft geformeerd en daar heeft geoefend, koers naar het oosten zet en aan haar reis naar de bovenkant van het wiel begint. Het wiel draait, en de nieuwe vloot neemt haar plaats op station – het operatiegebied – in, terwijl de oude vloot naar haar thuisbasis in Norfolk terugkeert, terwijl weer een andere vloot oefent en bijeen wordt gebracht om over een half jaar weer richting Middellandse Zee te kunnen varen. En daarachter, helemaal onder aan het wiel, bestaat er alweer een andere vloot, althans, als idee en als rudimentaire organisatie; die zal pas over een jaar uitvaren, maar de commandant – minimaal een vlagofficier – is al benoemd, evenals het grootste deel van zijn staf; de squadrons vliegtuigen die aan boord van het vliegdekschip dienst zullen doen zijn al bekend; schepen en bemanningsleden van die schepen weten waar ze zullen zijn. En zelfs terwijl het wiel nog draait, bestaan er alweer nieuwe vloten, fantoom- of hypothetische vloten, ideeën over vloten die pas over anderhalf, twee, vijf of tien jaar actief zullen zijn. Andere crisis-gebieden, of gebieden die strategisch van belang zijn, hebben hun eigen wiel – Korea, bijvoorbeeld, of de Perzische Golf. Soms beschikt één specifiek gebied over verschillende wielen.

Het wiel draait, en voorwaarts in de tijd bewegen de vloten zich naar hun plaats aan het wiel en de zesmaandenperiode waarvoor ze in het leven zijn geroepen; de aanwezigheid van een battle group in de Middellandse Zee – van het totstand-komen tot het weer vertrekken; van geboren worden tot weer sterven; van het slechts bestaan als idee voor de toekomst tot een herinnering aan het verleden.

De battle groups komen en gaan. Het is het wiel dat belangrijk is.

Vice-admiraal Richard Pilchard was commandant van Battle Group Vier. Battle Group Vier deed dienst voor de kust van Bosnië, boorde gaten in de Adriatische Zee, had verlof in Trieste en Napels. Ze oogstten geen glorie, maar ze zorgden ervoor dat het front zich niet verbreedde, en de vliegtuigen ervan brachten een boodschap over. De schepen van Battle Group Vier zijn recentelijk teruggekeerd naar hun thuishavens Norfolk, Charleston, Mayport en Newport.

Vice-admiraal Nathan Green voert het commando over Battle Group Vijf, thans op station voor de Bosnische kust; na aankomst aldaar veranderde het van naam en werd Task Force 155. Het heeft ook nog een NAVO-naam, maar de meeste mensen zullen het Battle Group Vijf blijven noemen, of kortweg BG 5. Vice-admiraal Richard Toricelli is de commandant van Battle Group Zes, die momenteel oefent in het zeegebied voor de kust van Norfolk. Vice-admiraal Rudolph Newman zal Battle Group Zeven commanderen en is nu druk bezig zijn staf samen te stellen. Vice-admiraal Harol Rehnquist zal het bevel voeren over Battle Group Acht, maar die heeft zijn orders nog maar net binnen en zal pas over anderhalf jaar uitvaren.

Alan Craik is assistent-inlichtingenofficier bij de Carrier Air Wing die aan BG 5 is toegewezen, die zich dan ook boven aan het wiel bevindt. Op station, bezig met operaties in het haar toegewezen gebied. Misschien niet direct oog in oog met het beest, maar in elk geval uiterst gevoelig voor de aanwezigheid ervan.

Ltz1 – luitenant-ter-zee der eerste klasse – 'Rafe' Rafehausen, die op dit moment nagenoeg klaar is met een cursus aan het Naval War Office in Newport, Rhode Island, zal zich binnenkort als plaatsvervangend commandant melden bij VS-49. Ltz2 j.c. – luitenant-ter-zee der tweede klasse jongste categorie – Christine Nixon had zich al aan boord gemeld bij VS-49, gestationeerd op Cecil Field, Florida, nadat ze in Key West, Florida, een speciale ingekorte periode bij de antinarcotica-eenheid aldaar had meegelopen, om vervolgens de inlichtingenofficier van het squadron te worden. Matroos tweede klasse Henry Sneesen, een beginnend elektronicamonteur, was rechtstreeks van de elementaire elektronica- en basisopleiding in Orlando, Florida, naar VS-49 overgeplaatst. VS-49 zelf bestond pas twee maanden als eenheid, compleet met vliegtuigen, en mannen en vrouwen om die toestellen te repareren, te onderhouden, ermee te vliegen en er het gevecht mee aan te gaan, maar de plaats van VS-49 aan het wiel bestond al ruim een jaar. VS-49 gaat naar zee als het onderzeebootbestrijdingssquadron van een Air Wing die op het USS *Andrew Jackson* is gestationeerd, onderdeel van Battle Group Zeven, onder commando van admiraal Newman. En, zoals elke battle group die door de Amerikaanse marine naar zee wordt gestuurd, zal ook deze groep schepen worden geconfronteerd met wind, golven, meedogenloos weer, stress en gevaar, en niet alle leden ervan zullen naar huis terugkeren. Maar in tegenstelling tot de meeste, zal Battle Group Zeven het gevecht moeten aangaan.

Fort Reno, North Carolina.

Harry O'Neill was boos, en moest zó nodig pissen dat hij zijn blaas kon voelen kloppen. Hij was bezig met zo'n stomme schaduwoefening, en hij was nog steeds kwaad vanwege de oefening van gisteravond, en het ging hem deze keer niet echt goed af. Hij had bij de voorbereidingen dit gedeelte van de route niet gecontroleerd op de aanwezigheid van toiletten, alleen maar gekeken of er telefoons waren. Zou het een puinhoop worden als hij stopte om even te pissen? En wat moest hij doen als een van de instructeurs tegelijkertijd het toilet zou binnenstappen – misschien wel tegen hem begon te praten, of hem zelfs op zijn daden aanspreken?

'Shit,' mompelde O'Neill. Hij zei het bijna terloops. Hij was nog steeds woedend over gisteravond. Hij en een medestudent hadden een pseudo-rekruteringsoefening opgezet, waarbij ze twee instructeurs voor een etentje hadden uitgenodigd en net hadden gedaan of ze de eerste stappen zouden zetten naar het rekruteren van hen beiden, en ook hadden gesuggereerd dat ze over een dekmantel beschikten, en gebruikmakend van de valse naam, het valse identiteitsbewijs en het fake beroep. En waaruit bestond het oordeel van de instructeur over datgene wat O'Neill had gedaan? Wat had de zwarte instructeur over de zwarte student gezegd?

'Niet geloofwaardig,' had hij gezegd. Waarom? 'Moet zich nog leren kleden.' O'Neill voelde zich tot diep in zijn ziel beledigd. Hij had kleding gedragen die hij al járen droeg! Wat was het ook al weer – de Burberry-blazer? Het overhemd van Willis and Geiger? De Church-schoenen? Wat bezielde die vent eigenlijk? Wat bedoelde die idioot?

Toen was hij bij de laatste regel van het evaluatierapport aangekomen en begreep hij het – althans, een heleboel.

'Ik geloof niet in dit soort opgelegde smaak en "klasse" bij een zwarte man.' Harry O'Neill had gezien waar zijn echte probleem lag.

Dus had hij geprobeerd zijn woede te neutraliseren door een brief aan Alan Craik te schrijven. Hij kon Craik, alleen te midden van zijn blanke vrienden, zijn verbittering tonen. 'Ik ben afgezeken door iemand die deze klootzak ongetwijfeld "iemand van m'n eigen soort" zou hebben genoemd!' schreef hij. 'Ik ben niet voldoende *nikker* voor hem. Deze *nikker* heeft té veel stijl voor hem! Jezus Christus, Al, hebben deze idioten dan nog nooit eerder een heer gezien?'

En nu reed hij dus behoedzaam over een weg in Virginia, ziedend van woede en proberend een oefening in schaduwen tot een goed einde te brengen, terwijl hij tegelijkertijd moest zien te voorkomen dat in deze huurauto zijn blaas uit elkaar zou spatten.

Hij moest zó dringend naar het toilet dat hij zich in allerlei bochten wrong. Hij trommelde met zijn rechterhand op het stuurwiel, zette met een woeste druk op de knop de radio uit omdat hij die soft-rock uit de jaren zestig meer dan zat was, en gaf opnieuw een tik op de knop om de radio weer aan te zetten omdat de stilte de druk op zijn blaas op de een of andere manier leek te verhevigen. Hij wierp een snelle blik op de linker achteruitkijkspiegel en zag de auto nog steeds achter hem aan rijden, de groene Camaro met de twee knapen erin, steeds min of meer dezelfde afstand tot hem houdend. Waar was de andere? En welke auto wás de andere – de rode Saturn met de donkerharige vrouw achter het stuur die hij twee keer had gezien? Of de donkere Cherokee met de al wat oudere knaap met hoed? 'Shit,' mompelde hij weer.

Vóór hem lag de weg met twee rijstroken die naar de veerpont leidde. Bij het veer zou ongetwijfeld een rij auto's staan wachten, maar de boot ging om het kwartier, en hij kon gewoon in de rij gaan staan en bij het kantoortje waar kaartjes werden verkocht snel naar het toilet gaan en zijn blaas legen. Ja! Behalve dat hij eigenlijk van plan was om vlak voor de veerpont linksaf te slaan en de knapen die hem volgden zo te dwingen zich bloot te geven, beide auto's, en zodra ze dat hadden gedaan de twee kilometer af te leggen naar het heuveltje met aan de achterkant ervan een scherpe bocht naar links, linksaf te slaan en uit het zicht te verdwijnen voor de anderen de heuvel over zouden komen, zodat in elk geval één van hen rechtdoor zou rijden. Als hij geluk had. (Geluk is geen factor die je kunt plannen, had de instructeur gezegd, maar het is wel nuttig.) Nee, ze zouden rechtdoor rijden, want direct daarna kwam weer een bocht waarna de weg anderhalve kilometer lang kronkelde als een slang, zodat ze wel móesten denken dat hij voor hen uit reed. (Dat was zijn alternatief; sneller te gaan rijden en deze weg te blijven volgen, om de vele bochten te gebruiken om uit het zicht te blijven. Dat zou hij ook nog kunnen doen. Eigenlijk was dat zijn oorspronkelijke plan geweest. Maar de eerstkomende tien kilometer was nergens een telefoon met toilet te vinden, en als hij linksaf sloeg, was er al een na precies een komma een kilometer!)

Hij draaide naar links, bij de pont vandaan, terwijl hij probeerde zijn blaas niet te voelen, hoewel het wegdek hier aanzienlijk ruwer was. Hij minderde nadrukkelijk vaart om te voorkomen dat ze hem uit het oog zouden verliezen en achter hem zouden blijven rijden. Ze moesten het idee krijgen dat het hun eigen schuld was als ze hem kwijt zouden raken, niet de zijne. Daarna zou hij zijn telefoontje plegen, de boodschap achterlaten en zat het er voor hem op. Eerst dat telefoontje, hield hij zichzelf voor. Hij kreunde. Hij wist dat hij eerst dat telefoontje moest plegen. Ook al zou zijn blaas het daarbij begeven. De plicht roept. Haha. De roep van de natuur. Zo was het maar net.

De Camaro reed nog steeds achter hem aan, precies op de juiste afstand, en een heel stuk daarachter kon hij nog een andere auto zien, een donker gekleurde wagen. Dat zou de Cherokee weleens kunnen zijn. Oké. Nou, dat was prima, nu wist hij in elk geval wie achter hem aan zaten.

Hij knauwde op zijn tong, een gewoonte die hij had ontwikkeld sinds hij in deze branche verzeild was geraakt. Nu werden de kauwbewegingen alleen maar heviger. Hij naderde het heuveltje, en daarna zou hij snel linksaf slaan. Als de Camaro meer gas gaf – ! Maar dat deed-ie niet. Het was oké. Afstand was goed, snelheid was goed –

O'Neill reed met dezelfde vaart het heuveltje op, wilde eigenlijk gas bij geven, maar hield exact dezelfde snelheid aan, op die manier niets verradend (Mooi gedaan, O'Neill; dank u, meneer, maar ik zou het prettiger vinden als ik eindelijk eens kon pissen), om daarna, direct na het passeren van de top, te accelereren, vervolgens scherp af te remmen, het stuur naar links te rukken om met slippende banden de zijweg op te glijden. Hij liet het stuur weer terug schieten en was uit het zicht, en kon hij zeggen dat het hem gelukt was.

Het was hem gelukt! Niemand was achter hem aan gekomen!

'Blaas, hou het nog even uit!' mompelde hij, en hij scheurde de laatste kilometer naar de kleine supermarkt die hij daar drie dagen geleden had gelokaliseerd. Die beschikte over twee groepjes benzinepompen en een klein parkeerterrein, met pal ernaast een openbare telefoon die hij had gecontroleerd en die de laatste keer dat hij hier was geweest nog had gefunctioneerd. Alstublieft, God. Hij had zijn telefoonkaart bij de hand. Hij huiverde toen hij uit de auto stapte en zijn blaas van plaats veranderde, en hij was ervan overtuigd dat hij voorovergebogen richting telefoon liep. God, als er iemand vóór hem aan het bellen was, zou hij het niet meer houden! Een of andere tiener, zo'n giechelend grietje – Niemand.

Hij was zich bewust van een beweging achter zich. Hij draaide zijn hoofd, rekening houdend met een van zijn achtervolgers. Nee, een oude knakker in een blauwe Jimmy. Toch wachtte hij even af, terwijl zijn blaas steeds feller begon op te spelen. Wees altijd achterdochtig. De oude knakker stapte uit. Strekte zijn knie. Een slecht been. Kom nou! De oude man droeg een honkbalpetje, dat hij nu afnam zodat hij zijn hand door zijn haar kon laten glijden. Hij keek om zich heen. Rekte zich uit. Kom op! Toen haalde hij een sleutelbos tevoorschijn die aan zijn riem bevestigd zat met iets waarmee je probleemloos de *Queen Eliza-*

beth II kon afmeren, koos met evenveel zorg als een babyboomer een rosé se-
lecteert een sleutel uit, haalde eindelijk de vulslang uit de houder, stak die in de
vulopening van zijn auto en begon fluitend te tanken.

Dat had verder dus niets te betekenen. O'Neill probeerde niet te denken aan de
benzine die de tank binnen spoot, het geluid van kolkende vloeistof.

O'Neill leunde naar voren, tot onder het perspex scherm dat over de telefoon
heen was gebouwd, en hoorde de kiestoon. Hij stak zijn telefoonkaart in het
toestel. Voor het telefoontje moest hij een ander kengetal intoetsen; er leek geen
einde te komen aan de cijfers. Toen ging het toestel aan de andere kant van de
lijn over. Twee keer over laten gaan, vervolgens ophangen. Goed. Wachten.
Dénk niet eens aan pissen. Luister tot je een kiestoon hoort. Kaart. Kengetal.
Nummer. Over laten gaan. Een, twee, drie, vier – opgenomen. Geen stem.
'Zeventien,' zei O'Neill. 'Ja.' O, godzijdank! Einde oefening.

Hij hing op, klaar om naar het herentoilet te rennen – maar toen stond de oude
knakker van de pick-up plotseling schuin achter hem, op pakweg anderhalve
meter afstand. De oude man stak zijn hand in zijn borstzak, haalde er een kaart
uit tevoorschijn en stak die omhoog. De kaart was zwart, en verder helemaal
blanco, maar O'Neill wist precies wat het inhield.

'O, shit!'

'Bij die bocht naar links heb je duidelijke remsporen achtergelaten,' zei de oude
man. 'Een C-minnetje.'

O'Neill liet zijn schouders op slag hangen. 'Gaat u me uit het opleidingspro-
gramma schrappen?'

'De beslissing daarover is niet aan mij. Volgens mij ging het je best goed af, tót
dat laatste onderdeel.'

O'Neill wilde iets zeggen, maar nu begon zijn blaas écht pulserende bewegingen te maken, en hij zei: 'Als ik nú niet naar het toilet ga, pis ik nog in mijn
broek.'

'O, maar dáárvoor word je wel degelijk uit het programma gegooid,' reageerde
de oude man met een brede grijns op zijn gezicht. 'Je moet eindelijk eens leren
altijd een fles bij je te hebben, jongen.' En om te bewijzen dat hij een échte ge-
menerik was, maakte hij plotseling een sissend geluid: 'Pssssssss – '

O'Neill ging er als een speer vandoor.

Die avond kreeg hij te horen dat hij de tweede ronde van de cursus had bereikt,
ondanks het feit dat hij voor de schaduwoefening een onvoldoende had gehaald. Drie anderen hadden het niet gehaald – twee jonge burgers die geen
flauw idee hadden waarmee ze bezig waren en in feite helemaal niet op deze
cursus hadden horen zitten, en een kapitein der mariniers, van wie het hem

eigenlijk verbaasde dat die was gestraald. O'Neill had de indruk gehad dat de man een keiharde was en niet op zijn achterhoofd gevallen, maar híj lag eruit en Harry deed nog steeds mee. En Richmond was er drie dagen geleden op eigen houtje vandoor gegaan. De klas werd snel kleiner.

Waarom hij en niet ik? vroeg hij zich af, denkend aan de kapitein der mariniers. *Ik blijf, hij gaat. Klinkt niet bepaald zinnig.* Hij merkte dat hij niet écht blij was met het feit dat hij de volgende ronde had gehaald. Opgelucht, ja. Voor zijn ego was het niet slecht. Maar dieper, nee. Hij wist niet zeker of hij hier wel thuishoorde.

Na het bekendmaken van het lijstje met uitvallers, werd er voor het eerst een lijst opgehangen met eventuele opdrachten voor lieden die de cursus tot een goed einde zouden brengen. Hoe hoger je eindigde, hoe beter je kansen om over twee maanden een prettige taak toegewezen te krijgen, wanneer dit alles achter de rug zou zijn. Hij had er twee gezien die hij wel ambieerde, en hij wist dat hij wat die opdrachten betrof verre in het voordeel was: Frans was nagenoeg zijn moedertaal en hij had een hoop ervaring in dat land. Parijs en Marseille. Wauw. Reken maar. En dan al die andere oorden: Guatemala, Sri Lanka, Joegoslavië... Jezus, Joegoslavië! Ze zouden toch niet zo gek zijn om een zwarte kerel naar Joegoslavië te sturen!

Toch?

In de buurt van Nice, Frankrijk.

De man die Zulu werd genoemd zat op de achterbank van een door een chauffeur bestuurde Daimler en genoot er duidelijk van. Hij genoot van het idee dat andere mensen jaloers op hem waren zonder dat ze wisten wie hij was, een of andere rijke stinkerd die door het getinte glas onzichtbaar bleef. Hij was enigszins opgewonden, niet al te erg, niet zoals hij opgewonden was vlak voor een gevecht of dat andere – een paar zwarte pillen om ervoor te zorgen dat hij zich inhield, en vervolgens een zilveren om alle problemen te laten verdwijnen. Een civiele dosis. Hij raakte zijn zonnebril even aan, een uiterst donker en uiterst gestroomlijnd exemplaar, rond de slapen gebogen als de cockpitvensters van een straalvliegtuig (een Bolle-bril, erg duur) en wederom een stap naar totale onzichtbaarheid. Nee, een nieuwe stap naar totale vermomming. Ook hierover moest hij even glimlachen. Zulu was veertig maar zag er jonger uit. Een stuk geharder dan de meeste mannen van veertig. De mismaakte neus was een ereteken en sommige vrouwen vonden het prachtig.

De auto reed nagenoeg geluidloos door het elektronisch geopende hek, dat zich achter de wagen automatisch weer sloot, sloeg rechtsaf en draaide vervolgens naar links, een ruime cirkelvormige oprijlaan op. Een man met een hark en een man met een walkietalkie keken de auto na; de man met de hark ging weer aan het werk in het bloembed, de man met de radio mompelde iets in het toestelletje en maakte een uiterst ernstige indruk.

Lacelles wachtte op het terras. Lacelles was oud, oud genoeg om op zijn gezicht dwarsrimpeltjes te laten ontstaan, tussen de andere rimpels door, als barsten in droge modder waar ooit een meer was geweest. Lascelles was ooit kolonel geweest, alsmede burgemeester en minister, en het échte zij het onzichtbare hoofd van de Franse veiligheidsdienst. Totdat hij gedwongen was geweest op te stappen. Nu was hij een kwaadaardige, oude man. Maar wel een man die je niet diende te onderschatten. Een geváárlijke kwaadaardige oude man.

Zulu stapte snel uit de grote limousine, waarbij zijn vingers net de voorzijde van zijn broek aanraakten, alsof hij verwachtte dat de randen van het portier vuil zouden zijn, zijn heup naar buiten zwaaiend, precies zoals een vrouw dat doet, glijdend. Eenmaal staand raakte hij zijn zonnebril even aan en liet zijn innerlijke zelf de revue passeren. Was hij net iets te high? Nee, precies goed. Hij was niet nerveus. Zulu was niet meer nerveus geweest sinds hij groot genoeg was om de riem van zijn vader niet meer te hoeven vrezen.

'Bevalt de Daimler je een beetje?' vroeg Lascelles terwijl ze elkaar de hand schudden.

'Een prachtige auto.'

'Je hebt een mooie dag uitgezocht.' Lascelles' blik schoot heel even langs de bijna verse snijwonden op Zulu's gezicht, en vervolgens naar zijn handen. Lascelles ontging maar weinig. 'Gisteren heeft het nog geregend. Koud!' Lascelles leidde hem langs het terras, ondertussen menselijke geluiden voortbrengend, hoewel geen van beide mannen echt menselijk genoemd kon worden, een flauwe glimlach rond de lippen, alsof het hem amuseerde dit *beest*, dit *ding*, deze *gorille manqué* langs zijn terras te leiden. Van al deze benamingen had hij gebruikgemaakt, die keren dat hij het had gehad over de man die Zulu werd genoemd. Niet dat hij niet zelf ook best een soort beest mocht worden genoemd.

'Verloopt alles goed?'

Het antwoord van Zulu bestond uit stilzwijgen. Als er iets níet goed mocht verlopen, zou hij dat wel in evenzovele woorden zeggen.

Bij een brede deur aangekomen stapten ze een vertrek binnen, een grote, aangenaam ogende kamer vol pasteltinten, net als op het terras, stoffen met een glans eroverheen, een stuk of wat goede maar bescheiden olieverfschilderijen. Het vertrek rook alleen niet écht goed. 'Ik heb een opdracht voor je,' zei Lascelles toen ze zich eenmaal binnen bevonden, alsof het hierbinnen pas veilig was om het over ernstiger zaken te hebben.

'Ik heb ook nog wat zaken nodig.' Zulu reikte in zijn jasje, haalde een opgevouwen velletje papier tevoorschijn en overhandigde Lascelles een computer-uitdraai met een lijst wapens.

'Nou – ' Lascelles ging zitten en gebaarde naar een gemakkelijke stoel. 'Leer om leer. Ik heb iets waarvan ik graag zou zien dat jij dat voor me deed, een vrij grote klus.' Er verschenen nóg diepere rimpels in zijn gezicht. Zijn hoofd was rond, kaal, vlekkerig bruin. Het bruin liep langs zijn boord naar beneden door.

'Ik heb thuis voorlopig m'n handen vol.'

'Nonsens. Ze hebben een zogenaamd "vredesakkoord", de NAVO heeft een grillige lijn op de grond getrokken, en nu heerst er bij jullie plotseling vrede.' Hij lachte. 'De Amerikanen moeten zonodig hun neus weer eens steken in za-ken die hen niet aangaan, en ik wens daar een stuk van af te snijden. Ik hoop niet dat jouw gevoeligheden hierdoor worden aangetast, hm?'

'U weet precies hoe ik over ze denk.'

'Precies.' Lascelles barstte uit in een tirade die Zulu al vele malen eerder had ge-hoord – over moreel verval, de joden, Brussel, de NAVO, de VN. *Et cetera, et cetera, et cetera,* zei Zulu tegen zichzelf, zijn gedachten onzichtbaar achter de strakke gelaatstrekken, hoewel hij zo zijn eigen redenen had om de pest aan de NAVO en de VN te hebben.

'Ik ben een banneling in m'n eigen land,' zei Lascelles op. 'Ik! Een eerbied-waardige banneling! Een patriot!' Zijn gezicht was rood. Zoals bij alle Fransen met een bepaalde achtergrond, was de geest van Napoleon nooit ver bij hem vandaan. 'De huidige regering van Frankrijk is volkomen onpatriottistisch, to-taal onderworpen aan de wereldomvattende staat!'

'Wat wilt u dat ik voor u doe?' vroeg Zulu, die nu duidelijk liet merken dat hij ongeduldig begon te worden.

'Afrika,' zei Lascelles.

'Afrika, o, shit – Niet wéér Afrika!'

Lascelles boog iets naar voren. 'De VN heeft weer eens kans gezien een van hun internationalistische trucs uit te halen en een einde te maken aan de genocide in Rwanda vóór daar een bevredigende oplossing kon worden bereikt. Zó wer-ken ze om hun leger in een door hen gewenste positie te manoeuvreren. Nu zijn ze bezig in dat deel van Afrika diverse subversieve centra op te zetten. En de Amerikanen hebben boven dat gebied ook nog eens diverse satellieten hangen. Twee handen op één buik. Maar Centraal-Afrika is *Frans* territorium. Het is al-tijd Frans gebied gewéést. Daar kun je niet te licht over denken. Je moet *krach-tig* zijn. Hoe je humanitaire gevoelens ook mogen zijn, je moet kráchtig optre-den. Voor het hogere doel.'

'Absoluut.'

'De VN en de Amerikanen móeten uit Centraal-Afrika worden verdreven. Ik zal Afrika later, als deze bedreiging niet meer bestaat, weer tot een geheel smeden. Ze zullen me van harte verwelkomen, je zult het zien. Ik – wij – hebben daar oude vrienden, oude cliënten, ik hoef maar één woord te zeggen – ' Hij vernauwde zijn ogen tot spleetjes. *'Mobutu!'* fluisterde hij. 'Uitermate machtig. Bijzonder rijk. Onmiskenbaar een cliënt van mij.'

'O, god, Afrika.' Zulu liet zijn hoofd achterover op de rugleuning van de bank vallen waarop hij zat. De ene dag ernaartoe, een passagiersvliegtuig neerschieten, en de volgende dag weer weg, dát was verder geen probleem. Maar goed, hij had wapens nodig. En zijn oorlog in Bosnië lag momenteel stil. 'Deze keer wapens die te vergelijken zijn met het spul waarover de NAVO beschikt, Lacelles. Geen oud Russisch materiaal.'

'Ja, ja, ja – !' Lascelles zwaaide met de lijst. 'Ik doe deze dingen niet zélf.' Hij klonk klagerig, en tegelijkertijd arrogant. *Ik zal deze lijst aan een of andere ondergeschikte geven,* bedoelde hij eigenlijk te zeggen. Wapenhandel was slechts een detail, bedoelde hij te zeggen. 'Je krijgt je wapens heus wel.'

'Snel, het moet op korte termijn gebeuren, anders hebben we geen deal met elkaar. Want om naar *Afrika* te gaan, weet je – '

Lascelles' ogen stonden schrander. Als een kind dat iets ondeugends zegt, merkte hij op: 'Ik heb gehoord dat een van je centra in de Servische zone onder de voet is gelopen. Klopt dat?' Hij liet zijn blik opnieuw snel over Zulu's gezicht en handen glijden. 'Was je daar bij?'

Zulu trok een gezicht. 'Dat had nauwelijks iets te betekenen.' Het had wel degelijk iets te betekenen gehad, maar hij was niet van plan dat tegenover deze oude spin te erkennen; het had hem woedend gemaakt dat een stelletje boeren van UNPROFOR kans hadden gezien hem uit een van zijn eigen onderkomens te verdrijven. Hem hadden gedwongen uit een of ander stom ráám te springen, terwijl zo'n klootzak van een Amerikaan het vuur op hem had geopend! De amfetaminen wakkerden zijn woede nog eens aan en bijna liet hij die blijken, maar het lukte hem zichzelf in de hand te houden, kalm te blijven. Net te doen of hij er zich niet meer druk over kon maken. 'Pustarla; het had nauwelijks iets te betekenen – ! Die stomme VN!' Hij strekte zijn rechterknie en voelde de pijn van de lange snijwond die hij had opgelopen toen hij uit dat raam had moeten springen.

'Internationalisme!' bulderde Lascelles. 'Zie je wel? Zie je wel? *Het vormt allemaal onderdeel van hun plan!'*

Eigenlijk zag Zulu dat helemaal niet. Dat hele internationalisme interesseerde hem in feite geen barst. Hij was van mening dat een Groot-Servië geheel op zichzelf kon bestaan, afgescheiden van de rest van de wereld, bóven de wereld. Zodra ze de moslims zouden hebben uitgeroeid, nadat de Kroaten waren onderworpen, zodra Groot-Servië een staat zou zijn die van alle vreemde smetten vrij was, zouden ze hun grenzen sluiten en eindelijk zichzelf kunnen zijn. Hij vond dat de VN en de VS naar de verdoemenis konden lopen. Europa kon óók naar de verdoemenis. En Frankrijk kon hem gestolen worden. Maar nu had hij Lascelles nodig.

'Wat moet ik doen in Afrika?' vroeg Zulu.

'Voorlopig ga je eerst terug naar Servië en zoek je een stel goede mannen uit. Zeg, twee compagnieën. Elitetroepen. Vervolgens stuur ik je daarnaartoe om een en ander in gang te zetten, en als de boel echt explodeert, zal ik jou en je mensen daar waarschijnlijk een maand lang nodig hebben. Blanke troepen die als een warm mes dwars door de Afrikanen snijden.'

'En het geld?' reageerde Zulu gewiekst. 'Blanke mannen krijgen over het algemeen goed betaald om in Afrika te vechten.'

Lascelles' rimpels werden nog wat dieper, alsof hij ze nog wat verder zijn huid in zoog. Dit was zijn versie van een glimlach. 'Frankrijk zal je eerlijk belonen.' Hij bedoelde te zeggen dat *hij* hem eerlijk zou belonen, maar hij zag zichzelf wel degelijk als Frankrijk.

Hij hield zijn hoofd schuin achterover, deed zijn ogen dicht. De bijeenkomst was afgelopen.

Zulu wachtte een paar seconden om te laten zien dat hij zich niet als een lakei liet wegzenden, maar Lascelles negeerde hem, en Zulu stond vervolgens toch maar op, deed zijn zonnebril weer op en liep naar het terras. Zodra hij weer buiten was, rook de lucht een stuk prettiger. Die vreemde geur binnen werd veroorzaakt door Lascelles zelf.

Zulu stak het terras over, dacht aan zijn oorlog en het verlies van het huis in Pustarla. *Hij*, de commandant zélf, gedwongen om dwars door een raam naar buiten te springen en als een naakte griet door de sneeuw te rennen. Terwijl de een of andere stomme Amerikaan op hem stond te schieten. Hij werd opnieuw overmand door blinde woede, en deze keer liet hij die zijn gang gaan. Woede was goed voor hem, vond hij, zolang die als een drug dwars door hem heen kolkte. Woede stelde hem altijd tot grootse dingen in staat. *Afrika*. Voor een korte periode, wellicht, zolang het thuis vrij rustig was, totdat dat zogenaamde 'vredesakkoord' niets meer te betekenen had. Maar hij moest zijn blik op de hoofdzaak gericht houden. Hij moest zich niet laten afleiden door Lascelles' avonturen in Afrika. Een middel om een doel te bereiken. Voor hem lag er geen woede in Afrika. *De Amerikaan die hem dwong door dat raam te springen.* Ja, dát veroorzaakte een blinde woede bij hem. *Groot-Servië*. Ja, dáár was woede. Die klotemoslims, die verdomde Kroaten. Luizen. Ongedierte. *Dingen*. Woede. Razernij.

Het Middellandse-Zeegebied, aan boord van het USS *Jefferson.*

Alan had luitenant-ter-zee der derde klasse Baronik de samenvatting laten maken voor de IO – de inlichtingenofficier – van het squadron, had de inlichtingenspecialisten daar beelden bij laten maken en had zijn sergeant-majoor het kantoor van het onderzeebootbestrijdingssquadron af laten struinen voor het geval er nog iets te vinden mocht zijn over een écht doelwit. Hij voelde een scheut van jaloezie voor de knapen die ertegenaan zouden moeten als hij inderdaad iets vond. Alan was nog niet zo heel lang geleden een vrij ervaren bemanningslid aan boord van een Viking geweest, en hij had een Russische onderzeeboot weten op te sporen die, toen ze eenmaal aan de oppervlakte kwam, bijna zijn S-3B met haar periscoop had weten te raken. Een grandioze tijd. Althans, voor een jong iemand. Nu was hij luitenant-ter-zee der tweede klasse, en stond hij op het punt om – hij keek op zijn horloge – over zes uur en negenendertig minuten tijdelijk CAG AI te worden. CAG AI stond voor *Air Intelligence Officer Carrier Air Group,* de inlichtingenofficier die aan de Carrier Air Group was toegevoegd.

Omdat ltz1 Suter vertrok.

Zijn functie van IO neerlegde, het schip verliet, de marine verliet. Om 'iets beters' te gaan doen, zoals hij dat had gezegd met die spottende glimlach van hem, alsof iets beters *inderdaad* iets veel beters was, en niemand van 'jullie sterfelijke sloebers' ooit zou begrijpen hóeveel beter. Als je ontslag wilde nemen kostte je dat gewoonlijk een half tot een heel jaar.

Alan vermoedde dat Suter aanzienlijk sneller dan gewoonlijk de ontslagprocedure doorliep omdat iemand 'buiten', iemand met echte invloed, op een zo kort mogelijke termijn over hem wilde beschikken en bereid was de zaken hiervoor te forceren.

De actie tegen het foltercentrum in de Servische zone leek nu weinig meer dan een verre herinnering, afgezien van de beelden van de man die hij had neergeschoten en van die schaduw op de muur – de heks. Of waterspuwer. Of wat het ook geweest mocht zijn. En de naam *Zulu*, die op de foto had gestaan en die door de mannen die waren gefolterd vol angst was uitgesproken.

Hij had er nog wat medailles aan overgehouden ook, voor wat die waard waren – eentje van de Italianen met de inscriptie *Coraggio e onore*, en een brief van de Canadezen, die hem prezen voor zijn 'buitengewone inspanningen bij het uitvoeren van zijn inlichtingentaken'. De Kenianen waren regelrecht gênant geweest bij hun loftuitingen ('glorieuze resultaten bij het ondersteunen van ons medisch werk onder de vlag van de Verenigde Naties').

Had hij de juiste beslissing genomen? Had het enig belang gediend, die aanval op de vroege ochtend? Er waren mannen bij om het leven gekomen; hij had iemand gedood – wat hadden ze ermee bereikt? Ze hadden weten te voorkomen, vermoedde hij, dat twee man nog meer zouden worden gefolterd. Een van de slachtoffers die ze met zich mee hadden genomen had een gebroken sinus, had wa Danio hem verteld, een gebroken neus en afgebroken tanden, alsmede drie gebroken ribben op de plek waar ze door op hem in te trappen het water bij hem naar buiten hadden geperst. Een man was gestorven. Bij een van de lijken waren de oogleden afgesneden. En waarvoor? Niemand leek daar antwoord op te kunnen geven. Omdat hij jong en een moslim was geweest. Toen hij dacht aan de man bij wie de oogleden waren afgesneden, vroeg Alan zich af: *Hoe is het mogelijk dat een menselijk wezen daartoe in staat is?* waarna hij werd overvallen door een weerzin en een woede die de actie op Bosnisch gebied een uiterst smerige nasmaak gaven.

Hij had geprobeerd erover te schrijven naar een vriend die bij de marinepolitie werkte, Mike Dukas. *Wat voor soort mensen dóet dit soort dingen?* Misschien dat een politieman zoiets zou begrijpen. *Mike, jouw soort jongens hebben ze hier nodig, niet lieden zoals ik. De wet moet hier worden gehandhaafd.* Daar ging het bij een vredesmissie toch om?

Nu, weer terug op het schip, liep Alan de lijst met geclassificeerde publicaties door waarvoor Suter verantwoordelijk was, want Suter stond op het punt te vertrekken en moest die nog tekenen voor de geclassificeerde papieren die hij onder zijn hoede had. De lijst was al gecontroleerd door Suter zelf, maar Alan wist dat Suter zou proberen hem te naaien als hij daartoe ook maar enigszins de kans had. Dus ging hij verder met zijn werk, waarbij Alan steeds verder in zijn stoel onderuitzakte totdat hij, zoals hij al had gevreesd, op twee titels stuitte die al door Suter waren afgevinkt, maar die in feite onvindbaar waren. Alan schreef een memo en stopte dat in de map, gaf vervolgens op het overdrachtsformulier van Suter aan dat er twee ontbraken, zette zijn initialen bij de betreffende twee, samen met de tekst 'uitgezonderd de twee aangegeven publicaties', en stuurde het formulier terug naar Suter. Kort daarna arriveerde er een nieuwe stapel.

Om 17.17 uur stak Suter zijn hoofd om de hoek van de deur. 'Ik ben hier over een halfuur weg.'

Alan ging verder met afvinken.

'Ik hoorde dat je twee documenten niet kunt vinden.'

'Inderdaad, meneer.'

'Toen ik die lijst vanochtend controleerde zaten ze er nog bij.'

'Nu zitten ze er níet bij.'

'Je weet best dat die wel weer tevoorschijn zullen komen.'

'Vast wel.' Hij ging onverstoorbaar verder met het controleren van de lijst. 'Ik ben ervan overtuigd dat iemand ze nog bij zich heeft, en voor we een laatste zoektocht door het hele schip maken, vlak voor we in de States arriveren, zullen ze echt wel weer boven water komen.' Nog een initiaal, map dicht.

'Waarom teken je er nu dan niet vast voor?'

'Omdat ik ze niet in mijn bezit heb, en het is de bedoeling dat ik alleen teken voor de documenten die ik in mijn bezit heb.' Hij keek op en zei grinnikend: 'Zo zijn de regels nu eenmaal.'

'Weet je, Craik, jij bent de arrogantste klootzak met wie ik ooit heb moeten samenwerken.' Hij klonk bijna mild.

Alan was klaar met het nalopen van de lijst en schoof de stapel met papieren naar de andere kant van zijn bureau. Later wenste hij dat hij bijdehand genoeg was geweest om te zeggen: *Ik heb duidelijk minder ervaring met klootzakken dan u,* maar hij had die kans voorbij laten gaan. 'Als u niet voortmaakt mist u uw vliegtuig nog, meneer,' was het enige dat hij zei.

Suter keek hem recht in het gezicht, Alan deed hetzelfde bij hem. Uiteindelijk haalde Suter zijn gevouwen armen uit elkaar, pakte de stapel papieren van het bureau en rechtte zijn rug. 'Jezus, wat ben ík blij dat ik straks weg ben bij de marine,' sprak hij. Hij maakte aanstalten om het vertrek te verlaten. 'Ik hoop dat je onderuitgaat bij je pogingen mijn werk te doen, Craik.'

Alan stopte bij de postbusjes en vond een brief van zijn vrouw, die hij las in de rust die heerste op het kantoor van de afdeling Onderhoud, waar sergeant-majoor Prue, attent als hij was, ruimte voor hem maakte. Thuis was alles goed – Mikey groeide als kool; de hond had een deel van de trui opgegeten die de moeder van Rose speciaal voor haar had gebreid; Rose had het sterke vermoeden dat haar volgende functie een nogal belangrijke zou zijn, een of ander project met de naam Peacemaker. Met een grijns op zijn gezicht ging hij op weg naar een briefing.

In de buurt van Atlanta, Georgia.

Mike Dukas had behoorlijk de pest in. Hij had zojuist deelgenomen aan een inval die geacht werd van groot belang te zijn voor zowel de FBI als zijn eigen dienst, de Naval Criminal Investigative Service, de marinerecherche, en het enige waarmee ze werden geconfronteerd was een leeg huis, vijf uur verveling en een grote bestelbus vol computers en computerschijfjes. Hoewel gezegd moest worden dat die schijfjes vol stonden met pornografie; niemand wist dat nog, maar hoe dan ook, die porno zou hem de eerstkomende maanden geen steek verder brengen.

En dat was allemaal de schuld van Alan Craik. Nee, hij moest eerlijk blijven;

het was niet Craiks fout – het was zíjn fout, Mike Dukas' fout. Het was het rafelige uiteinde van een oude operatie die jaren geleden met Al Craik begonnen was, en die Dukas niet kon loslaten. Gedeeltelijk omdat hij gek was op Craiks vrouw. Terwijl hij Craik beschouwde als een uiterst goede vriend.

O, shit. Dukas voelde zich klote. Een hele dag weggegooid, en waarvoor?

Hij zat in zijn huurauto en overwoog naar het vliegveld te rijden en daar op het vliegtuig terug naar DC te wachten, om daar vervolgens te melden dat hij niets te melden had. Wat voor resultaten had hij trouwens geboekt? En wat stond hem thuis te wachten – drie onwettig afwezige matrozen, vijf ruzies binnen de huiselijke kring, plus twee incidenten die alles met racisme te maken hadden? Waren dat klussen voor iemand die bij de marinerecherche werkte?

Dus haalde hij de brief uit zijn zak die hij zojuist van Craik had ontvangen en las die nog eens door, en voelde iets van afgunst. Het ging om een of andere actie in Bosnië waaraan Craik had deelgenomen, compleet met schotenwisselingen. Helikopters! Gevangenen! En wat deed Dukas? Op zijn kont zitten in een huurauto en zich opwinden over een mislukte operatie.

En dan die regel die dwars door zijn hart sneed. *Mike, jouw soort jongens hebben ze hier nodig, niet lieden zoals ik. De wet moet hier worden gehandhaafd.*

Het klonk als een bevel van een vriend: *Zorg ervoor dat je hierbij betrokken raakt.*

Maar hoe?

Nou, hij was politieman – een politieman bij de marine weliswaar, maar toch een politicman. Ze hadden in Bosnië vast goede politiemannen nodig. Daar moesten vast en zeker misdadigers rondlopen. Oorlogsmisdadigers. Hé, dat was een goed idee. Oorlogsmisdadigers vangen – wat kon een eervoller taak voor een politieman zijn dan dat?

Oorlogsmisdadigers. Goed, wie nam politiemannen in dienst om oorlogsmisdadigers op te sporen?

Hij startte de auto. De VN. Nee, de VN was niet de instantie die achter oorlogsmisdadigers aan zat; dat was het Internationaal Gerechtshof. Een of andere bekende van hem moest toch iemand kennen die daar werkte. Iemand –

Langley, Virginia.

Op het hoofdkantoor van de CIA dacht een man die aan Alan Craik een even grote hekel had als Dukas en O'Neill hem mochten, een ogenblik lang aan Alan. Hij beroerde het onderwerp heel even, de jonge marineofficier die op weg was ergens naartoe – stond even bij hem stil, voelde weerzin, ging toen weer verder. Alan Craik was een van zijn mislukkingen: hij had geprobeerd hem te rekruteren, had hem alleen maar een klein leugentje verteld, waarna Craik de grote moralist was gaan uithangen en hem vervolgens had vernederd. De onbelangrijke nitwit.

George Shreed steunde op zijn roestvrijstalen wandelstokken, keek vanuit zijn nieuwe hoekkantoor op de buitenwereld neer, nadat hij even aan Craik had moeten denken zoals je even aan een pijnlijke plek had gezeten om vervolgens snel je vingers terug te trekken, en bedacht dat het tijd voor iets groots was. Iets écht groots. *A riiiillly big shew,* zoals die klootzak op de televisie altijd zei.

Hij was naar boven getrapt. Beneden vervulde zijn voormalige assistente zijn oude functie. Ook zij had hem verraden, en nu had ze zijn oude baan, waar ze nu al een puinhoop van maakte. Prima. Hij moest ervoor zorgen dat ze er een échte puinhoop van maakte.

Intussen zou hij iets groots op poten zetten.

Op zijn bureau flitste een lampje aan; hij hobbelde ernaartoe, drukte op een knop en een vrouwenstem zei: 'Luitenant-ter-zee der eerste klasse Suter is er.'
'Laat maar binnenkomen.'

Hij wachtte, staand achter zijn bureau, zijn gewicht rustend op de stokken. Hij had een knap gezicht dat er door de constante pijn ietwat afgetobd uitzag, een lang lichaam met goed ontwikkelde schouders omdat hij dat lichaam alleen met de kracht van zijn armen kon voortbewegen. Waarschijnlijk had hij binnen de Central Intelligence Agency de hoogst mogelijke functie bereikt, en daar was hij zich maar al te bewust van, en hij begon er nu eindelijk lol in te krijgen.

De deur ging open. Suter bleef in de deuropening even staan.

Shreed glimlachte en zei: 'Kom binnen.' Hij zette zijn stokken tegen zijn bureau en liet zich met een zwaai in een gemakkelijke stoel vallen. 'Ik was sowieso van plan je te vragen langs te komen. Al een beetje gewend?'
'Ik weet hoe ik van mijn auto naar mijn kantoor moet komen.'
'Ik heb een klus voor je,' zei Shreed. 'Ben je daar klaar voor?'

Suter knikte bijna onmerkbaar met zijn hoofd en bracht een wenkbrauw omhoog; het zou een instemmend gebaar of een teken van waardering kunnen zijn.

Shreed nam vervolgens alle tijd om uit de stoel te komen en zich richting bureau te begeven. Hij leunde met de stalen stokken tegen de rand van zijn bureaublad, en wel op een plaats waar hij dat al zo vaak had gedaan dat de rand daar enigszins was uitgesleten. 'Ik heb je in dienst genomen,' zei Shreed, 'omdat ik er achter ben gekomen dat je net zo'n schoft bent als ik. Dacht je ook niet?'

Op Suters gelaat verscheen een schaduw van een glimlach. 'Het ziet ernaar uit dat we langs dezelfde lijnen denken, inderdaad.'
'Je hebt hier een late start. Door je naar binnen te halen heb ik heel wat men-

sen gepasseerd, mensen die daardoor al bij voorbaat de pest aan je hebben, je haten. Maar haat is goed voor je carrière. Je moet ze alleen net een stapje zien vóór te blijven. Maar ik neem aan dat je eraan gewend bent dat de mensen je haten. Waar heb je dat pak vandaan?'

Suter droeg een donkerblauw vod waarvan het enige goede bestond uit een haarscherpe vouw in de broek. Hij kreeg een rood gezicht en noemde de naam van het warenhuis waar hij het kostuum had gekocht.

'Dat is ook wel duidelijk te zien. Maar hoe dan ook, ik stuur je ergens anders heen – een oord dat het Interservice Virtual Intelligence Center wordt genoemd.' Hij grinnikte. 'Ik heb een deal met de duivel gemaakt. En jij gaat ervoor zorgen dat hij zich aan zíjn deel van de afspraak houdt. Dat zou misschien weleens nét het pak van de duivel kunnen zijn.' Hij zwaaide met een hand. 'Ga zitten, ga zitten; dit gaat wel even duren. Wat weet jij van een project dat Peacemaker wordt genoemd?'

Hoofdkwartier van de Atlantische Vloot, Norfolk.
'Project Peacemaker!'

In Vergaderruimte B van het hoofdkwartier van LantFleet was Alan Craiks oude squadrongenoot ltz1 'Rafe' Rafehausen aanwezig bij een briefing. Die briefing maakte deel uit van een uitgebreidere planningsvergadering betreffende Battle Group Zeven, die nu in de samenstellingsfase verkeerde en zich later dat jaar bij de Zesde Vloot zou voegen. De battle group bestond uit het vliegdekschip *Andrew Jackson*, een geleidewapenkruiser uit de Tico-klasse, plus nog verschillende jagers, onderzeeboten en bevoorradingsschepen, en zou onder commando staan van admiraal Rudolph Newman, die aan boord van de *Jackson* resideerde, waarop ook Air Wing Vijf was gestationeerd. Voor Rafe Rafehausen zou dit een erop-of-eronder reis worden: slechts drie maanden vóór de battle group zee zou kiezen diende hij zich als plaatsvervangend commandant bij VS-49 te melden, met de ontzagwekkende zekerheid dat als hij zich goed van zijn taak wist te kwijten hij twee jaar later commandant van dat squadron zou kunnen zijn. Op dit moment zat hij als gast van de huidige commandant en plaatsvervangend commandant van VS-49 bij deze planningsvergadering.

De man die de briefing gaf was een kapitein-ter-zee. Alles aan de man zei dat het hier om een tamelijk verbeten iemand ging. Hij zette de zaken uiteen alsof hij recentelijk de berg had beklommen en hij de plannen in steen gehouwen had meegekregen. Hij vatte samen: 'Dus tijdens deze tocht zijn de twee primaire verantwoordelijkheden – Project Peacemaker, in de Golf van Sydra, in december, voor de kust van Libië, en de lopende ondersteuning van de blokkade van en luchtoperaties boven het voormalige Joegoslavië.

Project Peacemaker maakt het noodzakelijk dat we in de Golf van Sydra een beveiligde zone creëren voor het lanceervaartuig. Dit wordt een grote operatie, waarbij zowel vliegtuigen als oppervlakte-eenheden op nog geen vijftien mijl uit de Libische kust actief zullen zijn. We zullen een complete, herhaal *complete* vlootoefening uitvoeren waarin de gehele operatie zal worden nagespeeld. Fleetex staat momenteel gepland voor oktober van dit jaar. Dat betekent een periode van net iets meer dan een half jaar voor eenheden die zich momenteel niet in een hoge staat van paraatheid bevinden, om zich op een en ander voor te bereiden!' Hij liet zijn dreigende blik door het zaaltje gaan. Kapitein-luitenants-ter-zee ontweken zijn harde ogen; luitenants-ter-zee der eerste klasse trokken wit weg. Het was geen geheim dat de vloot niet over voldoende mensen beschikte en dat men achterliep met de training.

De kapitein-ter-zee hield een vuist omhoog, waarvan de wijsvinger als van een prediker omhoog wees. 'Fleetex, Bermuda, oktober zesennegentig.' Hij deed er een vinger bij. 'Naar zee, november zesennegentig.' Een derde vinger. 'Peacemaker, Golf van Sydra, december zesennegentig!' Opnieuw was zijn blik dreigend. 'Nog vragen?' Hij zei het als een man die het zeer zou verbazen als ook maar íemand het lef zou hebben een vraag te stellen.

Een dappere kapitein-luitenant ter zee mompelde: 'Staat die datum voor Peacemaker vast?'

'Waarom zou die datum níet vaststaan?' bulderde de kapitein-ter-zee.

Een onbesuisde luitenant-ter-zee der tweede klasse, een van de weinigen beneden de rang van ltz1, stond op, en Rafehausen kreunde inwendig. De ltz2 zei: 'Bosnië en Peacemaker, dat is het zo'n beetje, meneer?'

'Wat zou je dan nog meer willen?' snauwde de ktz.

'Eh – meneer, Afrika staat op het punt om – ' Rafehausen kreunde opnieuw in stilte en dacht: *O, mijn god, nóg een Al Craik!*

De ktz blafte als een zojuist wakker geworden dobermannpincher. 'Afrika staat niet eens op mijn kaart! Bosnië en Peacemaker! Nog méér vragen?'

Rafe had een vraag, maar het was volkomen zinloos om die aan deze knaap te stellen. Het was bovendien een vraag waarop alleen Rafe zelf antwoord kon geven: *Hoe zorg ik ervoor dat ik een te kleine en onervaren groep mensen in nauwelijks een half jaar klaarstoom voor hun werk op zee?* Hij keek naar de man die tegen die tijd zijn skipper, zijn squadroncommandant zou zijn. De knaap had de reputatie een schreeuwlelijk en een moreelvernietiger te zijn. *Dat moet míj weer overkomen,* bedacht Rafe.

Marinebasis Norfolk.
'Peacemaker? Die ellende kan me gestolen worden!'

Vice-admiraal Rudolph Newman was de commandant van Battle Group Zeven, die nu vorm begon te krijgen. 'We gaan dit voor de verandering eens góed doen,' zei hij. Hij klonk kwaad, zoals hij altijd klonk, zelfs als hij helemaal niet kwaad wás. 'Geen blunders of ander gerotzooi!' voegde hij eraan toe.

'Nee, meneer.' Zijn inlichtingenofficier was de verbeten kapitein-ter-zee die de briefing had gedaan waarbij Rafe Rafehausen aanwezig was geweest. Maar in gezelschap van de generaal was hij zo zoet als honing. Hij had al twee keer eerder onder Newman gediend en wist precies hoe de man in elkaar zat.

'Maar we kunnen aan de Peacemaker-onzin verder weinig doen,' gromde de admiraal, 'dus zúllen we er wel aan moeten geloven. Noteer er iets over in het script voor Fleetex. Je weet hoe ze kunnen gaan krijsen als iemands lievelingsproject in hun ogen niet voldoende aandacht krijgt.'

'Jawel, meneer.'

'Maar ik wil een vlootoefening met *kloten*. Ik wil dat de mannen en de officieren die onder me dienen weten wie de vijand is, en ik wil dat ze deze ervaring goed tot zich door laten dringen, zodat ze er klaar voor zullen zijn!'

'Jawel, meneer.'

'Onderzeeboten van de Victor II-klasse. MiG-29's. Ik wil dat op mijn onderzeeboten wordt gejaagd door het modernste waarover de Sovjets beschikken – de Helix A?'

'Mmm – Ka-27PL.'

'Nou, extrapoleer en laat een nieuwe upgrade maken. Jij weten even goed als ik dat de sovjets er nu over eentje beschikken. De beste, begrepen? Kruiscrs dic nog beter zijn uitgerust dan hun Kirov-klasse. Ik wil een oefening tegen hun beste eenheden. Ik heb absoluut geen behoefte aan die "echte-wereld"-flauwekul. "Echte wereld" betekent alleen maar onechte wereld. Begrijp je?'

'Het, eh, planningsbureau van LantCom stelt het script op. Ik heb al het mogelijke gedaan om achter hun ideeën te komen. Ze zijn van plan om, eh, Libië als bedreiging nummer één op te voeren en Joegoslavië als nummer twee.'

'Mooi van niet! Zie je, dat is precies wat ik bedoel. En dat noemen ze nou "echte wereld". Dat stelletje zielige klootzakken kunnen we best zónder oefenen een pak op hun donder geven. Daar ga ik niet mee akkoord. Maak maar een mooi script voor mij waarin we het tegen de sovjets moeten opnemen, in wateren waar ze hun modernste schepen tegen ons kunnen inzetten. Begrijp je me?'

De IO knikte. Hij schraapte zijn keel. 'U neemt hierover contact met LantCom op, meneer?'

'Ja, ja, ja.'

Interservice Virtual Intelligence Center, Maryland.

'Peacemaker?'

Kolonel Han was een Amerikaan van Chinese afkomst, een ingenieur. Suter, die de briefing door zijn verzuurde baas, George Shreed, nog maar net achter de rug had, kreeg direct een hekel aan Han. Han, dat was duidelijk te zien, was onmiskenbaar Mister Nice Guy. Nou, dat interesseerde hem geen barst.

'Ik zal je eerst van de grote lijnen van het project op de hoogte brengen,' zei Han nadat hij weer achter zijn bureau had plaatsgenomen. 'Je weet waar het IVI voor staat, anders zou je hier niet zijn.' Hij sprak de afkorting voor Interservice Virtual Intelligence uit als "ivvie". *De hallen van IVI.* Het ronde gezicht keek Suter glimlachend aan.

'Onderzoek naar communicatietechnieken,' antwoordde Suter, 'en daarom valt het onder de paraplu van de Agency.'

Han gromde iets onverstaanbaars. Met zijn korte vingertjes draaide hij een ballpoint om en om. 'Het mandaat van de Agency binnen het Amerikaanse verbindingsgebeuren, inderdaad.' Hij glimlachte opnieuw, maar Suter vermoedde dat hij evenzeer de pest aan hem had als Suter aan hém. 'Dus een van jouw verantwoordelijkheden is het gescheiden houden van alles wat met communicatie te maken heeft van al het andere, alles wat geen onderdeel vormt van het CIA-mandaat. Oké. Ik bedoel, dat is deels een van de redenen waarom je hier bent. Oké?'

'Wat wilt u precies zeggen, kolonel?'

'Ik wil niet dat jouw Agency betrokken raakt bij zaken die buiten hun gebied liggen, oké?'

'Ik ben bang dat ik u niet helemaal volg.'

Han keek naar hem op en ze staarden elkaar aan. Han liet de pen op zijn bureau vallen. 'Kom mee, dan leid ik je rond.'

Ze begonnen op de bovenste etage van het drie verdiepingen hoge gebouw, waar zich een stuk of wat kantoren en vergaderruimtes bevonden die niet zouden hebben misstaan in de gebouwen van de nieuwe hightech-, highrisk-bedrijven. Suter vond dat er iets vaag vrijpostigs van het gebouw uitging, net iets te veel van het goede. 'Hierboven entertainen we,' zei Han. Onze vrienden in het Congres, bedoelde hij. Althans, zo had hij Shreed het ook horen omschrijven.

De verdieping daaronder was een werketage, eindeloze rijen afgeschutte werkplekken, met daaromheen een ring van kleine kantoren, en een soort atrium van waaruit je neerkeek op de balie van de bewaking en de hal, en omhoog naar een glazen koepel waar op dit moment de regen op neergutste. Achter in het gebouw bevond zich een uitgestrekte, van hoge vensters voorziene cafetaria waar al veel mensen koffie zaten te drinken. Opnieuw kreeg Suter het gevoel bij een pas beginnend bedrijf rond te lopen, heel veel érg jonge mensen, spijkerbroeken en T-shirts, heel weinig stropdassen. 'We hebben ze in dienst genomen vanwege hun hersens,' zei Han. Verder geen uitleg.

Onder het maaiveld bevonden zich nog drie verdiepingen. Elk beschikte over zijn eigen veiligheidscontrole en beveiligingssluis, waar iedereen een paar seconden lang tussen gesloten poortjes werd vastgehouden. 'Als je last van claustrofobie hebt ben je niet voor ons geschikt,' merkte Han op. Toen ze met z'n tweeën tussen de gesloten poortjes stonden hield Han een kaart naar een televisiecamera omhoog, en zei een stem: 'En nu de andere heer graag.' Han schoof Suter met enige druk op zijn arm naar voren, en Suter draaide zijn gezicht iets zodat hij goed gezien kon worden en hield toen het tijdelijke pasje omhoog die hij had gekregen. 'Dank u,' zei de stem. Suter kon onmogelijk zeggen of het een menselijke of een computerstem was geweest.

Beneden waren er diverse pogingen ondernomen om het feit te verbloemen dat men hier ondergronds vertoefde, maar je kon nu eenmaal geen ramen aanbrengen wanneer je volkomen door aarde was omgeven. Het zag er allemaal helder en kleurrijk uit, maar aan het eind van de dag zouden de mensen hier met grote gretigheid weer frisse lucht in willen ademen. De werkruimtes waren, alsof men een en ander probeerde te compenseren, een stuk groter, terwijl het aantal afgeschutte werkplekken ook een stuk minder was. De mensen hier waren ook ouder, en er liepen aanzienlijk meer mannen dan vrouwen rond; Suter meende door hun houding enkele oud-militairen te herkennen. Het dragen van een uniform, wist hij, was hier niet toegestaan.

Het tweede niveau onder de grond bood onderdak aan minstens twee laboratoria en een werkplaats waar modellen werden gemaakt. Han maakte van dit deel van de rondleiding een bijna plichtmatige aangelegenheid, alsof het hier alleen maar om schroeven en moeren ging, en niet de plek was waar het echte werk werd uitgevoerd. Toen stapten ze de lift weer in en daalden ze af naar niveau S3.

'Nou,' zei Han. 'Wat vind je ervan?'

'Waar is Peacemaker?' vroeg Suter. 'Dat is de reden waarom ik hier ben.'

Ze stapten de lift uit, passeerden de veiligheidscontrole en namen tussen de dubbele deuren plaats. Toen ze de beveiligingssluis verlieten, zei Han: 'Ik denk dat ik je maar rechtstreeks naar de generaal breng, dan kan híj Peacemaker aan je uitleggen.'

Terwijl ze door de centrale gang liepen stelde Suter een paar vragen, maar Han gaf geen antwoord. Hij hield niet van vrijpostige vragen, leek hij te willen zeggen.

Hier beneden liepen een paar vrouwen rond. Suter probeerde oogcontact met hen te maken in de hoop een treffer te plaatsen. Hij was getrouwd geweest, maar nu niet meer. In feite had het beëindigen van zijn huwelijk voor de vrijheid gezorgd ontslag bij de marine te nemen – nee, in feite had het voor de vrijheid gezorgd de ambitie na te streven die hij altijd in zich had gevoeld. Zijn vrouw had de ambitieuze Suter nooit echt gemogen. *Zij heeft me tot een heel ander persoon gemaakt. Ze heeft me altijd beperkt. In haar bijzijn was ik gewoon de zoveelste aardige zakkenwasser.* Het kwam niet bij hem op zich af te vragen wat zíj van de zaak had gevonden, of dat zij zich tijdens het huwelijk misschien ook wel anders had voorgedaan dan ze was. Hij was simpelweg ontzettend blij dat hij van haar af was. Behalve dat hij de seks miste, dus was hij nu om zich heen aan het kijken.

'De generaal' was brigadegeneraal Robert F. Touhey, USAF – de Amerikaanse luchtmacht – een kleine man die een kilo of zeven te zwaar was voor een echt gezond lichaamsgewicht, met intelligente blauwe ogen, gemillimeterd haar rond een kaal hoofd, terwijl in zijn stem nog een spoor van een Carolina-accent te horen was. Hij droeg een wit overhemd met korte mouwen en een blauwe stropdas, alsof het hoogzomer was; toen hij opstond was hij zes, zeven centimeter korter dan Suter, maar zijn handdruk leek wel een bankschroef. Ze wisselden beleefdheden uit, en vervolgens liet Touhey Suters hand los, terwijl Han iets mompelde dat ervoor zorgde dat Touhey hem razendsnel een kille blik toezond, om direct daarna te zeggen: 'Tuurlijk, oké, je kunt gaan, Jackie.' Toen gebaarde hij naar Suter dat hij moest gaan zitten.

Suter ging zitten en maakte zijn jasje los. Het was warm in het vertrek. Touhey liet zich weer in zijn bureaustoel vallen en zei: 'Wat heb je met die goeie ouwe Jackie uitgespookt? Hij mag je duidelijk niet.'

'Geen flauw idee. Waar maakt u uit op dat hij me niet zou mogen?'

'Dat zie ik onmiddellijk.' Suter leunde achterover. Touhey's gezicht leek gemaakt om te glimlachen, en zelfs in ruste leek er het begin van een glimlach rond zijn lippen te hangen. Hij wekte ook nu de indruk Suter glimlachend aan te kijken – maar wás dat wel zo? 'Zo,' zei Touhey. 'Hoe gaat het met mijn ouwe maatje George Shreed?'

Suter glimlachte en knikte. 'Hij doet u de hartelijke groeten.'

'Groeten!' lachte Touhey. 'Wat heeft George je allemaal over mij verteld?'

'Hij heeft me verteld dat u de beste imperiumbouwer binnen het Amerikaanse militaire apparaat bent.'

Touhey bulderde van het lachen. 'Dat kun je maar beter van hem aannemen! Dit alles – ' Touhey maakte een weids gebaar dat zowel zijn kantoor, het hele gebouw als het idee omvatte ' – is mijn imperium. Ik heb het naar me toe getrokken; ik heers erover; en ik blíjf erover heersen. Regeringen komen en gaan; Touhey blijft op zijn plaats zitten. Hoe ben je ooit met Shreed in contact gekomen?'

'Hij heeft ooit eens contact met me gezocht.'

'Waarover ging dat?'

'Het ging over iemand die onder mij diende.'

'Goed of slecht? Kom op, George heeft nooit tijd voor flauwekul; wat wilde hij van je?'

'Hij wilde me waarschuwen.' In feite had George Shreed van de CIA hem willen vertellen dat Alan Craik het prototype van een klootzak was, en dat Suter op zijn hoede moest zijn. Shreed haatte Craik écht vanuit het diepst van zijn ziel. 'We lunchten een keertje met elkaar en maakten de zaak rond.'

'Hij heeft je gerekruteerd?'

'Ik vermoed dat u dat zou kunnen zeggen.'

'Met vermoedens schieten we niet echt op, oké? Ik hou niet van dat vage gedoe. Ik ben een wetenschapper en een politicus; noem me maar een politicus op wetenschappelijke basis. Vaagheid is voor lieden die tijd hebben voor flauwekul. Ik niet. Heeft George je gerekruteerd?'

'Ja.'

'Daar ter plekke, na één enkele lunch? Man, dan ben je een koopje. En toen – heeft hij hier en daar aan wat touwtjes getrokken om je snel van de marine los te weken? Hij zat blijkbaar om je te springen. En als George Shreed jou zo graag binnen wilde halen, kan ik maar beter op mijn tellen passen.' Touhey glimlachte opnieuw.

'Hij heeft nieuwe verantwoordelijkheden gekregen. Hij wilde reorganiseren.'

'Klopt. "Zorg voor zo min mogelijk eventualiteiten." Oké. Hij heeft me een dossier over jou toegestuurd; ziet er goed uit. De indruk die ik krijg is dat jij het soort man bent dat als-ie het bos in wordt gestuurd altijd wel de pot met honing weet te vinden – heb ik daar gelijk in? Ik dacht van wel. Gescheiden. Geen kinderen. Ben je nogal op jezelf, Suter?'

'Misschien. Zo heb ik het nog nooit bekeken.'

'"Hij die alleen reist, reist het snelst." Kipling. Oké. Wat wil je over Peacemaker weten?'

Suter zweette behoorlijk. Zou hij zijn colbert uit kunnen trekken? Hij wist nog niet precies hoe hij deze zeer intelligente zuiderling moest aanpakken. Hij besloot zijn jasje aan te houden en het zweten op de koop toe te nemen. 'Ik weet dat de eerste gegevens erover net vrij zijn gegeven. Dat het een satellietsysteem is dat in een lage baan rond de aarde zal worden gebracht. Dat het onderdeel vormt voor een inlichtingen-communicatiesysteem. Dat het nogal controversieel is. Dat kolonel Han de pest in had omdat ik het eerder ter sprake bracht dan hij.'

'Ga door.'

Suter ging verzitten en druppeltjes zweet liepen langs zijn rechterzij naar beneden. 'Shreed vertelde me dat het in feite een wapen is.'

'In-der-daad! Waarmee je bedoelt te zeggen dat het binnen dit vertrek een wapen is, maar als je dat ergens anders zegt zal ik alles ontkennen. Ouwe George is het wat dat betreft helemaal met me eens; we spreken elkaar regelmatig. Ergens bestaat er een soort gemeenschappelijk gebied, waar zijn ideologie en mijn theorie over inlichtingenwerk samenkomen, hoewel het er soms op lijkt alsof een os en een beer voor dezelfde ploeg zijn gespannen. George en ik willen dit om heel verschillende redenen, maar we vinden het nogal zinloos om elkaar nu al naar het leven te staan, en zijn druk bezig met een charmeoffensief richting het Congres en het Witte Huis om ervoor te zorgen dat het project zal slagen. En omdat jij het jongetje van George bent, verwacht ik van jou dat je je voor de volle honderd procent zult inzetten. Oké?'

'Jawel, meneer.'

'Zo is het maar net. Laat me je iets meer over Peacemaker vertellen. Nee! Laat me je iets meer over het inlichtingenwerk vertellen. Inlichtingen en de moderne veldslag. Nu ben je zelf een inlichtingenman. Wat heb je bij de marine gedaan? Inlichtingenwerk aan boord van een vliegdekschip – hoe noemen jullie dat ook alweer, CAG AI? Goed. Je krijgt inlichtingen uit allerlei bronnen, je plakt het aan elkaar, je doet je uiterste best om het een beetje te laten lijken, je raadpleegt de lijsten van doelwitten en de briefingboeken die Uncle Sam ter beschikking stelt, je maakt er iets van dat de piloten begrijpen, die vervolgens opstijgen en datgene doen wat B.F. Skinner heeft geprobeerd duiven te laten doen, namelijk inlichtingen gebruiken om een bom op je doelwit terecht te laten komen. Nou, dat is vrij stompzinnig.

En nu volgt mijn theorie betreffende het inlichtingenwerk. In deze elektronische wereld zijn het inlichtingenwerk en machtsprojectie een en hetzelfde. Het hebben van een gedachte dient gelijk te staan aan het in praktijk brengen van die gedachte. Idee staat gelijk aan actie. Sta daar even bij stil: het gebruikelijke model, het model dat jij aan boord van dat vliegdekschip gebruikte, stamt nog uit de periode van vóór de elektronica. Het draait allemaal om het falen van het inlichtingenwerk vanwege de trage verbindingen. Het grote voorbeeld is de Slag om New Orleans. De Britten rukken op door de moerassen, en Andrew Jackson en nog een hoop andere lieden openen het vuur op hen, waarna de Britten het voor gezien houden en de aftocht blazen. Het enige probleem is dat bij de aanvang van de slag de oorlog al zes weken afgelopen is.

Als je over trage verbindingen beschikt, beschik je in feite over een inlichtingenapparaat dat die naam niet eens waard is – er kan nog van alles gebeuren in de nacht vóór de slag, tijdens de dag waarop de slag plaatsvindt, op het moment van de slag. De inlichtingenman is slechts een of andere sloeber van een majoor, iemand die kan kaartlezen. De man die naar de vigerende maatstaven wél belangrijk is, is de knaap die over voldoende spierkracht beschikt om een wapen te dragen.

Maar nu komen we bij de jaren tachtig aan. Nú kan ik een foto maken en die tegelijkertijd laten verschijnen aan boord van een raket die reeds gelanceerd is. De raket heeft helemaal geen duif nodig om hem aan te sturen; hij beschikt over het elektronische brein om zélf zijn weg te zoeken, daarbij gebruikmakend van satellietpositionering en mijn foto. Ik stuur het naar het doelwit. Ik – de inlichtingenman. Maar láten ze me dat doen? Nee – ze geven de besturing over aan de lieden die vroeger met de wapens zeulden en nog steeds erg graag met explosieven rondstrooien.

Nu bereiken we de jaren negentig. Waar zijn we nú voornamelijk mee bezig. We geven de piloten briefingboeken, briefings, foto's en satellietbeelden, ze stijgen op en maken dezelfde stomme fouten die zij en de duiven zouden hebben gemaakt zónder al die hulp. Wie is nog steeds de minst gerespecteerde officier binnen een squadron? De inlichtingenman. Maar wie is degene die nog steeds het meeste van het doelwit weet? De inlichtingenman.

Dus hier heb je mijn theorie omtrent het inlichtingenwerk: snij al het overtollige wég. Verwijder de tussenpersoon. Zet je inlichtingenman neer waar alle elektronische velden bij elkaar komen, en geef hém de knop.

En daar gaat het bij Peacemaker om – het is het eerste door inlichtingenmensen aangestuurde wapen. Oorlog met pijl en boog zonder dat je een boogschutter nodig hebt. Heeft George je verteld hoe het werkt?'

Suter schudde zijn hoofd. Hij was enigszins overbluft.

'Begrijp je, het probleem dat we zagen was dat als je het spul in een baan hoog rond de aarde bracht, je daar een behoorlijk zwaar lanceervehikel voor nodig hebt, terwijl je nog steeds een verdomd groot gewichtsprobleem hebt. Je kunt je elektronica de ruimte in sturen, zeker weten, maar conventionele wapens zijn nog steeds behoorlijk zwaar. Dus hebben we iets verzonnen dat rechtstreeks uit een sciencefictionroman afkomstig lijkt, ongelogen. Hoe komt het dat een conventioneel wapen zo zwaar is? Brandstof en explosieven. Oké, doe beide weg en je hebt het probleem opgelost. Wat heb je daar in een baan rond de aarde gebracht in plaats van brandstof en dat wapen van jou? *Zwaartekracht.* Wat heb je in plaats van explosieven in de ruimte gebracht? *Door de mens gemaakte meteorieten.* Nog het meest lijkend op een stevige gordijnroede, alleen gemaakt van keramisch materiaal of afgewerkt uranium, daar hebben we nog geen beslissing over genomen – volgende maand worden er in Nevada proeven vanaf grote hoogte genomen. Mijn voorkeur gaat uit naar het uranium, omdat ik weet dat dat spul bij Mach vijf met ijzer versterkt beton doet exploderen, ik bedoel, niet hier en daar wat stukjes eraf, nee, dat spul spat als het ware uit elkaar!

Nu dat gewichtsprobleem was opgelost, hebben we Peacemaker ontwikkeld tot een satelliet in een lage baan rond de aarde, zodat hij van zo'n beetje elke plaats kan worden gelanceerd. Maar een lage baan rond de aarde houdt ook in dat hij niet al te lang in de lucht blijft, misschien maar een dag of vijf. Maar dat is voldoende lang. Peacemaker 1 is in staat veertig roeden, staven zo je wilt, mee te voeren en kan, eenmaal gelanceerd, in de ruimte plusminus vijfhonderd kilometer worden bijgestuurd. Hij bevindt zich buiten het bereik van alle bekende raketsystemen en vliegtuigen. Hij heeft een computer aan boord die niet veel kaler is dan een vroege Cray, plus een stuk of wat ontvangers, *directe,* let wel: optische, zijwaarts kijkende, satelliet-tv, infrarood en een voor digitale data. Ik wil niet zeggen dat het ding kan denken, maar het zal in staat zijn te vergelijken en prioriteiten te stellen, en het zal altijd in direct contact staan met híer.'

'Duur,' zei Suter. Maar wat hij had wíllen zeggen was: *Dit is het meest grandioze dat ik ooit heb gehoord.* 'Vreselijk duur.'

'Er zit voldoende vlees in het budget voor Star Wars om dit kleine project tien keer uit te kunnen voeren. Er zit zoveel vlees aan vast dat ik er weleens over gedacht heb om wat pennen aan te schaffen en een eigen barbecuezaak te openen. "Touhey's Barbecuepaleis"!' Hij moest lachen. Hij raakte al opgewonden door er alleen al over te praten. 'En daarom heb ik George nodig. Er is in Washington niemand die zo goed een varken kan uitbenen als George.'

'Eh, hoe ver is het project gevorderd?' Suter merkte dat zijn stem alleen maar schorre klanken uit kon stoten.

'Over zes weken beginnen we aan het prototype; de juridische afdeling maakt momenteel de contracten rond. Ze hebben boven een model. Ik neem aan dat Jackie je daar met gezwinde spoed voorbij heeft geleid, maar je bent van harte welkom als je dat nog eens zou willen zien. Ik wil hem eind dit jaar testen.'

'Maar – '

'Zeg het maar.'

'Dat ding is zo destabiliserend als de pest.'

Touhey grinnikte. 'Een rechtstreekse schending van het ABM-verdrag. Althans, zo zie ík dat, hoewel we het er hier ook nog niet over eens zijn. Ik laat het aan onze juristen over om dat allemaal uit te werken. En eigenlijk interesseert dat me geen barst. En dat geldt ook voor George, die bij dit alles – tussen jou en mij gezegd en gezwegen – juist betrokken is omdát het destabiliserend is. Het past precies binnen de ideologie van George, en je kunt hem niet bepaald een linkse rakker noemen. Maar je raakt hier wel een tere plek, ja, en daarom hebben we in het enige nieuws dat we over Peacemaker hebben gelekt, aangegeven dat het hier om een inlichtingen-communicatiesatelliet gaat. *Geen wapen.* En zo zal het voor het publiek en het overgrote deel van het Congres voorlopig ook blíjven. Maar op een gegeven moment zullen we toch echt openbaar moeten maken dat het hier wel degelijk om een wapen gaat, omdat het dat natuurlijk ook ís, een wapen dat angst inboezemt. En dat haalt geen moer uit als de mensen niet weten dat het bestáát.'

'Een afschrikkingsmiddel.'

'Nou, zou jíj niet schrikken als je wist dat iemand in staat is om een onbereikbare machine boven je huis te positioneren waarmee hij met een snelheid van Mach vijf meteorieten op je neer kan laten dalen?' Touhey leunde achterover en rommelde wat in een la, om even later met een pakje sigaretten tevoorschijn te komen. 'Daarom gaan we dit als een ondersteunend middel bij vredesmissies aan de VN verkopen. De meest voor de hand liggende demonstratie zal waarschijnlijk in Joegoslavië plaatsvinden – pardon, het voormálige Joegoslavië. We sturen een Peacemaker omhoog in het Middellandse-Zeegebied; de huidige plannen voorzien een lancering in de Golf van Sydra, in samenwerking met de Zesde Vloot – ik neem aan dat je ons daarbij zeer behulpzaam zult kunnen zijn – waarna we het ding ergens boven Servisch gebied manoeuvreren en in bedekte termen laten weten – feitelijk alleen maar *suggereren,* wat betekent dat we iets discreet zullen moeten lekken – dat dit speeltje misschien wel eens te vergelijken zou kunnen zijn met een of ander nieuw wapensysteem. Ik denk dat ze daar best aandacht voor zullen hebben. Ondertussen gooien we wat staven op een of ander rotseilandje in het zuidelijk deel van de Atlantische Oceaan om te kijken wat daar van overblijft.' Hij speelde met een prop papier. 'Je kunt je het debat in de VN al voorstellen als ze daar denken dat ze er weleens iets aan zouden kunnen hebben. Ze zullen niet weten of ze een hoop misbaar moeten maken of net moeten doen of ze van niets weten.'

'Aan de VN géven?'

'Kom nou, je weet best dat we dat nooit zullen doen. Misschien zéggen we dat we dat zullen doen, maar we zijn het echt niet van plan. Herinner je je Reagans aanbod nog om zijn Star Wars aan de wereld te geven? Iets dergelijks. Maar we zullen het voor de goede zaak gebruiken, zeker weten. Ik hoor nu eenmaal bij de mensen die helemaal niet blij zijn met een stelletje harde verdommelingen die in naam van iets dat ze etnische schoonmaak noemen hun medeburgers – inclusief vrouwen en kinderen – met harde hand verjagen, terwijl hun eigen etnische achtergrond om te beginnen ook al uitermate bedenkelijk is. En bovendien hebben we de pr nodig, want als dit bekend wordt zou het wel eens een gigantische ruzie tot gevolg kunnen hebben.'

'En ik word geacht daar deel van uit te maken.'

Touhey keek hem grinnikend aan. 'Jij wordt de *targeting-officer*, de man die verantwoordelijk is voor het raken van het doelwit.' Hij grinnikte even toen hij de verbijstering op Suters gezicht zag. 'George wil dat nu eenmaal. Jij houdt voor hem toezicht op zijn investeringen. Je krijgt voor de duur van dit project een kantoor op deze etage, en ik zal voor ruimte zorgen in onze vestiging in DC. Je zult me nog wel eens een keertje daarheen moeten vergezellen. Speel je golf?'

'Een beetje.'

'Een beetje zet niet echt zoden aan de dijk. Leer een beetje fatsoenlijk spelen. We zorgen voor de meeste steun tijdens een goed spelletje golf.' Hij glimlachte. 'Maar leer het ook weer niet ál te goed, alsjeblieft.' Hij ging staan en had een sigaret uit het pakje gehaald, die hij nu tussen zijn vingers hield, terwijl hij aanstalten maakte om met zijn andere hand een aansteker aan te knippen. Overal in het gebouw waren bordjes te zien met daarop *Verboden te Roken*. 'Jij zorgt ervoor dat George van een en ander op de hoogte blijft, maar hier in huis maak je onderdeel uit van de targeting- en data-flow ladder. Je kunt hier van groot nut zijn. Werk hard.'

'Ik werk altijd hard.' Suter zei het vol trots, maar het zorgde wel voor een ondoorgrondelijke blik op Touhey's gelaat – was dat wellicht als uitdaging bedoeld?

'We staan op het punt uit te breiden. Jij maakt van die uitbreiding deel uit. Als je bij het bouwen van een imperium niet steeds groter wordt, hakken ze vlak onder je knieën je benen af en ben je plotseling weer klein.'

De vlam van de aansteker schoot omhoog.

De Middellandse Zee.

Het USS *James Madison* ging naar huis.

Het grote wiel draaide en in de Adriatische Zee maakte de battle group aanstalten om de steven te keren richting thuishaven; in Norfolk was de battle group die haar plaats zou innemen, BG 6, met de laatste voorbereiding voor het vertrek bezig.

Niet op dat moment. Zelfs niet op die dag. Maar de *Madison* had haar steven van de Bosnische kust afgewend, en ze was het hele vasteland van Italië langs gevaren, rond de laars, en haar bemanning wist dat ze deze route niet nog eens terug zouden afleggen, althans, niet tijdens deze tocht. Iets van de spanning aan boord begon te verdwijnen, alsof iedere opvarende die nacht fatsoenlijk had geslapen en iedereen redelijk opgewekt was.

Alan Craik ging naar huis. Zijn air-intel team stond eindelijk op het punt het Middellandse-Zeegebied te verlaten, en dat werd hoog tijd ook. De mannen en vrouwen waren vermoeid; de machines waren vermoeid. Nadat Suter was vertrokken – Alan wist dondersgoed dat zíjn aanwezigheid ervoor had gezorgd dat alles een stuk beter ging; Suters afwezigheid was daarbij van grote invloed geweest – was zijn ploeg een eenheid geworden, en nu waren zijn mensen efficiënt en intelligent bezig, maar ze waren tegelijkertijd volkomen óp. Het waren prima krachten; hun glimmende nieuwheid was onder de druk van constante planning en activiteit geleidelijk aan verdwenen, en de N2, samen met Alan, had hun ietwat bangige instelling (bang voor Suter wellicht?) snel weten bij te stellen. Alan had er de voorkeur aan gegeven om ze met zo min mogelijke kritiek ervaring te laten opdoen. Nu vormden ze een hecht team, en Alan bedacht met enige wrevel dat ze, net als bij de meeste militaire organisaties, naar huis werden gestuurd terwijl ze eindelijk goed tegen hun taak waren opgewassen.

Het uitvoeren van vredestaken was uiterst slopend. Er was helemaal niets waar je naartoe kon werken; het was alleen een zaak van volhouden. Er zouden voor hen nooit onderscheidingen zijn vanwege het feit dat ze de oorlog – of de vrede – in Bosnië hadden 'gewonnen'. Het gíng maar door. *En het zou ook nog jaren zo doorgaan,* besefte hij. *We komen daar ooit nog wel eens een keertje terug,* was datgene wat hij dacht, maar nooit tegen zijn mensen zei.

Dus de *Madison* rondde de teen van de laars en zette koers naar Napels, en toen ze voor de laatste keer de baai daar binnenvoeren om met verlof aan wal te gaan, leek de hele battle group Bosnië al nagenoeg vergeten te zijn. In dichte drommen gingen ze van de heen-en-weerbootjes aan wal en verspreidden zich in de straten als mieren die een omgevallen pot met honing hadden ontdekt. Alan, die op weg was naar het koninklijk paleis, kon sommige van de verlofgangers een blok verderop horen juichen. Slechte pr, maar – je leeft maar één keer!

Napels had zo haar herinneringen. Niet allemaal even goed – zijn ouders waren uit elkaar gegaan terwijl zijn vader hier voor een of andere NAVO-functie was gestationeerd. Hij en Mike Dukas waren hier aan de jacht op de moordenaar van zijn vader begonnen. Als hij aan de dood van zijn vader dacht zorgde dat altijd voor een steek door zijn hart. Maar dat moest hij nu proberen van zich af te zetten! Vandaag was dit een zonnig oord waar hij slechts een zeeman met verlof was; hij was gek als hij zich hier door allerlei geesten uit het verleden liet opjagen! Hij bestelde een minibus en nam een stuk of zes man van zijn team mee naar Pompeji, kocht wat prullaria voor Rose en Mikey, en zwierf vervolgens met zijn mensen in de motregen door de straten van Pompeji. Ze waren zo blij dat ze van het schip weg waren dat het wel kinderen op schoolreisje leken, lawaaiig en opgewonden, veel te veel wijn bij de lunch. Hij liet ze hun gang gaan.

Hij was nu de Oude Knakker, de Vader, de Spullenbaas – wat best grappig was, want vijf jaar geleden was hij nog een van hen geweest.

'Hé, Al, hoe zeg je "kroelen" in het Italiaans?' Een van de luitenants-ter-zee der tweede klasse jongste categorie had zijn oog laten vallen op een voluptueus meisje dat voor haar veertigste waarschijnlijk bijna honderd kilo zou wegen. Alan moest lachen. 'Ik zal je het Italiaans voor "ik denk dat ik hem beter in mijn broek kan houden" leren, wat dacht je daarvan?'

Hij liet ze hun gang gaan, een tikkeltje wankel, maar nog steeds lawaaiig, op de toeristenroute. Hij zat op een vochtige muur, blij een paar minuten alleen te kunnen zijn. Nu alles achter de rug was, nu hij Suter had overleefd en de schade had hersteld die de man aan de inlichtingenstaf had aangericht, nu hij zijn mensen had veranderd in een team dat bereid was ertegenaan te gaan en dat bruikbaar materiaal kon leveren en daarna ook nog kon glimlachen – nou ja, bijna glimlachen – werd hij overvallen door twijfels over de volgende baan die hem te wachten stond. Deze tijdelijke benoeming voor een reis aan boord van de *Madison* had ervoor gezorgd dat hij in aanmerking kwam voor de functie van *briefer* in het Pentagon. Toen hij het daar een jaar geleden met Harry O'Neill en wat later met zijn detacheringsbegeleider over had gehad, had het het mooiste geleken sinds de ontdekking van het feit dat je met twee personen heerlijke seks kon hebben. 'Dan zit je midden tussen de actie!' had O'Neill ge-kraaid. 'Een verdomd goede uitgangspositie voor een maximaal carrièrepoten-tieel,' had de detacheringsvrouw gezegd, maar die detacheringsvrouw was een techneut die zelf met verlangen uitzag naar het einde van haar walfunctie, ter-wijl Harry O'Neill een paar maanden later ontslag bij de marine had genomen; nu, zittend op een muurtje in Pompeji, vroeg Alan zich af of beiden hadden ge-meend wat ze tegen hem hadden gezegd. De waarheid was dat als je tussen de actie zat, je eigenlijk geen deel uit maakte van die actie. Die techneut wilde eigenlijk niets liever dan nucleaire voortstuwingsinstallaties ontwerpen, terwijl O'Neill eigenlijk niets liever wilde dan spionnetje spelen.

En Alan Craik werd straks een hoofd dat kon praten.

Die avond nam hij zijn ploegje mee naar een klein restaurant dat Pappagallo heette. Hij herinnerde het zich nog van vroeger. Ze namen met z'n allen zo'n beetje de helft van de zaak in beslag, en hun energie schokte de vaste klanten en zorgde er wellicht voor dat een aantal van hen vroeger wegging dan oor-spronkelijk hun bedoeling was geweest. Maar toch genoot Alan met volle teu-gen – bestellend in het Italiaans, voor iedereen vertalend, grapjes makend tegen de ober, die de middelbare leeftijd al was gepasseerd en tegen Alan zei dat hij zich hem nog herinnerde als een kleine jongetje (wat een goedbedoeld leugen-tje moest zijn). Er werden een stuk of wat tafeltjes bij elkaar geschoven en men riep elkaar van alles toe, terwijl er ongegeneerd geflirt werd tussen de mannen en de vrouwen die dat aan boord van het schip hadden moeten onderdrukken. *Een paar Italiaanse liedjes, en de helft van dit stelletje ligt bij elkaar in bed,* besefte hij, en hij bracht het gespreksonderwerp op Bosnië en vredesmissies. Dat was altijd een grandioos onderwerp en had altijd het zelfde effect als een koude douche. Aan boord had het soms zelfs tot gevolg dat bepaalde mensen geen mond meer tegen elkaar opendeden – Waarom zijn we hier? Wat is onze taak hier? Waarom moeten wij zonodig de politieagenten van de wereld zijn? Wat is er aan de hand met de bevolking op de Balkan? Waarom kunnen we niet gewoon een stuk of wat bommen op die stomme hufters gooien? – maar nu, onder de invloed van de terugreis en ruime hoeveelheden Lacrima Christi, verdween een deel van de verbittering waarmee ze gewoonlijk hun argumenten aandroegen. De mannen en vrouwen hadden in de beperkte ruimte van het inlichtingenkantoor vijf maanden lang over de futiliteit ervan kunnen ruziën. De toon was nu weemoedig, als van mensen die hun best hadden gedaan en nu weg moesten, terwijl de toestand misschien niet verergerd was, maar waarschijnlijk ook niet veel verbeterd was.

Baronik was hun geleerde op geschiedkundig gebied. Een vrij korte, donkere jongeman met een gezicht als van een klein jongetje, die in staat was om historische feiten naar voren te brengen waarvan nog niemand ooit gehoord had. (Soms vermoedde Alan dat hij dat soort verhalen verzon waar je bij stond.) Nu zette Baronik het voor hen allemaal nog eens op een rijtje. 'Er is nog hoop,' zei hij. Hij was ietwat aangeschoten, ook wat meer ontspannen dan gewoonlijk, hoewel hij misschien ook indruk probeerde te maken op ltz2 j.c. Mary Colley. 'Mensen, er is nog hoop! Kijk eens naar alle andere oorden waar dit soort ellende voorkomt. De ene buurman die de andere vermoordt! Het ene dorp dat het andere in de fik steekt! Deze keten van gewelddadigheid kan worden afgestopt door een krachtige overheid en economische voorspoed.' Zijn stem klonk gepassioneerd. Toen hij op de gezichten van de anderen nog duidelijk twijfel zag, vervolgde hij: 'Kijk eens naar de Engels-Schotse grensgebieden tussen de veertiende en achttiende eeuw!' Iemand kreunde zacht. 'Kijk eens naar de Noorman Vexin!' Iedereen begon te kreunen.

'Kijk eens hoe laat het al is,' zei Alan. Hij gebaarde dat hij de rekening wilde hebben. Het zou een gepeperde nota worden, maar papa nam zijn kinderen nu eenmaal af en toe mee uit eten om te laten zien hoe de volwassenen leefden.

'Op een gegeven moment móet het lukken, Al!' zei Baronik. Maar daarbij wierp hij een snelle blik in de richting van ltz2 j.c. Colley.

'Vast en zeker.' Alan herinnerde zich de folterruimte in de Servische zone. Nou ja, misschien wérd het daar ook nog wel eens vrede.

Hij had drie dagen walverlof. Hij belde Rose elke ochtend en ze babbelden en flirtten en spraken over Mikey en de toekomst. Zelfs in een Italiaanse telefooncel voelde hij zich dicht bij haar, en haar schorre gelach maakte dat zijn stemming verbeterde, hoewel dat er tegelijkertijd voor zorgde dat hij zo geil als boter werd. Het zorgde er ook voor dat hij blij was met zijn toekomst. Alles zou in orde komen; ze zouden bij elkaar zijn; het leven zou een stuk minder snel voorbijgaan; ze zouden heerlijk met elkaar vrijen en er nog een baby bij nemen, en misschien ook nog wel een poes; leuk voor de hond. Ze zouden net echte mensen zijn. 'Ik hou van je,' zei ze met die enigszins omfloerste, enigszins hese stem van haar. 'Reken maar,' zei hij. 'Van hetzelfde. Ik ook, idem dito. Beslist. God, ja!' Ze lachte opnieuw. 'Je bent al véél te lang op zee geweest, luitenant.'

Terug aan boord en met nog één dag walverlof te gaan, luisterde Alan mee terwijl de AI's zich op 'Exercise Orange' voorbereidden, de laatste oefening, de ene battle group tegen de andere battle group (BG 5 tegen BG 6), een oefening waarmee elke tour op zee begon en eindigde. Hij liet zijn blik over de gegevens en scenario's glijden, en gaf die met zo min mogelijk commentaar aan de N-2 door. De 'Orange'-oefening was goed doorwrocht, met name als je besefte dat zij in elkaar was gedraaid tussen verschillende tripjes naar de wal door. Bij het begin van hun tour zouden alle officieren van het inlichtingencentrum voor een project als dit al hun tijd nodig hebben gehad, terwijl ze nu, bijna aan het einde van hun reis, kans zagen zo'n klus binnen een paar uur te klaren. De N-2 keek glimlachend naar het resultaat en gaf het door.

Alan liep door de stuurboordgang naar de squadronruimte van VS-21, waar de vlieger die Surfer werd genoemd dienst had als officier van de wacht, en nu druk bezig was met het lezen van een boek over het bouwen en vliegen van Japanse oorlogsvliegers, zijn huidige passie. Surfer was een oude vriend uit Alans oude squadron; net als Alan was hij aan boord van de *Madison* gekomen om in een betere uitgangspositie te komen voor een functie die hij ambieerde. Surfer, die wat ouder en meer uitgeslapen was, was in de donkere periode onder Suter voor Alan een soort anker geweest. Alan hoopte dat hij ook voor Surfer iets positiefs had betekend.

'Hoe gaat het, Bud?' vroeg Alan, een blik op het boek werpend.

'Hé, man. Nog drieëntwintig dagen te gaan, niet dat ik ze echt tel.'

'Zit jij bij de fly-off?' Het schip mogen verlaten aan boord van een van de vliegtuigen van de Air Wing was een graag gewild privilege – zij die met de eigen toestellen naar hun thuisbases zouden vliegen, waren dagen eerder thuis dan de rest.

'O, jazeker. Surfer is gewoon te cool om naar huis te lopen, man. Maar luister eens even, ik ben tot missiecommandant voor die Orange-aanval gebombardeerd. Want voor we thuis arriveren moeten we daar eerst nog even doorheen, niet?'

Alan dumpte een stapel berichten en kopieën met diagrammen op het bureaublad vlak voor Surfer. Surfer was een vat vol tegenstrijdigheden; achter dat jongensachtige gezicht uit Californië school een uiterst intelligent mens. Surfer was iemand die las zonder dat de omgeving het in de gaten had, en Alan wist dat hij deze hele stapel operationele informatie zou hebben doorgenomen vóórdat iemand van zijn collega's van walverlof zou zijn teruggekeerd. Surfer bladerde door de papieren en keek Alan glimlachend aan.

'Weet je, Al, je bent lang geen kwaaie knaap, na alle lullige dingen die ik achter je rug om rondvertel.'

'Je bent een lekkerdje. Hé, ik ga weer terug naar de grote stad. Heb je nog iets nodig?'

'Bier?'

'Je kunt me wat.'

Alan draaide zich om en maakte aanstalten te vertrekken, toen Surfer hem nariep: 'Hé, Spy, zin om te vliegen?'

Alan had de hele tijd dat hij aan boord was nog niet gevlogen, uitgezonderd wat vluchtjes naar de kust aan boord van helikopters en COD's – *carrier on-board delivery*-kisten, toestellen die personeel en vracht van en naar het vliegdekschip brachten. Maar Surfer probeerde hem een plezier te doen, naar zijn intonatie te oordelen.

'Hoezo?'

'O, dat hele Orange-oefeninggedoe is onmiskenbaar een ISAR-klus – jouw specialiteit, man. Bovendien heeft de sergeant-majoor griep. Als hij niet kan vliegen wil ik kijken of ik jou bij mijn bemanning ingedeeld kan krijgen, oké?'

Nu was het Alans beurt om te glimlachen. 'Graag.' Dat was mooi. Dat was héél mooi. Het was een grandioze manier om een eind aan deze reis te maken. Terug in zijn hut keek hij in zijn agenda, rekende uit hoeveel dagen hij nog moest, en toen zag hij welke datum het was en besefte toen dat zijn selectiecommissie vandaag bijeenkwam om de uiteindelijke lijst van de O-4's die volgend jaar in aanmerking kwamen samen te stellen. Ach, tja – wat wísten die eigenlijk?

Op een prachtige avond op de rede van Marseille, zesendertig uur later, luisterden hij en Surfers tijdelijke bemanning hoe Surfer het aanvalsplan tegen Force Blue toelichtte; Force Blue dat momenteel voorbereidingen trof om bij Gibraltar de Middellandse Zee binnen te varen. De NAVO wilde de Amerikaanse vliegdekschepen zó graag op een zo kort mogelijke termijn op station hebben dat de inkomende BG 6 al in de Middellandse Zee zou arriveren vóór de vertrekkende BG 5 de Straat van Gibraltar had kunnen passeren. Dus Orange werd tegenwoordig in de Middellandse Zee uitgevochten, niet op de Atlantische Oceaan.

Alan zou inderdaad samen met Surfer vliegen, maar niet zomaar voor de gezelligheid. De Italiaanse griep verspreidde zich als een razende door de Air Wing, en in plaats van als een extra stel ogen ten behoeve van de ISAR te vliegen, zou Alan nu meevliegen in de TACCO-stoel van de S-3 nummer één, die samen met eenzelfde toestel van het squadron zowel als verkenners als tankers voor de uit F-18's bestaande aanvalsmacht zouden fungeren.

Surfer lichtte de zwaartepunten toe van een vluchtplan dat eenvoudig maar effectief genoemd mocht worden. Alan deelde speciaal vervaardigde kniebordkaarten uit met EW- en ISAR-informatie betreffende battle group Blue, via het JOTS-terminal verzameld bij vrienden in Norfolk. De copiloot van Surfer bekeek de kniebordkaarten en stak zijn duim naar Alan omhoog, en de ltz2 j.c. die aan boord van de tweede S-3 als TACCO zou fungeren liep vervolgens nog wat gegevens met hem door. Het was een uiterst serieuze knaap, en Alan ontdekte al snel dat hij minstens even veel gevoel had voor EW-zaken – EW stond voor *electronic warfare,* elektronische oorlogvoering – als Alan zelf, maar ook – en dat deed best een beetje pijn – behoorlijk meer up-to-date. Alan werd vroeger zo'n beetje als goeroe beschouwd, maar hier, waar ervaring gekoppeld was aan de hardware, was zijn expertise al aan het verouderen. Tijdens zijn laatste vaartocht was hij de beste EW-officier aan boord van het schip geweest. Roem was slechts van korte duur.

Toen hij zich door de gang in de richting van de catwalk en het toestel begaf, kwam Surfer naast hem lopen. 'Ze leren al dat spul tegenwoordig al tijdens hun periode bij de RAG,' zei hij een tikkeltje wrevelig. RAG was de afkorting van *replacement air group.* 'Ik heb nog steeds het gevoel dat we dat tijdens de Golfoorlog zelf hebben ontwikkeld, maar voor deze jongens is het gewoon standaard. Iedereen doet ISAR, iedereen kijk naar EW-spul.' Hij zuchtte eens. 'Je weet dat ze van plan zijn om onbemande vliegtuigen in te gaan zetten?'

'Fijn dat je me mee de lucht in neemt.'

'Hé, je hebt het weliswaar niet aan me gevraagd, maar ik zag je een paar keer naar de vluchtindeling kijken.'

Op het vliegdek was men druk in de weer met de voorbereidingen voor de operaties die nacht – felverlichte stukken dek, afgescheiden door brokken duisternis waarin gekleurde zaklantaarns zich bewogen als vuurvliegjes. Naast de oefening tussen Blue en Orange, werden er ook nog vluchten uitgevoerd die verband hielden met Deny Flight boven Bosnië, plus CAP – *combat air patrol* – plus nog een paar COD's omdat ze vlak onder de kust voeren. Alan volgde

Surfer terwijl die rond het toestel liep en zijn pre-flight controle uitvoerde. Vroeger had hij altijd wel een poging ondernomen zijn eigen pre-flight te doen, maar hier hoefde hij niemand iets te bewijzen. Hij maakte zich alleen van Surfer los om onder de romp van het toestel te kruipen en met behulp van zijn zaklantaarn de chaff- en flare-patronen te tellen. De SENSO – de *sensor operator* – noteerde het aantal en verdween toen naar binnen. Alan tuurde omhoog naar de warme, nachtelijke hemel, zich plotseling bewust van het feit dat hij hier op het vliegdek stond, bezig was met zaken die hij heerlijk vond, plotseling bang dat hij er een puinhoop van zou maken. De geur van de kerosine en gloci-ende motoren drong tot hem door. Vlagen warme, zoete lucht, afkomstig uit Frankrijk, streken langs hem heen en waren toen alweer verdwenen. Hij klom achter de anderen aan aan boord van het toestel.

De Lockheed S-3 Viking was nog steeds dezelfde dikke vette druif. De ver-trouwde geur drong tot hem door, en hij moest glimlachen. Hij controleerde zijn stoel, keek waar de pin zat waarmee de stoel wordt vastgezet, paste zijn zuurstofmasker wat aan en nestelde zich in de stoel. Surfer kwam aan boord en startte de APU's, hulpmotoren die voor de energievoorziening zorgen als de hoofdmotoren nog niet zijn ingeschakeld, terwijl Alan allerlei briefjes op zijn beeldscherm begon te plakken. Naast hem keek de SENSO met fronsende wenkbrauwen toe.

'Ik moet nu eenmaal aan bepaalde zaken herinnerd worden,' zei Alan. De SENSO bladerde door zijn kniebordkaarten en zweeg verder. Alan besefte dat hij weer was teruggekeerd tot de gelederen der beginners.

Ze werden als eerste gelanceerd, en Surfers modelgroet en de adembenemende kracht waarmee ze langs de katapult de lucht in werden geslingerd zorgden er-voor dat Alan opnieuw door een golf van nostalgie werd getroffen. Direct daarna ontwikkelde zich de gebruikelijke stroomversnelling van activiteiten aan boord, terwijl Alan en de SENSO, waarvan hij nu hoorde dat het hier om ser-geant King ging – die om begrijpelijke redenen 'Burger' werd genoemd – hun apparatuur begonnen na te lopen en zich opmaakten voor het grote probleem hoe ze zo snel mogelijk battle group Blue konden opsporen. Er was in dit ge-bied nauwelijks sprake van *ducting*, geleiding, en Alan wist dat ze zouden moe-ten wachten tot ze wat hoger zaten voor ze over betrouwbare EW-info zouden kunnen beschikken, dus ging hij verder met het inbrengen van zoekdata op zijn console. Na een worsteling met zowel het systeem als zijn professionele geheu-gen, was hij opgetogen toen hij merkte dat hij de datalink had weten te active-ren. (Zijn geheugen was een heel andere zaak.) Dit wapenfeit veroorzaakte een verbaal applaus vanuit de cockpit waardoor Alan zich op slag een stuk minder nieuwkomer ging voelen. Burger liet op geringe hoogte de radar een paar slagen maken om te zien of die functioneerde, en schakelde hem toen weer uit om te voorkomen dat ze hun locatie zouden verraden.

De andere battle group bevond zich naar alle waarschijnlijkheid in de buurt van de Balearen, en Alan was een tijdje bezig met het invoeren van de ruwe omtrekken van deze eilanden in de link. De bedoeling van de aanval was om met een grote bocht om de battle group heen te vliegen, om te voorkomen dat men toestellen van Force Blue tegen zou komen die met een soortgelijke opdracht de lucht in waren gestuurd, om vervolgens vanuit het noorden op battle group Blue aan te vliegen. Nadat Force Blue zou zijn opgespoord, zouden ze brandstof overgeven aan de F-18's en verder op geringe hoogte op het smaldeel aanvliegen voor het simuleren van een Harpoon-aanval, terwijl de F-18's een combinatie van Harpoons en HAARM's 'af zouden vuren' om de radar van Blue te neutraliseren. Het tankplan werd een 'beperkte kettingzaag' genoemd, waarbij de aanvalsmacht de gelegenheid kreeg om zoveel mogelijk ruimte tussen zichzelf en het vliegdekschip te creëren. Kettingzaagtanken was tijdens de Koude Oorlog erg populair geweest; tijdens de jaren negentig werd het nauwelijks meer geoefend, maar Surfer was van mening dat ze er hun voordeel mee zouden kunnen doen.

Uiteindelijk konden ze niets meer doen, en Alan dommelde weg. Van tijd tot tijd controleerde zijn voortdurend nog gedeeltelijk functionerende brein de datalink om te zien hoe hun positie was, en toen ze hun van te voren vastgestelde startpunt bereikten, werd hij weer helemaal wakker en schonk hij een beker koffie voor de bemanning in. Hoewel Surfer deze voorziening als geheel vanzelfsprekend beschouwde, reageerde de copiloot met een aangenaam gegrom van verrassing, terwijl Burger aarzelend glimlachte.

'Doet me weer aan vroeger denken, hè, Spy?' Al een hele tijd had niemand hem meer 'Spy' genoemd. 'Heb je ook nog koekjes bij je?' De koks aan boord van de *Jefferson* hadden een specialiteit: chocoladekoekjes. De specialiteit aan boord van de *Madison* waren donuts. Alan haalde voor elk bemanningslid twee stuks uit zijn helmtas.

De copiloot, Red Ericsson, bleef hardop lachen totdat hij de laatste kruimels naar binnen had gewerkt. 'Hé, zullen we deze knaap vragen of hij vast bemanningslid bij ons wil worden?'

Surfer liet een verongelijkt gesnuif horen. 'Hij wás vroeger vast bemanningslid bij mij. We werden toen met de week zwaarder.'

Nadat de koekjes genuttigd waren begon Alan aan een systematische EW-scan. Een halfuur ging voorbij zonder noemenswaardige activiteit; hij bleef stralingsbronnen vinden die niet helemaal pasten en niet op de juiste manier reageerden, en uiteindelijk ontdekte hij via driehoeksmetingen dat ze zich aan de wal moesten bevinden. Mobiele telefoons? Auto-alarms? Vliegveldradars? Wie zou het zeggen? De gladde j.c.'er aan boord van het andere toestel zou er ongetwijfeld een verklaring voor hebben. Na een tijdje lokaliseerde Alan via de geactiveerde radars aldaar het vliegveld iets ten oosten van Palma de Mallorca, en gebruikte die gegevens om enige afwijkingen in de datalink te corrigeren.

En toen was het voor de eerste keer raak.

'Eén enkele zwiep van een rondzoekradar,' meldde hij met luide stem. Nauwelijks een minuut later was het opnieuw raak. Fregat. Uit de Oliver Hazard Perry-klasse. Waarschijnlijk een piketschip. Hij keek met groeiende belangstelling toe. Het fregat liet haar radar ronddraaien, want haar stralenbundel bleef hen met pauzes van precies een minuut passeren.

'Ik ruik onraad,' zei Surfer. Maar dat gold voor hen allemaal. Het schip was meer dan honderd mijl van hen verwijderd en de kans was klein dat hij hen al had weten te identificeren, want Suter had een vluchtcorridor opgezocht die voornamelijk door burgervliegtuigen werd gebruikt. Surfer luisterde ingespannen naar de frequentie van de toren van Palma in de hoop een call-sign van een marinetoestel op te vangen.

'Ga wat verder naar het westen,' zei Alan. 'Ik heb een andere uitgangspositie nodig, en ga duizend voet lager vliegen.' De wetenschap erachter kende hij niet, maar de ervaring had hem geleerd dat een geringe verandering in hoogte en richting vaak een aanzienlijk invloed op de resultaten van de EW-apparatuur konden hebben.

'Dat verdomde piketschip vaart daar alleen maar om ons naar hen toe te lokken,' zei Surfer op een toon waaruit totale zekerheid sprak. Van zijn Californische accent was nu nauwelijks meer iets te horen. Het was maar een oefening, en het doelwit was zo vriendschappelijk als het maar zijn kon – de mensen die hen kwamen vervangen – maar het was ondanks alles een buitengewoon ernstige zaak.

'De F-18's hebben over twee minuten brandstof nodig,' meldde Red.

Alan bleef aandachtig naar zijn twee EW-hits kijken. Hij had nog een truc achter de hand, en hij wachtte rustig af tot hij geluk zou hebben. Het leek net vissen: de kurk dobberde op het water en Alan wachtte tot die onder het oppervlak zou verdwijnen, om vervolgens razendsnel toe te slaan.

Hij hoefde niet lang te wachten.

'Ik heb het vliegdekschip.' Alan wachtte een paar seconden. 'Draai naar het noorden.' Het vliegtuig beschreef een scherpe bocht en lag even later weer horizontaal. Niets. Alan liet zijn vissnoer over het water slepen. Hij had geen tijd meer om van aas te verwisselen. Het was net alsof hij met de vader van Rose aan het vissen was. Alleen waren de vissen hier wat groter.

'De F-18's hebben over één minuut brandstof nodig.' Nog tijd zat. *Kom op, wordt eens wakker, geef me eens wat gegevens* –

Toen die kwamen, was de verandering in aanvliegroute voldoende om direct een peiling en een fix te kunnen maken. 'Ik heb 'm.' Hij toetste de info in de datalink in. Surfer juichte één keer en zette een daalvlucht in. Niemand vroeg hoe het hem gelukt was, wat een tikkeltje teleurstellend was. Op vijfduizend voet ging Surfer weer over op horizontale vlucht terwijl Red met één enkel woord de aanvalstoestellen opriep dat er getankt kon worden. Ze pompten EMCON-brandstof over, dat wil zeggen dat er verder geen radiocommunicatie plaatsvond, en ze zaklantaarns en de navigatieverlichting gebruikten om de vliegers van de F-18's te seinen dat ze zich schuin onder hen konden positioneren om brandstof over te nemen. Elke S-3 gaf aan twee F-18's kerosine, en voor het hele proces waren niet meer dan tien minuten nodig. De de F-18's hadden al twee keer eerder getankt bij de twee S-3's die verderop in de 'kettingzaag' zaten. Alan was via de infraroodcamera getuige van het tanken. Hij begon niet te trillen, maar elke keer als hij op het groene schermpje een toestel aan zag komen zweven en aan zag koppelen, moest hij steeds weer aan de crash van zijn vader denken. Hij bande de gedachte uit zijn hoofd.

Red deed snel achter elkaar drie keer de navigatieverlichting uit en aan.

'We gaan er tegenaan,' zei Surfer kalm, en bracht het toestel met de neus in de richting van het merkteken dat Alan op zijn twee EW-hits had aangebracht. Alan transpireerde, zoals hij altijd deed wanneer anderen van hem afhankelijk waren, hoewel hij er nu nauwelijks nog iets aan kon doen. Surfer veronderstelde een tweede piketschip dertig zeemijl ten noorden van het vliegdekschip, dus gingen ze gestaag lager vliegen om beneden de radarhorizon van dat schip te blijven. De F-18's zaten zelfs nog lager, terwijl S-3 nummer twee op een evenwijdige koers westelijk van hen vloog.

Nog geen minuut later verscheen het symbool van een tweede piketschip op de link, vlak bij de positie die Surfer in gedachten had gehad. De S-3 nummer twee draaide nog verder naar het westen en begon te klimmen.

'Hij gaat via een evenwijdige koers op dat piketschip af!' merkte Surfer op. 'Mooie move. Ik hoop dat ze erin tuinen.'

Surfer liet het vliegtuig overgaan in een steile duikvlucht om zo snel mogelijk snelheid te maken en onder de horizon te blijven. Alan hoopte dat de F-18's ook nog laag zouden zitten. Ze moesten nu bijna binnen bereik zijn – als het vliegdekschip zich nog steeds op de plaats bevond waar ze het hadden gemarkeerd.

Burger had het nu erg druk. Hij had de radar aangezet maar nog niet geactiveerd, en hij had zijn ISAR-cursor op de aangegeven plaats gecentreerd. Surfer stoof erop af, slechts zeshonderd voet boven het water. Over twintig minuten zou de zon opgaan, en een schijnbare dageraad maakte de onder hen door vliegende zee tot een matgrijs waas onder hun vleugels.

'Nog één minuut tot optrekken,' zei Surfer. Ze wachtten af. Alan had niets op de EW. Dat was goed, want daaruit zou je kunnen afleiden dat ze nog niet waren ontdekt. Het was ook níet goed, aangezien het ook zou kunnen betekenen dat ze op het punt stonden een groot stuk open water aan te vallen. Maar het was nu te laat om daar nog verandering in aan te brengen. Nadat de brandstof was overgetankt, werd de aanval geheel op automatisch afgewerkt, waarbij de F-18's alleen maar het symbool voor een vliegdekschip op het scherm zagen. Ze hadden geen flauw idee waar dat symbool precies op berustte en hoe goed of slecht het met de werkelijkheid correspondeerde.

'Nú,' zei Surfer. De neus ging scherp omhoog, en ze klommen zo snel hun twee turbofanmotoren dat maar toestonden.

'Meldt éénduizend,' blafte Burger.

Een paar seconden gingen voorbij. 'Eénduizend,' reageerde Red. Burger drukte razendsnel op de *activeer*-knop en de radar maakte één enkele omwenteling.

Boven aan het scherm, ongeveer twaalf meter ten noorden van Alans datumpunt, werden drie banaanachtige vormen zichtbaar, waarvan er eentje aanzienlijk groter was dan de andere. Burgers vingers vlogen over het toetsenbord en zette de cursor op de grootste echo. Voor ze waren gaan klimmen had Alan zijn apparatuur al in de Harpoon-lanceermode gezet; nu schakelde hij het doelwit door naar de nieuwe cursorlocatie, bepaalde de routepunten en klapte het perspex kapje dat de lanceerknop bedekte omhoog.

Burger wierp een fractie van een seconde een blik op het doelwit en voerde de nieuwe locatie in op de datalink.

'Klaar om te vuren,' zei Alan. 'Bij de battle group worden nu verschillende radars geactiveerd.'

'Afvuren.'

Alan haalde de schakelaar over en luisterde naar de meldingen van de aanvalsgroep.

'Harpoon op het middelste radarcontact gelokaliseerd – '

'HARM-schot op de AEGIS-radar gelokaliseerd – '

'Harpoon ter plekke – '

'Harpoon nummer drie op weg.'

'HARM nummer vier op radar – '

Surfer wachtte tot de laatste melding was weggestorven. Hij wilde dat elke scheidsrechter die nog wakker was elk treffer zou horen. Toen brulde hij enthousiast in de microfoon en riep: 'Goedemorgen, Battle Group Blue! Hier, in het westelijk deel van de Middellandse Zee, is het momenteel een prachtige ochtend en over een paar uur kunnen degenen onder u die de zwemtocht naar de kust hebben overleefd topless gaan zonnen op het strand van Palma de Mallorca!'

De stem die antwoordde had een ondertoon van gestaalde berusting. 'Dank u, Orange-aanvaller. Uw raket heeft inderdaad doel getroffen. Hier spreekt vice-admiraal Toricelli.'

'O, shit!' kreunde Surfer. Hij klauwde naar zijn microfoonknop. 'Wat moet díe nog op dit tijdstip op de brug?'

De S-3 draaide weg en dook naar beneden. Alan lachte zó hard dat hij geen woord kon uitbrengen.

Later beweerde Battle Group Blue dat ze een paar van hun tegenstanders uit de lucht had geplukt voordat ze onder de radar door waren geglipt. Later zouden ze de toegepaste tactieken bespreken, het aantal projectielen dat was afgevuurd, de waarschijnlijkheid dat de kleine Harpoons toch behoorlijk wat schade aan het enorme vliegdekschip zouden kunnen aanrichten. En de waarschijnlijkheid dat een vice-admiraal behoorlijk de pest in zou hebben omdat hij zich had laten verrassen door de een of andere pedante S-3-piloot nog voor de zon goed en wel was opgekomen. Maar dat zou allemaal nog tijdens de lange reis over de Atlantische Oceaan gebeuren. Nu waren ze de blije jagers, helemaal thuis op zee. Ze landden met veel flair aan boord van de *Madison*, waarbij Surfer een enthousiast 'oké' voor een perfecte landing scoorde, terwijl ze, toen ze het vliegdek overstaken, verschillende keren enthousiast op de rug werden geslagen. Zelfs voor een bemanning die het zat was voor de zoveelste keer géén bommen op Servië te mogen afwerpen, stond een verrassingsaanval tijdens een oefening gelijk aan een overwinning.

Bij Alan kwam de aap uit de mouw toen ze in de squadronruimte terugkeerden en hun vliegeruitrusting uittrokken.

'Oké, Alan, hoe heb je ze gevonden?' vroeg Surfer uiteindelijk. Terwijl de andere TACCO's en SENSO's meeluisterden daalde er een stilte over het vertrek neer.

Alan moest lachen. 'Ik weet niet of jullie dit wel mogen weten – of dit niet nét iets te geheim voor jullie is.' Hij keek van de een naar de ander. Ze begonnen hem fronsend aan te kijken, geïrriteerd te raken. 'In het allerhoogste echelon van het inlichtingenwereldje, noemen we het – de mobiele telefoon. Marine-mensen bellen nu eenmaal graag naar huis.' Hij grinnikte. 'Het lukte me de up-link naar de satelliet te vinden.' Ze barstten in een luid gebrul uit, floten hem uit en één knaap smeet hem zelfs een helmtas naar het hoofd. Hij zette het op een lopen; Surfer haalde hem pas op de gang in, nog steeds lachend, en zei, terwijl hij vlak voor Alans gezicht dreigend met zijn vinger zwaaide: 'Jij slimme opsodemieter, jij vindt dit allemaal veel te leuk, hè? Man, je bent geboren om te vliegen!' Hij drong Alan met zijn rug tegen de stalen gangwand. 'Wat gaat je volgende functie worden, slimmerik?'

'Voorlichter in het Pentagon.'

Surfer schudde zijn hoofd. 'O, man – ! O, man – ! M'n ballen gaan er bijna van jeuken! Dat hou je geen maand uit! Je wordt daar hartstikke gek! Ze dragen je daar schreeuwend weer naar buiten!'

Alan schudde zijn hoofd. 'Lekker drie jaar thuis, bij Rose, bij m'n kind en bij m'n hond! Het wordt perfect.'

Surfer gaf hem een klap op zijn schouder. 'Je verdient het, kerel. Mooi werk.' Hij draaide zich om en liep weg.

Een uurtje later werd er een korte mededeling waarin admiraal Toricelli hen feliciteerde op het mededelingenbord van VS-21 geprikt. Er werd daarin niet gerept over de manier waarop Surfer met zijn radio omging.

Washington, D.C.

Mike Dukas duwde met een voet de deur van zijn appartement open en hoorde zoals elke avond zijn post over de vloer schrapen. Zoals elke avond bedacht hij dat een deur eigenlijk een uiterst gekke plaats was om een brievenbus in aan te brengen. Hij boog zich voorover, waarbij hij zacht kreunde omdat hij nu eenmaal een kort, breed iemand was, en pakte het stapeltje post van de grond, waarbij hij – terwijl hij door de kamer liep – behendig enkele poststukken in de prullenmand wierp. Troep, troep, rekening, troep, creditkaartmaatschappij, rekening – *en bingo!*

Hij voelde hoe zijn hart een sprongetje maakte. Op de envelop stond als afzender het Oorlogstribunaal in Den Haag. Toen hij de envelop openscheurde trilden zijn handen. *Waarom was dit zo belangrijk voor hem? Jezus, zelfs in het bijzijn van een vrouw was hij nog nooit zo zenuwachtig geweest!*

'... uw indrukwekkende c.v.... hopelijk kunnen wij binnen een dag of vijf een ontmoeting met u organiseren... snelheid van het grootste belang omdat... groot lijden... criminelen... leiderschap en uw ervaring hard nodig.' Er stond een telefoonnummer in de brief dat hij geacht werd zo snel mogelijk te bellen. Er verscheen een brede grijns op Dukas' gelaat. *Wel verdómme!*

Hij trok de deur weer achter zich dicht, liep naar zijn auto terug en reed acht kilometer naar het winkelcentrum waarvan hij wist dat er een uitgebreide Borders-boekwinkel moest zijn. Daar aangekomen leunde hij tegen de hoge balie en zei tegen een heel jonge, heel aantrekkelijke vrouw erachter: 'Heeft u misschien een Bosnisch woordenboek?'

'Bosnisch?'

'Ja, dat land dat tegenwoordig deel uit maakt van het voormalige Joegoslavië.'

'Ik weet wat het is.' Ze glimlachte. 'Ik lees ook kranten, weet u. Maar ik geloof niet dat Bosnisch een taal is. Het is een etnische groep, maar – ' Ze praatte via haar vingers met de computer. Een écht slimme vrouw. 'Hm-mm.' Opnieuw glimlachte ze. 'Maar we hebben wél een Servo-Kroatisch woordenboek voor u!'

'Wat dan ook!' reageerde Dukas. 'Hij haalde zijn creditcard tevoorschijn. Hij voelde zich net een kind.

Fort Reno, North Carolina.

Harry O'Neill liet zijn handen op de envelop rusten, met op zijn lippen een gebed. Maar het was al te laat. Op het allerlaatste moment uitgesproken schietgebedjes konden aan de inhoud niets meer veranderen.

Hij stak zijn linker wijsvinger tussen de klep op de plaats waar die niet was gegomd, en trok hem open; met zijn vinger trok hij het hele boveneind van de envelop los. Hij wierp een snelle blik om zich heen om te zien of iemand naar hem keek, maar iedereen uit zijn klas die aanwezig was zou nu zijn eigen envelop wel ontvangen hebben, om vervolgens een eigen hoekje op te zoeken waar ze die ongestoord konden openen. O'Neill boog zich nog wat verder naar het raam, waarbij hij bijna tussen de gordijnen verdween. Hij haalde één enkel velletje papier tevoorschijn dat in drieën was gevouwen.

Zijn standplaats voor de komende drie jaar. Parijs? Marseille? Of – ?

Hij kreunde bijna toen hij het las. Hij wist echt geluid nog net te onderdrukken, maar inwendig kon hij wel huilen. Hij drukte zijn voorhoofd tegen het koele glas.

Hoe kan ik dit ooit aan mijn vader vertellen? En een ogenblik later, met een ander soort schaamte: *Hoe kan ik dit ooit aan Al Craik vertellen?*

3

Juni

Norfolk.

Home is the sailor, home from the sea. De rest van dat gedicht had hij nooit kunnen onthouden. Iets over een jager of iets dergelijks – *and the hunter home from the hill.* Maar hij wás helemaal geen jager. Hij was hier de *sailor*, de zeeman. En O'Neill? Was hij op zoek geweest naar O'Neill – ?

Alan werd wakker. Hij was *home* – thuis. Hij werd overspoeld door een gevoel van opluchting en dankbaarheid. Waar had hij over gedroomd – zeeman, jager? Hij ving de geur van zijn eigen huis op, van zijn bed, van zijn vrouw. Zijn linkerhand gleed over het verkreukelde laken en vond haar. Ze maakte een tevreden geluid zonder wakker te worden. Zijn hand gleed omhoog langs haar heup. Kneep heel zachtjes. De hond tilde zijn kop op. De hond sliep op de slaapkamervloer en zou onmiddellijk nadat hij daartoe werd aangemoedigd op het bed zijn gesprongen. Als Alan niet thuis was sliep hij aan de kant van Rose op de vloer, en zou hij wakker worden zodra Rose haar ogen opendeed, precies zoals nu, zijn kop optillen om haar aan te kijken, zoals hij nu Alan aankeek.

'Wandelen?' fluisterde Alan.

De staart van de hond roffelde zacht tegen de vloer. Alan gleed tussen de lakens vandaan en liep behoedzaam naar de badkamer, en vervolgens naar de kamer van Mickey, op de voet gevolgd door de hond, barstend van de energie, klaar om zó hard te blaffen dat hij onderuit zou gaan wanneer Alan het woordje 'wandelen' ook maar zou flúisteren. Alan maande hem met één hand op zijn machtige kop tot stilte, aaide hem daarbij over zijn oren, de zijkant van zijn kaak. In ruil daarvoor kreeg hij een natte lik op zijn pols.

Zijn zoon lag op zijn rug, ogenschijnlijk in slaap, maar zijn ogen gingen open toen Alan zich over hem heen boog. Het lichtschijnsel vanuit de hal weerkaatste in zijn ogen en het kind glimlachte. Alans hart sloeg een slag over, brak, maar herstelde zich weer snel. *Dus dit is het nu allemaal.* Hij was nu tien dagen thuis. Tijdens een avond aan boord van het schip, koffie drinkend tijdens een nachtdienst, had een scheepsmaat hem verteld hoe hij vond dat als hij na een periode op zee thuiskwam, zijn kinderen altijd zo veranderd waren, nieuw. Kinderen die op een gegeven dag misschien wel eens zouden kunnen gaan vinden – tenzij je heel voorzichtig was – dat hun vader 'altijd weg' was. Behoedzaam raakte hij het gezichtje van zijn zoon aan.

Hij schakelde het koffiezetapparaat aan en ging de riem van de hond halen, waarna die onmiddellijk tegen Alan op begon te springen. De hond wilde blaffen, maar nadat hij gewaarschuwd was dat hij stil moest zijn ontsnapte er slechts een zachte nies aan zijn bek. Zijn kop ging zó enthousiast omhoog en omlaag dat Alan nauwelijks kans zag de riem om zijn kop te schuiven. En toen waren ze buiten, de dageraad tegemoet; heel even zag hij voor zich hoe de dageraad er vanaf een vliegdekschip uitzag, op een ochtend waarop er niet gevlogen werd en het grote dek zich als een lang veld voor hem uit strekte, en de oostelijke rand van de hemel even fel oplichtte als een gloeiend hete draad. Zou een deel van hem dat nú al missen?

De hond pieste tegen elk verticaal object dat zich tussen hun huis en het einde van het blok bevond en werd naarmate zijn hoeveelheid plas afnam steeds minder kieskeurig. Na het tweede blok lag een stuk bos waardoorheen een soort beekje liep, en waar hij de hond los liet rennen. Wandelend langs het in duisternis gehulde pad, luisterend naar het geschuifel van de hond tussen de dode bladeren, moest hij weer denken aan de dageraad toen ze naar het Servische huis in Pustarla waren gegaan. Hij moest daar erg vaak aan denken, zag geen kans het op te slaan in de donkere spelonken van zijn onderbewustzijn. De geur van geronnen bloed. De teil vol bloederig water. De slachtoffers. *Het neerschieten van die knaap.*

Hij haakte de lijn van de hond weer vast aan het oog dat aan de riem van de hond bevestigd was en maakte aanstalten om weer terug naar huis te lopen. Het plassen van de hond was nu uitgemond in iets puur symbolisch – het optillen van een poot om te laten zien wat hij zou doen als hij daartoe in staat was.

'Je doet me denken aan een paar knapen die ik ken,' zei Alan. De hond grinnikte. 'Zin om iets te eten?' vroeg Alan. De hond schoot naar voren. 'Kom op!' Ze renden naar huis.

Rose was ook al uit bed. Toen ze hem zag opende haar gezicht zich tot een verrukkelijke glimlach, een glimlach waar je op zee heerlijk van kon dromen. Hij vroeg zich af of hij op haar dezelfde uitwerking zou hebben. Ook Rose deed op bepaalde tijden dienst op zee – plaatsvervangend commandant van een helikoptersquadron, een luitenant-ter-zee der eerste klasse; één rang hoger dan haar echtgenoot. Ze kusten elkaar. Dat duurde even; hij vroeg zich af of ze daar wel tijd voor had – Dat had ze niet, want ze had om 0830 een vergadering.

'Probeer je wat eerder thuis te komen?'

'We krijgen bezoek, weet je nog?'

Hij kreunde.

'Geef de hond eens wat te eten; dan denk je wat minder aan je problemen. Jouw idee, weet je wel, om nog wat vrienden uit te nodigen voor een laatste samenzijn voordat dat straks niet meer kan? Ik moet boodschappen doen; Mike, Harry en de familie Peretz, wat inhoudt dat ik geen rood vlees hoef in te slaan. Jeetje, ik ben dol op Bea Peretz, maar waarom moet ze in godsnaam zonodig weer de vegetariër gaan uithangen? Kun je in zo'n geval kip eten?'

'Wat dacht je van sojaburgers?'

'Hou daar mee op, en bovendien heb ik geen tijd meer. Jongen, kom ík wel eens op zo'n manier van zee thuis? Mike neemt iemand mee. Ik geloof niet dat het serieus is.'

Iets waarover hij had gedroomd. Mike, de jager – Mike was verliefd op Rose; iedereen wist dat en iedereen wist dat het volkomen zinloos was. 'De enige op wie hij serieus verliefd is ben jij,' reageerde Alan. Hij zette de bak met water voor de hond op de grond en de hond maakte dezelfde geluiden als een eend die uit het water probeerde op te stijgen.

'Hij zorgt voor een Griekse salade en de hors d'oeuvres, terwijl ik het hoofdgerecht doe, en ja, ik denk dat hij verliefd op me is en ik denk dat hij na jou de volgende is die zich zo tegenover mij mag gedragen. Is dat goed?'

Grinnikend zei Alan: 'Zolang ik maar de eerste ben.'

'Jij bent altijd de eerste.' Ze hield haar hoofd enigszins scheef en luisterde. 'Mickey is wakker.' Ze maakte aanstalten weg te lopen, maar draaide zich toen weer naar hem om. 'Misschien put je troost uit de gedachte dat ik, als jij in huis bent, me zo geil voel als boter. Ik zou het wel úit kunnen schreeuwen.' Ze liep opnieuw weg, draaide zich opnieuw om. 'Correctie – kreunen bedoel ik, niet schreeuwen. Dág.'

Hetzelfde tijdstip. Belgrado.

'Je maakt een zieke indruk, Z. Ik hoor het eigenlijk niet te zeggen, maar je maakt een zieke indruk.'

'Ik ben bekaf.' Hij pakte haar handen vast. 'Alleen maar vermoeid.'

'Kun je deze keer niet een tijdje blijven? Een paar weken rust nemen.'

Hij schudde zijn hoofd.

'Ga eens bij je vader op bezoek,' zei ze. 'Om er eens helemaal uit te zijn! Ga naar dat oord waarover hij altijd schrijft – '

'Las Vegas.'

'Ga daar samen met hem heen.'

Hij schudde zijn hoofd. Buiten deden zijn kinderen net alsof ze aan het spelen waren, maar ze bleven naar het venster van het appartement kijken, alsof ze hoopten dat ze weer terug naar binnen zouden worden geroepen. Het was moeilijk voor ze, dat hij steeds weer vertrok, om vervolgens weer voor een paar dagen terug te keren en kort daarna wéér te verdwijnen. Dat ging nu al drie jaar lang zo, en hij wist ook dat dat nog veel langer zo door zou gaan, langer dan wie ook bereid was te erkennen. *Misschien nog wel een jaar of tien,* bekende hij zichzelf. Hij zou terugkomen, en dan zouden ze volwassen zijn en was hij nooit in de gelegenheid geweest ze goed te leren kennen, en als ze volwassen waren en het over hem zouden hebben, zouden ze dat doen met een speciale stem, met een speciale behoedzame ondertoon: *O, mijn vader – ach –*

'Ik vind het vreselijk,' zei hij. Op dat moment vónd hij het ook vreselijk. Maar in het veld voelde het heel anders.

'Ik weet het, Z.'

'God, wat vind ik het vreselijk. Maar – ' Hij keek haar in de ogen. Wat hield hij toch van haar! Als er toen en nu andere vrouwen mochten zijn, daarbuiten, in die andere wereld, dan hadden ze geen enkele betekenis voor hem. Goed als soldatenhoer, niets meer. Hij kneep zacht in haar handen. Ze glimlachten naar elkaar. 'Weet je wat het probleem is van het ouder worden?' zei hij. 'Je gaat steeds meer op jezelf lijken. Terwijl ik had gehoopt heel anders te worden.' Hij probeerde te lachen.

'Ik wil helemaal niet dat je anders bent.'

Hij liet een vinger langs een ader op de rug van haar hand glijden. 'Als ik me er minder zorgen over kon maken – als al het andere er niet zo enorm toe deed!'

'Je bent een idealist.'

Hij schudde zijn hoofd. 'Ik heb zulke afgrijselijke dingen gedaan, Taja. Je weet wát ik heb gedaan? Ik heb mijn ziel vervloekt ter meerdere glorie van mijn land.' Ze greep zijn handen steviger vast en zei: 'Nee, nee!' Hij keek door het venster naar buiten. 'Voor hén. Vreselijke dingen. Dit is een oorlog om de ziel, om de ziel van de Serviërs. Konden we ze eindelijk maar eens verdrijven, dat vúil – de Turken, de Kroaten, de Grieken – we zitten al zeshonderd jaar met hen opgezadeld! Het enige dat we van hen willen is dat ze óphoepelen. Waarom dóen ze dat niet? Zodra ze zijn vertrokken zullen we ons niet meer met hen be-moeien. Laat ze opduvelen, laat ze naar Turkije of naar Albanië teruggaan, of desnoods naar eh – Duitsland, of waar dan ook naartoe. Ik heb helemaal geen zin om ze af te maken. Het zijn net koeien, zó moeilijk in beweging te krijgen.' Hij keek haar met een smekende blik aan. 'Waarom moeten mensen altijd zo-nodig blijven op plekken waar ze helemaal niet gewenst zijn?'

'Dat komt door die verdomde Verenigde Naties,' zei ze. 'Allemaal zwarten. Kijk maar eens wie daar de dienst uitmaakt – die Egyptenaar! Ze willen ons alleen maar onder de duim houden!' Ze begon zacht te snikken. 'En ík wil alleen m'n man maar terug.'

Hij dacht aan de training. Er werd momenteel niet gevochten, nóg niet, van-wege de vredesakkoorden. Het was tegenwoordig zelfs al moeilijk om door het

Servische gedeelte van Bosnië te reizen; overal bevonden zich daar NAVO-tanks en NAVO-troepen. Het was een geschikte periode om in te trainen, om zich voor te bereiden. Lascelles wilde dat hij zijn mensen de komende winter mee naar Afrika zou nemen. Hij had het ze nog niet verteld. Hij zag er vreselijk tegenop.

Die avond. Norfolk.
Uiteindelijk had de vrouw met wie Mike Dukas had afgesproken afgezegd en kwam hij in z'n eentje, een tikkeltje schaapachtig dat ze hem had laten zitten, maar in feite misschien wel blij, want nu kon hij meer tijd bij Rose in de keuken doorbrengen. Alan zag Mikes mentale beelden van hemzelf in hun huis duidelijk voor zich, een soort oom voor zijn kind (die naar hem vernoemd was), een soort beschermende aanwezigheid voor Rose. Alan was er niet zeker van of die beelden veel met de werkelijkheid te maken hadden, behalve dat Mike een heel goede vriend was en dat ze samen een uiterst moeilijke tijd hadden doorgemaakt en die bijna met de dood hadden moeten bekopen. Nu luisterde hij hoe Mike en Rose in de keuken over voedsel babbelden, waarbij ze ervoor zorgden dat hij zich gelukkig voelde.

Daarna arriveerde O'Neill, en hij en Alan maakten een hoop lawaai omdat ze elkaar pakweg acht maanden niet hadden gezien. O'Neill was nauwelijks binnen toen Alan op hem af stormde, waarbij O'Neill enigszins achteroverhelde en zei: 'Goh, kijk nou eens, ouwe jongen!' en schudde Alan toen de hand. Direct daarna draaiden ze drie seconden lang verwoed met hun lichaam, gaven elkaar *high-fives*, om elkaar vervolgens in de armen te vallen, waarbij ze elkaar stevig vasthielden en elkaar enthousiast op de rug sloegen, ondertussen uitroepend: 'Hé, dat is vet, man. Je bent díkker geworden!' en: 'Spieren, dat zijn spíeren, man!' om elkaar volgens te zeggen hoe grandioos de ander eruitzag, elkaar nog steeds vasthoudend en breed grijnzend. Rose kwam binnen, nam hen glimlachend op en kuste O'Neill, terwijl Dukas vroeg hoe het op de Ranch was geweest. O'Neill trok een gezicht en iedereen moest lachen.

'Vind je vegetarische lasagne te eten?' vroeg ze. Ze klonk bezorgd. O'Neill mocht zonder meer groot worden genoemd en hij zag eruit alsof hij complete koeien naar binnen kon werken.

'Als ik grits heb kunnen eten, kan ik álles eten. Ze hebben me verdomme élke ochtend grits te eten gegeven. Volgens mij was dat een soort tést!' Hij en Alan begonnen elkaar aan het afgrijselijke voedsel te herinneren dat ze aan boord van het schip hadden gegeten. Opnieuw klonk er een hoop vrolijk geschreeuw. Dukas en Rose keken elkaar aan, haalden hun schouders op en keerden naar de keuken terug.

De Peretzen waren laat. De Peretzen waren altíjd laat. Abe Peretz was voor Alan een soort mentor geweest, ondanks het feit dat zijn eigen marinecarrière eindigde toen bleek dat hij niet tot kapitein-luitenant-ter-zee zou worden bevorderd. Nu werkte hij in het J. Edgar Hoover Building en maakte trieste grapjes over het feit dat hij geheim agent zou zijn.

'Hoe gaat het met onze geheim agent.' Ze omhelsden O'Neill en vroegen hem hoe het op de Ranch was gegaan. Alan vroeg met een brede grijns op zijn gezicht aan Bea. 'En hoe gaat het met mevróuw de geheim agent?'

'Hij is bevorderd!' zei Bea met schelle stem. Als Bea sprak klonk het altíjd schel. Ze was aantrekkelijk en lawaaiig. 'Vertel hem eens wat meer over je nieuwe baan!' Bea droeg een zwarte lange broek en een lichtgele glimmende blouse met daarop in groen een enorme saxofoon – de saxofoon was een ietwat bizarre *touch*, een of andere grap misschien? Een verwijzing ergens naar die hem ontging? – en voldoende losse knoopjes om hem een ruime blik te bieden op haar uiterst fraaie borstpartij. Ze leek in een uitstekende stemming, misschien wel net iets té goed.

Abe haalde zijn schouders op. 'Ik ben bevorderd.'

'Wat voor een soort werk is het?'

'Weet ik niet; het is geheim.'

Bea liet zich in een stoel vallen, om er direct weer uit op te veren. 'Je ziet steeds weer kans me wóedend te maken, Abe. Ik zou je wel kunnen vermóórden! Hij is afdelingshoofd geworden. Wat heb ik toch de pest aan dat soort válse bescheidenheid!'

Abe gaf haar een zoen. 'Daar zal men jóu nooit van kunnen beschuldigen.' Hij begon de organisatiestructuur van het FBI-hoofdkwartier uit te leggen, die zó complex was dat Alan zich afvroeg of hij daarmee klaar zou zijn vóór de avond ten einde was. Toen drong het tot hem door dat O'Neill stond te grinniken en dat datgene wat Abe aan het vertellen was één groot verzinsel moest zijn. Toen begon ook hij te lachen, en Abe, die zag dat hij hem bij de neus had gehad, bulderde het uit.

Toen kwamen Mike en Rose binnen met de wijn, en werden ze allemaal op slag nóg rumoeriger, terwijl de hond van de een naar de ander liep, waarbij hij zijn grote neus tegen ieders kruis drukte en met zijn staart één wijnglas omgooide, maar iedereen was druk in gesprek gewikkeld. Dukas vertelde een paar van zijn Clinton-moppen, en Alan wierp een blik in de richting van Rose en zag dat haar gezicht glom van genoegen, en ze gaf hem een knipoog, en hij was blij dat het meisje of de vrouw die oorspronkelijk met Mike mee zou komen niet was komen opdagen, want dit waren de mensen met wie hij het liefst samen was. Hij en O'Neill gingen naast elkaar zitten en zeiden tegelijk: 'Hé, herinner je je nog – ' maar de anderen luisterden al niet meer naar hen. Toen Alan na een tijdje weer naar de anderen luisterde, probeerde Rose Abe Peretz net over te halen zijn verplichte twee weken dienst als reservist op haar nieuwe standplaats te komen doen. Haar nieuwe standplaats was een instelling die het Interservice Virtual Intelligence Center werd genoemd.

Peretz floot bewonderend. 'Interservice Virtual Intelligence! Wauw, hoe is je dát gelukt? Virtuele intelligentie, dat is iets voor míj! Als je niet over échte intelligentie beschikt, dan op z'n minst virtuele! Wat doen ze daar precies, Rose? Leren ze daar apen hoe ze moeten praten of iets dergelijks?'

'Ik begin daar pas over een week. Het enige dat ik weet is dat het er daar grandioos uitziet; ze hebben een fantastisch bedrijfsrestaurant en ze zitten te springen om analisten.'

O'Neill kneep zijn ogen halfdicht en keek Rose strak aan. 'Als iemand die is opgeleid om mensen te ondervragen, heb ik het gevoel iets gemist te hebben. Wat doet een helikoptervlieger in een omgeving waarbij het voornamelijk om "virtuele intelligentie" gaat?'

'Deze dame probeert zo snel mogelijk op te klimmen naar de rangen die het mogelijk moet maken dat ze ooit nog eens astronaute wordt. Voor mijn volgende functie op zee heb ik ervaring nodig die raakpunten heeft met de ruimtevaart.'

O'Neill keek Alan eens aan en ging over tot zijn imitatie van een Japans officier uit de Tweede Wereldoorlog. 'Zo, Amelikaans pilotenmeisje, jouw intelligentie heeft laakpunten met de luimtevaalt!' Vervolgens moeiteloos overstappend op Humphrey Bogart: 'Je bent goed, sweethaert, je bent echt goed, maar er is iets dat je voor me verzwijgt.'

Rose sloeg haar ogen neer. 'Het heeft iets met satellieten te maken, meneer Zwart, en meer kan ik er niet van zeggen, want het project is geheim.'

En O'Neill stapte naadloos over op zijn vertolking van de Grote Slechterik en gromde: 'Wíe noem jij hier *zwart?*'

'Van dat soort grapjes word ik zenuwachtig,' zei Bea Peretz. Rose en O'Neill moesten lachen, op de goedige manier waarop mensen om hun ouders lachen, en Rose begon het gezelschap in de richting van de tafel te sturen. Toen iedereen zat werd het plotseling stil, waarbij ze elkaar aankeken, waarna Bea opmerkte: 'Volgens mij is de CIA één grote klotenbende.'

'Daar drink ik op,' reageerde O'Neill.

'Ja, zo zou ik het ook willen omschrijven,' zei Dukas. 'Je ziet toch steeds weer kans aardig uit de hoek te komen, Bea.' Hij keek haar glimlachend aan. 'En hoe heeft onze O'Neill het in het examenklasje van de Agency gedaan?' vroeg hij.

'Nou, onze O'Neill is geslaagd,' zei O'Neill. 'Maar hij is niet als eerste van zijn klasje geëindigd.' Hij draaide zijn wijnglas in het rond. 'Mensen, ik wil dat jullie me vanavond enigszins ontzien, want ik heb net drie dagen achter de rug waarin ik mijn ouders heb moeten uitleggen waaróm ik niet als eerste van mijn klasje ben geëindigd. Ik bedoel – ze hadden niet minder van mij verwácht.'
'Ach, waarom zou men van jou verwachten dat je in die dierentuin als eerste eindigde?' wilde Dukas weten.
'God, ja,' zei Alan. 'Je bent daar gewoon het type niet voor, O'Neill. Harry is een aristocraat,' zei hij tegen de anderen, alsof dat alles verklaarde. Hij had deze theorie van O'Neill zelf gehoord tijdens de lange dagen en nachten aan boord van het vliegdekschip, jaren geleden.
'Ik dacht dat de CIA een soort ouwejongensclub was voor lieden die aan Ivy League-universiteiten zijn afgestudeerd,' zei Bea, die vegetarische lasagne van de ene kant van haar bord naar de andere kant schoof. 'William F. Buckley zat bij de CIA. George Throttlebottom Bush zat bij de CIA. Ik heb altijd gedacht dat de CIA de Washingtonse afdeling was van Verenigde Schurken, Incorporated.'
'Ja,' zei O'Neill, terwijl hij zijn wijnglas naar voren stak terwijl Rose nog eens met de fles rondging, 'dat klopt, maar ik ben wél een echte aristocraat. Mijn vader is een federaal rechter, en mijn moeder is partner bij een vrij goed aangeschreven advocatenkantoor. Een van mijn voorvaderen is tijdens de Reconstruction gouverneur geweest. Ik heb aan Harvard gestudeerd, en níet aan Yale, en dat is een aanzienlijk betere plek, en bovendien heb je het nu over de CIA van vijftig jaar geleden, waar ik me naar alle waarschijnlijkheid volledig thuis zou hebben gevoeld, ware het niet dat ik toentertijd een probleem zou hebben gehad met m'n, eh, *teint.*' Hij zuchtte eens diep. 'Volgens mijn moeder begeef ik me té veel in achterstandswijken.'
Rose deed haar imitatie van O'Neills moeder: 'Wat zou ik het énig vinden als hij eens tegen een aardig Spelman-meisje aanliep.' Nóg meer gelach.
'En bovendien,' vervolgde Alan, 'heb je die cursus succesvol afgerond, wat tachtig procent van je medestudenten je niet na kan zeggen. En heb je de plaatsing gekregen die je graag wilde?'
O'Neills wenkbrauwen gingen omhoog. 'Niet helemaal. Niet he-le-maal. Eigenlijk he-le-maal níet.' Hij prikte met zijn vork in een plukje rijkelijk van knoflook voorziene broccoli. 'Ik ben bang dat ik mijn ouders heb beloofd dat ik naar Frankrijk zou worden gestuurd. Ze waren van mening dat ik Frankrijk toch op z'n minst had verdíend, want ik was per slot van rekening hun zoon, en dus vonden ze dat ik daar maar naartoe moest als glorieuze toevoeging aan het uitbundige Parijse ambassadeleven. Maar daar gaat Harry helemaal niet heen, en Harry kan het niet over zijn hart krijgen om ze dat te vertellen.'

Er viel een stilte. 'En waar gaat Harry dan wél heen?' vroeg Abe om die stilte te verbreken.

'Tja, gelukkig was ik in staat om ze een, eh, gedééltelijke waarheid te vertellen. Ik heb ze verteld dat de bestemming geclassificeerd en vreselijk geheim is, dus dat ik er weinig over kon zeggen, maar dat het wél een plaats was waar de mensen Frans spraken. Ze knipoogden naar mij, keken elkaar glimlachend aan en waren buitengewoon in hun nopjes. Dus zo heb ik het maar gelaten.'

Alan keek hem grinnikend aan. 'Maar je gaat naar dat ándere oord waar ze Frans spreken. Naar Montreal?'

'Hmm – je komt in de buurt, maar je krijgt nog geen sigaar.' Hij glimlachte scheef. 'Afrika. In het middelste gedeelte ervan.'

Nadat er opnieuw een diepe stilte was gevallen, zei Dukas. 'Tja, daar zit eigenlijk wel een bepaalde logica in.'

'Wát voor een logica?' bulderde Bea.

'Ik weet dat je het nooit hebt opgemerkt, Bea,' zei Dukas, 'maar Harry is zwart. En dat zijn de mensen in Afrika ook.'

'Dat is een rótopmerking!' schreeuwde ze.

Hadden Dukas en Bea soms een hekel aan elkaar? vroeg Alan zich af. Misschien dat er iets seksueels aan ten grondslag lag – hadden ze zich ooit tot elkaar aangetrokken gevoeld, maar was er onderweg iets fout gegaan?

Rose sprong op om de vrede te bewaren, en Abe zei iets tegen zijn vrouw, terwijl Alan nog maar eens wat wijnglazen volschonk. *Tumult, tumult,* bedacht hij. Ach, het was in elk geval goedbedoeld tumult. Tot nu toe. In een poging weer rust in de tent te krijgen, mompelde Dukas. 'Ach, in elk geval is het in Afrika momenteel weer een beetje rustig.'

'Je kunt me wat,' zei Alan. 'Ik maak me nú al zorgen over die knul.'

'Ik dacht dat in Rwanda de nette jongens het momenteel voor het zeggen hebben, dat de schurken het land uit zijn gezet en dat er niet langer gemoord wordt.'

'Er zíjn daar helemaal geen nette jongens,' gromde O'Neill. 'Je hebt daar zo'n driekwart miljoen vluchtelingen die de grens met Zaïre zijn overgestoken, een land dat zelfs trouwens ook elk moment uit elkaar kan vallen, terwijl Oeganda en Tanzania dat een prachtige gelegenheid vinden om daar een handje bij te helpen, en ik mag daar straks tussenin gaan zitten. Fijn dat je je zorgen om me maakt, Al.' Zeer tot opluchting van Rose schepte hij nog wat lasagne op zijn bord. 'Ik mocht kiezen: Bosnië of Afrika. Ik heb voor Bosnië gekozen, omdat ik van mening was dat ik de Joegoslaven wellicht een poepie zou kunnen laten ruiken. En dus hebben ze me naar Afrika gestuurd.'

'Het lijkt de marine wel.' Hij wist dat O'Neill zich ondanks de grapjes zorgen maakte. Naar alle waarschijnlijkheid vanwege de reactie van zijn ouders. Ze eisten erg veel van hem, en gestationeerd worden in Afrika zou ongetwijfeld als 'teleurstellend' worden ervaren – zoals *Wij zijn zeer teleurgesteld in jou, Harold.* Zijn ouders zouden zeker de voorkeur hebben gegeven aan Bosnië, was de onuitgesproken suggestie, want dat lag in Europa – een oord met een geschiedenis en beschaafde mensen, hoewel die elkaar vandaag de dag moeiteloos naar de andere wereld hielpen. Alan dacht aan de folterschuur en aan de man die aan het 'vliegtuig' bevestigd was geweest.

Ze waren met het dessert bezig – Siciliaanse cassata, klaargemaakt naar een recept van de moeder van Rose – en het tumult was enigszins weggeëbd, toen Bea het gesprek op Israël bracht, en vervolgens op Jonathan Pollard, die man die tot gevangenisstraf was veroordeeld omdat hij de Israeli's geheim Amerikaans materiaal in handen had gespeeld. Was ze op zoek naar een onderwerp waardoor de hele avond verpest zou kunnen worden? Hij keek eens naar Abe en besefte dat dat best wel eens waar zou kunnen zijn: Abe at uiterst geconcentreerd van zijn cassata en keek daarbij zijn vrouw geen ogenblik aan. Bea had Israël de vorige zomer 'ontdekt', toen een van hun dochters er een studiereis naar ondernomen had; nu kreeg ze nieuwsbulletins thuisgestuurd en las ze elk boek waarop ze de hand kon leggen, terwijl ze zich zelfs bij een soort discussiegroep had aangesloten. 'Het is *vreselijk* wat de overheid van de Verenigde Naties deze man heeft aangedaan!' merkte ze op. Haar gezicht was vuurrood. Bea was een niet-onaantrekkelijke vrouw, maar er was vanavond duidelijk iets helemaal fout met haar, waardoor ze voor Alan iets afstotelijks kreeg. En ze was woedend. 'Jonathan Pollard is een idealist!' riep ze. Ze liet haar blik rond de tafel glijden. Het leek wel of ze zin had eens stevig ruzie te maken.

'Bea, kom op, dit is een afscheidsfeestje,' begon haar echtgenoot terwijl hij zijn hand op de hare legde.

Maar het was al te laat. Dukas zat tegenover haar. Kalm merkte hij op: 'Dat is flauwekul, Bea, en mocht jíj dat niet beseffen, dan weet je man dat wel. Pollard is een verrader.'

'Hij heeft het voor *Israël* gedaan!'

'Ja, maar hij is toevallig wél Amerikaan. Hij is een verrader en het spijt me dat ze hem niet hebben opgehangen. Wat mij betreft hadden ze hem mogen radbraken en vierendelen.'

'Pollard is een held!' krijste ze.

'Je weet niet waarover je het hébt.'

Bea smeet haar servet op tafel. Ze zou liever ter plekke doodvallen dan naar die antisemitische onzin te luisteren, zei ze tegen de aanwezigen.

'Ik hoef geen antisemiet te zijn om te begrijpen dat een Amerikaan die geheime spullen van zijn land aan het buitenland doorspeelt een verrader is, Bea. Denk eens een beetje na.'

Ze kwam met een ruk overeind, waardoor haar stoel met een klap achteroverviel. De hond sprong op. 'Ik vat dit buitengewoon ernstig op!' schreeuwde ze. Haar gezicht was nóg roder geworden, en de blos breidde zich uit over haar hals en decolleté. Ze beende achter Alan langs, die probeerde overeind te komen, terwijl ook Rose aanstalten maakte om te gaan staan, maar Abe stond al en gebaarde beiden dat ze moesten blijven zitten, voortdurend: 'Niet doen, niet doen', mompelend, en het volgende moment had ook hij de kamer verlaten. Rose, die achter haar stoel stond, gebaarde dat Alan moest gaan zitten. De vier mannen aan tafel wachtten af; Dukas zag er ellendig uit en schudde langzaam zijn hoofd.

'Jullie houden nu even je mond dicht,' zei Rose. 'Ze is duidelijk ergens heel gestresst over.' Ze ging achter hen aan; enkele seconden later kwam Abe de kamer weer binnen.

'Het spijt me. Jezus, het spijt me – Al – ze is helemaal uit haar doen, ik denk dat – Ze is er vandaag achtergekomen dat Jessica aan de pil is, oké. Ze heeft dat vandaag net ontdekt.'

Jessica was veertien. Het was de dochter die verleden jaar naar Israël was geweest.

Dukas baste terug: 'Het spijt me, Abe, maar ik ben niet van plan om van wíe dan ook allerlei onzin over Pollard aan te horen.'

'Ik weet het, ik weet het –' Abe gaf hem een klopje op zijn schouder en liet zich weer op zijn stoel zakken. O'Neill, die behulpzaam probeerde te zijn, kwam met een ontzettend flauw verhaal over de Britse inlichtingendienst, die tijdens de Tweede Wereldoorlog in Joegoslavië een enorm stomme fout zou hebben gemaakt. Toen Rose terugkwam, keek het gezelschap stuk voor stuk naar hun handen. 'Ze is even gaan liggen. Wees eens wat opgewekter, jongens.'

'De perfecte gastvrouw,' zei Alan glimlachend.

'Ja, heeft iemand misschien nog de behoefte mij met het eten te complimenteren?' Ze pakte een kruimeltje cassata van het bord van Bea Peretz en stak dat in haar mond. 'Niet slecht, al zeg ik het zelf.'

Dukas zag er verslagen uit. 'Ik heb je hele etentje bedorven.'

Rose liep om de tafel heen en drukte een kus op zijn al wat kalende hoofd. 'Je hebt helemaal níets bedorven.' Maar Alan voelde een soort kilte, alsof een ongewenste toekomst de hand op hem had weten te leggen. Het was alsof Bea's dochter, die buiten zijn gezichtsveld – en buiten zijn bewustzijn – groter was geworden, de oorzaak van dit voorval was geworden. Hij dacht aan zijn eigen zoon, die boven in zijn bedje lag: was hij, onschuldig als hij was, tóch misschien een soort tijdbom? Hij besefte plotseling dat hij dacht: *Waarom kan niets bij het oude blijven?*

Ze deden met z'n allen de afwas, terwijl er nog eens wijn werd ingeschonken, waarna Rose naar boven ging om naar Bea en Mikey te kijken, de hond naast haar trippelend, waarbij hij zijn kop bijna voortdurend tegen haar rechterdij drukte. Alan en de andere mannen keerden terug naar de zitkamer. Veel had die kamer eigenlijk niet om het lijf, bedacht Alan, die het vertrek met hun ogen probeerde te bezien – nee, het huis verdiende die naam nauwelijks. Een gezin waarvan zowel de man als de vrouw bij de marine zat slaagde er over het algemeen niet in een gezellig nestje te bouwen.

'Ik voel me klote,' zei Dukas.

'Praat er verder maar niet over, want jouw schuld was het niet.'

'Nee, niet alleen daarover. Het komt door alles. Ik had me tegenover Bea niet over Pollard moeten uitspreken. Die Pollard kán me wat. Het komt door, o, shit – door zo'n beetje alles.' Hij schonk nog eens wat wijn voor zichzelf in. Alan concludeerde dat ze enigszins aangeschoten raakten. Hij kon maar beter koffie gaan zetten. 'Ik heb overplaatsing aangevraagd,' zei Dukas. 'Ik ga ook weg.'

'Goeie god, waarom – je hebt het altijd prettig gevonden bij de NCIS,' reageerde Peretz.

'Het is de schuld van Al – díe heeft me een brief geschreven. Over Bosnië.' Hij wierp een beschuldigende blik in de richting van Alan. 'Jíj hebt gezegd dat ze daar politiemensen zoals ik nodig hebben! Nou, nu hébben ze er eentje!'

Alan had hun alle drie in zijn brieven over de gewapende actie verteld. Alleen Dukas, de idealist in de gekreukelde kledij, had besloten daar iets aan te gaan doen. Nu zei Dukas, bijna verontschuldigend: 'Ik heb me als vrijwilliger opgegeven bij een eenheid die oorlogsmisdadigers moet opsporen. De NCIS zou er sowieso iemand naartoe hebben gestuurd.'

Alan liep naar de keuken om koffie te zetten, maar schreeuwde over zijn schouder dat ze harder moesten praten, zodat hij mee kon luisteren.

'Ik heb geen gezin, geen kinderen, dus wat maakt het uit? Het is de bedoeling dat ik zo'n eenheid samenstel om vervolgens te proberen een paar van die schoften in te rekenen.' Hij sprak over het programma waarvan hij deel uit zou gaan maken, hoewel dat voornamelijk werd beschouwd als een zoenoffer in de richting van het geweten van de NAVO. 'Peur daar niet ál te veel hoop uit,' zei Alan, die de keuken uit kwam. 'Je kunt de wereld tóch niet redden.'

'Ik doe in elk geval íets.'

'Wij zijn daar een halfjaar geweest, en wát hebben we daar gedaan? We hebben aan operatie Deny Flight meegedaan, maar hebben we de oude man gered wiens been was afgehakt? Of de knaap die zó ernstig was gefolterd dat hij uiteindelijk aan een longontsteking stierf? De VN heeft enclaves ingesteld, zogenaamde veilige zones, "safe havens", plaatsen waar vaak enorm is gevochten. Nu hebben de partijen een zogenaamd "vredesakkoord" getekend en Bosnië opgesplitst met een kronkellijn die nog het meest op de darm van een slang lijkt, waardoor die etnische zuiveringen een permanent karakter kregen. Het is een rattennest. De Serviërs zijn niet de enige boeven daar. Die verdomde Kroaten zijn ook geen heilige boontjes. De Bosnische moslims spelen onder één hoedje met de Iraanse inlichtingendienst. Je kunt die lieden écht niet van zichzelf redden!'

Dukas kreeg iets koppigs. 'We moeten toch íets doen.'

Peretz' gelaat stond sceptisch. 'Wie heeft ons tot de morele waakhonden van de wereld gemaakt, Mike?'

Dukas stak zijn onderlip naar voren. 'We zijn het machtigste land ter wereld. Dat hoort er nu eenmaal bij.'

'Misschien hoort erbij dat we het probéren. Wat er níet bepaald bij hoeft te horen is dat we daar ook daadwerkelijk in slagen. Dat werkt alleen maar in sciencefictionverhalen – je zweeft boven een planeet waar geen beschaving heerst en je zegt: "als jullie nú niet met die onzin ophouden, zal de Morele Federatie het formaat van jullie planeet terugbrengen tot dat van een bowlingbal", en whám, iedereen gaat zich op slag keurig gedragen! Als bij toverslag!'

Alan zuchtte eens diep. 'Misschien hebben we dát nodig – magie.'

'Een magisch wapen.'

'Een interplanetaire ballenpers.'

'Zo is het maar net. Maar ondertussen zien we niet eens kans te voorkomen dat bij één enkele oude man de benen worden afgehakt.'

'Nou – ik zal dat toch moeten proberen, jongens. Ik móet het proberen.' Dukas keek op, waarbij de pijn in zijn ogen duidelijk te zien was. 'Je dient jezelf te beoordelen naar het lef dat je hebt om iets te dóen – niet wat je daarmee in grote lijnen weet te bereiken. Als ik híer blijf en mijn werk doe terwijl de ellende daar gewoon doorgaat, beschik ik als persoon niet over enige moraal.' Hij leek in verlegenheid gebracht door het gebruik van het woord 'moraal'.

'Maar daar kun je worden neergeschoten,' zei Alan.

Dukas glimlachte triest. 'Ik ben zó ziek van al deze ellende. Zoals die ellende rond Pollard. Ik wil alleen maar – ik wil me ergens hárd voor maken!'

In een flits zag Alan de foto weer voor zich die hij op een muur in het huis in Pustarla had aangetroffen. Kolonel Zulu. Díe had zich ook ergens hard voor gemaakt. 'Heb je wel eens gehoord van de Slag op het Lijsterveld?' vroeg hij.

'Hoezo?'

'Die heeft zich zeshonderd jaar geleden afgespeeld, en de Serviërs hebben hem verloren. En die slag is hun belevingswereld zo'n beetje het allerbelangrijkste wat er bestaat – zoals bij de Dochters van de Confederatie het afbranden van Atlanta altijd van enorm belang is geweest. Die mensen hebben het geheugen van een olifant, Mike. Die blíjven er gepassioneerd over praten.'

'Eveneens bekend onder de naam Slag om Pristina,' zei O'Neill. 'Pristina ligt in Kosovo, waar ze elkaar tot op heden nog níet aan het uitmoorden zijn. Maar dat zal ongetwijfeld gebeuren, tenzij wíj iets doen. In steeds heviger mate, en steeds bloeddorstiger – die mensen zijn hartstikke gek.'

'Sommige van "die mensen" zijn Amerikanen,' merkte Alan op. Hij vertelde hun over de asbak met het logo van de Chicago Bears die hij in het huis in Pustarla had aangetroffen.

Dukas haalde een klein notitieboekje en een pen tevoorschijn. 'Er zitten daar overal Amerikanen. Ongelogen; ik heb het berichtenverkeer doorgenomen. Die klote-Kroaten hebben een special forces-eenheid die voor twee derde uit Amerikanen bestaat – skinheads, nazi's, leden van de Arische Natie, gekken – want dat geeft ze een historische link met Hitler, ongelogen. Er zijn ook veel Joegoslaven met familie in Amerika; een echte Amerikaanse connectie.' Hij maakte aantekeningen – Zulu, de asbak, Pustarla. 'Misschien komt het door dat Pollard-gedoe dat ik zo woedend ben – mensen met een dubbele loyaliteit. Je kúnt niet aan twee partijen loyaal zijn; je moet de knoop doorhakken. Die huursoldaat-ellende, dat *Soldier-of-Fortune*-gedoe, het stínkt allemaal. Als Amerikaan dien je als Amerikaan te handelen, dan ga je niet ergens heen om voeten af te hakken of kleine meisjes te verkrachten. Waar zei je dat je die actie hebt uitgevoerd?'

'Een dorpje dat Pustarla wordt genoemd. In de Servische zone van het oude Bosnië.'

'Oké – foto, asbak – ' Hij schreef het zacht in zichzelf pratend op. 'Misschien loop ik hem nog eens tegen het lijf, wie zal het zeggen? "Kolonel Zulu tijdens de Slag op het Lijsterveld". Wat een schoft.' Hij keek op toen Rose binnenkwam, op twee stappen afstand gevolgd door Bea. Op zijn gezicht brak een glimlach door toen hij Rose zag. 'Jouw verschijning doet deze hele kamer oplichten, meisje.'

Bea droeg een dienblad met daarop een fles champagne en zes glazen. Haar ogen waren roodomrand. 'We zijn met z'n zessen, dus er is voor iedereen maar een klein beetje – het is al laat – ' Ze zette het dienblad neer. 'Maar het is een afscheid.' Ze keek om zich heen. 'Het spijt me wat er is gebeurd.'

'Hé,' zei Dukas. Hij liep op haar af en sloeg zijn armen om haar heen. 'Hé, mij spijt het ook.'

Rose schonk de champagne in de hoge tulpglazen. Toen ze daarmee klaar was hield ze de fles nog even vast en keek op hen neer. 'Als we dit opgedronken hebben – is het op een bepaalde manier afgelopen, hè? Ik geloof dat ik moet huilen,' zei ze. Zij en Bea hadden een arm rond elkaars middel geslagen.

'Doe dat nou niet,' zei Dukas.

'Harry gaat naar Afrika en Mike gaat naar Sarajevo, en ik begin straks in m'n nieuwe baan, terwijl Alan over een paar weken de air wing verlaat – We verwaaien allemaal – als stukjes papier, of hoe ze dat ook mogen zeggen.'

'Behalve Bea en ik,' zei Peretz. 'Wij gaan nérgens heen.'

Alan nam de hand van zijn vrouw in de zijne. 'We gaan allemaal vrijwillig.' Hij bedoelde te zeggen: *Dat hoort er nu eenmaal bij.*

Ze snoof eens, glimlachte, pakte een glas en tilde toen met glimmende ogen haar kin op. 'Laten we naar de zonnige kant van dit alles kijken! Over een jaar kijken we er met plezier op terug, hebben we het allemaal grandioos gehad!' Ze snoof opnieuw. 'Laat nu in gódsnaam iemand een toost uitbrengen!'

Harry O'Neill stond op. Alan en Dukas stonden op, en met z'n zessen vormden ze een cirkel, zodat de champagneglazen elkaar in het midden bijna raakten. O'Neill sprak: 'Goed voedsel – goede wijn – goede vrienden.' Grinnikend vervolgde hij met: 'Dat heb ik eens op het menu van een restaurant gelezen.'

'Vrienden,' zeiden ze met z'n allen, en zetten het glas aan hun lippen. Toen hield Rose het niet meer en moest huilen, en O'Neill keek over haar hoofd naar Alan, wiens ogen vochtig waren, terwijl ook Dukas iets weg moest slikken.

De tijd lijkt te bevriezen, en hij is in staat naar hen te kijken en te denken, maar niet te bewegen, en hij ziet dat ze nooit meer zoals nu zullen zijn; niet alleen nooit meer zo jong als nu, maar ook dat ze het nooit meer zo prettig als nu zullen hebben; terwijl het leven ook nooit meer zo gemakkelijk voor hen zal zijn. Het is een keerpunt, en wat hij voelt maar niet onder woorden kan brengen, is dat de tijd problemen en pijn zal brengen, en hen daarbij niet zal overslaan. En, alsof de poging om hen daarvoor te waarschuwen ervoor zorgt dat de tijd opnieuw gaat lopen, beweegt hij even, en spat het moment uit elkaar.

Voor dát soort momenten heb je een hond in huis, want toen die zijn kop in de cirkel stak en moest niezen, moest iedereen lachen en was de sombere stemming verdwenen.

Rose en Alan wilden dat de anderen de nacht bij hen zouden doorbrengen, voor het geval ze te veel hadden gedronken, maar hun gasten sloegen grote bekers koffie achterover, terwijl O'Neill zei dat hij echt naar huis moest omdat hij zijn spullen nog moest pakken. Hij ging naar buiten, waarbij hij de anderen als dwarrelende bladeren achter een rollende autoband achter zich aan trok. Even later stonden Rose en Alan met z'n tweetjes op het tuinpad, keken ze toe hoe de anderen in hun auto's stapten en die startten, en zeiden ze tegen elkaar dat ze zich oké voelden. De achterlichten werden in de straat al snel kleiner en verdwenen toen helemaal, en ze hielden elkaar in de warme duisternis stevig vast. 'We gaan allemaal onze eigen weg,' zei Alan. Hij werd hier triest van. 'Je knippert even met je ogen en alles is veranderd.'

Ze trok hem nog wat dichter tegen zich aan en wiegde vervolgens afwisselend met haar heup en schouder tegen hem aan, alsof ze hem enigszins door elkaar zou willen schudden, zodat hij die trieste gedachten van zich af zou zetten. 'Wat zou je ervan vinden als deze geile helivlieger je zou vragen haar naar bed te brengen?' zei ze met haar sensueelste stem.

'Meisjes willen op die manier nog wel eens zwanger worden.'

'Ja, dat heb ik ook wel eens gehoord.' Ze bracht haar kin omhoog en keek hem aan. 'En dat had ik eigenlijk ook zo'n beetje in gedachten.'

'Echt waar?' Hij keek haar glimlachend aan. Rose wilde zes kinderen, zei ze, een huis vol; hijzelf vond drie eigenlijk het maximum. En ze hadden er pas één.

'Als we mazzel hebben zou het nét nog kunnen lukken.' Ze bedoelde te zeggen dat het moederschap en een carrière bij de marine elkaar niet noodzakelijkerwijs hoefden te bijten. 'De kans bestaat dat we er het hele weekend aan zullen moeten werken.'

'Daar hou ik je aan.' Met hun armen rond elkaars middel geslagen liepen ze het huis weer binnen. Daar stonden de zes lege glazen nog in een cirkel.

In de Servische zone, Bosnië.

Zulu knikte, en Radic haalde uit en trof de geboeide man met het geluid dat nog het meest op dat van een honkbal leek die in een handschoen opgevangen wordt. Zulu herinnerde zich dat geluid, voelde de zware achtervangershandschoen weer aan zijn hand, terwijl de worp van zijn vader – ondanks het dikke leer – toch nog behoorlijk pijn deed.

Radic keek hem aan. Zulu knikte opnieuw. Radic haalde wederom uit; de vastgebonden man schreeuwde toen hetzelfde geluid opnieuw doel trof. En nog een keer. En nog een keer. En nóg een keer.

En nu waren de Amerikanen hier. De eersten waren in maart aangekomen om de plaats van de VN-troepen in te nemen. Zulu had nog niet tegen hen gevochten, en dat zou er misschien ook nooit van komen, maar hij zou wél graag willen. Hij herinnerde zich die Amerikaanse stem weer, dat geschreeuw in dat huis in Pustarla, waarna hij door de sneeuw had moeten vluchten, naakt, terwijl die stem en dat machinegeweer hadden geprobeerd hem in te halen. Het was een uiterst vernederende ervaring geweest.

De gebonden man zag eruit als rauw vlees. Zijn bovenlichaam was ontbloot. Dat gold ook voor Radic, van wiens soepele spieren iele stoomwolkjes opstegen, alsof het om grondmist ging. Het was hier in de heuvels nog steeds behoorlijk fris.

'Leeft hij nog?' vroeg Zulu.

Radic tilde het voorovergezakte hoofd van de man op en voelde in de bloederige massa die 's mans keel moest zijn. Hij knikte.

'Snij hem maar van die stoel los.'

De mannen die in het varkenskot van een klein dorpje bijeen waren gedreven keken naar Radic. Zulu rook dat iemand in zijn broek had gescheten. Ze waren doodsbang. En dat was de bedoeling ook.

De gebonden man lag op de grond. Bloed doorweekte de smerige sneeuw. Zulu reikte Radic een zware voorhamer aan. Hij knikte.

Radic bracht de voorhamer omhoog en liet die weer neerkomen, en het volgende moment spatten bloed en hersenen alle kanten op – de mannen uit het dorp hieven een klaagzang aan.

Zulu concludeerde dat Radic oké was. Hij zou hem opnemen in zijn Speciale Eenheid voor Afrika.

Deel twee

Het draaien van het wiel

4

Juni – juli

Na het etentje dat geacht werd het afscheid van O'Neill te zijn, maar dat vóór het over was het afscheid van iedereen werd, ging iedereen zijns weegs. O'Neill was de eerste die verdween, en wel in dat wat 'de woestenij van Afrika' werd genoemd. Dukas had het plotseling te druk om de telefoon te beantwoorden. Bea Peretz had een lang gesprek met haar dochter en nam haar vervolgens een week lang mee naar Disney World, waar ze de dochter bleek te zijn van wie ze altijd zo had gehouden.

Zelfs Rose ging weg. Haar nieuwe standplaats bevond zich in Columbia, Maryland, een geheel uit nieuwbouw bestaand oord dat oorspronkelijk een heel stuk buiten de stedelijke bebouwing was Washington, D.C. lag, maar er nu deel van uitmaakte, een voorstad die je de indruk gaf alsof je in de droom van een minder goede planoloog was terechtgekomen, een stadsbeeld uit de jaren zestig, een kleine stad zoals een natuurpad eigenlijk ook niets met de natuur te maken heeft. Het was voor haar te ver van Little Creek verwijderd om heen en weer te kunnen reizen, zodat, terwijl Alan zijn periode bij de air wing afrondde, Rose een gemeubileerd appartement betrok en door keihard te werken haar gebrek aan een huiselijk bestaan probeerde te camoufleren. Dat was Rose's oplossing voor alle mogelijke problemen – keihard werken.

Aan zichzelf overgelaten deed Alan hun huis in de verkoop en leerde hij zijn zoontje weer een beetje kennen. Hij reed ook regelmatig in zijn auto rond, waardoor hij zijn 'landogen' weer terugkreeg, zoals hij dat noemde – om weer te beseffen dat de wereld niet alleen uit grijze gangen en overvolle squadronruimtes bestaat, dat niet alleen jonge mensen in blauw en kaki de wereld bevolken, maar dat er zowel heel jonge als heel oude mensen bestonden, sloddervossen en nette mensen, de man en de glorieuze niet-militaire vrouw. De *boys in the hood*-look leek tijdens zijn afwezigheid duidelijk aan populariteit gewonnen te hebben; elke mannelijke persoon van onder de dertig en een hoop vrouwspersonen, zowel zwart als blank, leek in wijde broeken en veel te grote T-shirts rond te lopen. Hij vond het prachtig. Het was zó anders dan aan boord van het schip dat hij het wel uit kon zingen, en dat deed hij dan ook vaak, terwijl hij rondreed met de radio aan, zingend en op de maat van de muziek met zijn hand op het stuur slaand.

Over een tijdje zou hij aan zijn nieuwe baan in het Pentagon beginnen. Hij en

Rose hadden afgesproken dat ze rustig de tijd zouden nemen om een nieuw huis te zoeken, ergens tussen zijn nieuwe werkplek en de hare. Toen hij op de kaart een cirkel trok die zowel Columbia als het Pentagon raakte, lag het middelpunt van die cirkel ergens in Maryland. Hij concludeerde dat het niet erger kon zijn dan Little Creek. Desalniettemin vroeg hij zich af hoe het zou zijn om te wonen op een plek waar je voorkeur ook wérkelijk naar uitging.

Elk weekeind kwam ze naar huis, en na verscheidene keren huiswaarts te zijn gekeerd zei ze dat ze nagenoeg zeker wist dat ze zwanger was. Mikey, Alan en de hond waren stuk voor stuk door het dolle heen wanneer ze thuis was. Hij vroeg haar of ze zich een koningin voelde, en ze zei nee, want per slot van rekening verdíende ze dit alles.

Ze spraken Mike Dukas nog een paar keer voor hij naar Bosnië afreisde. Alan zag hem ook nog wel eens in Washington, terwijl hij op en neer reisde tussen zijn nieuwe standplaats en zijn oude. Mike haastte zich van de ene plek naar de andere: hij probeerde nog wat Servo-Kroatisch te leren dat hij naast zijn Grieks kon gebruiken, om vervolgens bij de mariniers spullen op te halen die wel iets weg hadden van een gevechtsuitrusting, terwijl er ook nog tijd moest worden gevonden voor briefings door het ministerie van Buitenlandse Zaken en de DIA, de Defense Intelligence Agency. Hij werd volgepompt met informatie. Alan voelde een steek van afgunst, zich er op een sombere manier van bewust dat de komende drie jaar voor hem zouden bestaan uit het briefen van admiraals en het schrijven van dagelijkse samenvattingen van inlichtingenrapporten. Voor zijn carrière was het helemaal niet slecht, maar het was geen *actie*. Dat zei hij dan ook tijdens hun laatste ontmoeting tegen Dukas.

'Je bent verdomme verslááfd aan actie, hè?' reageerde Dukas tegenover hem. Ze waren druk bezig krab naar binnen te werken. 'Waar heb je dat in godsnaam opgedaan? Het leven ís geen stripboek, Al!'

'Ik bén helemaal niet verslaafd aan actie!'

'Je bent wel degelijk verslaafd. Verslaafd aan snelstromende adrenaline.'

'Flauwekul.'

'Ik heb het toch zelf gezíen!'

'Nou, ik mag nu in elk geval drie jaar lang afkicken, oké? En jíj dan, jij Griekse smeerlap – !'

Dukas peuterde een stukje schaal tussen zijn tanden vandaan en legde dat op zijn bord. Hij bracht zijn ronde gelaat wat dichter naar dat van Alan en gromde: 'Ik wíl helemaal geen actie! Ik wil alleen een beetje goeddoen!'

De week daarop was hij vertrokken.

O'Neill zat blijkbaar al in Afrika, maar ze hadden niets meer van hem gehoord.

Hij had bijna drie weken verlof, maar toen die achter de rug waren en hij naar de air wing terugkeerde, heerste daar een spookachtige stilte. Er moest weliswaar nog een hoop worden opgeruimd, oude rapporten en publicaties, en ook nog wat algemeen spul, maar het leven was eruit verdwenen. Hij dwaalde een dag of wat door de burelen, overwoog zich eerder bij zijn nieuwe werkgever te melden, zette dat idee direct weer van zich af (hij was er al voor op zijn hoede, deinsde ervoor terug) en stapte vervolgens naar het hoofdkwartier van de Atlantische Vloot over om te voorkomen dat hij in een leeg kantoor knettergek zou worden.

Op die manier bracht hij enkele dagen door op een heel ander punt van het grote wiel. Hij werd naar inlichtingensecties gestuurd waar de voorbereidende inzet van de volgende battle group werden gepland, de vlootoefening die officieel bekendstond als de 'Atlantic Fleet Battle Group Exercise 3-96', en waaraan door iedereen in het gebouw als 'Fleetex' werd gerefereerd. Het was een interessante gelegenheid om de volgende BG eens goed tegen het licht te kunnen houden, merkte hij – nu eens niet vanuit het standpunt van iemand aan boord van het vliegdekschip, maar van iemand die dicht bij het strategische denken van de verenigde chefs van staven stond.

Fleetex 3-96 bestond op dat moment alleen nog maar als een idee, verwoord in een vijf centimeter dik, in een ringband opgeborgen planningsboek, vijf ondergeschikte planningsgidsen en een snel in omvang toenemende collectie dia's, schema's, computerprojecties, kaarten en grafieken. Hij werkte aan één enkel detail, een detail dat hem wel aansprak: het uitrekenen van het brandstofverbruik van vliegtuigen ten behoeve van acht verspreid liggende uitgiftepunten, waaronder een groot bevoorradingsschip waarvan de commandant via een mededeling in een van de publicaties reeds bekend was – kapitein-ter-zee John H. Parsills, die, toen nog kapitein-luitenant-ter-zee, de allereerste squadroncommandant was geweest onder wie hij ooit had gediend.

Wauw! Skipper Parsills als commandant van een tanker! Hier had het draaien van het wiel een van zijn vreemder wendingen genomen. Tussen zijn functie als commandant van een squadron en die van commandant van een vliegdekschip diende een nieuwe opperofficier ervaring op te doen als commandant van een groot zeeschip, en de tanker die bij de battle group hoorde wás vaak zo'n schip. Vijftien jaar in de lucht, drie jaar in het water!

Alan moest glimlachen. Hij had er absoluut geen moeite mee om projecties omtrent het brandstofverbruik samen te stellen. Parsills was een grandioze kerel geweest, misschien wel de prettigste commandant die hij ooit had meegemaakt. Hém bijstaan, zelfs al was het maar op papier, gaf een prettig gevoel.

Fleetex 3-96 was in feite een grootschalige simulatie van een gewapend conflict, compleet met echte schepen en echte vliegtuigen. De oefening kon het beste worden begrepen door de transparante kaart BG3/96-LL1 over de grootschalige nautische kaart Nummer 5 te leggen. Op die kaart staat het westelijk deel van de Atlantische Oceaan afgedrukt, een gebied dat loopt van de Caribische Zee in het zuiden tot de kust van North Carolina in het noorden. Op de transparante kaart is de Middellandse Zee te zien, van Tripoli in Libië in het zuiden tot de Adriatische Zee en Venetië in het noorden. Je legt de doorzichtige kaart op de nautische kaart, legt de paskruisen op elkaar en ziet dan onmiddellijk het scenario voor de oefening: De Golf van Sydra, die voor de kust van Libië ligt, wordt op die manier een baai op een van de Bahama-eilanden; Gibraltar wordt een punt ergens in het noorden van de Atlantische Oceaan, terwijl Bosnië ook ergens in de Atlantische Oceaan komt te liggen, hoewel voor het oefenen van bombardementsvluchten als zodanig ook het eilandje Vieques, iets ten zuiden van Puerto Rico, wordt gebruikt. Volgens een van de planningsboeken zouden een Canadees fregat en een Engelse jager de rol van tegenstander vervullen (Oranje, lees Libische oorlogsschepen), ondersteund door vier kleinere kanonneerboten van de Bahamaanse marine, die vanuit Nassau zouden opereren. (*Dat moest een uiterst aangename taak zijn,* bedacht hij.) Luchtaanvallen van de denkbeeldige tegenstander zouden worden uitgevoerd door F/A-18's van de mariniers en de marine, gestationeerd op Cherry Point, Beaufort en Jackson, en die in de lucht zouden worden bijgetankt door KC-10's van de luchtmacht, nagenoeg allemaal gevlogen door reservisten, opererend van bases aan de Oostkust. Het zwaartepunt bij twee van de drie fases waaruit de oefening bestond bevond zich in de Baai van Sydra, en wel op een punt dat Alan gevaarlijk dicht bij de Libische territoriale wateren vond liggen. Dat punt was alleen met 'Alpha' aangeduid, maar was op een van de kaarten met een scheepssymbool aangegeven. Hij hoefde de ringband en bijbehorende publicaties niet door te werken om te begrijpen dat Fleetex 3-96 een soort provocerende actie voor de Libische kust moest nabootsen waarbij een Amerikaans of NAVO-vaartuig betrokken zou zijn.

Dit was niet langer zomaar een simulatie meer. Bij een simulatie was men gewoonlijk niet zo specifiek.

Hij vond het een interessante onderneming – waarbij voor 'interessant' het woord 'gevaarlijk' gelezen diende te worden, met ernstige internationale implicaties. Om nog maar te zwijgen over de militaire gevolgen: volgens het scenario van Fase Een en Fase Twee van Fleetex zou de battle group op Punt Alpha vanuit twee verschillende richtingen worden aangevallen, wat wel eens uitgelegd zou kunnen worden als Libië en Joegoslavië. *Joegoslavië?* Als daar nog een wild card tegenaan werd gesmeten in de vorm van een van de islamitische naties in dat gebied of een of ander land dat in staat was om in het zuidelijk deel van het Middellandse-Zeegebied militair in te grijpen. *Dan betekende dat dat héél veel mensen hierdoor bijzonder geïrriteerd zouden raken!*

Tijdens de derde dag achter zijn bureau in een groot vertrek dat vol stond met bureaus, riep iemand plotseling: 'Vlagofficier aan dek!' en kwam Alan, net als alle andere aanwezigen, razendsnel overeind om onmiddellijk in de houding te springen. Enkele ogenblikken later kwam een opmerkelijk lange man naar binnen met een urgentie die hem naar het midden van de vertrek bracht voor hij goed en wel om zich heen had gekeken. Hij werd op de voet gevolgd door een kapitein-ter-zee, twee kapitein-luitenants-ter-zee en een nogal zalvend uitziende ltz2 j.c. met *chicken guts* op zijn schouder – duidelijk iemands neefje die een staffunctie had gekregen in plaats van een baan aan boord van een onderzeebootjager. *Vlaggenbraaksel*, zoals zijn vriend Rafehausen dit soort lieden altijd noemde – en dan had hij het niet over mensen die zo'n functie echt hadden verdiend, maar degenen die daar waren gekomen dankzij de een of andere kruiwagen.

De admiraal keek om zich heen en liep vervolgens naar de grote tafel waar de hoofdkaart lag. Toen hij die kant uit beende zei de knaap naast Alan geluidloos 'BG' tegen hem, en vervolgens nog iets dat Alan als 'Newman' meende te kunnen identificeren, de naam van de admiraal die aan het hoofd zou staan van BG 7. Het was De Grote Man zelf.

Admiraal Newman boog zich over de grote kaart. Hij moest minstens twee meter zijn, besefte Alan, en torende hoog boven alle anderen uit, een nogal slungelachtige figuur die ondanks zijn smetteloze uniform een ietwat smoezelige indruk maakte. Hij had harde ogen en een ietwat wrokkige kaaklijn, en toen hij zich over de kaart boog kon Alan hem en profil zien. Wat hij zag was niet bepaald een gelukkig man, schoot het door hem heen. En hij had gelijk.

'Waar is de kernonderzeeër?' vroeg admiraal Newman met zijn raspende stem. Iemand zei dat dat, eh, dáár werd afgehandeld, en vervolgens begon een vrouwelijke ltz2 j.c. uit te leggen dat Libië over dieselonderzeeërs beschikte en dat ze nu druk bezig waren met een scenario waarin –

'Ik wil een kérnonderzeeër bij de tegenstanders. Victor II. Zorg er maar voor.' Maar hij zou die laatste woorden ook tegen een van de ktz's uit zijn gezelschap gezegd kunnen hebben, hoewel de j.c.'er het bijna in zijn broek deed in zijn poging te laten zien hoe bereidwillig hij was om aan zijn wens te voldoen, áls maar iemand bereid was hem te vertellen wát een Victor II precies was. Alan keek naar de knaap naast hem en gaf een knipoog.

De admiraal pakte een commandeur bij de elleboog (óf zijn vlagofficier of zijn chef-staf, vermoedde Alan), liep naar het midden van het vertrek en zei zacht, alsof hij in de mening verkeerde dat niemand hen zou kunnen horen: ' – bij die Oranje strijdkrachten moeten weer sovjetachtige eenheden worden ingedeeld; deze knapen begrijpen het niet. *Dit is onacceptabel!'* Vervolgens beende hij met grote passen naar buiten.

De aanwezigen in het vertrek ontspanden zich. Iedereen leek het een vrij grappig tafereel te vinden. De knaap naast hem zei: 'O, dat doet-ie ongeveer één keer per maand. Hij wil het toch zo graag tegen de *communisten* opnemen!'

Een paar dagen later keerde Alan terug naar het kantoor van de air wing en begon hij daar zijn zaken af te wikkelen. Over een week zou hij zich op het Pentagon moeten melden. De ervaring met Fleetex bleef hem bij als een interessante zijwaartse blik op het wiel, althans, tot hij ontdekte wat de rol van Rose zou zijn op dat stipje in de Golf van Sydra dat als Point Alpha werd aangeduid.

Dar es Salaam, Tanzania.

Het hoofd van het kantoor in Dar had een prima baan en vond zichzelf een prima kerel, uiterst succesvol bij het uitoefenen van een bewonderenswaardige taak. Hij was duidelijk minder overtuigd van O'Neills waarde in dit alles, hoewel hij bereid was hem nog iets meer tijd te geven voor hij zijn eindoordeel – dat wellicht negatief uit zou vallen – zou laten horen. Hij heette John Prior, en werd uiteraard Jack genoemd; hij was blank (anders zou hij als Black Jack bekend hebben gestaan); hoger zou hij bij de Agency nooit op weten te klimmen, alleen wist hij dat nog niet. Halverwege de vijftig, mager en met zijn gegroefde gelaat zag hij eruit alsof hij misschien nog een tweede carrière zou kunnen opbouwen in het ontwerpen van goedkoop ondergoed voor de vissende en jagende medemens.

'Ik heb begrepen dat je helemaal geen zin had om hierheen te komen,' merkte hij op.

'Niet bepaald – '

Prior ging onverdroten verder. 'Er zijn een heleboel mensen die denken dat ze deze kant helemaal niet op willen. En dat is dom. Je gaat naar de plaats waar Uncle Sam je nodig heeft, of niet soms? Oké.' Prior beschikte over een bijzonder aangenaam hoekkantoor in het ambassadegebouw, met een Amerikaanse receptioniste in een aparte kamer (ook CIA, nauwelijks getraind maar redelijk capabel). Hij woonde in een goed huis, beschikte over een prima auto en leefde hier onder zijn eigen naam – geen aangenomen identiteit. O'Neill zou hier níet onder zijn eigen naam verblijven, dat wil zeggen, voorlopig niet.

'De lokale bevolking zoekt wel contact met je, maar niet al te innig, begrijp je? Ze vinden dat iedereen vooral moet doen waar-ie zin in heeft, zolang we ze af en toe maar iets influisteren en ze wat dollars toesteken. Maar dat is míjn afdeling, begrepen? Bemoei je daar verder niet mee. Laat dat maar aan mij over. Veel last zullen ze je niet bezorgen. Hoe goed is jouw Swahili?'

'Uitstekend.' O'Neill had net een zes weken durende intensieve cursus achter de rug.

'Gelul.' Priors Swahili was afgrijselijk, en daarom kon dat van anderen ook nooit goed zijn. 'Probeer niet de slimmerik uit te hangen en te doen alsof je tot de plaatselijke bevolking hoort. Ze raken alleen maar in de war als ze een zwart iemand zien. Geef jezelf een jaartje de tijd om hier een beetje in te burgeren, oké?'

'Nou, ik heb de dossiers eens bekeken – '

'Ja, ja, ja.' Hij schoof O'Neill een stapeltje mappen toe. 'Dit zijn Verzoeken om Informatie, afkomstig uit DC. Vijf ervan zal ik zelf behandelen. Jij krijgt nummer zes en zeven; makkelijke zaken, zodat je het een beetje in je vingers krijgt allemaal.' Hij keek O'Neill strak aan. 'Je rekruteert pas iemand als ík zeg dat dat kan. Het is de bedoeling dat je je hier voorlopig gedeisd houdt.'

'Ik had eigenlijk gedacht – '

'Niet denken alsjeblieft. Doe ook wat dát betreft kalm aan. Je voorganger heeft geprobeerd de wereld in brand te zetten, maar het enige wat uiteindelijk vlam vatte was zijn eigen broek. Het resultaat was dat ik hem zo snel mogelijk het land uit moest zien te krijgen, vóór de boel hier helemaal uit de klauw zou lopen. Dit is een land waar we onze zaken redelijk goed in orde hebben. Ik wil graag dat dat zo blíjft.'

In het hele westelijke randgebied, wist O'Neill, was het onrustig vanwege dat wat er in Rwanda en Zaïre gebeurde; er leefde in Tanzania al tien jaar lang een uit Zaïrezen bestaande neo-Marxistische, anti-Mobutogroep die geacht werd voorbereidingen te treffen het eigen land binnen te vallen; van de Tanzaniaanse strijdkrachten werd gezegd dat die hen ongetwijfeld te hulp zouden schieten. Moest je deze informatie dan zomaar naast je neerleggen?

'Kabila en de Zaïrese Tutsi's – ' begon O'Neill.

'Bemoei je daar niet mee. Ik heb dat helemaal onder controle. Ik wil dat je al je aandacht richt op de economie. Direct daarna komt de doorvoer van drugs vanuit Zuidoost-Azië.'

'Mijn voorganger beschikte over enkele goede contacten in Rwanda.'

'MacPherson érfde enkele contacten in Rwanda, en hij heeft er een puinhoop van gemaakt. Ze zijn verdwenen! Hij was een grote klootzak, dat heb ik je al gezegd. Laat dat verder rusten.' Prior probeerde hem met zijn blik te dwingen zijn ogen neer te slaan, en O'Neill liet hem zijn gang gaan. Hij was per slot van rekening zijn nieuwe baas. 'Rwanda is een heel ander land,' zei Prior, zijn stem veelbetekenend laag.

'"En bovendien, het wicht is dood",' zei O'Neill. Hij glimlachte. *Begrijp je het? Nee, duidelijk van niet. O, shit.* Maar hij was gered, want Prior luisterde helemaal niet naar zijn ondergeschikten, tenzij hij hun een rechtstreekse vraag had gesteld.

'Ik herhaal, Rwanda is jouw terrein niet.'

'U wilt niet dat ik nog eens probeer contact met hen op te nemen?'

'Ik wil dat je gaat werken met de info die je hebt. Je beschikt over twee goede clusters contactlieden die je van economische informatie kunnen voorzien, contacten die MacPherson op de een of ander miraculeuze manier níet naar de knoppen heeft geholpen; hou je daar aan vast. Ik geef je de namen door van een paar zakenlieden die ik tijdens een receptie heb ontmoet; ik zou graag zien dat je hen tot onze gelederen laat toetreden. Goddank zie je eruit als het soort knaap dat hier het hoofd boven water kan houden, zolang hij zich maar gedraagt – je weet je te kleden, je spreekt netjes, je ziet er oké uit.'

Oké? Er kwam zomaar een compliment over zijn lippen.

'Tennis je?' vroeg Prior.

'Uiteraard.'

Prior wierp hem een snelle blik toe. Prior, vermoedde hij, was niet op een dusdanige manier opgegroeid dat hij 'uiteraard' tennis speelde. 'Morgen speel je een potje dubbel met Amanda en een van de zakenlieden over wie ik het net had.' Amanda was de receptioniste. 'Oorspronkelijk zou ik met hen spelen, maar ik zeg wel dat ik mijn enkel heb verstuikt en dat jij mij zal vervangen. Als je van ze kunt winnen, laat dat dan vooral niet na; die knaap zal zeer onder de indruk zijn. Hij zit in de blauwe map.'

'Hoe reëel is mijn dekmantel?' vroeg O'Neill.

Prior moest grinniken. Een echte beginnersvraag. 'Jouw taak is die van case-officer. Punt uit.' Daar gíng zijn kans om als plaatsvervangend attaché voor handelsbetrekkingen naar buiten te treden.

O'Neill pakte de mappen van het bureau, drukte ze tegen zijn borst en liep door de gang naar zijn tijdelijke kantoortje. Doe kalm aan, lees de VI's – de Verzoeken om Informatie – en speel tennis. Niet bepaald James Bond.

Het Pentagon.

Alan Craik liep door de lange, lange gang, langs een standaard met vlaggen en een muur vol ingelijste foto's van admiraals, deur na deur passerend. Het was nog vroeg; honderd, duizend andere mannen en vrouwen liepen ook door deze gang, en door alle andere gangen die zich in deze concentrische vijfhoek bevonden, dit pentagon dat dit gebouw zijn naam gaf. Af en toe ving hij door een openstaande deur een glimp op van ramen die uitzicht boden op de enorme binnenplaats, met daarin bomen, wandelpaden en banken en tafeltjes, en daaráchter weer vensters in andere muren.

Hij hield zijn attachékoffertje, met daarin zijn orders, stevig tegen zijn rechterzij gedrukt. Zijn ochtendkoffie brandde nog in zijn keel. *Jezus, ik ben zo gespannen als wat,* besefte hij. *Waarom? Dit wordt een fluitje van een cent.* Gespannen omdat hij zichzelf al duidelijk had gemaakt dat hij er binnen de kortste keren een hekel aan zou krijgen, dat wíst hij gewoon. Hoewel hij zich in die grotendeels slapeloze nacht had voorgehouden dat hij niet te snel moest oordelen. *Ga ervan uit dat je weleens aangenaam verrast zou kunnen worden. Probeer het leuk te gaan vinden. Als je je baan niet leuk vindt, is er iets met jóu aan de hand, niet met die baan.*

Uiteindelijk vond hij de goede deur en overhandigde zijn papieren aan een onderofficier, en werd na een tijdje naar een kantoor gebracht waar een vrouwelijke kapitein-luitenant-ter-zee hem de hand schudde en zei: 'Welkom aan boord' en 'Jongen, wat zijn we blij dat je er bent! We komen momenteel drie man te kort!'

Ze leidde hem rond, stelde hem aan iedereen voor. Schetste een uiterst ruw beeld van de functie – het dagelijks lezen van negen dagelijkse rapporten, het schrijven van vijf samenvattingen, redigeren, het doen van briefings. Een brede glimlach. 'Zou je bij de Agency een geclassificeerd pakje voor ons kunnen ophalen? Heb je een koerierspasje? Die kun je halen op de vierde etage – Jackson vertelt je wel hoe. We zouden dat graag nog vóór de lunch hier willen hebben, oké?' Opnieuw een brede glimlach.

Hij zat nauwelijks achter een bureau waarvan werd gezegd dat het het zijne was (hij was daar niet zo zeker van; er lag een beha in een verder geheel lege la) toen een vrouwspersoon in burgerkleding zich in de deuropening van het kleine vertrek naar binnen boog. 'Hoi. Ik ben Jan – ik redigeer hier de plannen. Maar daarvoor kom ik hier nu niet. Onderwerp: jouw beurt om koffie te zetten.' Brede glimlach. 'Jouw beurt ving twee minuten geleden al aan en de inboorlingen worden een tikkeltje onrustig.'

Niet bepaald James Bond.

IV.

Suter was op bezoek geweest bij een grote leverancier in Texas, en daarna had Touhey hem naar Washington gestuurd om daar zijn oor eens te luisteren te leggen bij verschillende leden van het Congres, dus was hij twee weken lang niet op kantoor in Columbia geweest. Hij kreeg steeds meer voeling met zijn baan en werkplek, en bijna wenste hij dat hij hier rechtstreeks naartoe was gekomen in plaats van via de Agency; je had het gevoel dat hier echt iets gebeurde, dat er hier een enorme hoeveelheid energie vrijkwam. Hij merkte dat hij Touhey bewonderde, ondanks het feit dat zijn loyaliteit bij Shreed lag. Dat kon uiteraard nog veranderen. Maar voor dat soort overwegingen was het nu nog te vroeg; hij was terug, druk bezig de diverse kantoren te leren kennen, en sommige van de mensen die er werkten, de complexiteit doorgrondend van de compartimentering waardoor de geheime wapenfunctie van Peacemaker volkomen afgescheiden bleef van de publieke functie van het project, het vergaren van inlichtingen.

Hij was er al snel achtergekomen waarom Han hem met grote snelheid door kelderniveau twee had rondgeleid. Daar stonden namelijk, in een laboratorium waartoe slechts een beperkt aantal mensen toegang hadden, modellen van de modules die aan de hoofdsectie van de Peacemaker gekoppeld zouden worden. De meeste mensen die van de achtergronden van het project op de hoogte waren beschouwden de hoofdsectie als de eigenlijke Peacemaker, terwijl ze aan de modules refereerden als 'het *intel pack*' en 'het wapen'. Officieel werden de drie verschillende onderdelen aangeduid met *Low Orbit Maneuverable Satellite*, of LOMS; de Acquisition and Radiation Module, of ARM; en de Direct Application Module, of DAM. Iedereen was het er aanvankelijk over eens dat de wapenmodule de afkorting ARM moest krijgen, maar het was toch anders uitgepakt. In feite klonk DAM als bijnaam voor een wapen ook niet écht slecht.

Een deel van het ontwerpprobleem bij Peacemaker werd gevormd door Touhey's eis dat de ARM en de DAM op exact dezelfde manier aan de LOMS bevestigd moesten kunnen worden, en dat ze precies in hetzelfde omhulsel moesten kunnen. Visueel moest het erg moeilijk zijn om verschil tussen beide op te merken; de toeschouwer moest voldoende dichtbij kunnen komen om de opschriften op de toegangspanelen te kunnen lezen. Touhey had erg ver vooruitgedacht. Wat hij had gewild – en had gekregen – was een instrument waarvan afbeeldingen direct aan de media konden worden doorgegeven, zonder dat de echte aard van het beestje duidelijk zou worden. Op dat punt waren ze nu aangekomen, het vrijgeven van fraaie beelden en het houden van oorstrelende pr-prietpraat, bezoekjes afleggen aan doorslaggevende congresleden (alleen maar mannen) en het uitdelen van informatiepakketten. Ze haalden zelfs het televisienieuws, waar werd gesproken over een 'baanbrekende korte-termijnsatelliet waarmee de gaten in Amerika's inlichtingensysteem kunnen worden gedicht'. Ondertussen werd in de fabriek van een middelgroot bedrijf in Indiana onder totale geheimhouding de DAM-module gebouwd.

Suter bracht twintig minuten bij Touhey door, waarbij ze enkele vragen van George Shreed omtrent het project doornamen, en vervolgens ging hij naar de cafetaria voor een kop koffie. Hij probeerde hierboven gezien te worden, om hen te laten wennen aan het feit dat hij een echt lid van het team was. Zoals gewoonlijk zaten er in de grote, van hoge vensters voorziene ruimte aan de meeste tafeltjes jongelui die gekleed waren of ze net van het sportveld afkomstig waren. Suter bekeek ze eens rustig, concludeerde dat ze niet bepaald interessant waren, en liet zijn blik vervolgens terugschieten naar een vrouw die hij niet herkende en die aanvankelijk de andere kant op gedraaid had gezeten. Ze was donker, goedgevormd en zonder meer aantrekkelijk. *Snoepgoed om naar te kijken,* bedacht hij onwillekeurig. Ze zat bij het raam, zodat hij genoodzaakt was om zijn ogen enigszins samen te knijpen om geen last van het binnenvallende licht te hebben. *Een mooie vrouw.*

Hij liep op haar af, en deed net alsof hij een plaatsje zocht waar hij kon zitten, maar ondertussen haar toch weer onopvallend in zich opnemend. *Heel erg mooi.* Hij stond op het punt recht op haar af te lopen en haar te vragen of hij aan haar tafeltje mocht zitten omdat alle andere tafeltjes bezet waren (hoewel dat helemaal het geval niet was), toen iemand riep: 'Hé, Suter!'

Het was Han. Suter glimlachte. Het was verstandig om Han te vriend te houden, had hij gemerkt. De mensen móchten Han, hoewel god mocht weten waarom.

'Hé, kolonel.' Suter nam plaats op een stoel van waaruit hij de vrouw kon zien zitten.

Han moest grinniken. 'Dit is een kant van jou die ik niet had verwacht,' merkte hij op.

'Kolonel?'

Han grinnikte opnieuw. 'Als je die tong van jou nóg verder uit je mond laat hangen, wordt straks je stropdas nog nat. En bovendien ís ze al getrouwd.'

'Met wie?'

Han lachte. 'Suter,' zei hij, 'je bent me er eentje.'

Suter wierp nog eens een snelle blik op de vrouw. *Getrouwd.* Och, nou én – wat deed dat er eigenlijk toe?

Sarajevo.

Mike Dukas stond bij een raam in het recentelijk geschilderde kantoor van het plaatsvervangend hoofd van de politie te Sarajevo, belast met het onderhouden van de contacten met de NAVO. Nieuw kantoor, nieuwe titel, nieuwe man. De knaap was een Bosnische moslim, een politieman die nooit achter zijn bureau vandaan kwam, druk bezig dat te doen waarin hij het beste was – het sturen van informatiestromen. In dit geval was dat het briefen van Dukas.

Dukas was nu vierentwintig uur in Sarajevo. Hij was nog steeds versuft door de jetlag en hij had nog geen eigen kantoor. Hij keek neer op het binnenplaatsje van een appartementengebouw dat aan het hunne grensde, en vroeg zich af wat die lange hopen aarde te betekenen hadden – het leken wel graven.

Toen het plaatsvervangend hoofd even zijn mond hield om eens diep adem te halen, vroeg Dukas: 'Wat zijn dat?' Hij wees naar het binnenplaatsje. 'Die dingen die eruitzien als graven?'

De Bosniër aarzelde even en vertoonde het volgende moment plotseling menselijke trekjes: 'Dat zíjn graven,' zei hij kalm.

Dukas keek hem aan – vol ongeloof, vragend.

Een en al menselijkheid nu glimlachte de Bosnische politieman hem triest toe: 'Door de beschietingen en de sluipschutters konden we niet bij de begraafplaats komen. We hebben de doden op elke denkbare plek begraven. Ik heb mijn moeder naast haar rozenstruik begraven.'

Welkom in Sarajevo.

5

Juli

IVI.

Ze heette Rose Siciliano, en ze was een luitenant-ter-zee der eerste klasse bij de marine. Suter vond dat wel grappig, want toen hij haar op vrijdag had gezien, had ze een blauwe spijkerbroek en een T-shirt van de Redskins gedragen. Die kleding had aangegeven dat ze waarschijnlijk op de tweede etage werkzaam was, waar de whizzkids speelden en de beveiligingsmaatregelen minder stringent waren. Suter was verrast geweest toen hij te horen had gekregen dat ze in feite op S1 werkte, het eerste ondergrondse niveau, waar de veiligheidsclassificatie hoog was en waar veel werk aan Peacemaker werd verricht. Maar de S1-locatie betekende ook dat ze Peacemaker alleen maar als een inlichtingensatelliet kende en volkomen afgeschermd werd van de DAM.

Hij was nu in totaal negen uur terug, waarvan hij er vier had besteed aan een hoop vervelende flauwekul over Britse eilandjes in het zuidelijk deel van de Atlantische Oceaan die wellicht geschikt zouden zijn als potentiële doelwitten voor proefnemingen met Peacemaker, terwijl hij ook nog enkele uren met de generaal en later met Han had overlegd, en ondanks dat alles had hij tóch nog tijd gehad om naar de vrouw te vragen die hij in de cafetaria bij het raam had zien zitten. Zelfs thuis had hij aan haar moeten denken, zelfs op de oprit naar zijn garage was ze niet uit zijn gedachten geweest.

Ze was de recentelijk benoemde *Seaborne Launch Officer,* de officier die verantwoordelijk zou zijn voor de lancering van Peacemaker, die vanaf een schip plaats zou vinden. Haar komst hier betekende dat Peacemaker zich van een model tot een te lanceren prototype aan het ontwikkelen was.

Hij slaagde er uiteindelijk in haar in de cafetaria tegen het lijf te lopen door er die ochtend twee keer naar terug te gaan. Hij werd geacht diverse publicaties over mogelijke doelwitten door te nemen, om zo de meest opvallende manier om Peacemaker te demonstreren te kunnen selecteren. Hij kon bijzonder snel lezen en was niet op zijn achterhoofd gevallen, al zei hij het zelf, en hij had dan ook ruim tijd over om achter deze fraaie dame aan te zitten. En de derde keer was het geluk hem gunstig gezind: daar zat ze, in dezelfde stoel bij hetzelfde raam. Deze keer droeg ze een jurk en zag ze eruit als een zakenvrouw. Nog adembenemender dan de eerste keer.

'Vind je het goed als ik bij je kom zitten?' vroeg hij. 'Ik ban Ray Suter.'

Ze glimlachte flauwtjes, maar zag er ook enigszins gepijnigd uit.

'Ik voel me hier enigszins verloren en kan best wat sympathie gebruiken. Ik ben hier nieuw.'

'Tuurlijk, ga zitten.'

Ze was geen gemakkelijke prooi. Ze keek hem geamuseerd aan, en was duidelijk niet direct van hem gecharmeerd. Ze bezat ook een natuurlijke onverzettelijkheid die hem verraste; daar had hij vrijdag niets van gemerkt. Misschien was het T-shirt daar de oorzaak van geweest, die de suggestie had gewekt dat het hier om een jonge, naïeve vrouw ging.

'Ik dacht dat je een van de computerkids was,' zei hij, terwijl hij als een man probeerde te klinken die zich door een onbetekenende stommiteit in verlegenheid gebracht voelde. 'Ik heb je vrijdag al zien zitten.'

'Vrijdag is op onze afdeling de dag dat we vrijetijdskleding dragen,' reageerde ze. 'Vandaag gaan we weer gewoon gekleed. Maar ik moet nu weg.' Ze was al overeind gekomen en gooide haar piepschuimen bekertje in een plastic afvalbak.

'Ik zie je nog wel eens een keertje,' zei hij, en stond op.

'Wellicht.' Ze nam hem van top tot teen op, nog steeds niet gecharmeerd van hem. Onder al die zachtheid ging een uiterst harde dame schuil. Maar ze glimlachte in elk geval. 'Zo groot is het hier niet,' zei ze.

Die middag riep hij op zijn computer haar personeelsgegevens op. Daartoe was hij in staat dankzij Shreeds invloed op Touhey. Hij had toegang tot zo'n beetje álles. Bijna het eerste wat hem in haar persoonlijke gegevens opviel was het feit dat ze met Alan Craik was getrouwd.

In eerste instantie gaf die wetenschap hem het gevoel alsof hij een keiharde trap in zijn kruis had gekregen. Even later besefte hij dat er misschien nog wel iets moois uit zou kunnen groeien. Als het hem namelijk zou lukken Craiks vrouw te naaien, zou dat twee vliegen in één klap betekenen.

Maar daar was tijd voor nodig. Nou, hij had tijd genoeg. Per slot van rekening zou pas over vijf maanden de lancering plaatsvinden.

Het Pentagon.

Alan Craik stond in een kleine glazen box, met vlak voor hem een hele rij uiterst ingewikkelde computerschermen, die stuk voor stuk verbonden waren met een groot scherm áchter hem. Tegenover hem bevonden zich, net als in een klein theater, tien rijen bijzonder comfortabele stoelen die geleidelijk aan steeds hoger stonden. Achterin zaten de stafofficieren en de burgers die in het Pentagon werkten; voorin zaten de admiraal en de generaals van het Korps Mariniers. Maar op de allereerste rij zat de chef marine-operatiën, een kleine, nogal parmantige man. Hij had zijn benen over elkaar geslagen, had de gemakkelijke houding aangenomen van een man die zijn plaats kende en zijn omgeving volkomen onder controle had. Al zijn aandacht was gericht op de grote schermen boven Alans hoofd.

Alan raakte steeds meer gewend aan het geven van briefings aan de hoogste echelons van de marine. Aanvankelijk had hij gemerkt dat elke keer dat hij het woord moest voeren zijn maag in opstand dreigde te komen; hij had zich toen inderdaad afgevraagd of zijn zenuwen wel tegen het werk bestand zouden zijn. In zijn squadrondagen waren uitgebreide presentaties heel gewoon geweest, en Alan zag zichzelf als een competente briefer. Hij was gewend aan de interrupties, de idiote terzijdes, de risico's van het vak. Maar van dat soort gedrag was hier geen sprake. In feite vond hij juist de áfwezigheid van menselijke interactie zo intimiderend. Eigenlijk werd er geen énkele reactie gegeven. Elke briefer betrad simpelweg het zaaltje, deed zijn zegje (al uren voor de briefing voorbereid, onderzocht en geoefend) en maakte plaats voor de volgende. Grotere fouten werden afgestraft door de nogal scherpe vrouwelijke kltz die leiding aan de toko gaf. Minder grote fouten werden onder druk van directe superieuren afgehandeld en vervolgens door de kltz. Maar het publiek zelf leek nooit met een reactie te komen.

Alan was het gevoel gaan krijgen, een gevoel dat werd aangewakkerd door de steeds groter wordende hekel die hij aan zijn baan ging krijgen, dat het geven van briefings aan de marinetop in feite zonde van de moeite was. Het hele proces van het uit het hoofd leren van de briefing en het over het voetlicht brengen daarvan, had meer met dramatiek dan met inlichtingenwerk te maken, en Alan was ervan overtuigd dat een stelletje stagiaires (wellicht afkomstig van de toneelschool, of van een journalistenopleiding, wie zou het zeggen?) zijn taak even effectief zou kunnen vervullen, zodat hijzelf meer tijd zou hebben om onderzoek en voorbereidend werk te doen, zodat hij in elk geval nog énig contact met het inlichtingenwereldje zou hebben. Bovendien werd zijn afdeling wat het verzamelen van informatie betrof tegenwoordig toch links en rechts ingehaald door CNN, de BBC en andere grote persbureaus. Admiraals leken even erg aan filmbeelden verslaafd als alle andere Amerikanen, en de steeds vaker voorkomende praktijk van het toepassen van videobeelden als achtergrond bij de briefing, deed bij hem het besef postvatten dat de grens tussen inlichtingenwerk en journalistiek al enige tijd geleden was overschreden; het werk van hun afdeling zou binnen de kortste keren, net als de pers, richting entertainment afglijden. Moest hij daaraan meedoen?

Omdat het zijn werk was.

Met tegenzin was hij tot de conclusie gekomen dat hij in de verkeerde functie verzeild was geraakt. De waarheid was dat hij aan zijn werk in het Pentagon een pesthekel had.

IVI.

Rose genoot met volle teugen van haar werk bij het IVI. En dat verbaasde haar eigenlijk. Bureaubanen waren gewoonlijk afgrijselijk, iets waar je doorheen moest omdat je loopbaanbegeleider zei dat het goed was voor je carrière, maar déze baan was zowel opwindend als veeleisend. Twee, drie dagen per week was ze onderweg, waarbij ze bij leveranciers op bezoek ging of bureaus op het ministerie van Marine afging. Ze zou lanceerofficier op een schip worden, en ze wist helemaal níets van schepen, behalve dan wat je moest weten om er met een helikopter op te landen. Nóg meer bezoekjes, nóg meer lezen. Ze had toestemming gevraagd voor een tocht van een week aan boord van een oceanografisch onderzoeksvaartuig van het type dat voor de proefneming zou worden gebruikt. Alan woonde met Mikey en de hond in een huurhuis in Falls Church. Hij had het huis in Norfolk nog niet verkocht en maakte daar een hoop ophef over – nogal kinderachtig, vond ze. Ze miste hem, maar toen ze in de gelegenheid werd gesteld om naar Houston af te reizen om daar vanuit Mission Control een lancering bij te wonen, gíng ze en miste daardoor een weekend samen met hem. En met Mikey. En met de hond. Ze was zwanger, maar maakte zich daar vooralsnog geen zorgen over. *Over een paar maanden,* hield ze zichzelf voor. Toen tijdens een IVI-planningsvergadering Touhey de mogelijkheid opperde dat de datum van de testlancering wel eens wat naar achteren geschoven zou moeten worden, besefte ze dat ze het jammer vond dat ze zwanger was. Als ze nou eens gedwongen zou zijn om zwangerschapsverlof op te nemen en ze iemand anders in haar plaats zouden benoemen, en dat díe dan de lancering zou doen? Direct daarna foeterde ze zichzelf in stilte uit. *Waar liggen in godsnaam je prioriteiten?*

Oost-Afrika.

O'Neill kreeg het allemaal al aardig in de vingers. Prior had het in zoveel woorden tegen hem gezegd. Prior mocht redelijk gul met complimentjes worden genoemd, waarbij hij er niet tegenop zag zich te bedienen van dezelfde populaire psychologische prietpraat die de CIA van haar consultants had geleerd – 'Motiveer je ondergeschikten', 'Vang meer vliegen met suiker', 'De vier stappen naar uitmuntendheid'. Of was het vijf? Of drie? Maar meestal zei hij alleen maar: 'Mijn god, in elk geval ben je beter dan MacPherson!' MacPherson was O'Neills voorganger geweest.

MacPherson naaide elke vrouwelijke agent die ook maar bij hem in de buurt kwam, plus nog een stuk of wat van de mannen ook, zeker weten, had Prior hem verteld. *Hij had net zomin een idee hoe hij zich moest gedragen als mijn golden re-trieverr.* En inderdaad, uit de dossiers en de verhalen die op de ambassade de ronde deden was duidelijk op te maken dat MacPherson er bij voorkeur een grote puinhoop van maakte, maar dan ook een échte. Het ergste van alles was nog dat hij seks bij dit alles steeds een hoofdrol liet spelen, wat wellicht moreel niet verwerpelijk was, maar volgens O'Neill wél fout was omdat seks in feite een veel te sterke uitwerking had; uiteindelijk keerde het zich in dit soort ge-vallen tégen je. Hij zou die fout nooit maken, daarvan was hij overtuigd.

O'Neill beschikte over een klein huisje op de berghelling vlak buiten Arusha, maar daar was hij zelden te vinden. Hij had ook ook een kantoortje in Arusha, maar daar was hij ook bijna nooit. Dat kantoortje liep vanzelf, dankzij drie vrouwelijke werknemers uit het land zelf, die jaarlijks in Dar es Salaam werden geselecteerd. Meestal was O'Neill onderweg, druk bezig de wonderen van het kapitalisme aan te prijzen en contacten te leggen, maar in feite achter het stuur zittend, rijdend over wegen teneinde surveillanceroutes vast te leggen, tegelijk-kertijd proberend de vuistregels die hij op de Ranch had geleerd toe te passen. Die lessen hadden in Afrika iets belachelijks, aangezien ze waren ontwikkeld voor gebieden binnen ontwikkelde landen, waarbij men op de Ranch – als men aan terrein dacht waar spionage werd bedreven– over het algemeen dacht aan stedelijke gebieden: het winkelcentrum, de parkeergarage en de supermarkt. Nu reed O'Neill honderden kilometer om een route te verkennen van hier naar – ja, waar naartoe? Dit dorpje zonder telefoon? Die vervallen cementfabriek? Dat overwoekerde sisalveld?

Dus werden de Rotary Clubs, de Kamers van Koophandel en boven alles de ho-gere scholen belangrijke bestemmingen voor hem. Zijn excuus om daar heen te gaan was zijn ingeblikte peptalk over Afrika en de vrijemarkteconomie. Hij be-schouwde die weliswaar als een vlooienmarkteconomie, maar dat zei hij uiter-aard niet. Hij was een uitstekend spreker, en vooral Afrikanen met een goede opleiding voelden zich door hem aangetrokken omdat hij hen deed denken aan hun eigen tijd op een campus ergens in de Verenigde Staten, of aan hun dagen in Engeland. Een opleiding in Engeland was nog steeds het ideaal, en *O levels* uit Cambridge, hoewel die in Engeland al niet meer werden gehanteerd, wer-den hier nog steeds zeer gerespecteerd. En O'Neill, met zijn stijlvolle kledij en goede manieren en zijn beschaafde stemgeluid, leek in bijna alles op die Afri-kaanse academici die zich meer Brit voelden dan de Britten zelf. Ze droegen donkere kostuums en dronken zowel 's ochtends als 's middags uitgebreid thee, die werd rondgebracht door theedames die metalen theekarretjes voortduwden. Zoals academici overal ter wereld waren deze leden uiterst gevoelig voor geld en gevlei, en die twee in combinatie zorgden ervoor dat er zich nogal wat mogelijke rekruten aandienden. Het probleem was alleen dat het maar net de vraag was of ze iets wisten dat het waard was aan te horen, of dat ze alleen maar zin in een praatje hadden.

Ze waren voor O'Neill voornamelijk een excuus om te proberen zo gedetailleerd mogelijke routes uit te zetten.

Hij had de beschikking over een vijf jaar oude Toyota LandCruiser. Het merendeel van zijn reizen gold het noorden en oosten van het land, waar moderne economische activiteiten werden ontplooid, maar hij verzon ook redenen om naar het westen af te reizen, helemaal naar de oever van het Tanganjikameer, waarbij hij zelfs zo noordelijk als Bikuba kwam – dat aan het Victoriameer lag – waar tekenen van een militaire aanwezigheid waren te zien, want hij wist dat de gebeurtenissen in Rwanda van grote invloed zouden zijn, hoe behoedzaam Prior ook mocht zijn. Bovendien werd hij gek van frustratie vanwege het feit dat hij niets belangrijks te doen kreeg. Tijdens de weekeinden kwam hij terug naar Arusha en zat hij in zijn nagenoeg lege huis. Hij schreef brieven naar Alan Craik, vol up-to-date inside-information, en verzond die via de diplomatieke post. Hij las de oude dossiers uit de nalatenschap van zijn beklagenswaardige voorganger nog eens door, en van de veel betere man die hier vóór hem dienst had gedaan, Hammer, die de netwerken had opgezet die MacPherson vervolgens in de vernieling had geholpen.

Hij wist dat er overlevenden uit die tijd moesten zijn, mensen die wellicht konden worden overgehaald weer mee te doen. Om die dossiers door te kunnen nemen moest hij naar Dar es Salaam rijden, voor ontvangst tekenen, terug naar Arusha, ze lezen, om vervolgens weer naar Dar te rijden om ze in te leveren, en dat alles vóór op maandagochtend zijn nieuwe werkweek begon. Toen hij erop wees dat de dossiers via e-mail konden worden verzonden, aangezien Tanzania niet over de mogelijkheden beschikte om het verzenden daarvan te onderscheppen, kreeg hij van Prior te horen dat het officiële standpunt van de Agency was dat e-mail als niet-veilig beschouwd diende te worden.

O'Neill selecteerde uiteindelijk de drie volgens hem beste agenten die Hammer ooit in Rwanda aan het werk had gehad.

Toen hij opnieuw naar het westen ging liet hij op drie verschillende plaatsen een teken achter en wachtte vervolgens af.

Eén agent was dood. De tweede was doodsbang en leefde onder een nieuwe naam in Zambia. De derde zou reageren.

6

Augustus

IVI.

Rose ging 's ochtends niet meer naar de cafetaria om koffie te drinken omdat er nog veel te veel te doen was. Althans, dat beweerde ze – en dat geloofde ze ook. Een outsider zou kunnen opmerken dat ze werk had gevonden waarmee ze die tijd kon vullen. En een outsider zou ook kunnen opmerken dat ze het prettig vond hoog op te geven van het feit dat ze nooit tijd had, zelfs niet om naar de cafetaria te gaan.

Suter kwam soms even langs. Rose merkte dat ze hem niet onsympathiek vond. Ze besefte dat hij het met haar probeerde aan te leggen. Een hoop mannen deden dat. Nou én?

'Weer druk bezig?' zei hij, terwijl hij tegen de deuropening van haar kantoortje leunde. 'Heb je een minuutje?' Hij had altijd wel een excuus om even bij haar langs te lopen. En ze voerde wat dat betreft geen ontmoedigingsbeleid. Ze kwam een hoop van hem te weten. En voelde zich gevleid door zijn aandacht. Suter was een knappe vent. Maar in tegenstelling tot Alan was hij zich dat terdege bewust. Een tikkeltje zelfingenomen zelfs.

'Een hálve minuut,' reageerde ze. 'Ik zit tot m'n nek in het werk.'

Hij had geleerd zijn eigen koffie mee te nemen. Die van haar smaakte afgrijselijk, gemaakt door de een of andere matroos tweede klasse die die koffie 's ochtends vroeg al zette en het spul de hele dag liet pruttelen, zodat het brouwsel al na korte tijd niet meer te drinken was. Hij vertelde haar wat details over het aanpassen van de lanceerhoek en zei toen: 'Zo, dus jij wilt astronaut worden.'

'Zeker weten.' Ze maakte wat aantekeningen die op de lanceerhoek betrekking hadden.

'Meevliegen met de Grote Braakkomeet? Toetreden tot het Team der Helden?'

'Dat heb je goed begrepen.'

'Ik ben wellicht in staat je daarbij een handje te helpen.' Ze keek op. Haar gezicht was uitdrukkingsloos en ze gaf geen enkel teken van de aanmoediging die hij zo graag wilde. 'Ik ken enkele mensen die aan dat programma meewerken.'

'Ik geef er de voorkeur aan dat op eigen kracht te bereiken,' reageerde ze.

'Zo werkt het niet.'

'Ben je daarom bij de marine weggegaan?'

Hij had het tegenover haar nooit over zijn marineloopbaan gehad. Het irriteerde hem dat ze iets dergelijks wist zonder dat hij dat zelf tegen haar had gezegd. 'Hoe weet je dat?' zei hij.

'Mijn man.'

Natuurlijk! Die klootzak van een Craik had haar zo'n beetje alles over hem verteld. In gedachten zag hij de brieven al voor zich die Craik vanaf het schip naar huis had geschreven, vol zelfmedelijden en verbittering. Hij voelde zich op slag een stuk beter. 'Ik kan me precies voorstellen wat hij over me verteld heeft,' zei Suter breed glimlachend.

'Werkelijk?' Ze was aan het schrijven geweest, rondde dat nu af en keek naar hem op. 'Feitelijk kan worden gezegd dat hij helemaal níets heeft gezegd. Ik was degene die jouw naam liet vallen, en hij telde één en één bij elkaar op en kwam tot de conclusie dat jij zijn vroegere baas moest zijn.'

'En wat vertelde hij je vervolgens over mij?'

'Niets.' Ze leek verrast door zijn vraag.

Hij weigerde dat te geloven. Craik móest haar iets in het oor hebben gefluisterd. Dat was oké; een slechte pers was beter dan helemaal geen pers. Misschien vond ze haar echtgenoot zelf ook wel een beetje een lul – wie zou het zeggen? 'In elk geval heb je mijn naam tegenover hem laten vallen,' zei hij met een grijns.

'Valdez!' schreeuwde ze. Als het nodig was kon ze een geweldige keel opzetten; Suter weerstond de aanvechting bij haar plotselinge brul uit zijn stoel overeind te springen. Op de gang achter hem liep iemand voorbij. *Wel verdomme?* dacht hij. Een mannenstem achter hem zei: 'Ja?' en Rose riep langs Suter: 'Laat me eens zien hoe ik het bestand met Baanaanpassingen uit de computer van White Sands kan opvragen, oké? Ik blíjf maar een boodschap op mijn scherm krijgen dat ik een illegale handeling pleeg, om vervolgens steeds weer buitengesloten te worden. Mijn gevoelens worden daardoor zeer gekwetst, begrijp je?'

'Jawel, mevrouw, maar ik heb het u al twee keer eerder uitgelegd.' Hij kwam naar binnen, een compacte, donkere bijna-tiener met een blauwe spijkerbroek aan. 'Hé, hoe gaat het?' zei hij tegen Suter zonder hem aan te kijken. Hij liep rechtstreeks naar Rose's computer.

'Valdez is mijn vaste duvelstoejager,' legde ze uit. De woorden hadden een nogal urgente ondertoon, alsof ze iets had gezegd in de trant van: O, kijk nu eens hoe laat het al is, wat duidelijk betekende dat het voor Suter tijd was op te krassen. Ze draaide hem haar rug toe en richtte zich tot Valdez, die over haar computer gebogen stond.

'Eh –' Suter was ontstemd. Hij vond het bijzonder onplezierig wanneer hij op zo'n manier werd afgeserveerd. En hij vond het al helemáál niet prettig om weggestuurd te worden ten faveure van een of ander Latijns-Amerikaans jochie dat nauwelijks van de middelbare school af was. 'Misschien kan het geen kwaad om nog even te blijven. Misschien kan ik nog iets leren,' zei hij.

Ze wierp hem een oogverblindende glimlach toe. 'Valdez is de slimste computerknakker van LantFleet. Hij heeft Silicon Valley alweer een tijdje achter zich liggen, niet, Billie?'

'Daar wilden ze me alleen maar hebben vanwege m'n onweerstaanbare lichaam,' zei de jongeman. Zijn hoofd was vlak bij het hare, boven het toetsenbord. Suter zag dat er een kleine tatoeage achter zijn oor was aangebracht. Suter had onmiddellijk een pesthekel aan hem.

Later die dag namen Rose en Valdez op BWI het vliegtuig naar Houston. Ze begon oog te krijgen voor de duizenden details die betrekking hadden op het schip en de lanceerapparatuur; vanuit Houston zouden ze terugvliegen naar Newport News om daar aan boord van het civiele schip te gaan voor haar weekje oriëntatie. Ze was voortdurend onderweg.

Voor Rose was het niet voldoende om door iemand anders verzekerd te worden dat alles volgens plan verliep. Ze moest het zélf zien. Ze moest de tekeningen zien, de mock-ups – de modellen – en uiteraard het prototype. Die eerste lancering vond niet plaats voor ze helemaal vertrouwd was met álle facetten ervan. Valdez ging mee omdat hij haar persoonlijke computerwhizz was – ze had hem speciaal vanuit haar oude squadron over laten komen, waar ze zo'n beetje alles wat ze van computers wist van hém had geleerd.

'Hoe komt het toch dat jij daar zoveel van af weet?' vroeg ze hem toen ze hoog boven West Virginia vlogen, een vlucht waarbij ze voor het eerst sinds tijdens eens níet met haar neus tegen het scherm van haar laptop gedrukt zat. Dit was geen plotselinge aanvechting zich te ontspannen; Valdez vertoonde tekenen waaruit afgeleid kon worden dat hij zich niet gelukkig voelde, en als haar computertovenaar ongelukkig was, wist ze zeker dat ze na verloop van tijd óók ongelukkig zou kunnen worden.

'Ik ben een genie.' Hij bedoelde dat als grapje, maar als je naar zijn IQ keek, had hij nog gelijk ook.

'Je bent niet als computermaniak geboren, Valdez.'

'Nee, mevrouw, ik ben als Hispanic op de wereld gezet. Ik had alles in me om een crimineel meesterbrein te worden, maar meneer Carvarlho was me net voor.'

'Oké,' zei ze, 'ik zal het je vragen – wie was meneer Carvarlho?'

'Wij noemden hem "Meneer Paard", want *caballo* betekent paard. Als je "Carvarlho" snel uitspreekt klinkt het net als *caballo* – paard, oké? Ik had een vreselijke hekel aan hem. Hij kwam uit Puerto Rico, een halfbloed, droeg altijd een pak, zo'n wedergeboren christen met een air van heb ik jou daar.'

'Niet bepaald jouw ideaal.'

Valdez moest lachen. 'Mijn *nachtmerrie!* Die knaap was precies het tegenovergestelde van alles wat ík wilde zijn. Op m'n elfde ging ik al met iedereen op de vuist; op m'n twaalfde had ik al een eigen vuurwapen. Ongelogen! Ik had een Rossi .38 Special, van nikkel, glimmend als de pest – ik vond dat hartstikke *cool*. Ik heb er één keer mee geschoten – ik ren om twee uur 's nachts over straat, enkel voor de kick. En toen heb ik het afgevuurd. Wham! Ik had maar vijf patronen; meer gingen er niet in – net als een Chief's Special, ja, alleen, een Rossi? – het was een licht wapen, lag lekker in de hand, maar het had voor een kind een enorme terugslag. Maar hoe dan ook, met zó'n ding liep ik rond. Ik had buiten school een plekje waar ik hem kon verstoppen: daar liet ik hem 's ochtends achter en haalde hem na schooltijd dan meteen weer op. Nee, ik was een onvervalste slechterik.'

En de marine híeld helemaal niet van lieden die op het slechte pad waren geweest, besefte ze. Deze knaap had verdomde snel laten zien dat hij verdomde goed was. 'Ben je nooit gepakt?'

Valdez aarzelde. Hij hing onderuit in zijn stoel, zijn linkerknie en -scheenbeen tegen de rugleuning van de stoel vóór hem gedrukt. Hij keek met een fronsende blik voor zich uit. 'Mijn vader heeft me betrapt. Hij en ik konden niet bepaald goed met elkaar opschieten. Mijn vader – ' Valdez wurmde zich overeind. 'Hij had twee banen tegelijk, stuurde zijn verdiende geld naar huis en sprak geen woord Engels. Ik kwam 's nachts een keertje dronken thuis terwijl híj net van zijn werk thuiskwam – niet vergeten, ik ben twaalf jaar – en precies op dát moment valt dat pistool van mij op de grond. Hij kijkt ernaar, en begint vervolgens zacht te huilen. Ik vond hem toen een absolute sul. Ik wist niks, begrijpt u? Nu zie ik het allemaal wat duidelijker – die knaap was volkomen bekaf, uitgeput. Maar jeetje, als je voor niemand bang bent en je ziet je vader janken – ! Ik vond mezelf zó *cool*, man.'

Valdez frunnikte aan een klein pakje zoute pinda's dat eerder aan hen was uitgereikt. 'Begrijp je hoe het was om Latino te zijn?' zei hij. 'In *Cleveland?*'

'Naar alle waarschijnlijkheid niet.'

Valdez snoof zijn neus, als een stier die diep ademhaalde. 'Een paar dagen later liep ik op school door de hal – ik zit op de junior highschool, de zevende tot en met de tiende klas zaten allemaal in hetzelfde gebouw – en komt er plotseling een hand uit het niets naar me toe. Ik stond op het punt om die knakker tegen de grond te slaan. Iédereen had met z'n poten van me af te blijven – ik was per slot van rekening een keiharde, hm? Op dát moment kom ik erachter dat Meneer Paard een stérke wedergeboren christen is. Met één hand hield hij me vast. Ik kon geen vin bewegen. "Kom eens even binnen, jongeman," zegt hij tegen me. Woesj! En ik zit al in zijn kamer. Ik had het gevoel dat ik in een bankschroef zat. Toen ik uiteindelijk wat gekalmeerd was, zegt-ie: "Jij bent het nieuwe lid van de Computer Club. Welkom bij de Club." Ik dacht dat hij hart-stikke gek was – dat zijn hersenen door het een of ander zijn aangetast. Later kom ik erachter dat hij en m'n vader samen in hetzelfde bijbelstudieklasje zit-ten. Mijn vader heeft hem over dat pistool verteld. Meneer Paard zet me neer voor m'n eerste computer, stopt een joystick in m'n handen en zet een simula-tiespelletje aan.

En ik ben verkocht.'

Hij kauwde op zijn pinda's. Hij haalde zijn schouders op. 'Een paar maanden later was ik al bezig met wat eenvoudige programmeermodellen.'

'Hoe gaat het nú met jouw vader?' vroeg ze.

'Hij is overleden.' Valdez stopte nog een paar pinda's in zijn mond. 'Hij heeft m'n pistool afgepakt en dat vervolgens in de rivier gegooid. Ik kon hem wel ke-len. Toen hij eenmaal dood was begreep ik hem een stuk beter. Maar toen was het al te laat. Triest verhaal, hè?'

'Ach, ja, eigenlijk wel.'

'Er zijn een hoop trieste verhalen te vertellen. De wereld zit vol trieste verhalen. Laten we op een ander gespreksonderwerp overstappen.' Valdez ging opnieuw verzitten en wierp haar een snelle zijdelingse blik toe. 'Ik ben niet écht blij met het werk dat ik doe,' merkte hij op.

Dat was een volslagen verrassing voor Rose. Om niet te zeggen: een schok. 'Het is een grandioze baan!' zei ze.

'Grandioos voor ú misschien.' Hij schudde zijn hoofd. 'Ze geven me geen in-formatie.'

'Wie?'

'Ze. Wie dan ook.' Met zijn hand maakte hij een wegwuifgebaar. 'Wat maakt het bij computers nou uit om *wie* het gaat. Het grote verschil is wát, overste. Ik zal het in marinetaal zeggen: "Aan sergeant Valdez worden onvoldoende data aangeleverd." Begrijpt u? Het gaat niet om *wie*.'

'Onvoldoende data over wát?'

'Als ik dát wist, zou ik over die data beschikken, toch? Wat ik bedoel te zeggen is dat er veel te veel code is voor de spullen die mijn kant uit komen.'

'Hoe weet je dat nou?'

'Ik wéét het gewoon. Het is zo'n beetje hetzelfde als wanneer ik aan u zou vra-gen of je aan de manier van vliegen kunt zien of een helikopter verkeerd gela-den is. Ik wéét het gewoon.'

Ze had zelf al gemerkt dat ze wat Peacemaker betrof behoorlijk gesloten was. 'Je hoeft ook nauwelijks iets te weten,' zei ze ietwat nuffig.

'Flauwekúl hoef ik niet te weten! Denk je nou echt dat ik mijn werk toevertrouw aan een systeem terwijl ik van het grootste deel van de datastroom ben buitengesloten? Ik heb veel zin om mórgen al overplaatsing aan te vragen.'

'Valdez!' Ze ging rechtop zitten en draaide zich naar hem om. 'Wat is dat voor onzin? "Overplaatsing aanvragen"?'

'De kans bestaat dat ik het doe.' Hij zag eruit als een koppig kind. 'Ik geloof in de vrijheid van informatie.'

'We zitten hier bij de Amerikaanse strijdkrachten, verdorie, en deze informatie is geclassificéérd, absoluut niet vrijelijk opvraagbaar!'

Hij draaide zijn hoofd haar kant uit. Hij had grote ogen met de kleur van pure chocola. 'Bent u bekend met het begrip MP3?' vroeg hij.

'Probeer je soms op een ander onderwerp over te stappen, Valdez?'

Hij schudde zijn hoofd. 'MP3 is een manier om muziek te downloaden en die vervolgens op je computer af te spelen, zodat je naar élk willekeurig nummer kunt luisteren op het moment dat het jóu uitkomt – geen cd's, geen langspeelplaten, níemand bepaalt waar jij naar moet luisteren. Dat noem ik vrijheid van informatie. Je weet wat een open-broncode is? Min of meer hetzelfde. Ik gelóóf in dat soort dingen. Ik geloof ook in de Amerikaanse marine, maar als de marine me plaatst in een positie waarbij een ánder bepaalt wat ík op mijn computer mag binnenhalen – ' Hij maakte een korte horizontale beweging, alsof hij iets afhakte. 'Finito, man.'

Ze was boos – ze besefte dat haar job haar helemaal beheerste en dat ze zich er steeds vaker kwaad over begon te maken, *zorgzaam* was – maar ze beheerste zich en zei, bijna flirtend: 'Valdez – je laat me toch niet in de steek, hè?'

Maar hij had zijn blik alweer afgewend. De film was begonnen, die hij zonder koptelefoon bekeek. 'Probeer er eerst maar eens achter te komen welke informatie ik niet mag zien,' zei hij alleen maar.

Rose leunde achterover en sloeg haar armen over elkaar. Problemen, problemen.

Tijdens de vlucht naar Newport News, twee dagen later, leek het net alsof alleen het gaan zitten in de vliegtuigstoelen en het vastmaken van de riemen het hun mogelijk maakte het gesprek voort te zetten waar ze dat vorige keer hadden onderbroken. In de tussentijd hadden ze het er niet over gehad; in feite hadden ze elkaar in die periode nauwelijks gezien. Maar het was duidelijk dat ze wel steeds aan hun eerdere conversatie had moeten denken, want het eerste wat ze zei nadat het vliegtuig was opgestegen, was: 'Mag ik je iets persoonlijks vragen?'

'Tuurlijk, waarom niet?' Er verscheen een grijns op zijn gezicht, één en al tanden en grote bruine ogen. 'Hoewel ik misschien geen antwoord geef.'

'Wat betekent die tatoeage achter je rechteroor?'

'Pachuco.'

'Wat is dat?'

Hij kon het niet geloven. 'Weet u niet wat pachuco is?' Hij moest lachen, en trok een gezicht dat betekende: Dít is ongelóóflijk! 'U kent *Zoot Suit*.' Het klonk bij hem als de vaststelling van een feit, bepaald niets als een vraag.

Ze moest nu zelf lachen – om zichzelf, om hen beiden. 'Wat is dat dan, *Zoot Suit*? Het spijt me, Billie, maar – '

'Ken je *Zoot Suit* dan niet? Edward James Olmos, man! Luis *Valdez*!' Het leek wel alsof hij haar smeekte te bekennen dat ze hem kende. Toen was het te veel voor hem; hij liet zich achterover in zijn stoel vallen en gaf het op. 'Ik zal de video wel eens voor u meenemen.' Hij maakte aanstalten zijn earphones uit te nemen, maar zag daar van af en draaide zich naar haar om. 'Ik keek naar *Zoot Suit* toen ik nog maar een klein jochie was. Een ander kind heeft het pachuco-teken bij mij achter het oor aangebracht; de meeste jongens hadden het op hun hand, hier, tussen de vingers, zodat het niet te zien was. Daarna heb ik het bij hém gedaan. We waren toen nog geen bendeleden; we waren druk bezig *cool* te zijn, de absolute top, maar – het betékende iets voor ons! Zoot Suits!' Hij schudde zijn hoofd. 'Het was duidelijk een Latino-aangelegenheid. Ik heb het allemaal achter me gelaten toen ik in Jezus ben gegaan, maar weet je, het maakt nog wel steeds déél van me uit, man.'

'Ben jij ook een wedergeborene?'

Hij sloeg zijn armen over elkaar en tuurde naar de achterkant van de stoel vóór hem. 'Ja, en ja, en uiteindelijk toch niet. Ik ben al zo vaak in Jezus geweest dat ik frequent-flyer-kilometers krijg. U lacht me toch niet uit, hè? Dat is een van m'n beste tekstregels, overste; de mensen moeten altijd lachen, want die regel is best *cool*.' Hij zakte nog wat verder onderuit in zijn stoel. Hij was vrij klein en paste er moeiteloos in. 'Jezus heeft ervoor gezorgd dat ik die bendes vaarwel kon zeggen, gemaakt dat ik m'n middelbareschooldiploma heb gehaald en dat ik in de computers verzeild raakte, maar tegen kerken kan ik niet. Jezus, *sí*, Zijn mensen, vergéét het maar. Dus ik mag wel zeggen dat Jezus en ik onze eigen kerk hebben.' Hij keek haar aan, zijn hoofd lager dan het hare. 'Oké?'

'Waren je ouders erg teleurgesteld?'

'O ja. Enorm. Maar nadat m'n vader was overleden is m'n moeder een stuk minder kerks geworden. Misschien dat ze ooit nog wel eens terug zal gaan naar die priesters – een van die oude vrouwtjes met een zwarte shawl om die elke dag naar de vroegmis gaan. Maar ik heb nog steeds het donkerbruine vermoeden dat ze in de pinkstergemeente geloofde omdat m'n vader dat deed.'

'Hoe is hij gestorven?' vroeg Rose zacht.

'Hij is van een steiger gevallen. Oververmoeid.' Hij vond het nu duidelijk voldoende en wurmde zich overeind. 'Hé, bent u nog te weten gekomen wat ik u heb gevraagd?'

'Je bedoelt die informatiestroom?' Ze schudde haar hoofd. Ze voelde zich enigszins in verlegenheid gebracht; de waarheid was dat ze de vraag niet goed genoeg begreep om navraag te kunnen doen.

'Oké, ik zal u vertellen hoe we die informatie boven water gaan krijgen. Ze hebben de elektronica rond Peacemaker geprobeerd zo goedkoop mogelijk te houden – allemaal bestaande systemen. Da's mooi; d'r is fraai spul op de markt. Maar dat betekent ook dat er ergens een contract voor al die software moet zijn. U zorgt ervoor dat ik dat contract in handen krijg. Als ik kan nakijken waar alle software vandaan kom, weet ik precies wat er aan de hand is.' Hij trok het inklaptafeltje uit de rugleuning vóór hem naar beneden. 'Als u uw computermannetje blij en tevreden wilt houden, moet u dit vooral niet vergeten, overste.' Hij begon opnieuw zijn earphones uit te doen en hield ze toen enkele ogenblikken lang een paar centimeter bij zijn hoofd vandaan. 'Als ú een lijst met de software voor me regelt, neem ik een videoband van *Zoot Suit* voor u mee.'

Goed. Nóg een detail dat ze moest regelen.

Washington.

Thuis, in zijn gemeubileerde appartement, nadat hij Mikey naar bed had gebracht, kroop Alan 's avonds achter zijn personal computer en 'vloog' hij op de simulator. Het was een soort parodie van het idee dat wel eens bij hem boven kwam om een vliegopleiding te volgen. Het dreef de spot met zijn verlangen zijn huidige baan zo snel mogelijk vaarwel te zeggen. Zijn oude squadrongenoot Rafehousen had hem gevraagd eens bij hem langs te komen op het War College in Newport, waar hij Alan mee de lucht in zou nemen en hem zou leren hoe je in het echt een vliegtuig moest besturen. Tot nu toe had hij die uitnodiging steeds afgeslagen omdat hij het tamelijk stomme idee had dat hij door thuis te blijven loyaal bleef aan Rose. Of iets in die trant.

Op een avond crashte hij drie keer achtereen met een Cessna op het virtuele dek van een virtueel vliegdekschip. Hij pakte daarna direct de telefoon, belde Rafe op en vroeg wanneer hij bij hem langs kon komen. Ze maakten een afspraak, en hij vertelde Rafe dat hij die dag had gehoord dat hij was geselecteerd om volgend jaar tot kapitein-luitenant-ter-zee te worden bevorderd. Het was natuurlijk niet zo leuk als het tegen Rose te kunnen zeggen, maar die was ergens onderweg naartoe.

Op zee, ter hoogte van de Hampton Roads.

In de zware zeegang slingerde de *Grace Orbis,* een opnemingsvaartuig van de Amerikaanse marine, woest heen en weer en boorde zich met haar boeg zo diep in de golven dat het water met grote kracht tegen de brugvensters sloeg. Een dek lager probeerden Rose en Valdez moeizaam vooruit te komen door een smalle gang, waarvan de stalen wanden vol zaten met klinknagels, terwijl hun pad om de zoveel meter geblokkeerd werd door zogeheten 'kniekrakers', muurvast zittende metalen zaken als brandkranen, hoekige opbergkasten en hoge drempels van waterdichte deuren, die er stuk voor stuk voor zouden zorgen dat – vóór de reis ten einde zou zijn – de schenen van alle opvarenden onder de blauwe plekken en schaafwonden zouden zitten. Een nieuwe slinger maakte dat Rose tegen een stalen zijwand kukelde, om vervolgens de andere kant uit te wankelen. Ze giechelde meisjesachtig. Een eindje voor haar uit liep Valdez, wijdbeens en met uitgestoken armen om te voorkomen dat hij tegen de gangwand aan zou vallen. Ze vond hem nog het meest op een stuk mechanisch speelgoed lijken. Ze moest opnieuw giechelen.

'Nou!' schreeuwde ze boven het geluid van de storm uit, 'jij wilde zo graag wat verandering, hè?'

'Hé, man, dit gaat wat mij betreft een beetje te veel op het leven van een matroos lijken!' riep hij terug.

Ze waren bezig met een korte kennismakingstocht. Zij behoorde tot de vliegende marine; en nu moest ze wat meer te weten zien te komen van de taken van de gewone zeeofficier. De *Grace Orbis* was een aanzienlijk kleiner schip dan de *Philadelphia*, het vaartuig dat gebruikt zou worden om Peacemaker te lanceren, maar de *Philadelphia* bevond zich momenteel op de werf in Newport News, waar het tot lanceerschip werd verbouwd. Ze ging ervan uit dat als ze overeind kon blijven aan boord van de *Grace Orbis*, dat aan boord van de *Philadelphia* een fluitje van een cent moest zijn.

Een ladder leidde omhoog naar een waterdicht luik dat toegang gaf tot het dek. Tot afgrijzen van Valdez stond ze erop de storm van dichtbij te bekijken. Ze gaf hem een duw. 'Kom op!'

Valdez begon te klimmen. De boeg kwam omhoog en Valdez zwaaide naar achteren, zodat ze heel even dacht dat hij boven op haar terecht zou komen; ze plaatste haar hand in zijn rug en duwde hem terug. De boeg zakte weer weg en hij zwaaide weer in verticale positie, en Rose klom achter hem aan. Valdez had net het luik bereikt, reikte naar de grote witte hendel terwijl zij halverwege de ladder stond, toen het schip een onverwachte beweging naar stuurboord maakte, waarbij de boeg zich opnieuw diep in de golven boorde en het dek scherp naar rechts overhelde. Ze begon een geluid uit te stoten waaruit moest blijken dat ze niet bang was, het soort geluid dat je maakte wanneer je in de achtbaan zit, maar toen voelde ze hoe Valdez terugzwiepte en tegen haar aan kwam, terwijl ze tegelijkertijd merkte dat haar voeten onder haar vandaan gleden. Het volgende moment hing ze bewegingloos in de lucht en sloeg toen tegen een metalen leuning. Ze gleed verder naar beneden, waarbij haar schenen tegen de treden sloegen en voelde een scherpe, vreselijke pijn in haar buik, om vervolgens met een harde klap tegen de onderste trede van de ladder terecht te komen, waarna ze met een doffe dreun tegen het dek sloeg. In twee sprongen stond Valdez naast haar.

Ze dacht: *Ik heb mezelf bezeerd,* en bijna tegelijkertijd schoot het door haar heen: *Niet laten zien, niet tonen dat je je pijn hebt gedaan!* Ze greep zijn arm beet, voelde hoe de voorsteven van het schip opnieuw omhoogkwam, haar met zich mee omhoog voerend, heen en weer zwaaiend; ze omklemde zijn arm en zei: 'Niets aan de hand – met mij is alles oké – ' Ze trok zichzelf half overeind. De pijn schoot door haar onderbuik naar haar dijen, en even had ze het gevoel dat ze opnieuw zou vallen, en ze hield met beide handen zijn arm vast, keek hem recht in zijn bruine ogen in een poging niet flauw te vallen. 'Met mij is écht alles in orde – !'

'O, Jezus,' kreunde hij, 'o, help ons, Jezus – !'

'Trek me omhoog – ik moet rechtop staan – met mij is alles oké, écht – !'

7

Augustus

Oost-Afrika.
O'Neill zit naast het Victoriameer. Hij wacht op haar – de vrouwelijke agent die op zijn teken heeft gereageerd.
O'Neill heeft rust gevonden, misschien wel voor het eerst. Hij is erachter gekomen dat hij van Afrika houdt. Hij begrijpt nu wat Craik had gezegd over de grootte van dit continent, van de geuren, van het beelden waarvan je hier getuige kunt zijn. Hij heeft niet het gevoel dat hij 'thuis' is gekomen; integendeel, het is het meest vreemde gebied waar hij ooit is geweest En toch heeft hij er een soort rust gevonden.
Ze heeft gezegd dat ze in het groen gekleed zal zijn, en mocht er iets helemaal fout zitten dan zal ze daarbovenop een rode shawl dragen. Dit is niet het soort techniek dat ze hem op de Ranch hebben bijgebracht, maar de zaken die hij daar heeft geleerd zijn niet ontwikkeld voor het Afrika in de jaren negentig; dit zijn het soort technieken die werden gebruikt in het Europa van de jaren zeventig. Hij moet in zichzelf glimlachen. Het wonderbaarlijke aan de hele zaak is het feit dat alles wat ze hem hebben geleerd hier ook werkelijk wérkt. Het diefje met verlos van het schaduwen van mensen die jóu proberen te schaduwen, bijvoorbeeld. Het overgrote deel van de psychologie rond het rekruteren van mensen. Het is net alsof je bij de padvinderij zit en merkt dat de manier waarop in het Handboek Scouting beschreven staat hoe je een kampvuur moet bouwen, uiteindelijk echte vlammen tot gevolg zal hebben, hoewel niemand die ook maar een beetje nadenkt op díe manier een vuur zal maken.
Misschien, bedenkt hij, moet hij na zijn terugkeer naar de VS voor de mensen op de Ranch eens een paar lezingen over Afrika houden.
Hij ziet een groene jurk zijn kant uit komen. Die is nog een heel stuk van hem verwijderd, maar hij kan zien hoe ze licht zwaaiend zijn kant uit komt, dat ze vrij groot is, en ook dat ze geen rode shawl om heeft.
O'Neill gaat staan en loopt zijn toekomst tegemoet.
Die ook Alan Craiks toekomst is.

In de buurt van Newport, Rhode Island.
'Je stuurt nét iets te krampachtig.' De stem van Rafe klonk kalm, ontdaan van elke vorm van kritiek, de stem van een LSO – van een Landing Signals Officer.

Alan trok het stuurwiel iets dichter naar zich toe, omklemde het wat minder krachtig en probeerde het kleine metertje dat de stijgsnelheid aangaf gedurende de hele bocht op nul te houden. Het eenmotorige vliegtuigje schommelde even, net als een paard dat weet dat een nieuweling de teugels in handen heeft.

'Zie je die landingsbaan?' De vraag leek volkomen overbodig – de oude start- en landingsbaan van Quonsett Reserve Naval Air Station vulde zo'n beetje de hele voorruit van het toestel. 'Oplijnen met het midden van die baan. Stuurwiel iets naar voren. Dit toestel vliegt ook probleemloos zónder jou.'

Alan bleef kleine correcties uitvoeren, inwendig naar adem happend bij elke minimale overcompensatie, maar hij zag dat Rafe's handen in zijn schoot lagen, ontspannen, niet op de dubbele besturing waarmee het toestelletje was uitgerust. Op een hoogte van zevenhonderd voet en bijna bij het begin van de baan aangekomen, vloog hij recht op het midden ervan aan. Rafe sprak nog een keertje met de verkeerstoren, maar Alan concentreerde zich volledig op het toestel en de landingsbaan. De baan die enkele seconden geleden nog kilometerslang had geleken, wekte nu de indruk met de snelheid van het licht onder hem door te schieten.

'Iets gas minderen.' Rafe leek een checklist door te nemen. Alan keek naar zijn landingskleppen en zag dat die helemaal uit waren. Die korte blik verbrak zijn concentratie op het stuurwiel, en het toestel wiebelde even. Hij corrigeerde automatisch en was opgetogen toen hij zag dat hij nog steeds midden boven de baan zat. Het toestel verloor langzaam maar zeker hoogte; de hoogtemeter draaide langzaam naar de nul, en het toestel streek lichtjes op de baan neer, met nog twee derde van die baan voor hen liggend. Alan wilde een vreugdekreet slaken, maar Rafe glimlachte kwaadaardig en zei: 'En nu vól gas!'

Alan reageerde automatisch, en schoof de gashendel helemaal naar voren voordat de snelheid onder de dertig knopen zou komen te liggen.

'Een doorstart. Kleppen omhoog.' Met zijn ene hand draaide hij de landingskleppen omhoog, ondertussen proberend zijn snelheid in de gaten te houden, terwijl hij tegelijkertijd verwoede pogingen ondernam het toestel midden op de baan te houden. De naald van de snelheidsmeter passeerde de vijfenvijftig knopen en hij haalde de knuppel behoedzaam iets naar zich toe. Zijn blik schoot naar de stijgingsmeter; hij probeerde vijf graden aan te houden, en met redelijk succes. Het vliegtuigje begon hoogte te winnen. Rafe sprak weer met de toren en wendde zich vervolgens tot Alan. 'Mooi gedaan. Misschien dat je wel eens een echt vliegershandje zou kunnen hebben. Nu gaan we stijgen tot 5500 en volgen dan een koers 172, richting Naragansett. Daar landen we voor de lunch.'

Het toestel was van Rafe. Voor de periode dat hij op het War College was gedetacheerd had hij zijn machine op Quonsett gestationeerd. Als kapitein-luitenant-ter-zee zonder kinderen en een mislukt huwelijk achter de rug, een huwelijk dat hem tot nu toe nog geen alimentatie had gekost, was hij in staat de slanke Cessna 182 in topconditie te houden en hij had het instrumentenpaneel dan ook voorzien van allerlei instrumenten die Alan absoluut niets zeiden.

'Je bent een vreemde snoeshaan, Alan.' Geen LSO-stem deze keer. Rafe keek hem aan vanachter de veilige bescherming van zijn vliegerzonnebril.

'Vreemd? In wat voor context?'

'Wat vliegen betreft. Ik bedoel, aan boord deed je altijd alle mogelijke moeite om duidelijk te maken dat je niet één van ons wilde zijn. Een prima inlichtingenofficier, maar je wilde geen bemanningslid worden, ja? Maar je maakte meer vlieguren dan sommige van onze onderofficieren. En nu bevind je je in het inlichtingenparadijs, het Pentagon zélf – en zit je hier naast mij, aan het stuur van een vliegtuig.'

'Inlichtingenhél, zul je bedoelen. Briefers in het Pentagon oogsten noch zaaien, ze práten alleen maar.'

'Hé, grote held, wat is er aan de hand? De laatste paar weken dat je aan boord was heb ik van jou twee brieven ontvangen waarin je me vertelde hoe belangrijk deze baan wel niet was voor je carrière – en ook nog eens lekker thuis bij Rose, elke nacht Rose in de buurt, nooit meer wakker worden van het gesnurk en het geboer van je kamergenootjes. Wat doet de rest er dan nog toe?' Achter al die scherts hoorde Alan een nieuwe stem van Rafe – een gestaalde ondertoon onder al dat macho-leer. *De squadroncommandant die hij binnen niet al te lange tijd zal zijn.* Alan slikte iets weg, en besloot te liegen.

'Rose in de buurt hebben is heerlijk.' Hij stapte snel op iets anders over, het plotselinge gevoel in zijn onderbuik negerend nu hij aan Rose moest denken. 'De baan – Kom op, Rafe. Je zult ongetwijfeld hebben opgemerkt dat we een oorlog hebben uitgevochten? En niet onsuccesvol, met die kleine air wing van ons. En iedereen, inlichtingenjongens, vliegend personeel, verfschrapers, de mensen uit de wasserij – iedereen deed er een schepje bovenop, had iets meer verantwoordelijkheid en het deed er allemaal nét iets meer toe.'

Rafe leunde achterover in zijn stoel, terwijl zijn ogen automatisch en systematisch elk instrument controleerden. De zogeheten *scan.* Rafe had een goede, uiterst grondige scan.

'Je brandstofmengsel is veel te rijk. Bij computersimulators hoef je niet bang te zijn dat je bij dit soort motorproblemen direct een hoge prijs moet betalen, Al. Deze kleine schakelaar hier. Het is net als bij het autorijden. Ik kan je alle aërodynamische regels wel vertellen, maar in feite hoef je alleen maar te weten hoe de motor moet klinken. Op een hoogte van 8000 voet boven de zeespiegel, is – ' hij draaide iets aan de schakelaar ' – dát het juiste geluid. Dat geluid is om twee redenen belangrijk.' *Rafe de squadroncommandant, Rafe de leraar.* 'Ten eerste omdat die motor zodanig gebouwd is dat hij onder deze omstandigheden het soepelst loopt, zich het prettigst voelt, en mechanische slijtage dus tot een minimum zal worden beperkt. Maar belangrijker nog is het feit dat brandstof op een gegeven dag wel eens uiterst belangrijk voor je zou kunnen zijn. Bij een te rijk mengsel verspil je brandstof, en bij een te mager mengsel verlies je hoogte.'

Rafe keek naar buiten, naar de zee, en draaide zich toen weer naar Alan om. 'Ik vind het wel prettig op het War College, maatje. Ik beschouw het als een welverdiende rustperiode. Goed van eten en drinken, hete en minder hete loslopende rijke meiden, geen zeedienst. Als ík met Rose getrouwd zou zijn, zou ik niet klagen over een paar uur extra dienst – Maar! Ik hoor je het over de oorlog hebben. We hebben inderdaad het een en ander klaargemaakt – dat moet ik toegeven.'

De tijd verstreek in stilte. Rafe kon, als hij kwaad was, blíjven praten, maar als hij content was was hij vaak stil. Alan probeerde zich Rafe voor te stellen in het gezelschap van een vrouw – babbelend over zijn wapenfeiten? Kalm en zelfverzekerd? Wie zou het zeggen? Maar de dames die Rafe in verlofhavens scoorde hadden trouwens toch nauwelijks behoefte aan conversatie.

Rafe verbrak de stilte door met een emotieloze stem met de toren van Naragansett en de verkeersleiding van Boston te praten. Het lukte Alan datgene wat hij in zijn koptelefoon hoorde naar bruikbare feiten te vertalen en begon zonder verdere coaching aan de naderingsvlucht naar Naragansett, en draaide tegen de wind in om zo in het landingspatroon van het kleine vliegveld te komen. Rafe knikte instemmend.

'Land je op de hoogtemeter?' vroeg hij bijna terloops, terwijl hij naar iets zocht in de mouwzak van zijn vliegerjack.

'Die wilde ik bij de landing wel gebruiken, ja. Hoezo, is dat verkeerd dan?'

'Nee, helemaal niet. Alleen is die zojuist onbruikbaar geraakt.' Rafe grinnikte en plakte met tape een stuk karton – hij had dit van te voren allemaal al gepland, de boef – over het betreffende instrument heen. 'Je vond het vroeger prettig om samen met mij van het schip op te stijgen, dus dan leer je ook op míjn manier vliegen.'

De aanpak van Rafe was zenuwslopend. Alan keek naar de grond, en had vervolgens alleen nog maar oog voor de stijghoekmonitor. Het vliegveld lag daar beneden, zichtbaar, en Alan was al druk met de daalvlucht in de weer, en toch voelde hij zich enigszins verloren. Hij bleef met zijn vleugels wiebelen om beter zicht op de grond te krijgen, en één keer raakte hij bijna in paniek toen hij zag dat de neus van het toestel vijftien graden naar beneden wees in plaats van recht naar voren, maar hij worstelde met de machine en met zichzelf, en slaagde er uiteindelijk in met de baan opgelijnd te blijven.

'Hoe gaat het met Rose?' vroeg Rafe.

Dat is de tweede keer dat hij ernaar vraagt. Lieg opnieuw. Alans ogen vlogen langs de instrumenten. 'Prima.'

Alan minderde gas. Alles zag er goed uit. De adrenaline pompte door zijn lichaam. Hij zag mensen op een grasveldje, vlak bij de verkeerstoren, lachend. Hij zat nu onder de vijfhonderd voet, vermoedde hij, en hij vroeg zich af wat de mensen op dat veldje zouden denken. *Wie is die knaap? Man, weet die knakker wel hoe laag hij zit?* Naar alle waarschijnlijkheid werden daar vragen gesteld in de trant van *Hoe is het met Maggie en de kinderen?* Hij verlangde er plotseling hevig naar ook veilig op de grond te staan.

Rafe's handen bevonden zich nog steeds op zijn schoot. 'Met Rose gaat het "prima" omdat jij het druk hebt met de landing, of prima omdat jij een hoop te zeggen hebt?'

Shit. Alan trok de gashendel nagenoeg helemaal naar achteren, zodat de motor in feite nauwelijks meer vermogen leverde. Hij wilde dat hij een eindje verder van de landingsbaan verwijderd was, maar hij moest nú kiezen: landen of doorstarten. Dit vliegveld was kleiner dan Quonsett. Aanzienlijk kleiner. Een deel van zijn hersenen registreerde hoe angstaanjagend klein het landingsterrein eruitzag, terwijl een ander deel besefte wat Rafe zojuist had gezegd. *Sinds wanneer maakte Rafe verstandige opmerkingen over de vrouwen van zijn vrienden?* Het nietige veldje leek zijn kant uit te stormen. Hij liet zijn blik langs de instrumenten glijden, besefte dat hij de gashendel bijna fijnkneep en probeerde enigszins te ontspannen. Rafe's glimlach ontging hem.

Hij besloot de waarheid te vertellen. 'Rose was zwanger,' zei Alan. 'Ze heeft een miskraam gehad.'

Hij tuurde strak naar de landingsbaan en maakte een minieme correctie.

'Zo vlak in de buurt van de grond nooit meer proberen te corrigeren!' schreeuwde Rafe, en de wielen raakten de baan. Hij temperde zijn stem. 'Mooie landing, maatje.'

Alan moest op de korte landingsbaan verschillende keren afremmen, en Rafe liet hem zien hoe hij de spoed van de propeller zodanig kon instellen dat het toestel sneller vaart zou minderen. 'Nog zo'n verschil met computersimulators,' zei hij, maar ging er niet verder op in. 'Eigenlijk weet ik nauwelijks iets van vrouwen af. Hoe voelt ze zich?'

'Ze is tijdens een proefvaart die met haar nieuwe project te maken heeft van een steile trap gevallen.' Het mocht ironisch worden genoemd dat uitgerekend Rafe – de macho-man, de recht-in-je-gezicht-en-verder-geen-gevoelens-tonen-Rafe – de man was die het uit hem had gekregen. Had Rafe het geweten? Had hij het vermoed? Alan dacht aan Rose, het bleke gezicht tussen de ziekenhuislakens, haar slappe hand in de zijne, het afgewende gelaat. Geen tranen. *Rose.*

'Verdomme, Alan, dat is zwaar klote.' Met de motor stationair en geen slipstream werd Alan getroffen door de ultieme oprechtheid van Rafe's commentaar. Zo was het indertijd ook bij het squadron geweest. Confrontatie, vreugde, verdriet. Geen onzintoestanden.

'Reageert ze het op jou af?'

'Voor een kerel die beweert dat-ie weinig van vrouwen afweet, weet je wél snel tot de gevoelige delen door te dringen.' Alan glimlachte, althans, deed een poging daartoe, en begon vervolgens in hoog tempo te praten, haar te verdedigen. 'Ze heeft het de laatste tijd niet gemakkelijk gehad, oké? Ze voelt zich op een vreemde manier schuldig – omdat ze op zee zat, met haar werk bezig was. Die baan is álles voor Rose – nou ja, álles, je begrijpt wat ik bedoel; ze adoreert Mikey; ze is een goede moeder, maar – Toen háár moeder het nieuws hoorde ging die volkomen door het lint – het was allemaal Rose's schuld, misschien wílde ze wel een miskraam – !' Zijn kaakspieren werden strak van woede.

Twee avonden geleden had hij geprobeerd met Rose erover te praten, en nog steeds zag hij duidelijk haar afwerende gebaar voor zich – de handen omhooggestoken, tot halverwege haar hoofd, de vingers gespreid, al het geluid buitengesloten, haar gezichtsveld, hem; en dan haar stem: *Ik kom hier wel overheen! Geef me de kans om hier overheen te komen!* De handen, de stem die hem buitensloot –

Nu was het Rafe's beurt om te glimlachen, een tikkeltje ironisch nu. 'Jij weet bepaalde zaken niet echt goed verborgen te houden, Spy.'

'Als je op dezelfde manier met je subalterne officieren omgaat, zou je wel eens een verdomd goede squadroncommandant kunnen worden.'

Rafe wendde zijn blik af, keek richting toren en de plek waar ze zouden lunchen.

'Heb je nog een verschil opgemerkt bij deze landing?'

'Ja, ik heb gemerkt dat ik het zonder een bijzonder nuttig instrument heb moeten doen en dat iemand verdomd moeilijke vragen bleef stellen.'

'Je hebt niet overgecompenseerd. Je hebt gewoon lekker gevlogen. En je hebt je blik regelmatig over je instrumenten laten glijden, in plaats van er min of meer vrijblijvend af en toe eens naar te kijken. Dat andere was een plotselinge noodsituatie, precies zoals de oefeningen die we aan boord hadden en die altijd eindigden met "zo niet, *maak dan gebruik van je schietstoel*". Hij draaide zich weer naar Alan om, die het toestelletje parkeerde en vervolgens zijn riemen losmaakte. 'Zorg ervoor dat je honderd zuivere vlieguren maakt en je mag in mijn toestel solo vliegen. Je zult een uitstekend vlieger worden. Probeer alleen niet steeds zo uiterst geconcentreerd op alles in te gaan.'

Woorden die hij zich ter harte moest nemen. *Probeer alleen niet steeds zo uiterst geconcentreerd op alles in te gaan.*

De lunch smaakte hen uitstekend – voedsel dat je verdiende door hard te werken smaakt over het algemeen goed. Alan was zo verstandig om het gespreksonderwerp op Rafe zelf te brengen, vóór zijn eigen problemen deze dag helemaal zouden ruïneren.

'Dus je krijgt een eigen squadron?'

'Plaatsvervangend squadroncommandant. Volgende reis.'

'Kom op, man, welk squadron?'

'VS-49.' Een van de S-3 Viking-squadrons die momenteel werden gereorganiseerd, zodat die zouden passen binnen de nieuwe, veelzijdige inzetbaarheid waaraan de toekomstige air wings moesten voldoen. Vredeshandhaving. Kleinere, lokale conflicten. De nieuwe wereldorde.

'Al bij ze op bezoek geweest?'

'Meer dan nodig zou moeten zijn. Maar – het zou wel eens een hele uitdaging kunnen worden.'

Alan hoorde de woorden, liet de betekenis ervan tot zich doordringen. Hij bedoelde te zeggen dat er iets aan de hand was. Rafe was iemand die niet zou weten hoe snel hij zijn nieuwe squadron moest omarmen, terwijl hij nu een bijna laconieke indruk maakte. Rafe, gewoonlijk zo egocentrisch, had gewacht tot Alan het nieuwe squadron ter sprake zou brengen. Normaal gesproken zou Rafe ongeduldig hebben staan popelen het zélf allemaal te vertellen. *Uitdaging?* Onder vliegers het codewoord voor 'uitermate moeilijk'.

'Wie is de commandant?' vroeg Alan zo nonchalant mogelijk.

'Tony Paneen.'

'Screaming Meemie Paneen? Ik dacht dat die was gepasseerd.'

'Geen commentaar.' *Wauw.* Geen commentaar als in 'hij is nu eenmaal mijn commandant'. Rafe was niet langer een subaltern officier. Rafe werd binnen de kortste keren een eikenblad, een kltz.

'Kun je goed met hem samenwerken?' Alan probeerde door de glazen van de zonnebril heen te kijken. 'Er wordt gezegd dat hij een tikkeltje – excentriek zou zijn. Nogal licht ontvlambaar; klopt dat?'

'Verdomme, man, hij loopt dag en nacht te schreeuwen. Maar daar trek ik me verder niets van aan. Ik ga zijn tweede man worden en ik zal ervoor zorgen dat alles loopt. Maar het is wél een grote lul en ik ben zijn geouwehoer nu al spuug- zat, en dan zit ik nog maar híer!' Rafe beet in zijn sandwich alsof het een vij- andelijke hand was. 'Hij denkt écht dat ik hem verlink door hier het War Col- lege af te ronden, begrijp jíj dat? Hij zou het liefst zien dat ik mijn loopbaanbegeleider onder druk zet om me hier vandaan te krijgen, zonder eerst m'n doctoraal te halen, om dan zo snel mogelijk op te draven om zijn nieuwe- lingen te trainen.' Rafe legde zijn sandwich neer en keek door het grote raam naar buiten, naar het vliegveld. 'Alan, ik lieg niet als ik je vertel dat ik vorige maand heb overwogen ontslag te nemen en bij een luchtvaartmaatschappij te gaan werken.'

Rafe was behoedzaam omgesprongen met Alans probleem. Alan sprong niet be- hoedzaam om met Rafe's probleem. Rafe was een heel ander soort man: Rafe was het meest gebaat bij een bepaalde mate van ongevoeligheid.

'Jij moet hoognodig weer naar zee,' zei Alan grinnikend. Even later moest Rafe ook glimlachen.

Houston.

Rose sprint door de gang in de richting van de nooduitgang, ramt de hendel met beide handen naar beneden om hem vervolgens in één beweging open te gooien. Haar huurauto staat op de parkeerplaats en ze spring erin. Ze scheurt zo snel als ze durft naar het vliegveld, dumpt de wagen; rent naar de incheck- balie, heeft nog maar tien minuten de tijd, gooit haar ticket op de balie, holt naar de vertrekhal –

Als ik het maar druk genoeg heb. Als ik maar snel genoeg in beweging kan blijven. Als ik –

Werken is een soort drug. De avonden en nachten vind ze vreselijk. 's Avonds is er niet altijd voldoende werk om ervoor te zorgen dat ze er niet aan terug- denkt. 's Nachts is er nooit voldoende slaap, ligt ze steeds weer wakker, moet ze eraan denken, begint ze door het huis of door haar hotelkamer te ijsberen. Het is beter om onderweg te zijn, want dan is er geen Alan naast haar om haar er- aan te herinneren wat ze samen hebben verloren. Door haar. Omdat zij er veel te hard tegenaan ging, veel te veel wilde –

Het was haar schuld. Niet die van Valdez. Valdez was boven op haar gevallen omdat zij hém die trap op had gejaagd omdat ze zonodig aan dek wilde. Ze had veel te veel gewild. En te snel allemaal. Het was háár schuld.

Op dit moment, in een poging er niet over na te hoeven denken, probeerde ze steeds sneller te gaan. Ze vervloekte de mensen die voor haar liepen in het gang- pad van het vliegtuig, de mensen die hun handbagage pas op het allerlaatste moment uit de bakken boven hun hoofd haalden, de mensen die zonodig nog even met de stewardess moesten kletsen, de mensen die niet snel genoeg liepen. Ze haastte zich om hen heen, rende haast naar de aankomsthal, in de richting van een nieuwe huurauto, het nieuwe kantoor. Als ze maar snel genoeg vooruit kon komen –

's Avonds laat belt ze Alan op, zoals ze dat elke avond doet. Ze voelt zich uitgeput, maar betwijfelt of ze zal slapen. Ze hoopt dat ze voldoende papierwerk bij zich heeft om daar tot morgen mee te kunnen doen. Desalniettemin klinkt haar stem opgewekt. Ze moet ervoor zorgen dat die klinkt alsof alles oké is, want hij praat over heel andere zaken: hij gaat steeds meer de pest aan zijn werk krijgen. Hij heeft geluncht met Abe Peretz. Hij heeft nog helemaal niets van O'Neill en Dukas gehoord; hij maakt zich zorgen over hen. Waar zouden ze mee bezig zijn?

Ze probeert zich zijn zorgen tot de hare te maken. Misschien dat ze op die manier de nacht doorkomt. Wat zouden O'Neill en Dukas aan het doen zijn? Wat zouden O'Neill en Dukas aan het doen...? Het enige waaraan ze kan denken zijn de baby en de val op het schip; ze doet het licht uit en begint de lanceerparametercodes voor Peacemaker in haar hoofd te stampen.

8

Augustus

Oost-Afrika.
Harry O'Neill had een fout gemaakt.
In feite had hij de grootste fout gemaakt die een case-officer maar maken kan.
Hij was verliefd geworden.
Op een van zijn eigen agenten.
Alle case-officers, werd er gezegd, gingen met hun agenten naar bed – wat ongetwijfeld overdreven zou zijn – maar ze worden er niet verliefd op. Het verliefd worden is juist de grote fout.
En hij wíst dat het fout was, en was er gelukkig mee. Hij was gelukkiger dan hij ooit in zijn leven was geweest, gelukkig op een manier die hem verzoende met het snobisme van zijn vader en met de onaangenaamheden van zijn ex-vrouw, met zijn eigen twijfels en met de gevaren die zijn fout met zich meebracht. Als er morgen een einde zou komen aan zijn leven, hield hij zichzelf voor, kon hij zeggen dat het het waard was geweest.
'Ik hou van je,' zei hij tegen haar. 'Je maakt me gelukkig.'
Elizabeth Momparu keek hem aan. Haar ogen waren enigszins gezwollen door de seks en de slaap en de vermoeidheid, en toen ze ze half sloot om hem aan te kijken, leken ze bij de hoeken iets omhoog te draaien. Ze had een vrij goed idee hoe ze er voor hem uitzag, maar geen flauwe notie hoe ze er écht voor hem uitzag – de mooiste, aantrekkelijkste en fascinerendste vrouw ter wereld. Ze was met heel wat mannen naar bed geweest, blank en zwart. Sommigen van hen hadden gezegd dat ze van haar hielden. Zelf vermoedde ze dat ze van drie van hen werkelijk gehouden had. Ze had nog nooit eerder iemand als Harry ontmoet.
'Ik vind het prettig bij je te zijn,' zei ze. 'Ik vind het plezierig om me bij jou veilig te weten.'
Ze zaten op het terras van een huisje in een wildpark in het oosten van Kenia. De avond was bijna gevallen, iets dat erg snel gebeurde; de zich terugtrekkende dag had een roodachtige gloed achtergelaten die alles – waterpoel, doornbomen, lucht – eruit deed zien als een oude kleurendia waaruit al het groen en blauw verdwenen was. Voor hen bevond zich een laag muurtje, met daarachter en een meter of zes lager, een kunstmatig aangelegde waterplaats die later door enkele schijnwerpers in het licht zou worden gezet. Momenteel waren er alleen

nog maar klipdassen te zien, diertjes nauwelijks groter dan een grijze eekhoorn, die over het muurtje sprongen om wat kruimels van de toeristen aan te nemen. Ze had gelijk, dit was een veilig oord; O'Neill had een hele tijd gezocht voor hij deze plek had geselecteerd. Een lid van het Hutu Interahamwe-volk zou hier nooit ofte nimmer komen.

'Waarom trouwen we niet, dan heb je dat gevoel altijd?'

'Harry – '

Hij glimlachte en haalde zijn schouders op zoals een man die de vraag al eens eerder heeft gesteld zijn schouders ophaalt. Hij zou het blíjven vragen. Op een dag zou ze, zoals ze beiden wisten, een keertje toestemmen. Hij raakte haar vingers aan, en ze verstrengelde de hare met die van hem.

De reden waarom het verliefd worden op een agent de ergste fout is die een case-officer kan maken, ligt in het feit dat hij op die manier zijn eigen bestaan in gevaar brengt. Een agent is, hoe je het ook bekijkt, vervangbaar, maar een geliefde is dat niet. Tegelijkertijd is de agent bijna nooit uniek, en veeleer onderdeel van een netwerk. Als de case-officer de agent in zijn persoonlijke leven op wil nemen, vernietigt hij hen beiden in feite, en vaak ook nog de rest van het netwerk.

O'Neill wist dit alles. En hij dacht er ook aan terwijl hij hier in het bijna-duister ogenschijnlijk naar de klipdassen zat te kijken. Hij was al tot de slotsom gekomen dat dat hem geen barst interesseerde, althans, niet wat het theoretische gedeelte betrof – zijn baan, zijn carrière, de CIA. Waar hij zich wél zorgen over maakte was de manier waarop hij haar uit haar rol als agent kon losweken.

'Ik wil niet dat je teruggaat,' zei hij.

Ze kneep zachtjes in zijn vingers. 'Ik móet wel.'

'Ik wil dat je naar Parijs vliegt. Ik heb al voor je geboekt.'

'O, Harry – '

'Daar ben je veilig. Je wordt door iemand opgevangen daar.'

Ze zweeg zó lang, dat je de indruk zou krijgen dat ze alles om haar heen vergeten was. 'Je weet dat ik dat niet kan,' zei ze uiteindelijk.

Hij wist dat ze niet zou gaan. Hij had het moeten doen, had die reservering moeten maken. Maar natúúrlijk zou ze niet gaan. Ze zou niet gaan om de reden – een van de redenen – dat hij van haar hield: omdat ze wilde dat er een einde zou komen aan het doden. Ze had pas goedgevonden dat Hammer haar rekruteerde omdat ze, toen ze eenmaal besefte waarmee hij bezig was, dacht dat als ze de Amerikanen hielp dat uiteindelijk hun invloed en dat wat ze als hun idealisme beschouwde bij de zaak zou betrekken. De Amerikanen zouden een einde maken aan het doden, had ze gedacht. Maar uiteindelijk bleek dat de Amerikanen géén einde aan het moorden hadden gemaakt.

'Ik móet weer terug,' zei ze. 'Je weet dat ze me daar nodig hebben. Een halfjaar, misschien dat dan – '

'Ik zorg wel voor iemand anders.' Hij wist dat hij dat níet zou doen, niet kón doen. Ze stond dicht bij het leiderschap; in deze onrustige tijden zou het hem nooit lukken iemand te vinden die zich zó dicht bij het machtscentrum bevond. Het zou jaren duren voor er een vervanging voor haar gevonden was. Maar dat probleem zou op het bordje van iemand anders komen te liggen.

'Misschien,' zei ze, 'liggen volgend jaar de zaken anders.'

De zaken zouden in nog geen honderd jaar veranderen. Dat wisten ze allebei. Maar de mensen in Centraal-Afrika zeiden dat voortdurend tegen elkaar: misschien zullen de tijden veranderen. Ondertussen had de ongemakkelijke wapenstilstand in Rwanda zich ontwikkeld tot een voorbereiding op een gewapend conflict, waarbij de vluchtelingen als wapen werden gebruikt. O'Neill beschikte nu over agenten in Oeganda, oostelijk Tanzania en Zambia, en ze zeiden allemaal precies hetzelfde: een Zaïrese splintergroep in Tanzania zou worden ondersteund als die in Zaïre een poging zou ondernemen de macht over te nemen. De omringende landen zouden daar allemaal beter van worden, zich een stuk territorium kunnen toe-eigenen – bufferzones, mineralen. De Hutuvluchtelingen waren voor alle groeperingen een soort schild, een schild waarachter de Interahamwe dekking konden zoeken en waarmee de potentiële indringers hun ware bedoelingen konden verbergen.

'En als ik mijn baan nu eens opzeg en we samen naar huis gaan?' zei hij. *Huis* was in dit geval de States. Ze was daar wel eens op vakantie geweest – Disney World – maar ze kon dat land onmogelijk als een thuis zien.

'Doe niet zo gek. Mensen zoals wij hebben geen huis. Niemand in mijn land heeft nog een huis, zelfs ik niet, en ik heb nog wel een villa. En door deze vreselijke baan aan te nemen heb je jezelf ook tot vluchteling gemaakt.'

'Ik ben een soort emigrant, geen vluchteling.'

'Ja, jij bent Amerikaan. Amerikanen kunnen nooit vluchteling zijn, toch? Die beschouwen de hele wereld als hun bezit.'

'Ik heb het je al gezegd. Ik neem ontslag uit die vreselijke baan.'

'Nee, dat doe je niet.'

Ze bleven nog twintig minuten zitten. Toen was het pikdonker geworden. In de bomen beneden hen waren de lichten aangegaan, maar er waren nog geen dieren naar de drinkplaats gekomen. Ze stonden op om te gaan dineren. Toen ze zijn kant uit keek, waarbij ze vlak voor hem stond, zei ze: 'Ik – ' en stopte toen. Ze keek hem niet echt aan, maar tuurde eerder naar een punt ergens tussen de bomen.

'Wat?'

Ze had de gewoonte om als ze werd uitgedaagd haar onderlip iets naar voren te steken en vervolgens haar tong tegen haar ondertanden te drukken, waardoor ze er heel in de verte een beetje als een chimpansee uit ging zien. Ze schudde haar hoofd. 'Daar zullen we het later nog wel eens over hebben.'

Ze werkte het voedsel met enige gretigheid naar binnen. Het was een forse vrouw en ze vond eten heerlijk. Er waren verschillende zaken die ze met enige gretigheid deed – vrijen, praten, winkelen – en daarom hield hij ook van haar, omdat die gretigheid van haar zich tot hem uitstrekte.

Het terrein werd doorsneden door kronkelige paden die langs de gewelfde voorzijdes van de bungalows liepen waarin de gasten waren ondergebracht. 's Nachts stonden er bewakers klaar om de gasten terug naar hun onderkomen te brengen omdat er vanuit het oerwoud nog wel eens dieren richting gasten-verblijven wilden trekken, hoewel dat zelden iets gevaarlijkers was dan een ba-viaan, waarbij direct moet worden opgemerkt dat een baviaan een kind kan do-den en een volwassen man ernstig kan toetakelen. Elizabeth was niet bang, niet voor het duister en ook niet voor de dieren, en ze beende dan ook met grote passen langs de tuinlampen, waarvan de schaduwen als puntmutsen op haar enkels schenen, naar hun bungalow terug, waarbij ze Harry aan de hand met zich meevoerde, alsof híj het was die haar bescherming nodig had. Eenmaal op hun kamer aangekomen leek ze echter te twijfelen. Met haar gedeeltelijk open-geknoopte blouse stond ze in gedachten verzonken. Vervolgens liep ze naar de kast, deed de blouse uit, hing die over een hanger en draaide zich toen om – en bleef staan waar ze stond. Toen hij zijn armen om haar heen sloeg wendde ze zich van hem af, en zei: 'Nee. Nog niet.'

Ze kleedde zich verder uit, langzaam en beheerst. Toen ze alleen nog maar haar beha en string aanhad, haalde ze een sigaret uit het pakje in haar tas en keek daar een tijdje naar. Hij was verbijsterd geweest toen hij had gezien dat ze rookte; hijzelf kon probleemloos zonder de smaak van sigaretten. Maar hier in Afrika rookte iedereen.

'Ik wil je iets vertellen,' zei ze.

Hij had gedacht dat hij al haar onthullingen al had aangehoord. De verhalen over de andere mannen hadden hem behoorlijk aangegrepen. Hij had een hoop onvolwassen flauwekul van zich afgeschud, was ermee in het reine gekomen, was gaan beseffen dat liefde in dit geval betekende dat er geïncasseerd diende te worden, wát er in het verleden ook gebeurd mocht zijn. Want ergens onderweg kon er altijd nog sprake zijn van aids. Ook tegen dat besef bleek hij opgewas-sen te zijn.

'Is deze ruimte écht helemaal veilig?' vroeg ze. Ze had op de sigaret staan kloppen, steeds weer, onophoudelijk, en pas na een eeuwigheid klikte ze de aansteker aan die hij haar had gegeven en hield die bij het uiteinde. 'Weet je het zeker?'

'Absoluut.' Hij had de kamer gecontroleerd en zich ervan overtuigd dat er geen afluisterapparatuur was aangebracht. De Keniaanse veiligheidsdienst hield hem niet in de gaten. Misschien dat dat ooit nog eens zou gebeuren, maar voorlopig hadden ze geen enkele belangstelling voor hem. Zij was hier met een vals paspoort waarvoor de ambassade had gezorgd, en ook zij was van geen enkel belang voor hen. Ze werden hier door niemand afgeluisterd.

Ze beende heen en weer. Ze was nerveus, nerveuzer dan hij haar ooit had gezien. Na een paar minuten zette ze haar radiootje aan, drukte haar sigaret uit en haalde een nieuwe uit haar pakje. Toen ze die had aangestoken, zei ze: 'Ik wil je iets vertellen dat ik nog nooit tegen iemand anders heb verteld.'

Harry O'Neill bereidde zich op het ergste voor.

Ze ging op de rand van het ledikant zitten, pakte zijn hand en trok hem naast zich op het bed. Ze waren beiden nogal groot uitgevallen, en voor het overgrote deel naakt. Ze zei: 'Ik heb iets dat ik je nog niet gegeven heb. Zakelijk, begrijp je.' *Zakelijk* betekende dat ze het had over haar rol als agent. Harry voelde hoe zich een enorme opluchting van hem meester maakte. Gelukkig geen andere minnaar. Ze slikte luidruchtig iets weg, nam een lange trek van haar sigaret en zei: 'Ik kon het jouw voorganger onmogelijk vertellen. En Hammer – '

Hammer was halverwege de veertig geweest, veel te dik, en was met zijn Range Rover tijdens het natte seizoen helemaal naar Ruaha gereden, en was pas gevonden nadat hij al twee dagen spoorloos was geweest. Zijn auto was in de modder vast komen te zitten en hij was daarbij aan een hartaanval overleden.

'Hammer is twee jaar geleden overleden. Ik wist iets – iets dat ik hem wilde vertellen – maar dat kón ik een tijdlang niet; het was de slechte tijd, de écht slechte tijd, toen je niet kon reizen en overal werd gemoord en iedereen onderweg was, en – Tegen de tijd dat ik het veilig achtte om een signaal achter te laten, was hij dood. Toen kwam die idioot ten tonele, maar die durfde ik niet in vertrouwen te nemen.' Ze keek hem aan. 'Ik kon die man onmogelijk in vertrouwen nemen, Harry!'

Hun naakte schouders en armen en heupen drukten tegen elkaar, maar O'Neill wist dat hij geacht werd stil te zitten en te luisteren. Dit was een van die keren dat liefde en seks niet hand in hand gingen.

Ze haalde nog een sigaret uit haar pakje. 'Ik kon het je pas vertellen nadat ik zeker was van m'n zaak. Zelfs toen ik al van je hield, was ik nog niet overtuigd. Daar is tijd voor nodig, Harry, iemand leren vertrouwen.' Ze bedoelde te zeggen dat ze met een hoop minnaars naar bed was geweest, mannen die ze best aardig had gevonden, met wie ze een leuke tijd had gehad, maar die ze niet had *vertrouwd*. Nou, hij zou zich gevleid moeten voelen, maar dat was hij helemáál niet. 'Ik ga het je nu vertellen. Maar je moet me beloven – écht beloven, Harry – dat je mij zult beschermen. Ik wil niet dat het via een omweg weer mijn kant uit komt!'

'Je wéét dat ik je zal beschermen, mijn god – '

'Dat weet ik, dat weet ik!' Ze legde haar vingers tegen zijn mond. 'Ik weet dat je me als agent bescherming zult bieden, dat weet ik allemaal. Maar ik leg hierdoor mijn léven in jouw handen, Harry. Dit is niet te vergelijken met al het andere wat me tot dusver in overkomen. Oké? Beloof je me het?'

'Uiteraard. Je wéét dat ik dat zal doen.'

Terwijl ze sprak boog ze haar hoofd en wreef, alsof het uiterst belangrijk was, over een ruw stukje huid op haar been. 'Drie jaar geleden, op zes april, verongelukte het vliegtuig met de twee presidenten vlak voordat het op Kigali zou landen. Iedereen zegt nu dat dat toestel werd neergeschoten.' Ze zuchtte. Ze klonk als iemand die alle hoop had verloren. 'Ik was erbij.'

Hij was goed op de hoogte van die gebeurtenis, wist in elk geval onmiddellijk waar ze het over had, en hoe belangrijk die gebeurtenis was geweest voor de wekenlange genocide die daar direct op was gevolgd. Hij wist, althans, beschikte over betrouwbare informatie, dat bij het neerhalen van het toestel twee geleide projectielen waren gebruikt, en iets minder betrouwbare bronnen hadden gemeld dat degenen die die dingen hadden afgevuurd blank waren geweest. Maar nog steeds begreep hij haar niet goed. 'Wáár was je bij?' vroeg hij. Hij dacht dat ze het over de plaats had waar het toestel was neergekomen.

'Ik heb die projectielen zien afvuren,' zei ze.

'Jezus.'

'Het waren vier Europeanen. De raketten zaten in van die skihoezen; die herkende ik nog vanuit Davos. Twee van hen vuurden die raketten af, een gaf de bevelen; de ander had een radio. Mijn broer had het georganiseerd.'

Die halfbroer was Harry's nachtmerrie, een van de leiders van de Interahamwe. 'Misschien had hij het helemaal niet georganiseerd; deed hij alleen maar alsof. Ik geloof wél dat hij zijn persoonlijke lijfwachten ter beschikking heeft gesteld. Want die waren er ook bij, een man of twintig, die met hun wapens posities innamen rond die geleide projectielen.'

'Wat móest je daar eigenlijk bij?'

'Ik was er alleen maar bij. Ik ben gewoon meegegaan. Ze waren de avond ervoor net aangekomen, die Europeanen – '

'Hoe?'

'Door de lucht. Een groot toestel; iemand zei dat het uit Angola afkomstig was.

Misschien dat er wapens mee werd gesmokkeld voor de UNITA.'

'Herinner je je nog andere details omtrent dat vliegtuig?'

'Vier motoren? *Propellers?* Oké, oké.' Dan moet het een of ander oud toestel zijn geweest – een turboprop wellicht?

'Dat interesseert me eigenlijk niet zoveel. Laat me het verhaal op míjn manier vertellen! Ze kwamen aan en we hebben ze op het vliegveld opgehaald. Aan de andere kant van het vliegveld, niet bij de ontvangsthal – ze stapten uit nadat het vliegtuig op de landingsbaan tot stilstand was gekomen, waarna het toestel direct weer terugtaxiede. We hadden twee auto's bij ons. De Europeaan die de leiding had stapte bij ons in. Toen zijn we naar huis gereden; daar was een soort feestje georganiseerd, wat mensen van mijn broer, en daarna hebben we wat gegeten.'

En de volgende dag is ze meegegaan, wat inhoudt – 'Ben je met hem naar bed geweest?'

Ze blies wat rook uit, knikte. 'Dat was vóór jou, Harry, ik zat er niet zo mee. Ik wilde graag dat hij me mocht. De volgende dag stapte ik gewoon in de auto, net als de anderen, en reden we naar die plek in de bush. Ik begreep het niet, totdat ik een klein vliegtuigje over ons heen zag komen dat op het punt stond te landen; toen pas besefte ik dat we ergens in het verlengde van de landingsbaan moesten zitten. Iedereen wist dat het vliegtuig met de twee presidenten aan boord elk moment kon landen. Ik zag die skihoezen, en ik wist precies wat ze zouden gaan doen.' Ze liet haar adem in één grote stoot ontsnappen. Ze sloeg haar blik neer, keek naar haar voeten. 'Ik heb foto's gemaakt.'

'Hoe?'

'Die knaap, die Europeaan, had een camera bij zich. Hij wílde dat ik foto's maakte! Ik heb toen gewoon mijn eigen toestelletje ook tevoorschijn gehaald en zelf ook nog wat opnamen gemaakt. Ik had een felroze automatisch cameraatje. Ik dacht, als ze me tegen willen houden moeten ze dat maar doen. Maar niemand schonk er verder aandacht aan.'

'En je broer?'

'O –' ze sloeg haar armen om zich heen. 'Die is altijd in een slecht humeur; en toen niet erger dan normaal. En bovendien was hij een belangrijk man voor die Europeanen. Maar hoe dan ook – ' Haar mond trilde. 'Ze schoten hun raketten af en het vliegtuig stortte neer. Het was zo gebeurd.'

Het was zo gebeurd. En daarna was het moorden begonnen. Honderdduizend doden in drie weken. Het neerstorten van het vliegtuig had dezelfde uitwerking gehad als wanneer iemand een brandende lucifer in een plas benzine had gegooid.

'Waar zijn die foto's?'

'Veilig opgeborgen. Thuis.'

'Hoe scherp zijn ze?'

Ze schudde haar hoofd. 'Ik heb het niet aangedurfd ze te laten ontwikkelen. Iemand had ze kunnen zien, of de fotowinkel kon in brand zijn gestoken. Alles was mogelijk. Het waren waanzinnige tijden.'

'Misschien dat het toch niet zó verstandig is geweest ze niet te laten ontwikkelen. De hitte.'

'Ik weet het.'

'Toch zou ik – '

'Ik zal ervoor zorgen dat je het in handen krijgt, Harry. Nu je alles weet zijn die foto's uiteraard voor jou. Zorg er alleen voor dat het achteraf niet met mij in verband kan worden gebracht!' Haar handen trilden en een van haar knieën ging als een pendel heen en weer, duidelijk van de spanning. 'Hij zou me onmiddellijk vermoorden.'

'Nee, nee.' Ze was veilig, daarvan was hij overtuigd; hij zou het filmpje en het agentenrapport via de diplomatieke post rechtstreeks naar de Agency versturen, voorzien van de hoogste classificatie van geheimhouding. Maar het zou ongetwijfeld een reusachtige commotie veroorzaken. Hij liep opnieuw de gebeurtenis nog eens met haar door, nu weer helemaal de case-officer. Hij stelde nog meer vragen, haalde feiten bij haar naar boven waarvan ze had gedacht dat ze die vergeten was. Ze hadden de knaap die de leiding had Z genoemd – alleen maar Z. Z had een afgrijselijke neus gehad – grotesk bijna. De blanken hadden Belgische uniformen gedragen, maar ze zei er onmiddellijk bij dat het geen Belgen waren geweest.

'Weet je dat zeker?'

'Ze spraken geen Frans. De leider sprak Frans, maar met een accent; ik kon dat niet plaatsen. Maar met elkaar spraken ze weer heel iets anders.'

'Sommige Belgen spreken Vlaams, een soort Nederlands.'

'Daar weet ik verder niets van. Alle Belgen híer spraken Frans.'

'Zouden het Amerikanen geweest kunnen zijn?'

'Nee.'

'Duitsers?'

Ze aarzelde. 'Misschien. Mogelijk.'

Bij de derde keer echter herinnerde ze zich weer dat ze door een van de cockpitramen van het grote vliegtuig een glimp van een van de piloten had opgevangen. Die was blank geweest. De mannen hadden hun leider 'Z' genoemd, dat was alles. Ze herinnerde zich details betreffende de wapens en andere uitrustingsstukken van de Europeanen. Aan de omschrijving te horen zouden de raketten wel eens Stingers geweest kunnen zijn. Als je een en een bij elkaar optelde, moest hij het haast wel met haar eens zijn dat het hier niet om Belgen of Fransen ging. Huurlingen misschien, met een mengelmoesje aan NAVO-spullen en andersoortige uitrusting bij zich. Er liepen hier best nog een hoop Russen rond, en andere Oost-Europese militairen, nog allemaal restanten van de Koude Oorlog.

Hij liet haar haar relaas doen. Er werd niet gevreën; ze was duidelijk aangedaan, verkeerde bijna in shocktoestand. Hij hielp haar te gaan liggen en masseerde haar nek en rug, waarna hij haar een pilletje gaf, en een halfuur later sliep ze. O'Neill lag in het donkere vertrek, rook de scherpe, onbekende sigarettenrook, en vroeg zich af hoe hij haar uit dit wereldje kon laten ontkomen. Hoe ze beiden aan dit wereldje zouden kunnen ontsnappen. Voor hem was dat niet zo moeilijk; hij kon gewoon ontslag nemen. Het moeilijke gedeelte – haar Zaïre uit krijgen – sloeg hij voorlopig maar even over. Hij probeerde zich te concentreren op het prettige gedeelte van de hele onderneming: ze zouden trouwen, en hij zou haar mee naar huis nemen, waarna hij rechten of medicijnen zou gaan studeren, of misschien wel economie, wát dan ook. Dat was nog het gemakkelijkste van de hele onderneming.

Hij was begonnen bij de marine. Hij had Alan Craik eens verteld dat het zijn bedoeling was ooit nog eens CNO te worden, chef marine-operatiën; hij had vier reizen gemaakt, en alle vier bij een andere sectie gewerkt: eerst bij Air Operations (OPS) en daarna nog bij ELINT, HUMINT en ten slotte SIGLINT. Daarna had hij binnen het wereldje van de militaire inlichtingendienst flink de aandacht weten te trekken. Maar hij had het bij het verkeerde eind gehad. Hij voelde zich nu al helemaal afgebrand. Het enige wat hij wilde was naar huis, en háár.

Hij was van mening geweest dat hij het neusje van de zalm was en dat zijn plan doorwrocht in elkaar zat, dat hij dat alleen maar zou hoeven uitvoeren om op een gegeven moment CNO te worden; waarom ook niet? Maar zelfs toen al had hij, inwendig, zich er slechts half van bewust, gezien dat Craik iets had dat hij niet had. Een soort stuwkracht, een innerlijke drang. Hij had nooit eerder beseft dat die innerlijke drang van doorslaggevend belang was.

Craik was zijn beste vriend, wat dat ook precies mocht betekenen. Kinderen hebben beste vrienden; volwassenen eigenlijk nooit. Maar hij en Craik waren close, ondanks het feit dat O'Neill best een tikkeltje jaloers was op Craiks toewijding en zijn – ja, wat precies? Zijn geluk? En – geef het maar toe – op Craiks reputatie en de manier waarop hij daarvoor was beloond. Craik zorgde ervoor dat bepaalde zaken gewoon gebeurden, en kreeg daarvoor vervolgens allerlei medailles op zijn borst gepind. O'Neill had daarvan ook wel iets willen hebben, iets van alle glorie. Dat was een van de redenen waarom hij ontslag bij de marine had genomen en bij de CIA was gaan werken. Nu besefte hij dat Craik altijd de behoefte had risico's te lopen – dat was zijn 'geluk', die honger naar bepaalde risico's, iets wat hijzelf blijkbaar miste. Craik had gevlogen, ook al was het maar als IO – inlichtingenofficier – van het squadron; O'Neill, die eveneens squadron-IO was geweest, was nooit mee de lucht in geweest. Craik had, volgens hem althans, ergens in zijn brein een klein weeffoutje dat maakte dat hij het gevaar nogal eens iets te luchtig tegemoet trad. De waarheid was dat ze eigenlijk van rol zouden moeten wisselen: O'Neill zou nog steeds een prima IO zijn, terwijl Craik in de wieg was gelegd om een goede spion te worden.

Nu deed dat alles er niet meer toe. Wat er écht toe deed lag momenteel doodsbang naast hem. Hij zou haar mee naar huis nemen. Hoe dan ook. Voor één keer interesseerde het hem geen barst wat zijn ouders ervan zouden zeggen. Ook dat had de liefde bij hem teweeggebracht. Hij zag het nu duidelijker dan ooit: de eerste keer was hij getrouwd met een vrouw die door zijn moeder was geselecteerd, en het had dan ook niet gewerkt. Zijn vrouw was van mening geweest dat ze onder haar stand woonde, enkel en alleen omdat ze met een officier was getrouwd. Ze was een knorrige snob geweest. Niet in staat gelukkig te zijn. Wat een vreselijke vrouw. Het huwelijk had dan ook nog geen twee jaar standgehouden.

Goed, hij zou het agentenrapport en de nog niet ontwikkelde film via de diplomatieke post naar de Agency versturen. Daarna zou hij haar hier weghalen, voor een nieuwe identiteit zorgen en haar voorlopig ergens heen sturen; vervolgens zou hij haar daar ophalen en samen naar de VS afreizen.

Maar hij zou eerst nog moeten proberen haar over te halen het idee op te geven dat ze in staat was een einde aan het moorden te maken.

Sarajevo.

De twee mannen die in de Bascasija liepen zagen er op het eerste gezicht net zo uit als de anderen die de oorlogsjaren hadden overleefd, maar een veteraan had wellicht in de gaten gehad dat de mannen niet van hier waren. Hier, diep in het oudste gedeelte van Sarajevo, vielen ze niet bepaald op, maar was er toch iets waardoor ze enigszins uit de toon vielen. Zo glimlachten ze bijvoorbeeld.

Zo vertoonde Dukas' gelaat best wat lokale trekjes – zijn voorvaderen bevonden zich per slot van rekening niet zo heel erg ver hiervandaan, en hij had dan ook bepaalde genen gemeen met de plaatselijke bevolking. Hij droeg een nylon regenjas zoals reizigers die vaak bij zich hebben en die gemakkelijk opvouwbaar zijn, wat op zich niet verkeerd was, maar de jas zag er tegelijkertijd te nieuw en te toeristisch uit om te kunnen hebben toebehoord aan iemand die het beleg van Sarajevo had overleefd, en nu het laatste model regenjas had aangeschaft.

In feite zag hij eruit als een fabrieksarbeider op vakantie. De ellende was dat hij ervan overtuigd was dat hij moeiteloos in die rol paste.

Naast hem liep een iets kleinere man, wiens gezicht en lichaam uitsluitend uit scherpe hoeken leken te bestaan, gemaakt om als een zeilschip zoveel mogelijk wind te vangen. Ook hij droeg nylon – een kort, blauw en koperkleurige jasje – en elke Parijzenaar die hem zou hebben gezien zou onmiddellijk hebben gedacht: *daar loopt een flic*. En ze zouden gelijk hebben gehad: het ging hier om een Franse politieman.

'Ik mag het hier wel,' zei de Franse politieman. Hij bedoelde het deel van de stad waar ze nu liepen. 'Toen ik hier in vierentachtig was, ben ik hier steeds naartoe gegaan. Het heeft *karakter.'* Hij glimlachte. 'In Parijs zouden we het een islamitische achterbuurt noemen.'

'Wat deed je hier in vierentachtig?' vroeg Dukas. Zijn stem was schor vanwege een verkoudheid. Zijn neus zat dicht en zijn neusvleugels waren rood.

'De Olympische Spelen.'

'De Olympische Spelen! Heb je meegedaan aan de Olympische Spelen?' Dukas keek van opzij naar de kleinere man. Hij heette Jean-Luc Pigoreau; hij was hoofdinspecteur bij de Sûreté. Dukas maakte een snelle berekening – twaalf jaar geleden; kon deze kleine, taaie knaap deelnemer aan de Olympische Spelen zijn geweest?

'Als schaatser, Michael.' Het Engels van Pigoreau was nagenoeg accentloos, heel erg Amerikaans, alleen aan de manier waarop hij de R uitsprak kon je horen waar hij vandaan kwam. 'Geen kunstschaatser, zoals de *pédés* in hun fraaie pakjes, nee, ik deed mee aan het hárdrijden op de schaats. Maar alleen op de vijfhonderd meter.'

'Wauw.' Dukas wist niet wat hij moest zeggen. Hij had nog nooit eerder iemand ontmoet die aan de Olympische Spelen had meegedaan. 'Heb je toen, eh, gewonnen?'

Pigoreau lachte. Hij lachte op de manier waarop mensen wel lachen in films als ze tomeloze uitbundigheid tot uiting willen brengen, het hoofd naar achteren, de mond wijdopen, brede grijns op het gezicht. 'Ik was heel, heel erg goed – maar net niet goed genoeg. Je weet hoe dat voelt, hè, heel erg goed zijn maar net niet goed genoeg?'

Dukas zag zichzelf als iemand die naar alle waarschijnlijkheid op de meeste gebieden niet heel, heel erg goed was, en al helemaal niet goed genoeg om in een bepaalde tak van sport een gouden medaille te winnen. Maar met een knaap die uiteindelijk aan de Olympische Spelen had meegedaan praatte je op een heel andere manier over niet goed genoeg zijn. Dukas probeerde iets opbeurends te zeggen en besefte dat dat uiterst stom moest klinken. Hij lachte om zichzelf toen Pigoreau hem van opzij vreemd aankeek, en moest toen hevig hoesten. Pigoreau bleef naast hem staan toen hij een flesje hoestdrank tevoorschijn haalde en een paar flinke slokken nam. 'Dat klonk behoorlijk stom,' zei Dukas. 'Ik bedoelde eigenlijk te zeggen dat het me spijt dat je geen goud hebt gewonnen.'

'Ik hoef nergens spijt van te hebben,' reageerde Pigoreau. Hij was volkomen ernstig. Dit was iets waarover hij al diep had nagedacht, misschien wel meerdere malen. 'Ik was maar zó goed – zó – ' en met zijn hand gaf hij een bepaalde hoogte aan ' – en ik verloor, dus – ' de hand ging iets omhoog '– en nu weet ik precies hóe goed ik was.' Hij liet zijn hand zakken en stak hem in zijn jaszak. 'De meeste mannen hebben het lef niet om daar achter te komen. Om erachter te komen hoe goed ze zijn.' Hij draaide zich iets om en tuurde over de kleine piazza-achtige verwijding in de straat, iets dat door de plaatselijke bevolking een *mejdan* wordt genoemd, en liet zijn blik vervolgens naar de bergen in het noorden glijden, die tussen de rode dakpannen slechts als een donkere massa zichtbaar waren, waarbij de slanke minaret van een moskee die massa als een scheur in papier doormidden deelde. 'Het was hier in vierentachtig allemaal zó mooi, Michael. En *opwindend*. De stad was zó *levendig*, zo – schoon! Ze waren allemaal zo trots op Novi Grad, Novi Sarajevo, al die nieuwe gebouwen die nu boordevol kogelgaten zitten, al die vensters zonder glas. Maar ik voel me hier beneden nog steeds op m'n gemak. Dit is het oude Sarajevo. Dit is de Turkse wijk, wist je dat? Dit – ' Hij draaide zich om, maakte een weids gebaar. 'Dit hier was de markt. Groot! Strekte zich over verschillende blokken uit. En nu –' Hij haalde zijn schouders op en kroop wat dieper weg in zijn jas.

'Ik heb straks een ontmoeting,' zei Dukas.

'Ik weet het. Dat is een straat of twee verderop. Ik dénk dat ik het me nog kan herinneren.' Pigoreau grinnikte. Hij probeerde een herkenningspunt te vinden. 'Weet je, je komt een week lang op een bepaalde plek, je komt twaalf jaar later terug, en je bent de weg kwijt.'

'Om nog maar te zwijgen over de klootzakken die hier de boel met hun artillerie aan barrels hebben geschoten.'

Dukas was nu een maand in Sarajevo en hij had de meest in het oog lopende schade wel gezien. De Holiday Inn. De UNIS-torens. De oude nationale bibliotheek, een uitgebrand, leeg omhulsel. En nog ontmoedigender vond hij, naarmate hij hier langer was, de schade aan de bescheiden huizen waar het leven van de bevolking vernietigd was, waarbij de enige aanwijzing dat hier ooit mensen hadden gewoond leek te bestaan uit een verschoten plek op een stuk behang van een kapotgeschoten kamer waar ooit een schilderij of foto had gehangen, of een badkamer op de eerste etage, nog steeds intact maar zonder buitenmuur, en met een oogverblindend roze badkuip erin. Hij had de lege omhulsels van flats gezien, waar de gordijnen door de wind in glasloze vensters heen en weer werden bewogen, kelders die stonken naar beschimmelde kalk en ratten, een drijfnatte eettafel die op z'n kop lag, de fraai bewerkte poten omhooggestoken, alsof het hier om een dood paard ging.

'Nou,' mompelde Pigoreau. Hij had de gewoonte om met zijn tong en gehemelte zachte ttt-tt-tt-geluiden te maken. *Tt-tt-tt,* zei hij tegen zichzelf. 'Het moet hier ongeveer zijn.' Hij was op zoek naar een restaurant dat hij zich nog uit 1984 herinnerde. *Tt-tt.* 'Ik word oud, denk ik.'

Dukas en Pigoreau kwamen er langzaam achter dat ze elkaar wel mochten. Ze waren beiden behoedzaam, maar brachten erg veel tijd samen door, hoewel hun baan dat echt niet noodzakelijk maakte. Op papier was Pigoreau commandant van iets dat – op papier – de Counter-Intelligence Unit, de contra-inlichtingeneenheid, werd genoemd; in feite was hij Dukas' tweede man. Voorzichtig waar het intimiteit betrof, en uiterst bedreven in het cynisme, hadden de twee mannen een tijdje om elkaar heen gedraaid, waren dichter naar elkaar toe gekomen en merkten dat datgene wat ze zagen hen wel beviel.

'Aha!' riep Pigoreau. Hij greep Dukas bij zijn mouw en trok hem naar rechts, in de richting van de rivier. 'Deze kant uit, denk ik – ' En hij trok Dukas met zich mee een hoek om en bleef aan de overkant van de straat bij een uitgebrande ruïne staan. 'En daar heb je het. Nou.' Hij haalde met een verontschuldigend gebaar zijn schouders op. 'Stom van me om te denken dat er niets zou veranderen, hè?' Zijn restaurant was een gapend gat tussen twee beschadigde gebouwen.

'Nu kun je niet meer terug,' zei Dukas.

'Ik was hier jong, Michael. Ik zal je nu eens iets geks vertellen. Ik heb hier in vierentachtig gegeten voordat ik m'n eerste wedstrijd won. Dus ben ik teruggekomen, omdat ik dacht dat dat geluk zou brengen. En toen verloor ik." Hij lachte, op de manier zoals een man om zichzelf lacht opdat iemand anders maar niet zal denken dat hij medelijden met zichzelf heeft. 'Misschien dacht ik dat ik mezelf daar weer zou zien zitten, opnieuw een maaltijd nuttigend en ondertussen biddend om toch vooral te winnen. Hm?' Hij holde de straat in, daarbij nog net een gebutste Fiat ontwijkend, en liet zijn blik over de ruïne glijden. Dukas stak een stuk voorzichtiger over; hij was tot de ontdekking gekomen dat de in Sarajevo rondrijdende chauffeurs absoluut niet te vertrouwen waren. Ook hij keek naar de ruïne – losse stenen, onkruid, een muur was tot halverwege met tegels bedekt, dus zou daar vroeger best eens de keuken geweest kunnen zijn. 'Ik zou graag zien dat je voorzichtig bent,' zei Pigoreau. 'Heb je een wapen bij je?' Hij had het duidelijk niet over de ruïne.

'Ja, ja.'

'*Tt-tt.* Ze zullen nu wel begrijpen wie we zijn. En ze zullen het absoluut niet op prijs stellen als we straks echt achter iemand aan gaan. Jij hebt de leiding; de kans bestaat dat ze je al op de korrel hebben genomen.'

'Ik dacht het niet.'

'Ga nergens op een terrasje zitten. Als je iemand op een Vespa aan ziet komen, ga je onmiddellijk naar binnen. Als iemand een auto parkeert en wegloopt, zet het dan op een lopen.' Pigoreau had in Lille een antiterroristeneenheid geleid. Hij wist erg veel over moordaanslagen te vertellen.

'Ik heb alleen maar een ontmoeting met een vrouw,' zei Dukas. Hij snoot zijn neus en kreunde zacht.

'Je hebt een ontmoeting met een *Servische* vrouw. Ik kan nog steeds een stuk of wat oppassers oproepen.'

Ondanks zichzelf moest hij glimlachen. Hij hield van het woord 'oppassers'. De eerste keer dat hij Pigoreau dat woord had horen gebruiken, had hij gedacht dat die een grapje maakte. 'Niet nodig,' reageerde hij en keek op zijn horloge. 'Ik moet nu echt gaan. Het spijt me dat je restaurant niet meer overeind staat.' Pigoreau haalde zijn schouders op. 'Ik ben een grote jongen, Michael.' *Tt-tt.* Dukas knikte. 'Ik ook.' Dukas gaf de Franse politieman een klap op zijn bovenarm en liep weg. Toen hij de hoek bereikte, riep Pigoreau hem na: 'Je hoort in béd te liggen!' en Dukas gromde: 'Ik zou niet weten met wie ik naar bed zou moeten,' en liep door. Hij daalde af in de richting van de rivier en wachtte met een man of zes, zeven bij de halte op de tram naar Novi. De anderen stonden een stukje bij hem vandaan, niet omdat ze wisten dat hij politieman was, maar omdat ze voelden dat hij 'anders' was. Toen de tram kwam liepen ze allemaal naar achteren door, en zat Dukas alleen in het voorste gedeelte, met zijn gezicht naar voren gericht. De tram reed hevig slingerend over het spoor. Hij koesterde de kou en dacht aan zijn medepassagiers. Ze waren gehard maar getormenteerd, vaak in klinische zin depressief. Ze waren belegerd geweest, een letterlijk artilleriebombardement dat met tussenpozen jaren had geduurd. Eén stuk van de stad werd Sniper's Alley – de Sluipschutterssteeg – genoemd omdat er zich in de zwaarbeschadigde flats aan de overkant vaak lieden ophielden die op volkomen willekeurige wijze het vuur op passerende burgers openden. Misschien wel op mensen die ooit bekenden van hen waren geweest, misschien zelfs wel mensen die in de verte familie van hen waren. Nu was het beleg opgeheven en was de stad opgesplitst in verschillende zones, zones die meer stringent van elkaar waren gescheiden en die meer haat kenden dan de tegenpolen van vroeger: de moslims versus de christenen of de tegenstellingen tussen de Turken, de nazaten van het Habsburgse rijk en de Serviërs. Het was nu een stad met een werkloosheidspercentage van rond de veertig, waar de economie – vergeleken met de situatie van vóór de oorlog – met tachtig procent was teruggevallen, een stad van luisterrijke destructie. Nog maar enkele jaren geleden was het een van de fraaiste kleinere steden van Europa geweest, een sprankelende, moderne armband rond een antieke kern. En nu – '

In de schaduw van een onherstelbaar beschadigde moderne torenflat in Marijin Dvor stapte hij uit en bleef naast een nog functionerende bakkerij staan om de kaart te raadplegen. De vrouw – hij wist dat het een vrouw was; ze had dat in haar briefje met zoveel woorden gemeld – had een ruwe kaart voor hem getekend op gelinieerd papier waarop eerder een kindertekening had gestaan, die echter was uitgegumd. Er heerste duidelijk een tekort aan papier.

Toen hij zich min of meer had georiënteerd, stak hij de tramrails over en liep in de richting van de rivier en de in de verte liggende bergen. De appartementen waren hier vrij bescheiden geweest, te vergelijken met de flats die in de jaren zestig in de States werden gebouwd. Erg veel aluminium beplating en glas, hoewel het glas nu was verdwenen en het aluminium er nu verkreukeld en verfrommeld bij hing. Toch woonden er in sommige woningen nog mensen, hoewel god mocht weten hoe ze het daar volhielden.

Haar kaart klopte. Hij herkende de kerk die ze had ingetekend aan de vreemde, afgeknotte spits; bij die kerk hield hij links aan, zoals ze had aangegeven, daalde vervolgens een trap af en kwam toen in een klein park terecht, waarin een hardloopbaan was aangelegd die uit houtsnippers bestond, met in het midden een voetbalveld dat half zo groot was als een regulier veld. Er liepen een stuk of wat kinderen rond, die tegen een balletje trapten. De lucht voelde hier warmer aan, zomers bijna, en hij knoopte zijn regenjas los, deed die vervolgens uit en hing hem over zijn rechterschouder. Ze zat op de plek die ze in haar briefje had aangegeven, aan de andere kant van het voetbalveldje. Toen hij tot een meter of tien genaderd was stond ze op, alsof ze hem wilde verwelkomen, en zag hij dat ze beeldschoon was.

Pigoreau had de kaart ook gezien, dus nam hij niet de moeite Dukas op korte afstand te volgen. Desalniettemin hield hij hem, nadat hij uit de tram was gestapt, voortdurend in het oog. Pigoreau was er allesbehalve van overtuigd dat Dukas voor zichzelf kon zorgen. Dukas was per slot van rekening een rechercheman, geen man die gewend was geweld toe te passen, zoals Pigoreau. En Dukas was een jaar of acht, negen, tien ouder dan hij. Zelfs het wapen dat Dukas bij zich had – een revolver! Het leek wel iets uit een Humphrey Bogart-film. In feite was het een Ruger .357 Magnum, maar voor Pigoreau waren alle revolvers rijp voor het museum. Hijzelf had een Browning High-Power 9-millimeter bij zich, en beschouwde dat als een minimaal, zij het modern, wapen.

Hij sneed een heel stuk van Dukas' route af, liep de verkeerde kant op en moest binnensmonds vloekend een heel eind terug, om vervolgens Dukas' eigen route weer te volgen. Hij kende de eindbestemming, een klein park dat hij gisteren nog had geobserveerd. In elk geval was het een weinig waarschijnlijke plek om vanuit een auto of vanaf een scooter een aanslag op iemand te plegen, want rond de hardloopbaan stond een vrij dikke haag met bomen, en ook nog wat gebouwtjes hier en daar. Tegen de tijd dat Pigoreau de bomen had bereikt en kon kijken zonder gezien te worden, was Dukas al aan de overkant, en stond de vrouw vlak bij hem.

Ze was niet Pigoreaus type. Ze zag er van deze afstand gewoontjes en ietwat plomp uit – duidelijk iemand die van het platteland afkomstig was. Pigoreau gaf de voorkeur aan kleine, donkere, gedreven vrouwen, vrouwen zoals zijn eigen vrouw, een stadse feeks die zijn leven voor pakweg vijftig procent tot een suïcidale aangelegenheid maakte, terwijl de andere helft een uiterst stimulerende ervaring genoemd mocht worden. Pigoreau vond dat de vrouw die bij Dukas stond er nog het meest uitzag als een koe. En misschien wel eens een Servische lokvogel zou kunnen zijn.

Dukas dacht: *Ze is veel te nonchalant; ze zou doodsbang moeten zijn,* maar hij wist dat hij bloosde omdat hij haar beeldschoon vond en hij daardoor enigszins opgewonden raakte. Dukas had op de een of andere manier altijd pech met vrouwen, en hoe erger het werd, hoe minder het hem lukte normaal met hen om te gaan. Hij had het gevoel weer op de middelbare school te zitten.

'Heeft u zin om een stukje te lopen?' vroeg ze. Ze had een duidelijk accent, maar haar stem was nog een paar graadjes beter dan aangenaam. Ze had een warme stem. Ze liep tegen de veertig, vermoedde hij, met onopvallende rimpeltjes rond haar ogen, en een huid die veel te veel aan de wind blootgesteld was geweest, en toch zag ze er uiterst aantrekkelijk uit. Stevige beenderen, erg volle lippen, grijsgroene ogen die een tikkeltje scheef stonden, net als bij een kat. En groot. Ze was bijna even groot als hij. Dat was een pluspunt. Ze droeg een of andere stretchbroek, zo'n ouderwets polyester ding, blauw, waarvan de stof pluizig was van ouderdom, en een kastanjebruine blouse met lange mouwen die haar brede schouders nog eens benadrukte.

'Heeft ú zin om te lopen?' vroeg hij. Hij deed dat altijd met vrouwen: ze wilden beslissingen te horen krijgen, waarna hij steeds om meer input vroeg.

'Als u zin heeft om te lopen, dan loop ik met u mee,' reageerde ze.

Daar gaan we weer, dacht hij. Dukas de hork. 'Ga zitten,' zei hij. *Ze kán me wat, dit is strikt zakelijk.* Hij gebaarde met een korte beweging van zijn hoofd naar een bank. Hij plofte neer op de harde stalen bank, terwijl zij een stuk gracieuzer naast hem kwam zitten. De gedachte schoot door hem heen dat ze ondanks haar forse gestalte toch vrij licht moest zijn, dat ze weleens uitstekend zou kunnen dansen, en hij zei: 'U heeft me geschreven dat u over informatie beschikt.'

'Over oorlogsmisdadigers, ja.' Ze glimlachte. 'U zit achter oorlogsmisdadigers aan, hè? U zit toch bij de WCIU?'

'Jazeker.' Hij was hoofd van de WCIU, bedoelde hij te zeggen – de War Crimes Information Unit, een afkorting die door de mensen die dat probeerden werd uitgesproken als 'Wikkie-Joe'.

'Ik beschik over informatie over vier van uw misdadigers.'

Ze hadden een lijst met 237 'serieuze verdachten', zowel Kroaten als moslims en Serviërs. Ongeveer een derde van de namen op die lijst was nog geheim, terwijl er ook nog eens vijftig de aantekening hadden *eyes only*, wat betekende dat over deze lieden nog geen nieuws naar buiten, naar de pers, was gebracht. Het hof in Den Haag had vijfenzeventig personen in staat van beschuldiging gesteld. Negen daarvan – négen – bevonden zich in arrest. Hij bedacht dat ze verdomde snel had gewerkt, want het was haar gelukt hem al binnen een paar weken nadat hij hier was neergestreken te lokaliseren. Zoals zo vaak in het verleden werd Dukas de onervaren schooljongen al weer bijna links ingehaald door Dukas de cynische politieman. 'Hoe weet u dat het oorlogsmisdadigers zijn?'

Ze was een ogenblik lang van haar stuk gebracht. 'Nou – iedereen weet dat toch? Ja?' Ze glimlachte, opnieuw die warme glimlach. Probeerde ze het té duidelijk met hem aan te leggen? 'U heeft er honderden op de lijst staan. Toch?'

'Van wie heeft u dat gehoord?'

'O – Iedereen weet dat. Het staat in de krant en ze hebben het er op de tv over.' Als ze naar de Servische televisie keek dan had ze het uitsluitend over Belgrado – en daar zouden ze het beslist niet over oorlogsmisdadigers hebben. Hij bleef haar aankijken. Ze wendde haar blik af en maakte een nerveus gebaar met haar hand op een knie, en keek hem toen weer aan. 'Ik heb een vriend.'

Een vriend, mijn god. *Een lek? Nu al? Misschien heeft Pigoreau wat deze vrouw betreft wel gelijk.* Dukas had wel eerder verklikkers meegemaakt, een heleboel zelfs; wat dat betreft maakte het weinig verschil of je bij de marinerecherche zat of een reguliere politieman was. Op een bepaalde manier kwam deze vrouw naar hem toe als een verklikster, maar de hele context maakte haar tot iets dat veel meer in de buurt van een agente kwam. Dat wil zeggen, als ze over echte informatie beschikte en ze kans zag die te blíjven leveren.

'Hoe heet u?' vroeg Dukas. Hij boog zich iets dichter naar haar toe.

'Draganica Obren. Ik ben Servische. Hoe heet u?'

Dukas voelde zich heel even van zijn stuk gebracht. Hij lachte, eerst om zijn verbazing te verdoezelen, en vervolgens oprecht toen hij zag dat er ook op haar gezicht een flauwe glimlach was verschenen. 'Ík word geacht hier de vragen te stellen,' kon hij niet nalaten op te merken.

'Ja, u bent de politieman.'

'Precies. Mijn naam is Michael.'

'O, dat vind ik een mooie naam.' Ze zei het alsof dat een hele opluchting voor haar betekende – alsof ze bang was geweest dat het níet mooi vinden van die naam alles had kunnen ruïneren. 'U bent Amerikaan.'

'Juffrouw Obren – '

'Mevrouw.'

Hij wierp haar een snelle blik toe. Ze was plotseling serieus. *Oké, ze was blijkbaar getrouwd – zou haar man weten dat ze hier is? Is haar echtgenoot soms oorlogsmisdadiger?* 'Mevrouw Obren, waarom heeft u ons benaderd op de manier waarvoor u blijkbaar gekozen heeft – geen naam op het briefje, en een ontmoeting zoals deze?'

'Omdat het een geheim is.' Ze had er voor hetzelfde geld aan toe kunnen voegen 'uiteraard'. Ze zei het op een manier zoals je tegen een kind iets heel vanzelfsprekends zegt.

'Waarom is het een geheim?'

'Omdat ze me zullen vermoorden als ze erachter komen. Dat weet iedereen. Vooral in de Republika Srpska. Daar zeggen ze dat u de vijand bent en dat iedereen die naar u toe gaat gedood zal worden.' Republika Srpska was de Servische zone aan de andere kant van de kronkellijn die officieel bekendstond als de IEBL – de Inter-Entity Boundery Line, de grenslijn tussen de verschillende bevolkingsgroepen.

'Wat doet u in Republika Srpska?' Zijn stem klonk nu wat norser.

'Ik woon daar. Ik ben vrij om te gaan en staan waar ik wil, net als ieder ander. Ik ga overal naar toe.' Haar toon had iets uitdagends gekregen.

'Ja, iedereen is vrij om te doen en te laten wat hij wil, maar ieder ander in de Federatie is doodsbang om die IEBL over te steken. Waarom bent u níet bang?'

'Ik bén bang. Maar – nou?'

Dus ze was een Servische, afkomstig uit de Republiek, die hem uit pure goedheid informatie aan kwam bieden. Het stonk. 'Wat wilt u eigenlijk?' vroeg Dukas.

'Ik wil datgene wat elke vrouw in een overwonnen land van de overwinnaar wil.'

'U spreekt in raadselen.'

Ze glimlachte, zij het een stuk minder beminnelijk dan daarnet. 'Chocolade – sigaretten – zijden kousen – '

'Geld?' Het was een soort opluchting om dat woord uit te kunnen spreken, hoewel hij teleurgesteld was in haar. Hij had direct sympathie voor haar opgevat. *Jezus, god, ze wil geld. Waar sloeg die opmerking over overwinnaars op? O, ik snap het al – de bezetters dwingen alle aardige meisjes de hoer uit te hangen. Oké, dame.* In de hotels langs de kust zaten al honderden recentelijk gerekruteerde prostituees, daar neergezet door de internationaal opererende bendes die in Bosnië waren neergestreken toen de inkt van het verdrag van Dayton nog niet eens droog was.

'Geld – uiteraard, geld.'

'Hoeveel?'

'Hoeveel betaalt u?' Ze probeerde plotseling het flirtzieke meisje uit te hangen; het effect was onbeschrijflijk grimmig, en haar leeftijd zorgde ervoor dat haar gezicht een nogal groteske uitdrukking kreeg. Ze besefte onmiddellijk hoe ze eruit moest zien en wendde haar gelaat af, richting voetbalveld. Een jongen met een rode broek aan dribbelde met de bal rond twee andere, grotere jongens. Ze knikte, alsof ze zijn vaardigheden op waarde wist te schatten. Ze klemde haar handen tussen haar knieën en keek naar de grond. 'Mijn echtgenoot is twee jaar geleden verdwenen. Ik móet hem terugvinden.'

'Dus u wilt geld?'

Ze knikte. 'Geld en hulp. U kunt me helpen.'

'Hoe?'

'U weet hoe. U zit bij de politie; u bent op zoek naar mensen.'

'Dat is de taak van het Hoge Commissariaat. Of het Rode Kruis. De UNCHR. Amnesty – '

Ze schudde haar hoofd. 'Die zijn niet goed; die willen op zoek naar graven, naar gevangenen, of naar papieren – ik ben al bij ze geweest. Denkt u soms dat ik nog níet bij hen langs ben geweest?'

'Daar hebben ze u gezegd dat hij was overleden?' probeerde Dukas.

'Ze hebben "een negatieve evaluatie gemaakt". Een hoop geruchten, giswerk. Hij is niet dood. Hij is níet dood. Als hij dood is – ' Ze zette haar elleboog op de rugleuning van de bank en liet haar voorhoofd op haar hand rusten, waarna ze met haar grote vingers haar slapen begon te masseren. 'Laat me voor u werken! Help me! Met het geld zelf ben ik al een heel eind geholpen; ik kan er informatie mee kopen, ik kan er ambtenaren in de Republik mee omkopen. Ik moet betaald worden in Duitse marken; u moet me een nieuwe identiteit geven, zodat ik als iemand anders de Franse sector kan binnenkomen. Daarna zal ik u eersteklas informatie leveren.'

'Waarom zou ik dit allemaal geloven?'

Ze reikte met twee vingers in de V-hals van haar blouse en haalde een opge-

vouwen velletje papier tevoorschijn dat ze waarschijnlijk in haar beha had gestopt. Dukas was zich bewust van de warmte van het papier toen ze hem dat
aanreikte. Hij vouwde het open en herkende twee van de vier namen die erop
stonden. 'Twee van deze knapen zijn Bosnische moslims,' zei hij. Ze stonden
op zijn lijstje.

'Nou én? Bij de moslims zitten ook oorlogsmisdadigers!' Ze bedoelde te zeggen
dat ze dondersgoed wist dat de VN en de Verenigde Staten vooringenomen waren ten opzichte van de Serviërs, en dat die de moslims voortrokken.

'Vijfentwintig dollar per maand,' zei hij. Politiemensen uit Sarajevo verdienden
dertig dollar per maand. Het was volkomen waanzinnig – een drugsdealer kon
een heel bureau omkopen voor een prijs waar je in de VS een goedkoop kostuum voor had.

'In Duitse marken. Contant.'

Dukas had een vreselijke hekel aan al die flauwekul betreffende signalen, geheime brievenbussen, ingebouwde veiligheden en meer van die *shit*, maar hij
wist dat ze in staat moest zijn met hem te communiceren. Hij zuchtte eens
diep. 'Hoe goed kent u de weg in Sarajevo?'

Ze schudde haar hoofd. 'Ik ben alleen hier naartoe gekomen om met u te praten. Ik logeer bij een vriendin – ' Ze maakte een wuivend gebaar met haar vingers. 'In de buurt van het vliegveld. Ilidja.' Ze vertelde hem veel te veel, bedacht
hij; duidde dat ergens op?

Hij dacht aan anderen, mensen aan wie hij haar misschien over kon dragen, in
het besef dat hij haar uiteindelijk zelf zou runnen, zelf zou aansturen. Hij móest
het met haar proberen. Hij begreep dat ze best wel eens gestuurd zou kunnen
zijn, of een dubbelagent was, maar ze was wél de eerste die naar hém was gekomen, en hij wist dat hij moest kijken waar ze hem naartoe zou leiden.
'Waarom belt u me als u de volgende keer in Sarajevo bent niet eens op, of kom
eens langs? We zijn geïnteresseerd, zoals u zult begrijpen, in alle lokale informatie.'

In gedachten was ze zijn agent al. Hij zou haar runnen onder de naam Petra,
een naam die hij had gevonden op een lijst met namen van antieke steden. Ze
beschikten over een onderduikadres, in feite een verlaten appartement in Novi
Sarajevo; daar zou hij met haar werken. Ze moest van een soort communicatieplan worden voorzien. Als ze was gestuurd of een dubbelagente was, zou ze
ongetwijfeld in het geheim de grootste lol hebben. Als ze écht was, riskeerde ze
haar leven. Hij had zin om met haar naar bed te gaan en dacht dat dat er waarschijnlijk ook wel van zou komen, want als ze door de tegenstander was gestuurd, zou dat ongetwijfeld bij de deal horen, en als ze oprecht was, zou ze alles doen om haar man terug te vinden.

Toen hij naar haar keek, maakte ze een enigszins opgewonden indruk, maar tegelijkertijd ook teleurgesteld, alsof hij haar precies had gegeven waarvoor ze was gekomen, maar datgene wat ze écht graag wilde had achtergehouden. Misschien vond ze dat hij haar, net als de overwinnaar, op die dag tot hoer had gemaakt?

Toen zij en Dukas afscheid van elkaar hadden genomen, begon Pigoreau haar te volgen. Na vijf minuten lopen keek ze om zich heen, keek zijn kant uit en door hem heen, waarbij ze voordeed hem niet te zien, en stapte vervolgens met omhooggestoken arm de straat op; vrijwel direct kwam naast haar een gele Yugo met gierende banden tot stilstand en liet ze zich op de stoel naast de chauffeur vallen. Kleine auto, grote vrouw; het portier werd met een klap dichtgetrokken en de wagen spoot met ronkende motor weg.

Toen hij in het WCIU-kantoor terugkeerde werd hij daar opgewacht door Dukas. 'Ben je er nog achtergekomen waar ze ergens woont?' vroeg hij. Pigoreau staarde hem aan en barstte toen in lachen uit. Dukas trouwens ook.

'Michael, ik had niet gedacht dat je me zou zien. Je bent behoorlijk goed.'

'Het was een makkie; ik had niet anders verwacht dan dat je achter me aan zou komen.'

'Ik dacht dat je alleen maar oog had voor de dame.'

'O ja. O, zeker weten. Luister – ' Dukas priemde met een vinger in Pigoreaus borst. 'Ze wist meer over ons dan ze hóórde te weten, dus heb ik het vermoeden dat we nu al ergens een lek hebben zitten. Loop de boel eens goed na.' Hij glimlachte op een manier die helemaal geen glimlach was.

'Ik dacht dat je bezig was een verovering te maken.'

'Ja, ik denk dat ik geacht word hetzelfde te denken. We zullen zien. Waar is ze na ons gesprek naartoe gegaan?'

'Ze heeft een stukje gelopen en is toen in een auto gestapt.'

'Afgesproken werk?'

Pigoreau haalde zijn schouders op. Soms, zonder het te beseffen, was het net alsof hij een Franse politieman probeerde na te spelen. 'Misschien. Misschien ook niet. Hier kan iedereen met een auto een zakcentje bijverdienen door op straat passagiers op te pikken.'

Dukas snotterde. Hij haalde een pluk tissue tevoorschijn, scheurde daar een stuk van af en begon dat glad te strijken zodat het om zijn neus zou passen. 'Kijk eens welke informatie IFOR heeft betreffende lieden in RS.' RS stond voor Republika Srpska. 'Telefoonboeken kunnen ook handig zijn; kieslijsten – ik weet het niet. Ze zegt dat ze Draganica Obren heet, dus laat dat ook natrekken. Ook de achternaam van een vent, haar echtgenoot. De volgende keer zal het me ongetwijfeld lukken nog wat meer bijzonderheden uit haar te krijgen.

Misschien de waarheid wel.' Hij snoot zijn neus om het feit te verhullen dat hij die vrouw graag opnieuw wilde zien.

Het besef drong tot hem door dat hij wel eens op het punt zou kunnen staan een grote fout te maken. Dukas was minder een intellectueel dan O'Neill, maar als het op vrouwen aankwam beschikte hij over beter afgestemde instincten.

In Republika Srpska.

Zulu vond in het donker de weg naar de badkamer, deed een plas en zette het raam toen open om de stank die er hing enigszins te laten verdwijnen. De vrouw gooide er met de pet naar, of de riolering zat verstopt. Misschien beide; wat hij gisteravond van het kleine appartement had gezien duidde op een behoorlijke wanorde. Zulu was van mening dat iemands omgeving een weerspiegeling was van zijn of haar innerlijk – een rommelige kamer stond voor een warrig brein. Zijn eigen omgeving was altijd uiterst sober, bijna kaal, kloosterachtig. Toch hield hij wel van een bepaalde slonzigheid bij vrouwen, behalve bij zijn eigen vrouw, en deze flat, waar de kleren gewoon op de grond lagen en overal vuile borden en bekers stonden, had hem onmiddellijk doen denken – terecht, bleek later – aan een nauwelijks onderdrukte seksualiteit, niet door enige conventie en ook niet door het huwelijk waar ze het steeds met hem over had gehad en de man die ze beslist terug wilde vinden.

Hij liep terug naar zijn slaapkamer en ging op de paar centimeter vrije ruimte zitten die de enige stoel in het vertrek hem nog liet. Een klein deel van de zitting werd in beslag genomen door zijn keurig opgevouwen kleren, terwijl de rest werd bedekt door kledingstukken van haar, een slordige hoop waar minstens een paar weken voor nodig waren geweest die te creëren. Hij begon zich in het duister aan te kleden.

Ze had met haar rug naar hem toegekeerd naast hem gelegen; nu draaide ze zich om en keek, nog steeds liggend, zijn kant uit, of naar de donkere ruimte waarvan ze wist dat hij er moest zitten. Hij was een voorzichtig man, maar hij ging ervan uit dat hij toch nog enig geluid had gemaakt.

'Ga je?' vroeg ze.

Hij hield van haar ietwat hese stem. Dat had hij zo aantrekkelijk gevonden bij haar tijdens dat feestje. Hij was aan het rekruteren in RS. Gewoonlijk betaalde hij de kosten voor een feestje dat dan in het huis van iemand anders werd gehouden, zodat hij mogelijke kandidaten kon uitnodigen, om dan later, als ze al behoorlijk wat op hadden, nog eens stevig op hen in te praten. Zijn plaatselijke contactmensen hadden ervoor gezorgd dat er ook vrouwen aanwezig waren, loyale Serviërs die begrepen dat soldaten, zelfs toekomstige soldaten, af en toe van bil moesten. Deze vrouw mocht vrij oud worden genoemd voor dit soort werk. Verrassend genoeg had hij haar voor zichzelf gereserveerd.

'Ik vroeg of je ging,' zei ze.

Hij gromde iets.

'Ik kan iets te eten voor je maken.'

'Ik eet onderweg wel iets.' Hij had een auto en een chauffeur en beschikte over valse papieren. De Amerikanen zaten tegenwoordig overal, hadden wegversperringen opgericht en bemoeiden zich overal mee; maar hij hoefde nu maar vijftig kilometer te rijden, dan zou hij arriveren bij een huis waar hij welkom zou zijn, waar eten op hem zou staan wachten, plus paarden, want er leidden geen wegen naar zijn plaats van bestemming.

'Ik wil alles voor je doen,' zei ze. 'Help me alsjeblieft hem te vinden.'

'Ik weet het.'

'Mijn man – '

'U heeft het me verteld. Al verschillende keren, mevrouw Obren.' Het was voor hem een oud verhaal. Een hoop vrouwen waren op zoek naar hun echtgenoot, vader of broer. Veel van die vrouwen waren bereid om met iemand naar bed te gaan, als ze maar werden geholpen bij hun zoektocht naar hun vermiste man. Het was een paradox – de loyale echtgenote is trouweloos om toch maar vooral loyaal te zijn. Toch waren er best vrouwen die blij waren dat ze dat excuus hadden, vermoedde hij; deze was oprecht, maar tijdens het vrijen had ze op een gegeven moment een geluid gemaakt dat duidelijk maakte dat er een soort opgekropte spanning bij haar vrijkwam, iets dat hem desondanks had verrast. Haar echtgenoot was een goede Serviër, had ze hem tussen twee vrijpartijen door verteld: hij had bij de militie gezeten, was actief geweest tegen de moslims; hij was op een gegeven moment verdwenen en ze was van plan alles te doen om hem terug te vinden. Toen had ze het initiatief genomen voor een volgende ronde seks. En toen opnieuw die vraag: Wat kon ze voor hem doen zodat hij bereid zou zijn haar te helpen haar man terug te vinden?

Zulu stond op, ritste de gulp van zijn spijkerbroek dicht en begon zijn overhemd dicht te knopen. 'Ik zal zijn naam op een lijst laten noteren,' zei hij. 'Het gaat om meneer Sobren, ja?' Zijn stem had een sarcastische ondertoon.

Ze drukte zich op haar ellebogen omhoog. Door het venster viel een beetje licht naar binnen; hij kon nog net haar contouren onderscheiden, en een borst, met daaronder een inktachtige schaduw. 'Ik zou kunnen proberen voor jou achter bepaalde zaken te komen,' merkte ze op.

Er was maar weinig dat hij niet wist, bedacht hij. Hij grinnikte, ongezien. 'Wat voor zaken?'

'Wat de Amerikanen van plan zijn, bijvoorbeeld.' Haar stem had een scherpe ondertoon – waardoor?

'Welke Amerikanen?'

'Allemaal.' Ze ging te snel, verzon het waar hij bij stond – een of andere spionagefantasie die ze ooit eens in een film had gezien. 'De Amerikanen die in tanks door Tuzla komen. De militairen die wegversperringen aanbrengen. Ik loop daar dan naartoe, op zoek naar mijn echtgenoot. Ik kan aantekeningen maken van de dingen die ik zie – wanneer ze daar en daar zijn, en wanneer juist níet. Bepaalde patronen. Alles waarvan je denkt dat het van nut kan zijn.'

'Ik ben soldaat, ik run geen spionnen.'

'Soldaten hebben informatie nodig.'

Hij gromde iets. Hij liep naar de andere kamer en vond zijn bodywarmer door over stapels oude tijdschriften, kleding en serviesgoed te tasten. Hij voelde vuil en stofvlokken – zou ze de boel hier dan nóóit schoonmaken? Afgrijselijk. Maar toch, een gehoorzame, tamelijk hoerige vrouw in bed en wellicht ook nog een goede inlichtingenbron, want ze was niet op haar achterhoofd gevallen en kwam waarschijnlijk overal. Misschien was het niet eens zo'n slecht idee. De VN had een stelletje naïeve wereldverbeteraars bij elkaar gebracht die zogenaamde 'oorlogsmisdadigers' moesten arresteren – het klonk als een slechte grap – en hij had gehoord dat ze hun spionnen al vooruit hadden gestuurd. Misschien dat het helemaal niet zo onverstandig was om er zelf ook een paar rond te hebben lopen. Trouwens, als dat haar ook nog eens hielp een goede Servische te worden, wat voor kwaad kon het dan? Hij deed de bodywarmer aan, zich bewust van haar aanwezigheid, een forse gestalte in de deuropening. Hij gaf haar een kus, die niets te betekenen had, en liefkoosde een van haar borsten. 'Je bent een goede vrouw. Ik zal proberen aan je echtgenoot te denken, maar – weet je, er lopen duizenden van dat soort mannen rond. Als jij er in slaagt nuttige informatie boven water te krijgen, tuurlijk, geef die dan door.' Hij vertelde haar aan wie ze die informatie moest overhandigen, een onderwijzer in de stad. De informatie over tanks en wegversperringen zou ongetwijfeld waardeloos zijn, maar later, wie weet? Deze oorlog zou nog jaren duren. Misschien zouden ze op een gegeven moment spionnen hard nodig hebben. Haar echtgenoot, besefte hij, was dood en zou ongetwijfeld in een van de door de Kroaten gemaakte massagraven liggen.

'En – vertel ik het hem simpelweg? Geen geheimhouding, geen, eh, codes?'

Hij glimlachte in de duisternis. 'Wat de schoolmeester maar wil. Zeg hem alleen maar dat het voor Z is bestemd.' Hij kuste haar wang. Er hing een vage muskusgeur om haar heen, warm, vrouwelijk. Hij zou zo'n geur nooit van zijn eigen vrouw accepteren, maar bij deze vrouw vond hij het wél prettig. Als hij een volgende keer weer eens deze kant uit moest, zou hij ongetwijfeld bij haar langsgaan.

'Mijn spion,' zei hij alleen maar, kneep zachtjes in haar borst en vertrok toen.

Sarajevo.

Na een week afwezigheid kwam ze weer terug naar de stad. Op het onderduik-adres aan Radovanstraat – in feite niet meer dan een leeg appartement in een grotendeels verlaten gebouw – liet Dukas het uithoren van mevrouw Obren aan Pigoreau en een Brits lid van het team over. Die namen haar relaas eindeloos met haar door, lokten haar uit haar tent met behulp van gegevens die ze van Burgerlijke Zaken hadden gekregen, en kregen haar meer dan eens aan het hui-len. Pigoreau betrapte haar op twee leugentjes. Hij zei tegen Dukas dat hij haar moest laten vallen.

Na een grimmige lunch die uit een dag oude sandwiches bestond, liep Dukas snel de gebruikelijke signalen met haar door, nauwelijks voldoende voor haar om te kunnen communiceren, mocht hij gebruik van haar willen maken. Daarna maakten ze een lange wandeling en vertelde hij haar dat ze op haar hoede moest zijn voor lieden die haar konden schaduwen, en dat ze in zo'n ge-val het meest voor de hand liggende moest doen, en dat was je ervan overtui-gen dat je achtervolgers je niet kwijtraakten, zodat je ze op de een of andere ma-nier om de tuin kon leiden. Hij merkte dat hij haar mocht, ondanks Pigoreaus advies, en verzette zich tegen dat gevoel, omdat hij steeds sterker het vermoe-den had dat ze voor iemand anders werkte. Het feit dat ze op het punt stond voor spionageactiviteiten ingezet te worden, leek haar nauwelijks te verbazen.

's Middags zaten ze in een nagenoeg leeg vertrek en liepen samen een lijst met oorlogsmisdadigers door. Ze hadden twee klapstoeltjes, een kapot kaarttafeltje, en kartonnen bekertjes voor de koffie, die ondertussen koud was geworden. Hij liep de lijst naam voor naam door, op alfabetische volgorde. Ze kende alleen de vier namen die ze hem al gegeven had. Voor hen beiden was het een saaie aan-gelegenheid. Helemaal onder aan de lijst stond de naam die hij van Alan Craik had gekregen, de man die er in de sneeuw vandoor was gegaan.

'"Zulu",' zei Dukas. 'Een man die zichzelf "Zulu" noemt, of "kolonel Zulu".'

Ze schudde haar hoofd, misschien wel voor de tweehonderdste keer. Uit niets – niet uit lichaamstaal, niet uit het stokken van de ademhaling – viel op te ma-ken dat die naam haar iets zei.

'Z voor zip,' zei Dukas tegen zichzelf. Ze keek hem onzeker aan. Hij vroeg zich af of hij haar niet een paar maanden kon proberen, en besefte toen dat hij zich in feite afvroeg hoe hij haar weer zo snel mogelijk kon ontmoeten. Hoe hij haar het bed in kon krijgen.

'Ga met me mee naar huis,' zei hij. Ze zag er bijna opgelucht uit.

9

Augustus

Naval Air Station, Norfolk.

Matroos der derde klasse Henry Sneesen stond in de warme Virginia-zon in de houding en keek toe hoe de twee gestalten in de verte elkaar een hand gaven en vervolgens salueerden. Sneesen hield zijn armen zo strak mogelijk tegen zijn lichaam, zodat hij de zwarte knapen die links en rechts van hem stonden niet aan zou raken. Hij kreeg altijd een onprettig gevoel van een zwarte huid, het gevoel dat hij zich direct na zo'n aanraking eigenlijk zou moeten wassen.

De oude skipper maakte plaats voor de volgende squadroncommandant – in zijn ogen maakte Darth Vader plaats voor Screaming Meemie. Zoals de meeste mannen in zijn squadron had hij een pesthekel aan Screaming Meemie; als plaatsvervangend squadroncommandant was het Screaming Meemie gelukt het splinternieuwe moreel van het squadron tot knieniveau af te breken. Nu, als skipper, zou hij er waarschijnlijk in slagen dat moreel diep het vliegdek in te stampen.

Sneesen liet zich daardoor echter niet deprimeren. En hij wist heel goed wat een depressie was. Een échte, zo'n inktzwarte. Zo'n ding waar je medicijnen voor kreeg, en waarvan je ouders te horen kregen dat er een kans bestond dat je wel eens zou kunnen moeten worden opgenomen. Sneesen kon inderdaad terugzien op een stuk of wat zwarte jaren. Maar nu – grapje; hij moest glimlachen, in de houding staand op het platform waar gewoonlijk de toestellen stonden geparkeerd, schouder aan schouder met zwarten – had hij zijn witte jaren. Hij droeg zijn witte dagelijks tenue, en dat gold ook voor alle anderen, terwijl de officieren hun uniform met het hoge boord aanhadden, hun gezichten rood van de zon. De oude skipper had zelfs een sabel aan zijn riem hangen. *Cool.*

Maar het was niet de witheid van dit spektakel (witte zon die tegen het beton stuiterde als een of ander fantasiezwaard dat afketste tegen een magisch harnas) waardoor hij zich nu gelukkig voelde. Het was de man in het uniform met het hoge boord die náást Screaming Meemie stond. Dat was de nieuwe XO, de plaatsvervangend squadroncommandant, ltz1 Rafehausen, en Sneesen aanbad hem. Rafehausen was nu vijf dagen aan boord, en matroos Sneesen aanbad hem.

Het was eergisteren gebeurd: Rafehausen had zich ingegord voor een ASW-trainingsvlucht in een van de S-3B's van het squadron, toen vlak voor hij richting startbaan zou taxiën de TACCO had gemeld dat zijn apparatuur niet functioneerde. Toevallig was Screeming Meemie in de buurt geweest toen Rafehausen die melding doorgaf, en hij was volkomen door het lint gegaan, zoals hij dat altijd deed wanneer er iets gebeurde dat hem niet zinde, groot of klein, en hij begon dan ook onmiddellijk via de radio tegen Rafehausen te schreeuwen.

Sneesen begreep nog steeds niet waarom hij het gedaan had, maar hij was naar het vliegtuig gerend. Hij had het gewoon gedáán. Misschien dat-ie doodsbang voor Screaming Meemie was geweest. (Doodsbang voor dat verwrongen gezicht, die enorme stem, het monster uit het computerspelletje dat als De Grote Aartsdemoon regelmatig tot in zijn dromen doordrong.) Hij had naar de copiloot gebaard en was het toestel in geklommen, en, zittend in de stoel van de TACCO terwijl de ietwat geschrokken, in verlegenheid gebrachte vrouwelijke ltz2 j.c. (Nixon, de inlichtingenofficier van het squadron, niet echt zwart maar duidelijk een kleurling, terwijl ze ook nog wat oosterse trekjes had – best eng) half over hem heen gebogen stond, had Sneesen een stuk of wat knoppen ingedrukt en naar onwillige beeldschermen gekeken, om vervolgens – ter plekke en slechts met behulp van het enige niet-standaard gereedschap dat hij altijd bij zich had – het probleem te verhelpen. Hij had de metalen kap van het AN/ARS-4 referentiesysteem afgehaald en de twee schroefjes losgedraaid van een zwarte doos waarvan hij duidelijk kon zien dat die scheef zat – wie had dat ding verdomme geïnstalleerd? – haalde hem uit de houder en wrikte de voedingsdraden omhoog en controleerde de contacten, waarna hij het een en ander schoonmaakte, om vervolgens een stuk beschadigde kabel met isolatietape te omwikkelen, en toen hij het geheel terug in de houder had gedrukt, kwam het systeem even later zacht zoemend tot leven. De hele bemanning begon te juichen.

'Hé, genie dat je bent, hoe heet je eigenlijk?' had Rafehausen, de nieuwe XO, de plaatsvervangend squadroncommandant, hem vanuit de cockpit toegebulderd. Rafehausen schreeuwde net zo hard als Screaming Meemie, maar om de een of andere reden was Sneesen niet bang voor hem.

'Sneesen, meneer.' Hij had een blauw overhemd en dito werkbroek aan, zonder rangonderscheidingstekens. 'Matroos derde klas, meneer.'

'Nou, Sneesen, als iedereen bij dit squadron even goed is als jij, dan wordt deze tour een fluitje van een cent. Oké – laten we deze zak met schroeven maar eens mee de lucht in nemen!'

Een totaal andere aanpak dan die van Screaming Meemie. Screaming Meemies idee van een compliment was je geen uitbrander te geven. De man had absoluut geen idee wat een compliment was. Terwijl Rafehausen, met één enkele zin, Sneesen voor altijd voor zich had gewonnen.

Uit de luidsprekers van het omroepsysteem klonk fanfaremuziek. Die klonk net alsof vijftig oude mannen Sousa speelden op lege bierflesjes. Maar toch zorgde het op de een of andere manier voor een cadans en begonnen ze over het gloeiend hete beton te marcheren. Sneesen vond dit onderdeel van het militaire leven heerlijk. Dit was de marine. Dit was zijn nieuwe leven, een leven waarin hij een van de jongens was. Het was niet langer meer nodig om vreemde kleren te dragen; hij hoefde niet langer meer te luisteren wanneer de boerenpummels 'flikker' tegen hem riepen wanneer hij langsliep. Dat was vroeger, op de middelbare school. Nu was hij een nieuw iemand. Hij en ltz1 Rafehausen.

Langley.

George Shreed keek naar het gele schrijfblok alsof dat zojuist had geprobeerd hem te bijten en hij nu voor de beslissing stond het al dan niet te laten vernietigen. Toen Suter in de deuropening verscheen keek hij dan ook niet eens op, maar maakte slechts een simpel handgebaar waaruit de jongeman met de roze wangen die als zijn receptionist fungeerde onmiddellijk begreep dat hij op moest krassen, terwijl Shreed – altijd zuinig als het om bewegingen ging – met hetzelfde gebaar Suter duidelijk maakte dat hij binnen kon komen.

'Het papierloze kantoor waarover je al zoveel hebt gehoord,' zei Shreed, terwijl hij zijn blik over de stapels papier op zijn bureau liet glijden. 'We hebben momenteel weer een van onze periodieke oprispingen waarin het de bedoeling is onszelf eens tegen het licht te houden. Vroeger gebeurde dat om de vijf jaar, maar tegenwoordig is dat blijkbaar elk halfjaar nodig. Wat wil je eigenlijk?'

'Ik dacht dat het de bedoeling is dat ik zo nu en dan eens binnenwipte.'

'Is dit nu of dan?' Hij gooide het potlood opzij. 'Ik ben verdomme lid van zes commissies, en elk daarvan heeft minstens drie bizarre ideeën opgehoest die vervolgens weer door iemand aan commissie nummer zeven moeten worden voorgelegd. En ik mag doodvallen als ík die persoon ben. Daar staat echter tegenover dat ik niet wil dat het verkeerd wordt aangepakt.' Hij keek Suter aan, die nog steeds stond, alsof hij nu pas besefte wie hij was. 'Ga zitten, in godsnaam. Ik maak me alleen maar kwaad. Al deze volkomen nutteloze arbeid! Rwanda! Plotseling maakt iedereen zich reuze druk over Rwanda! Iedere Afrika-analist in Washington roept nu al drie jaar lang dat Rwanda opnieuw een bloedbad zal worden, en niemand heeft het lef om te zeggen dat ons dat geen barst interesseert! Nou, ík zal het dan maar zeggen: het interesseert ons geen barst! En wat gebeurt er allemaal in de fun-factory van generaal Laptop?'

'Ik wil het met je over een probleem hebben.'

'Wat voor een probleem? Het is je nog niet gelukt je hand in het broekje van mevrouw Craik te krijgen? Of juist wél, en is dát het probleem?' Hij moest lachen. 'Ik heb gisteren onze vriend Craik nog gezien. Dat wil zeggen, ik heb een halfuur stil moeten zitten om ondertussen naar een briefing van hem te luisteren. Ik moet zeggen dat hij dat best goed deed.' Shreed bewoog zijn schouders. 'Het kleine loeder.' Hij nipte van een kop koude koffie, sloeg met een harde klap op een schakelaar en schreeuwde: 'Dick, hete koffie!' en keek een ogenblik lang Suter aan. 'Oké, wat is het probleem?'

'Het gerucht doet de ronde dat het in de battle group die geacht wordt de lancering van Peacemaker te beschermen een puinhoop is. Ze zeggen dat de vlagofficier, een knakker die Newman zou heten, een eigenzinnige dwarsligger is.'

'Wie zegt dat?'

'Deze informatie is van Rose Craik afkomstig. Ze vertelt me af en toe wel eens wat.'

'Gesprekken tussen de lakens?'

De jongeman met de roze wangen kwam binnen met een dienblad waarop twee echte kopjes stonden en een echt (zij het van plastic) suikerpotje en iets echt wits en vloeibaars in een doorzichtige kan, plus een glimmende zilveren karaf met de een of andere patentsluiting erbovenop. Hij zette het geheel op Shreeds bureau en aarzelde de halve seconde die inhield dat hij klaar was voor nieuwe orders, maar dat hij bereid was onmiddellijk te vertrekken wanneer hij niet langer nodig was, en – er werd per slot van rekening niets tegen hem gezegd – verliet vervolgens het vertrek. Shreed schonk koffie in.

Suter keek naar zijn baas, zijn bleke huid een fractie aangelopen, en zei: 'Die opmerkingen over mijn privé-leven stel ik niet bepaald op prijs.'

Shreed glimlachte. 'Hoor ik daar het slijmerige geluid van een worm die zich omdraait?' Hij schoof Suter een kopje met koffie toe. 'Waarom klaag je me niet aan wegens seksueel ongewenste intimiteiten? Oké, je hebt die geruchten gehoord van Craiks vrouw, onder omstandigheden waar we nu niet verder op in zullen gaan – en wat heb je met die informatie gedaan?'

'Ik heb Touhey op de hoogte gebracht, en ik vertel het nu aan jou.'

'Waar heeft ze dat gehoord?'

'Marineroddels, neem ik aan. Dit soort verhalen doen nogal snel de ronde binnen de vloot.'

Shreed bracht een geluid ten gehore waaruit moest blijken dat hij in hoog tempo zijn geduld begon te verliezen. Van roddels binnen een grote organisatie wist hij alles af. 'Nou, ga er dan achteraan, pleeg eens een stuk of wat telefoontjes; probeer er achter te komen of het op waarheid berust of alleen maar flauwekul is. Ik maak me meer zorgen over mevrouw Craik dan over de een of andere stompzinnige admiraal. Als ze met jou over de marine praat, praat ze met haar echtgenoot over IVI. Hoeveel weet ze van Peacemaker?'

'Ze denkt dat het gewoon een waarnemingssatelliet is.'

'Zorg ervoor dat ze dat blíjft denken. Goed, laat ons terugkeren naar het eerdere onderwerp van gesprek – naai je haar of niet?'

'Dat gaat je niet aan!'

'Dat gaat me wel dégelijk aan! Jij bent mijn voorhoedeman bij IVI; als jij begint te kwebbelen tegen een of ander lekker stuk enkel en alleen omdat je met haar naar bed wil, kunnen we het wel vergeten! Nou, ga je met haar naar bed of niet?'

Suters wangen werden nog iets roder, maar het enige dat hij zei was: 'Nog niet.'

'Zorg er dan maar voor dat dat niet gebeurt ook! Laat me je iets zeggen – de grote fout die achtennegentig van de honderd case-officers maken is dat ze met hun agenten naar bed gaan, en dat blijkt uiteindelijk altijd grote ellende op te leveren. De wereld is vol aantrekkelijke dames. Probeer er eentje te vinden die wat minder intelligent is en die géén echtgenoot in deze business heeft zitten.'

'Het enige waar ze aan denkt is het succesvol lanceren van dat ding. Ze is niet het type dat vragen stelt – ze gaat maar door; gaat helemaal op in haar werk. Bovendien heb ik het idee dat zij en haar man momenteel wat minder goed met elkaar door één deur kunnen.'

Shreed staarde hem strak aan, leunde achterover in zijn draaistoel. Hij keek naar Suter alsof hij zich afvroeg of hij misschien de verkeerde man had uitgepikt. Hij bleef kijken, beet daarbij op de nagel van zijn duim, en zei ten slotte met een bijna vriendelijke stem: 'Als jij er een puinhoop van maakt, is het met je gebeurd.' Toen leunde hij nog wat verder achterover, stak zijn handen achter zijn hoofd ineen en keek naar het plafond.

'Weet je, als je in dit wereldje begint, zijn er dingen die je te weten moet zien te komen, dingen waar je zelf achter moet proberen te komen. Daarna word je bevorderd, en stuur je er iemand ánders op uit om achter die feiten te komen. Vervolgens word je opnieuw bevorderd, en nu krijg je als taak case-officers te briefen met behulp van RFI's, zodat zíj iemand anders eropuit kunnen sturen om achter bepaalde feiten te komen. Je klimt steeds verder omhoog, totdat je op een gegeven moment lid bent van de een of andere verdomde commissie die vijf jaar vooruit probeert te kijken en erachter probeert te komen hoeveel geld rivaliserende inlichtingendiensten van overheidswege toegewezen krijgen, en sta je zó ver van het echter inlichtingenwerk af dat je voor hetzelfde geld directeur van een bánk zou kunnen zijn. Ik kan daar woedend om worden.' Hij liet zijn blik van het plafond neerdalen en keek Suter weer aan. 'Dus maak er geen puinhoop van. Ik ben alleen maar op zoek naar iemand op wie ik mijn woede kan koelen.'

10

Carrier Qualifications, begin september

Marinebasis Norfolk.

Meedraaiend met het grote wiel maakte BG 7, de battle group die eind oktober naar de Middellandse Zee zou vertrekken, zich gereed voor vertrek naar zee. In dat proces was het vaststellen of vliegers naar behoren op het vliegdekschip konden landen – de zogenaamde *Carrier Qualifications* – een belangrijke stap. De drie squadrons jachtbommenwerpers waren VFA-149, VFA-161 en VFA-132, die met F/A-18C's waren uitgerust, en die vanaf Cecil Field zouden komen; VS-49, dat met S-3B's vloog en verschillende taken had: onderzeebootbestrijding, het bijtanken in de lucht en 'Sea Control' – het boven zee patrouilleren – en dat ook van Cecil Field afkomstig was; VAQ-6, vliegend met EA-6B Prowlers, die voor de elektronische oorlogvoering waren uitgerust, en dat momenteel vanaf Whidbey Island, in de staat Washington, onderweg was; VAW-6, dat met E-2C Hawkeyes vloog, vliegende radarposten, de grootste toestellen van de air wing, die nog op Oceana Naval Air Station in Norfolk stonden; en VF-22, dat over F-14 Tomcats beschikte, die ook van Oceana afkomstig waren. De squadrons verkeerden allemaal in verschillende stadia van inzetbaarheid, beschikten over vliegtuigen van verschillende leeftijd die soms wel uiterst geavanceerd waren, en soms ook niet. VS-49 had wat inzetbaarheid de slechtste cijfers en beschikte over de op een na oudste toestellen van de air wing.

De *carrier qualifications* zouden plaatsvinden op het vliegdekschip waarop de squadrons uiteindelijk gestationeerd zouden worden, de *Andrew Jackson*. Over twee dagen zou ze met hoge snelheid voor de kust van North en South Carolina door het water scheuren, haar neus tegen de wind in draaien terwijl nerveuze piloten hun toestel op het vliegdek probeerden neer te zetten zonder daarvoor slechte beoordelingen (of erger) te krijgen, om vervolgens nog eens de lucht in gekatapulteerd te worden om even later opnieuw een landing uit te voeren. Voor relatief nieuwe vliegers, maar ook voor sommige veteranen, was het afgrijselijk: drie acceptabele landingen, anders kon je gaan. Voor de commandant van het vliegdekschip, zelf ook vlieger, zouden deze 'toelatingsexamens' eveneens een spannende tijd betekenen – hij had net een nieuw schip onder zijn commando gekregen, een bemanning die acht procent onder de reguliere sterkte was, terwijl de squadronruimtes vol zaten met vliegers die alleen al overspannen raakten door de gedachte dat ze straks een vele miljoenen dollars kostende machine met een snelheid van honderdvijftig knopen op een vliegdek ter grootte van een postzegel moesten neerzetten. De CAG – de commandant van de Carrier Air Group – een oude vriend van de skipper van het vliegdekschip, maakte zich zorgen omdat hij niet over genoeg getrainde Landings Signal Officers (LSO's) beschikte, en zijn Air Boss, vond hij, was een ijdele stomkop die niet in de Wet van Murphy wenste te geloven. En de Air Boss maakte zich ook zorgen omdat – nou ja, omdat hij nu eenmaal de Air Boss was. Op de negenentwintigste augustus meerde de *Jackson* af langs de pier in Norfolk om die personeelsleden van het squadron aan boord te nemen die niet per vliegtuig op het schip zouden arriveren. Ingehuurde schoolbussen reden de kade op: alle inzittenden stonden op en begonnen onmiddellijk hun bagage bijeen te zoeken en met hun achterste en hun ellebogen wat ruimte te maken. Het was een kort maar warm ritje geweest vanaf de marinevliegbasis – afgekort tot NAS, dat stond voor Naval Air Station – Norfolk, en voor de bemanningen van de in Florida gestationeerde squadrons een lange, koude vlucht vanaf Cecil Field, in een gehuurde Boeing 747. Na een dag en een nacht dik opeengepakt te hebben gezeten, waren de marinemensen van VS-49 op een opgetogen manier onder de indruk toen ze het vliegdekschip als een reusachtig grijs klif hoog boven hen uit zagen torenen. Ze wisten niet hoe snel ze de bus uit moesten komen.

Sneesen, die als laatste uit zijn bus stapte, tilde zijn plunjezak op een schouder en ging in de rij staan, tussen twee andere blanke jongens in, zette zijn plunjebaal vervolgens weer op het beton nadat een sergeant die zo te zien de leiding had hem dat had opgedragen, rechtte zijn rug, controleerde de afstand tot de jannen voor en achter hem – wat een flauwekul eigenlijk – gooide toen met een zwierige zwaai zijn plunjezak weer over zijn schouder en liep omhoog, in de richting van het hangardek, dat vanuit deze hoek ergens op het dak leek te liggen. Hij *marcheerde*, verdorie nog aan toe; hij torste zijn plunjezak als een gewichtheffer. Hij wilde er honderd procent als een *marineman* uitzien.

Zijn sectieleider had hem drie keer verteld wat hij moest doen, en Sneesen had de aanwijzingen ettelijke malen doorgenomen. *Maak er geen puinhoop van,* had hij zich voorgehouden. *Zorg ervoor dat je je niet als malloot gedraagt. Geen aandacht trekken.* Boven aan de trap draaide hij opzij, een tikkeltje buiten adem, en salueerde naar het achterschip, waar een vlag zou moeten zijn die hij van hieraf niet kon zien, en salueerde vervolgens naar de dekofficier, een of andere ltz3 die hem geen blik waardig keurde. 'Sneesen, Henry, matroos der derde klas,' zei hij, net iets te hard, maar de sergeant die de lijst controleerde keek niet eens op en mompelde: 'Doorlopen; kom op, doorlopen – ' Een eindje verderop gooiden matrozen hun plunjebalen op de lopende band van de metaaldetector.

Sneesen liet zijn bagage ook op de lopende band zakken en liep naar het poortje van de metaaldetector, daarbij lichtjes met zijn onderlichaam zwaaiend in een poging zwierig over te komen, maar direct nadat hij er onderdoor stapte ging er een schril alarm af, waarbij iedereen opveerde, en een zwarte sergeant-majoor met een armband om en een pistool aan zijn koppel zei: 'Oké, wie verdomme is *Sneesen*?' Hij had zo'n nors Mike Tyson-gezicht. Iemand die het prettig vond om een ander te intimideren.

'Oh, shit, *Sneesen*!' kreunde iemand achter hem.

Zijn plunjebaal had de metaaldetector geactiveerd. *Oh, shit, inderdaad.*

'Leegmaken,' zei de sergeant-majoor. Hij grinnikte. Hij leek van Sneesens vernedering te genieten.

Sneesen rukte aan het koord waarmee de plunjebaal dichtzat, maakte die open en stalde net zo lang zijn spulletjes op het dek uit tot zijn gereedschapskistje te voorschijn kwam. *Zijn gereedschapskistje! Van metaal!* Zijn persoonlijke gereedschapskistje, dat hij al had sinds zijn veertiende, met zijn Leatherman, en een uiterst handige combinatiemoersleutel die hij eens in een Brookstone-winkel had gestolen, en de set Allen-moersleutels die van zijn vader was geweest, alsmede zijn Belrin-computergereedschap, een set die uit vijfenzestig verschillende onderdelen bestond (gekocht met echt geld, negenenzestig dollar negenennegentig, *grandioos spul*!), opgerold in een canvas ding dat hij eens op een rommelmarkt had gekocht. Hij had er niet eens over nagedacht, toen hij dat ding had ingepakt. Hij was het zélf, dat gereedschapskistje. 'Dat is mijn gereedschap,' mompelde hij tegen de majoor. Hij moest omhoogkijken om dat zwarte, norse gezicht te kunnen zien.

'Ik zei *leegmaken*!' De majoor pakte de onderkant van de plunjezak beet en keerde hem met één soepele beweging om, waarbij het hele leven van Sneesen op het stalen dek viel: papieren waaiden weg, metaal rolde opzij, zijn kleren die overal verspreid lagen. De jongens om hem heen begonnen te lachen, een lachen dat al snel overging in gebulder. Ze vonden het prachtig!

Sneesen stikte bijna van woede. Binnen in hem schreeuwde een stem: *Jij vuile, smerige nikker! Als het aan míj lag – als de omstandigheden anders waren – dan, dan, dan – !*

Voor de kust van Norfolk.

Terwijl USS *Andrew Jackson* richting open zee voer, zodat er de volgende dag deklandingsoefeningen zouden kunnen worden gehouden, probeerde een representatief groepje officieren van de air wing en stafmedewerkers van de vlagofficier van de battle group na te gaan of ze nog zeebenen hadden – en begrepen ze langzaam maar zeker welke gevaren er voor hen in het verschiet lagen tijdens de week op zee die voor hen lag. In de briefingruimte van de vlagofficier was admiraal Newman omringd door zijn staf.

'Luitenant Christy Nixon zal het inlichtingendeel van deze briefing voor haar rekening nemen.'

Christy Nixon had zwart haar dat ze gewoonlijk kunstig ineengestrengeld tot vlak boven de schouders had hangen, maar nu was het een stuk ingekort. Haar huid had de kleur van chocoladepoeder, ze had ogen als van een kat, en een breed voorhoofd. Ze mocht niet helemaal zwart worden genoemd, terwijl ze ook niet honderd procent Aziatisch was, maar als militairen haar aankeken zagen ze onmiddellijk wat haar achtergrond was: een kind van de Vietnamoorlog, van een zwarte vader en een Vietnamese moeder. Aantrekkelijk, ambitieus, intelligent. Ze was de AI van VS-49, het S-3-squadron waar Rafe Rafehausen recentelijk naar was overgeplaatst. Ze was goed in haar werk, en terwijl ze zich op haar eerste operationele zeetoer voorbereidde, had ze nú al geleerd hoe ze om moest springen met een squadroncommandant die een bijna maniakale schreeuwlelijk genoemd mocht worden, en ze vermoedde dat ze zéker uit de voeten kon met een plaatsvervangend squadroncommandant die nog het meest weghad van een stand-up comedian. Maar ze had nog nooit eerder een briefing gegeven in het bijzijn van een admiraal – en al helemaal niet betreffende een project dat Peacemaker werd genoemd en de Fleetex die daaraan vooraf zou gaan.

Nixon sloeg haar armen over elkaar en drukte die tegen haar borst op een manier waarvan ze hoopte dat die niet al te defensief zou overkomen. Het was ijskoud – het gewone kakikleurige katoenen uniform was volkomen ontoereikend als je onder de opening van de airconditioning in de vlag-briefingruimte moest staan.

'Goedemorgen, meneer. Ik ben luitenant-ter-zee der tweede klasse jongste categorie Nixon van de Rat Catchers, en ik zal – '

'Ik weet hoe je heet,' zei de admiraal. En tegen zijn vlaggenkapitein voegde hij eraan toe 'Jezus, Hank.' Zijn stem klonk niet geïrriteerd, maar simpelweg verveeld. Admiraal Rudolph Newman had ook het formaat om zo direct te kunnen zijn: het was een erg lange kerel, die rechtop staand een karikatuur van het begrip 'lang' vormde. Als hij zat leek hij zich alle kanten uit te verspreiden. Nixon, enigszins uit haar evenwicht gebracht door de bruutheid van de opmerking, zweeg even, wist zich weer te concentreren en ging rustig verder.

'Ik zal een briefing geven van het Fleetex-scenario zoals dat nu – '

De admiraal bracht een hand omhoog. 'Iedereen houdt zijn mond!'

Stilte. Zelfs de zachtste fluisteringen achter in het vertrek verstomden. Maar buiten, in de stuurboordgang, ging het stemgeluid echter gewoon door. 'Wat is er nou, man? Dát was een klotelanding die je maakte, weet je dat – !'

'Hé! Majoor! Wilt u dit even tekenen – '

'Dus ik downloadde dat verdomde spul van het net, en báng – '

De admiraal ontvouwde zichzelf en ging toen staan, waarbij hij een ernstige bedreiging vormde voor de buizen langs het plafond. Hij priemde met zijn vinger in de richting van de gang. 'Laat ze daar hun mond houden!' En vervolgens, tegen iedereen om hem heen: 'Vanaf nú zijn de gangen met blauw linoleum voor iedereen verboden terrein, op de leden van mijn staf na. Voor íedereen! Zeg maar dat er omgelopen moet worden! Ik wil hier rust en ik wens hier *respect!*' Hij ging weer zitten.

Christy Nixon probeerde zich voor te stellen hoe het zou zijn om helemaal om het gevechtsinformatiecentrum heen naar de doorgaande gang aan stuurboord te moeten lopen, en dan weer terug, en vervolgens nog eens twintig spanten naar voren, enkel en alleen om van haar squadronruimte naar het inlichtingencentrum te komen. Zou de man soms een grapje maken?

Iedereen keek naar de admiraal. Hij keek háár aan en trok een wenkbrauw op. Ze ging verder waar ze was opgehouden.

'Zoals dat nu is samengesteld. De oefening – '

'Jezus, Nixon! Valt u altíjd admiraals in de rede?' De admiraal wierp een zijdelingse blik in de richting van de commandant van het schip, de commandant van de air wing en het hoofd van de technische dienst aan boord. 'Ik zég wel wanneer u uw briefing voort kunt zetten. Gaat u door, juffrouw Nixon.'

'Jawel, meneer. De oefening is ontworpen om – '

'Wie heeft in godsnaam die kaart getekend?' Op het scherm was een kaart van Libië te zien die over de contouren van het Caribisch gebied was gelegd.

'Ik, meneer.' Nixon wees met haar laseraanwijsstokje naar haar naam die in de hoek van de kaart was afgedrukt.

'Ik heb de pést aan die verdomde laserstokjes, Nixon. Hier, geef maar aan mij. Goed.' Hij haalde het hoesje eraf en brak het metalen stokje op tafel in tweeën. 'Ik heb geen flauw idee waarom u Libië op een kaart intekent, terwijl we toch duidelijk van plan zijn om tegen de Russische Noordelijke Vloot te oefenen.'

Ze staarde vol ongeloof naar de admiraal, die, het hoofd voorovergebogen, in een diepe discussie was verwikkeld betreffende de kleuren tape die voor de verschillende soorten gang gebruikt dienden te worden, en of die al dan niet beter op het dek zelf of op de stalen wanden – die door hem en de andere aanwezigen met een vliegerachtergrond steevast 'muren' werden genoemd – aangebracht konden worden. Ze probeerde de blik te vangen van de N-2, of die van de vlag-N-2, maar die leken duidelijk onder de betovering van de admiraal te verkeren. Stroopsmeerders. Nou, dat wist ze al. Ze wachtte even af, want er zat iets helemaal fout en ze ging ervan uit dat binnen enkele ogenblikken alles duidelijk zou worden – de admiraal of zijn vlagofficier zouden met de mededeling komen dat het doel van de tocht veranderd was, of iemand zou het lanceren van de raket ter sprake brengen – nou, er moest íets gebeuren.

En er gebéurde ook iets.

Het was de commandant van een van de F-18-squadrons, een aardige, rustige kerel. Iemand die zeer gezien was bij zijn mensen. Als het op het plannen van een missie aankwam zou híj haar eerste keus zijn, aangezien haar eigen skipper, vermoedde ze, niet eens de moeite zou doen. Hij wachtte op een korte pauze in de monoloog van de admiraal en kwam direct ter zake. 'Meneer, ik heb begrepen dat we een operatie met betrekking tot de vrijheid-van-navigatie in de Golf van Sydra zouden uitvoeren, en dan binnen het gebied waar de Libische onderscheppingsjagers actief zijn.'

'Ja-aa, Palmtree. FONOPS in de FIR. Wat wil je daarmee zeggen?' FONOPS stond voor *freedom-of-navigation operations*, terwijl FIR voor *flight intercept region* stond.

'Meneer, als ik me niet vergis heeft ltz2 j.c. Nixon opdracht gekregen om dát scenario te briefen.'

De admiraal glimlachte en schudde zijn hoofd. 'Volgens mij ben ik voldoende duidelijk geweest. Ik wil een fatsoenlijke Fleetex met een battle group als tegenstander – een moderne oppervlakte-eenheid uit de Kirov-klasse. Ik wil oefenen voor een écht gevecht. Geen gerommel in de marge met wat Arabieren. En ik kan onmogelijk aannemen dat deze intelligent ogende jongedame écht denkt dat ze hier zomaar binnen kan stappen en mijn orders aan haar laars kan lappen.'

Christy Nixon stond nu nagenoeg in de houding, tegelijkertijd energiek haar hoofd schuddend. Ze ving de blik op van de CAG AI, die haar aankeek, een verbitterd glimlachje liet zien om het volgende moment tussen haar en de admiraal te gaan staan.

'Dat is mijn fout geweest, meneer,' mompelde hij. 'Het scenario dat we hebben gekregen was afkomstig van LantCom.'

Aan de vlag-N-2 was duidelijk te zien dat hij in verlegenheid was gebracht – nee, hij was doodsbang. Ze begreep het onmiddellijk. Hij had die verdomde veranderingen niet doorgegeven!

De admiraal schudde zijn hoofd. Hij maakte een afwerend gebaar en ging verder met het bespreken van de kleur die de tape moest krijgen. De vlaggenkapitein, na even met de admiraal te hebben gesmoesd, kwam overeind en meldde dat de briefing was afgelopen. De mensen verlieten de briefingruimte met een snelheid die de indruk wekte dat het vertrek vol met gifgas werd gepompt.

Nixon bleef achter, lichtelijk in de war en ziedend. Toen hij eindelijk klaar was met de discussie over de kleur van de tape, liet admiraal Newman de CAG AI bij zich komen.

'Ik wil die vrouw hier niet meer zien. Ze heeft geen idee waar ze het over heeft.'

'Meneer, ze is momenteel mijn beste briefer.'

'Dat is de meest trieste opmerking die ik tot nu toe over jouw toko heb gehoord. Mijn plannen voor Fleetex zijn bijzonder duidelijk en het is jouw taak om die op squadronniveau uit te voeren. En ik wil niet dat je die verder met haar bespreekt. Einde discussie.'

'Jawel, meneer.'

Christy was bijna high, zo vol adrenaline zat ze na deze ramp. *Dat was een uiterst korte carrière,* schoot het door haar heen, en stapte op de admiraal af. Ze stak haar hand naar hem uit.

'Meneer, dat aanwijsstokje was mijn persoonlijk eigendom en u bent, met alle respect, buiten uw boekje gegaan. Honderdnegenenzeventig dollar. Ik zou graag zien dat u betaalt, anders stap ik naar de inspecteur-generaal.' *Een nikker die niet over zich heen laat lopen,* bedacht ze.

Ze kon niet zien welk effect dit alles op de mannen en vrouwen áchter haar had, maar wél de uitwerking op de admiraal. Een ogenblik lang bracht hij zijn hand omhoog, en ze had heel even het idee dat hij haar een klap zou geven. In plaats daarvan maakte hij rechtsomkeert en verliet hij het vertrek. Zijzelf stond daar nog steeds, kijkend naar de plek waar hij daarnet nog had gestaan, toen de vlaggenkapitein een hand op haar schouder legde.

'Ik zal ervoor zorgen dat je een nieuwe krijgt, Nixon. Maar ik denk dat het heel verstandig is als je een tijdje uit de buurt blijft, Nixon.' Zijn ogen stonden triest, maar zijn stem klonk zelfverzekerd. Ze knikte en liep naar buiten; de skipper van het F-18-squadron kwam achter haar aan.

'Tricky, je bent mijn absolute heldin.'

'Hoe slecht vind je dat ik het daar gedaan heb?'

'Je hebt niet eens de kans gekregen. Hé, doe niet zo somber; morgen zijn ze zelfs vergeten dat je bestáát. Maar, eh – ' Hij boog wat dichter naar haar toe, dicht genoeg om zijn aftershave te ruiken. 'Jullie van inlichtingen moeten wél proberen zo snel mogelijk op één lijn te zitten met zijn planning. Begrijp je wat ik bedoel?'

Toen draaide hij zich om en ging op weg naar zijn squadronruimte, dwars door het gebied met het blauwe linoleum op de vloer. Toen ze een ogenblik later op het punt stond het inlichtingencentrum binnen te gaan, hoorde ze zijn stem een stuk of wat spanten verderop, richting voorschip. 'En Tricky drukt Newman bijna met zijn rug tegen de muur en zegt – '

Ze moest glimlachen, ondanks haar trillende knieën. *Tricky.* En dan was haar achternaam ook nog eens Nixon, ach – ze had nu in elk geval een squadron-naam.

Ter hoogte van Kaap Hatteras.
Op de derde dag had iedereen aan boord van de *Jackson* met eikenloof op zijn pet tevens een zorgelijke blik in zijn ogen. Niemand zei open en bloot dat de admiraal ontstemd was, maar de gefronste gelaten die zich het blauwe-lino-leumland in en uit haastten, maakten iedereen duidelijk dat hij dat wel dege-lijk was, en dat de droefenis als een bliksem langs de commandostructuur naar de onderste gelederen oversloeg. De commandant van het vliegdekschip was onmiskenbaar ongelukkig met de manier waarop zijn schip na de verbouwing presteerde; de CAG was onmiskenbaar ongelukkig met de manier waarop de Air Boss ongelukkig was over het tempo waarin de carrier qualifications werden afgewerkt, die volgens een memo van de vlagofficier 'traag en onregelmatig ver-spreid' verliepen. De squadroncommandanten waren ongelukkig met datgene wat de CAG hun had verteld. De vliegers waren ongelukkig met de manier waarop hun skippers zich gedroegen, en omdat ze – als groep – wisten dat ze hard op weg waren om een nieuw record te vestigen waar het carrier qualifica-tion-ellende betrof. Drie vliegtuigen hadden al terug naar de kust moeten uit-wijken omdat de piloot niet in staat was hun toestel op het vliegdek neer te zet-ten. Het enige wat men tot nu toe nog had weten te voorkomen was een crash. Op het platformpje van de Landing Signal Officer, net na vliegtuiglift nummer vier, weigerde de dienstdoende LSO echter ongelukkig te zijn. Het was een lui-tenant-ter-zee der tweede klasse, en hij deed het werk waarvan hij hield en mocht ter plaatse doodvallen als hij zich door wat dan ook gek liet maken, en-kel en alleen omdat de Air Boss het nodig vond steeds weer in zijn koptelefoon te tetteren: 'Rítme! Ik wil rítme op het vliegdek zien! Het binnenhalen van de toestellen gaat véél te onregelmatig! Laat ze een beetje opschieten!'
Chris Donitz was oud voor een ltz2. Hij was een vreemde vogel – na de uni-versiteit was hij gaan werken, en had die baan gelaten voor wat het was en was bij de marine gegaan om te vliegen. Hij was doctorandus in de economie, had niet eens vliegtuigbouw gestudeerd, en vroeg zich nu af waar hij op deze zon-nige avond zou hebben gezeten als hij gewoon senior-analist bij een gerenom-meerd effectenkantoor – met een niet onaantrekkelijk salaris – was gebleven, in plaats van, noem maar eens wat, een LSO die landingsaanwijzingen moest ge-ven vanaf een platformpje aan de bakboordkant van een vliegdekschip van de Nimitz-klasse, dat bezig was met oefeningen in het operatiegebied dat aan Cherry Point was toegewezen. *I got rhythm,* neuriede hij in zichzelf. Hij was gek

op Gershwin. Misschien dat de Air Boss ook van Gershwin hield, en dat hij dáárom ritme wilde.

De Air Boss was volgens de verhalen een van de beste vliegers binnen de marine en zou in zijn tijd ook nog eens een verdomd goede LSO zijn geweest; het was alleen dat hij nu, net als iedereen trouwens, volkomen overspannen leek. *Behalve ik,* concludeerde Donitz. *Ik weiger me af te reageren op de knapen onder me.* Hij grinnikte naar de redelijk angstige aspirant-vliegers die met hun eerste oriëntatiesessies op het platformpje werden geconfronteerd.

Alles stonk naar JP-5 – kerosine – en het gebulder van de straaltoestellen op het vliegdek vormde een contrasterende begeleiding van het hardere gebulder van de vliegtuigen die door de katapults op het voorschip de lucht in werden gelanceerd. Omdat Donitz' vliegdekhelm niet van een bril was voorzien, had zijn gezicht door de zon reeds een licht kersenrode teint aangenomen, terwijl de snelheid waarmee de vliegtuigen landden, naar voren taxieden om vervolgens weer te worden gelanceerd, maakten dat hij op zijn post moest blijven, een platformpje dat absoluut nergens schaduw bood. Hij beschikte weliswaar over drie zogenaamde assistenten, afkomstig van de andere squadrons, maar het bleef allemaal wel zíjn verantwoordelijkheid.

'Verdomme, wat maakt die knaap er een puinhoop van!' riep een jonge officier van het FAG-squadron terwijl er een toestel langsschoot en nog nét niet op en neer stuiterde toen het aan kabel nummer één bleef hangen. En dat wás ook zo. Een of andere Prowler-knaap die zó van de vliegopleiding kwam; hij had twee keren te horen gekregen dat hij meer of juist minder gas moest geven, terwijl hij ook nog eens rottig was opgelijnd.

'Geen cijfer!' schreeuwde Donitz. Hij keek toe terwijl dat werd opgeschreven. De arme donder. Chris Donitz vond het vreselijk om een slechte beoordeling te geven, vooral aan nieuwelingen. Die beoordelingen en opmerkingen zouden op het mededelingenbord in de squadronruimte komen te hangen. Het was al erg genoeg dat de meeste van zijn squadronmaten die slechte landing – dankzij de op het platform gemonteerde camera – op de monitor in de squadronruimte hadden kunnen zien. Donitz herinnerde zich het demoraliserende effect daarvan maar al te goed, het verlies aan zelfvertrouwen. Maar de landing van die knaap was absoluut onder de maat geweest – op een gegeven moment hadie veel te laag gezeten, toen had hij de piloot bijna moeten laten doorstarten, en uiteindelijk pakte hij kabel nummer één. Klote. Donitz vond het afgrijselijk om mensen te vernederen, om ze een ellendig gevoel te geven – maar nog ellendiger vond hij het idee dat een knaap die overdags niet eens een fatsoenlijk landing kon maken, niet eens simpelweg kabel drie te pakken kon krijgen, dat 's náchts zou moeten doen, wanneer er geen kust in de buurt was waar je naar uit kon wijken, of onder oorlogsomstandigheden. Het was beter om nú de schapen van de bokken te scheiden, dan straks het hele schip lam te leggen tijdens een operationele inzet.

Donitz tuurde in de lichte nevel, en toen naar het bord. Nog twee F-18's en één S-3 te gaan. De eerste F-18 kwam al mooi in de juiste daalhoek en goed opgelijnd aangevlogen (*Hé! We hebben een ritme!*), een plezierige verandering na drie dagen die voornamelijk in beslag werden genomen door landingen die in de squadronruimtes hadden gezorgd voor schreeuwende, en in machteloze woede met helmen gooiende vliegers, terwijl weer anderen het hoofd in de schoot hadden gelegd en moeite hadden moeten doen om niet in huilen uit te barsten. Donitz beschikte niet over de ervaring om af te tasten hóe erg het met deze air wing was gesteld, maar hij wist wél dat ze niet op hetzelfde niveau zaten als de air wing waar híj ooit nieuweling was geweest. Om te beginnen zaten er nauwelijks al wat oudere piloten bij. Zó weinig zelfs, dat hij, een piloot die met zijn tweede overzeese toer bezig was, op het platform net stond te doen alsof hij een zeer ervaren LSO was. Veel te veel lieden die helemaal geen waarderingscijfer krégen. Veel te veel lieden die van hem te horen moesten krijgen dat ze te veel of te weinig vermogen gaven. En hun landingssnelheid lag vaak veel te hoog!

De knaap in de F-18 zag er nog steeds goed uit; hij had niet eens met zijn vleugels gewiebeld. Hij was nu nog maar enkele seconden van het schip verwijderd, en Donitz ontspande enigszins.

'Kabel nummer drie en oké!' bulderde hij, nog voor de landingshaak de remkabel te pakken kreeg. De jongen officieren om hem heen waren duidelijk onder de indruk.

Christy Nixon, weer helemaal hersteld van haar confrontatie met de admiraal, genoot van haar eerste vlucht vanaf een vliegdekschip. Ze was niet luchtziek geweest; ze had de katapultlancering en Rafehausens persoonlijke vliegshow overleefd; en nu stonden ze op het punt in de break te gaan, iets dat ze wel eens vanaf het vliegdek had gezien, maar in feite nooit had begrepen.

'Tricky?' zei Rafe via de intercom.

'Meneer?'

'Waar is de break voor bedoeld?' *Kon hij soms gedachten lezen?*

'Geen idee, meneer.'

'Op die manier raken we overtollige snelheid kwijt.' Wilde hij soms laten zien hoe goed hij was? Wilde hij indruk op haar maken? Probeerde hij haar wat te leren? 'Maar het is ook erg leuk om te doen. Het is ook bedoeld als begin van de landingsroutine, oké? Ik roep de cijfers af. We komen in de break over het vliegdekschip, zodat we kunnen beginnen met het meetkundeprobleem om elke keer weer op dezelfde manier te landen. Begrijp je?'

'Jawel, meneer.' Schonk de nieuwe XO aan élke j.c.'er die een keertje achterin meevloog zoveel aandacht? Dat betwijfelde ze. Ze had zich al een paar keer afgevraagd of zijn glimlach voor haar niet nét een beetje breder was dan voor anderen, of zijn aandacht als ze elkaar op de gang tegenkwamen niet nét iets meer toegespitst was. Ze wierp een zijwaartse blik op de SENSO in de andere stoel en ving een vluchtige glimlach op, en vermoedde eigenlijk al wat door zijn hoofd moest spelen. Nee, die glimlach was van iemand die was opgehouden zich bepaalde dingen af te vragen en een beslissing had genomen.

'We houden de microfoons ingeschakeld.' De stem van Rafehausen, misschien ten behoeve van iedereen, misschien voor Cutter, de vlieger die nu in de rechterstoel zat, een nieuweling, wiens landingspogingen gisteren zó slecht waren geweest dat hij steeds weer had moeten doorstarten, en in de cafetaria had iemand de opmerking gemaakt dat de natte plekken aan zijn kant van het toestel nog hoger opspatten dan de boeggolf van het schip. Iedereeen had moeten lachen, maar de knaap was een regelrecht wrak.

'Tricky?'

'Meneer?'

'Zodra we in de break zitten, gaan we in de vuile configuratie – je weet wat dat betekent?'

'Eh – landingsgestel en dergelijke uit?'

'Cool. Hou je vast, jongens – we gaan een ritje m-a-k-e-n – '

De S-3, die toch niet bepaald een van de sportwagens van de Amerikaanse marine mag worden genoemd, gedroeg zich als een Lotus toen ze plotseling op haar bakboordvleugel leek te staan en als het ware een rondje om haar vleugeltip draaide. Tricky voelde hoe de G-krachten druk uitoefenden op haar lichaam en lunch, en enkele losse voorwerpen vlogen vlak langs haar gezicht. *Dat lesje heb ik hierbij geleerd.* Door het kleine patrijspoortje vlak naast haar zag ze de lucht, een volmaakte zonsondergang van amberkleurig roze in dat deel van de lucht dat aan haar voorbijschoot. Ze draaide haar hoofd naar links en zag het vliegdekschip langs het raampje van de SENSO glijden. Er leek geen eind aan de steile bocht te komen, en ze kreeg even het idee dat ze op de kermis was, en ze merkte dat ze het heerlijk vond.

'Er wordt aan boord van mijn toestel géén "whoopie" geroepen,' riep Rafehausen. Had ze inderdaad 'whoopie' geroepen? Ze keek weer opzij naar de SENSO. Hij stak zijn duim naar haar omhoog. Hij glimlachte die glimlach weer. Ze vermoedde dat ze inderdaad 'whoopie' had geroepen.

Het was Sneesens eerste volledige dag op het vliegdek. Hij vond het heerlijk. Hij genoot van de sfeer, het lawaai en het licht. Hij stond vlak bij het eiland, gespannen en bijna trillend omdat hij bang was dat hij er een puinhoop van zou maken. Momenteel werd er niet van hem verwacht dat hij iets deed, maar de sergeant-majoor die het parkeren van de toestellen regelde kwam om de paar minuten even bij hem langs om te vertellen wat híj aan het doen was, en Sneesen vond dat verdomde cool. Hij wist dat voorlopig niemand hem nog belangrijke werkzaamheden toevertrouwde, maar het was al prettig om er bij te zijn, te weten dat de majoor hem serieus nam. En de majoor was een grandioze kerel, al wat ouder, ernstig, met bleekblauwe ogen die je écht aankeken.

Maar het gebeurde allemaal zo snél! Vliegtuigen landden – nee, werden aan boord genomen – en werden alweer na de kortst mogelijke check de lucht in geslingerd. Knapen waren voortdurend met de toestellen in de weer, versleepten ze met behulp van trekkers die als watertorren over het dek schoten; andere jongens zorgden ervoor dat de haak van een net geland toestel los van de remkabel werd getrokken, en begeleidden het toestel vervolgens lopend (vaak rennend) naar een plaats op het vliegdek waar het op een volgende katapultstart wachtte of zijn motoren uitschakelde, waarna het onmiddellijk door wéér andere knapen door middel van kettingen aan het dek werd geketend. En dat allemaal in de looppas. De pas gelande toestellen werden voor het merendeel onmiddellijk naar de katapults gedirigeerd, om daar opnieuw voor lancering te worden klaargemaakt. Sneesen had begrepen dat dit allemaal gebeurde om de piloten te trainen en ze te testen, maar het was ook de bedoeling om tegelijkertijd de mensen te trainen die op het vliegdek werkten, lieden zoals hij. Tot nu toe bezag hij het dek zoals iemand die niet schaakte naar een schaakbord keek: de manier waarop de toestellen werden neergezet leek volkomen willekeurig, het gesleep doelloos. Hij had slechts het vaagst mogelijke idee dat er ergens hoog in een glazen koepel boven in het eiland een Air Boss moest zitten die aan dit levensgevaarlijke spelletje richting gaf; hij had geen flauw idee dat de antisliplaag onder zijn voeten nieuw was, en dat die over drie maanden van dagelijkse vliegoperaties afgesleten zou zijn tot gepolijst staal; hij wist niet dat er vandaag maar drie squadrons aan boord van het schip waren, zodat de landings- en katapultoefeningen bijna non-stop door konden gaan, en dat, als de hele air wing aanwezig was geweest, zowel het vlieg- als het hangardek stampvol zouden hebben gestaan.

Maar Sneesen wilde leren. Hij wilde het voor ltz1 Rafehausen zo goed mogelijk doen. Hij was aan dek geweest toen Rafehausen naar buiten was gekomen om zijn toestel voor de vlucht te controleren, en Sneesen was bij hem in de buurt gebleven. Rafe had met hem gesproken – had zelfs zijn naam onthouden. Hij had 'Hé, daar heb je m'n man!' gezegd. Toen had die vrouwelijke j.c.'er zich bij hem gevoegd – die Alien, die buitenaardse griet, zoals Sneesen haar voor zichzelf was gaan noemen, want ze maakte toch wel een extreem buitenlandse indruk op hem, *anders, onbetrouwbaar* – en Rafehausen had zich omgedraaid om met haar te praten. Sneesen vond dat ze Rafehausen afleidde van zijn werk. Hij mócht haar niet.

Maar nu, op dit moment, was hij zó gefrusteerd dat hij er woedend van was geworden. Alles aan dek gebeurde veel te snél. Hij wilde meedoen, maar hij was bang dat alles wat hij zou doen verkeerd uit zou pakken.

Toen kwam de sergeant-majoor met de grote blauwe ogen die de toestellen aan dek liet verslepen naar hem toe, nam een lange teug uit de waterfles en gaf hem een harde klap op de schouder.

'Wil je de volgende landing misschien eens proberen de vanghaak van de kabel los te maken? Je raakt niets aan! Je houdt je alleen maar gedeisd op een plek van waaruit je het kunt zien, en geeft mij dan het sein dat die haak los is, begrepen? Gewoon op de manier zoals ik je heb laten zien.' Hij maakte het teken voor 'haak vrij'.

Sneesen voelde hoe zijn maag zich leek om te draaien. Hij knikte. *O, Jezus!*

'Oké, die FAG die eraan komt is voor jou.' *Fag?* Dacht Sneesen. Waarom heeftie het nou plotseling over een *fag*? 'Garrett, neem even pauze! Drink wat water. Sneesen houdt die FAG in de gaten.' Garrett, met de lichaamsbouw van een landarbeider en iemand met veel vrienden, bedankte Sneesen met een zwaai van zijn arm. Plotseling was Sneesen een van hén. Hij liep samen met de majoor wat verder het dek op, onbewust op dezelfde manier lopend als hij.

De F-18 Hornet kwam brullend aangevlogen, naar zijn gevoel bijna recht op hem af. Sneesen, die voor het eerst wat verder op het dek stond, was ervan overtuigd dat het toestel tegen de achterrand van het vliegdek zou slaan, terwijl hij enkele seconden later zeker wist dat het alle kabels zou missen. In plaats daarvan leek het toestel met een enorme dreun uit de lucht te vallen en kreeg het kabel drie te pakken, nauwelijks zes meter verderop, om vervolgens onmiddellijk vol gas te geven; Sneesen wist al dat je als vlieger tijdens een deklanding vol gas gaf voor het geval je de remkabels miste of opdracht kreeg om een doorstart te maken, een zogenaamde *wave-off*. Het ogenschijnlijk reusachtige vliegtuig trok de remkabel met zich mee alsof het van plan was dat ding uit het schip los te rukken, maar toen minderde het zó snel vaart dat het wel leek alsof een grote hand de Hornet in z'n nekvel had gegrepen. Sneesen werd getroffen door een muur van hitte, en de adrenaline spoot als een zojuist geïnjecteerd pepmiddel door zijn lichaam.

'*Go!*' bulderde de majoor boven het vliegtuiglawaai uit, en Sneesen rende eropaf zoals hij Garrett en de anderen had zien doen. Bij de vleugel aangekomen hurkte hij neer, bij de uitlaatgassen van de twee straalmotoren vandaan, terwijl de vlieger de gashendels naar zich toehaalde, waardoor nagenoeg onmiddellijk het motorvermogen wegviel. Sneesen maakte zich zo klein mogelijk, waarbij het zitvlak van zijn werkbroek slechts een centimeter of twee boven het dek zweefde, en genoot van de spanning in zijn dijen; hij zag – en hoorde dat een fractie van een seconde later ook – hoe de spanning uit de kabel verdween toen de haak een stukje naar achteren schoof en de kabel weer vrijkwam, en hij gaf het sein aan de majoor door. *Ik heb het sein doorgegeven! Het is me gelukt!* De majoor zwaaide met zijn bats en het toestel rolde naar voren, los van de rem-kabel, om vervolgens naar de wachtende katapult nummer drie te taxiën.

Sneesen liep op een drafje terug naar zijn plekje bij het eiland en had het gevoel alsof hij zojuist een enorme prestatie had verricht, terwijl hij het niet vreemd zou hebben gevonden als iemand hem een high-five had gegeven. Maar Garrett was nergens te zien en de majoor was nog steeds druk met zijn bats in de weer, en plotseling had Sneesen geen flauw idee wat er nu van hem verwacht werd. Heel even voelde hij een blinde woede in zich opkomen, maar herinnerde zich toen weer wat de counselor tegen hem had gezegd: *Probeer van een afstandje naar jezelf te kijken*, en zag toen dat het oké was. Iedereen was met zijn werk be-zig. *Hij had zich van zijn taak gekweten. Hij had de vlieger geholpen zijn toestel op het dek neer te zetten. Zonder hem was dat niet mogelijk geweest!*

Hij keek op en zag een andere F-18 richting schip aan komen vliegen. Oké. Ge-woon hetzelfde doen. Geen probleem. Hij was een radertje in het geheel ge-worden.

Toen kwam de majoor aangerend. Sneesen schrok van de blik op zijn gezicht. De majoor ramde de stekker van zijn koptelefoon in een communicatiebox en begon razendsnel te praten. De F-18 die net verplaatst was stond achter de JTB geparkeerd, de *jet blast deflector*, de grote stalen muur die door een hydraulisch systeem uit het vliegdek omhoog werd gedraaid om vliegtuigen die stonden te wachten om gelanceerd te worden, te beschermen tegen de uitlaatgassen van de kisten die op dat moment de lucht in werden geslingerd. Sneesen had daar al zo'n beetje de hele dag naar gekeken omdat hij het uitermate gaaf vond; op de een of andere manier leek dat het hele katapultgebeuren tot iets uit een science-fictionfilm te maken. Hij kende nu het ritme van het lanceren: toestel naar vo-ren; deflector omhoog; motoren vol gas; en met een klap de katapult af. Maar het toestel op deze katapult bewoog niet, en de motoren loeiden duidelijk níet op vol vermogen.

Sneesen keek naar de toestellen die bij hem in de buurt stonden, probeerde er-overheen te kijken, erlangs, om te zien hoe ze op het dek stonden opgesteld. Hij had nooit gedacht dat hier zóveel vliegtuigen konden staan. Vliegtuigen stonden op zodanige wijze langs de rand van het dek geparkeerd dat hun staarten boven het water hingen. Terwijl hij toekeek verliet een EA-6B Prowler zijn parkeerpositie en reed tot vlak achter de zojuist gelande F-18, waardoor de onoverzichtelijkheid voor Sneesen alleen maar toenam. Maar de majoor leek alleen maar kwader te worden, drukte de rechter koptelefoon wat steviger tegen het oor en schreeuwde iets in de microfoon. De woorden werden door de wind bij Sneesen vandaan geblazen.

De naderende F-18 was nu duidelijk opgelijnd.

Sneesen vond dat het dek veel te vol stond. Maar wat wist hij daar nu eigenlijk van?

Een eind verderop, aan de overkant van het vliegdek, op het LSO-platform, keek Donitz naar de inkomende F-18 en wenste dat hij meer landingen had zoals die laatste. De vleugels van deze knaap zwiepten heen en weer alsof hij midden in een orkaan zat, en corrigeerde voortdurend om de bal in het oog te kunnen houden. Donitz raakte het microfoontje vlak voor zijn mond even aan en hield de schakelaar hoog in zijn rechterhand. Deze knaap zou het wel eens nodig kunnen hebben.

'Meer vermogen,' mompelde hij. In zijn koptelefoon hoorde hij (en probeerde die te negeren) de Air Boss zeggen: 'LSO, ik wil niet dat dit toestel een *wave-off* van jou krijgt.' *Nou, Jé-zus Chris-tús, meneer de Air Boss, denk je soms dat ik dat van plan was?* 'Meer vermogen,' zei hij opnieuw kalm. 'We hebben al veel te veel wafe-offs gehad,' meldde de Air Boss nog eens nadrukkelijk en met een air dat geen tegenspraak duldde. *Ja, ja, ja* – Plotseling was de Air Boss verdwenen, waardoor Donitz alleen nog maar de geest van zijn stem iets over katapult nummer twee hoorde zeggen. *Da's mijn probleem niet,* dacht Donitz.

De F-18 bracht haar neus iets omhoog en zag er nu wat beter uit. De knaap in de cockpit leek de bal nu in zicht te hebben. Donitz keek naar kabel drie, maar een of andere onnadenkende klootzak had zojuist een reusachtige E-2 Charlie pal voor zijn platformpje gezet, en hij kon daardoor het vliegdek niet zien. Maar de staart van die E-2 bood in elk geval enige schaduw.

Een heel eind weg nog, aan de rand van de lichte nevel, begon een S-3 Viking met haar karakteristieke, niet bepaald vloeiende lijnen tegen de wind in te draaien om aan haar naderingsvlucht te beginnen. Mooi. Donitz had daarnet ook van de break van dat toestel genoten. *Dat moet Rafehausen zijn.* De enige echte vlieger binnen dat squadron.

'Iets meer vermogen,' zei hij bijna vriendelijk tegen de F-18. Hij had geen zin om die knaap de stuipen op het lijf te jagen.

194

Op één zeemijl – ruim achttienhonderd meter – afstand van de achtersteven van het vliegdekschip, had Rafe zojuist aan zijn geboeid luisterend publiek uitgelegd dat een vlieger graag zag dat hij bij het uitkomen van zijn bocht direct met het schip was opgelijnd, en dat hij het liefst op een hoogte van zeshonderdveertig voet – zo'n tweehonderd meter – en met een snelheid van rond de honderdtwintig knopen – zo'n tweehonderdtwintig kilometer per uur – aan zijn uiteindelijke naderingsvlucht wilde beginnen. Hij en Cutter Sardesson, zijn kersverse copiloot, hadden samen de afstand vanaf de break tot aan de bocht uitgeteld. Rafe genoot van het idee dat de twee mensen achterin dachten dat dit lesje bestemd was voor juffrouw Nixon. Alleen Rafe en Cutter wisten dat dit lesje voor Cutter bedoeld was, een gewoonlijk best intelligente kerel wiens drie slechte landingen enige bijles noodzakelijk maakten. Hij had al twee sessies in de squadronruimte achter de rug waarin hij door de skipper was uitgekafferd. Dat hoorde er weliswaar allemaal bij, maar Rafe vond dat een beetje kalme instructie van de XO geen kwaad kon.

'Meld de bal.'

'Roger, Bal.' Cutter gaf het schip hun brandstoftoestand en gewicht door.

Rafe liet zijn blik over de instrumenten glijden en was tevreden met wat die hem zeiden. Ze zaten precies goed. Hij keek over het hoge instrumentenpaneel naar het schip. Mooi opgelijnd. Goede aanvlieghoek. Er stond iets op het dek – moeilijk te zien in deze nevel en vallende schemering. De mensen aan dek zouden er ongetwijfeld weg mee weten.

Rafe vond het heerlijk om rond deze tijd van de dag te landen. Nog voldoende licht om goed zicht te hebben, donker genoeg om als nachtlanding te tellen. Een gratis landing. Rafe had zo'n meevaller niet meer nodig, maar het gevoel was hem na zijn eerste zeetoer altijd bijgebleven. Hij glimlachte. Hij draaide zich om om te kijken of hij met die glimlach ook Nixon kon bereiken, maar zijn uitzicht werd geblokkeerd. Hij had gehoopt dat ze zou proberen om het hoekje zijn kant uit te kijken.

Een halve zeemijl verderop had Sneesen de kriebels terwijl de majoor nog steeds in de microfoon stond te schreeuwen. De inkomende F-18 was nog maar enkele seconden van hen verwijderd; de laatste keer hadden Sneesen en de majoor op dit punt een eind verderop op het dek gestaan, klaar voor de landing. Nam iemand anders dit vliegtuig soms voor zijn rekening? Sneesen had geen idee. Hij ging wat dichter bij de majoor staan.

In de toren hoog boven het dek zat de Air Boss op het randje van zijn grote stoel. Hij wierp een snelle blik in de richting van de inkomende F-18, die nog maar enkele seconden verwijderd leek van wederom een slechte maar uiteindelijk veilige landing. Hij haalde zijn schouders op en richtte zijn aandacht weer op iets dat veel weg had van een chaos bij katapult nummer twee. Diverse gekleurde shirts dromden eromheen. Een kapotte katapultslede? Wat was dán het probleem, verdomme? Hij had toch al het gevoel dat hij achter de gebeurtenissen op het dek aan liep, waarvan de choreografie uit zijn handen dreigde te glippen. Hij moest een paar seconden de tijd nemen om fatsoenlijk na te denken. Hij hoorde de onderofficier die op het vliegdek de leiding had over het positioneren van de toestellen proberen zijn aandacht te trekken, maar hij had alleen maar oog voor de puinhoop rond katapult twee. Stond dat verdomde toestel soms in brand? Er leek rook uit de cockpit te komen. *Dat was geen kapotte katapultslede, dat was verdómme een brand in het elektrisch systeem.* Het cockpitdak van de Grumman F-14 ging open en samen met de twee bemanningsleden kolkte er een behoorlijke rookwolk naar buiten. Tientallen leden van het dekpersoneel, compleet met brandblusapparaten zwermden rond het toestel. Een brandweerploeg kwam al aangesneld.

'Katapult twee defect!' riep de Air Boss.

'Meneer, ik, eh, die EA-6B is – '

'Stil!' De Air Boss had geen tijd voor parkeerproblemen. 'Platformcamera op katapult nummer twee!'

De Air Boss kon zien dat de manoeuvres van de onhandig geparkeerde EA-6B een file hadden gecreëerd ter hoogte van lift vier, maar die situatie had nog niet het niveau van een crisis bereikt, en hij draaide zich weer om teneinde naar katapult twee te kijken.

Achttien meter lager zag de majoor af van verdere pogingen het parkeerprobleem op te lossen, greep Sneesen bij een arm en rende in de richting van de F-18. Die had al een kabel te pakken gekregen en ze liepen op deze actie nu zo'n vijftien seconden achter. Hij duwde Sneesen in de richting van het toestel, en zijn brein stelde vast dat de jongen precies wist wat hem te doen stond. *Niet op zijn achterhoofd gevallen.* De majoor keek naar rechts, in de richting van het voorschip. Nog steeds geen ruimte om de juist gelande F-18 naartoe te laten taxiën. Hij keek naar achteren. De inkomende S-3 was een stuk dichterbij dan hij had verwacht. Sneesen gaf hem het sein en hij begon te gebaren dat de F-18 naar voren moest, maar de onervaren piloot had te veel gas teruggenomen en had nu moeite zijn toestel weer in beweging te krijgen. De majoor drukte de knop van zijn microfoon in.

'Dek onklaar!'

Hij wist dat hij al te laat was.

Sneesen hoorde het, en keek om zich heen. Het klonk belangrijk, de manier waarop de majoor aan het schreeuwen was. Gebukt onder de F-18 zittend kon hij de inkomende S-3 niet zien.

De F-18 waaronder hij op zijn hurken zat blokkeerde het landingsgebied, dát bedoelde de majoor natuurlijk met 'dek onklaar'. Voor Sneesen stond de tijd stil. Op een manier die hij zich altijd zou blijven herinneren, waarbij de totale betekenis van het vliegdek in één klap duidelijk werd voor hem: plotseling viel alles op zijn plaats, alsof alle regels en zetten van het schaakspel in één keer tot hem doordrongen. Het was alsof hij van het ene moment op het andere van blind ziende was geworden. *De LSO kon onmogelijk zien dat het dek verstopt zat.* Die E-2C zat in de weg.

De F-18 en al het andere waarover de majoor woest in de microfoon brulde blokkeerden het landingsgebied.

De S-3 was nog maar enkele seconden bij hen vandaan. De piloot moest die F-18 kunnen zien, dacht Sneesen. Maar in deze steeds verder toenemende schemering, wist hij diep in zijn hart, zou deze chaos op het vliegdek vanuit de lucht wel eens onzichtbaar kunnen zijn.

En hij wist dat Rafehausen de piloot van dat toestel was.

Boven in de toren had de kersverse sergeant eindelijk voldoende lef verzameld om tegen de Air Boss te schreeuwen: 'Het dek is *onklaar*, meneer!'

Een meer ervaren kracht zou de Air Boss hebben beetgepakt en hem hebben gedwongen te kijken. Een meer ervaren man zou hem al vijfenveertig seconden geleden hebben gedwongen te kijken – toen het nog maar de aanloop tot een crisis was – door een wat ongeruster ondertoon in zijn stem te laten doorklinken. Een meer ervaren man zou het probleem misschien zélf hebben opgelost door opdracht te geven de S-3 een wave-off te geven en het risico te nemen op zijn falie te krijgen als dat later toch een foute beslissing zou blijken te zijn. Een meer ervaren man zou hebben geweten, met dodelijke zekerheid, dat er geen sprake meer was van een algemeen plan, dat het dek vol stond met vliegtuigen en dat de situatie daar al minutenlang onveilig was. Maar alle meer ervaren krachten hadden andere taken, moesten andere crises zien te voorkomen. Het schip had veel te weinig veteranen aan boord en de spoeling was dan ook dun. De angst van de nieuweling woog uiteindelijk zwaarder dan zijn behoedzaamheid. Zijn melding was een schrille kreet: *'Dek onklaar!'*

Seconden te laat draaide de Air Boss zich om teneinde naar de inkomende S-3 te kijken, en naar de F-18, die nog steeds boven op de remkabel stond geparkeerd. Hij verstarde. Een kleine twintig meter boven het dek triomfeerde wanorde over training.

Op zeshonderd meter van de achtersteven verwijderd hield Rafe zijn blik heel even op het instrumentenpaneel gericht, ondertussen zijn daalvlucht en de betekenis van de daalhoek aan zijn bemanningsleden uitleggend. Zijn naderingsvlucht was perfect. Maar íets zat hem dwars en hij liet zijn hand op de gashendels rusten.

Vanaf het LSO-platform keek Donitz met voldoening naar de naderende S-3. De steeds dieper wordende schemering zou straks overgaan tot totale duisternis, en deze S-3 was het laatste vliegtuig dat onder zijn toezicht zou landen. Hij had ook bewondering waarop dit toestel op het schip aanvloog. Hoewel de beide turbofanmotoren best snel reageerden, stond de S-3 bekend om het feit dat het toestel bij geringe snelheid vrij lastig op te lijnen was. Een rotsvaste naderingsvlucht als deze was een plezier om te zien, en Donitz had zijn drie LSO's al gewaarschuwd dat ze goed moesten kijken.

Sneesen zat nog steeds op zijn hurken. Hij kon onder de F-18 door de E-2 zien; achter de E-2 bevond zich het LSO-platform. Hij wist niet hóe hij dat wist, maar hij wíst het. Hij kon Rafehausens S-3 niet zien, maar hij wíst dat die er was, en toen hij een snelle blik achterom wierp en het afgrijzen op het gezicht van de majoor zag, wist hij wat er elk moment kon gebeuren. Rafehausen zou boven op die F-18 landen en een reusachtige vuurbal zou aan het leven van hun allemaal een einde maken.

Sneesen stortte zich naar voren, onder de F-18. Hij was helemaal geen hardloper, maar hij werd voortgedreven door angst, heldenverering en adrenaline. Hij dácht niet eens aan datgene wat er zou kunnen gebeuren als de F-18 op dat moment zou gaan rijden; hij wist alleen maar dat hij moest rennen, dat hij zich tegen de antisliplaag af moest zetten en moest rénnen. Hij sprintte over het dek, dook onder de E-2 door en voelde iets gloeiend heets langs zijn rug schrapen, en hij kwam op handen en ellebogen op het dek terecht, waarna hij ook nog eens met zijn gezicht het ruwe oppervlak raakte, maar hij krabbelde weer overeind – op handen en voeten – en bleef doorrennen –

'Dek onklaar! FAG staat nog op de remkabels! *Dek onklaar!*' Luitenant-ter-zee der tweede klasse Donitz kon de kreet zelfs door zijn oorbeschermers heen horen. Met een ruk draaide hij zijn hoofd om. De assistent-LSO's stonden met hun mond wagenwijd open. Donitz besefte dat hij bijna onder de voet werd gelopen door een kleine matroos die nu verwoed op zijn schouder stond te beuken, en die van het dek op het LSO-platform gesprongen of gevallen moest zijn. Wat hem in beweging hield was het feit dat de jongen in tranen was.

Donitz dacht niet eens na. Daar was hij al veel te lang LSO voor geweest; het was nu voornamelijk een kwestie van reflexen. Met zijn duim haalde hij razendsnel de schakelaar van zijn microfoon over en bulderde: '*Wave-off!*'

Hij vermoedde dat hij Rafehausens trommelvliezen naar de filistijnen had geholpen.

Rafe had zijn hand al op de gashendels rusten, klaar om vol gas te geven, tweehonderd meter en vier seconden van het vliegdek verwijderd toen de afbreeklichten aansprongen en de stem bulderde: '*Wave-off!*', precies op hetzelfde moment dat zijn zesde zintuig zei dat er duidelijk iets niet klopte binnen het landingsgebied. Die donkere schaduw daar in de schemering moest een ander toestel zijn.

Soepel, zonder één enkele aarzeling, ramde hij de gashendels helemaal naar voren, gaf hij vol vermogen. Vermogen is hoogte. Hij had nog maar nauwelijks snelheid, net iets boven de overtreksnelheid – perfect voor een landing, zwaar klote als er gemanoeuvreerd moest worden. Misschien dat hij vijf knopen speelruimte had. Via een lichte correctie bracht Rafehausen de neus een fractie omhoog, een correctie die zó gering was dat de verbijsterde toeschouwers aan dek het niet eens zagen, en hij voelde de trage massa van de S-3 reageren. De turbofans reageerden op zijn gashendels en het motorgeluid zwol aan tot een oorverdovend gehuil, en hij bracht de neus opnieuw een fractie omhoog, waardoor zijn daalsnelheid verder afnam. Hij had nog steeds het aërodynamische voordeel van zijn kleppen nodig om te voorkomen dat het toestel overtrokken zou raken, en wist weerstand te bieden aan het idee om ze in te trekken om zo meer snelheid te krijgen. Snelheid is niet *altijd* vermogen en hoogte.

Drie seconden vóór de rand van het vliegdek herinnerde Rafehausen zich dat hij een splinternieuwe SENSO en een onervaren AI achterin had zitten, en hij besefte dat geen van beiden erop voorbereid zouden zijn van hun schietstoel gebruik te maken, zelfs als hij de tijd zou hebben daartoe bevel te geven.

Hij overzag nu de hele lengte van het dek – er was zelfs geen ruimte om een doorstart te maken. Hij sprak slechts één enkel woord.

'Wielen!'

Godzijdank begreep Cutter hem. In één vloeiende beweging haalde hij een hendel over en draaide zijn hoofd naar links, maar Rafe zag de blik in Cutters ogen niet, een blik die een combinatie was van verbijstering en doodsangst. Het landingsgestel draaide langzaam omhoog, een halve seconde en twintig meter van de rand van het vliegdek verwijderd.

Later, en voor immer, zouden beide mannen zich blijven herinneren dat Cutter, die kans had gezien drie slechte landingen te maken, onmiddellijk op zijn bevel had gereageerd.

De beide motoren begonnen steeds meer vermogen te leveren.

De S-3 was bereid tot het uiterste te gaan, en dat gold ook voor Rafe, en toen de neus van het toestel het begin van het hoekdek passeerde verloor het toestel niet langer hoogte.

Sneesen zag in slowmotion hoe zijn idool met vol gas op het vliegdek af denderde. Het was allemaal zo duidelijk, zo onherroepelijk. Hij keek met ultieme aandacht toe en zag hoe er een trilling door het landingsgestel leek te gaan, dat het volgende moment langzaam werd ingetrokken. Hij zag hoe de neus een fractie omhoog werd getrokken en dat de S-3 ter hoogte van het begin van het hoekdek afgevangen werd, niet langer meer hoogte verloor. Hij zag zelfs Rafe-hausens hoofd, iets naar voren gebogen, toegewijd. Toen blokkeerde de E-2 genadig zijn uitzicht en hoorde hij vanaf het vliegdek iets dat nog het meest op een kanonsschot leek, terwijl alle LSO's zich plat op het platformpje lieten vallen.

Sneesens sergeant-majoor zag met zijn buik plat op het dek liggend hoe de hooggeplaatste vleugels van de S-3 laag over de dubbele stabilo's van de zojuist gelande F-18 scheerden. Het bijna ingetrokken landingsgestel miste op een haar na de cockpit, enkel en alleen omdat de nog net iets verder omhoog gebrachte neus van de S-3 ervoor zorgde dat haar wielen niets raakten. De landingshaak van de Viking klapte echter tegen de romp van de F-18 en leek hem tot aan het cockpitdak zo'n beetje open te trekken. Het sloeg inderdaad een groot gat in de romp van de jachtbommenwerper, en het voorval verwierf onmiddellijk een ereplaats in de annalen van de air wing, een gebeurtenis die elke man en vrouw aan dek nooit zouden vergeten, nog vóór het op vier meter hoogte in de vrije ruimte zou komen te bungelen. De haak hing daar nog steeds toen de S-3 keurig boven het midden van het landingsgebied zeilde, perfect afgetrimd, vlak boven het dek. De Air Boss zag het toestel vlak onder hem voorbijkomen, vechtend om hoogte te winnen. Tegen de tijd dat het toestel de voorsteven bereikte had Rafe kans gezien twintig meter hoogte te winnen.

Het nieuws van een noodsituatie op het vliegdek lijkt zich met de snelheid van het licht door het hele schip te verspreiden. Op het dek zelf lag elke marineman óf met zijn gezicht plat tegen de antisliplaag gedrukt, óf had dekking gezocht achter het grootste metalen voorwerp dat hij of zij in de haast had kunnen vinden. Benedendeks hadden de mannen en vrouwen alleen maar oog voor de beelden van de platformcamera, die in elke ruimte via tv-monitoren te zien waren. Terwijl de S-3 langzaam hoogte winnend van de boeg weg klom, ademden achtduizend longen door vierduizend kelen gelijktijdig uit, waarbij de meest opgeluchte persoon ongetwijfeld de Air Boss was, die in zichzelf mompelde: *O Jezus, goddank, goddank* –

En aan boord van de AG 703 bleef Rafe stug doorgaan met het bidden om meer hoogte, maar de slag die tien lange seconden had geduurd was gewonnen. Zijn grijns mocht niet ontspannen worden genoemd, maar was niet minder gemeend. Hij knipoogde naar Cutter, wiens gezicht even grijs was als het toestel, en riep naar de volkomen verbijsterde bemanningsleden achterin: 'Zijn er nog mensen die dat nóg eens willen proberen?'

Sneesen kreeg later een officiële tevredenheidsbetuiging, en van de bemanning kreeg hij, toen ze uiteindelijk allemaal weer aan wal waren, een fraaie walkman ten geschenke, compleet met stereospeakers. Maar het mooiste wat hij kreeg was een van die kleine plastic figuurtjes waar op de onderkant kreten stonden zoals 'De beste golfspeler ter wereld' of 'De liefste opa van de wereld'. Rafehausen had iemand in de squadronwinkel zo'n beeldje laten verfraaien en wat laten aanpassen, zodat er 'De beste matroos ter wereld' op kwam te staan, waarna het tijdens een korte plechtigheid in de squadronruimte aan Sneesen werd overhandigd. Daarna had Rafehausen hem even apart genomen en – volkomen serieus en hem recht aankijkend – had hij tegen de matroos derde klasse gezegd, alsof hijzelf al tachtig was in plaats van tweeëndertig: 'Sneesen, je bent een bijzonder dappere jongeman.'

Vanaf dat moment was Sneesen bereid voor hem een moord te begaan.

11

September

De onderzeebootbasis te Murmansk, Rusland.

Een reeds verwacht maar lang uitgebleven oproep bereikte Alexandr Petrovitsj Suvarov, kapitein der eerste klasse bij de Russische marine 's middags laat, een middag waarvan de volmaakte, gouden schoonheid de kapitein en zijn gekwelde bemanning geheel ontging. Kapitein Suvarov had om een echte tocht gevraagd, een tocht op grote diepte, zowel om zijn schip uit te testen als ter rechtvaardiging van het feit dat een officier met zijn hoge rang het commando voerde over één enkele onderzeeboot, het opperbevel hem voortdurend met allerlei smoezen had afgescheept, steeds weer, om hem vervolgens te paaien, tegen hem te liegen, hem te bedreigen. Binnenkort, Sasha. Heel binnenkort, Sasha. Niet vandaag, Sasha. En nu, vandaag, plotseling, was het: *Kom je bij ons melden, Sasha!*

De arbeiders op de werf waren waardeloos. Onder het tsarenregime, onder het sovjetsysteem hadden de arbeiders in Severodinsk tot de besten behoord, en hadden ze speciale privileges, net als wetenschappers, om het titanium te behandelen en de kwetsbare systemen te onderhouden. Nu waren het stomme klootzakken, zoals de mannen die koelkasten en auto's bouwden. Niet voor de eerste keer, en ook niet voor het laatst, gaf Suvarov grommend uiting aan zijn haat/liefde jegens de bijna terloopse aanname van Amerikanen dat er op elk niveau voldoende technische kennis aanwezig was, en ging hij weer verder met het controleren van elke centimeter van elk machineonderdeel dat door de fabriek geleverd was. De laatste fabriek. Het enig overgebleven defensiebedrijf dat nog in staat was de uiterst gevoelige onderdelen te fabriceren die de reactor aan de gang hielden.

Suvarov was blij met de oproep, want het gaf hem het excuus straks op het hoofdkwartier uiting aan zijn woede te geven, en omdat het hem de gelegenheid bood zijn nieuwe tweede officier te testen, een kracht die nog onbewezen was en die voor zijn rang nog heel weinig op zee had gezeten. Suvarov gaf hem specifieke orders, knipoogde naar zijn hoofd-machinekamer, een al wat oudere man die eigenlijk al met pensioen in Malachite of Lazarit had horen zitten, en daalde de ladder af naar zijn kajuit om zijn brede schouders in zijn reguliere uniform te steken. Suvarov had de neiging van andere Russische officieren om een steeds hogere rang met een steeds hoger lichaamsgewicht te combineren weten te voorkomen. Hij deed aan gewichtheffen en hardlopen, en werd in het donker vaak aangezien voor een Spetznaz-officier, wat hem uiteraard op een plezierige manier ontstemde. En hij had ook de neiging weten te voorkomen om een hele hofhouding om zich heen te creëren; als hij naar het een of andere bureau van de marine moest, liep er niet een hele stoet lagere officieren achter hem aan om te laten zien hoe belangrijk hij was. De waarheid was dat Suvarov eigenlijk nogal puriteins was. Misschien zelfs wel een beetje een zedenprediker. Zelfs in de beste tijden had het hoofdkwartier van de Noordelijke Vloot een sombere, fabriekachtige uitstraling gehad. En dat was misschien maar goed ook, want nu, in aanzienlijk moeilijker tijden, was er nog steeds niets veranderd, niet aan de buitenkant van het gebouw en ook niet aan het interieur. Hoewel een stuk of wat nieuwe computers en een door sigarettenrook veroorzaakte nevel – die zo'n beetje alles aan het oog onttrok – in combinatie met elkaar de suggestie probeerden te wekken dat de situatie verbeterd was. Suvarov baande zich een weg langs de talloze paladijnen en de bij elke deur geposteerde schildwachten, en deed dat met een bedrieglijke echte paradepas, een houding die hij zich alleen maar aanmatigde wanneer er hoge functionarissen in de buurt waren, en dan uitsluitend om van zijn minachting te getuigen. Vijf minuten nadat hij het achterdek had betreden betrad hij het vertrek van de admiraal.

'Kapitein der eerste klasse Suvarov van de *Haai*,' mompelde een adjudant, die zich vervolgens terugtrok.

'Sasha!' De admiraal kwam uit zijn stoel, omhelsde hem kort maar gemeend, en gebaarde toen naar een stoel waarin hij plaats diende te nemen, een fraaie achttiende-eeuwse stoel die tussen het zware officiële meubilair volkomen misplaatst stond. De admiraal ging op een identiek tweede exemplaar zitten, hoewel de stoel onder diens gewicht zwakjes protesteerde.

'Sergei,' zei Suvarov glimlachend na de omhelzing. Ze waren nog steeds Sasha en Sergei; dat was goed, in aanmerking genomen dat de jongen die tijdens zijn studie aan de Nakimov-academie zijn gids en kwelgeest was geweest, tegenwoordig commandeur bij de Noordelijke Vloot was. Zelfde leeftijd, zelfde opleiding, totaal verschillende types: de een slank, scherp, proberend er jonger uit te zien dan hij was; de ander net iets te dik, bebaard, vaderlijk. Suvarov was de betere zeeman van de twee, de admiraal de betere politicus. Het verschil tussen hen beiden verklaarde het verschil in rang.

'Sasha, ik heb een vaartocht voor je! Een ouderwetse tocht.'

Kom, dacht Suvarov, dit is veelbelovend. Hij begint in elk geval niet met een tirade over het recente verleden. Geen kritiek op het feit dat hij de marineleiding in moeilijkheden had gebracht omdat hij de Zweedse neutraliteit een ietsepietsie had geschonden. Er eindelijk weer eens op uit met zijn boot?

Te mooi om waar te zijn.

'De Noordzee?' zei hij hoopvol. 'IJsland?'

'Beter!' zei de admiraal. 'Veel beter. En tussen jou en mij gezegd en gezwegen, Sasha, zou het nog wel eens een hele tijd kunnen duren voor de president de tijd geschikt acht om jou opnieuw in de buurt van een Scandinavisch land te laten komen, begrijp je?'

Aha. Liever het scherpe mes dan een dikke ploertendoder. 'De Amerikaanse kust?'

'Nee, Sasha. Jouw oude jachtgebied. De Middellandse Zee.' Sergei straalde van plezier. Nou, hij had best zin. Suvarov had al een hele tijd naar de Middellandse Zee terugverlangd. Ze lieten hun oppervlakteschepen en onderzeeboten in dat strategisch zo belangrijke gebied de laatste tijd nauwelijks zien. De Amerikanen waren begonnen hen te beschimpen, en Suvarov had ze alleen maar gelijk kunnen geven. Diepwatermarine. Waar ergens? Op nog geen vijftig mijl afstand van de kust van Moedertje Rusland zeker? Maar nu sturen ze mij er eindelijk weer eens op af. En van mij is bekend dat ik gevaarlijk ben. Prachtig. Waar zit het addertje onder het gras?

'Ben jij klaar om naar zee te gaan?'

Sasha liet een luid gesnuif horen, waarmee hij bedoelde te zeggen: In deze tijd, met nauwelijks enige ondersteuning, kan ik er nooit in dezelfde mate klaar voor zijn als waarvoor ik getraind ben. De admiraal bladerde door Suvarovs orders, die in een blauwe plastic map op zijn schoot lagen, plastic dat zodanig was bewerkt dat het op leer moest lijken en waarop in goudreliëfdruk het embleem van de Russische marine was aangebracht. 'Ik zeg je dit onder vier ogen, Sasha, precies zoals het tegen mij is gezegd. We proberen alleen maar een punt te maken, en zijn duidelijk niet van een plan een oorlog te beginnen, ja? We beschikken niet over de machtsmiddelen om van de Verenigde Staten te eisen dat ze van een afgrijselijk wapen afzien, een speeltje waarmee ze het machtsevenwicht kunnen verstoren, hun aangereikt door hun wetenschappers. Heb je enig idee waarover ik het heb?'

Suvarov had geen idee. Ooit zou hij er wellicht van op de hoogte zijn geweest. Ooit had hij zélf alle inlichtingenrapporten gelezen, vroeger, toen hij helemaal geen slaap nodig had gehad. Hij schudde zijn hoofd in een poging dat te laten lijken op het kwaaie nee van een man die eigenlijk geen tijd had.

'Maak je geen zorgen, Sasha, ik weet trouwens toch niet zeker of ze je déze rapporten ook zouden hebben gegeven.' De admiraal trok een gezicht. 'Het is een Amerikaans programma dat Peacemaker wordt genoemd. Een prachtige naam, Vredestichter, want het is zo'n beetje even vredig als al het andere waarmee de Amerikanen proberen onze invloedssfeer te destabiliseren en ons ooit zo machtige rijk te vernietigen. Het is net als Coca-Cola en de vrije markt, hè? Het is net – ' Hij stond op het punt weer een van zijn stokpaardjes te gaan berijden, maar toen zag hij waarmee hij bezig was en lukte het hem nog net de rest van zijn zin in te slikken. 'Peacemaker zou een spionagesatelliet moeten zijn die door een commandant in een bepaald oorlogsgebied zélf kan worden aangestuurd, en wordt gelanceerd vanaf een schip of een onderzeeboot. Hij wordt in een lage baan rond de aarde gebracht en er kan tijdens de omwentelingen mee worden gemanoeuvreerd – wellicht enigszins te vergelijken met de manier waarop er met een vliegtuig kan worden gemanoeuvreerd. Alleen zit die satelliet op honderddertig kilometer hoogte. Om "te surveilleren". Om "tijdelijke leemtes in het satellietnetwerk te vullen". Dat is nu al twee jaar lang hun verhaal; zo staat het in de kranten, althans, gedeeltelijk. Nu hebben onze inlichtingenmensen het gevoel dat er misschien wel eens veel te veel heisa over veel te weinig wordt gemaakt – dat, zelfs in een vrije samenleving als de hunne, de Amerikanen veel te open zijn over hun Peacemaker – en naar alle waarschijnlijkheid omdat ze iets te verbergen hebben. Heb je dat boek van Poe wel eens gelezen – *De ontvreemde brief*? Iets in die trant.

Binnen een comité van de Nationale Academie van Wetenschap kwam men tot de conclusie dat Peacemaker wel eens heel iets anders zou kunnen zijn, misschien wel een overblijfsel uit hun zogenaamde "Star Wars"-programma – misschien wel het prototype van een satelliet-hunter-killer, een wapen waarmee satellieten van andere naties kunnen worden vernietigd. Niet alleen onze spionagesatellieten, Sasha, maar ook onze communicatie. De strijd om de informatie. Iets waar we nog maar nauwelijks kaas van hebben gegeten, terwijl de Amerikanen misschien al klaarstaan om die strijd te voeren.'

'Als zíj zo'n ding ontwikkelen, dan ontwikkelen wij er ook een.'

'O, Sasha! Je bent niet alleen een briljant commandant, maar soms ook een kleine dwaas! De Amerikanen liggen met hun technologie zó ver op ons voor –! Heb je die Engelsman nog gelezen, Fuller, die ik je heb aangeraden?'

Suvarov maakte een zacht sissend geluid, het soort zachte sissen waarmee kinderen hun adem laten ontsnappen wanneer ze een standje krijgen. 'Nee, nog niet, nog niet – '

'Bah. Je bent sinds de opleiding geen barst veranderd. Jij leest Poe, maar je leest nooit eens iets over strategie.' Hij boog zich ver naar voren, helemaal over zijn eigen buik heen, om vervolgens zacht op Suvarovs dij te tikken. 'Sasha, defensieve wapens zorgen voor veiligheid. Onze "aanvalsboten" kunnen de onderzeeërs verdedigen die onze ballistische raketten aan boord hebben. Dus verdedigen ze de stabiliteit in de wereld. Ja?'

'Sergei, ik hóef die Fuller niet te lezen om de grondbeginselen van nucleaire strategie en diplomatie te doorzien, hartelijk dank.'

'Luister dan maar eens. Ruimtewapens die in staat zijn om, laten we eens zeggen, communicatiesatellieten te vernietigen, zorgen voor te snelle en te omvangrijke veranderingen in het machtsevenwicht. Ze zorgen ervoor dat bepaalde landen niet veel meer zijn dan met speren zwaaiende barbaren, die het moeten opnemen tegen het geweer. Begrijp je?'

Suvarov dacht hier diep over na, totdat hij hiervan overtuigd was. Ja. Het diep de ruimte in reiken om de communicatiesatellieten van andere naties te vernietigen zou de gebruiker alleen maar een hoop geld kosten. Het zou het hele concept van een nationale vesting, een fort – een concept dat werd bereikt door middel van de specifieke geografie van een land, of door luchtafweersystemen, of door zwaarbewaakte grenzen – volkomen irrelevant maken. Hij knikte instemmend.

'Ze hebben een proeflancering vanaf een schip gepland, in de Middellandse Zee. Die test alleen al is een schending van het ABM-verdrag. Dat weten ze, natuurlijk weten ze dat – waarschijnlijk is dát de reden dat ze het op zo'n korte termijn doen, een jaar vóór de geplande datum zoals die in vijfennegentig openbaar werd gemaakt. Wij willen dat ze goed beseffen dat wij erop staan dat die proefneming wordt afgeblazen. Ik ben ervan overtuigd dat die zuipschuit in het Kremlin hetzelfde tegen de Amerikaanse president zal zeggen, dat maatje van hem, en dat geldt ook voor onze mensen bij de VN, maar ons opperbevel is van mening dat die boodschap ook nog eens een keertje door ons, door de marine, moet worden afgeleverd – en wel in de vorm van enige actie. In een vorm die hún opperbevel zal begrijpen – eh? Dus.' Hij vouwde zijn grote, zware handen over Suvarevs orders, alsof hij die geheim wilde houden totdat hij klaar was met zijn uiteenzetting. 'Jij gaat een Amerikaanse battle group schaduwen die momenteel voor de kust van Norfolk bijeen wordt gebracht, om ze vervolgens geheel naar eigen inzicht zo dicht mogelijk op de huid te zitten. Je moet je af en toe eens blootgeven, je af en toe laten zien, maar ze mogen niet de kans krijgen je klem te zetten. Nee, het is gewoon de bedoeling dat de boodschap tot hen dóórdringt. Je moet de indruk wekken dat je een potentieel gevaar vormt, een kritische toeschouwer. Als je ze voor schut kunt zetten door hun verdedigingsscherm te penetreren, ga je gang, want dat soort regels zijn niet langer van kracht meer. Maar Sasha – ' en hier draaide de admiraal zich met zijn machtige lichaam in het fragiele stoeltje naar Suvarov om, en de harde grijze ogen straalden maar weinig vriendschap uit. 'Sasha, begrijp me goed, én de mensen in Moskou. Jij begint géén oorlog. Als je bedreigd wordt, trek je je terug. Je plaatst je kritische opmerking, en vervolgens ben je weer de oude, betrouwbare tegenstander die het spelletje over het algemeen volgens de regels meespeelt. Allerlei zaken zijn momenteel veel te kwetsbaar. We kunnen ons geen echt incident ver-oorloven, anders raken we straks het IMF-geld of de Duitse stookolie nog kwijt.' Hij trok opnieuw een gezicht. 'Om nog maar te zwijgen van de Coca-Cola.'

Savarov knikte. Hij zat al aan allerlei plaatsen te denken, plaatsen in het weste-lijk deel van de Middellandse Zee, met haar grillige stromingen, die voor hem als oude bekenden waren.

'Nog oppervlakte-eenheden?' vroeg hij hoopvol.

'Een Sovremenny-groep. Een stuk of wat onderzeebootjagers en wat onder-steuningsvaartuigen, plus nog een schip dat hun proefneming moet volgen. En die schepen zijn over het algemeen geen donder meer waard.'

'Ze kunnen uiterst nuttig zijn om op de juiste momenten een hoop lawaai in het water te maken.'

'En ze zorgen er ongetwijfeld voor dat de Amerikaanse admiraal meer aan zijn hoofd heeft. Inderdaad. En tussen haakjes, je hebt geluk – die admiraal is iemand die Newman heet; dit is zijn eerste optreden als vlagofficier – twee jaar geleden had hij het commando over de *Fillmore,* en kwam toen in de Zuid-Chi-nese Zee behoorlijk in het nauw te zitten, herinner je je nog? Bijzonder intelli-gent, maar nogal onverstandig, als je begrijpt wat ik bedoel. Jij vaart rondjes om hem heen. Maar goed, dat staat allemaal in het brietingboek. Heb je zin om de commandant van je taskforce te ontmoeten?'

'Is hij hoger in rang dan ik?'

'Nee.'

'Laat míj dan vanuit de *Haai* de taskforce leiden, Sergei. Kom, we hebben hier-voor geoefend. In vredestijd zou het kunnen werken.'

Sergei glimlachte, maar van enige warmte was geen sprake.

'Misschien. Ik zal het met Kandinsky en de rest bespreken.' Hij stak hem de blauwe map toe. 'Klaar voor vertrek over veertien dagen, en we dineren van-avond samen. Hoe is jouw eerste officier?'

'Uitstekend.'

'Goed. Hij heeft niet genoeg tijd op zee doorgebracht. Zorg ervoor dat hij die krijgt, eervol en glorierijk, waarde vriend. Het wordt tijd dat hij eens wat ho-gerop komt.'

De eerste officier was de zoon van de admiraal. Suvarov vroeg zich af of de zoon van de admiraal hem in de gaten moest houden, of dat hij deze prachtige reis gekregen had omdat zoonlief aan boord was. Deed er niet toe. Hij ging naar zee met het beste schip dat ooit door een Sovjet-Russische werf was gebouwd, en hij had opdracht gekregen om een gevaarlijke missie met haar uit te voeren, een missie die ertoe dééd. Het zou best wel eens gecompliceerd kunnen worden; het was een politieke opdracht. Deed er verder niet toe.

'Ik ga mijn schip in gereedheid brengen.'

De admiraal beantwoordde zijn saluut.

Tien minuten nadat hij aan boord van zijn schip was teruggekeerd, bleek elk bemanningslid op gunstige wijze door zijn stemming beïnvloed. Hij had een bemanning samengesteld, een professionele bemanning, en nu glimlachten ze, maakten grapjes en zongen liederen. Hij observeerde ze zorgvuldig en scherpte de discipline nog een fractie aan.

Als dit zijn laatste reis was, dan diende het ook zijn beste te worden. Een uitgebreid kat-en-muisspel op zee, met als tegenstander een Amerikaanse battle group, compleet met een vliegdekschip, en met juist dát risicovolle element dat het allemaal dubbel en dwars de moeite waard maakte.

12

Fleetex

Fleetex 3-96 werd nu al vier maanden lang voorbereid, maar de oefening was door admiraal Newman op één manier voorbereid, en op een heel andere manier door de rest van de marine – en dat was de manier waarvan Alan het een en ander had opgevangen toen hij die vier dagen in LantCom in Norfolk had doorgebracht. De manier van de marine was gerepeteerd op papier en door middel van computersimulaties. Er was voor geoefend aan boord van schepen en door de squadrons.

Al tien uur vóórdat Fleetex goed en wel begonnen was bleek de manier van admiraal Newman een ramp te zijn.

De *Andrew Jackson*, samen met haar battle group, was opnieuw vanuit Norfolk vertrokken, en koos positie ergens in de buurt van de Bahama's.

In de buurt van de Bahama's. Startex minus tien uur.
De ASW-module – het hok waar de onderzeebootbestrijdingseenheid is ondergebracht – aan boord van een vliegdekschip van de Nimitz-klasse is een klein, overvol en gezellig hok, gerund door en voor professionals, een aparte ruimte waar de ASW-mensen naartoe kunnen gaan om voor ze de lucht in gaan wat te praten of naar de statusborden te kijken – en waar mannen en vrouwen dag en nacht wachtdiensten draaiden om het tactische overzicht te houden over eventuele vijandelijke bedreigingen, en die dreiging hoefde niet alleen uit onderzeeboten te bestaan, maar kon zich uiteraard ook in de vorm van oppervlakte-eenheden voordoen. Hoewel het niet bepaald het meest dynamische vertrek aan boord van het vliegdekschip genoemd mag worden, is het wel degelijk een klein maar zeer actief zenuwcentrum, met directe verbindingslijnen naar de vliegtuigen die de ASW-patrouilles vliegen – Sikorsky SH-60F heli's, Lockheed S-3 Vikings en aan de wal gestationeerde Lockheed P-3 Orions – en ook naar de oppervlakteschepen die bij de onderzeebootbestrijding betrokken zijn. Heel vroeger (volgens de oudste nog aan boord zijnde specialisten moest dat nog ten tijde van het zeil als belangrijkst voortstuwingsmiddel voor schepen zijn geweest) mocht je hier roken. Een zwakke nicotinegeur leek het nog steeds te winnen van de scheepsgeuren – JP-5, vliegtuigbrandstof, en elektronica – precies zoals conversatie tussen mensen het aan boord van een door atoomkracht aangedreven vliegdekschip op zee het nog altijd won van het geroezemoes van de

computers en de achtergrondmuziek. Zelfs het geluid van de vliegtuigen, die nauwelijks anderhalve meter boven hun hoofd opstegen en landden, maakte een gedempte indruk.

Om 23.30 uur op de kalme avond die voorafging aan de storm die Fleetex 3-96 zou worden, lag de ASW-module er redelijk verlaten bij; de enige aanwezigen waren de man die wachtdienst had, een al wat oudere adjudant die naar de naam Charlie Hamilton luisterde; een jong bemanningslid van een van de vliegtuigen, AW2 Austin Benedikt, die vanwege de onweerlegbare logica binnen het naamgevingsproces bij zijn nieuwe squadron bekendstond als 'Eggs'; en ltz2 j.c. Nixon, die zich redelijk comfortabel tussen twee computers had genesteld, ondertussen aandachtig een twee maanden oud exemplaar van *Jane's Defense Weekly* doornemend en tegelijkertijdtijd proberend de bezorgdheid rond haar eerste grootschalige operatie op zee van zich af te zetten.

Eggs was naar de module gekomen om twee metalen dozen te bekijken (dozen die 'tapes' werden genoemd, omdat er binnen het schokvrije omhulsel opnamebanden zitten die ouder zijn dan Benedikt zelf, wat ook geldt voor de computer waarvan ze gebruikmaken en het vliegtuig waarin ze zullen vliegen). Het was de bedoeling dat hij een van die banden zou installeren, zodat hun ASW-werkzaamheden zouden kunnen worden geregistreerd tijdens zijn volgende geplande vlucht – met de AG 703, die momenteel aan dek werd nagelopen. Het was zeer goed mogelijk dat AG 703 helemaal niet werd gelanceerd; het was ASW-alarm 60, wat inhield dat ze binnen maximaal zestig minuten zouden moeten kunnen opstijgen, voor het geval een van de piketschepen rond het vliegdekschip een ASW-dreiging meende te detecteren. Ja, ondanks het feit dat het bijna zeker was dat zijn toestel in dit vredige en o zo rustige Caribische gebied niet nodig zou zijn, controleerde Eggs de beide dozen zorgvuldig om te zien welke de beste was.

'Neem een goeie mee,' zei Hamilton, 'er zou wel eens een Russische onderzeeboot in de buurt kunnen zijn.'

'Als het een Russische boot is heb ik helemaal geen goeie nodig.'

'Victors kunnen toch nog wel eens voor een verrassing zorgen.'

Eggs gromde iets en knipoogde naar Nixon, en begon vervolgens de aantekeningen van die dag in het ASW-logboek door te nemen, af en toe een slokje nemend van adjudant Hamiltons koffie. Benedikt zou nooit vragen waarom die koffie zo lekker was, zoals hij zich ook nooit af zou vragen waarom hij zich die nacht in de ASW-module bevond, met name als je bedacht dat dat alarm nooit zou komen, terwijl het niemand ook maar iets interesseerde of hij zich al dan niet op zijn vlucht voorbereidde. Benedikts manier om te laten zien dat hij een ASW-jongen was, was proberen zijn werk zo goed mogelijk te doen, net zoals

Hamilton met zijn koffie probeerde duidelijk te maken dat wat hem betrof de jongere officieren de ASW-module als hun sociale trefpunt mochten beschouwen.

Christy Nixon sloeg een bladzijde van *Jane's* om zonder dat het tot haar door was gedrongen wat er nu eigenlijk op stond afgedrukt. Iedereen was behoorlijk opgefokt vanwege de oefening; in haar squadron leek de spanning zijn ijzige klauwen om ieders nek te hebben geklemd, want er waren veel te veel nieuwelingen, veel te weinig veteranen, en daarnaast was er nog een behoorlijke onderbezetting. Sinds de *carrier qualifications* had de skipper Rafehausen voortdurend achter zijn broek gezeten, en had Rafehausen verder het hele squadron achter de broek gezeten; en boven dit alles had dreigend de admiraal gehangen, een soort rotsblok dat op uiterst gevaarlijke wijze boven op een steile berg balanceerde. Het enige waar ze zich absoluut geen zorgen over maakte was haar aandeel in dit alles: het LantCom-scenario kende ze van buiten; als het moest kon ze dat zelfs in haar slaap briefen.

Newman, wist ze, stond wat betreft de afspraken rond Fleetex zo'n beetje op voet van oorlog met de rest van de battle group. Hij bleef voortdurend veranderingen in het scenario aanbrengen. Misschien had de admiraal dát gedeelte van het handboek Goed Leiderschap nog niet gelezen waarin stond: *Marinemensen kunnen tegen waanzinnige bevelen, of tegen stomme bevelen, maar ze kunnen nooit ofte nimmer tegen inconsequente bevelen,* bedacht ze. Nou, háár orders zouden consequent zijn: ze had de conflicten geneutraliseerd door haar squadron het LantCom-scenario te briefen. Ze had zich aan het hogere gezag geconfirmeerd. Het was Newman die buiten zijn boekje ging.

Maar zc maaktc zich zorgen. Het was al laat, en nog steeds had niemand van dat hogere gezag Newman ter verantwoording geroepen. Die ochtend nog was hij op een vreselijke manier uitgevaren tegen de officier van navigatie die aan zijn staf was toegevoegd, een kapitein-ter-zee, tijdens de laatste grote briefing betreffende de oefening. Uitgaande van het scenario dat was vastgesteld tijdens de Fleetex-planningsvergadering, had de navigator een set koersen en operationele gebieden uitgewerkt die waren gebaseerd op de oefening zoals die was goedgekeurd door de verenigde chefs van staven. Net als Christy had hij zich gehouden aan het oefeningsconcept zoals dat tijdens de planningsbijeenkomst was bepaald. En vanmorgen had hij daarvoor de rekening betaald. Volgens de geruchten had de admiraal in een driftbui de briefingkaarten verscheurd en van de navigator geëist dat hij ze zódanig zou aanpassen dat ze overeenkwamen met Newmans ideeën: een oefening van een oorlog ter zee tegen een 'traditionele' tegenstander.

Zou de navigator hem er niet op aan hebben kunnen spreken omdat hij hem een tegenstrijdig bevel had gegeven, vroeg ze zich af? Zíj zou het gedaan hebben, vermoedde ze – precies zoals ze hem had aangesproken over haar laseraanwijsstokje. (Ze begreep nog steeds niet waarom j.c.'s dingen durfden te doen waar kapiteins-ter-zee uiteindelijk een hoge prijs voor zouden betalen als ze ook maar het léf hadden het te proberen.)

Uiteraard was ze er niet bij aanwezig geweest – te laag in rang. Maar het geluid van de uitbarsting had zich door de met blauw linoleum beklede gang voortgeplant en had zelfs haar dertig spanten meer naar voren gelegen squadronruimte bereikt, waar twintig officieren, onderofficieren en manschappen getuige waren van een scheldkanonnade die gewoonlijk gereserveerd is voor matrozen die onwettig afwezig zijn geweest. De navigator zou, volgens de verhalen, met hoge snelheid uit de briefingruimte zijn gerend, de armen vol kaarten en met een rood aangelopen gezicht. Iemand had beweerd dat hij de tranen over zijn wangen had zien lopen, maar dat geloofde ze niet, tenzij het de tranen waren geweest van een volwassen man die het lef niet had om uit te halen naar een man die hij als een dwaas beschouwde.

Maar waarom namen ze deze kwestie niet met LantFleet op? Waarom heerste er nog steeds al deze verwarring?

Benedikt was klaar met het uitzoeken van de tapes en tekende het logboek af voor twee stuks. 'Moet u vanavond nog vliegen, luit?' vroeg hij, terwijl hij de twee banden in een groene helmtas stopte.

'Tijdens de oefening doe ik alleen maar inlichtingenwerk.' Ze stak het exemplaar van *Jane's* omhoog, zodat hij het omslag kon zien. 'Ik probeer wat licht verteerbare lectuur tot me te nemen.' De twee mannen moesten lachen.

Benedikt opende de stalen deur naar de hoofdcorridor en keek uitgebreid naar links en rechts voordat hij de gang op stapte.

'Zo te zien is alles veilig. Geen admiraal,' zei hij met een lage stem, en was verdwenen.

Christy was verrast door de flauwe grap, enigszins ontzet zelfs. Ze keek Charlie Hamilton aan.

'Het is geen kwaaie jongen,' zei Hamilton, die aan een lege pijp lurkte. 'Hij maakte maar een grapje.'

'Jezus, Charlie, ik wéét dat het als grapje bedoeld is! We zijn nog niet eens begónnen en iedereen is al zó gestresst dat we niet eens meer weten wat een grap is en wat – je – je…' Het lukte haar niet het juiste woord te bedenken. 'Insubordinatie zou kunnen noemen,' bracht ze uiteindelijk uit.

'Ach – ' reageerde Charlie grinnikend. 'Jij bent zo'n beetje de enige die de admiraal op zijn gedrag heeft durven aanspreken; de rest van ons zal het moeten doen met af en toe een grapje over die man.'

Ze had hem het liefst willen vertellen dat de problemen rond Fleetex haar angst inboezemden. Andere mensen bléven haar voorhouden dat het allemaal op zijn pootjes terecht zou komen, dat er altijd dingen waren die fout liepen, maar ze had verschillende piloten horen klagen dat de gegevens in de TAMPS, de missieplanner in de squadronruimte, elke dag anders waren, en als dát al een puinhoop was, hoe kon de rest dan dan níet zijn?

Al die problemen hadden haar squadroncommandant tot nu toe alleen nog maar verveeld, leek het wel. Sinds de *carrier qualifications* was hij volkomen geobsedeerd door landingsresultaten en het brandstofverbruik van zijn toestellen. Christy hield zichzelf peinzend voor dat de discipline – of is het idealisme? – die maakt dat de gretige jonge Benedikt in de module aanwezig is, wachtend op een vlucht die misschien nooit nodig is, veel kwetsbaarder is dan ze ooit had kunnen vermoeden toen ze in het ROTC geconfronteerd werd met de 'leiderschapsprincipes bij de marine'. Ze was in de loop der tijd gaan beseffen dat de band die de mannen en vrouwen – marinemensen – met hun taak verbonden, was gebaseerd op een dusdanige mate van vertrouwen en respect, dat die maar moeilijk konden breken, maar dat áls die band er niet meer was, die slechts met de grootst mogelijke moeite weer hersteld kon worden. Het was toch ongelooflijk dat een admiraal zich gedroeg zoals Newman had gedaan, maar als jonge officieren en onderofficieren grappen over hem maakten, was dat óók een slechte zaak.

Maar discipline was een hachelijk concept. Neem nou Rafehausen eens. Of, liever gezegd, de manier waarop Rafehausen haar behandelde. Of was het de manier waarop zíj Rafehausen behandelde? Ze voelde zich enigszins verward. Wie van hen beiden was nu schuldig aan toenaderingspogingen ten opzichte van de ander? En diende dat als iets onschuldigs beschouwd te worden – en áls dat zo was dan voelde ze het als haar taak om dat zo te houden – of was het nóg zo'n voorbeeld van corrosie, erosie, van discipline die werd ondermijnd door – ja, door wát? Individuele inzichten?

Ze nipte van haar koffie, merkte dat die koud was geworden en liep naar het koffiezetapparaat. Daar zat bijna niets meer in. Ze schonk het laatste beetje in haar bekertje en liep de gang op voor warm water. Enkele minuten later was ze terug en zag ze Charlie tegen de kaartentafel gedrukt staan die het midden van de kleine ASW-module in beslag nam, ver naar voren gebogen en kijkend naar de rij radio's die aan de stalen balk vlak boven de tafel waren gemonteerd.

'Eagle, hier Osprey, over?' kwam duidelijk uit een van de luidsprekers. Charlie drukte op een knop. Er sprong een nietig groen lampje aan. Hij draaide zich naar Christy om en maakte een draaiende beweging met zijn rechterhand om aan te geven dat het hier om een helikopter ging.

'Osprey, hier Big Eagle, over?' sprak Charlie nadrukkelijk in de handmicrofoon. 'Ik ontvang u luid en duidelijk.'

'Big Eagle, hier Osprey. Ik neem momenteel visueel een periscoop-V waar.'

Christy wist niet of ze het wel goed had gehoord. Bedoelde hij echt te zeggen dat –

Hamilton liet de gelegenheid om kennis te verspreiden niet voorbijgaan. 'Hij bedoelt de kleine boeggolf die door een periscoop wordt veroorzaakt. De enige manier om zo'n ding 's nachts te zien.' Charlie stak zijn hand op om te voorkomen dat ze vragen zou gaan stellen. 'Osprey, hier Big Eagle. Wat is je locatie en de peiling en afstand tot deze periscoop, over?' Charlie keek aandachtig naar de kaart die op de tafel lag uitgespreid, en waarop de koers van het vliegdekschip was gemarkeerd met een dikke blauwe lijn. Christy kon precies zien waar de blauwe lijn was afgebroken en het schip na de driftbui van de admiraal een heel andere koers was gaan volgen.

'Big Eagle, we doen Bow Guard, één zeemijl voor Big Eagle uit. Peiling tot periscoop is 000 relatief, afstand tot ons twee mijl. Die afstand is uiteraard globaal.' Bow Guard stond voor de helikopter die iets voor het vliegdekschip uit vloog om eventuele gevaren tijdig te signalen.

Zien deze jongens nauwelijks drie mijl vóór het vliegdekschip uit de periscoop van een onderzeeër?

'Roger Osprey, hebben begrepen dat er een periscoop zichtbaar is op drie mijl 000 relatief ten opzichte van Big Eagle, over?'

'Roger Big Eagle. Drie zeemijl, 000 relatief.'

Adjudant Hamilton zette een kruisje op de kaart. 'Verdomme, nog maar acht uur tot aan Startex!' mompelde hij. 'Hoe kan die heli op twee mijl afstand nou een periscoop zien – ?' Christy probeerde zich voor te stellen hoe twee mijl er vanuit de lucht uitzagen, 's nachts; zelfs als je laag vloog, op een paar honderd voet – kon je dan écht een uiterst geringe boeggolf zien?

Er kwam een kort gekraak uit de radio.

'Big Eagle? Big Eagle? Hier Osprey. Ik zie drie, vier nieuwe periscopen op dezelfde peiling en afstand. Herhaal, vier nieuwe contacten!'

Hamilton keek naar de kaart en schudde zijn hoofd. 'Hé, luit – zou je eens bij het CIC langs willen gaan en de TAO op de hoogte brengen van een en ander?' Ze dook onder het klapluik door dat tussen de ASW-module en het CIC – het *Combat Information Center*, oftewel het gevechtsinformatiecentrum – was aangebracht, het drukke hightech-koninkrijk dat door de TAO werd geregeerd, de Tactical Action Officer. Tactische officieren hadden ook wachtdiensten, net als de ASW-officieren, maar alle andere diensten waren ondergeschikt aan de TAO. Acties in de lucht, de strijd op zee en de elektronische oorlogvoering – de TAO was voor alle drie verantwoordelijk.

De TAO zat in een grote, verhoogd aangebrachte leunstoel, met recht voor zich een serie computerschermen die hem een beeld gaven van het zeegebied rond het schip, en dan niet alleen de onmiddellijke omgeving, maar een gebied met een straal van verscheidene honderden zeemijlen. Hij nipte van zijn koffie en praatte wat met een sergeant-majoor over de komende vliegoperaties. Vlak achter zijn stoel bleef ze staan.

'Meneer!' zei ze nadrukkelijk. Hij draaide zich met een ruk om en keek haar aan.

'Verdorie, besluip me alsjeblieft niet zo! Wat is er aan de hand, luit?'

'Meneer, de ASW-module heeft contact met de reddingsheli die voor het schip uit vliegt. Het toestel meldt meervoudige visuele contacten met onderzeeboten recht vooruit, eh, op 000 relatief op drie zeemijl afstand.'

'Wát? Verdómme, Charlie weet dat dat onmogelijk is.' Hij tuurde naar het scherm. Op dat moment verschenen de symbolen die Charlie op zijn eigen scherm had ingetoetst, nauwelijks twee meter verderop, op het display van de TAO, rode V's met in het midden een klein wit stipje. De TAO pakte een telefoonhoorn uit de houder.

'Brug? TAO hier. ASW meldt meerdere contacten recht vooruit op drie mijl afstand.' Hij trok een gezicht. 'Ik weet het ook niet.' Hij legde neer, wees naar een scherm. 'Politto? Ik wil nú die heli op de Guard-frequentie spreken. Nú!'

Christy ging haastig terug naar de ASW-module, waar Charlie de contacten net op de kaart intekende. Hij keek nauwelijks op. 'Nu zegt de heli dat het er enkele tientallen zijn! Die jongen daar aan boord is helemaal opgewonden.' Plotseling verstarde hij en staarde naar de kaart die voor hem op tafel lag. 'Jé-zus Chris-tús.' Hij griste de microfoon van tafel. Christy riep: 'De TAO spreekt met hem op Guard!' reikte langs hem heen en drukte razendsnel op een knop. De stem van de TAO bulderde door de kleine ruimte. ' – ik heb je gehóórd, Osprey! Waar kíjken jullie verdorie in wérkelijkheid naar?' Zijn stemgeluid had een zodanig volume dat Christy hem én via het luik én door de luidspreker van de zender/ontvanger kon horen.

Hamilton had geen tijd voor beleefdheden. Hij brulde in zijn handmicrofoon: 'Break! Break! Hier Alpha X-ray over! Osprey, *kijk je soms naar brekers?* Over!'

Brekers? Het woord bevond zich zó ver buiten de context van deze noodsituatie, dat Christy in eerste instantie niet eens wist wat hij bedoelde. Toen drong het tot haar door. Brekers, de branding. Van die golven die op het strand kapotslaan. Het strand waarop een groot schip aan de grond kan lopen.

Er volgde een korte stilte. Toen hoorde ze de TAO door de scheidingswand heen brullen waarom de ASW-module zijn verbinding met de heli verbroken had.

'*God!*' De heli klonk alsof ze daar de schrik van hun leven hadden, zelfs al bevonden ze zich op een mijl afstand. 'Osprey – ja, shit – Jezus, we zien een hele serie brekers. Ontvangt u mij, Big Eagle? Een hele serie brekers op 000 relatief, afstand twee zeemijl!'

De TAO was al in actie gekomen. Het enige dat hij hoefde te horen was het woord 'brekers'.

'Brug! TAO. Brekers recht vooruit, twee zeemijl. Stel hard stuurboord voor; opkomen tot koers één-tachtig waar. Ik herhaal, hard stuurboord, opkomen tot koers één-tachtig waar. We hebben visuele bevestiging van een heli! Heeft u mij begrepen?"

'TAO, hier de brug. We zien daar helemaal niets.' Even werd er geaarzeld; misschien dat iemand snel nog iemand anders raadpleegde – de commandant? De stem klonk plotseling gespannen. 'We gaan over tot hard stuurboord. Stand by!'

Met een vliegdekschip voer je niet zo een twee drie een scherpe draai uit. Zo'n schip heeft een enorm momentum. En het beschikt niet over remmen. Áls het al op een auto lijkt, dan lijkt het op een auto die in een diepe laag modder wegglijdt. En in tegenstelling met een auto moet bij elke beweging die men maakt voortdurend worden nagedacht waar de rest van de battle group is; grotere manoeuvres worden gechoreografeerd in waterballetten die honderden mijlen breed kunnen zijn. Gelukkig voer er op deze nacht geen ander schip recht voor de *Andrew Jackson* uit, en ook niet pal aan stuurboord.

Het schip helde vier graden over. En voor een vliegdekschip is dat heel wat. Christy hoorde de TAO de andere schepen van de battle group waarschuwen. Adjudant Hamilton stond over de kaart gebogen. Hij keek naar haar op met een gezicht dat vertrokken was van schrik en woede. 'We zijn één graad van koers,' zei hij. 'Zestig zeemijl.' Het leek wel of hij een of ander vreselijk geheim bekende. 'Wie heeft ons in godsnaam deze kant uit gebracht?' Hij priemde met een vinger naar de positie waar ze hádden moeten zitten, maar duidelijk niet zaten.

De TAO, die niet langer meer met de brug in verbinding stond, kon alleen maar uitbrengen: 'Niet te gelóven dat dit ooit nog eens een keertje zou kunnen gebeuren!' Ook hij klonk geschokt en boos, maar hij probeerde dat te verhullen, zoals hij misschien ook wel zijn angst probeerde te verhullen, met een niet gemeend soort opgewektheid.

Er leek geen einde te komen aan de scherpe draai. Ze keek vanuit de deuropening toe hoe het radarbeeld van de TAO steeds kleinschaliger werd, totdat het van rand tot rand slechts enkele mijlen besloeg. Het symbool dat het vliegdekschip voorstelde draaide zó langzaam dat het net leek of je naar de bewegingen van de maan stond te kijken; recht ervoor kwamen de haaientanden omhoog die Hamiltons 'meervoudige ASW-contacten, vijandig' moesten voorstellen. De tanden kwamen steeds dichterbij. Christy vroeg zich af hoe groot het schip in de échte wereld feitelijk was, vergeleken met het symbool op dat scherm. Ze vroeg zich af hoe de wereld zou reageren op een door atoomkracht aangedreven vaartuig dat met een vaartje van zestien knopen in het Caribisch gebied aan de grond liep. Plotseling vroeg ze zich af of ze nog wist wat ze moest doen in het geval van een aanvaring, welke rol ze had bij het provisorisch herstellen van eventuele schade.

De stem van de TAO denderde door de deuropening. 'Dit kán niet!'

Hamilton holde met zijn kaart naar de TAO, liet hem hun veronderstelde positie zien, en de plek die volgens hem nu hun wérkelijke positie was, zestig zeemijl meer naar het oosten. De TAO staarde er naar, en zei opnieuw, fluisterend nu: 'Dit kán niet!'

Christy keek naar de tv-monitor met beelden vanaf het platform op het vliegdek. Aan bakboord waren nu brekers te zien, ondanks de duisternis en de nevel zelfs op het korrelige scherm te zien. Het schip helde nóg een graad naar stuurboord over. De brekers draaiden langzaam naar bakboord. Maar was dit voldoende om vertrouwen in te hebben?

Een minuut ging voorbij.

De brekers verdwenen van het scherm.

Op het computerscherm was het symbool voor het vliegdekschip iets verschoven (wanneer? Ze had het niet zien bewegen) zodat het nu iets naar rechts was gedraaid, terwijl de achtersteven zich zo'n beetje midden tussen de haaientanden bevond.

Niemand zei iets.

Ze had een of andere waarschuwing van de brug verwacht, maar er heerste alleen maar stilte, en de eeuwige achtergrondgeluiden van het schip. Ze wierp een blik in de richting van de gang, maar zag niemand. Misschien was dat al waarschuwing genoeg. Het hele schip leek zijn adem in te houden.

Er verscheen een opening tussen de haaientanden en de achtersteven.

Er werden geen orders gegeven of doorgegeven. Desalniettemin leken de marinemensen, zonder duidelijke opdracht of daartoe een teken te hebben gekregen, naar hun gebruikelijke werkzaamheden terug te keren. Hier en daar klonk weer wat geroezemoes. Er verscheen een iel glimlachje rond de lippen van de TAO.

'Hartelijk dank, iedereen. Ik denk dat we tot morgen moeten wachten om tijdens deze oefening tot zinken te worden gebracht.'

Hij draaide zich naar Hamilton om en liet zijn stem enkele octaven dalen. 'Durft meneer Hamilton een vermoeden uit te spreken waarom we verdómme zestig mijl uit de koers zijn geraakt?'

Charlie Hamilton wist precies waarom. Zijn houding sprak boekdelen: de admiraal had de tot zijn staf behorende navigatieofficier gedwongen overhaast zijn kaarten aan te passen.

'Nee, meneer.' De TAO knikte. Dit soort toestanden zorgde ervoor dat er mensen voor de krijgsraad moesten verschijnen. Dat er carrières voortijdig werden beëindigd.

Ook Christy wist hoe het gekomen was. Dat hoefde ze aan niemand te vragen. Zestig zeemijlen was precies één graad – een plotfout, een vergissing bij het uitzetten van de koers, of wat haar instructeur zeemanschap ooit eens een 'foutje-ten-gevolge-van-te-weinig-aandacht-voor-details' had genoemd. Ze moest weer denken aan de vlagofficier van navigatie die met een rood gezicht uit de communicatieruimte was komen stormen. Een hoge officier, die gedwongen was geweest om in enkele uren tijd een uiterst complexe navigatieroute te herschrijven, had bijna een groot schip aan de grond laten lopen.

Als je er iets anders naar keek, kon je zeggen dat een uiterst opvliegende admiraal bijna kans had gezien een groot, duur schip aan de grond te laten lopen. Ze keek om zich heen. Niemand wierp haar een blik toe. Er werden nu even geen grappen over admiraals gemaakt. Zou de discipline aan boord overeind blijven?

Washington, Startex minus drie.

'Goedemorgen, meneer. Ik ben luitenant-ter-zee der tweede klasse Alan Craik, en ik zorg vandaag voor de briefing van dat deel van de presentatie dat betrekking heeft op Fleetex 3-96.'

Hij stond, zoals gebruikelijk, voor de projectieschermen in de briefingruimte van de CNO, de chef marine-operatiën. Vandaag gaf Alan een toelichting op een omvangrijke vlootoefening, niet het soort gebeuren dat gewoonlijk door de pers werd gevolgd. Hij had dagenlang met de ingewikkeldheden van zo'n oefening geworsteld, had hele stapels berichtenverkeer gelezen en had zelfs de heftige ervaring moeten ondergaan advies te vragen aan zijn vrouw, die bij het middelpunt van deze oefening – Peacemaker – betrokken was. Tijdens het verloop van de oefening zouden andere briefers elke 'slag' en missie gedetailleerd behandelen; Alan zou voor de toelichting op de opzet zorgen, zodat de CNO en zijn staf de komende dagen met de complexiteit van de oefening vertrouwd zouden zijn. Vergeleken met de reusachtige NAVO-oefeningen waarvan Alan als derdeklasser getuige was geweest, mocht dit een vrij beperkte oefening worden genoemd, maar de meervoudige bedreigingen van buiten en de noodzaak om ook nog eens een complexe 'oefening binnen een oefening' te houden – de proeflancering van de Peacemaker – zouden ervoor zorgen dat BG 7 de handen vol had.

De CNO knikte. Alan had geleerd dat dat zíjn manier was om aan te geven dat hij de laatste informatie had geabsorbeerd en dat hij klaar was voor nieuwe gegevens. Alan draaide het licht in het zaaltje wat lager en begon.

'Meneer, Battle Group Zeven, met als middelpunt het USS *Andrew Jackson*, een vliegdekschip uit de Nimitz-klasse, stoomt momenteel vanuit het operatiegebied van Cherry Point in zuidelijke richting en bevond zich een uurtje geleden híer.' Alan liet de positie van de battle group ter hoogte van de Bahama's op het grote scherm oplichten. Op een andere, iets kleinere monitor was de samenstelling van de battle group te zien: het USS *Andrew Jackson*, nucleair aangedreven vliegdekschip; het USS *Fort Klock*, een Aegis-kruiser uit de Tico-klasse; het USS *Isaac Hull* en het USS *Steven Decatur*, twee Aegis-jagers uit de Arleigh Burke-klasse; het USS *Lawrence*, een fregat uit de Oliver Hazard Perry-klasse; een AO-bevoorradingsschip; en het USNS *Philadelphia*, een schip voor wetenschappelijk onderzoek dat tevens als lanceervaartuig zou worden ingezet. Bij elke scheepsnaam stond een kleine afbeelding van het betreffende schip.

'De battle group heeft de *carrier qualifications* net achter de rug en vaart nu het oefengebied binnen. Volgens plan moeten de schepen over circa vijf uur op station zijn voor de eerste fase van de oefening.

De oefening zal worden gehouden in drie fasen. Tijdens de eerste fase zal het oefengebied worden geconfigureerd zoals hier afgebeeld,' en Alan voegde een overlay toe, waardoor de contouren van het westelijke en centrale Middellandse-Zeegebied óver het Caribisch gebied, dat van Cuba tot aan Puerto Rico liep, heen kwamen te liggen. 'De Orange-strijdkrachten, die de Islamitische Republiek Orange vertegenwoordigen, zullen een actie ondernemen vanuit een van hun havens, vanaf bases aan de wal ondersteund door een omvangrijke luchtdekking, die zal worden verzorgd door F-16's van de luchtmacht, waarbij het de bedoeling is dat de piketschepen van de battle group buiten gevecht worden gesteld. De timing van die aanval zal worden bepaald door de bevelhebber van Orange. Zijn doel is het storen of vernietigen van het USNS *Philadelphia*.'
Dat mijn vrouw aan boord heeft, maar goddank is het maar een oefening.

'Fase twee zal bestaan uit het oefenen van het aftellen voor het Peacemaker-systeem ten behoeve voor de feitelijke lancering later in de Golf van Sydra. Tijdens deze fase van de oefening zullen alle vaartuigen positie innemen voor het uitvoeren van een raketproef. De Aegis-kruiser USS *Fort Klock* zal als omgevingsmonitor fungeren, terwijl de air wing voor waarnemings-, volg- en meetvliegtuigen zal zorgen, op de posities zoals die op scherm drie te zien zijn. Het middelpunt van dit alles is het USNS *Philadelphia*, waar aan boord een volledige *countdown* en een gesimuleerde lancering zullen plaatsvinden, tót aan het starten van motor van het projectiel. U ziet dat, aangezien de bevelhebber van de Orange-strijdkrachten op elk gewenst moment met fase één kan beginnen, de mogelijkheid bestaat dat Battle Group Zeven gedwongen wordt deze lanceeroefening te houden terwijl het zich tegelijkertijd tegen de aanvallen van Orange moet verdedigen.

Fase drie is bedoeld om rond de lancering van Peacemaker een extra dreiging te creëren. De Orange-strijdkrachten zullen verder worden aangevuld en ondersteund door de eenheden die op het scherm staan vermeld, inclusief Canadese en Britse door dieselmotoren aangedreven onderzeeërs, B-52 bommenwerpers die Backfire-bommenwerpers moeten voorstellen en een versterkte oppervlaktedreiging met als middelpunt een kleine oppervlaktegevechtseenheid. Van Battle Group Zeven wordt verwacht dat ze de aanvallen van Orange weet af te slaan, terwijl ze tegelijkertijd geacht wordt VN-acties tegen de Balkanrepubliek Groen – die eveneens deel uit maken van de oefening – te ondersteunen. Verder zal er door onze luchtmacht en de National Security Agency gezamenlijk een oefening worden gehouden op het gebied van de informatieoorlogsvoering, met als doelwitten de marine-installaties die op scherm twee staan vermeld, die externe krachten moeten voorstellen die op de lancering reageren.'

Vervolgens ging hij gedetailleerd in op de overeenkomsten van de oefening met de feitelijke inzet van de battle group, inclusief de aanhoudende operaties in Bosnië, en de eventuele gevolgen van de beoogde lancering zo dicht bij de territoriale wateren van Libië.

'Fase twee begint op dag twee, als de oefenlancering van Peacemaker plaatsvindt. Fase drie vangt zes uur na de oefenlancering aan. Fase een begint zodra Oranje tot de aanval overgaat.'

Alan zweeg even. Vanuit het duister kwam de stem van de CNO zijn kant uit gedreven. 'Alan, mag ik dat plaatje met de samenstelling van de battle group nog eens zien?' De CNO stond bekend om het feit dat hij zich steeds weer ieders naam wist te herinneren. Alan drukte op de knop en de eerste afbeelding verscheen weer op het scherm.

'Loopt bij Peacemaker alles volgens schema? Het ziet ernaar uit dat we Newman een hoop werk bezorgen als zijn speeltje niet klaar is om gelanceerd te worden als hij wordt ingezet.' Alan kende het antwoord, van Rose, maar hij had geleerd te wachten. De stilte duurde voort en toen meldde een stem ergens vanuit het vertrek dat hij dat moest nakijken.

'Meneer,' zei Alan enigszins aarzelend, 'als ik me niet vergis ligt Peacemaker precies op schema.' Alan wist dat het programma zelfs iets vóór op schema lag, en Rose had hem verteld dat de wetenschappers en technici feitelijk zaten te wachten tot de marine-oefening zou beginnen.

'Dank u, luitenant. Hoe weet u dat?'

Hij probeerde zijn gezicht in de plooi te houden. 'Mijn vrouw is de lanceer-officier, meneer.'

Hier en daar werd gegrinnikt. Het waren de meest menselijke reacties die Alan als briefer hier in deze ruimte had ervaren.

De CNO sprak opnieuw. 'Dit wordt een behoorlijk zware oefening. Is Battle Group Zeven er klaar voor?'

Alan deed het licht weer aan. Hij werd geacht te blijven om de boel af te ronden en eventuele vragen te beantwoorden, en dit soort discussies midden in een briefing was iets nieuws voor hem, maar hij had het gevoel dat de lichten aandoen geen slecht idee was.

Een lange admiraal op de tweede rij boog zich iets naar voren – Pilchard, voormalig vlagofficier van BG 4; Alan had hem ooit eens een keertje eerder ontmoet.

'Meneer, op het vliegdek van de *Jackson* is tijdens de *carrier qualifications* bijna een fataal ongeluk gebeurd.' Hij was woedend, maar probeerde dat niet te tonen. 'Gisteren werd er aan boord van dat schip een ernstige navigatiefout gemaakt die ervoor heeft gezorgd dat ze uren achter op het oefenschema kwam te liggen, terwijl ze nú de indruk wekt naar een heel ander deel van het operatiegebied op te stomen dan van haar verwacht mocht worden. Admiraal Newman lijkt erop gebrand te zijn de oefening te veranderen in een meer traditionele oefening waarbij de Oranje strijdmacht voor de bedreiging zorgt, en heeft al herhaalde malen verzocht die Oranje-strijdkrachten zodanig te versterken dat ze "opgewassen zouden zijn" tegen zijn battle group.'

'Hoe erg was die navigatiefout?'

Na een korte aarzeling kwam het hoge woord eruit: 'Als de *Jackson* nog een kwart mijl koers had gehouden, was ze boven op een rif vast komen te zitten.' Iemand hapte duidelijk hoorbaar naar adem, en Alan hoorde achter in het zaaltje iemand 'Jézus!' zeggen. 'Dat is alleen maar níet gebeurd omdat hun ASW-wachtofficier bij de les was.'

De CNO keek om zich heen. Hij bleef kalm – té kalm, tenzij je onder hem gediend had en wist wat die kalmte inhield. 'Nog iemand anders?'

Een officier op de achterste rij schraapte nerveus zijn keel, wierp een snelle blik naar links alsof hij hoopte dat iemand anders het woord voor hem zou voeren, en kwam toen overeind.

'Meneer, eh, de battle group, wijkt, eh, vanaf afgelopen dinsdag voortdurend af van het operatieplan. En de admiraal heeft zijn navigator gisteren van zijn taak ontheven. De coördinator van fase twee, kapitein-ter-zee Cobb van de *Fort Klock*, heeft vier keer om opheldering gevraagd naar aanleiding van al die "veranderingen" in de oefening, meneer. We, eh, hebben het vermoeden dat admiraal Newman pas aan boord tot die veranderingen besloten heeft en ons gewoon niet op de hoogte heeft gebracht.'

Helemaal achter in het auditorium was enig nerveus bewegen waarneembaar. *En Rose, de mazzelaar, zat daar straks tussenin.*

'Heeft Newman via de geëigende kanalen laten merken dat hij niet tevreden was met de opzet van deze oefening?' De CNO klonk bijna sereen, maar wat Alan in feite hoorde in zijn binnenste oor was: *Waarom heeft niemand me hier iets over verteld?*

Een andere admiraal, eveneens op de voorste rij, nam het woord: 'Jazeker, dat heeft hij wel degelijk. We hebben hem toen uitgelegd dat de eerste verantwoordelijkheid van de battle group de lancering van de Peacemaker was. En daar leek hij het niet mee oneens te zijn. Ik dacht dat hij met het woord "versterken" datgene bedoelde wat hij zelf van plan was.'

Een van de stafofficieren van de CNO krabbelde iets op een papiertje en gaf dat aan zijn baas. De CNO las het snel, knipoogde naar Alan en liep in de richting van de deur. 'Goede briefing, luitenant. Over twee uur in mijn vergaderruimte. Ik wil van deze oefening de hele briefing nog eens zien, én het operatieplan. Laat iemand voor kopieën van al het berichtenverkeer zorgen. Oké, dit is niet het gezelschap om dit gebeuren uitputtend te bespreken.' Bij de deur bleef de CNO nog even staan. 'Klopt er soms iets niet bij deze battle group? Ik heb geen zin in nog meer ongelukken.'

De lange admiraal, Pilchard, nam opnieuw het woord. 'Het enige wat niet klopt bij deze battle group is Newman, meneer; hij luistert niet naar de bevelen die hij krijgt. En hij is mentaal in de jaren tachtig blijven steken.'

Startex plus vijf uur. Aan boord van het USNS Philadelphia.

'Zero minus acht uur en aftellen opgeschort.'

Rose liet luidruchtig haar adem ontsnappen en tuurde naar het scherm van de monitor. 'We hebben het aftellen al de hele dág opgeschort. Wat is er verdomme allemaal aan de hánd?'

Valdez bracht zijn handen omhoog en liet ze vervolgens in zijn schoot vallen. 'De datastroom is veel te intensief.'

'Hou nou eens op met die datastroom van jou.'

'Ik heb het u al vaker gezegd, er is gewoon veel te veel om te kunnen worden –'

'*Hou eindelijk eens je mond, oké?*' Ze sloeg haar handen voor haar gezicht. 'O –! Het spijt me, Valdez! Het spijt me dat ik je zo heb uitgekafferd.'

'Daar ben ik zo langzamerhand wel aan gewend.'

'Doe me een lol en hou dan ook eens vijf minuten lang je mond dicht over die datastroom, oké? Ik weet dat er veel meer gegevens zijn dan je kunt verklaren. Daar ben ik mee bezig. Maar, alsjeblieft, hou er de eerstkomende minuten alsjeblíeft je mond over!'

'Oké, ik begrijp het.' Valdez klonk een tikkeltje verbitterd.

Rose keek uit het venster van het lanceercommandocentrum dat aan boord van de *Philadelphia* op het hoofddek was gebouwd. Het was van diverse grote ramen voorzien en stond propvol apparatuur, met in het midden een console met vier computerschermen, waarvan met name een zich in de bijzondere aandacht van Valdez mocht verheugen. Achter de console stonden twee comfortabele stoelen, voor iedereen één, terwijl die van haar hoog genoeg was om óver de console het dek en het lanceerplatform te kunnen zien. De raket lag nog steeds horizontaal in speciale houders op het dek, terwijl de satelliet en de module – met zilverkleurig plastic omzwachteld –reeds op het uiteinde ervan zaten bevestigd.

Het ophouden met aftellen, acht uur vóór de lancering, was een afspraak. Het aftellen was in feite nog niet eens begonnen. 'Acht uur en aftellen opgeschort' was een manier om te zeggen dat er helemaal niets gebeurde.

Aan boord van de *Jackson* liep Rafe nog één keer om zijn toestel heen om vervolgens door het luik naar binnen te kruipen. Het vliegtuig zag er goed uit. Dat gold niet voor deze ochtend.

Cutter Sardesson had alleen maar aandacht voor zijn kniebordkaarten en leek helemaal niet in de gaten te hebben dat Rafe aan boord was gekomen. De GPU's waren al ingeschakeld en functioneerden naar behoren; Rafe voltooide de controle van zijn schietstoel en begon vervolgens bijna gedachteloos aan zijn pre-flight-checklist.

'Rafe?'

'Ja, Cutter?'

'Wat gaan we vanochtend doen?' Dit was het soort vragen van een nieuweling waar Rafe een grondige hekel aan had – het soort vraag waaruit zonneklaar bleek dat iemand zijn huiswerk niet had gedaan. En Cutter wekte helemaal niet de indruk tot dat type te behoren.

'Je was bij de briefing aanwezig. Zeg jij het míj maar.'

'Jawel, meneer. We worden geacht brandstof over te geven aan een formatie F-18's, zodat die een aanval op een vijandelijke oppervlakte-eenheid uit kan voeren. We moeten daarbij één andere Viking van brandstof voorzien en mogen één gesimuleerde Harpoon-lancering inlassen voor het geval we van ons af moeten bijten.'

'Grandioos! Je hebt het helemaal goed. Wat is het probleem dan?'

'Van dit alles is helemaal niets op het door Nixon opgesteld rooster te vinden.' Christy had als inlichtingenofficier van het squadron een volledig Fleetex-rooster opgesteld en dat ruim twee weken geleden aan het squadron gebrieft. Rafe had de squadroncommandant ervan weten te overtuigen dat ook de hogere onderofficieren en officieren die voor het onderhoud verantwoordelijk waren moesten worden uitgenodigd. Het leek geen slecht idee; op die manier wist iedereen wat hem of haar te wachten stond.

Rafe zuchtte. Een van de écht moeilijke dingen betreffende de overstap van het Beschermingsprogramma voor Subalterne Officieren, zoals het wereldje van luitenants-ter-zee der tweede klasse en lager zichzelf wel noemden, naar de verantwoordelijkheid van het voeren van het bevel, was de klaarblijkelijke behoefte om achter onbegrijpelijke beslissingen van meerderen te gaan staan, in plaats van er tegen te protesteren.

'Cutter, sinds Tricky de Fleetex heeft gebrieft is hij zo'n beetje helemaal omgegooid. Hou daar dan ook rekening mee.'

Cutter was niet dom, en hij had ambitie. Hij nam dan ook geen genoegen met simpele antwoorden.

'Rafe, die oefening in het lanceren van die Harpoon moet over tien uur plaatsvinden! Er staat niemand in het vliegschema die ons daarbij kan ondersteunen. Ik dacht dat we geacht werden om als range closure-support te fungeren? Ik bedoel, op al deze kniebordkaarten staan frequenties voor range clearance.' Hij gaf een harde klap op zijn kniebord.

'Ja, meneer.' Dat was de stem van een nieuw bemanningslid dat vandaag als TACCO zou fungeren, Sharon Dietz. 'Zoals, waar hangt die oppervlakte-eenheid ergens uit? Zendt die signalen uit? Ik heb ltz2 j.c. Nixon ernaar gevraagd, maar ze schudde alleen maar met haar hoofd. Heeft ze altijd zo'n achterstand?'

Dietz was gisteravond pas met de COD aan boord gekomen, de laatste in een hele reeks officieren die bedoeld waren om VS-49 weer enigszins op sterkte te brengen.

Rafe probeerde niet al te aanmatigend te klinken; en wat veel belangrijker was, hij probeerde Christy Nixon niet al te zeer in bescherming te nemen, die in zijn eigen belevingswereld een steeds grotere rol dreigde te gaan spelen. 'Tricky Nixon is een van de beste AI's van de hele air wing. De vele veranderingen aan Fleetex heeft ons allemaal enigszins op achterstand gezet, luitenant Dietz.'

Rafe voltooide zijn checks in een ietwat beledigd stilzwijgen. Hij en Cutter taxieden het toestel van de plek waar ze geparkeerd hadden gestaan naar het rijtje toestellen die voor katapult twee stonden te wachten en begonnen aan de voorbereidingen voor de lancering. In de stilte na de pre-flight-checks, terwijl ze op het punt stonden richting katapult te rijden, liet Dietz opnieuw van zich horen.

'Sorry van die opmerking over Nixon.' Ze klonk enigszins opgelaten. Rafe besefte dat ze een stuk weldenkender moest zijn dan hij aanvankelijk gedacht had. 'Totdat we met radar- en ESM-doelwitten worden geconfronteerd ben ik niet meer dan overgewicht. Vliegen we tegen oefenvaartuigen, of uitsluitend tegen denkbeeldige schepen? Kan iemand me dat misschien vertellen? Air Ops kon dat namelijk niet. En de ASW-module ook al niet.'

Rafe had nooit de passie gehad die deze bemanningsleden voor dit soort zaken konden opbrengen – hij vond het heerlijk om een aanval voor te bereiden en te vliegen. Hij wist dat de rest ook belangrijk was, en hij was er altijd van uitgegaan dat iemand als Alan Craik of Christy met de juiste gegevens bij hem zou komen. Maar nu was hij XO – plaatsvervangend squadroncommandant – en kwamen de mensen naar hém toe voor de juiste antwoorden. Hij trok een gezicht en het toestel reed behoedzaam de katapult op.

'Je moet maar een beetje geduld met ons hebben, Dietz. De oefening is één grote puinhoop. Laten we voorlopig maar wat gaan vliegen.' Hij draaide zijn hoofd, keek uit over het vliegdek en salueerde model.

Startex plus tien uur. Washington.

Alan werd geheel in beslag genomen door rapporten betreffende hernieuwde etnische wreedheden in Rwanda, toen iemand in de gang schreeuwde: 'Attentie aan dek!' Dit mocht het Pentagon dan wel zijn, maar hij zat hier nog steeds bij de marine: Alan ging haastig staan, sprong in de houding en wachtte af. Toen er verder niets gebeurde, wierp hij een snelle blik de gang op en zag toen dat admiraal Pilchard naar het briefingcentrum was afgedaald. De commandant van de eenheid deed haar uiterste best een zo bruin mogelijke arm te halen, maar Pilchard stond op de plaats rust aan de andere kant van de ruimte en keek om zich heen, met snelle bewegingen van zijn hoofd en wachtend tot er een gat zou vallen in de woordenstroom van de commandant. In zijn onderbewustzijn registreerde Alan iets positiefs: de admiraal zou een ondergeschikte nooit ofte nimmer vernederen, zelfs als ze al het mogelijke deed zichzelf belachelijk te maken.

'Ik ben op zoek naar de knaap die vanochtend de briefing heeft verzorgd.'

'Jazéker, admiraal, dat moet, eh – '

Een sergeant-majoor mompelde iets in het oor van de kapitein-luitenant-terzee.

'Dat was luitenant-ter-zee der tweede klasse Craik, admiraal. Ik hoop dat er niets – '

'Ik zou hem graag even willen spreken.'

Samen kwamen ze door de gang gelopen.

Alan slikte iets weg en probeerde zijn uniform zo goed mogelijk te fatsoeneren. Admiraals betraden zelden het briefingcentrum, en als ze dat wél deden, had dat vrijwel altijd minder plezierige consequenties.

'Dit is het kantoortje van Craik, admiraal.'

'Goed, geef ons een minuutje de tijd, oké?'

De kltz wierp een snelle blik in het kantoortje, maakte daarbij een uiterst sceptische indruk, hoewel Alan kans had gezien zijn uniformjasje aan te schieten, en nu in de houding staand zei: 'Ja, meneer.' Ze deed een paar stappen achteruit. De admiraal ging in Alans deuropening staan, een lange, magere man met een smal hoofd waarop alle gelaatstrekken naar voren geschoven leken te zijn, waardoor hij een grote, smalle neus had en een profiel dat nog het meest op een bijl leek. Het bijlblad draaide Alans kant uit.

'Kan ik u helpen, meneer?'

'Jij bent aan boord gekomen om me te briefen toen Nate Green het van BG 4 heeft overgenomen, hè?' Met snelle hoofdbewegingen nam hij het kantoortje in zich op, de stapels met briefingboeken, de oude squadronfoto's en emblemen, de foto's van Rose en Mikey, en zelfs eentje van de hond; mijn god, bedacht Alan plotseling, dat moest toch een verdomd suffe indruk maken. De admiraal glimlachte enigszins, maar niet bijzonder warm; hij leek inderdaad niet al te zeer onder de indruk van de foto van de hond. 'Was jij niet de AI van Jack Parsills tijdens de Golfoorlog? De zoon van Mike Craik?'

Daar hád je het weer; de zoon van Mike Craik. Voor generatiegenoten van de admiraal zou hij nooit iemand anders zijn dan de zoon van Mike Craik. En de een of andere verre briefing tijdens de overdracht van de ene battle group aan de volgende. 'Jawel, meneer.'

'Hoe ben je in deze baan verzeild geraakt?'

Dit was niet bepaald het onderwerp waarover Alan bereid was het achterste van zijn tong te laten zien, en al helemaal niet tegenover een hoge superieur. 'Mijn loopbaanbegeleider raadde me dit aan, meneer.'

'Volgens Parsills zou je zo'n beetje een Afrika-expert zijn, klopt dat?'

Alan had het gevoel dat de vragen elkaar een beetje te snel opvolgden.

'Niet bepaald een expert, meneer.'

De admiraal boog zich over Alans bureau en begon door de aantekeningen betreffende Rwanda te bladeren. 'Goed.'

De kapitein-luitenant-ter-zee probeerde vanuit de gang de zaak in het oog te houden. 'Kan ik misschien iets voor u doen, meneer?'

'Ik wil eens even rustig in de schedel van deze jongeman kijken.' De kltz trok zich onmiddellijk een paar passen terug.

De admiraal trok Alans bureaustoel naar zich toe en ging zitten, begon opnieuw te lezen en gebaarde naar de rechte stoel die door een archiefkast nagenoeg aan het oog was onttrokken. Alan ging ook zitten, een gast in zijn eigen kantoortje. De admiraal liet zijn blik over nog een bladzijde glijden en wierp het bijeen geniete stapeltje papieren vervolgens op het bureaublad. 'Je heet Alan, hè? Alan, weet je zéker dat Peacemaker helemaal op schema ligt?'

De vraag verraste hem. Opnieuw een overstap naar een ander onderwerp. Hij moest moeite doen om zich op dit nieuwe onderwerp te concentreren. Geen Afrika. Peacemaker. Briefers in het Pentagon kwamen altijd al slaap te kort, en zijn zoon, Mikey, werkte ook al niet echt mee. Over een uurtje al moest hij hem bij het kinderdagverblijf ophalen.

'Jawel, meneer. Rose – dat is mijn vrouw, een luitenant-ter-zee der eerste klasse op parallelle dienst – heeft duidelijk laten doorschemeren dat de technici staan te trappelen om met de Fleetex-tests te beginnen.'

De admiraal wendde zijn blik af. Hij liet zijn handen langs zijn onberispelijke broekspijpen glijden en stond op. Ook Alan kwam overeind.

'Vertel me eens wat er volgens jou in Rwanda staat te gebeuren. Hou het kort.'

Alan haalde diep adem, veranderde voor de zoveelste keer mentaal van richting en stak van wal.

'Meneer, zoals u waarschijnlijk wel weet hebben in Rwanda momenteel de Tutsi's de macht weer in handen. Ze hebben overigens nog steeds veel last van restanten van Interahamwe-strijdkrachten die vanuit VN-kampen in oostelijk Zaïre opereren. Ze hebben beperkt succes bij het onderscheppen van aanvallen op zowel hun eigen etnische stamgenoten als op de Hutu's.'

'Waarom zouden Hutu's aanvallen uitvoeren op Hutu's?'

'Om hun zodanig angst aan te jagen dat ze de Interahamwe gaan steunen, meneer. Om hun te laten zien dat de Tutsi-overheid hen niet kan of niet wil beschermen. Om hun het land uit te drijven en hun machtsbasis in oostelijk Zaïre te verstevigen.' Het was net een samenvatting van O'Neills brieven.

'Oké. Ga door.'

'Meneer, op een gegeven moment zullen de Tutsi's, en hun bondgenoten de Oegandezen, stappen ondernemen om de Interahamwe te elimineren. Of ze voeren aanvallen uit op de Hutu's in Rwanda, met de bedoeling het land etnisch te zuiveren, of beide. Het Rwandese Volksleger, dat zijn de Tutsi's, is behoorlijk geoefend. De kans is groot dat ze hun plannen zonder veel moeite kunnen verwezenlijken. Frankrijk en Rusland steunen de Hutu's. Ik moet er bij zeggen dat dit een sterk vereenvoudigde voorstelling van zaken is, meneer. En wij steunen Oeganda, dat op zijn beurt de Tutsi's steunt. Ook dát is een simplificatie.'

'Welke gevolgen heeft dit alles de komende tien maanden?'

'Dat is mijn afdeling niet, meneer.'

'Sla er eens een slag naar.'

Hij was hier niet op voorbereid, maar toch kwam hij met een voorspelling. 'Meneer, ik denk dat de Rwandese Tutsi's een stroman zullen vinden waarmee ze een aanval op oostelijk Zaire kunnen uitvoeren. Ze zullen Oost-Zaïre lang genoeg annexeren om de Interahamwe voor eens en voor altijd uit te roeien. Als Zaïre, en dus Mobutu, en zijn bondgenoot Frankrijk, reageren, zou het wel eens een behoorlijk felle oorlog kunnen worden. Er zijn daar een stuk of wat Amerikaanse niet-gouvernementele organisaties werkzaam, dus zou het wel eens op een evacuatie-operatie kunnen uitdraaien.'

'Wanneer?'

Alan aarzelde even, maar gooide het er toen uit.

'Zoiets kan elk moment gebeuren.'

'Tijdens de operationele tour van BG 7?'

'Misschien zelfs wel eerder.'

De admiraal ontbood de kapitein-luitenant-ter-zee, die zich niet al te ver had teruggetrokken. Ze wierp een vaag afkeurende blik op het intieme tafereel in Alans kantoortje, dat zó klein was dat de onderscheidingen van de admiraal die van de luitenant bijna raakten. 'Admiraal?'

Het bijlblad was naar de kltz gekeerd. 'Ik regel het wel met de CNO, maar ik zou graag zien dat deze knaap morgen een briefing geeft betreffende de Rwanda-crisis. Zorg voor ondersteuning door de DIA. Oké? Grandioos.' Pilchard keek Alan weer aan en raakte heel even de opvallende roze baton op Alans borst aan. 'Wat is dat?'

'Een Italiaanse onderscheiding, meneer. Voor humanitaire hulp.'

De admiraal wierp hem een snelle blik toe. De blik was ondoorgrondelijk – een tikkeltje geamuseerd? Wist hij van zijn avonturen met de Italianen en Kenianen in Bosnië? 'Tot morgen.'

Admiraal Pilchard verliet het kantoortje alsof hij via de katapult werd gelanceerd. Alan belde een babysitter en vroeg haar of ze zo vriendelijk wilde zijn Mikey bij het kinderdagverblijf op te halen. De kapitein-luitenant-ter-zee stak haar hoofd om de hoek van de toegang tot zijn kantoortje, precies op het moment dat hij een bekende bij de DIA belde.

'Wélke crisis in Rwanda?' wilde ze weten.

Dag twee, Startex plus 31. Aan boord van de Fort Klock.
Kapitein-ter-zee Malcolm Cobb was een NewEnglander van middelbare leeftijd en met een knarsend Cape Cod-accent en een uiterst explosief temperament. Dat temperament kon nu elk moment detoneren, iets dat volkomen te wijten was aan de enorme verwarring waardoor de oefening werd geteisterd. Hij beende heen en weer in de beperkte ruimte van het CIC – die afkorting stond voor *Combat Information Center,* gevechtsinformatiecentrum – aan boord van zijn schip, de Aegis-geleidewapenkruiser USS *Fort Klock.* Een kleine luitenant-ter-zee der eerste klasse die hard aan een scheerbeurt toe was sprak tegen hem met de tegenzin van een chirurg die moest bekennen dat hij een verkeerde incisie had gemaakt.
'Meneer, zo te zien zal het lanceren van de raket het zonder de ondersteuning vanuit de lucht moeten doen.'
Cobb slaagde erin zijn temperament onder controle te houden – *dit is niet de schuld van de ltz1; je woede niet op de boodschapper afreageren* – schudde vol ongeloof zijn hoofd. Een vrouwelijke cadet met een koptelefoon op draaide zich met een ruk van haar console vandaan en zei: 'Meneer, de *Philadelphia* aan de lijn en ze willen graag weten of ze met het aftellen kunnen beginnen.' Cobb was met aftellen gestopt toen hij zich bewust was geworden van de mogelijkheid dat hij wel eens geen vliegtuigen ter beschikking zou kunnen hebben om het gebied om hen heen veilig te stellen. Vóór hij kon reageren klonk een stem van de andere kant van het vertrek. 'Meneer, admiraal Newman aan de lijn. Volgens zijn TAO zijn we van onze toegewezen positie afgeweken en zodoende niet in staat ons van onze Alpha Whiskey-taak te kwijten, het verdedigen van de battle group.'
Enkele dagen geleden al had Cobb het vermoeden gehad dat de oefening voor wat betreft zíjn schip op dít moment zou neerkomen. Fase Twee was begonnen en de testlancering zou al over enkele uren plaats moeten vinden. En tóch bleef admiraal Newman de Fleetex-planning naast zich neer leggen en ging hij gewoon door met zijn eigen oorlog-ter-zee-oefening. Nu moesten Cobb en de *Fort Klock* – Alpha Whiskey, van waaruit de strijd in de lucht zou worden geleid – twéé meesters proberen tevreden te houden.
'Meneer!' Ik heb twee toestellen die snel dichter bijkomen! F-16's!'
Cobb wenste dat al zijn problemen zo gemakkelijk op te lossen waren. 'Aanvallen.'
'Meneer, ik heb nog eens vier snelle toestellen, maar nu op verschillende radialen!'
Cobb keek naar het scherm waarop het scenario in de lucht te zien was. Hij was helemaal in z'n eentje, en uiteraard hadden de Oranje-strijdkrachten het op de

Philadelphia voorzien. Hij knikte naar de TAO. De TAO keek naar het scherm en gaf de order.

'Hard bakboord. Zodra de batterijen een vrij schootsveld hebben openen we het vuur. Vervolgens overschakelen op automatisch vuur. Waarschuw de *Philadelphia* dat Oranje is overgeschakeld op Fase Eén.'

Cobb pakte een koptelefoon, controleerde of hij op de commandofrequentie van Alpha Whiskey zat, en begon aan zijn verzoek om ondersteuning door jachtvliegtuigen.

Honderdtwintig mijl verderop keek de TAO die aan de admiraal was toegevoegd vol ongeloof toe hoe de *Fort Klock* zijn patrouillerende jachtvliegtuigen van hun verdedigingsposities rond het vliegdekschip begon terug te trekken, om ze vervolgens zodanig te positioneren dat ze eventuele bedreigingen jegens de *Philadelphia* zouden kunnen counteren. De vlaggen-TAO waarschuwde de admiraal.

De admiraal explodeerde.

Cobb volgde met zwijgende voldoening een luchtgevecht. Twee F-18's maakten korte metten met één enkele F-16. Maar het was een Pyrrusoverwinning: de F-18's hadden geen brandstof meer om zijn andere indringers aan te pakken, en de hele Oranje-aanvalsmacht had het op de *Philadelphia* voorzien, terwijl hijzelf ook twee oefentreffers had moeten incasseren.

'Meneer, de scheidsrechter zegt dat de *Philadelphia* in brand staat.'

'Weldon, kom je ooit wel eens met góed nieuws?'

Cobb hoorde een van zijn kalmere luitenants opnieuw via de vlaggenfrequentie duidelijk om de zaak heen draaien. En even later: 'Meneer, ik heb hier admiraal Newman. Hij wenst u onmiddellijk te spreken.'

Cobb nam de microfoon van hem over en activeerde de speaker, zodat iedereen in het CIC het gesprek zou kunnen horen. Hij had getuigen nodig.

'U spreekt met Cobb.'

'Waar ben je in gódsnaam mee bezig?' De stem klonk bijna benauwd van woede. 'Cobb, ik denk er hard over je van je taak te ontheffen! Ben jij stóm geworden of zo? Ik heb een gat van negentig graden in mijn luchtdekking, enkel en alleen omdat jij steeds toestellen naar je toe aan het trekken bent! En die laatste F-18's fungeerden niet eens als jáchtvliegtuig. Die waren bestemd om aanvallen tegen vijandelijke schepen uit te voeren. Je hebt een hoop uit te leggen, verdomme-nog-an-toe!'

Cobb haalde diep adem. Hij deed wat zijn vrouw hem had aanbevolen en forceerde een glimlach. Ze was namelijk van mening dat de fysieke daad van het glimlachen je innerlijke houding veranderde.

'Admiraal, ik heb zojuist de uiterst belangrijke oefeneenheid, het USNS *Philadelphia,* verloren ten gevolge van door Oranje uitgevoerde luchtaanvallen. Volgens de scheidsrechters heeft mijn schip zelf ook schade opgelopen. Als Alpha Whiskey, uw commandant luchtacties, meneer, heb ik geprobeerd die vliegtuigen te gebruiken voor het verdedigen van de in het oefenschema aangegeven eenheden. Ik heb het aftellen van de oefenlancering van het Peacemaker-systeem, bedoeld voor Fase Twee, nog steeds opgeschort omdat er nog geen toestellen de lucht in zijn gestuurd die voor luchtdekking rond deze lancering moeten zorgen.' Nou, dat klonk niet onredelijk.

'Dat héb ik je al eens gezegd, vergeet die flauwekul! Dat roep ik nou al dágen.'

'Jawel, meneer. Helaas, meneer, hebben de scheidsrechters en de ondersteunende eenheden bij deze oefening andere prioriteiten dan u, meneer.'

'Cobb, ik geef jou nú het rechtstreekse bevel om op te houden met die belachelijke flauwekul en ervoor te zorgen dat dat schip van jou onmiddellijk zijn plaats binnen de formatie weer inneemt en ondersteuning geeft aan mijn oefening.'

Cobb haalde diep adem, overwoog heel even onmiddellijk vervroegd met pensioen te gaan, en sprong vervolgens in het diepe. Hij merkte dat dat, nu hij eenmaal een beslissing had genomen, helemaal niet moeilijk was. Hij was niet eens boos – althans, niet op de gebruikelijke manier.

'Admiraal, waarom vergeet u die kleine eigen oefening zonder enige tegenstand verder niet, en komt u met uw battle group niet gewoon hierheen om míj te ondersteunen?'

Dag twee, Startex plus 34. Op het vliegdek van de Andrew Jackson.
Rafe stond naast het vliegdek en staarde over het vliegdek naar de JBD's, de straalafbuigers. De starts en landingen verliepen alsof alles normaal was, maar alles was níet normaal, hoewel hij niet wist wat er aan de hand was. Hij wist wél dat zijn squadron voor de tweede keer die dag er niet in geslaagd was om op station te zijn teneinde brandstof aan andere toestellen over te geven, waardoor twee F/A-18's genoodzaakt waren geweest uit te wijken naar Guantanamo, waarvan er eentje bij de landing nagenoeg geen druppel kerosine meer aan boord had gehad, terwijl Rafe zelf zojuist vijftigduizend pond brandstof had moeten dumpen omdat hij honderden mijlen uit de buurt was geweest van eventuele toestellen die het spul hadden kunnen gebruiken.

Hij onderdrukte het idee dat dit alles de schuld was van Christy Nixon. Maar een verraderlijk deel van zijn hersenen fluisterde dat als Al Craik nog AI bij het squadron was geweest, dit nooit zou zijn gebeurd. Maar daar stond tegenover dat Craik geen aantrekkelijke vrouw was die maakte dat Rafehausen omkeek. Het was waardeloos. Het was zwaar waardeloos.

Startex plus 34.30. Langley.

George Shreed zat vijf minuten lang aan de telefoon, luisterend naar generaal Touhey, die zó kwaad was dat zijn woede het hardste staal had kunnen doen smelten. Touhey had van nature toch al de pest aan de marine, maar vandaag haatte hij die met een passie van epische proporties.

De marine had zijn project verziekt. Peacemaker was voortijdig beëindigd.

'Ik zal Wick bellen,' zei Shreed voor de vierde keer. Twintig seconden later zei hij het weer. 'Ik zal Wick bellen.' Wick was zijn man in het Witte Huis. Touhey had ook een mannetje in het Witte Huis, Red, een niet onbelangrijk iemand die deel uit maakte van de Nationale Veiligheidsraad. Dertig seconden later zei Shreed: 'Jij belt Red, dan zal ik Wick bellen.' Hij legde neer en belde het Witte Huis.

Dag twee. Washington.

Alan moest én over Rwanda én betreffende Fleetex een briefing geven. De kapitein-luitenant-ter-zee noemde Alans ervaring en hield haar favoriet, de operations briefer, buiten een ogenschijnlijk buitengewoon controversiële zaak.

Het Rwanda-gebeuren kwam vrij vroeg in het briefingprogramma aan bod en werd afgewerkt zonder dat er veel vragen werden gesteld. Alan liet wat videobeelden zien van een recente BBC-documentaire over de etnische tegenstellingen aldaar, terwijl hij tegelijkertijd een samenvatting van twee minuten gaf betreffende de gebeurtenissen die daar sinds 1994 hadden plaatsgevonden. Hij gebruikte de rest van zijn vijf minuten om zijn theorie uiteen te zetten, die enigszins was gemodificeerd door een gekwelde CIA-analist en een opgewonden knaap van de DIA die de indruk wekte blij te zijn dat er eindelijk eens iemand was die in Afrika was geïnteresseerd. Zijn suggestie dat er wel eens een evacuatie-operatie noodzakelijk zou kunnen zijn werd zonder verder commentaar voor kennisgeving aangenomen. Een admiraal vroeg hoeveel Amerikanen in het potentiële conflictgebied aanwezig waren, en Alan gaf het aantal dat hij van de CIA ingefluisterd had gekregen: circa zeshonderd. En dat was het dan.

De rest van de briefing, over BG 7, verliep ook uiterst soepel, want iedereen wist dat er elk moment een uitbarsting plaats kon vinden en niemand had zin daarbij in de weg te lopen.

Alan vond het buitengewoon onprettig een briefing te moeten geven van de ramp die zich momenteel in het Caribisch gebied voltrok. Maar hij deed het, en hij deed het uitstekend. Hij liet een fraaie dia zien met daarop weergegeven de positie van de verschillende deelnemende schepen, en merkte daarbij terloops op dat Battle Group Zeven nu verscheidene honderden mijlen van haar geplande positie verwijderd was, iets waar de aanwezigen geen enkel commentaar op leverden. Pas toen hij de rapporten van de scheidsrechters naar aanleiding van Fase Eén ter sprake bracht, kreeg de stilte waarin het publiek zich hulde iets benauwends.

'Luitenant Craik, begrijp ik goed dat admiraal Newman de proeflancering van Peacemaker voor onbepaalde tijd heeft opgeschort?'

'Jawel, meneer.'

Alan deed het licht weer aan. De meeste officieren zaten nu recht overeind.

De CNO schudde zijn hoofd. Hij was de enige die er kalm uitzag. Hij draaide zich om naar admiraal Pilchard, die twee rijen achter hem zat.

'Je had gelijk, Dick.' Hij stond op. 'Ga ernaartoe en maak schoon schip.'

En met die woorden raakte Alan, hoewel hij dat op dat moment nog niet wist, weer nauw betrokken bij het langzaam ronddraaiende wiel.

Dag twee. Aan boord van de Andrew Jackson.

Het was rustig aan boord van het vliegdekschip – angstaanjagend rustig. Het schip maakte nog steeds dezelfde geluiden – de voortstuwing, de wasserij, het onderhoud – maar alle vliegoperaties waren opgeschort en iedereen aan boord leek zijn of haar adem in te houden. Af te wachten.

Sneesen bevond zich in de elektronicawerkplaats op niveau drie en probeerde niemand voor de voeten te lopen. Tegelijkertijd probeerde hij het leven te verlengen van een al wat oudere omvormer waar niemand anders in het squadron zijn vingers aan wilde branden. Hij deed dat omdat kltz Rafehausen het hem speciaal had gevraagd. En zo'n verzoek kon hij niet weigeren. En het was hem gevráágd – hij had er geen bevel toe gekregen. En hier in de werkplaats maakte niemand zich zorgen dat de vlootoefening volledig in het honderd was gelopen. Sneesen was al tot de conclusie gekomen dat de omvormer nauwelijks meer te redden was, maar hij zou het nog één keer proberen, want het zou grandioos zijn als het hem zou lukken het ding te repareren. Hij had een plekje gevonden op een bank, vlak achter een van vloer tot plafond reikend rek met stalen planken die vol stonden met allerlei elektronische apparatuur, op die manier een min of meer afgescheiden hokje creërend. Hij had behoefte aan een beetje ruimte voor zichzelf.

Hij was nu druk bezig op zijn werkplekje en hoopte op een wonder. Hij probeerde net in een zwarte doos binnen te dringen terwijl het helemaal de bedoeling niet was dat hij daarin door zou dringen, toen hij de deur open hoorde gaan en minstens twee personen hoorde binnenkomen. Althans, hij hoorde twee stemmen, onmiskenbaar mannenstemmen, en hij meende er daarvan één te herkennen, hoewel hij de andere niet wist te plaatsen. Er werd zacht gesproken, een soort gemompel was hoorbaar, hoewel het gesprokene onverstaanbaar was. Toen ging de deur opnieuw open; even was het stil, en toen zei een nieuwe stem – een tenor – bijna schril: 'Borne! Dus híer verstoppen jullie je!'

Borne. Hij kende sergeant-majoor Borne – de knaap die voor het dekverkeer verantwoordelijk was geweest toen het toestel van Rafehausen bijna boven op die andere toestellen was geland! Die lange knaap met de blauwe ogen.

Er klopte daar iets niet. Sneesen kon dat afleiden uit het tempo waarin werd gesproken. Dat veranderde op het moment dat de andere stem hen had onderbroken, en de toon werd anders – harder, iets assertiever. Hij kon Borne nog steeds niet verstaan, maar hij herkende zijn basstem.

'Majoor, probeer me niet te belazeren! Ik weet verdómde goed wanneer ik belazerd word! Ik wil het concept-beoordelingsrapport van die knaap en wel vandáág. Begrepen? Begrepen?'

Sneesen tuurde tussen de planken met oude onderdelen door naar de andere kant van het vertrek. Hij zag Bornes rug en het gezicht en de pet van een nog erg jonge luitenant-ter-zee der tweede klasse jongste categorie. Hij kon hoogstens drieëntwintig zijn, vond Sneesen – half zo oud als Borne. De knaap behoorde blijkbaar tot de scheepsbemanning – hij was duidelijk géén squadronofficier. Wat wilde hij precies van Borne? Sneesen vond Borne een grandioze vent.

'Ben ik duidelijk, majoor? *Ben-ik-duidelijk?*'

'U bent duidelijk, luitenant.'

De j.c.'er lachte zelfgenoegzaam. 'Zórg er dan voor, majoor. Vandaag nog, anders zorg ik ervoor dat je een douw krijgt.'

Sneesen dook weg. Hij hoorde de deur open- en vervolgens weer dichtgaan, en Bornes lage stem sprak de woorden die Sneesens leven zouden veranderen: 'Jawel, meneer de luitenant-ter-zee der tweede klasse joodse categorie, klootzak van een jodenman!'

De woorden troffen Sneesen alsof hij een klap in zijn gezicht had gekregen. Natuurlijk, dát had hij nooit aan die j.c.'er gemogen – hij had zo'n typisch joods gezicht gehad! Maar wat Borne had gezegd – Jezus. Had die man dan geen sensitivity-training gehad? Je zéi dat soort dingen toch niet hardop, ook al dacht je ze misschien af en toe. Iedereen dacht zo, maar toch –

Hij moest een of ander geluid hebben gemaakt, met zijn schoen over de grond hebben geschraapt of zo, in de stilte na de ruwe lach die direct op Bornes uitbarsting was gevolgd. Iets had duidelijk Bornes aandacht getrokken en enkele seconden later dook zijn gezicht tussen de losliggende onderdelen op en zei hij: 'Wie zit daar?'

Sneesen wachtte af en voelde hoe hij vuurrood werd. 'Ik ben het maar, majoor.' Hij stapte naar het uiteinde van het rek met planken vol onderdelen, waar de mannen hem konden zien. Hij trilde over heel zijn lichaam en slikte moeizaam iets weg.

Borne keek hem strak aan. Vervolgens wierp hij een snelle zijwaartse blik op de andere marineman, een bemanningslid dat Sneesen helemaal niet kende, en mompelde: 'Laat ons even alleen, oké, Billy?' Hij wachtte tot de andere man het vertrek had verlaten en liep toen wat dichter naar Sneesen toe, en zei: 'Kén ik jou niet? Ben jij niet die jongen die op het vliegdek die S-3 heeft weten te redden?'

'Jawel, majoor.' Sneesen wekte de indruk elk moment in snikken te kunnen uitbarsten. 'Mijn naam is Sneesen, majoor.'

En toen verscheen er een glimlach op het gezicht van sergeant-majoor Borne. Borne had een prachtige glimlach, die nog eens werd benadrukt door de grandioze frons waarvan hij zich gewoonlijk bediende. Zijn lichtblauwe ogen leken te gloeien wanneer hij glimlachte, alsof ze van binnenuit werden verlicht. 'Ik neem aan dat je datgene wat ik zojuist heb gezegd hebt gehoord, hè, Sneesen?'

Sneesen had het liefst willen liegen. Hij had al heel wat leugens verteld, op de middelbare school, en tegen zijn moeder en dergelijke, maar hij besefte dat als hij tegen Borne zou liegen, en dat uit zou komen, hij daar niet op dezelfde manier vanaf zou komen als vroeger. Nauwelijks in staat adem te halen mompelde hij: 'Ik geloof van wel.'

'Tuurlijk heb je het gehoord.' Bornes glimlach bleef even opgewekt. 'Je weet dat ik problemen kan krijgen door dit soort dingen te zeggen, hè, Sneesen.' De woorden klonken niet als een vraag.

'Ja, maar ik zal niets doorvertellen! Echt niet!'

'Waarom niet?'

'Dat doe ik gewoon niet. Het interesseert me verder niet. Als u dingen over – u weet wel – wilt zeggen, nou, dan doet u dat maar. Dat zijn mijn zaken verder niet.'

Borne keek hem aandachtig aan. Langzaam verdween de glimlach van Bornes gezicht, en het gezicht dat daarvoor in de plaats kwam was eerder bedachtzaam dan bedreigend. Bijna vaderlijk.

'Jongen,' zei sergeant-majoor Borne, terwijl hij een hand op Sneesens schouder legde en hem recht in de ogen keek, 'geloof jij in gelijke rechten voor blanken die het christelijke geloof belijden?'

Fleetex, dag twee, Startex plus 47. De Andrew Jackson.

Het COD-toestel maakte een perfecte landing en de doffe bons waarmee de wielen het dek raakten viel exact samen met het fluitje van de bootsman dat via de scheepsomroep te horen was, met direct daarna een stem die aankondigde: 'Admiraal van de Amerikaanse marine is zojuist gearriveerd.'

Overal aan boord van het schip wachtten mannen en vrouwen af. Het was nacht, maar de mensen waren klaarwakker en prikkelbaar. De geplande vliegoperaties waren opgeschort; de inlichtingen- en ASW-ruimtes waren niet leeg, maar het was er wél stil. Drie uur eerder al waren de activiteiten rond het blauwe-linoleumgebied tot stilstand gekomen, en sinds dat tijdstip leek het hele schip zijn adem in te houden.

Een eind verderop in de gang, in de squadronruimtes, waar de vliegtuigbemanningen in hun stoelen heen en weer schoven, klonk de conversatie gedempt, wachtte men op een uitbarsting. Iedereen wist het toen admiraal Pilchard en zijn uit één man bestaande staf vanaf de ATO door de bakboordgang gelopen kwamen. Honderden ogen zagen hoe admiraal Pilcher de briefingruimte van de admiraal binnenging.

De deur ging achter hem dicht.

Er was geen uitbarsting.

In het verblijf van admiraal Newman wachtte de vlaggencommandant van de mislukte Fleetex rustig af. Hij voelde zich bijna licht van opluchting, en hij gaf die opluchting ook aan zichzelf toe. De oefening – ja, zelfs zijn geëigende rol daarbinnen – was aan zijn greep ontsnapt. Hij had gefaald. Dat falen zou hem blijven achtervolgen, later. Nu was hij voornamelijk blij dat het allemaal achter de rug was.

Zijn vlaggenluitenant opende de deur van de dagkajuit en ging admiraal Pilchard voor. Pilchard was kleiner dan Newman, niet meer dan een meter tachtig, en zijn gezicht stond ontspannen, kalm. Toen Pilchard binnenkwam ging Newman staan, en ze schudden met ogenschijnlijke warmte elkaar de hand.

'Fijn je weer eens te zien, Dick.'

'Sorry dat het zo heeft moeten lopen, Rudy.'

Newman keek om zich heen en liet zijn blik door de dagkajuit glijden. Alles dat belangrijk voor hem was was al ingepakt. De rest was nu het probleem voor iemand anders.

'Val mijn mensen niet al te hard,' zei hij. 'Ze hebben mijn orders uitgevoerd.'

Hij zette zijn pet op en vertrok. Deze keer waren er geen ogen op de gang die hem daarbij volgden.

Maanden later, zittend aan de ontbijttafel, samen met zijn vrouw omdat er geen enkele aanleiding meer was om zich te haasten, zou hij er plotseling uitflappen:

'Ik weet wat ik verkeerd heb gedaan!' Het was hem 's nachts duidelijk geworden, de periode waarin openbaringen meestal kwamen. 'Ik heb geprobeerd het volmaakte te bereiken!'

En nu deze essentiële waarheid rond het leiderschap in zijn brein had postgevat, bereidde hij zich voor op het accepteren van zijn gedwongen pensionering.

De volgende morgen vroeg aan boord van de Philadelphia.

De bemanning van de *Philadelphia* bleef zich van haar taak kwijten met een energieke efficiency die volkomen in tegenstelling stond met het gevoel gefaald te hebben waaraan Rose ten prooi was gevallen. Uiteraard was het schip er niet klaar voor om het projectiel te lanceren; was het niet écht zinkende vanwege de meerdere raketinslagen die het tijdens de oefening had opgelopen. Mannen en vrouwen hadden de schade-oefeningen gehouden, om vervolgens een sigaretje te roken of wat te gaan eten in de uitstekend geoutilleerde eetzaal op dek twee. Maar het niet kunnen voltooien van de proeflancering – dat was het soort gebeurtenis dat aan carrières snel een einde kon maken.

Rose accepteerde de verantwoordelijkheid voorzover ze dat kon. Ze hadden over onvoldoende plannen beschikt voor een efficiënte verdediging van het schip – dat was voor de wetenschappers en de technici aan boord sowieso een onbelangrijke zaak geweest. Naast het coördineren van de lancering met de commandant van het schip en zijn staf, had ze verder niets geregeld.

De volgende keer, áls er al een volgende keer was, zou ze nauwer met hem samenwerken en zou ze ervoor zorgen dat de plannen klaarlagen. Ze zou voorstellen van de schouder gelanceerde SAM's – luchtdoelraketten – aan boord mee te nemen. En daar richtlijnen voor opstellen. Een chaff-lanceerder, en misschien nog wat decoy's waarmee een eventuele tegenstander om de tuin geleid zou kunnen worden. Rose zat in haar kleine hokje in het gedeelte van het schip van waaruit het projectiel zou worden aangestuurd en maakte onafgebroken aantekeningen.

Ze schrok op uit haar concentratie toen de scheepsintercom tot leven kwam.

'Goedemorgen, USNS *Philadelphia*. Hier spreekt de commandant. We hebben een moeilijke nacht achter de rug en een hoop van jullie zijn gesneuveld. Maar het is nu hoog tijd om een eind te maken aan al dat gelanterfant! Admiraal Pilchard heeft me net gebeld met de mededeling dat ons aftellen over circa twintig minuten dient te worden hervat, om lanceertijd minus zeven uur, en dat fase een en twee van de oefening over vier uur zullen worden hervat. Dus het goede nieuws voor alle Peacemaker-betrokkenen is dat jullie alsnog je kunstje mogen vertonen. En het slechte nieuws is, voor de rest van ons, dat we jullie daarbij nog steeds zullen moeten helpen!'

Het duurde enige minuten voordat het 'admiraal Pilchard' tot eenieder doordrong. Het duurde enkele uren voor ze besefte dat haar carrière misschien toch nog niet voortijdig was geëindigd.

13

September-oktober

Norfolk en Washington.

De *Andrew Jackson* had dertig dagen de tijd om de fouten van Fleetex te herstellen voordat ze aan haar operationele tocht – aan haar *cruise* – zou beginnen. De battle group doorliep een ingekorte versie van het LantCom-scenario, zonder fase drie, en het lukte de opvarenden dan ook die met veel pijn en moeite af te ronden, en uiteindelijk vermoedden ze dat ze min of meer in staat mochten worden geacht zich naar behoren van hun taak te kwijten.

De squadrons vlogen terug naar hun bases aan de wal en begonnen met het corrigeren van de zaken waarvan de afgelopen dagen was gebleken dat ze die niet onder de knie hadden. Voor Rafehausen zouden dit uitputtende dagen en nachten blijken te zijn, een periode waarin hij talloze nieuwe mensen naar het vereiste niveau moest zien te tillen. Voor Christy Nixon waren dit dagen van onzekerheid, terwijl ze tegelijkertijd probeerde naar buiten toe een opgewekt humeur op te houden; ze wist dat ze tijdens de Fleetex voor haar squadron een desastreuze fout had gemaakt, maar ze kon onmogelijk zien hoe ze het anders had moeten doen. En daarin stond ze nauwelijks alleen.

Admiraal Pilchard pendelde heen en weer tussen de *Jackson* en zijn kantoren in Norfolk en het Pentagon. Hij kon Newmans staf niet zonder duidelijke redenen vervangen, en het uitleggen van die redenen zou gekwetste, en soms zelfs abrupt eindigende carrières betekenen. Ook kon hij dat niet zonder Newman zelf af, en zo ontstond er een uiterst delicate, soms zelfs ronduit moeizame situatie, waarin hij de man die hij vanwege de verwijtbaarheid van de door hemzelf uitgekozen naaste medewerkers had moeten vervangen, regelmatig moest raadplegen. Pilchard wist dat hij met sommige van die medewerkers verder moest, en hij handhaafde dan ook degenen die het verst van het Fleetex-debacle verwijderd waren geweest in hun rang en functie. Als zijn eigen chef-staf benoemde hij iemand die in een andere functie al bij BG 7 was ingedeeld, en zowel hij als Alan Craik goed kende: hij vroeg om, en kreeg dan ook, kapitein-ter-zee Jack Parsills, ooit squadroncommandant van Alans oude S-3-squadron en nu commandant van de bij de BG ingedeelde tanker. Hij handhaafde Newmans vlaggenkapitein en -luitenant. De kapitein-luitenants-ter-zee en lager liet hij buiten schot. Maar desalniettemin vloeide er behoorlijk wat bloed. Hij oordeelde en sneed weg, en hij oordeelde opnieuw en sneed nog meer weg, en hij wachtte, beredeneerde en stelde opnieuw een onderzoek in, om enkele dagen vóór de BG uit zou varen alsnog – zij het met tegenzin – de vlaggeninlichtingenofficier en zijn assistent naar huis te sturen.

Rose was in die dagen voortdurend in beweging. Bedreigd door iets wat zij zag als een zwarte smet op haar carrière, probeerde ze nóg harder te werken. Ze begon met de nabijverdediging van de *Philadelphia*. Als zíj daar ook maar iets aan kon doen, zou niemand haar lanceervaartuig ooit nóg eens tot zinken kunnen brengen, BG of geen BG, al zouden zij en Valdez daarvoor met kruisbogen bewapend aan dek moeten staan. Ze diende een verzoek in om wapens. Ze diende een verzoek in om een groep mariniers. Ze ging op zoek naar een stuk of wat Stingers die misschien nog ergens rondslingerden.

Van zijn kant was Alan alleen maar bezig met het houden van briefings, met het maken van analyses, en met tobben. Hij vond het prettig Rose alles te vertellen wat hij wist van vanaf de schouder gelanceerde luchtdoelraketten – MANPAD's – en aan boord te monteren chaff-dispensers en lichte explosieven. Hij had nog steeds tijd om zich zorgen over O'Neill en Rwanda te maken, zaken die hem beide steeds bedreigder voorkwamen. Admiraal Pilchard had hem twee keer gevraagd een briefing voor zijn staf te verzorgen, en Parsills was een keertje bij hem geweest voor een lang gesprek. De Afrikaanse situatie was hem in de schoot geworpen door de admiraal, die uit zichzelf al enige belangstelling had voor dat continent, en zo qua inzicht in de aanstaande gebeurtenissen daar opnieuw weer eens een voorsprong had genomen op de Tuinkabouters van Langley. Maar voor Parsills was een crisis in Afrika iets van een bijna marginale orde. Zijn vragen aan Alan klonken dan ook gekweld, half-ontstemd: Waarom moesten ze zich daar iets van aantrekken? Welk belang had de situatie daar voor de VS? Wat zou er eventueel kunnen gebeuren? Wat waren de implicaties van een evacuatieplan?

'Om te beginnen misschien het feit dat er een divisie mariniers aan land gezet moet worden.'

Parsills kwam nog twee keer bij hem terug. Hij had nog een paar vragen, vragen die hem duidelijk dwarszaten, en hij wilde ze met iemand anders dan de admiraal bespreken: Wat zou er met de battle group gebeuren als ze de supervisie bij een evacuatie van Amerikanen in Zaïre toebedeeld zouden krijgen? Waar zou het vliegdekschip in dat geval zijn? En de geleidewapenkruiser? Wie zou in de Middellandse Zee op de winkel moeten passen? Wat waren de beperkingen bij het gebruik van hun luchtstrijdkrachten? Wat waren de implicaties van het beruchte korte vliegbereik van de F/A-18 wanneer dat toestel in twee oceanen actief zou moeten zijn?

Alan voelde zich vanwege Parsills en Rose en zijn aandeel in de oude Fleetex zeer betrokken bij BG 7. Vanuit zijn kantoortje in het Pentagon betreurde hij het bijzonder dat hij geen onderdeel van dat grote geheel kon zijn.

Net als de rest van de bemanning maakte elektronicaspecialist der derde klasse Sneesen in de dagen direct na Fleetex lange uren in een poging de verloren tijd in te halen. Screaming Meemie was overal, bulderend en dreigend; op de voet gevolgd door Rafehausen, die mocht proberen de scherven weer aan elkaar te lijmen, het moreel en het squadron bij elkaar te houden.

Het was een moeilijke periode voor iedereen, maar voor Sneesen was het ook een tijd van intens leren. Sergeant-majoor Borne had hem vier pamfletten en een boek over de bedreigingen waaraan de traditionele Amerikaanse waarden blootstonden te leen gegeven, zodat hij die thuis, als hij van de boot af was, rustig kon lezen. Ze hadden titels als *Vreemdelingen van de Aarde – immigratie en de laatste veldslag*, en *De kinderen van Satan en Eva: Hoe de joden de agenda van de antichrist voortzetten*. Sneesen pikte een heel stel nieuwe uitdrukkingen uit deze publicaties op – voortbrengsel van Satan, moddermensen, bloed in het gezicht. Gods plannen voor Amerika. Het joodse spook achter seksmuziek en de zogenaamde zwarte cultuur. Oerwoudmuziek. Gorillatleten. Hij leerde de verklaringen van zaken die voor hem altijd een groot mysterie waren geweest waarom God via Afrika aids op de mensheid had afgestuurd. Waarom de meeste zogenaamde atleten zwart zijn. Waarom de joden het voor het zeggen hebben in de filmindustrie. Hoe zogenaamde scholing de hersenen van Amerikaanse blanke, christelijke kinderen vergiftigde.

Het was allemaal zo verdomde logisch. Het klópte naar zijn gevoel ook allemaal. Zaken die hem hadden dwarsgezeten maar nergens op gebaseerd leken, bleken nu met elkaar te maken te hebben. Er bestonden plannen, zowel goddelijke als satanische; er bestonden verborgen agenda's, en dan voornamelijk boosaardige. Hij was belaagd geweest door de behoefte politiek correct te zijn – al die flauwekul over 'gevoeligheden'. En dan dat gebazel over de noodzaak tot diversiteit. Híer had je de waarheid – waarom hij instinctief terugdeinsde wanneer hij met joden te maken had. Waarom hij *in de grond van de zaak* wist dat zwarten dommer waren. Waarom hij er *diep vanbinnen* van overtuigd was dat God een man was, en blank.

Het was de meest intense en opwindendste intellectuele ervaring van zijn leven. Zonder er ook maar over ná te denken begon hij zich van de zwarte bemanningsleden te isoleren. En als ze iets tegen hem zeiden, bromde hij slechts wat onverstaanbaars terug.

De wereld, die hem altijd enigszins in verwarring had gebracht, was plotseling een stuk duidelijker geworden.

Tanzania.

Harry O'Neill had niets meer van haar gehoord, en toen hij een melding binnenkreeg van een agent aan de Zaïrese kant van het Kivumeer dat hij naar een boodschap uit moest kijken, dacht hij aanvankelijk dat het een boodschap van haar zou zijn. Wat hij in feite hoopte was dat ze die zelf zou komen brengen, maar hij was er nagenoeg van overtuigd dat ze dat niet zou doen. Deed ze dat wél, dan zou hij zijn uiterste best doen haar over te halen te blijven.

De geheime brievenbus was net buiten Kigoma, een plaatsje aan het Tanganjikameer. De afgelopen tijd was hij daar pakweg één keer per week naartoe gereden, ritten om vast het terrein te verkennen, om de afstand tussen verschillende punten te meten, op zoek naar plaatsen waar hij zou kunnen zien of hij al dan niet werd achtervolgd, kortom, om alle saaie dingen te doen waarvoor hij getraind was. Hij reed er dan naartoe, waarbij hij nooit van zijn route afweek, stopte dan bij een technische school en bezocht de plaatselijke bibliotheek, om daarna naar de Kamer van Koophandel van Kigoma te gaan, en vervolgens naar een plekje aan het meer te rijden, waar hij de lunch verorberde die hij in de auto met zich mee had gebracht. Hij deed altijd precies hetzelfde, en hij wist dat de mannen die hem schaduwden strontziek moesten worden van hem steeds hetzelfde te zien doen.

Er was druk verkeer rond het meer, zowel legaal als illegaal, en ondanks de omvangrijke aanwezigheid van inlichtingenmensen en militairen van verschillende landen in het gebied, lag het wijdopen. De meesten van hen wachtten af tot er iets zou gaan gebeuren, maar niemand was er al echt klaar voor. Harry had al te veel vrachtwagenchauffeurs horen praten over een of andere concentratie ergens ten zuiden van hier – echte logistiek, die bestemd was voor militairen die zo te horen behoorlijk professioneel moesten zijn. Harry wilde er óf zelf naartoe om dat te verifiëren óf een chauffeur betalen om dat voor hem te doen. Zijn baas had hem in niet mis te verstane bewoordingen laten weten dat hij er met zijn vingers vanaf moest blijven.

Harry observeerde de andere mensen in de buurt van het checkpoint. Hij vond dat verscheidene lieden er onmiskenbaar uitzagen als in burgerkleding gestoken officieren van het Rwandese Volksleger. Ze waren niet in hem geïnteresseerd. Ze wachtten ergens op. Iedereen leek ergens op te wachten. Hij had het vermoeden dat er aan dat wachten spoedig een einde zou komen.

Kalm en beheerst werkte hij zijn programma af, waarbij hij net deed of hij niet in de gaten had dat hij werd geschaduwd, iets dat niet al te professioneel en weinig enthousiast in zijn werk ging, en vandaag slechts bestond uit één enkele man in een auto, niet voldoende om de gele steenslagweg te volgen, en het was al helemaal geen case-officer. Hij dacht dat ze misschien op het punt stonden

Harry O'Neill verder maar te vergeten.

Hij vond een plekje aan de oever van het meer waar hij zijn lunch kon verorberen en de geheime brievenbus in de gaten kon houden, een *hoteli* in de buurt van een particuliere steiger waar sommige vissers die het meer bevoeren hun boten hadden afgemeerd. Hij zat in zijn auto. De jongeman van de Tanzaniaanse politie hield hem in de gaten vanaf een naar O'Neills idee té grote afstand om nog iets nuttigs te kunnen zien, maar dat was zíjn zaak. Toen de boot waar O'Neill naar uit had gekeken binnenvoer, wachtte hij af, met een kloppend hoofd omdat hij op te veel hoopte, maar de persoon die van boord kwam was een man, niet zíj, en ondanks het feit dat hij de rode hoed droeg waarnaar hij had uitgekeken, vormde de man een teleurstelling. De man liep naar het *hoteli*. Na vijf minuten kwam hij weer naar buiten en liep terug naar de waterkant. O'Neill stapte uit en veegde zijn handen af aan de handdoek die hij altijd naast zich op de passagiersstoel had liggen, gooide die vervolgens weer naar binnen en keek omhoog naar de lucht. Nadat hij blijkbaar tot de conclusie was gekomen dat het zonnig genoeg was, reikte hij naar binnen en haalde een honkbalpet tevoorschijn, eveneens rood, en liep op zijn gemak naar het *hoteli*. Het toilet was achterin, hoewel dat niet veel meer was dan een gat in de betonnen vloer met daarnaast een waterkraan, maar er zat wél een slot op de deur. Hij deed een plas, spoelde zijn handen af onder de kraan en kwam weer naar buiten.

De jonge agent in burger was hem gevolgd, en hij stapte het toilet binnen op het moment dat O'Neill naar buiten kwam, terwijl hij zijn auto voor het *hoteli* geparkeerd liet staan. De man met de rode hoed was verdwenen. Toen O'Neill weer bij zijn wagen aankwam vond hij een rolfilmpje in het handschoenenkastje.

Twee dagen later was hij mét het rolletje nog niet ontwikkelde film en een vercijferd agentenrapport op floppy in Dar es Salaam. Beide werden via de diplomatieke post naar Washington verzonden.

In Republika Srpska.

Z meende Draganica Obrens echtgenoot gevonden te hebben, maar hij had haar dat nog niet verteld. In de buurt van Banja Luka bevond zich in een 'afdeling voor psychisch gestoorden' (wat in feite stond voor een pakhuis vol mensen) een patiënt die officieel alleen maar bekendstond onder een nummer, maar die toen hij twee jaar geleden was opgepikt een brief aan Obren in zijn zak had gehad. Hij had geen geheugen meer, was soms gewelddadig en moest, volgens Z's informant, voortdurend in toom worden gehouden.

Z vond dat het wellicht beter was als ze nooit iets over hem te horen zou krijgen, dat ze zo min mogelijk hoop zou koesteren. Maar wie de man ook mocht zijn, haar echtgenoot of zomaar iemand die toevallig een brief van de grond had opgeraapt, op een gegeven dag zou hij sterven, iets waar niemand zich verder druk over zou maken.

Maar die beslissing was niet aan hem, vond Z. Draganica Obren moest die beslissing zélf nemen. Ze moest het recht hebben zelf naar Banja Luka af te reizen en te kijken of deze waanzinnige inderdaad ooit haar man was geweest.

Dus toen hij in de buurt was bij haar dorpje in RS ging hij naar haar toe met de bedoeling het haar te vertellen. Hij ging eerst op bezoek bij de schoolmeester, de man aan wie ze rapporteerde, en hij vertelde Z over alle bruikbare informatie die ze vanuit Sarajevo meebracht, informatie die nagenoeg geheel betrekking had op de WCIU, de eenheid die zich met het opsporen van oorlogsmisdadigers bezighield. Namen van officieren, waar ze woonden, welke veiligheidsmaatregelen ze hadden getroffen. 'We zouden sommige van die jongens om kunnen leggen,' zei de schoolmeester met een brede grijns op zijn gezicht. 'Een gebaar maken.'

'Dat is míjn afdeling niet. Bovendien, daar is de tijd nog niet rijp voor. Denk je dat het zinvol is als ze voor ons blijft werken?'

'Jazeker, mijn god – ! Ze is de beste kracht die we hebben.'

Dus vertelde hij haar niet over de man die wellicht haar echtgenoot zou kunnen zijn. Hij bracht de nacht bij haar door en liet wat geld bij haar achter met de woorden dat ze uitstekend werk voor Bosnië verrichtte. Hij vertelde haar níet dat hij binnenkort naar Afrika zou vertrekken.

Langley.
George Shreed liet de diverse wekelijkse samenvattingen van boven naar beneden over zijn scherm rollen, verveeld, ongelukkig met zichzelf, om de paar seconden van houding veranderend omdat ondanks zijn medicijnen zijn ruggengraat nog steeds uiterst pijnlijk was. Hij probeerde de gedachte van zich af te zetten dat er misschien heel iets anders met zijn rug aan de hand was dan de gebruikelijke versleten wervels en beknelde zenuwen. Er gleed een grijns over zijn gezicht, zijn reactie op de ironie van de zorg waarmee hij werd omringd, terwijl hij misschien wel meningitis of kanker had – hij, een man die nauwelijks kon lopen! Hij, de menselijke ruïne!

Maar er is een logische inconsistentie in ieders denken dat hij dood een stuk beter af zou zijn.

Af en toe zag hij iets op een lijst staan dat veelbelovend leek, en klikte hij het aan, met als gevolg dat het op een scherm in een ander kantoor verscheen, waarna gewoonlijk twee, drie dagen later iemand hem met een bezoekje vereerde. *Als een spin in zijn web,* bedacht Shreed. *Een spin met metalen poten.* Hij beschouwde zijn benen niet meer als benen. Zijn stalen wandelstokken waren zijn benen. *Mijn oorlogstrofeeën.* Hij was ooit vlieger geweest, een uitstekend vlieger, en was toen neergestort.

Hij liet de ontvangen agentenrapporten over zijn scherm rollen toen zijn oog op iets bleef rusten, en hij scrollde terug, niet precies wetend wat hij had gezien – Ja, díe. In de Afrikaanse sectie. 'Ooggetuige meldt het neerschieten van een burgervliegtuig met behulp van een luchtdoelraket. Betrouwbaarheid Eén. (Foto's).'

Foto's! Dat zou best eens interessant kunnen zijn. Hij wist precies om welk neergehaald toestel het hier ging, afgaande op de datum en de plaats. Rwanda. *Met foto's?* Hij vroeg zich af waarom het drie jaar had geduurd om die spullen hier te krijgen. Misschien wel nep, gemanipuleerd, iemand die probeerde een paar centen bij te verdienen. Maar toch –

Hij kende de niet-bevestigde rapporten en geruchten, en de overtuiging bij een deel van de inlichtingengemeenschap dat de Fransen achter dat neerschieten hadden gezeten. Agentenrapporten als deze werden streng bewaakt, maar zijn veiligheidsspecificatie was zó hoog dat hij gekwalificeerd was ze in te zien. Het was niet ongebruikelijk dat hij er af en toe eens eentje opende, zoals nu, hoewel hij het materiaal gewoonlijk in de vorm van een samenvatting onder ogen kreeg, helemaal herschreven, zodat de identiteit van de agent verborgen zou blijven. Maar nu lás hij het rapport, en hij zag onmiddellijk dat het waarschijnlijk echt was en dat de agent gemakkelijk kon worden geïdentificeerd door zijn of haar (hij moest automatisch aan een 'haar' denken – waarom?) connecties met een van de Hutu Interahamwe-generaals. Een uiterst riskante aangelegenheid. Dynamiet.

Hij klikte het rapport aan en haalde een volgend scherm tevoorschijn, waarop hij vier namen blauw deed oplichten, en klikte toen opnieuw, waarna het rapport verscheen, om vervolgens vercijferd naar de mail van vier van zijn analisten te worden gestuurd. Hij verstuurde de gebruikelijke korte boodschap – lees en kom met commentaar, bereid je voor op het bespreken van de implicaties, dat soort zaken.

Interessant.

Hij downloadde een vijfde kopie van het rapport op een diskette. Later, vanuit een andere computer, mailde hij dat naar een internetadres. Van deze handeling zou nooit meer een spoor te vinden zijn.

Kort na zessen verliet hij zijn kantoor en reed in zijn aangepaste auto naar huis. Hij zag altijd uit naar zijn thuiskomst – een goed teken bij een danig beschadigde man, bedacht hij. Zo slecht kan het leven nog niet zijn als je blij bent naar huis te mogen. Dat huis bestond uit een riante vierkamerwoning in Falls Church, waar ze nu al twaalf jaar woonden. Elk jaar werd het woon-werkverkeer erger, werden de buren jonger en de problemen van de kinderen van die buren aanzienlijk ernstiger – drugs, aids. Zijn eigen kinderen waren nu volwassen, maar zouden ongetwijfeld kans hebben gezien zaken te trotseren die voor de buurkinderen te veel waren gebleken; zijn kinderen waren opgegroeid in plaatsen als Macao en Jakarta, en vertoonden de mix van gehardheid en vertwijfeling die je alleen maar tegenkwam bij kinderen van ouders die langdurig in het buitenland hadden gewoond, een mix die helemaal was toegespitst om te overleven, het resultaat van zowel gevreesd als vertroeteld worden in die vreemde oorden. Zijn huis was voor hem een soort eiland in de olieachtige zee van de voorsteden rond Washington. Het was buitengewoon comfortabel en – dankzij de vrouw die al zevenentwintig jaar lang zijn echtgenote was – op een enigszins gedateerde manier elegant, een wijze die hem uitstekend beviel, vaag koloniaal van stijl, en deed denken aan de propvolle Europese woning van de een of andere ambtenaar in ruste die nog steeds heimwee had naar de plaatsen waar hij zijn échte leven had doorgebracht. Shreed betrad opgelucht zijn woning – de Javaanse wajangpoppen in de hal, de lange rijen juridische boeken in zijn studeerkamer, de echte kelimtapijten, de in de lucht hangende vage geur van Chinese kerrie – en kuste zijn vrouw, krabbelde over de kop van de poes en masseerde heel even de hond, nam twee borrels en nuttigde vervolgens de maaltijd.

'Ik ben de gewoonste man van de wereld,' zei hij tegen haar. En knipoogde.

'Ga je online?'

'Eventjes maar.'

'Je bent er compleet verslaafd aan geraakt.' Ze bedoelde het als grapje, maar haar opmerking had een scherpe ondertoon. Ze was een lange, knappe vrouw met zacht grijs haar dat in een brede krans rond haar hoofd en tot op haar schouders viel. Van achteren kon ze nog steeds als jonge vrouw doorgaan. Maar de menopauze was genadeloos voor haar geweest; gemeenschap was niet langer meer mogelijk, althans, niet zonder de pijn die het feitelijk onmogelijk maakte, en alle andere soorten seks vond ze over het algemeen smakeloos. Ze vond het bijna-celibaat moeilijker te verdragen dan hij en had altijd het idee dat ze hem hierdoor kwijt zou raken, en volgens haar terecht.

Hij gaf haar een kus. 'Als je wil dat ik dat niet doe, dan doe ik het niet.' Ze schudde haar hoofd. Ze hadden de leeftijd bereikt waarop zo'n beetje alles met een flinter onvolkomenheid gepaard gaat die zich binnen de kortste keren wel eens zou kunnen ontwikkelen tot het smalle uiteinde van de een of andere vreselijke wig tussen hen beiden. 'Ik wilde nog wat gaan lezen,' zei ze. Ze doceerde geschiedenis aan een lokale middelbare school, en bracht hem steeds weer in verwarring door dat ogenschijnlijk met plezier te doen.

Hij beschikte over enige uiterst speciale software die er niet uitzag als zodanig wanneer de gegevens van de harde schijf werden opgeroepen. De software had ook vrij onschuldige namen – een *defragger*, een zip-programma. Nu activeerde hij een van deze programma's.

Shreed tuurde enige tijd naar het scherm. Zijn vrouw kwam binnen, kuste hem achter in zijn hals; hij reikte naar achteren en raakte haar even aan. 'Ga je naar bed?' mompelde hij.

'Ik ga nog wat lezen.'

'Ik kom zo.'

Toen ze was vertrokken draaide hij zich weer naar zijn computer om. Hij riep het rapport uit Afrika op, van de plaats waar hij het had opgeslagen, gebruikmakend van een van de gemaskeerde programma's, en vertaalde het in een vercijferde vorm die comprimeerbaar was tot één enkele pixel. Toen riep hij vanaf een file met de naam 'Gelezen boeken' een foto op van een naakte vrouw die samen met een andere vrouw een vrij algemene seksuele handeling verrichtte. Hij droeg de computer op om de gecomprimeerde data als een pixel in de foto te verankeren, wat het apparaat deed door een willekeurige plaats te selecteren, in dit geval ergens in de nagel van de linker grote teen van een van de vrouwen. Shreed raadpleegde daarna op een andere computer een lijst, stuurde de gedigitaliseerde foto van de ene computer naar de andere, en verzond die vervolgens via het internet naar het geselecteerde adres. En in een oogwenk was de foto verdwenen.

Enkele seconden later. Teheran.

De gedigitaliseerde foto werd onderschept door een Iraniër die de uiteindelijke bestemming in Dubai voortdurend in de gaten hield. De operator vond de pixel die te veel data bevatte. Hij vergrootte de pixel die in de grote teen van de meer donker getinte van de twee blote dames had gezeten en stuurde die naar een andere computer, waarvan de operator een ontcijferprogramma activeerde dat achtenveertig uur zou stampen, om óf de informatie op de pixel boven water te tillen, óf toe te geven dat het er niet doorheen kon breken.

Binnen een halfuur lag een boodschap met betrekking tot het onderscheppen van de pixel op het bureau van Joeri Efremov, de voormalige Russische KGB-kolonel die zijn vaardigheden aan Iran had verkocht nadat de Sovjet-Unie onder haar eigen gewicht bezweken was. Nadat hij het memo aandachtig had gelezen legde hij het weg in een bakje 'Nog te archiveren' en richtte zijn aandacht op andere zaken; tot op heden was het hun niet gelukt om ook maar íets dat via dit kanaal tot hen was gekomen te ontcijferen.

Maar deze keer liep het anders. Eenendertig uur later werd hem een kopie ter hand gesteld van de enkele pagina die men had weten te ontcijferen – een foto met een lage resolutie (*JPG-file*, dacht hij bij zichzelf, *aard van de transmissie?*) waarop verschillende blanke mannen stonden met een vanaf de schouder te lanceren luchtdoelraket, met op de achtergrond enkele zwarte mannen. Als dat alles was geweest, dan zou het alleen al bijzonder informatief zijn geweest, maar de opname was gemaakt met een van die kleine cameraatjes die op het beeld zelf ook nog eens een datum en een tijd afdrukken. En die datum vertelde hem, zonder dat hij het na hoefde te kijken, waar deze foto was genomen en wat die mannen met dat projectiel aan het doen waren. *Rwanda, 6 april 1994,* dacht hij.

'Opmerkelijk,' zei hij tegen zichzelf in het Russisch. 'Opmerkelijk.' Hij liet de foto scannen en hem naar zijn computer thuis versturen.

Vier seconden later. Beijing.

Nadat ze de foto vanuit het doorvoeradres in Dubai hadden ontvangen, en zich onbewust van het feit dat hij al door Iran was onderschept, moest het plaatsvervangend hoofd van het berichtencentrum twee dagen wachten vóór hij de Chinese onderminister voor Munitiezaken te spreken kreeg. Bij het maken van de afspraak had hij het doel van zijn bezoek omschreven. Het was daarom ook niet verrassend dat er een Chinees die hij niet kende bij de bespreking aanwezig was, mogelijk een diplomaat, of misschien wel een jurist. Hij was onmiddellijk geïnteresseerd in het rapport en de foto's van verscheidene blanken die een Stinger-raket afvuurden, en nam heel even de onderminister ter zijde, om vervolgens in een hoog tempo vragen op hem af te vuren – Waar kwam dit vandaan? Hoe betrouwbaar was het? Zou er met deze beelden geknoeid kunnen zijn? Wie waren de blanken op de foto's? Hoe waren deze foto's tot stand gekomen? Welke landen hadden het grootste belang bij dit rapport?

Twee uur later kon hij gaan. Voorzover hij begrepen had, waren ze van mening dat een man die Lascelles heette wel eens de meest veelbelovende koper van het rapport zou kunnen zijn.

Een dag later. Cannes.

Lascelles keek neer op de papieren en foto's die voor hem op de tafel in zijn bibliotheek waren uitgespreid. De foto's waren niet van de allerbeste kwaliteit en kwamen duidelijk uit een aan een computer gekoppelde printer, maar ze waren duidelijk genoeg. Zijn oudemannengezicht zat onder de rode vlekken. Zijn ademhaling had iets raspends gekregen.

'Ik wil Zulu spreken,' gromde hij. Met een ruk draaide hij zijn hoofd om naar de twee andere mannen die zich in het vertrek bevonden, en die zwijgend voor zich uit keken. *'Zorg ervoor dat ik Zulu aan de telefoon krijg, stomme klootzakken!'*

Een dag later. Belgrado.
Zulu was de hele ochtend bezig geweest met het organiseren van het vervoer van zijn twee elitecompagnieën vanuit hun kazerne. Vanuit Tirana waren er een paar Tu-109's onderweg; tegen de tijd dat ze de volgende dag in Dehibat zouden landen, zouden zijn agenten aldaar onderdak en kantoorruimte beschikbaar hebben. Het moest wel erg snel allemaal. De Libiërs waren coöperatief, aanzienlijk meer dan gebruikelijk zelfs, hetzij omdat Lascelles een lading geld hun kant uit had gestrooid óf omdat ze maar al te graag van Zulu en zijn mannen af wilden zijn – officieel was Libië anti-Mobutu. De ware reden interesseerde hem geen barst. Hij was zo kwaad over wat Lascelles tegen hem had gezegd, dat het hem inderdaad geen moer meer kon schelen: *Je zorgt er maar voor dat die Serviërs binnen de kortste keren dáár zijn en de boel rechtzetten! Je hebt de een of andere Amerikaanse klote-agent foto's van je laten maken, stom stuk vreten dat je bent! Hondenlul! Idioot! En je kunt de boel nu maar beter góed aanpakken, anders laat ik je omleggen, begrijp je me een beetje? En ik zal ervoor zorgen dat je kínderen óók worden omgelegd! Ik zal – !*
Z was niet van plan dit soort beledigingen te pikken. Hij was geen kind meer, hoe machtig meneer Lascelles in zijn eigen waanzinnige wereldje vol Napoleontische fantasieën zich ook mocht voelen.
Maar hij was natuurlijk wél van plan zijn bevelen op te volgen.
Zijn mannen waren nu vier maanden lang voor Zaïre in training geweest. Ze konden er erg veel geld mee verdienen en ze hadden de beschikking over een behoorlijke bewapening. Hij zou later wel een manier weten te vinden om met Lascelles' futiele beledigingen af te rekenen.
Z reed naar huis. Zijn vrouw wist onmiddellijk dat er iets aan zat te komen – ze kon het van zijn gezicht aflezen, zag het aan de manier waarop hij zijn kinderen vertroetelde, herkende het aan zijn stem.
Hij ging op de rand van het bed zitten en trok haar tegen zich aan, drukte zijn gezicht tegen haar buik. 'Ik moet weg,' zei hij.
Ze begon zacht te huilen, een huilen zonder snikken.
'Afrika,' zei hij.
Ze wist dat het al te laat was om nog vragen te stellen. Hij begon zijn spullen in te pakken. Ze ging op het bed zitten en hij vertelde haar hoe ze via Libië post naar hem toe zou kunnen sturen, wie ze in geval van nood in Belgrado kon bellen. Uiteindelijk, toen hij zijn pistool tevoorschijn had gehaald en het wapen nakeek, vroeg ze: 'Waarom nu?'

Hij haalde zijn schouders op. Hij haalde de slede naar achteren. 'Een of andere Amerikaan. Een of andere stomme CIA-man heeft iets gedaan en nu zijn de poppetjes aan het dansen.' Hij liet de slede met een klap naar voren schieten en stopte het pistool in zijn holster en begon vervolgens het schouderharnas om te doen. 'Ik ben over twee weken terug. Ik hoef alleen maar een paar zwarten terug te jagen over de grens van een oord dat Rwanda heet. Ze zullen niet eens in de gaten hebben wat hen overkomt.'

Ze kusten elkaar. Zijn kinderen huilden.

De volgende dag. Het Pentagon.

Alan Craik wist verder niets van Z. Maar hij zag de volgende dag wél een rapport uit zeer betrouwbare bron waarin werd gemeld dat er twee vliegtuigen vol Servische huursoldaten, mét complete gevechtsuitrusting, in Dehibat waren geland, naar alle waarschijnlijkheid op doorreis verder naar het zuiden. Hij concludeerde terecht dat ze als ondersteuning voor het bewind van Mobutu bedoeld waren en bracht vervolgens admiraal Pilchard hiervan op de hoogte. Binnenkort zou langs de grens van Zaïre de vlam in de pan slaan, zei hij.

Hij bleef zich zorgen maken over O'Neill.

14

Oktober

De grens tussen Oeganda en Zaïre.

O'Neill was de afgelopen paar maanden twee keer naar Zaïre gereisd, beide keren per vliegtuig, met als bestemming Kisangani, om iets te doen dat de resident-agent in Kinshasa niet voor elkaar kreeg. Vliegtuigen zorgden er over het algemeen voor dat je hoog boven de problemen verheven bleef, ondanks hun slechte reputatie waar het rampen betrof. Vliegend op dertigduizend voet kon hij naar beneden kijken en zag hij de reeks meren die vroeger Frans Afrika van Brits Afrika scheidde, kon hij in één keer het hele Tanganjikameer zien liggen, en ten noorden ervan het Kivumeer, als de punt van een op zijn kop staand uitroepteken. Aan beide kanten van Kivu lagen extreem gevaar en de dood op de loer – en de kampen bij Bukavu en Goma, voldoende bloed om het hele meer rood te doen kleuren. Maar er overheen vliegend zag hij alleen het glinsterende blauwe water, de akkers, en de steile hellingen en bossen van Zaïre. Het was zoals een theoreticus de oorlog moest zien, uiterst clean, uiterst veilig. Een prettige manier om werk te doen dat het daglicht niet kon velen.

Maar deze keer ging hij over de weg, en dat beviel hem helemaal niet. Elizabeth had eindelijk gevraagd of ze daar weggehaald kon worden. Twee dagen geleden had hij plotseling een boodschap van haar ontvangen, plus een rapport dat ze zelfs zo ver naar het zuiden als Uvira was waargenomen, en vervolgens in het noorden, in de buurt van Goma. En daarna de 'haal me hier weg'-boodschap, de noodoproep om hulp zoals ze die ooit hadden afgesproken.

Ze bleef dicht bij het leiderschap van de factie waartoe haar halfbroer behoorde, besefte hij, maar probeerde tegelijkertijd uit de buurt van de gevechten in het kamp te blijven. Haar enige rapport, drie weken geleden, was kort en bondig, vol feiten staand, emotieloos. Er stond in wat andere mensen hadden gehoord, maar dat alleen zíj kon bevestigen: dat de Interahamwe steeds gewelddadiger werden, wanhopiger, terwijl steeds meer Hutu's vanuit Zaïre naar Rwanda probeerden terug te keren, De Rwandese overheid riep hen door middel van radio-uitzendingen op naar huis te komen en verzekerde hun dat ze veilig zouden zijn; de Zaïrezen waren kotsmisselijk van hen en wilden dat ze oplazerden; het enige voedsel was afkomstig van de hulpverleningsorganisaties, en de kampen waren overbevolkt.

Hij vroeg zich onwillekeurig af hoe het haar was gelukt in leven te blijven en tegelijkertijd dit soort materiaal in handen te krijgen, tenzij ze aan het een en ander had deelgenomen. Misschien had ze dat wel móeten doen. Misschien was dat de manier geweest om voldoende dichtbij te komen om er zeker van te zijn. Hoe dan ook, voor haar was nu alles achter de rug. Ze had hem de boodschap gestuurd dat ze opgehaald wilde worden.

Sinds die tijd in de jachthut in Kenia had hij haar niet meer gezien. Als dat al zou kunnen hield hij nu nóg meer van haar, zeker niet minder. Hij verlangde voortdurend naar haar; de nachten zonder haar waren ellendig, een ware foltering. En nu kwam ze naar hem toe, en zodra hij haar eenmaal veilig en wel in Arusha zou hebben, zou hij zijn ontslag indienen en onmiddellijk samen met haar vertrekken. De reserveringen voor het vliegtuig waren al gemaakt.

Het enige hachelijke aan deze onderneming waren de paar honderd meter die hij Zaïre in moest rijden om bij haar te komen. Dat ze het op deze manier moest doen hield in dat het geen gemakkelijke zaak voor haar was. O'Neill drukte zijn linkerarm tegen het vuurwapen dat voor de twintigste keer onder zijn oksel bevestigd zat. Hij had nog nooit eerder een wapen bij zich hoeven hebben; en nu, aan het einde van zijn carrière als CIA-man, hoopte hij van ganser harte dat hij het niet hoefde te gebruiken.

De weg die hij nam was één grote puinhoop vol gaten, die soms wel even breed waren als de weg zelf en diep genoeg om een as te breken. Tot 1990 was deze weg niet veel meer geweest dan een onverhard pad dat langs de flanken van de Ruwenzori naar Kasindi liep, een onbetekenend plaatsje aan de grens van Oeganda en Zaïre. Alleen de plaatselijke bevolking had er gebruik van gemaakt, mét de toeristen die toentertijd dit deel van het Queen Elizabeth-park kwamen bekijken, totdat Idi Amin de natuurparken naar de filistijnen had geholpen en de weg zelfs dáárvoor niet meer werd gebruikt. Toen Rwanda werd geteisterd door de eerste golf van de genocide, moesten alle zware vrachtwagens die de hoofdweg van Kigali naar Goma hadden gebruikt een nieuwe route zien te vinden. Ze reden noordelijk Oeganda binnen, gingen op zoek en vonden de grensovergang bij Kasindi, en het waren er zóveel, dat de weg moest worden geplaveid, wat inhield dat er een drie centimeter dikke laag asfalt op de aangestampte aarde werd aangebracht. Voor dat asfalt goed en wel hard was geworden was het al aan flarden gereden, maar het feit dat het een verharde weg was geworden zorgde ervoor dat er almaar meer vrachtwagens kwamen, en na twee jaar was het de slechtste weg van Oeganda, en dat zei erg veel. De meeste vrachtwagens wensten er toen geen gebruik meer van te maken, zó erg was het.

Nu maakte O'Neill er gebruik van, de stofwitte LandCruiser voorzichtig de gigantische gaten in sturend en vervolgens even behoedzaam er weer uit. Om sommige gaten kon hij zelfs heen rijden; andere waren zo breed dat hun bermen bodemloze zandkuilen waren geworden. Hij dacht aan Hammer, die was gestorven terwijl hij had geprobeerd zijn wagen uit een modderpoel te krijgen. Misschien had hij iemand mee moeten nemen, voor het geval hij vast kwam te zitten. Drie keer was hij eerst verbijsterd en vervolgens met schrik vervuld toen hij een stofwolk zijn kant uit zag komen; na de eerste keer wist hij dat het stof een zware vrachtwagen aan het oog onttrok die uit de richting van Zaïre kwam gedenderd. De chauffeurs reden zo snel als ze maar konden op deze weg, alsof ze de weg in model wilden pletten. Als hij niet aan de kant was gaan staan hadden ze ook hem ter plekke geplet. Hij kwam een tijdje later een gestrande vrachtwagen tegen, waarvan een van de assen was gebroken en de aandrijfwielen zich diep in het zand hadden gegraven. De chauffeur had hem aangehouden en hem verteld dat hij zo al twee dagen lang stond. Nee, hij hoefde geen lift; er reed iemand met een zware tractor op en neer die de kost verdiende met het lostrekken van vrachtwagens. Die zou ongetwijfeld vandaag of morgen langskomen.

Zodra hij haar eenmaal bij zich had, zou het er allemaal niet meer toe doen. Als hij straks terug zou rijden over deze weg kon het hem allemaal niets meer schelen. Hij was desnoods bereid de hele terugweg te lópen, zolang hij haar maar bij zich had. Het enige dat belangrijk was, was haar mee te kunnen nemen.

Alles maakte een normale indruk. De vrachtwagens, het stof, de rust. Prior had hem gisteren verteld dat er meldingen waren dat er nogal wat activiteit heerste rond Kigoma, maar hier was alles nog rustig. Bovendien, dit was nog Oeganda. Het stadje stelde niets voor. Op de kaart leek het tenminste nog iets; maar in werkelijkheid bestond het uit niet veel meer dan een grenspost en een stuk of wat huizen die over een paar honderd meter verspreid langs de weg stonden. En een *hoteli*, waar weinig enthousiaste prostituees om zich heen stonden te kijken naar absoluut niets, wachtend op terugkerende vrachtwagenchauffeurs. Twee van hen holden naar de weg toen ze zijn auto aan zagen komen. Hij stopte niet. De grenspost was een stuk lastiger dan hij had verwacht, hoewel hij van te voren gewaarschuwd was. De Oegandese militairen waren nog redelijk gedisciplineerd omdat ze hun oorlog toch voor een groot deel hadden weten te winnen en in het noorden ging het ze nog steeds goed af, en ze waren nog te kort terug om nu al te zijn overgestapt op echte corruptie. Ze beschikten over AK-47's en de moderne versie van prikkeldraad, met van die uiterst scherpe mesjes, en lieten zich door niets en niemand imponeren, zelfs niet door de Amerikaanse zakenman waarvoor O'Neill deze keer door moest gaan. Ze maakten het hem niet makkelijk, maar uiteindelijk lieten ze hem wel door. Hij legde tegelijkertijd de basis voor zijn terugkeer met Elizabeth: hij ging alleen maar zijn vrouw ophalen, zei hij hen, die in Beni Gods woord had verspreid. De militairen waren niet onder de indruk. Hij hoopte dat ze bij hun terugkeer meer onder de indruk zouden zijn van haar valse paspoort.

Een paar honderd meter verderop, op Zaïrees grondgebied, stond aan de linkerkant van de weg de Super Ten Moteli met z'n Monumental Strip Bar. Het beschikte niet over een motel en voorzover hij kon zien waren er ook geen strippers. Het was een rustplaats voor truckers, met naast het gebouw wat lege bierkratjes, alsmede een lage uitbouw met kamertjes die nog het meest aan kippenhokken deden denken, te huur per nacht of per uur, en vijf magere vrouwen.

Hij was van plan om hier zijn auto te parkeren en de pakweg honderd pas ernaartoe te lopen. Hij zou dan uitkomen bij de resten van een in koloniale stijl opgetrokken huis – in feite de voormalige residentie van het plaatselijke hoofd van de Belgische douane. Er vlak naast moest een voetbalveld liggen. Hij werd geacht naar dat voetbalveld te lopen, zodat ze hem zou kunnen zien, en zodra ze zeker zou zijn dat híj het was, zou ze naar buiten komen. Ze zou in iets groens gekleed gaan. En daarna zouden ze naar huis gaan. Hij besefte dat hij háár instructies volgde. Tijdens zijn training was er bij hem ingeramd dat hij nooit ofte nimmer de instructies van een andere agent moest opvolgen; sta er altijd op dat je je éigen plan trekt. Maar nu ging het om Elizabeth.

O'Neill reed bij de bar de weg af, stopte, trok de handrem aan en drukte zijn bovenarm tegen het wapen onder zijn oksel. Óf ze was nog steeds bijzonder bang, of het was een val. Aan die mogelijkheid had hij steeds moeten denken – dat het best wel eens een valstrik zou kunnen zijn – maar hij wilde haar zó graag bij zich hebben, dat hij zichzelf niet toestond stil te staan bij de mogelijkheid dat het een val zou kunnen zijn. Bovendien, niemand haalde het in zijn hoofd om Amerikaanse CIA-mensen in een valstrik te laten lopen. De consequenties daarvoor waren veel te afgrijselijk. Hoe dan ook, het kón geen val zijn, want de afgesproken signalen hadden allemaal geklopt. Alles klopte. Het kón geen valstrik zijn.

Hij stapte de auto uit en zei tegen een van de plaatselijke dames dat het hem zeer speet, maar dat hij geen gebruik van haar diensten kon maken omdat hij nu eenmaal een dienaar Gods was, wat ze nogal grappig leek te vinden, misschien wel het leukste wat haar de hele dag was overkomen. Ze had een verkooppraatje waarin verscheidene woorden voorkwamen die hij nog niet kende en waarmee zaken werden beschreven die hij misschien ooit in het Engels een keertje eerder had gehoord. Zijn hart klopte zo hard van verlangen om Elizabeth weer te zien, dat hij haar nauwelijks verstond, en uiteindelijk gaf ze het op en haalde ze haar schouders op. O'Neill deed zijn auto van het slot, veegde het zweet af met de handdoek die op de passagiersstoel lag, en deed de auto toen weer op slot. Het kon geen valstrik zijn, hield hij zichzelf voor. Het kón geen valstrik zijn.

Hij veranderde de positie van het wapen enigszins, waarbij hij de kolf iets verder onder zijn arm uit liet komen, zodat hij er sneller bij zou kunnen. Hij had hem liever tussen zijn broeksband gestoken, aan de voorkant, voor een *crossdraw*, maar dat deed je niet met een Beretta als je ook nog een auto moest besturen. Hij herinnerde zich dat Craik altijd een pesthekel aan de Beretta had gehad, en hij moest het nu wel met hem eens zijn. Het was een pistool dat je maar moeilijk kon verbergen. Hij droeg een van achteren ingenomen kakikleurig shirt dat in feite nog het meest op een bush-jacket met korte mouwen leek; het was eigenlijk een idioot kledingstuk, uiterst toeristisch, *à la* Hemingway, maar het was het enige waarover hij beschikte om de Beretta nog enigszins aan het oog te onttrekken.

Het vroegere woonhuis van de douanier was half in elkaar gezakt en nu groeiden er bananenbomen dwars door het dak. Het moest ooit een aantrekkelijk huis zijn geweest, alles gelijkvloers, met een golfijzeren dak en veranda's rondom, en vensterloze schuurtjes achter het huis voor de bedienden. Nu was het zelfs te bouwvallig geworden voor zwervers. O'Neill liep er langs, zwetend als een otter en sloeg het verkeerde pad in en moest weer verschillende meters op zijn schreden terugkeren om uiteindelijk uit te komen bij iets dat volgens hem het voetbalveld moest zijn. Het lag er onverzorgd bij en niemand had hier de afgelopen jaren voetbal gespeeld. Alleen de resten van iets grijs dat ooit als doel moest zijn gebruikt vertelde hem dat dit het moest zijn.

O'Neill bad. Hij bad voor haar en hij bad voor hen beiden. Hij bad dat alles in orde zou komen, en over twintig minuten zou hij samen met haar moeten lachen om de afgrijselijk slechte weg terug naar Katunguru. Alstublieft, God. Alleen déze ene keer.

Hij liep het veld op. Hoog, droog gras zwiepte als de twijgen van een bezem tegen zijn benen. Een koele bries waaide vanuit de Bergen van de Maan zijn kant uit, waardoor zijn transpiratievocht opdroogde, maar dat had hij geen moment in de gaten. Hij liet zijn blik voortdurend heen en weer schieten in een poging alles te zien, proberend, zoals hij een piloot eens had horen zeggen, om het hele instrumentenpaneel in één keer in zich op te nemen. Toen zag hij haar, helemaal aan de andere kant, met een groen broekpak aan dat hij meende ooit eens gezien te hebben, en heel even leek zijn hart stil te staan. Ze zwaaide, en hij zwaaide terug, en hij begon te rennen.

Aan het eind van het voetbalveld bevonden zich doornstruiken, en toen hij die hijgend bereikte, was ze achter een daarvan verdwenen. Hij besefte dat dat niet klopte, en hij bracht zijn hand naar zijn pistool en bad en holde naar de struik waar ze volgens hem achter verdwenen moesten zijn, maar daar was niemand te zien. Toen wist hij dat het een valstrik was.

Hij bleef staan. Er was een luid, insectachtig geluid te horen, een gezoem als van een grote zwerm krekels. De wind. Een vrachtwagen op de weg – niet zo héél erg ver bij hem vandaan.

'Elizabeth?'

Hij haalde zijn pistool tevoorschijn.

Aan de rand van zijn gezichtsveld bewoog iets. Hij draaide zich om, en zag haar toen.

Hij zou haar nooit hebben herkend, gezien wat ze met haar gezicht hadden gedaan, maar hij wist hoe lang ze was, en hij kende haar lichaam. Ze wankelde. Ze was haar evenwichtsgevoel kwijt en misschien kon ze ook niet zien, want ze had haar ene hand iets naar voren gestoken en de andere iets opzij gericht, maar alles maakte een ongecoördineerde indruk, en half struikelend liep ze eerst de ene kant uit en toen de andere. Ze was naakt. Geronnen bloed zat aan de binnenkant van haar benen geplakt.

O'Neill hoorde zichzelf naar adem happen. Hij hoorde zichzelf bijna piepend haar naam uitspreken.

'Vind je haar aantrekkelijk?' krijste een hoge stem. 'Hóu je van haar?'

Achter haar doken een stuk of wat mannen op. O'Neill wist dat een ervan haar halfbroer moest zijn. Hij had een machete in zijn hand. Toen zag hij nog iemand anders, een blanke deze keer.

O'Neill bracht zijn pistool omhoog en slaagde erin te richten toen er iets tegen de zijkant van zijn hoofd sloeg, terwijl hij gelijktijdig van achteren en van rechts werd vastgegrepen, er een hand voor zijn gezicht werd geslagen, direct gevolgd door nog een hand van achteren, die langs zijn voorhoofd in zijn ogen klauwden. Hij vuurde drie schoten af, maar zag helemaal niets, drie schoten op helemaal niets. Hij vermoedde dat hij door vier man werd belaagd, die hem vasthielden terwijl hij zich probeerde te verzetten, en hem zijn wapen wisten te ontfutselen door zijn vingers te breken. Hij deed wat hij tijdens zijn opleiding had geleerd. Hij wist iemand in de onderbuik te raken, en trapte een ander zó hard tegen de borst dat het hart het had kunnen begeven, maar één man is geen partij voor vier tegenstanders. Ze hielden hem vast, sloegen hem in elkaar en draaiden hem toen met een ruk om, hem dwingend naar haar te kijken.

'Vind je haar aantrekkelijk?' zei de halfbroer opnieuw met dat hoge stemmetje van hem. 'Heeft ze geen aantrekkelijk gezícht? Heeft ze geen mooi haar? Een heleboel mannen vinden haar aantrekkelijk! Sinds gisteren heeft ze honderddrieëntwintig man over haar heen gehad! Sommigen zelfs twee keer! Oké – je kríjgt haar van mij!'

Ze was iets naar voren gewankeld. Hij ging achter haar staan en bracht de machete naar haar keel, waarna hij haar hoofd aan haar haren naar achteren trok: O'Neill liet een dierlijk gebrul horen, en haar halfbroer sneed haar met één enkele trage haal de keel door, diep, steeds dieper, en het slagaderlijke bloed kolkte naar buiten, over haar lichaam, en naar voren, op de droge grond terechtkomend. Terwijl ze viel draaide hij haar half om, haar nog steeds aan haar haren vasthoudend, en haalde opnieuw uit met de machete, dreef die diep in haar nek, liet toen los, en hakte net zo lang op haar in tot haar hoofd los van haar romp kwam. Hij ramde de punt van zijn machete diep in de nek zodat hij het hoofd omhoog kon brengen om er vervolgens woest mee te zwaaien. Vanuit de nek liep er bloed over de machete naar beneden, dat eerst zijn vingers bereikte en vervolgens over zijn pols droop.

'Je kríjgt haar van mij!' schreeuwde hij. Hij holde naar voren. Toen hij nog een pas of tien bij O'Neill verwijderd was bleef hij staan. 'Jij smerig stuk strónt van een Amerikaan!' krijste hij. Een eind verderop stond de blanke man naar het onthoofde lichaam van Elizabeth te kijken. 'Júllie hebben het gedaan! Klote-Amerikanen dat jullie zijn, júllie hebben de Tutsi's tegen ons opgezet en nu slachten ze ons af, terwijl júllie nog steeds achter hen staan!'

Het was het eerste dat O'Neill over de invasie van Zaïre te horen kreeg. Die moest gisteren hebben plaatsgevonden, schoot het door hem heen, maar erg ver kwam hij niet met die gedachte. De man kwam op O'Neill afgerend, de machete met haar hoofd er nog steeds op gespietst als een knuppel heen en weer zwaaiend. Het hoofd raakte hem met een hard, krakend geluid tegen de linkerslaap en boven op zijn eigen hoofd. Het hoofd spleet open, waarbij de punt van de machete dwars door de rechterwang en -kaak naar buiten stak, en de halfbroer bracht het opnieuw omhoog, om het twee seconden later weer op O'Neill neer te laten komen, steeds weer, totdat de machete dwars door het bot sneed en het hoofd eraf viel, en hij met de kling O'Neill raakte, maar toen had hij het bewustzijn al verloren.

15

Naar zee, oktober

Het was een prachtige, heldere dag. Kapitein-ter-zee Cobb, commandant van de Aegis-kruiser *Fort Klock*, vond het een herfstdag die New England zonder meer waardig was. De zee had de kleur van het rijke, diepe blauw dat ze voor speciale dagen bewaarde, en de lucht erboven was van een nóg diepere kleur azuur, die vanuit de heldere horizon naar boven, naar de diepte van het heelal leek te reiken. De zon kwam vanuit de Hampton Roads omhoog, en de felle zonneschijf vormde tegen de golftoppen weerkaatsend een glinsterend pad naar het oosten. De boeggolf van de *Fort Klock* sneed zich in volmaakt wit een weg naar open zee. Cobb leunde over de bakboordbrugvleugel en keek naar de in linie varende schepen.

De volgende in de rij was het immense vliegdekschip. Afgezien van een slagschip bestaat er geen menselijke uitvinding waar meer dodelijke, uiterst gevaarlijke dreiging van uitgaat dan de onheilspellende grijze doos die een vliegdekschip in feite is. De ochtendzon viel op de vleugeltippen van de tientallen vliegtuigen die langs de randen van het dek stonden geparkeerd en kleurde de lichtgrijze vleugels en rompen tot een gezond oranje.

Aan boord van het vliegdekschip stond ltz1 Rafe Rafehausen vlak bij de voorsteven, vlak bij het toestel waarop zijn naam geschilderd stond. Hij dacht aan traditionele zaken – de vrouw die zijn gedachten meer en meer in beslag nam, de gasrekening die hij had vergeten te betalen, het feit dat hij zijn kortegolfradio vergeten had mee naar zee te nemen. Ook kwam de gedachte bij hem op dat een man op dit soort ochtenden trots mocht zijn bij de marine te zitten, op zee mocht zijn, wanneer de gewapende arm van de vloot zich van haar beste kant liet zien en de wereld glimlachend neerkeek op hen die naar zee trokken, aan boord van schepen, of met vliegtuigen. Hij probeerde een manier te bedenken om dit tegen de mannen en vrouwen van zijn squadron die om hem heen stonden te zeggen, maar het enige dat eruit kwam was: 'Een verdómd fraaie ochtend, jongens.' En tegen zichzelf zei hij, half als gebed, half als een belofte: *Alles zal gesmeerd lopen. Alles komt op z'n pootjes terecht.*

En stuk of wat meters verderop bleef korporaal Sneesen af en toe een snelle blik werpen op de nieuwe, met een adelaar bekroonde streep die op zijn schouder was bevestigd ten teken dat hij tot kwartiermeester was bevorderd. Hij verlangde ernaar weer aan het werk te kunnen, om de 705 in perfecte vorm te brengen voor ltz1 Rafehausen, om de apparatuur aan boord volmaakt te laten functioneren, de trage reactie van de besturingseenheden wat fijner af te stellen en nog meer lof te verdienen, nog meer enthousiaste klappen op de schouder. Hij koesterde de nieuwe kennis van de wereld waarvan hij kennis had genomen via het lezen van de publicaties die Borne hem had geleend, liefkoosde die in gedachten, telde het na alsof het om geld ging. Het was als – macht. Kennis was inderdaad macht.

Ltz2 j.c. Christy Nixon zette al haar problemen van zich af en liet de wind simpelweg in haar gezicht blazen. Geen oefeningen meer. Geen onmogelijke beslissingen meer. Nu het échte werk. Ze had het gevoel dat ze wel kon zingen. *Alles komt in orde.* Ze keek in de richting van Rafehausen. Hij had haar wat betreft de door haar tijdens de Fleetex gemaakte fouten behoorlijk stevig aangepakt. En toch – *Alles komt in orde.*

Op de vlaggenbrug, hoog boven het vliegdek, keek admiraal Pilchard tijdens het maken van aantekeningen voor zijn staf een ogenblik lang naar de zonsopgang. Zijn tweede operationele trip binnen anderhalf jaar was voor zijn vrouw onaanvaardbaar, en hij kon haar dat ook nauwelijks kwalijk nemen. Maar hij wist zoveel dingen béter te doen deze keer, en hij wist ook dat er maar weinig admiraals waren die twee keer in de gelegenheid werden gesteld om leiding te geven aan een battle group. Zijn pen stopte toen hij voor de zoveelste keer besefte dat hij op vlaggenniveau niet over een inlichtingenofficier beschikte. *Dat moet ik op korte termijn zien te regelen. Jack eens vragen – de CAG AI bevorderen? M'n ondergeschikten ermee opzadelen?* Tot op heden steunde hij hevig op de N-2 aan boord van dit schip, en de N-2 had er geen enkel probleem mee hem te helpen, voorlopig. Maar als dat langer ging duren zou de werkdruk van beide taken hem wel eens te veel kunnen worden. *Dat probleem dan maar wat later proberen op te lossen.*

Hij liet zijn blik over het vliegdek glijden, langs de talloze daar geparkeerde toestellen, langs de S-3 van Rafehausen en de nietige gestalte van Sneesen, over wiens bestaan hij pas had vernomen naar aanleiding van zijn reddende optreden tijdens de *carrier-qualifications*, en de nietige gestalte van Rafehausen, met wie hij al even had gesproken, en verder in de richting van de voorsteven en de zee erachter, en, door de lichte nevel, naar het machtige voorkomen van de *Fort Klock*. Admiraal of geen admiraal, hij voelde zich nog steeds een zeeman, en hij voelde het in zijn keel en zijn onderbuik. *Alstublieft, Heer, zorg er alstublieft voor dat alles goed gaat. Geef ons de moed en het verstand en de kracht om alles goed te laten verlopen.*

Hij reikte naar een blanco vel papier en begon te schrijven.
Battle Group Zeven, op zee...

Twee dagen later. Battle Group Zeven, op zee.

Ze waren achtendertig uur onderweg toen het bericht binnenkwam dat in de buurt van Bikuba troepen Zaïre waren binnengevallen. De rapporten waren nogal fragmentarisch, en later zou de CIA worden gekapitteld voor het feit dat ze in het betreffende gebied niet over betrouwbare bronnen beschikte. Hutu-vluchtelingen waren dagenlang onderweg geweest, en sommigen hadden zelfs aan de oproep van de Tutsi's om naar huis te komen voldaan, terwijl anderen dieper het oosten van Zaïre waren binnengetrokken, en de Interahamwe-milities waren steeds gewelddadiger gaan optreden. Ze probeerden hun eigen mensen te intimideren, en hoewel uiteindelijk meer dan een half miljoen van hen naar huis terugkeerden, waren ze in eerste instantie doodsbang, en gebeurden er afgrijselijke dingen.

Om 02.37 uur kwam bij het Tactical Flag Command Center aan boord het bericht binnen dat de verbindingen tussen de langs het Kivumeer gestationeerde fronteenheden van de Zaïrese strijdkrachten – het FAZ – waren verbroken. De officier van dienst hield het bericht onder zich tot 06.30 uur, toen hij het veilig achtte om de vlaggenluitenant – die, als hij niet wakker was geweest dat in elk geweest had hóren te zijn – te vertellen dat er een bericht van de hoogste prioriteit was binnengekomen. In feite had Parsills het bericht tegen die tijd al onder ogen gehad en was het onderwerp van gesprek tijdens het ontbijt met de admiraal. Met andere woorden: ze waren er nog niet helemaal uit wanneer de admiraal voor dit soort gevallen uit zijn bed moest worden gehaald, en wanneer níet.

De volgende negen uur werd de situatie op de voet gevolgd. Tegen die tijd was het duidelijk dat de grootschalige omwenteling die Alan had voorspeld inderdaad aan het plaatsvinden was.

Op dat moment was nog niet ontdekt dat O'Neill gevangen was genomen.

Oostelijk Zaïre.

Zulu stond bij de kruising van twee wegen die in de stromende regen weinig meer waren dan kleine rivierbeddingen. Zijn Toyota stond tot aan de assen in de modder; een eindje verderop waren twee oude Bedfords voor altijd vast komen te zitten. Zijn chauffeur keek hem aan met de gespannen, angstige blik van een jongen die verwacht elk moment straf van zijn vader te zullen krijgen. 'Ik zie geen kans eromheen te rijden, kolonel – er is geen ruimte – !'

Zulu gebaarde naar zijn verbindingsofficier en probeerde vervolgens zijn positie te bepalen aan de hand van een in Amerika vervaardigde GPU, een *global positioning unit*. Vanwege de zware bewolking lukte het hem niet een derde satelliet te vinden, kreeg die toen heel even te pakken en probeerde de coördinaten af te lezen. 'Waar hangt Djutzic verdomme ergens uit?' snauwde hij.

'Die zit in de buurt van een klein dorpje, zegt hij, alleen weet hij niet welk. Zijn kaart klopt niet.'

'O, shit!' Zulu sloeg met de GPU tegen de palm van zijn andere hand. Níets werkte hier. Hij had verwacht rond deze tijd allang in Rwanda te zitten; in plaats daarvan had hij achter de Zaïrese grens behoorlijk op zijn lazer gekregen en had hij zich moeten terugtrekken, althans, dat had hij geprobeerd, in een gebied waar hij nooit had verwacht strijd te hoeven leveren – zonder goede kaarten, zonder verkenners, zonder plaatselijke gidsen. 'Heb je kolonel Ntarinada gebeld?'

'Nee, kolonel. De laatste keer dat ik contact had was met zijn adjudant op weg naar een punt iets ten westen van Masisi.'

'Masisi! Dat ligt verdomme zéstig kilometer ten westen van de grens! De klootzakken! Ze nemen de benen!'

Een verweerde kapitein, jaren ouder dan gebruikelijk was voor zijn rang, kwam ploeterend teruggelopen van de vastzittende vrachtwagens, zijn gevechtslaarzen zó dik onder de modder dat hij onder elk been een soort boomstronk leek mee te voeren. Zwijgend bereikte hij Zulu en keek hem aan, terwijl de regen van zijn helm droop en langs zijn gezicht liep. 'We zullen een andere route moeten nemen,' zei hij. 'Die vrachtwagens zitten hopeloos vast.'

'Hoe is de toestand bij jou?

'Drie man zijn direct gesneuveld. In de voorste vrachtwagen heb ik zes gewonden. Die klote-Hutu's zijn gewoon gedeserteerd! We bleken tegen Rwandese regeringsmilitairen te vechten, die door de Hutu's en het FAZ sneden als een warm mes door de boter; het leek wel of ze geen tegenstand hádden. We slaagden erin stand te houden, maar toen ik om me heen keek bleken we alleen nog maar met ons eigen groepje te zijn! Ik was heel even bang dat we daar nooit meer weg zouden komen.' Met een in verband gewikkelde hand veegde hij zijn gezicht af. 'Dit had ik niet verwacht, kolonel. Deze Rwandezen zijn net zulke professionele vechters als waarmee we in Kroatië te maken hebben gehad. We kunnen natuurlijk wel ergens posities innemen, maar – '

Ze hoorden het beiden op hetzelfde moment, het gehuil van een inkomende artilleriegranaat; Zulu duwde beide mannen tegen de grond en de granaat vloog over hen heen om een eindje verderop met een oorverdovende klap, een klap die de doorweekte aarde deed trillen, te exploderen.

'Haal je mensen uit de vrachtwagens en kom in beweging! Laad de gewonden maar in m'n pick-up – Jacov, keer m'n wagen, en laat zo nodig de jongens hem uit de modder tillen – we nemen de andere weg – ' Hij trok de verbindingsofficier bij de weg vandaan en knielde neer toen hij een tweede granaat aan hoorde komen, die deze keer iets verder weg explodeerde, en spreidde zijn waardeloze kaart – zo te zien een kaart die pakweg tien jaar geleden door de Zaïrese toeristenbond te koop was aangeboden – over de modder uit.

'Neem contact op met de andere compagnie en zeg ze dat ze naar Masisi op moeten trekken. *Masisi* – dat staat op deze klotekaarten, dus laat ze verdomme opschieten en daar snel positie innemen. Daarna neem je contact op met kolonel Ntarinada of een van die andere Hutu-klootzakken, wíe je maar aan de lijn kunt krijgen, en vraag hem waar hij verdomme mee bezig is! Zeg hem maar dat ik geen kans zie het Rwandese leger in m'n eentje tegen te houden!'

Een volgende granaat kwam met een fluitend geluid hun kant uit, en Zulu stapte de modder in en bleef daar vervolgens staan, een gebalde vuist omhoog, alsof hij de granaat uitdaagde zijn kant uit te komen.

Nadat hij was geëxplodeerd begon hij tegen zijn mensen te schreeuwen. 'Nou, kom op! Lopen – kom op, díe kant uit!'

Twee uur later. Het Pentagon.

Toen hij die ochtend aan zijn werk begon stond het Afrikaanse berichtenverkeer allemaal al op Alans computer. Grimmig las hij alles door, wist precies waar elke genoemde plaats lag, keek toe hoe de Rwandese professionals als een zeis door hoog gras door de Zaïrese troepen sneden. Hij twijfelde geen moment aan een rapport waarin werd gerept over het inzetten van Zuid-Afrikaanse huurlingen; die moesten 's nachts zijn opgerukt om eventuele *early warning*-systemen van de Zaïrezen te neutraliseren. Die hadden zich naar alle waarschijnlijkheid allang teruggetrokken, vermoedde hij, want hun taak zat erop. Het zou hem niet verbazen als hij vandaag of morgen een rapport binnenkreeg waarin werd gemeld dat zwarte Zuid-Afrikaanse special forces op weg naar huis waren. Ook zou hij niet gek staan te kijken van een melding over blanke Joegoslavische huurlingen die aan de gevechten hadden deelgenomen.

Hij zat voor zijn scherm, knauwde op een knokkel en vroeg zich af: *Waar hangt O'Neill ergens uit? Waar verdómme hangt O'Neill ergens uit?*

Die middag. Het vlaggendek van de Andrew Jackson.

Parsills vond de admiraal in de plotkamer en meldde hem dat er nóg een bericht met de hoogste prioriteit was binnengekomen, een bericht dat was voorzien van de aanduiding 'Dringend' en 'Eyes Only'. Admiraal Pilchard gaf er de voorkeur aan het bericht niet op het eiland tot zich te nemen, maar liet het naar het TFCC doorsturen, las het bericht, belegde een stafvergadering om 16.00 uur, en liep vervolgens naar voren, naar het vlaggenkwartier en zijn eigen kantoor. Parsills was daar al.

'Oké, er is nu góed stront aan de knikker. Een stuk sneller dan ik had verwacht. Wat gaat dat voor óns betekenen?'

In het bericht stond dat er een case-officer van de CIA was verdwenen en dat zijn lege auto in oostelijk Zaïre was aangetroffen. Verder was niets bekend, maar de directeur had reeds nadrukkelijk verzocht om 'alle geëigende maatregelen' te nemen teneinde hun man weer boven water te krijgen.

Pilchard wilde weten of die geëigende maatregelen ook BG 7 omvatte.

Hetzelfde tijdstip. Langley.

Ray Suter sloeg de hoek om van de gang die naar Shreeds kantoor leidde, ingenomen met zijn nieuwe kostuum, ingenomen met zichzelf en de manier waarop hij na het Fleetex-fiasco tekeer was gegaan. De zaken zagen er rooskleurig voor hem uit.

Hij klopte één enkele keer en stapte naar binnen. George Shreed zat aan zijn bureau en ondersteunde zijn hoofd met één enkele hand. Zijn houding was er een van totale moedeloosheid. Een ogenblik lang had Suter het idee dat het hier om een soort act ging, een gekkigheidje. Toen zag hij dat dat níet het geval was. Shreed bracht zijn hoofd omhoog. Zijn ogen waren rood. Hij had gehuild.

'Meneer – eh – kan ik misschien iets doen? U – '

Shreed staarde hem aan alsof hij een totaal onbekende voor zich zag. Na enkele seconden schoof hij een berichtenformulier over zijn bureau naar voren. Suter las het – het ging over iemand die in Afrika blijkbaar verdwenen was. Een of andere CIA-knakker. Nou en? 'Jammer,' zei hij alleen maar.

Shreed explodeerde. 'Jámmer! Jij stómme hufter dat je bent, jij vindt dit alleen maar *jammer*?' Hij dreigde van woede nauwelijks uit zijn woorden te komen. 'Dit dóen ze niet met ons! Ze hebben dit nog nóóit met ons gedaan! Waar halen ze het lef vandaan – !'

Suter, die geen enkele loyaliteit voelde jegens de Agency, en die de bloedbanden tussen de mensen in de operationele afdelingen absoluut niet begreep, voelde zich beledigd door Shreeds uitbarsting, en zei: 'We halen hem wel weer terug. Ik weet zeker dat we hem weer terug weten te halen.' Hij was zelf ook kwaad, maar durfde dat niet te tonen, en enigszins verbaasd flapte hij eruit: 'We praten over één enkele knaap!'

Shreed staarde hem verbijsterd aan. 'Je begrijpt er niets van,' zei hij verslagen. Hij leek het allemaal zo persóónlijk op te vatten, bedacht Suter later.

Twee uur later. Het Pentagon.

Alan Craik hoorde pas iets over O'Neill nadat iemand die bij de Agency werkte en hen beiden kende hem erover vertelde. Ze had Shreeds oude baan overgenomen, en was ooit Shreeds assistente geweest toen ze allemaal bij eenzelfde zaak betrokken waren. Nu vroeg ze hem of hij naar een beveiligde telefoon wilde gaan, en nadat hij dat had gedaan las ze de diverse meldingen aan hem voor. 'De directeur gaat helemaal door het lint, zeggen ze. Iedereen bij Operations hééft het niet meer. Ze zeiden dat ze zoiets nooit meer zouden laten gebeuren – herinner je je die knaap nog die in Libanon om het leven is gekomen? Alan, het gevangennemen van een case-officer die bij de CIA werkt is uitermate kwalijk.'

'O, mijn God,' reageerde hij. 'O, Jezus, arme Harry. Wel verdómme!'

'Zeker weten, ja. Maar we halen hem wel weer terug, Al. We halen hem weer terug, al moeten we er de mariniers op af sturen.' Ze probeerde hem een goed gevoel te geven over hoe snel dit zou gebeuren: Wie hem ook in handen mocht hebben, ze zouden nu al wel weten dat ze een enorme vergissing hadden begaan. Misschien hadden ze gedacht dat hij een toerist was. De mensen van BZ hadden al met Frankrijk gebeld, dat de Hutu-milities steunde. Die konden maar beter snel met resultaten komen, anders zou Washington Parijs eens goed de duimschroeven aandraaien. Ze zouden hem binnen vierentwintig uur weer terug hebben.

'Alleen zijn auto? Is dat het enige dat teruggevonden is?'

'Er doen miljoenen verhalen de ronde; het is nog maar een paar uur geleden gebeurd. En we hebben nog niemand daar ter plekke. Dus dan hangt het af van de plaatselijke politie en dergelijke. Volgens de geruchten zijn Oegandese troepen daar de grens overgestoken en hebben ze die wagen daar aangetroffen. Je hoort allerlei dingen. We hebben een team onderweg ernaartoe en ze sturen mensen vanuit Nairobi en Dar es Salaam, plus de FBI. Het is alleen maar een kwestie van tijd, Al.' Ze aarzelde. 'Tenzij hij een ontmoeting had met een agent, en volgens onze man in Dar es Salaam hád hij nog helemaal geen agenten.' Ze zweeg even. 'Maar we halen hem terug.'

'Vast. Bedankt dat je me hebt gebeld.'

Met zijn hoofd in zijn handen zat hij achter zijn bureau. Hij probeerde Rose te bellen, maar die was niet op haar plek. Hij probeerde Abe Peretz bij de FBI te bellen, maar die was in vergadering.

Hij voelde zich zo nútteloos.

De volgende dag. Sarajevo.

Het nieuws dat O'Neill gevangen was genomen kreeg Dukas via de plaatselijke CIA-chef te horen nog voor het in een inlichtingenrapport werd opgenomen. Vanuit een beveiligd luchtmachtkantoor belde hij met Alan in Washington en was zo in staat om via de vercijferde lijn openlijk met hem te praten. Ondanks het feit dat ze via een gedigitaliseerde verbinding met elkaar spraken, vond Dukas Craik vrij gespannen, over zijn toeren bijna. Dat kon onmogelijk alleen door O'Neill komen, vond Dukas. Kwam dat door zijn baan? In elk geval níet door Rose.

'Hoe gaat het met de mooiste vrouw ter wereld?' vroeg hij.

'Beter. Ze werkt veel te hard. Maar – '

Dukas wachtte af, maar er volgde verder geen nadere uitleg. Ze was oké, maar – depressief? Manisch? 'Ze komt er wel weer overheen,' zei hij.

'O ja, vast en zeker.'

Opnieuw wachtte Dukas. Toen er verder niets meer kwam, zocht hij naar iets dat hij kon zeggen, naar een heel ander onderwerp. 'Hoe erg is dat gedoe rond O'Neill?' vroeg hij slapjes.

'Erg, en het wordt nog steeds erger. Elke dag dat dit langer duurt wordt de kans dat hij nog in leven is steeds kleiner. *Als* hij nog in leven is.'

'Jezus, Al, ik kén je zo helemaal niet.'

'Wees nou eens even reëel. Als hij in handen van de Hutu-milities is, wat denk je dan dat ze met hem zullen doen? De RPF is zojuist met een grote opmars in oostelijke richting begonnen en drijven momenteel een half miljoen vluchtelingen voor zich uit – prima mijnenvegers, nietwaar? En de milities zetten het nóg harder op een lopen. Hoe goed het idee om een CIA-man gevangen te nemen aanvankelijk ook mocht lijken, nu kunnen ze zich wel voor hun kóp slaan omdat het het stomste is wat ze ooit hadden kunnen doen. Pure zelfmoord! In plaats van een gijzelnemer zijn ze nu doelwit. Het gemakkelijkste is hem te doden. En het erge is dat als een groep stom genoeg is om hem gevangen te nemen, die lieden ook stom genoeg zijn om hem te vermoorden.'

'Dat zullen ze niet doen.'

'Natuurlijk zullen ze dat doen. We proberen hem in leven te houden door het gerucht te verspreiden dat we bereid zijn om te onderhandelen. De Fransen staan voor de verandering aan onze kant – ze zijn er helemaal ondersteboven van. Als die milities inlichtingenmensen van de grote mogendheden gaan ontvoeren is het einde zoek.'

'O, Jezus, de Fransen! Nou, die Pigoreau van mij lijkt anders een nette kerel.'

'Er zit ergens een luchtje aan in Parijs – herinner je je die kleine operatie nog die ik in Bosnië heb meegemaakt, de knaap die door het raam sprong toen we daar per heli op af gingen? Ik werd toen voor de Fransen gewaarschuwd.'

'Je bedoelt Zulu. Ja, die staat op mijn lijstje, maar – *nada*. Maar hoe gaat het met jóu?'

Hij hoorde Alan diep zuchten, en vroeg zich af hoe een zucht kon worden gedigitaliseerd. 'Ik voel me klote. Eerst Rose, toen Harry – en ik zit in een of ander godgeklaagd kantoortje terwijl jullie met échte dingen bezig zijn – Verander in godsnaam van onderwerp.'

'Eh – Hé, Afrika! Ik heb een rapport binnengekregen waarin wordt gerept over Servische troepen in Afrika. Zou dat kunnen?'

'Ja, vorige week zijn er een paar honderd man via Libië naartoe afgereisd – huurlingen die Mobutu te hulp komen, wat nogal gek is als je bedenkt dat de Libiërs de RPF steunen. Ik neem aan dat íemand ervoor zorgt dat de Libiërs bereid zijn al die moeite te doen. Nou? Dat was het? Dat is jouw idee van een heel ander gespreksonderwerp? Je bent een gezellige prater. Hoe gaat het met je liefdesleven?'

'Ach – je weet het – '

'Nee, ik weet het níet. Ik lees alleen maar in de kranten dat Bosnië nagenoeg onder de voet wordt gelopen door Duitse pooiers en dat er een hoop plaatselijk talent is. Klopt dat?'

'Er is hier erg veel buitenlands geld in omloop, en er zijn erg veel straatarme mensen. En een hoop jonge meiden, ja – het is een behoorlijk ontmoedigende aangelegenheid.'

'En jij?'

'Met mij gaat het prima.'

'Ik bedoel jij en de meiden. Volgens Rose heb je een meisje.'

Dukas voelde hoe hij bloosde. Hij schraapte zijn keel. Ja, hij had er iets over aan Rose geschreven. 'Een vrouw, geen meisje,' zei hij. 'Nou, ik weet het niet precies. Een van die dingen, weet je wel. Vandaag hier, maar morgen misschien alweer vertrokken.'

'Volgens Rose klonk je anders behoorlijk serieus.'

Dukas gaf zichzelf een denkbeeldige klap in het gezicht omdat hij zo stom was geweest het Rose te vertellen. Nee, dat was niet eerlijk; hij had gewíld dat Rose het wist, zodat ze het goed kon keuren. 'O, weet je – je denkt dat het wat is, en dan blijkt het niets te zijn.' Hij zocht naar een ander gespreksonderwerp, hoewel het een waanzinnige zaak genoemd mocht worden als je iemand speciaal opbelde om vervolgens al je tijd te besteden aan het zoeken naar iets nietszeggends waarover je kon praten. Hij kwam terug op O'Neill: Hoe hadden ze hem in handen weten te krijgen? Hadden ze hem uit zijn huis ontvoerd? Op straat? Alan vertelde hem wat hij ervan wist. 'Het is klote, Mike – er is geen logisch verband, wat het nog erger maakt. Alsof ze hem simpelweg hebben ontvoerd voor het feit zélf. Tenzij het om iets persoonlijks gaat. Dat maakt de zaak nóg weer erger.'

'Wat bedoel je in dit geval met "iets persoonlijks"?'

Craik aarzelde. 'In zijn brieven heeft hij een paar keer geschreven dat hij een vrouw had ontmoet – "eindelijk een échte vrouw" waren zijn letterlijke woorden.'

O, shit, dacht Dukas, *O'Neill ook al.* 'Maar ze ontvoeren hem toch niet vanwege de een of andere vrouw. Nee toch?'

'Wie weet wat die jongens doen? Het is daar burgeroorlog – dat is een prachtgelegenheid om iemand naar de andere wereld te helpen. Het officiële Agencyverhaal is momenteel dat O'Neill per ongeluk ergens in verzeild is geraakt en dat hij is ontvoerd "in de verwarring waarmee een burgeroorlog nu eenmaal altijd gepaard gaat", om hun zegsman maar eens te citeren. Dat is flauwekul, en ze wéten dat het flauwekul is, maar ze proberen de lieden die hem in handen hebben – wie het ook mogen zijn – niet zodanig radeloos te maken dat ze Harry ter plekke ombrengen. Als ze dat tenminste al niet vijf minuten nadat ze hem in handen hadden hebben gedaan. Ondertussen zit ík hier uit mijn neus te peuteren en geef ik briefings aan admiraals betreffende de toestand van de Oekraïense luchtmacht over vijf jaar.'

'Nou, ík zit hier in Sarajevo uit mijn neus te peuteren terwijl ik een rapport probeer te schrijven over alle fraaie dingen die we hier hebben gedaan, terwijl we nog niet één oorlogsmisdadiger in zijn kladden hebben weten te pakken. We zijn een prachtig duo, Al. Jezus, dit telefoontje kikkert ons zóveel op dat we beter de hoorn op de haak kunnen leggen voor we een kogel door onze kop jagen.'

Dagen later kwam de plaatselijke CIA-man Dukas vertellen dat er in de buurt waar O'Neill was verdwenen een vrouwenlichaam was gevonden, een vrouwenlichaam waarvan het hoofd ontbrak. Die nacht kon Dukas de slaap onmogelijk vatten en zag hij voortdurend het onthoofde lichaam van die vrouw voor zich. Angst dat hij er wel eens de oorzaak van zou kunnen zijn dat mevrouw Obren hetzelfde lot zou ondergaan vormde de andere kant van zijn achterdocht jegens haar, het schuldgevoel van de case-officer wanneer hij een agent naar een plaats moest sturen waar geciviliseerde regels niet meer golden, en waar mishandeling, verkrachting en verminking tot de gebruikelijke oorlogshandelingen behoorden. De gedachte dat hij haar dát wel eens aan zou kunnen doen kwelde hem voortdurend. Het onthoofde vrouwenlichaam werd háár lichaam.

Drie dagen later kwam ze vanuit RS naar hem toe. Hij had besloten, dacht hij, om een eind te maken aan haar status als agent en haar simpelweg als zijn maîtresse aan te houden, maar ze had zo te zien bijzonder goede informatie over een verdachte bij zich, informatie waarover Pigoreau hem de volgende dag kwam vertellen dat hij die had laten nalopen, en dat de gegevens klopten; ze hadden zelfs hen niet onsympathieke politie in het doelgebied, met als gevolg dat ze een inval konden plannen. Alsof het de normaalste zaak van de wereld

267

was kwam ze naar Dukas' appartement, en toen ze zich uitkleedde vergat hij al zijn twijfels en bedenkingen, genoot hij van het aanzien van haar grote, robuuste lichaam en het vermogen van dat lichaam hem op te winden. Seks in die dagen, op die plek, vormde het enige toevluchtsoord te midden van alle ellende die aan het handhaven van de vrede verbonden waren – seks en drank, en Dukas wist zijn drinken behoorlijk in de hand te houden – en zij allen bleken er een zeldzame waarde aan te ontlenen. Hij wist dat Pigoreau naar de hoeren ging, doodsbang er aids op te lopen, maar hij had iets nodig; Dukas had het vermoeden dat een deel van Pigoreaus achterdocht jegens mevrouw Obren werd ingegeven door jaloezie. Dukas had het idee dat het voor haar net zo lag – dat ze naar hem toe kwam om even uit te rusten, misschien zelfs wel een beetje plezier te beleven, te midden van een verder afgrijselijk leven.

Zo in het donker naast haar liggend wist Dukas haar zover te krijgen dat ze over haar man begon te vertellen. Hij wilde voldoende van haar horen om voor zichzelf te kunnen bewijzen dat de man dood was. Ze vertoonde een vreselijk verlangen wanneer ze over de man sprak, een bijna kinderlijk verlangen. Dukas voelde zich gekwetst.

'Wat ga je doen als ik hem gevonden heb?' vroeg hij.

Ze drukte zich wat steviger tegen hem aan, sloeg een been over hem heen. 'Dan zal ik je zó dankbaar zijn,' fluisterde ze. 'Dan zal ik er altijd voor je zijn.'

'Als ik hem heb gevonden, zal híj er voor je zijn. Hij is je man.'

'In mijn hart is ruimte voor twee mannen.'

Het beeld in zijn hoofd was niet dat van een hart met twee mannen erin, als een soort komische valentijnskaart, maar hen beiden tussen haar benen liggend – twee mannen die elkaar negeerden, ondertussen verwoed pompend, terwijl zíj glimlachend op haar rug lag. Het beeld was nog angstaanjagender dan dat van de vrouw zonder hoofd.

Aan boord van de Andrew Jackson.

Admiraal Pilchard zat in een leunstoel in zijn kantoor, zijn kin ondersteund door zijn linkerhand, terwijl één been langzaam heen en weer wiegde. Parsills kwam binnen; een adjudant verdween. De twee mannen keken elkaar aan. De ontvoering van een Amerikaanse CIA-man door een onbekende groepering in Midden-Afrika had alles veranderd. Nu werden ze niet alleen geconfronteerd met de mógelijkheid dat ze wel eens Amerikanen uit een door oorlog geteisterd Afrikaans land zouden moeten evacueren; ze hadden nu te maken met de mogelijkheid van een directe, door de CIA geïnitieerde Amerikaanse betrokkenheid.

'Die stafvergadering was bijna deerniswekkend,' merkte Pilchard op.

'Morgen zal er een stuk meer vaart in zitten.'

'Morgen zal er helemaal niet méér vaart in zitten! Dan hebben ze pas de zaakjes in orde die ze vandaag in orde hadden moeten hebben. Wat gebeurt er momenteel eigenlijk?'

'Er komen nog steeds allerlei berichten binnen. Het is allemaal behoorlijk verwarrend. Helemaal niets over de vermiste CIA-knaap. Iets dat het RPA wordt genoemd zou zich momenteel vijfenvijftig kilometer binnen Zaïre bevinden, maar ze ontkennen dát ze er zitten. Oeganda zegt ook dat ze daar niet zijn. Mobutu zegt dat zijn leger de indringers voor zich uit drijft en dat ze wel eens tot in Rwanda kunnen oprukken, misschien morgen wel, misschien nog wel eerder. Allemaal zwaar overdreven.'

'Net als wij, Jack, dat was een van de meest pathetische vergaderingen waar ik ooit aan deelgenomen heb! Dit wordt geacht een admiraalsstaf te zijn, níet de Moe and Curly-show!'

Parsills zuchtte en moest toen grinniken. 'Je weet wat er aan de hand is, Dick. Je weet hoe kort deze jongens nog maar bij elkaar zijn. Geef ze nog wat meer – '

'Ik héb geen extra tijd meer te vergeven!'

'Ik bedoelde geen "tijd", ik wilde "ruimte" zeggen.'

Pilchard stond met een ruk op en beende het vertrek op en neer. 'En de N-2 van dit schip voor het inlichtingenwerk gebruiken werkt ook niet.'

'Daar heb ik je verleden week al voor gewaarschuwd.'

'Dat weet ik. Je had gelijk. Maar daar kopen we verder weinig voor. Shit! Wat zijn de verwachtingen voor de komende vierentwintig uur?'

Parsills keek naar de ringband waarin een dikke stapel berichten was gebundeld. 'De CIA stuurt er enkele teams op af. Buitenlandse Zaken leunt op Mobutu, althans, probéért dat – de man zit momenteel in Monte Carlo om zijn haar te laten knippen of iets dergelijks. Maar hij heeft ook kanker en zou daar voor een behandeling zijn. Er is nogal wat verwarring over de knaap die is ontvoerd en wat de reden geweest mag zijn dat – ' Hij keek op toen Pilchard een korte handbeweging maakte. 'Oké. De NSA heeft wat Franse berichten onderschept waaruit opgemaakt kan worden dat de Fransen serieus van plan zijn ons te helpen. Instructies naar hun ambassade in Kinshasa – dat ligt in Zaïre – om de Hutu's steun te verlenen. Jezus, Dick, je hebt een heel programma nodig om deze jongens in het gareel te houden – de Fransen zitten in Kinshasa, maar die CIA-knaap is duizenden kilometers verderop verdwenen, terwijl de gevechten honderdzestig kilometer zuidelijker, in Zaïre, plaatsvinden!'

'Wat willen ze dat we doen?'

'De Nationale Veiligheidsadviseur wil de geschatte vaartijd naar de monding van de rivier de Congo van ons weten, hoeveel mariniers "en anderen" – haha! Wat bedoelen ze daarmee, jij en ik? – we aan wal kunnen zetten, maximale bereik van onze luchtsteun. Zien we kans om een fatsoenlijk vliegveld in de buurt van Kinshasa veilig te stellen, zodat we troepen en voorraden door de lucht kunnen aanvoeren? Hetzelfde geldt voor Kisangani, dat zeshonderdvijftig kilometer verderop langs de Congo ligt, en ook nog eens een keer hetzelfde voor Lubumbashi, dat ik nog niet eens heb kunnen vinden op de kaart, maar waar volgens BZ nog enkele Amerikaanse zendelingen en technici zouden zitten – '

Pilchard stak zijn hand omhoog.

'Houdt die lijst ooit een keertje op?'

'Nog niet. Te veranderlijk allemaal.'

Pilchard keek naar de glimmende neus van een van zijn schoenen. Hij bewoog de neus op en neer. 'Vraag aan de Zesde Vloot voor een inschatting van de consequenties als we de Middellandse zee niet binnenvaren.'

'De hele BG?'

'De hele BG, én een deel ervan. En als het een deel ervan moet zijn dan kunnen dat beter de *Fort Klock* en enkele andere schepen zijn, wat inhoudt dat als we het vliegdekschip op de Atlantische Oceaan houden iemand het werk van ons boven Bosnië van ons zal moeten overnemen.'

'Komt voor elkaar.'

'En zorg dan voor iemand die van de gang van zaken in Afrika op de hoogte is en ons kan vertellen welke voorbereidingen we moeten treffen, zodat we wéten wat er fout kan gaan voor het daadwerkelijk fout gáát!'

Parsills keek met zijn hoofd schuin naar beneden gericht Pilchard aan, om bijna sluw onder zijn zware wenkbrauwen op te kijken. 'Nou, ik héb een kandidaat.' Hij zweeg even. 'Je kent hem.'

'Oké, zeg het maar.'

'Craik.'

'Ik wíst dat je dat zou zeggen.' Hij trok een gezicht. 'De zoon van Mike Craik.'

'Inderdaad.'

Pilchard moest daar even over nadenken. Hij stond op, stak zijn handen in zijn zakken. 'Hij is nog vreselijk jong.'

'Hij is de beste inlichtingenofficier die we hebben bij de vloot! Hij is goed genoeg op de hoogte van de situatie in Afrika om juist hém uit een hele zak vol experts te halen en te vragen of hij je eigen mensen wil briefen. Hij is niet alleen up to date, hij wekt zelfs de indruk bepaalde zaken daar te kunnen voorzien. En daar is verder niemand toe in staat.'

'Maar hij werkt momenteel aan de wal. Hij heeft een gezin. Hij heeft net een tour op zee achter de rug. Ik heb geen zin in iemand die een pesthekel aan me heeft omdat ik hem ruw uit zijn omgeving ruk!'

Parsills schudde zijn hoofd. 'Jíj hebt ook net een tour op zee achter de rug! Hij zal zeker niet de pest aan je krijgen, Dick. O'Neill – de knaap die ontvoerd is – is zijn beste vriend. O'Neill was de Prowler AI toen Craik voor mij werkte; ze vormden een team. Op dít moment, dat geef ik je op een briefje, probeert Craik een manier te vinden om bij zijn maatje te komen.'

'Ik weet het niet.' Pilchard schudde zijn hoofd. 'Hij heeft een enorme indruk op me gemaakt, maar – ' Hij keek de andere man indringend aan. 'Durf jij je hand voor hem in het vuur te steken?'

'Helemaal.' En dat betekende: *Zelfs als dat het einde van mijn eigen carrière zou betekenen.* Toen zei Parsills: 'En jij?'

Pilchard aarzelde. 'Ik sta altijd volkomen achter de door mij genomen beslissingen. Maar wat dit betreft heb ik nog geen beslissing genomen.'

'Dat is dan zonde van de tijd.

'Jezus, Jack – hij is nog maar een luitenant-ter-zee der tweede klasse.'

'Hij is afgelopen augustus al geselecteerd voor een bevordering tot ltz1; effectief vanaf volgend jaar. Je hoeft het maar te zeggen en hij komt als luitenant-ter-zee der eerste klasse aan boord. Als flag-intel, deel uitmakend van jouw staf. Het beste waarop we onder de omstandigheden mogen hopen!'

Admiraal Pilchard keek door een van de patrijspoorten die in zijn bijna elegant ingerichte kantoor voor het daglicht zorgden. Buiten was de lange deining van een grijze Atlantische Oceaan te zien, en in de verte werd een onderzeeboot-jager nog nét niet door een lichte nevel aan het oog onttrokken. Pilchard tikte drie keer met zijn grote vinger op het mahoniehouten bureaublad en liet die door nog één doorslaggevende tik volgen.

'Oké. Regel het maar.'

Diezelfde dag. Op zee, ten noorden van Zweden, aan boord van de Poltova.
Kapitein Suvarov had de avond voor het vertrek een diner gegeven, net als vroeger. Hij had alle officieren van zijn kleine groepje uitgenodigd, en hij had steeds weer de wijn en de wodka rond laten gaan en ging hen voor bij het zingen van oude zeemansliederen. De volgende morgen had hij ze even de gelegenheid gegeven om van hun eventuele katers te bekomen en had vervolgens een bijeenkomst belegd waarin hij zijn plannen had ontvouwd.

Nu stond hij op de brug van een van zijn jagers, die door het water sneed op een manier waarvan elke zeeman opgetogen zou raken. Elke commandant van een marine-eenheid moest van zo'n tafereel in hoger sferen raken – zijn schepen om hem heen gegroepeerd, de boeggolven als witte beenderen in hun tanden, een blauwe hemel en een stevige bries die witte golfkammetjes op het indigokleurige water van de Barentszzee toverde. Op dit moment was hij één met elke commandant die ooit naar zee was uitgevaren – zelfs met zijn vijand, die naar hem onderweg was. Het was de eerste keer dat hij het commando voerde over meerdere schepen, en naar alle waarschijnlijkheid zou het de laatste keer zijn dat hij het commando had op zee.

Zijn plannen waren eenvoudig, aangezien het materieel en de oude schepen hem dwóngen ze eenvoudig te houden. De oppervlaktegevechtseenheid bestond uit twee geleidewapenjagers uit de Sovremenny-klasse, de *Poltava* en de *Okrylennyy*; een onderzeebootbestrijdingsfregat uit de verouderde Udaloy-klasse; en twee ondersteuningsvaartuigen. Ze beschikten niet over luchtdekking, ze beschikten niet over zware raketten, ze beschikten niet over fatsoenlijke voorraden en betrouwbare apparatuur, maar tegen de tijd dat ze vijf dagen op zee zaten, was er géén gebrek aan moreel en leiderschap.

Hij stond op de brugvleugel van de *Poltava* en gaf leiding aan de zoveelste oefening op het gebied van luchtverdediging, het onderkennen van de aanwezigheid van onderzeeërs, kortom, elk denkbaar terrein dat zijn mensen erop voorbereidde rekening te houden met eventuele bedreigingen. Ergens ten westen van Afrika bevond zich een spionageschip uit de Balzam-klasse, een speciaal ontworpen verkenningsvaartuig dat de Amerikaanse battle group genadeloos – en volkomen legaal – zou blijven volgen. De Amerikaanse battle group voer momenteel door de Atlantische Oceaan in de richting van de Middellandse Zee, zoals hem was verteld dat er zou gebeuren, maar de Russische marine-inlichtingendienst was van mening dat de schepen hun koers zouden verleggen – of zich zouden opsplitsen – om een deel van Midden-Afrika te bestrijken, waar de Amerikanen van zins leken de Franse hegemonie te trotseren. De schepen zouden zich dan weer moeten hergroeperen om hun nieuwe wapen te lanceren in de Golf van Sydra, voor de Libische kust in de Middellandse Zee, in maart, naar alle waarschijnlijkheid wanneer dat gedoe in Afrika – een oord waar Suvarov nog nooit was geweest en waar hij absoluut geen belangstelling voor had – achter de rug zou zijn. Hij diende daar aanwezig te zijn om die lancering aan te vechten; tot dat tijdstip werd van hem verwacht een 'krachtige boodschap te zenden'.

Suvarov was geen politiek officier. Het leven aan de wal bracht hem alleen maar in verwarring, en van vlootpolitiek kreeg hij hoofdpijn. Maar op zee was hij een heel ander mens. De twijfels waarmee elke minimale actie in een haven, én elk verzoek om nieuwe voorraden voortdurend werden omringd, bestonden op zee niet voor hem. Op zee was híj heer en meester.

Ondanks zijn orders was hij niet van plan de Amerikanen op de Atlantische Oceaan tegemoet te treden. Hij zou met zijn ogenschijnlijk vredelievende oppervlaktegevechtseenheid, enkel en alleen bedoeld voor vlagvertoon – en zonder dat ook maar íets op de aanwezigheid van een onderzeeboot uit de Akula-klasse duidde – de Middellandse Zee binnenvaren en, als de diplomaten het konden regelen, zijn mannen met verlof in Tunesië of Algerije met verlof aan land laten gaan. De Amerikanen zouden geen flauw idee hebben van het échte doel van zijn missie.

Hij zou met de kernonderzeeër *Haai*, in haar eentje, bij de Amerikaanse battle group 'op bezoek' gaan.

Langs de kust van Afrika, waar geen regels van toepassing waren, en waar bijna nooit onderzeeboten kwamen. Hij betwijfelde of ze alert zouden zijn op zoiets gevaarlijks als zijn *Haai*. Hij zou door hun verdediging heen dringen, ze de doodsstuipen op het lijf jagen, en vervolgens weer spoorloos verdwijnen. Dat zou nog het moeilijkste worden, het ontsnappen, maar hij zou het doen. Daarna zou hij op topsnelheid in noordelijke richting sprinten, terug naar zijn groepje schepen, en, als de Amerikanen kwamen zou hij op hen liggen wachten, wachtend om vervolgens gebruik te maken van zijn favoriete en vertrouwde wateren van de Middellandse Zee. En dan zouden ze vroeg of laat moeten reageren.

Maar eerst zou hij zijn groep de drieduizend mijl van het topje van de Noordkaap naar de Straat van Gibraltar moeten brengen. En de Amerikaanse battle group moest zich dan, als de inlichtingen klopten, nog eens drieduizend mijl verder zuidelijk bevinden, ter hoogte van de kust van Zaïre – hoewel hijzelf ervan overtuigd was dat ze zich nooit zo ver zouden wagen. Nee, hij dacht dat ze iets ten noorden daarvan zouden blijven; misschien de Baai van Benin of daar ergens in de buurt.

Met een vaart van tien knopen zou zijn groep over tien dagen Gibraltar bereiken.

Hij keek naar zijn route, die al door Moskou was goedgekeurd, en die dwars tussen de Faerøer en de Hebriden liep, om in het volle daglicht de drukke scheepvaartroutes ten westen van Ierland te passeren. Ook dát zou een krachtige boodschap vormen.

En wat waren de Amerikanen aan het doen? Waar zou hun battle group heen gaan? Ze draaide momenteel midden op de Atlantische Oceaan naar het zuiden af, maar hoever zou hun commandant durven gaan als hij in staat wilde blijven een oefening voor de Libische kust te ondersteunen? Tot aan Sierra Leone? Voor de kust van Ghana bevond zich een voldoende hoeveelheid diep water, met tientallen isothermische lagen om de Amerikaanse sonarapparatuur in verwarring te brengen en te vervormen. Zouden de Amerikanen zó ver zuidelijk durven te gaan? Voor Suvarov bestond de ideale toestand eruit dat hij in een soort hinderlaag op hen kon liggen wachten, geluidloos en dodelijk, terwijl de escortevaartuigen en de jagers zonder dat ze iets in de gaten over hem heen voeren. Vijf jaar geleden, nog vóór het communistische regiem was gevallen en de toestand in Moskou ronduit chaotisch genoemd mocht worden, had de Noordzeevloot een nauwelijks voorbereide Victor II naar de Middellandse Zee gestuurd, bemand door een onervaren bemanning en voorzien van een gebogen en piepende schroefas. De doodsbange bemanning aan boord van dat schip werd dag en nacht meedogenloos achtervolgd door vliegtuigen en schepen van de NAVO. Zij, en met hen de héle Russische marine, waren toen vernederd. Suvarov was niet aan boord geweest, maar hij voelde die vernedering nog steeds tot in het diepst van zijn wezen. Nu wilde hij niets liever dan dat de Amerikanen naar hem op zoek moesten en hem niet zouden vinden, dat ze het gevoel hadden dat ze weerloos waren tegen zijn 63cm-torpedo's en zijn antischeepsraketten, dat hij hun vliegdekschip in feite in zijn vuist hield, net zoals zíj met de bemanning van die Victor II hadden gedaan.

Hij had een nieuw inlichtingenrapport in zijn kajuit liggen waaruit één nieuwe factor kon worden opgemaakt, hoewel hij er niet bepaald met de grootst mogelijke ernst kennis van nam. De Amerikanen hadden op het laatste moment de commandant van de battle group vervangen, blijkbaar vanwege het maken van blunders tijdens een oefening. De nieuwe man zou een stuk beter zijn dan de oude – in feite was het iemand met de hoogst mogelijke kwalificatie, namelijk met 'maximaal toekomstig rangpotentieel'. Dit rapport deed Suvarov goed. Hij wilde zich meten met hun beste man. Dus dit was prima. Laat ons maar eens zien hoe goed hij weet om te springen met de meest geavanceerde kernonderzeeër waarover de Russische marine beschikt.

Suvarov boog zich over de kaartentafel en stak een nieuwe sigaret op. Hij gebaarde naar de officier van navigatie dat hij bij hem moest komen.

'Zodra we de Noordkaap hebben gerond geven we in volkomen radiostilte deze orders door.' Hij gebaarde naar de kaart. 'Maak alsjeblieft kaarten met deze alternatieven erop. Ben ik duidelijk?'

'Jawel, commandant.'

'Doorgaan.'

Op deze volmaakte herfstavond waren twee matrozen druk bezig met het afbikken van de zevenentwintig lagen lak waarmee de geschuttoren met het 76mm-kanon tegen de weersomstandigheden werd beschermd – en waardoor het geen enkele kant op kon worden gebaktst. Tot nu toe was de uiterlijke verschijning van de *Poltava* veel belangrijker geweest dan de realiteit. Maar hun orders waren duidelijk, en ze bikten dan ook enthousiast verder. Nog maar zes weken geleden hadden ze geholpen de laatste laag aan te brengen; en nu moesten ze eraf. Een van die karakteristieken van het militaire leven.

En morgen zou dat kanon het weer doen.

Sumarov zag hen als kleine gestalten. Hij wist precies waarmee ze bezig waren. Hij kende de consequenties van datgene wat ze aan het doen waren: het ontdoen van het kanon van zijn beschermende hoes heeft maar één doel, en dat doel is er te allen tijde mee te kunnen vuren.

Hoe ver zou hij gaan?

Sinds Sergei hem zijn orders had overhandigd had hij zich die vraag wel honderd keer gesteld. *Je begint géén oorlog.* Maar er bestonden daarin niveaus, en sommige niveaus lagen vlák onder het begrip oorlog, en op een van die niveaus wachtte de wraak voor de vernedering van vijf jaar geleden.

Het Pentagon.

Een vrouwelijke luitenant-ter-zee der tweede klasse jongste categorie met een rond gezicht stak de binnenplaats van het Pentagon over en verdween even later in de andere kant van het gebouw, en liep vervolgens twee trappen op. Ze had een attachékoffertje bij zich, waarmee ze zwaaide op de manier waarop een schoolkind soms met plezier met zijn of haar boekentas kan zwaaien. Ze hield van het Pentagon en ze hield van Washington, en ze had dan ook te doen met de persoon naar wie ze op weg was. Ze had de boodschap die ze bij zich had gelezen en ze had gezien dat het in feite een stel orders was, en opgewekt als ze altijd was, had ze oprecht medelijden met iemand die zijn werk in het Pentagon op moest geven en terug naar zee werd gestuurd.

Ze was dan ook verbijsterd toen ze, nadat ze de papieren had afgeleverd en het kantoortje van de man alweer verlaten had en nog maar een paar meter op de gang had afgelegd, uit datzelfde kantoortje een opgetogen juichkreet hoorde komen die luid genoeg was om de trommelvliezen van een muilezel te laten knappen.

16

Oktober

Alan liep met zó'n veerkrachtige tred in de richting van de C-ring van het Pentagon dat mensen die vijftien meter bij hem vandaan waren hem al uit de weg gingen, en een officier keek naar hem achterom, om vervolgens tegen een metgezel op te merken: 'Wat is er met hém aan de hand? Heeft-ie de loterij gewonnen.' Een opmerking overigens die Alan niet hoorde.

Nou, bijna. Euforie is zeldzaam in het leven. Je kunt er duizelig van worden, of je treedt erdoor buiten jezelf. Er lag een brede grijns op Alans gezicht, maar hij was het zich niet bewust. En dit alles ondanks de nogal gemengde reactie op zijn opmerkelijke orders: Rose had moeten huilen en gezegd dat ze blij voor hem was; een sergeant-majoor instructeur had hem, bij wijze van afscheid blijkbaar, voorgehouden dat hij arrogant en 'individualistisch' was – het soort woorden waarvoor je vroeger door de Russen tegen de muur werd gezet – en zijn baas was duidelijk teleurgesteld door het feit dat ze nu niet in staat zou zijn hem een negatieve beoordeling te geven, waarin waarschijnlijk was komen te staan dat hij, nou ja, arrogant en individualistisch was. Met grote passen liep Alan verder, waarbij de glimlach op zijn gezicht nóg breder werd. 'Geen teamspeler.' Hij zag het even duidelijk voor zich alsof ze het zojuist had opgeschreven. Maar hij was wel dégelijk een teamspeler. Hij was een grandioze teamspeler. Hij wilde alleen dat zijn team aan een écht spel deelnam, geen competitie tussen 'sprekende hoofden' die alleen maar aan hun carrière dachten.

Maar nu genoeg daarover.

Hij had een boodschap van skipper Parsills ontvangen, momenteel chef-staf bij Pilchard en ongetwijfeld de man die ervoor had gezorgd dat hij deze baan had gekregen. De woorden van Parsills echoden nog steeds na in zijn hoofd: *Geen tijd om op snelheid te komen, Al. Je zult hier een vliegende start moeten maken. Verzorg een briefing voor de staf en wel precies morgen om 10.00 uur. Welkom aan boord.* Vervolgens had hij een uur aan de telefoon gezeten, bellend met de contacten die hij had gemaakt, inclusief zijn bron bij de CIA, de laatste bijzonderheden horend en afspraken makend hoe de voor hem belangrijke informatie het beste naar het schip kon worden doorgezonden.

En toen was hij vertrokken.

Bij de Navy Annex haalde hij de drie setjes eikenloof op die bij de rang van luitenant-ter-zee der eerste klasse hoorden en stoof weer naar buiten. Rose had hem, door haar tranen van geluk vanwege hém heen, gevraagd of zíj ze mocht oppinnen. God, ja! En vervolgens stelde ze hem voor het bed in te duiken om het officieel te maken! Maar dat kon niet. Omdat hij als de donder naar Norfolk moest, terwijl zij de volgende dag naar LA diende af te reizen, en er nog iemand moest worden gevonden die bereid was de komende weken voor de ouderloze Mikey te zorgen en Alan nog moest kijken hoe hij na zijn vertrek zijn auto van de marinevliegbasis in Norfolk weer thuis kreeg, en –

Het kón hem allemaal wat. Hij was een gelukkig mens. Alles zou in orde komen.

Hij gooide er nog een schepje bovenop.

Het ontbreken van spitsverkeer gaf Alan het gevoel dat hij aan het spijbelen was. Hij haalde Mikey op bij het kinderdagverblijf en pleegde enkele telefoontjes, met als resultaat dat de vader en moeder van Rose zich bereid verklaarden voor hem te zullen zorgen. Rose's moeder kwam met dezelfde verbitterde opmerkingen als altijd betreffende het onvermogen van haar dochter om een goede moeder te zijn, maar Alan had geen tijd om het allemaal weer eens uit te leggen – dat Rose een grandioze moeder was, maar ook nog eens een fantastische piloot, en dat ze momenteel ook nog eens probeerde een goede lanceerofficier te worden, en dat ze níet alle drie tegelijk kon zijn; dat het deze keer zíjn fout was, dat híj momenteel terug naar zee wilde, weg van de verveling en de frustratie van het leven aan de wal. Wat nú het allerbelangrijkste was, was het feit dat de familie van Rose van Mikey hield, en dat ze (althans Bobby, de vader van Rose) bereid was om om zes uur die middag een drie jaar oud kind in ontvangst te nemen dat door hem op het vliegtuig naar Utica, in het noorden van de staat New York, zou worden gezet.

Alan belde de luchtvaartmaatschappij, bestelde een ticket en reed Mikey naar het vliegveld. Hij legde Mikey uit dat hij zich moest gedragen, omdat zowel zijn vader als moeder dienstdeed bij de Amerikaanse marine, en dat ze beiden een tijdje weg zouden zijn. Mikey luisterde somber. Hij begreep het woordje *weg*. Grote mensen waren zo vaak *weg*, vond hij.

Alan vond het bemanningslid dat verantwoordelijk zou zijn voor het veilig afleveren van zijn zoon in Utica. Ze maakte een intelligente en ervaren indruk, en ze hielp Mikey overtuigen dat het hier om een avontuur ging, en absoluut geen ramp was. Alan omhelsde zijn zoon lichtjes, haalde toen een marinelintje voor dienst op zee uit zijn zak en speelde dat op Mikey's T-shirt, dat van het logo van de Adirondack Mountain Club was voorzien.

'Dat is je drie-maanden-zonder-je-vader-en-moederonderscheiding, jongeman.' Mikey straalde en trok aan zijn shirt om het lintje te kunnen zien. Alan gaf hem opnieuw een kus (waarbij hij de indruk kreeg dat Mikey zich daar al enigszins opgelaten door voelde) en bracht vervolgens zijn hand naar zijn pet. Mikey bleef zwaaien totdat zijn vader aan het eind van de nagenoeg eindeloze gang was verdwenen.

Toen wendde hij zich tot zijn nieuwe vriendin, Nancy.

'Kun je vliegen? Het vliegtuig? Mijn vader wél.' Nancy keek naar de brede rug in de verte en vroeg zich af hoe harteloos een man wel niet kon zijn. Aantrekkelijk, maar harteloos. Ach, misschien viel het ook wel mee voor een – Ze riep zichzelf tot de orde, nam het handje van het jongetje in de hare en zei: 'Kom op. Dit wordt hartstikke leuk!'

Alan scheurde door Washington. Hij had eindelijk eens een paar dollar op zak, en met zijn vaargeld dat eraan zat te komen en de reiskosten die de overheid hem nog schuldig waren, en zijn salarisverhoging vanwege zijn bevordering tot ltz1, was hij vastbesloten deze keer in stijl naar zee te gaan. Op zijn antwoordapparaat had een boodschap van Rafe gestaan waarin hij had aangekondigd te zullen proberen op Bermuda met een S-3 klaar te staan, zodat ze samen naar het schip zouden kunnen vliegen. Rafe zou verder graag zien dat Alan een kortegolfradio voor hem kocht. 'Welkom in het land van de ltz's 1, maatje,' waren de opgewekte woorden geweest waarmee hij het ingesproken bericht was geëindigd. Alleen al het horen van die woorden maakte dat Alans adrenaline sneller begon te stromen.

Hij begon bij een filiaal van Circuit City, waar hij een subliem elektrisch scheerapparaat kocht, gemaakt in Duitsland, glimmend zwart en roestvrij staal, een apparaat dat er eerder uitzag als iets waarmee je iemand neer kon schieten dan om langs je gezicht te halen; een draagbare kortegolfradio van driehonderd dollar; plus een geavanceerde antenneaansluiting. Zijn volgende stop was de reusachtige REI in het voorstedelijk gebied van Maryland, waar hij luxeartikelen aan een onderzoek onderwierp waarvan hij als adelborst alleen maar had kunnen dromen. Hij kocht een lichtgewicht slaapzak voor in de tropen, zodat hij nooit meer zijn bed op zou hoeven maken, of-ie nou beneden of boven kwam te liggen. Verder schafte hij zich nog een bijzonder duur Gore-Tex-jack aan, enkel en alleen omdat hij zoiets altijd al graag had willen hebben, en een nieuwe rugzak met geïntegreerd frame die je in enkele handgrepen tot koffer om kon bouwen. (Of misschien was het wel een koffer die je tot rugzak om kon bouwen; maar wat deed het ertoe, toch?) Hij deed er nog een stuk of wat sneldrogende overhemden en korte broeken bij. Hij keek naar de stapel die door de caissière werd aangeslagen en besefte dat zijn onderbewustzijn al bijna klaar was voor Afrika, wat nergens op leek te slaan, totdat hij met een schok aan O'Neill moest denken. *Naar Afrika, op zoek naar Harry. Rechtdoor. Doctor Livingston, neem ik aan?*

Alan reed vervolgens naar een kleine wapenwinkel waar hij soms wel eens schoot, als hij de kans kreeg, zo'n dertig kilometer oostelijk van Washington. Hij kocht, met slechts een minimale aarzeling, een Heckler & Koch P-9, een pistool, tweedehands maar puntgaaf. Hij vuurde er veertig patronen mee af, haalde het wapen vervolgens uit elkaar, maakte het helemaal schoon, en stopte het frame, de loop en slede in drie waterdichte zakken, die hij daarna in de buitenzakken van zijn helmtas opborg, samen met twee volle magazijnen 9mm-patronen. Rafe zou hier geen problemen mee hebben, en verder zou niemand ervan op de hoogte zijn.

Daarna reed hij naar huis en haalde zijn vliegerspullen en zee-uniformen uit de reusachtige Tupperware-dozen, en slaagde erin zijn bagage te beperken tot zijn nieuwe rugzak en een plunjezak, deed zijn favoriete foto van Rose er nog bij, en sjouwde zijn spullen naar de auto.

Het inpakken van zijn helmtas kostte hem heel wat meer tijd. Hij vond zijn grote Zwitserse legermes na een lange zoektocht onder in een bak met het tuingereedschap van Rose (die spullen waren al maanden niet meer gebruikt; wie had er tegenwoordig nog tijd om te tuinieren?); hij stelde een survivalpakketje samen waarmee hij vis kon vangen, en stopte er bijna impulsief een misschien wel origineel overlevingsmes uit de Tweede Wereldoorlog bij dat hij ooit eens op een rommelmarkt had gevonden. Het was voldoende scherp om je mee te scheren (zagen alle goede scheerspullen eruit als wapens?) en kon in noodgevallen prima worden gebruikt om parachutelijnen door te snijden – van die noodgevallen waarin je met je parachute in een boom was blijven steken en de plaatselijke milities je naar beneden hadden zien komen, om – uiteindelijk moest hij, tegen het drukke spitsverkeer in, weer helemaal terug naar REI om het artikel op te halen dat hij er oorspronkelijk had willen kopen, een eerstehulpdoos. Hij belde op naar het kantoor van Rose om te zeggen dat hij wat later thuis zou zijn, kreeg Valdez aan de lijn, gaf hem de boodschap door en was zeer verrast Valdez te horen zeggen: 'Gefeliciteerd, meneer!' Jeetje, het nieuws ging als een vuurtje rond.

Eenmaal terug van REI bleef hij op de al wat donker wordende oprit in zijn auto zitten en inspecteerde nog één keer de inhoud van zijn helmtas. Alles wat hij vroeger graag had willen hebben was aanwezig. Zijn oude stalen thermosfles van LL Bean was vervangen door een kleinere maar even stevige van Starbucks, een cadeautje van Rose. Hij had al zijn oude kompassen en zijn oude kniebord. Zijn zaklantaarn, ónder de braampjes vanwege het weinig zachtzinnige gebruik dat ervan werd gemaakt, zat op de goede plaats.

Toen reed Rose achter hem de oprit op, en ze omhelsden elkaar vervolgens innig, waarbij ze zich te buiten gingen aan één van die kussen waar zélfs getrouwde stellen zich eigenlijk in het openbaar van dienden te onthouden. Toen ze zich heel even iets losser van elkaar maakten om naar lucht te happen zei ze: 'Ik ben toch zó blij voor je,' en uit haar ooghoeken rolden enkele tranen over haar wangen.

'Ga nou niet – '

'Laat me nou maar! Dit zijn tranen van geluk.' Ze snoof. 'Ik denk dat het ijs begint te breken.' Ze tuitte haar lippen, knipperde de tranen weg en probeerde er een grap van te maken door eraan toe te voegen: 'Dudley. Als bij Doright.' Het duurde een paar seconden voor hij haar begreep: Dudley Doright, de bekende agent van de Royal Canadian Mounted Police, ijs. Goed. 'Oké, Nell.'

In hun zitkamer haalde ze de dubbele balken, de onderscheidingstekens die bij de rang van luitenant-ter-zee der tweede klasse behoorden, van zijn kraag en maakte er vervolgens de eikenbladen op vast die bij de rang van ltz1 hoorden en streek vervolgens de kraagpunten glad, waarbij haar borsten en buik lichtjes zijn lichaam beroerden. 'Volgens mij ben ik de eerste luitenant-ter-zee der eerste klasse die een erectie krijgt bij het opspelden van zijn nieuwe rangonderscheidingstekens,' mompelde hij.

'Misschien gebeurt dat wel steeds. Verder niet naar vragen en ook niet verder vertellen.' Hij voelde hoe ze zich een halve centimeter naar achteren bewoog, en begreep dat die beweging, net als dat woordgrapje van daarnet, een van die oneindig kleine gedragsveranderingen was die partners gebruiken om wat meer afstand tot de ander te nemen. Hij was nu wel in staat om de meeste veranderingen te onderkennen, kon precies zeggen hoe ze zouden eindigen; en toch deed het hem pijn. Het was een van de meer onplezierige ontdekkingen die bij het ouder worden hoorden, het ouder worden in een huwelijk waarvan je wist dat er van twee kanten enorm veel liefde bestond, terwijl je tegelijkertijd onder dit soort dingen gebukt kon gaan.

Hoe dan ook, er was geen tijd om persoonlijke zaken tegen het licht te houden. Hij liep al achter op het schema dat hij voor zichzelf had opgesteld. Morgenochtend zou er op Bermuda een COD klaarstaan die hem naar het schip zou brengen; als hij niet aan boord van dat toestel zat, zou admiraal Pilchard beseffen dat hij de baan niet aankon.

Ze kusten elkaar opnieuw en ze hield hem stevig tegen zich aangedrukt, en toen – deze keer zonder tranen – bracht ze haar hoofd wat naar achteren, keek hem aan en zei: 'Alles komt goed. Tegen de tijd dat je terug bent is alles oké. Ik beloof het je.' Ze kuste hem, lichtjes deze keer, niet al te snel, en op dat moment bestond er geen afstand meer, en wist hij dat ze het meende – dat ze even goed wist als hij waarmee ze bezig was geweest, en dat ze het probeerde te herstellen. 'Gedraag je netjes daar.'

Hij slokte moeizaam iets weg, waarbij het gevoel van de harde brok halverwege zijn keel het echte probleem vormde. 'Jij ook.' Heel even raakte hij haar gezicht aan.

Hij liep naar de auto.

Onderweg stopte hij één keer, kort, voor een hamburger, en reed toen door naar Norfolk.

Enigszins schuldig besefte hij dat hij zich ondanks alles nog nooit gelukkiger had gevoeld.

Even later reed hij op deze volmaakte avond over Route 301 door het zuidelijk deel van Maryland, en vervolgens verder naar het zuiden over het schiereiland van Virginia. Af en toe neuriede hij en moest lachen toen hij merkte dat hij vér boven de maximumsnelheid reed op dit perfecte stuk weg dat zich als een zonnestraal op een vlakke zee voor hem uitstrekte, recht voor hem uit, hem rechtstreeks naar zijn bestemming brengend. Hij zette de muziek wat harder en drukte net zo lang op de keuzetoetsen tot hij een rockstation vond dat de muziek van zijn jeugd ten gehore bracht, en die speelde hij op de traditionele manier, namelijk keihard. De muziek, de avond en de totale afwezigheid van leden van de verkeerspolitie zorgden er samen voor dat hij de Norfolk Bridge Tunnel in recordtijd bereikte, en hij staarde, zoals hij altijd deed, naar de nog net zichtbare marinebasis, rechts van de dam waarop de Interstate na de gecombineerde tunnel/brug uitkwam. Vaag afstekend tegen de avondhemel zag hij twee door kernenergie aangedreven vliegdekschepen liggen, toonbeelden van macht die op de een of andere manier schoonheid te boven gingen, en van hun grote, brede verschijning ging zowel dreiging als belofte uit. Erachter waren nog net enkele kleinere schepen zichtbaar.

Alan moest aan de periode direct na de Golfoorlog denken, toen de marinehaven een bijna lege indruk had gemaakt. Nu kreeg je de indruk dat er vrede op aarde heerste. O'Neills verdwijning in Afrika had hem eraan herinnerd hoe onwaarschijnlijk iel die ogenschijnlijke vrede was – en dat er in hele delen van de wereld nooit vrede zou heersen. Het verbijsterde hem eigenlijk dat op het tijdstip dat O'Neill in Afrika was ontvoerd het in Norfolk zo ongelooflijk rustig was.

Hij reed naar het marinevliegkamp bij Oceana en regelde een kamer in het officiershotel. Het regelen van een plaatsje aan boord van een C-2 die naar Bermuda moest bleek zó gemakkelijk dat hij er een soort gevoel van voorbeschikking kreeg. Hij had nog vier uur de tijd, tekende de passagierslijst en ging terug naar het officiershotel om wat te slapen; een uurtje later realiseerde hij zich dat zijn wantrouwen jegens zijn reiswekkertje en een gevoel van algemene opwinding ervoor zorgden dat hij niet langer meer op commando kon slapen, en verhuisde hij samen met de nieuwste roman van O'Brien, een flesje cola en een chocoladereep naar het kantoor van de verkeersleiding om daar af te wachten. Desalniettemin keerden op het moment dat hij eenmaal in de C-2 zittend zijn gordel vastmaakte zijn normale reacties terug en viel hij van de rand van de wereld, om pas wakker te worden toen het zware bonzen van de wielen van het hoofdlandingsgestel hem vertelde dat ze op Bermuda waren gearriveerd.

Vóór de Grumman C-2A Greyhound was uitgetaxied zag Alan de Lockheed S-3B Viking al op het platform staan. Een S-3 – afkomstig van het vliegdekschip? Dan was het Rafe gelukt. Grandioos!

Het hoge kielvlak en de vrij stompe neus brachten een nieuwe adrenalinestoot bij hem teweeg die ervoor zorgde dat hij onmiddellijk klaarwakker in zijn stoel zat. Hij zocht zijn spullen bij elkaar en liep over het beton naar het kleine marinegebouwtje, aan de zuidkant van de terminal en wierp een blik in de schemerige hangar.

Rafe zag er gezond en imposant uit, het prototype van de piloot zoals de Amerikaanse marinevliegdienst ze het liefst op de wervingsaffiches zag afgebeeld. Alan schudde hem stevig de hand en liep achter hem aan naar binnen. Het was niet te geloven – een plaatsvervangend squadroncommandant als zijn COD-piloot, en ook nog eens een oude vriend.

Rafe liet zijn vingers heel even over het splinternieuwe eikenloof op zijn kraagpunten glijden. 'Mooi. Ziet er goed uit, Alan.'

'Dat geldt ook voor jou, man. De functie van XO lijkt helemaal bij je te passen.' In feite meende Alan wat volwassen rimpeltjes bij zijn vriend te zien, rimpeltjes die er eerder nooit waren geweest. Ouderdomsrimpeltjes. En misschien ook wel van de spanning.

'Hoe gaat het met je vrouw?'

'Goed. Gaat steeds beter.' Rafe keek hem heel even van opzij aan, en knikte toen.

'Heb je een vliegeroverall bij je?'

'Zijn beren katholiek?' Rafe gaf hem een enthousiaste klap op zijn schouder en brulde naar de twee mannen achter in de hangar dat hij als de donder uit dit verrekte gat wenste te vertrekken, en wendde zich vervolgens weer tot Alan.

'Helm bij je?'

'Woont de paus soms in het bos?'

'Parachuteharnas?'

'Reken maar.'

'Communicatiesnoer?'

'Verdomme.'

'Verdorie, Alan, ik was al bang dat er heel iemand anders in dat uniform van jou rondliep. Ga je verkleden man, ik wil hier weg.'

'Dus je bent zomaar vertrokken en hebt je squadron zo'n beetje aan haar lot overgelaten, enkel en alleen vanwege mij?'

'De admiraal wilde je zo snel mogelijk aan boord hebben. Ik bevond me gewoon op de verkeerde plek. Nee, dat is niet waar; ik heb me eigenlijk als vrijwilliger opgegeven. Een van de redenen was dat ik de knaap die me tijdens de *carrier-qualifications* het leven heeft gered een trip naar Bermuda had beloofd. Ga je omkleden, man. Ik moet hier binnen een uur vertrekken wil ik zonder in de lucht bij te tanken het schip bereiken.'

'Begrepen.' Alan kleedde zich in de toiletruimte uit en trok vervolgens een dunne sweater met coltrui aan, met daaroverheen een vliegeroverall en een parachuteharnas. Het geheel completeerde de metamorfose die was begonnen toen hij met Rafe was gaan praten. Hij zat weer bij de vloot. Hij was ervoor gekleed, en hij klónk ook als iemand die aan boord van een operationeel schip was gestationeerd.

Toen hij uit het toilet kwam, zag hij een andere officier met Rafe staan praten, met op de achtergrond de S-3, die nu werd getankt. De kerosinegeur van de JP-5, de gebruikelijke brandstof voor straalmotoren, had zich door de hele hangar verspreid.

'Hé, Alan, je bent een VIP. Dat staat hier. Dat betekent dat je voorin mag zitten.'

Alan draaide zich om naar de jongere officier, een ltz2 j.c. Hij stak zijn hand naar hem uit. 'Alan Craik. Vind je het erg als ik voorin ga zitten?'

'Nee, meneer, absoluut niet. Ik ben Chris Sardesson. De jongens noemen me Cutter. Gaat u rustig voorin zitten – de XO zal ongetwijfeld met u willen praten.'

'Kun je me tijdens de start en landing een beetje souffleren? Vroeger was ik redelijk goed op de hoogte van de procedures, maar – '

'Vrees niet, meneer. De XO heeft gezegd dat ik mag coachen, maar dat ú het praatwerk voor uw rekening houdt.'

Alan lachte verlegen. 'Cutter, in hetzelfde toestel moeten zitten als een vliegende spion moet behoorlijk lastig zijn. Wil je voorin zitten als we straks op het schip landen?'

Cutter moest schaapachtig lachen. Dat was duidelijk een particuliere aangelegenheid. (Pas later kreeg hij te horen hoe teleurstellend Cutters *carrier-qualifications* waren geweest.) Alan richtte zich tot de kleine onderofficier die achter

Cutter stond. Hij wekte de indruk zich volkomen verloren te voelen, terwijl zijn parachuteharnas niet helemaal paste. De helm onder zijn arm was helemaal wit, zonder enige versiering, een leenhelm, net als de helm die Alan twee jaar had gebruikt. Onder zijn andere arm had hij een stuk of wat boeken.

'Hoi. Alan Craik.'

'Jawel, meneer. Ik ben korporaal Sneesen, meneer. Ik ben – '

'Sneesen houdt tijdens deze vlucht de elektronica van dit toestel in de gaten, en krijgt daarnaast een handjevol vliegtoelage en een biertje op Bermuda als beloning voor het feit dat hij een gigantische puinhoop heeft weten te voorkomen, Alan,' zei Rafe, die uit het kantoortje was teruggekeerd, waar hij zijn startgewicht en de weersverwachting te horen had gekregen. Hij keek Alan aan alsof hij het maar vreemd vond dat hij Sneesen niet kende. Alan concentreerde zich enkele ogenblikken, waarna het dubbeltje viel.

'Jij bent de knaap die Rafe's toestel heeft gered!' Alan schudde Sneesens hand opnieuw. De jongeman, een tikkeltje suffig, bloosde en zag eruit alsof hij zojuist een medaille opgespeld had gekregen.

Nadat ze rond het toestel waren gelopen en hun stoel hadden gecontroleerd, namen ze in het warme interieur plaats en wachtten rustig af tot Rafe met behulp van de APU de motoren had gestart. *Een bekende geur. Een bekend gevoel. Wanneer had hij dit voor het laatst gedaan? Toen hij uit de Middellandse Zee terug was gekomen, Blauw tegen Oranje, ja.* Binnen de kortste keren begon er koele lucht door de cockpit te circuleren, die koud aanvoelde tegen het zweet tussen Alans coltrui en zijn huid. Alan wachtte tot Rafe zich bij de verkeerstoren had gemeld, en drukte toen op de spreekknop van de intercom.

'Rafe?'

'Ja.'

'Heb je met mij en Sneesen erbij voldoende bemanningsleden aan boord om dit ding te vliegen?'

'Heb je die thermosfles voor ons gevuld, of ben je alleen een stuk bagage dat op eigen kracht aan boord is geklommen?'

'Deze thermosfles is zes uur geleden bij Starbucks in Norfolk met koffie gevuld. En ik heb acht overheerlijke cakes bij me. Oké?'

'Hé, Alan, het interesseert me geen barst wat de mensen van je zeggen, maar als officier ben je een prima stewardess.'

'Overste, voor u is dat cabinepersoneel.'

Rafe wijdde zich weer aan het ritueel van reacties dat uiteindelijk resulteerde in de toekenning van een startbaan en de toestemming om met taxiën te beginnen. Toen ze eenmaal in de lucht zaten en de civiele luchtvaartcorridors achter zich hadden gelaten, schonk Alan voor iedereen koffie in en deed er cake bij.

Cutter wekte de indruk niet precies te weten wat hij aan moest met een ltz1 die koffie met koek serveerde, terwijl Sneesen er duidelijk door in verlegenheid werd gebracht en zorgvuldig zijn mond hield. In gedachten verzonken werd de cake naar binnen gewerkt, waarna Rafe alleen de intercom vóór inschakelde.

'Heb je nog steeds vliegles?'

Alan reageerde met een onduidelijk geknor. Hij tuurde naar de duisternis beneden, op zoek naar enig teken van leven op zee. De horizon was onzichtbaar, de lucht donker, waarbij de wolken de sterren aan het zicht onttrokken. Hij keek instinctief naar de kunstmatige horizon en de hoogtemeter. Die reflex had hij níet gehad toen hij regelmatig achterin zittend met Rafe had gevlogen – hoeveel jaar was dat alweer geleden? Hij merkte dat hij, nu hij een beetje pilotentraining achter de rug had, vliegen een veel rijkere ervaring vond dan tijdens de ietwat angstige onwetendheid van zijn eerste vluchten. Toen besefte hij wat Rafe in feite met die vraag bedoelde, en vertelde hem de waarheid – dat er tijdens al die weekenden waarop Rose moest werken voor vlieglessen geen plaats meer was geweest.

'Zin om het toestel van me over te nemen?'

'Verdorie, Rafe, 's nachts? Boven water?'

'Je weet toch hoe je instrumenten moet lezen?'

'Theoretisch.'

'Nou, dan vlieg je toch gewoon een stukje! Het toestel is helemaal afgetrimd, en de neus wijst recht naar voren. Probeer haar alleen maar een tijdje horizontaal te houden. Begrijp je?'

'Begrepen.' *Ik dénk dat ik het heb begrepen.* Alan nam de stuurknuppel in handen en voelde het toestel. Vrijwel onmiddellijk corrigeerde hij iets te veel en beschreef het toestel heel even een sinuslijn langs haar verticale as, maar tegen de tijd dat Rafe tegen hem begon te praten was Alan erin geslaagd het toestel weer enigermate onder controle te krijgen. Alan concentreerde zich zó hevig dat hij Rafe's inleiding goeddeels miste, met als gevolg dat hij met een stofkam door zijn geheugen moest, op zoek naar de een of andere referentie die hem zou kunnen vertellen waarover deze monoloog ging. Na een tijdje besefte hij dat Rafe het over de problemen bij het squadron had, en dat waren dan ook échte problemen – Screaming Meemie, erger dan ooit; de geringe inzetbaarheid; zijn AI, blijkbaar van het zwakke geslacht, en die zo te horen een probleem voor hem vormde. En toen begreep hij het: dit waren de zaken waarover Rafe eigenlijk met hem wilde praten. Was dit ook de reden waarom Rafe hem op was komen halen?

' – soms zeg ik tegen mezelf dat ze natuurlijk niet hetzelfde is als jij, begrijp je? Ik bedoel, ze maakt af en toe kleine vergissingen, of ze mist een stuk info dat we voor een missie nodig hebben. In feite is ze verdomde bij de pinken. Meestal denkt ze een heel eind vooruit bij een oefening. En ze kan álles briefen. Echt. Zelfs verdomd saaie zaken. Zelfs als ze het telefoonboek zou voorlezen, dan nóg zou je aandachtig luisteren. Hé, Alan, luister je eigenlijk wel?'

'Jazeker, maar ik vraag me af of ik wel zou móeten luisteren. Rafe, hebben we het hier over een van mijn toekomstige officieren?'

Rafe reageerde verontwaardigd: 'Nee, meneer Craik, we hebben het over mijn AI, Tricky Nixon. Jij bent toch toegevoegd aan de staf van de vlagofficier? Niet bij de Air Wing? En maak een einde aan die geleidelijke draai naar het noorden.'

Alan gromde omdat hij het oneerlijk vond dat hij min of meer gedwongen werd het vliegtuig te besturen terwijl hij tegelijkertijd geacht werd een gesprek te voeren.

'Rafe, ik kan óf praten óf vliegen.'

'Ik weet iets beters. Probeer het eens tegelijk te doen. Je maakt trouwens toch geen gebruik van je hersens als je praat.'

Alan had het veel te druk om te reageren. Er verstreken enkele minuten voor hij het toestel naar de oorspronkelijke koers en vlieghoogte had weten terug te brengen, terwijl het hem nóg meer moeite kostte voor hij de Viking keurig horizontaal in de lucht liggend recht vooruit kon laten vliegen.

'Wat is het probleem nou precies?' vroeg hij. 'Je hebt blijkbaar een AI bij je squadron zitten bij wie eerst de scherpe kantjes nog af moeten – daar is toch niets nieuws aan?'

'O, shit – het probleem is, denk ik, dat ik niet weet hoe ik het – hoe ik het bij haar moet aanpakken.'

'Zo te horen ben je tot je oren verkikkerd op haar,' zei Alan toen het evenwicht weer was hersteld.

Rafe deed er verder het zwijgen toe. Een overreactie?

Dus – Rafe was verkikkerd op zijn AI. Alan hoopte van harte dat het niet wederkerig was. Hun vaartocht was nog maar nauwelijks begonnen – het was potentiële dynamiet in de squadronruimte.

'Rafe?'

'Ja?'

'Oké, laten we opnieuw beginnen. Vertel me eens wat voor iemand het is. En dan bedoel ik, wat heeft ze tijdens Fleetex precies gedaan; ik heb die oefening voor de CNO gebrieft.'

'Goed; sorry dat ik zo lichtgeraakt was. O, shit, Fleetex! Een blunderende admiraal, scenario's waar niets van klopte. Er heerste totale verwarring – de hele battle group was druk verwikkeld in een soort *Fuck-up Two-Step*. Nixon had al een soort aanvaring met de admiraal achter de rug – een hele tijd geleden, al vóór de Fleetex; had haar op haar lazer gegeven omdat ze niet bereid was een briefing over zijn natte droom te geven of iets dergelijks. Dus ik neem aan dat ze al geïrriteerd was, of gespannen, of wat dan ook. En ik begrijp best hoe moeilijk de situatie was voor al die inlichtingenmensen. Beneden in het CIC, het gevechtsinformatiecentrum, hadden de ASW-jongens en de mensen van de subplot een soort scorebord gemaakt waarop de ontwikkelingen werden bijgehouden, los van het feit bij welk scenario ze hoorden, en dan onderverdeeld in inzetten die met échte oppositie werden geconfronteerd, en inzetten die volkomen fake waren, oké? Dus aan de ene kant hebben we een of ander stom "admiraal Newman"-scenario waarbij we het moeten opnemen tegen een door dieselmotoren aangedreven Russische onderzeeboot, waarbij die rol wordt gespeeld door een échte Canadese boot, begrijp je? En aan de andere kant hebben we nog een deel van een van tevoren door de verenigde chefs van staven goedgekeurd scenario waarin we een aanval moeten uitvoeren op een stuk of wat Osa II-patrouilleboten? Behalve dan dat die scheepjes volkomen denkbeeldig zijn, volkomen verzonnen, oké? Een tijdlang stuurde Christy – luitenant-ter-zee der tweede klasse jongste categorie Nixon – het squadron perfect aan – ze vertelde ons precies op welke gebeurtenissen we wél en op welke dingen we níet moesten reageren. Ze leek haar zaakjes volkomen te beheersen; als ze geen greep meer op de zaken mocht hebben gehad, te laat reageerde, dan heb ik dat niet gezien. Misschien was het míjn fout wel. Slecht leiderschap. Maar een tijdlang waren onze jongens en de knapen van de heli's de enigen die er nog geen puinhoop van hadden gemaakt. Toen kwam ze bij de skipper met een briefing aanzetten waarbij hij tot de aanval moest overgaan op een vijand die er helemaal niet was – het verkeerde scenario. En vervolgens stuurt Christy mij, als het eindelijk m'n beurt is, naar een of andere zes uur durende gevechtsoefening en loop ik daardoor de kans mis op een confrontatie met een échte onderzeeboot – een onderzeeboot die ons niet alleen tot zinken heeft gebracht, maar dat óók nog eens onopgemerkt doet, terwijl ík met brandstof rondvlieg en de F-18's die die peut nodig hebben zich in het verkeerde stuk luchtruim bevinden en door brandstofgebrek een voorzorgslanding moeten maken. En toen – ach, verdomme, werd het alleen nog maar erger.'

Alan zag het scenario voor zich. Hij herinnerde zich de scènes met de CNO en admiraal Pilchard weer, en dat herinnerde hem er weer aan dat Pilchard de man was geweest die hem uit het niets had geplukt en hem had neergezet op de plek waar hij nu was, en opnieuw werd hij heel even door een ultiem geluksgevoel overspoeld, samen met het weeë gevoel – hoewel het niet bepaald een onplezierig gevoel genoemd mocht worden – dat hij, als hij niet goed oppaste, er een grandioze puinhoop van kon maken. Nou ja, bij dit soort banen was het net als bij reizen – als je geen risico's durfde te nemen beleefde je ook geen leuke dingen.

'Rafe, ik begrijp wat je wilt zeggen. Maar het klinkt alsof ze deel van de oplossing was, niet? Ik bedoel, heeft ze de mensen van subplot en ASW geholpen die scoreborden op te zetten?'

'Ja. We waren beretrots op haar. Ze doorzag alle orders voor het squadron als een echte professional.'

'En toen maakte ze er een puinhoop van? Oké. Ze heeft een stomme vergissing begaan. Ik wil die zes uur die je zinloos in een schietstoel hebt doorgebracht niet bagatelliseren, en ik zou haar er stevig de mantel voor uitvegen, maar wat heeft het nou helemaal te betekenen? Er zijn geen doden gevallen. Het is een fout die is voortgekomen uit even geen oog voor details hebben, waarschijnlijk ten gevolge van vermoeidheid en adrenaline. Als ze nou een hoop van dat soort fouten zou maken, ja – dan ligt het anders.'

'Het ging niet om een hoop van die fouten; het was één enkele basisfout – ze was koppig, ze weigerde mee te gaan – ze vond dat het JCS-pakket uitgevoerd moest worden en dat Newman geschift was.'

'Ze had gelijk.'

'Maar Newman was de man die de bevelen uitdeelde! Je zou beter moeten weten – in zo'n geval informeer je in je omgeving, probeer je erachter te komen waar de problemen liggen!'

Alan slaagde erin luchtig te blijven klinken. 'Nee, ik niet. Niet tijdens mijn eerste operationele vaartocht. Zeker weten. In dat geval zou ook met mij de vloer worden aangeveegd.'

Hij wachtte. 'Ze zal vast en zeker nog wel eens fouten maken, zoals iedereen. Misschien verwacht jij te veel van haar omdat je – omdat je, eh, haar wel mag? Hallo, Rafe, ben je er nog?'

Rafe's hoofd bewoog niet. Hij wekte de indruk iets onderuitgezakt in zijn stoel te zitten, zijn lange lichaam ietwat verwrongen in een positie die hij zo te zien comfortabel vond. Een warme, rode gloed van de instrumenten scheen op zijn gezicht en de squadronemblemen die nog net te zien waren onder de riemen van zijn schietstoelharnas. Zijn gehelmde hoofd was echter opgeheven, wat betekende dat hij klaarwakker was. Alan kon niet lang naar hem kijken. Elke keer dat hij zijn blik van de instrumenten losmaakte, begon het toestel langzaam maar zeker op de een of andere manier af te wijken – hoogte, lengteas, snelheid, richting. Alan had Rafe, en ook zijn oude squadroncommandant, vaak genoeg met één hand zien vliegen, terwijl hij zich half had omgedraaid om met Alan achterin te praten. Hij kon zich niet voorstellen dat hij zijn hoofd ooit opzij zou kunnen draaien, laat staan zijn lichaam, en de spanning van het vliegen maakte dat hij snel bekaf raakte, terwijl hij toch gewoon op z'n kont zat.

'Ik vind haar echt aardig, Alan. En ze is aantrekkelijk. Op een hoop manieren. Ja, je hebt gelijk. Misschien ben ik wel verkikkerd op haar. Gewoonlijk is ze zó goed in haar werk, man, en dan zadelt ze me met zo'n flater op. En vervolgens moet ik haar op d'r donder geven. Haar met hel en verdoemenis dreigen. Misschien wel harder dan ze verdiend had. Omdat ze zo verdomde goed en stronteigenwijs is – en misschien wel omdat ik haar veel te aardig vind.'

'Heb je dit ook wel eens met een vent meegemaakt?'

'Wat bedoel je dáár verdomme mee?'

Alan moest grinniken. Binnen de marine was men nog steeds als de dood voor homo's. 'Ik bedoel, heb je een lagere officier of een onderofficier die bovengemiddeld scoorde ooit wel eens erg graag gemogen, om er vervolgens achter te komen dat je niet echt op hem kon bouwen?'

'Zeker weten. Oké. Ja, Alan, ik begrijp wat je bedoelt. Dat is precies hetzelfde. Voor het merendeel, althans. Verdorie, maar met vrouwen is het gewoon een stuk moeilijker!'

'Overste, dat klopt. En je kunt ze niet op dezelfde manier aansturen als je bij mannen gewend bent, hè? Rafe, begrijp me alsjeblieft niet verkeerd, oké? Maar je hebt naar mijn mening gevraagd. De manier waarop je leiding geeft aan mannen mag klassiek worden genoemd. Om te beginnen ben je zélf al een grandioos vlieger. Dus je fungeert als een voorbeeld voor je mannen. Ten tweede sta je binnen de kortste keren klaar met complimentjes – soms grenzen die zelfs aan vleierij. Dat is voor het overgrote deel een prima zaak, want een compliment krijgen binnen de marine komt bijna nooit voor. Ten derde heb je de neiging om als iemand ver boven óf onder het gemiddelde zit, je met name op díe mensen te focussen. Maar dan ook volkómen, je gebruikt de héle lens. Met als gevolg dat jouw persoonlijkheid door die lens brandt alsof de zon een mier aan het roosteren is.'

Rafe's helm ging op en neer, waaruit bleek dat hij knikte. 'Zeker. Ik zeg wel eens wat vleiends. Het is gratis en de jongens moeten zoiets af en toe te horen krijgen. En dan dat gepraat over focussen. Ja. Je bent de enige die zo iets kan brengen.'

'Grandioos. Mannen beschouwen deze signalen, als ze afkomstig zijn van een meerdere, als signalen van goed leiderschap. Een consistent beleid, complimenten die echt verdiend worden, een toonbeeld voor iedereen tijdens operationele vluchten, een en al charisma. Oké?'

'De manier waarop je mijn natuurlijke eigenschappen op een rijtje zet, bevalt me eigenlijk wel.'

'Prachtig. Ik heb vier maanden met vrouwelijke marinemensen gewerkt, waardoor ik meen te mogen zeggen dat ik toch op z'n minst tijdelijk als een expert op dit gebied beschouwd mag worden. Laten we nou eerst eens vergeten dat je misschien op bovengemiddelde wijze iets voor deze vrouw voelt, oké?' Hij maakte aanstalten om zich naar Rafe om te draaien, maar bedacht zich toen en zag nog net kans om te voorkomen dat het toestel weg zou glijden. 'Je hebt toch nog niets bij haar uitgespookt of zo, hè? Je bent toch niet al met haar de koffer ingedoken, hè?'

'Jezus, Craik! Enkele ogenblikken geleden was ik nog admiraal Nelson! Ab-so-luut niet!'

'Dat zal ik dan maar als een ontkenning beschouwen. Maar laten we Emma Hamilton niet vergeten.'

'Wie?'

'Laat maar. Dat vertel ik je later nog wel eens een keer. Hoe dan ook, leg die vrouw nou eens onder diezelfde lens van je. Ze deed het hartstikke goed. Ze krijgt complimenten. En misschien wel fraaiere complimenten dan ze ooit eerder heeft gekregen. Jij zegt niet: "Hé, luit, mooie benen heb je! Strak kontje!" of wat dan ook. Nee, jij brengt een stuk of wat fraai geformuleerde zinnen ten gehore waarin je haar complimenteert met de duidelijke briefings die ze geeft, of met haar kennis omtrent het gewapend conflict. Oké. En kijk nou eens. Wat een gozer ziet als een schitterend voorbeeld dat nagevolgd dient te worden, een toppiloot, ziet zij misschien wel als iets romantisch, onstuimigs, aantrekkelijks. Ik zeg niet dat ze er altíjd op die manier naar zal kijken. En ik zeg niet dat álle vrouwen zo zijn. Ik zeg alleen maar dat dezelfde signalen heel anders kunnen overkomen. Heb je wel eens aandachtig naar een vrouwelijke kapitein-luitenant-ter-zee gekeken?'

'Nee. Maar ik begrijp waar je naartoe wilt.'

'Ik weet dat je best snugger bent. Ik heb voor een fenomenale vrouwelijke aanvoerder gewerkt en ik ben er met eentje getrouwd, en ik heb zojuist kans gezien aan een waardeloze te ontkomen. Ze zijn een stuk rechtlijniger dan mannen. Ze doen alles volgens het boekje. Ja? Gewoonlijk omdat wij nog steeds met twee maten meten en zij nog steeds niet kunnen begrijpen waarom jij of ik dat zou doen. Maar ook deels opdat er geen vergissing mogelijk zal zijn wie er de bevelen uitdeelt. Tot een bepaalde hoogte neig ik steeds meer naar de mening dat wij mannen op dezelfde manier leiding moeten geven aan vrouwen als vrouwen dat doen aan mannen. Proberen zo rechtlijnig mogelijk te zijn. Een soort Victoriaans, afstandelijk leiderschap.'

'Ik dacht dat jij zo'n verdomde feminist was. Ik dacht dat jij heilig in gelijkheid geloofde.'

Alan moest het tegelijkertijd tegen deze vraag en de matige dwarswind opnemen die zijn vliegen heel even bedreigde.

'Ik geloof wel degelijk in gelijkheid. Maar ik geloof ook in de macht van seks. Momenteel bevinden we ons in een afgrijselijke overgangsperiode. Uiteindelijk komen we er met z'n allen wel uit. Ondertussen bevinden jij en je AI zich in de frontlinie van de nieuwe wereldorde. Maar ik kan er pas wat meer van zeggen zodra ik haar heb ontmoet.'

'Je bedoelt dus te zeggen dat ik wat meer afstand tot haar moet houden.'

'Dat bepaal jíj, XO. Ik heb iets dergelijks nog nooit aan den lijve meegemaakt, maar ik herinner me wel dat ik tijdens mijn laatste operationele vaartocht op een gegeven moment vrij koel tegen mijn SENSO ben gaan doen omdat ik het punt had bereikt waarop ik niet meer van hem op aan kon. En dat was nog maar een ouderwets probleem tussen jongens onder elkaar. Maar je moet jezelf blijven afvragen of je een probleem met haar hebt omdat je bang bent dat je het delicate man/vrouw-evenwicht zult verstoren – zoals: "Als ik haar de les lees omdat ze een fout heeft gemaakt, vindt ze me straks niet meer aardig als mán".'

Minuten gingen voorbij. Alan ontdekte dat je tegelijkertijd koffie kon drinken en rechtuit vliegen. In oostelijke richting, pal in het verlengde van de neus en de cockpitramen, begon een zwak roze de lucht te kleuren, en Alan realiseerde zich met een schok dat hij al een halfuur alleen op de horizon gevlogen had. 'Hij kwam vijfhonderd voet hoogte te kort, maar hij besloot het zo te laten. Hij probeerde dit moment voor altijd in zijn herinnering vast te houden. Vliegen, uitstekende koffie drinken, terug naar het schip.

Rafe sliep, een obscuur teken van vertrouwen waar Alan trots op was. Hij schakelde de intercom op 'hele cockpit' over, maar achterin was het stil. Hij had het lef heel even achterom te kijken: Cutter sliep, en de jongeman zat iets te lezen. Hij liep de frequenties af die Rafe op zijn kniebord had genoteerd en luisterde een tijdje naar de verkeersleiding op de Azoren, een redelijk zinloze exercitie – ze spraken per slot van rekening Portugees – maar af en toe, omdat hij vloog en op de problemen van het vliegen afgestemd was, begreep hij er iets van.

'Jeetje, we vliegen nog steeds,' zei Rafe terwijl hij zich gapend uitrekte. 'Is er nog koffie over?'

Alan gaf hem de thermosfles en hield het toestel keurig horizontaal. 'Klaar om het vliegtuig van me over te nemen, overste?'

Rafe kromde zijn gehandschoende vingers als een echte revolverheld.

'Je zegt het maar, jongen. Ik heb 'r. Hé, we zitten vijfhonderd voet te laag, Bud.'

'Hé, XO, wat dacht je van: "Mooi twee uur lang gevlogen voor iemand zonder ervaring"?'

Rafe keek Alan glimlachend aan. 'Je hebt zelf gezegd dat ik soms veel te aardig ben voor ltz2 j.c. Nixon en de anderen. Ik dacht dat het misschien een goede zaak is als ik nú begin een beetje afstand te scheppen.'

'Dus je bent de hele tijd al wakker.'

'Jazéker was ik dat. Trouwens, ik denk dat je misschien wel eens gelijk zou kunnen hebben, zoals wel vaker het geval is. Kom nog eens met me praten nadat je haar hebt leren kennen, oké?'

'Natuurlijk.'

Sneesen, die een van de boekjes van de sergeant-majoor aan het lezen was, raakte bij het horen van dit flard gesprek enigszins in verwarring. Alan had de intercom nog op 'hele cockpit' staan, en Sneesen hoorde de naam Nixon vallen, en hoorde de toon waarmee er over haar gesproken werd. Het zat hem op een bepaalde manier dwars dat deze twee blanke mannen op zó'n manier over die kleurlingteef spraken.

Twee uur later maakte de AG 701 een scherpe bocht naar links, een zogenaamde *break*, vloog een keer rond het vliegdekschip en landde bij de allereerste keer aanvliegen, een perfecte 'oké' voor ltz1 Rafehausen. De ruk van de remkabel trof Alan als een soort woeste omhelzing, en hij was weer thuis.

17

Oktober

Bezie de moderne oorlogvoering ter zee als een serie in elkaar grijpende cirkels. In het midden van elke cirkel ligt een schip, een onderzeeboot of een vliegtuig; de cirkels worden vanuit elk middelpunt steeds groter en geven aan waartoe het betreffende schip of vliegtuig in staat is. Een van die cirkels is de 'hoever'- of afstandscirkel, die laat zien welke afstand een schip in een bepaalde tijd – dat kan een minuut zijn, maar ook een uur – kan afleggen. Onderzeebootjagers maken bijvoorbeeld van de afstandscirkel gebruik wanneer ze het contact met een doelwit zijn kwijtgeraakt. De afstandscirkel laat hen de grootste afstand zien die de verdwenen onderzeeboot kan hebben afgelegd, in elke mogelijke richting weliswaar, vanaf het moment dat het contact verloren is gegaan.

Een andere cirkel is de 'bereik'-cirkel. Elk schip, vliegtuig of onderzeeboot kan verschillende bereikcirkels hebben, die zich als onregelmatige golven vanuit het middelpunt naar buiten verspreiden. De *Fort Klock* bijvoorbeeld, een geleidewapenkruiser uit de Ticonderoga-klasse, heeft één cirkel voor het bereik van haar defensieve luchtdoelraketten, een andere voor haar Harpoons en weer een derde voor haar Tomahawks, maar sommige hiervan zijn bedoeld voor doelen op de vaste wal en andere tegen schepen, dus ook díe cirkels kennen onderlinge verschillen. Kleinere cirkels stellen het bereik voor van haar 76mm-kanon en het CIWS 20mm anti-raketsysteem – een kanon met roterende lopen en een enorme vuursnelheid – en nog wat lichtere wapens.

En toch is het niet het bereik, maar het vinden van het doelwit, en met name het vinden van het doelwit over de horizon, dat het kernprobleem van het gevecht vormt. Een schip kan nu eenmaal niet het vuur openen op een schip dat zich tweehonderd mijl over de horizon bevindt, en ook niet op een schip tweehonderd meter verderop wanneer er een dichte mist hangt, hoe groot het bereik van het geschut ook mag zijn, als ze niet weet waar dat andere schip zich precies ophoudt. Om het doelwit te vinden, moet het schip kunnen zien, maar het 'ziet' met radar en sonar, en met behulp van satellietverkenning. Radar zorgt ervoor dat het zicht met vele mijlen wordt uitgebreid, maar dat zien wordt beperkt door dezelfde geometrie die het normale gezichtsvermogen limiteert – de rechte lijn van emissie en reflectie, alsmede het ronde oppervlak van de aarde, en waar die zichtlijn het oppervlak raakt vinden we de horizon.

Een zwemmend iemand heeft een horizon van enkele honderden meters.

Iemand bovenin een mast van tien meter hoogte heeft een horizon van dertig kilometer. Uitkijken klommen vroeger altijd in de hoogste mast van een zeilschip teneinde de breedste horizon te creëren: een hogere mast betekende een grotere cirkel, die nog werd vergroot wanneer de masttoppen van een ander schip boven die horizon uitstaken. Met andere woorden: moderne doelwitcirkels springen van elk schip naar buiten, terwijl de vorm daarvan afhankelijk is van de hoogte van het schip en dat van haar doelwit. En net als bij de twee zeilschepen uit het voorbeeld, dient de moderne uitkijk nooit te vergeten dat iets zien, tegelijkertijd betekent dat men wórdt gezien.

Maar tegenwoordig kan de ene eenheid een doelwit markeren voor de andere. Het is vandaag de dag mogelijk om zich níet in een doelwitcirkel van een bepaald schip te bevinden, en toch het vuur op dat vaartuig te openen, zolang die doelwitcirkel maar op de een of andere manier door een andere verlengd kan worden – meestal die van een vliegtuig of een satelliet. Door gebruik te maken van een datalink, kunnen vliegtuigen of schepen hun doelwitcirkel vergroten tot het maximale bereik van hun bewapening, en is een schip in staat om een doelwit te raken dat het met haar eigen sensoren niet kan zien, noch kan detecteren.

Een vliegtuig is in feite een enorm hoge mast, een mast die met uiterst moderne verbindingsmiddelen en radar is uitgerust; die zich duizenden meters boven het water bevindt en honderden mijlen ver weg kan zien, en het kan het schip nagenoeg onmiddellijk wanneer het iets waarneemt op de hoogte brengen. Maar het vliegtuig loopt echter hetzelfde risico als de uitkijk – namelijk het risico dat iets dat waarneemt ook gezíen kan worden. En dus wordt het vliegtuig gedwongen mee te doen aan het spelletje met de cirkels, en hebben bemanningsleden de beschikking over hele rijen computers, over kaarten met informatie die in transparante zakken op hun bovenbenen zijn gestoken, en niet te vergeten over een geheugen, allemaal zaken die hen helpen te onthouden welke potentiële vijand een langeafstandsluchtdoelraket aan boord heeft, hoe snel die vijand zich kan voortbewegen, of die vijand het vliegtuig misschien al ontdekt heeft, en tot hoe ver haar afstandscirkel reikt.

Vijandelijke en eigen vliegtuigen – zowel vanaf het vasteland als vanaf vliegdekschepen opererend – compliceren het neerleggen van al deze cirkels nog eens aanzienlijk, totdat het wateroppervlak en de lucht erboven één wirwar van in elkaar grijpende rondingen zijn geworden, één gordiaanse knoop van bogen, een puzzel die op papier is gezet door een kind dat als een waanzinnige met een passer tekeer is gegaan. De hoeveelheid informatie die tijdens een gevecht op zee met één enkele blik verwerkt moet worden is zó gigantisch dat de mens ontdekt dat zijn wereld door de elektronica niet vereenvoudigd wordt, maar erdoor wordt beperkt, en de beslissingnemer moet nog steeds het vermogen hebben om al dan niet gedeeltelijk op zijn intuïtie af te gaan, bijgestaan door zijn training, gecompliceerd door zijn vooringenomenheid, vertroebeld door zijn verlangen; en de menselijke commandant blíjft dan ook beslissingen nemen, om net als de commandanten uit de tijd van Drake gedwongen te worden de consequenties van zijn bevelen onder ogen te zien.

En dan is daar natuurlijk nog het oppervlak waarop de passers hun puzzels krassen, de zee: water, overvliegend schuim, golven die tot masthoogte boven het schip uittorenen en met golfdalen van wel honderd meter; bulderende stormen die moeiteloos radarmasten van duurzaam gebouwde scheepsrompen rukken; mist en regen en sneeuw die radaremissies verzwakken; warmte en kou en het zoutgehalte en walvissen en garnalen en krill die de sonar beïnvloeden. Dekken stuiteren nog steeds op en neer; horizonnen vallen nog steeds weg; boordgeschut wordt nog steeds in overvliegend water en tijdens stormen afgevuurd. De konstabel die met zijn lontstok langs de bronzen kanonsloop kijkt, wachtend tot de golf zijn doelwit op zal tillen, zichtbaar zal maken, zal het als geen ander begrijpen: dit zijn driedimensionale bewegende puzzels.

Battle Group Zeven baande zich een weg door de grijze Atlantische Oceaan. De afstandscirkels van haar schepen schoven onzichtbaar naar voren, en projecteerden op die manier hun offensieve slagkracht een heel eind over de zichtbare horizon. De doelwitcirkels van haar radar werden groter en kleiner naarmate de operators hun blik ergens op concentreerden; met behulp van door satellieten gevoede datalinks en gecoördineerd met andere gegevens – plus de aan boord van de groep aanwezige kennis omtrent hun pad – werd de te nemen route wel duizend mijl bijgelicht.

De hemel zag er guur uit, en een rauwe, vochtige wind blies langs de dekken. Bij de kleinere schepen – de torpedobootjagers *Dacatur* en *Melward*, en de fregatten *Hull* en *Macon* – sloeg het stuifwater dat door de boeg omhoog werd gegooid vervolgens over de dekken neer. De zeesleper *Frank Balducci* gleed als een soort speelgoedbootje door de golven, om het ene moment door een golfkam omhooggetild te worden en vervolgens weer met een klap in een golfdal te verdwijnen.

De weersomstandigheden buiten drongen nauwelijks tot de nieuwe flag-inlichtingenofficier op het flag-dek door. Vierentwintig uur nadat hij op het vliegdekschip was geland stond hij over een datalink-display gebogen en nam aandachtig zijn nieuwe taak in zich op, alsof het scherm wel eens zou kunnen vertellen hoe hij hier zou functioneren, afgescheiden van de vertrouwde squadronruimtes, het inlichtingencentrum van het schip, het groepje AI's.

Maar hier was het niet zijn taak dagelijks informatie aan te dragen waarop de te volgen tactiek kon worden gebaseerd, maar om het oog en een deel van het brein van de flag – de vlagofficier – te zijn. Zijn lange, gespannen gelaat werd van onderen verlicht door de gloed van een computerterminal. Het overwegend groene schijnsel maakte dat zijn ogen fonkelden en gaf zijn intensiteit iets bijna demonisch. Zijn ietwat gedrongen lichaam – hij had wel iets weg van een worstelaar – was gekromd van concentratie en zijn donkere haar was in de omringende duisternis niet te zien.

Op de computerterminal was de positionering van de voltallige battle group te zien, met als middelpunt het vlaggenschip, waarbij Alan de afstands- en doelwitcirkels even duidelijk in zijn hoofd had alsof die werkelijk op het scherm te zien waren: de *Andrew Jackson*, met de aanduiding CVN – een door kernenergie aangedreven vliegdekschip – nam de centrale positie op het scherm in; de *Fort Clock*, een kruiser uit de Ticonderoga-klasse, had een dag eerder afscheid van BG genomen, met de *Isaac Hull*, een onderzeebootbestrijdingsfregat van de Oliver Hazard Perry-klasse, als escorte. Beide schepen zouden de Middellandse Zee binnenvaren en tussen Nice en Napels patrouilleren om wat later, twaalf dagen vóór de lancering van de Peacemaker, een rendez-vous uit te voeren met het USNS *Philadelphia* en de Peacemaker. Maar lang voor dat tijdstip wilde de vlagofficier de battle group óók in de Middellandse Zee hebben. Het andere schip uit de Arleigh Burke-klasse, de *Steven Decatur*, bevond zich tweeduizend meter áchter het vliegdekschip, waarbij haar zware bewapening – voornamelijk luchtdoelraketten – een cirkel vormde die de hele battle group omvatte. Twee oudere fregatten uit de FFG 7-klasse bestreken de flanken en waren in staat om op te treden tegen zowel vijandelijke onderzeeboten als binnenkomende raketten. Ze beschikten niet over dezelfde moderne radarsystemen als de *Decatur*, maar mocht er sprake zijn van een noodsituatie dan kon Alfa Whiskey – de officier aan boord van de *Decatur* die voor de strijd in de lucht verantwoordelijk was, de zogenaamde *air warfare commander* – via de datalink van haar luchtdoelraketten gebruikmaken.

Al deze vaartuigen tezamen zouden de battle group tegen bedreigingen vanuit de lucht moeten beschermen, ook al zou die dreiging van ver achter de zichtbare horizon komen, terwijl de afstand waarop een eventuele vijand kon worden gedetecteerd nog verder werd vergroot wanneer een E-2 Hawkeye vanaf het vliegdekschip was opgestegen. Elke eenheid ondersteunde en 'voedde' de ander, zodat de verdedigings- en aanvalscirkels van de battle group tot honderden mijlen werden uitgestrekt. In geval van nood kon een vliegdekschip een serie roterende tankervliegtuigen – die 'kettingzaag' werd genoemd – de lucht in sturen, waardoor het bereik van haar offensieve vliegtuigen tot duizenden mijlen kon worden vergroot: jagers en bommenwerpers vlogen in dat geval langs zo'n keten tankers, namen van elk vliegtuig brandstof over, om daarna weer door te vliegen naar hun verafgelegen doelwit.

Achter de *Decatur* voer een bevoorradingsschip, het USS *Ajax*, met als commandant een vlieger die zich voorbereidde op het commando over een vliegdekschip en daarom een periode aan boord van dit grote schip was gestationeerd. Nog verder naar achteren bevond zich het helikoptermoederschip *Rangoon*, met aan boord een contingent mariniers die over hun eigen heli's en Harriers beschikten, VSTOL-toestellen, jachtbommenwerpers die verticaal konden starten en landen, terwijl er tevens tanks aan boord waren. Mocht het in Zaïre inderdaad uit de hand lopen, dan zouden deze mariniers het Amerikaanse antwoord daarop vormen. De *Rangoon* beschikte over een eigen escortevaartuig, een al wat oudere torpedobootjager, de *John P. Melward*, die recentelijk was gemoderniseerd en een uiterst geavanceerde ASW-module en bijbehorende bewapening aan boord had, maar die het zonder de krachtige radar en raketten van de *Decatur* moest doen.

Alan wist dat als hij naar de ASW-module zou lopen, hij zou merken dat verscheidene oppervlakteschepen hun SQR-19 passieve array's – sonar-'slepen' – hadden geactiveerd, waardoor de battle group werd beschermd tegen het besluipen van potentieel vijandelijke onderzeeboten. En verder had elk schip ook nog eens een SH-60 Lamps III ASW-helikopter aan boord.

De battle group voer vandaag in een formatie die met de codenaam Cheetah werd aangeduid. Van flank tot flank bestreek ze een afstand van eenentwintig mijl, terwijl de afstand tussen de voorsteven van het eerste schip en de achtersteven van het laatste vaartuig elf mijl bedroeg. De formatie op zich mocht ook al een reactie op het nucleaire tijdperk worden genoemd: als alle defensieve maatregelen mochten falen en een kernraket of een nucleaire torpedo zou doel weten te treffen, dan zou deze verspreiding er wellicht voor kunnen zorgen dat sommige schepen niets overkwam. Ze communiceerden elektronisch met elkaar.

En dat alles kwam samen op de brug van de vlagofficier – *flag bridge*.

Alan bestudeerde het computerscherm en vroeg zich af of hij alles zou doorzien vóór het in Afrika tot een crisis zou komen. Op de een of andere manier was hij niet in staat om de gedachte aan de *Fort Klock* van zich af te zetten, aan het feit dat dit schip en haar escorte de battle group verlaten hadden. De beslissing was al genomen om het eskader te splitsen en het vliegdekschip en haar escortevaartuigen buiten de Straat van Gibraltar te houden. Op die manier had de *Fort Klock* geen luchtdekking meer, terwijl de *Andrew Jackson* de slagkracht van de geleide projectielen van de kruiser zou moeten missen. Het was een berekend maar onontkoombaar risico: er moest in de Atlantische Oceaan voor de Afrikaanse kust nu eenmaal een marine-eenheid aanwezig zijn totdat in Zaïre de rust weer een beetje was teruggekeerd. Terwijl er tegelijkertijd sprake moest zijn van maritieme slagkracht in de Middellandse Zee.

In tweeën verdeeld voer de battle group verder, elk deel ervan aanzienlijk verzwakt, hoewel ze beide nog steeds vol vertrouwen hun machtscirkels over de oceaan projecteerden.

Alan was naar de warme en geurige omhelzing van het leven op zee teruggekeerd alsof hij er nooit was weggeweest. Het feit dat veel van de crises die in de operations-room van de flag op hem lagen te wachten dezelfde crises waren waarover hij in het Pentagon briefings had gegeven, hielp daarbij – Rwanda, het kidnappen van O'Neill, het oprukken door Zaïre, evenals de al langer durende problemen in Bosnië, Irak, vlootbewegingen van de Russische marine, met als laatste een nieuw rapport betreffende een oppervlakte-eenheid die recentelijk vanuit Murmansk was vertrokken.

Hij had nauwelijks tijd gehad om te beseffen dat hij ook nog een hut moest betrekken, hoewel hij als laatkomer genoegen moest nemen met een kleine ruimte in de midscheeps op O-3, vlak bij de jet blast deflectors en het daaraan verbonden lawaai; gewoonlijk zou hij net zo lang hebben gerommeld en gemanipuleerd tot hij een betere hut toegewezen had gekregen, maar deze keer had hij daar hoegenaamd geen energie meer voor gehad. Ietwat grimmig moest hij aan Rose denken: die had ook geen tijd voor zichzelf. Hij putte troost uit het feit dat hij toch nauwelijks spullen bij zich had om daar op te bergen en bovendien was hij er toch bijna nooit.

Hij had zijn helmtas die eerste ochtend op de bureaustoel neergezet. En die tas was daar dagen blijven staan, als een afdankertje. Helemaal onderin lag de H&K P-9 in het duister, ongebruikt en ongeliefd.

Hij had zijn vliegeroverall aan een haak aan de achterkant van de deur opgehangen, op de kleine open plekken tussen de diverse buizen in wat foto's van Mikey en Rose bevestigd, zijn leren vliegerjasje over de rugleuning van de stoel gegooid en zijn laptop op het bureaublad neergezet. Dat was het wel zo'n beetje, want op dat moment was er een ordonnans naast hem opgedoken die had gezegd dat, eh, meneer, de admiraal hem graag even wilde spreken.

18

Oktober

Sarajevo.
Mike Dukas zag hoe zijn ploeg die als taak had het opsporen van oorlogsmisdadigers langzaam maar zeker uitgroeide tot een redelijk functionerende politie-
eenheid. Het was net alsof je uit het niets een ideaal politiekorps opbouwde –
althans, dat probéérde je, want het wás helemaal niet ideaal en de omstandigheden waren waardeloos, terwijl de ondersteuning vanuit de VN en de IFOR
'omzichtig' mocht worden genoemd. Desalniettemin hadden ze kans gezien een
soort inlichtingeneenheid op te zetten, die ze binnenskamers 'De jongens van
Stein' noemden, naar de Duitser die er de leiding over had, en een administra-
tieve en een liaisontaak die alleen in Pigoreaus hoofd bestonden, alsmede een
afdeling operations waar het er zeer geheimzinnig aan toeging maar die tot
dusver nog geen enkele operatie had uitgevoerd om zichzelf aan te toetsen. Ondanks het opsplitsen in verschillende taken leek alles door elkaar te lopen; iedereen deed van alles, en Dukas zelf gaf leiding aan zowel de inlichtingen- als de
operations-poot. Hij was nogal huiverig om te veel op papier te zetten of met
organisatieschema's te zwaaien, bang dat als hij dat wél zou doen, zijn superieuren zouden gaan geloven wat er op papier stond in plaats van wat er op straat
gebeurde, met als gevolg dat ze binnen de kortste keren de zoveelste kleine bureaucratie zouden vormen, enkel en alleen druk bezig zichzelf bezig te houden.
Maar ze hadden nog steeds geen oorlogsmisdadigers te pakken weten te krijgen.
Ze hadden het nog niet eens geprobeerd. Ze beschikten niet over duidelijke
sporen. Ze beseften zelfs donders goed dat er minstens drie jaar voor nodig was
om een goed functionerende organisatie en een dito inlichtingennetwerk op te
bouwen, en dat de belangrijke arrestaties pas zouden worden verricht door hun
opvolgers. Maar Dukas bleef er bij iedereen op hameren dat hij wilde scoren –
een paar arrestaties, een paar namen op de lijst voor het internationale tribunaal in Den Haag, iets dat het CNN-nieuws zou halen. Daarna zou de wereld
hen serieus nemen.
Hij en Pigoreau hadden in Republika Srpska twee mensen gerekruteerd die als
contactpersoon voor mevrouw Obren konden dienen; een van hen, een boer,
moest om de grens te passeren met zijn trekker door een verondersteld mijnenveld rijden, waarbij hij informatie meebracht en Amerikaanse goederen mee te-
rugnam, die hij dan weer in RS aan de man bracht. De andere agent was een

elektricien met een vriendinnetje aan de Bosnische kant en een echtgenote aan de Servische kant; ze bezorgden hem een contract bij de luchtmacht in Tuzla, zodat hij een excuus had om de grens over te steken. Dukas ging er, geheel juist overigens, van uit dat de Joegoslavische inlichtingendienst hem onmiddellijk door zou hebben, en dat hij direct daarna als dubbelspion zou functioneren, maar dat wist Dukas weer uit te buiten door mevrouw Obren zo ver te krijgen dat ze haar informatie alleen maar via de boer verstuurde, terwijl een derde agent fictieve boodschappen achterliet voor de elektricien. Later stelde de luchtmacht de elektricien in staat om wat onbetekenende informatie achterover te drukken, onbelangrijk spul als een stuk of wat open frequenties, en maakte men van deze man gebruik om allerlei non-informatie aan de Serviërs door te spelen.

Mevrouw Obren bleef een probleem, en dan voornamelijk Dukas' probleem. Pigoreau zei tegen hem dat hij ervan overtuigd was dat ze een dubbelagent was, en Dukas, hoewel hij er niet zo zeker van was als de man die hij nu als een goede vriend was gaan beschouwen, wist dat ze gevaarlijk was. Maar tegen die tijd was hij al verschillende keren met haar naar bed geweest en was hij min of meer gaan rekenen op die avonden dat ze naar Sarajevo kwam en waarin ze met elkaar spraken, met elkaar vreeën en van het eten genoten dat zij voor hen beiden kookte, soms om twee of drie uur 's nachts.

'Je lijkt wel een verliefde tiener,' zei Pigoreau terwijl hij een grimas trok. 'Zo'n jongen van veertien. Heb je soms nog nooit eerder geneukt, Michael?'

'Lazer op.'

'Bosnië zit vol hoeren, mijn god, je hebt ze voor het uitkiezen! Ik weet er zelfs eentje voor je te vinden zonder aids. Sommigen zijn echte schoonheden, allemaal aardige meisjes, zoals ze niet zullen nalaten zelf te zeggen, en geen enkele beroeps ertussen, allemaal genoodzaakt dit soort werk te doen door de oorlog. Stuk voor stuk hartverscheurende verhalen. En voor een politieman zijn ze zelfs bereid het gratis te doen.'

'Je bent een cynische klootzak, Pigoreau.'

'Ze heeft jou in haar klauwen en je bent niet meer in staat haar objectief te bezien.'

'Hou er nou eens eindelijk over op, oké?'

'Ze is een Servische dubbelspion, Michael!'

'Ik wéét wat ze is, en momenteel is ze precies wat ik wil. Ze geeft ons betere informatie dan alle andere agenten over wie we beschikken, dus hou er nou eindelijk eens over op.'

'Alle dubbelagenten geven goede informatie. Als ze wordt aangestuurd door een Rus, wat vrij waarschijnlijk is, geeft ze grandioze informatie! Zo zitten de Russen nu eenmaal in elkaar, die geven altijd grandioze info.'

'Dan heb je niets te klagen. Als het goed spul is, is het goed spul; wat maakt het nou uit waar het vandaan komt?'

'Michael, in de naam van de almachtige God! Ze gebrúikt je!'

'Bewijs dat maar eens.'

Maar Pigoreau kon het niet bewijzen. Het enige wat hij kon doen was steeds weer uiting geven aan dezelfde zorgen, zeuren, op een manier waardoor hun vriendschap steeds verder onder druk kwam te staan. Dukas had bijna het punt bereikt waarop hij een hekel aan de Fransman kreeg, maar toen vond de Djejevic-toestand plaats en hadden ze beiden wel iets anders om zich zorgen over te maken.

De Djejevic-toestand was genoemd naar Radovan Djejevic, een naam op de lijst van oorlogmisdadigers, iemand die twee jaar eerder in de buurt van Srebrenica een kleine gevangenis onder zijn hoede had gehad. Hij was een van de namen die mevrouw Obren had herkend en een paar weken lang had ze mededelingen over hem doorgegeven – dat hij volgens iemand in de Franse sector zou wonen, dat hij tegenwoordig politieman was en dat hij van een nieuwe naam gebruik zou maken. Toen kwam ze zelf over. Dukas debriefte haar voordat hij met haar naar bed ging, en ze vertelde hem dat Djejevic zichzelf tegenwoordig Radko Mslava noemde en dat hij politieman was in het dorpje Ustar, dat in de Franse zone lag. Dukas vertelde dat tegen Pigoreau en ging toen met haar naar huis; toen hij de volgende morgen op kantoor kwam, was Pigoreau al in de zaak gedoken en had hij het een en ander nagetrokken, en hadden ze een doelwit voor hun eerste operatie.

'Ik dacht dat jij geen hoge pet op had van mijn bron,' zei Dukas, niet onvriendelijk. Hij verkeerde in een goede stemming, had heerlijk gegeten, had van uitstekende seks genoten, en mocht zijn vriend weer.

Pigoreau haalde zijn schouders op. 'Zoals ik je al eens eerder heb gezegd, Michael, spelen ze je een heel enkele keer goede informatie toe. We zullen eens zien hoe dit uitpakt.'

Het pakte niet goed uit. Ze waren met z'n vijven, in een Humvee en een Land-Cruiser, en om toestemming te krijgen voor een actie in de Franse zone dienden ze zich te laten begeleiden door een groep Franse infanteristen. Toen ze vroeg in de ochtend bij de zonegrens arriveerden, klaar om eropaf te gaan, en ze aan de andere kant van de grens de Franse troepen zagen staan die met hen mee zouden gaan, vertikten de Franse soldaten aan de zonegrens hen door te laten. Ze werden twee uur lang opgehouden, en toen ze eindelijk de grens mochten passeren en contact hadden gemaakt met hun Franse escorte en een tijdje later in Ustar aankwamen, was Djejevic gevlogen.

'We zijn erin geluisd, Michael!' siste Pigoreau hem toe. 'Ze heeft je voor gek gezet!'

'Het gebeurde anders wél allemaal in de Franse zone, wijsneus!'

'Zíj heeft dit op haar geweten, jongen! Zeker weten!'

'Ze hóeft dit helemaal niet op haar geweten te hebben! We zijn door jouw eigen mensen bij de grens tegengehouden! Leg dat maar eens uit! Jij hebt het zo verdomde druk met het in de gaten houden van mijn seksleven, dat je nog niet eens verder kunt kijken dan die verdomde Franse neus van je lang is!'

Ze stonden recht tegenover elkaar, waarbij hun kin slechts enkele centimeters van elkaar verwijderd waren. Maar Pigoreau zwaaide niet met zijn vuisten, zoals Dukas later erkende dat hij gehoopt had dat de Fransman zou doen, want ze waren beiden woest op elkaar en een stevige kloppartij was wat hen beiden betrof goed op z'n plaats geweest. Maar Pigoreau was een politieman, en een verdómd goede politieman. 'We zullen zien,' was het enige dat hij zei.

Later was Dukas erachter gekomen dat Pigoreau over connecties binnen het Franse inlichtingenwereldje beschikte waarmee hij niet te koop liep. Misschien was Pigoreau in díe zin ook wel een dubbelagent – misschien gold dat wel voor hen allemaal. Maar hoe dan ook, acht dagen later kwam Pigoreau naar zijn sjofele kantoortje en zette een radio aan die hij had meegenomen om eventuele afluisterapparatuur te frustreren, en vertelde hij Dukas dat de operatie bewust gesaboteerd was door een andere Fransman die voor hun dienst werkte.

'Rampon,' zei Pigoreau smalend. Rampon kwam uit Lyon. Het was een harde werker, een tikkeltje flegmatiek, en in zijn vrije tijd een behoorlijke innemer, maar de man wist van wanten. Maar nu, zei Pigoreau, hadden de inlichtingenmensen in Parijs ontdekt dat Djejevic was gewaarschuwd door een kapitein van de Franse militaire inlichtingendienst, dat die op zijn beurt was getipt door een Franse dame met diplomatieke status die bij de staf van de VN werkzaam was, en dat zíj weer in verbinding stond met Rampon.

'Ze denken dat Rampon vanaf het begin bij ons gestationeerd is om info door te geven. Hij brengt de vrouwelijke diplomaat op de hoogte, zíj zegt het tegen de inlichtingenkapitein en hij zorgt er vervolgens voor dat we bij die grenspost worden tegengehouden, zodat hij Djejevic kan waarschuwen.' Pigoreau trok een lelijk gezicht. 'Je had gelijk, Michael. Ik kon op dat moment niet verder kijken dan mijn grote Franse neus lang is. Uiteraard zal ik ontslag nemen.'

'Vergeet dat maar.'

'Maar hij is een landgenoot van me.'

'Dit is een gemengde eenheid; niemand heeft een vlag op zijn schouder zitten; hij heeft verder niets met jou te maken. Maar één ding, Pig – je moet me wél vertellen dat dit géén Franse operatie is geweest. Begrijp je? Je moet me wel verzekeren dat dit geen regulier onderdeel was van het Franse beleid. Want als dit wél Frans beleid is, heb je hier afgedaan.'

'Ik verzeker je dat hier geen sprake is van Franse inmenging! Dit is geen Frans beleid. Integendeel; mijn contact denkt dat het om de een of andere, hoe zeggen jullie dat, misleidingsoperatie gaat, mensen in Frankrijk die Rampon vanaf het begin bij ons hebben geïmplanteerd. Geen mensen die Frans beleid nastreven, maar Fransen die zo hun eigen belangen hebben.' Hij spreidde zijn handen op het smoezelige grijze plastic bureaublad. 'Ik ben een patriot, Michael. Ik ben geen samenzweerder of een Falangist.'

'Wat worden zíj er dan wijzer van – deze Franse lieden die geen Fransen zijn?'

'Het zijn wel degelijk Fransen, maar – aha, je probeert me belachelijk te maken. Natuurlijk. Ach, dat verdien ik misschien ook wel. Wat zij er wijzer van worden, wat er voor hen inzit, is een of andere afzonderlijke regeling met de Serviërs, en dan bedoel ik Belgrado. Misschien betreft het een oude schuld die nog ingelost moet worden, of is het de bedoeling dat zij zich aan hun kant van de afspraak houden. Ja? Het betreft hier niet zo'n onbetekenende opdonder als die Djejevic; o nee, Djejevic interesseert ze geen bal. Misschien is het iets waarmee ze in Belgrado een goede indruk kunnen maken. Hoe zeggen de Britten dat ook alweer – "bereidwilligheid tonen"? Ik denk dat deze mensen, deze, eh, deze cabaal, laten we het zo maar noemen – je weet wat een "cabaal" is – Belgrado wilden laten zien hoe bereidwillig ze waren, dus hebben ze dusdanige maatregelen genomen dat Djejevic kon ontkomen.'

'Dat is dan een duidelijk een cabaal op niveau,' gromde Dukas, 'als ze kunnen beschikken over een diplomaat en een knaap van de militaire inlichtingendienst.'

Pigoreau schudde zijn hoofd. 'Het gaat nog veel hoger dan dat, Michael. Véél hoger. Dit is nog maar klein spul.'

'Wie zegt dat?' Dukas meende te weten wie dat zei, maar hij wilde het Pigoreau horen zeggen.

'Mijn vrienden in Parijs.'

'Goede vrienden?'

'Contacten, Michael, meer niet. Frankrijk is heel iets anders dan de States; een politieman in Frankrijk moet met de mensen van de nationale veiligheidsdienst werken. Het is allemaal hetzelfde, ja? Maar Michael – ik ben géén agent van het Deuxième Bureau!'

'Dat is je geraden ook.' Dukas leunde over het bureau in de richting van Pigoreau. Zijn brein werkte razendsnel; wat betekenden Pigoreaus 'garanties' eigenlijk? Pigoreau had gelijk: in Frankrijk ging het heel anders toe dan in de VS, en in Frankrijk ging men met de nationale veiligheid totaal anders om; als politie-

303

man deed je wat de jongens van de nationale veiligheidsdienst je opdroegen – als het Deuxième Bureau een boer liet, zei jíj sorry. Maar deed dat er in feite toe? Per slot van rekening had Dukas zelf ook allerlei vrienden bij de Amerikaanse militaire inlichtingendienst, zoals Al Craik, vrienden bij de FBI, zoals Abe Peretz. De kans was groot dat iedereen bij de oorlogsmisdadeneenheid in zijn eigen land soortgelijke connecties had. 'Ik wil niet dat je je ontslag indient,' zei hij. 'Ik heb je nodig. Bovendien ben je mijn vriend.'

Pigoreau keek hem aan, sprong toen overeind, stortte zich op Dukas en omhelsde hem hartstochtelijk. 'Jij hebt een groot hart, Michael – een groot hart. Ik zal álles voor je doen!'

'Ik wil niet dat je "alles" voor me doet. Ik wil dat je probeert van die Rampon af te komen en ik wil dat je eindelijk eens ophoud over mevrouw Obren te zeuren, oké?'

'Wat je maar wilt!' Pigoreau sloeg zich op zijn borst. 'Ik sluit je in mijn hart, Michael – vrienden voor altijd!'

Twee dagen later zorgde Pigoreau ervoor dat Rampon een vals operationeel plan in handen kreeg, en toen dat opdook bij de Franse diplomaat werd Rampon gearresteerd. De diplomaat maakte een snel en permanent uitstapje naar Belgrado. De Franse inlichtingenkapitein werd geïsoleerd en mocht blijven bungelen, met aan hem toegevoegd een veiligheidsspecialist uit Parijs die voor zijn berichtenverkeer zorgde. Pigoreau meldde dat 's mans computer, telefoon en post werden bekeken en er was goede hoop dat hij hen ooit op een dag naar zijn meesters in Frankrijk zou traceren. 'Momenteel vermoeden we dat ze van het internet gebruik maken om met elkaar te communiceren – we weten niet hoe, maar ze denken dat ze al minstens twee websites hebben geïdentificeerd die als een soort, eh, snijpunten, worden gebruikt. Wat wij "schakelpunten" noemen, begrijp je?'

'Doorgeefluiken. Elektronische beveiligingen. Ik begrijp wat je bedoelt.' Dukas moest grinniken. 'Nou wat denk je, zullen die Franse maatjes van jou ons ooit nog eens belazeren?'

'Dat zal nooit meer gebeuren, Michael,' zei Pigoreau. 'Dat verzeker ik je! De volgende keer dat we een operatie in de Franse zone hebben zullen we behandeld worden als engelen!' Hij grinnikte nu ook. Hij vertelde Dukas vervolgens een mop. Hij zei dat alles in orde zou komen. Het was echter al wat later op de dag toen Dukas hem hoorde mompelen, ogenschijnlijk in zichzelf: 'En tóch zou mevrouw Obren bij dit alles wel degelijk een rol kunnen hebben gespeeld.'

Op zee, aan boord van de Andrew Jackson.
'Nikkers zijn imitators, net als apen,' zei sergeant-majoor Borne. 'Ze kunnen

soms de indruk wekken verdomde slim te zijn, maar het is allemaal imitatie – begrijp je wat ik bedoel te zeggen? Maar de jood, die is wél slim, en dat komt omdat hij afstamt van satan, en zoals we weten is satan verdomde slim – de slimste van de engelen van de Heer, totdat-ie viel. Volg je me nog een beetje?' Sneesen knikte. Zijn ogen glommen: de wereld werd een stuk duidelijker.

'Dus de jood, omdat-ie slim is, maakte van nikkers gebruik om ons te corrumperen. Hoe? Door muziek en sport. Wat zijn de grote namen op beide gebieden – allemaal nikkers. En wie zijn de eigenaars van de grote platenmaatschappijen en de belangrijkste sportclubs? Joden. Kijk zelf maar – állemaal. Heb je wel eens naar negermuziek geluisterd, Sneesen? Natúúrlijk heb je dat – hoe zou je dat gebonk kunnen missen? Wham-wham-wham, kadoem-kadoem-kadoem – het is regelrechte seksmuziek, waar of niet? "Neuk me, neuk me." Ik heb zelfs wel eens een of ander nikkerwijf horen kreunen alsof ze elk moment kon klaarkomen. "Dóe het, dóe het."

Hoe maakt satan van dit alles gebruik? Door blanke, christelijke mannen weg te lokken van hun échte lotsbestemming en ze tot dingen aan te zetten die hen corrumperen. Wat zou de duivel nog meer willen, Sneesen, dan dat blanke mannen hun pik in nikkervrouwen steken met als gevolg dat er allemaal bastaardbaby's geboren worden. Want een bastaardkind is een nikkerkind – het goede wordt verdrongen door het slechte. Dus doe dat nóóit, begrepen? Luister níet naar hun muziek; kijk niet naar hun zogenaamde sportlieden; ga niet met ze om. En denk alsjeblieft niet dat je zonder gevolgen in het broekje van zo'n griet kunt komen, want ik zég het je, Sneesen, ik stop mijn pik nog liever in de vlam van een snijbrander dan in zo'n negerpoes, want daar zit de hand van satan in, rustig afwachtend tot-ie je kan grijpen. En hij laat nooit meer los.' Sneesen slikte moeizaam iets weg. 'Dus – moeten we een blanke christenman proberen te helpen als een of ander nikkerwijf het op hem voorzien heeft?

Wat denk je dat de Heer in zo'n geval wil, Sneesen? Wat denk je dat je taak is als blanke christenman? Denk daar eens over na.'

Een buitenwijk van Washington.

George Shreed was niet geheel immuun voor slecht humeur, ondanks het feit dat hij een man met macht was, volwassen, over een zekere verfijning en raffinement beschikte. Misschien dat al die zaken hem kwetsbaarder maakten ten opzichte van zijn humeur, en niet sterker. Fysieke pijn hielp ook al niet, noch vermoeidheid, noch de walging die hij voelde voor de wereld waarin hij gedwongen was te bestaan.

Het was tijd om handelend op te treden, vond hij. Zijn eigen overheid had zijn geduld danig op de proef gesteld: hij en Touhey hadden in de Senaat onafgebroken gelobbyd, gesmeekt en grappen gemaakt en de mensen naar de mond gepraat om meer geld voor Peacemaker los te krijgen. En nóg meer geld, en nóg meer geld. *De klootzakken*, dacht Shreed. *Waarom stemt het volk toch steeds weer op absolute klootzakken?* Die vraag bracht hem enigszins in verwarring. Hij gelóófde in Amerika vanuit het diepste van zijn ziel, maar hij minachtte iedereen die verkozen werd om voor de overheid ervan te werken.

Na het avondeten hobbelde Shreed terug naar zijn studeerkamer, en zette, nadat hij er zeker van was dat zijn vrouw in bed lag, opnieuw zijn computers aan en riep hij zijn speciale programma's op. Met behulp van een daarvan zag hij kans het netwerk van de Agency binnen te komen, haalde daar een file weg en liet daarbij geen sporen na; uit die file selecteerde hij een rapport, liet de rest verdwijnen en redigeerde dat rapport op een dusdanige wijze dat het nooit meer tot de oorspronkelijke bron te herleiden zou zijn. Wat overbleef was een omschrijving van Peacemaker, voldoende gedetailleerd om duidelijk te maken waartoe het systeem in staat was, maar voornamelijk beschrijvend, en daarom niet specifiek genoeg om zelf tot vervaardiging over te kunnen gaan. Maar toch voldoende duidelijk om iedereen die het las zich lam te laten schrikken, maar tegelijkertijd voldoende vaag om niemand ook maar énig idee te kunnen geven wat hij eraan kon doen.

Opnieuw vercijferde Shreed het document en verwerkte hij het resultaat in een pixel.

Opnieuw riep hij een pornografische afbeelding op, deze keer van twee mannenlichamen die zó met elkaar verstrengeld waren dat ze voor hetzelfde geld met elkaar aan het worstelen konden zijn, hoewel bij nadere beschouwing zou blijken dat ze beiden druk bezig waren met wederzijdse orale seks. Shreed keurde het beeld geen enkele blik waardig.

Het rapport bleek te lang voor één enkele pixel. Hij vercijferde het eerste, langere gedeelte, verkleinde dat en bouwde dat in in het oog van een van de mannen. Hij was druk bezig met het voorbereiden van het vercijferen van de rest, toen hij zich tegelijkertijd van twee zaken bewust werd: dat er iemand in de kamer achter hem stond, en dat ze daar al langer stond dan één enkele ademtocht. Shreed draaide zich om. Het was zijn vrouw. Haar gezicht had iets verwrongens, alsof ze begonnen was met een glimlach en dat helemaal verkeerd was gegaan.

Hij keek weer naar zijn scherm, zag het beeld van de twee mannen, gaf een tik op een toets, en de lichamen waren verdwenen.

Toen hij zich opnieuw omdraaide was zijn echtgenote er niet meer.

'Janey – ' Hij probeerde overeind te komen. Zijn krukken bevonden zich net buiten zijn bereik en hij zwaaide woest met zijn armen. 'Wel verdómme – !' Hij liet zich weer in zijn stoel vallen, terwijl de krukken op dat moment met veel gerammel op de vloer vielen, en bleef toen met zijn handen voor zijn gezicht geslagen zitten. Hij beefde van woede, van frustratie, van hopeloosheid. Toen hij zich weer onder controle had wijdde hij zich weer aan zijn werk, het onvermijdelijke tegengif waarmee hij zijn falen te lijf ging.

En hij keek naar het scherm, en besefte dat hij het tweede deel van het document verzonden had.

Niet vercijferd.

Opnieuw sloeg hij zijn handen voor zijn gezicht.

Elf seconden later. Teheran.

De operator onderschepte de boodschap al vrij snel na het begin van zijn dienst. Het paste binnen de parameters, was afkomstig van het juiste adres en was gericht op de site in Dubai. Het programma detecteerde twee uitgebreide pixels in een nogal gore foto van twee mannen die fellatio bij elkaar uitvoerden. De computeroperator was gechoqueerd en zei hardop dat dit duidelijk uit Amerika afkomstig moest zijn.

Eén pixel bevatte gecodeerde gegevens waar het ontcijferprogramma geen raad mee wist, maar het andere kwam door in klare taal, wat nogal wat consternatie veroorzaakte: probeerde iemand hen op het verkeerde been te zetten? Was dit een grap? Een boodschap? Een virus? Twee operators bestudeerden het beeld aandachtig, en kwamen tot de conclusie dat het een boodschap moest zijn, en ook nog eens een beledigende boodschap.

Ze overhandigden alles aan Efremov, die het mee naar huis nam – waar hij zijn beste prestaties leverde en waar hij verder van niemand last had. Op Anna na dan, zijn maîtresse.

De niet vercijferde pagina van het onderschepte bericht zag eruit als een van een agent afkomstig rapport betreffende een wapensysteem met de codenaam Peacemaker. Efremov raakte aanvankelijk enigszins in de war door die naam, maar nadat hij het materiaal had doorgenomen werd het allemaal wat duidelijker. Dit sloeg op het Amerikaanse surveillancesysteem waarover in de media werd gesproken – inderdaad, de Amerikanen gaven hoog op over de vredelievende bedoelingen ervan en hoe nuttig dit systeem wel niet was voor de wereld – vandaar de naam die ze eraan hadden gegeven. En toch, volgens dit rapport –

Anna merkte aan zijn lichaamstaal dat het om iets belangrijks ging, kwam naar hem toe en ging vervolgens op een kussen naast zijn stoel zitten. Haar herfstbruine haar raakte de grond en spreidde zich erover uit toen ze haar hoofd in haar nek gooide en hem aankeek. Dat was een van de hoofdredenen waarom hij haar vertrouwde: ze kwam nooit naar hem toegesneld om te kijken waarmee hij bezig was, maar keek alleen maar naar hém. Als ze nog andere prioriteiten mocht hebben, dan wist ze die uitstekend te verbergen.

'Dit is interessant, liefje. Iemand speelt een op het eerste gezicht geclassificeerd bericht door aan een niet te traceren ontvanger. Ik denk dat die ontvanger zich in China bevindt, maar dat is iets dat wij, briljante analisten die we zijn, een "vermoeden" noemen. Het rapport betreft een stuk militaire verkenningshardware. Begrijp je wat ik bedoel?'

'Zoiets als een satelliet?'

Hij glimlachte. Anna mocht dan wel nauwelijks een opleiding hebben genoten, ze was bepaald niet op haar achterhoofd gevallen.

'Een tijdelijke satelliet. Uiteraard zijn ze dat allemaal, maar deze zou na een week al uit de lucht moeten vallen. Maar wat het interessante is aan dit apparaat, is dat het – althans, dat denk ik – ook de bedoeling is dat het een soort wapen met zich meevoert.'

Ze zei niets. Ze had niets te zeggen. Ze wachtte af.

'Uiteraard is het een Amerikaans apparaat. En dat geldt ook voor dit document – een onderschept bericht, heb ik je dat al verteld? Nog eentje die via de pornografische site is binnengekomen. Daar heb ik je een tijdje geleden over verteld, weet je nog?' Hij keek op haar neer.

'De site die van jou is,' zei ze, een tikkeltje ondeugend.

'Nou, hij is van mijn ministerie.' Toen hij ontdekte dat die site voor minstens één Chinese agent als doorgeefluik fungeerde, had hij ze zover weten te krijgen dat ze hem hadden gekocht. De site was fysiek in Dubai gesitueerd en werd dagelijks door tweeënnegentigduizend lieden die seksueel gestimuleerd wensten te worden bezocht – een volmaakte dekmantel.

Hij las stukken van het rapport voor de tweede keer door. 'Hmm. Tja – je moet begrijpen dat het Amerikaanse Star Wars-programma nogal wat nevenproducten kent. Dit moet er daar één van zijn – een tijdelijke satelliet in een lage baan rond de aarde die niet alleen verkenningsfoto's kan maken, maar ook nog eens binnen een vrij brede band radartransmissies kan detecteren. Dat op zich zou al erg nuttig kunnen zijn. Maar dit apparaat lijkt tegelijkertijd een soort wapen te zijn. Het kan inzoomen op de transmissies, die identificeren, ze vastleggen en het punt van waaruit die transmissies plaatsvinden lokaliseren – en dan wát? Daar houdt het op!'

Ze fronste haar wenkbrauwen. 'Een kernwapen?'

'O, dat denk ik niet. Zo'n ding is te groot, te zwaar. Maar ze hebben het in dit rapport over "de test", dus ze zijn blijkbaar zover om de slagkracht ervan te beproeven zodra ze de rest ervan gaan testen – en dat zal op vrij korte termijn gaan gebeuren, als ik me niet vergis; dat is geen geheim.'

'Wat denk je dat de Chinezen zullen gaan doen?'

'Wat een goede vraag. Wat stel je toch een goede vragen, lieverd!'

Hij liet zijn hand over haar haar glijden en keek haar lachend aan. 'De Chinezen zijn ondoorgrondelijk, hoewel dat simpelweg een manier is om te zeggen dat ze een heel andere cultuur hebben. Ze zullen de tijd als verdedigingswapen gebruiken; en daarom zullen ze kalm aan doen. Het is nu een paar weken vóór de test; ze zullen langzaam in beweging komen, hier en daar wat mompelen, behoedzaam contact opnemen met een stuk of wat landen. Vervolgens zullen ze op een erg laat tijdstip op het wereldtoneel naar voren treden, en dat zullen ze dan ook uiterst luidruchtig doen. Een toespraak in de Algemene Vergadering van de Verenigde Naties, denk ik zo. Misschien roepen ze hun ambassadeur in Washington wel naar huis terug. Misschien maken ze zelfs wel een einde aan de handel tussen beide landen, hoewel ik niet denk dat dat zal gebeuren.' Hij grinnikte. 'Maar ik zal je vertellen wat ze níet zullen doen. Ze zullen niet zeggen dat ze weten dat het om een wapen gaat, of hoe het in elkaar zit, want als ze dat doen geven ze hun bron bloot – en de bron is aanzienlijk belangrijker dan de feiten.'

In feite was hij een stuk minder zeker van zichzelf dan hij deed voorkomen. Hij vond het fragment dat hij had gelezen van het allergrootste belang, en hij was gefrustreerd door hetgeen hij niet wist – wie had dit verzonden en waarom (een spion binnen het Amerikaanse defensieapparaat? Wat zou het prettig zijn als hij die persoon wist te identificeren!); hoe dit wapen functioneerde; waar de proefnemingen zouden plaatsvinden.

'Ga je mee naar bed?' vroeg ze, zijn liefkozingen over haar hoofd verkeerd uitleggend.

'Straks.' Hij zette zijn bril op en liet zijn vingers over het toetsenbord glijden, op die manier opdrachten gevend aan de operators in de stad: laat er nieuwe ontcijferprogramma's op los; verzamel alle beschikbare gegevens over Peacemaker en de komende proefnemingen en maak daar een bondige samenvatting van; maak een overzicht van alle sites met informatie over het Amerikaanse 'Star Wars'-programma; geef aan de agenten in Beijing door dat ze vooral moeten opletten als ze stuiten op Amerikaanse ruimte-, satelliet- en wapenontwikkelingen –

Hij belde de officier van dienst van zijn hoofdkwartier, liet zich doorverbinden met een vercijferd antwoordapparaat, zodat direct na het begin van de vroege dienst iemand aan de slag kon.

'Ik wil weten welke instelling of welk bureau in de Verenigde Staten verantwoordelijk is voor een nieuwe satelliet die Peacemaker wordt genoemd. Stel vast welk bureau de leiding daarvan heeft.

Vervolgens wil ik een lijst van alle medewerkers.

Vervolgens wil ik dat al die medewerkers worden gesorteerd op de volgende criteria; één, Chinese afkomst of via het huwelijk met iemand van Chinese afkomst gerelateerd; twee, ervaring op het gebied van wapenaansturing; drie, mensen die door die instelling de afgelopen twaalf maanden in dienst zijn genomen; vier, eerdere bemoeienis met het zogenaamde Star Wars-programma.'

Efremov zweeg, stond met de telefoon in zijn hand en keek naar Anna, die in de deuropening was verschenen, maar zonder haar echt te zien. Hij dacht aan dat eerdere onderschepte bericht, die foto waarop te zien was hoe er in Afrika een vliegtuig werd neergehaald; daarna hadden ze een rapport binnengekregen dat er een case-officer van de CIA tijdens het Rwandese oprukken in Zaïre verdwenen zou zijn. *Ga er nou eens vanuit*, bedacht hij, *dat de bron van dat eerste bericht iemand binnen de CIA is – het is niet ondenkbaar dat het hun foto was, in handen gekregen via een van hun eigen agenten, misschien wel de knaap die was verdwenen –*

'Joeri?' zei ze, heel zacht, omdat ze wist dat hij het afschuwelijk vond als hij bij zijn werk werd afgeleid.

Hij sloeg geen acht op haar. Toen hij nog bij de KGB had gewerkt, hadden ze hem ooit eens verteld dat er bij de CIA vijf mollen – spionnen – zaten: drie van henzelf, een van Israël, en eentje was een mysterie. *Stel je eens voor dat –*

Hij sprak opnieuw in de telefoon: 'Vijf, laat nagaan of een van hen connecties heeft met de Central Intelligence Agency. En geef dan – en dat is een nieuwe taak – die lijst aan iemand anders – ik wil dat de leiding van Peacemaker wordt nagetrokken op eventuele connecties met de CIA – op adviesgebied, financieel, commissies waarin ze hebben gezeten – wát dan ook. Als je ergens op mag stuiten, probeer dan namen van individuen boven water te krijgen. Einde bericht.'

Hij legde neer. Hij dacht enkele seconden na. Hij keek haar aan. 'Die kleur past uitstekend bij je,' zei hij alleen maar.

19

Oktober

Op zee – aan boord van de Andrew Jackson.
Zelfs zonder de druk van een werkdag die veertien uur duurde had Alan er een week voor nodig om erachter te komen waar zijn wasgoed naartoe ging. Aan boord van zijn oude vliegdekschip, de *Jefferson*, stopte hij zijn wasgoed in een zak, die vervolgens van een label werd voorzien en die dan op de gang werd gezet. Aan boord van de *Jackson* moest de was in de squadronruimte worden achtergelaten – dat wil zeggen, als je tot het squadronpersoneel behoorde, en daar zat hij niet bij. Het kostte hem ongeveer zes uur heimwee om over zijn verlangen heen te komen in de squadronruimtes te blijven hangen, want het werd al snel duidelijk dat hij daar niet meer thuishoorde – niets persoonlijks, niet eens iets algemeens – maar hij was een luitenant-ter-zee der eerste klasse en droeg een stafinsigne, en ondanks zijn achtergrond met S-3's was hij van boven, kwam hij uit het blauwe-tegelgebied en was hij plotseling een buitenstaander geworden.

Zijn nieuwe maten met wie hij diensten draaide werden na verloop van enkele dagen individuen, maar hij had boven nog geen echte vrienden. Kapitein-ter-zee Parsills misschien, maar Parsills maakte nog meer uren dan Alan en bracht zijn werkzame leven elders door. De admiraal vormde een vertrouwde aanwezigheid, maar kon je niet bepaald een vriend noemen – nog niet eens een echte bekénde. Hij begroette Alan de eerste dag met een handdruk en een snelle glimlach, en een 'Laten we de handen maar eens uit de mouwen steken', en dat was het begin van een presentatie voor alle hotemetoten die nog steeds voortduurde. Hij had er een hele dag voor nodig om te ontdekken dat hij een assistent had, een luitenant-ter-zee der tweede klasse jongste categorie dic tot de scheepsbemanning behoorde, maar die door Parsills bij het communicatiecentrum was losgeweekt. 'Ik dacht dat je in deze dierentuin wel wat hulp kon gebruiken,' gromde Parsills terwijl hij ltz2 j.c. Kravitz aan Alan voorstelde, een schepenman die al een eigen schip onder zijn commando had gehad (toegegeven, dat vaartuig was niet veel groter geweest dan een gemiddelde vissersboot) en bij de inlichtingendienst van de vlagofficier een kennis van schepen en het water inbracht waarvan Alan niet eens wíst dat hij die ontbeerde. Op dezelfde manier was voor Kravitz de oorlogvoering in de lucht een volkomen raadsel. 'Nou, qua onwetendheid passen we in elk geval goed bij elkaar,' zei Alan, en zette Kravitz aan het werk, om te beginnen met het op een rijtje zetten van de gegevens van de omringende oceaan, inclusief de isothermen, en wel vanaf de Baai van Benin tot aan de Walvisbaai. O, tussen haakjes, hou ook die Russische oppervlakte-eenheid in de gaten en zorg ervoor dat ze uit ons water blijven, oké?

En toen was hij door zijn schone overhemden heen.

Die ontdekking deed hij halverwege de middag, een week nadat hij aan boord was gekomen. Hij meende al een uur of wat zijn eigen transpiratie te ruiken; nu, terug in zijn hut, wilde hij schone kleren aantrekken, en wáár verdomme in z'n kast lagen de schone overhemden? Er wáren helemaal geen schone overhemden meer. Hij dook in de spullen in zijn tas, rukte zijn kast bijna uit elkaar, doorzocht zijn vuile was (die op een hoop onder in de kast lag) in de hoop dat hij iets beters zou vinden dan datgene wat hij momenteel droeg, en vond helemaal níets. Dat kreeg je er nou van als je zonodig op korte termijn naar zee moest, slimmerd. Hij zag de helmtas op de stoel staan, en doorzocht ook die, met in zijn achterhoofd het idee dat hij er héél misschien wel een overhemd in had gestopt. Nee, dat niet, maar hij kwam wel een van de met plastic omwikkelde onderdelen van zijn pistool tegen, en hij dacht: *Ik moet dat ding eigenlijk in de wapenkamer bewaren,* en vergat dat ding onmiddellijk weer.

Overhemden. Dáár ging het nu om, overhemden – in de squadronruimtes kon je rondlopen in je vliegeroverall; in het blauwe-tegelgebied ging het totaal anders toe, vóelde het ook anders. Dezelfde mensen, voor een groot deel, mensen die tijdens hun laatste trip nog bij het squadronpersoneel hadden gezeten, maar die nu zelden meer vlogen, terwijl hun baas een admiraal was, en je kleedde je een beetje zoals in deze functie van je verwacht werd. Dus trok hij een ander overhemd aan in plaats van een schoon, haastte zich naar de badruimte en waste het boord en de onderarmen van het shirt dat hij die dag aan had gehad, waarbij hij van gewone toiletzeep gebruikmaakte, bundelde de rest van zijn vuile wasgoed en zette het vervolgens naast zijn deur op de gang.

Dat was het moment waarop hij ontdekte dat de wasserijmensen aan boord van de *Andrew Jackson* de spullen niet bij je op kwamen halen. Wat er wél mee gebeurde als je je wasgoed op de gang zette, was dat men het daar gewoon liet staan en dat passanten er af en toe een schop tegen gaven als het in de weg lag. Als die mensen andere officieren waren, en ze zagen je, en ze legden verband tussen jou en het wasgoed, zeiden ze dingen als: 'Verwacht je soms ook nog room-service?'

Deze kleine verandering van gewoonte kwam toch als een schok aan het einde van een veertien uur durende werkdag waarin hij had geprobeerd een Franse slagorde te vertalen omdat de admiraal, op zijn advies, dat graag wilde. De

Fransen waren ten opzichte van Zaïre een onbekende grootheid. Als ze zich kwaad maakten, en god wist dat de Fransen daartoe in staat waren, hoe zou hun onderzeebootinzet er daar dan uitzien? Hadden ze daar al wat boten gepositioneerd, of moesten die nog vanuit Toulon vertrekken? Zou de *Fort Klock* naar ze luisteren? Hadden die boten een specifiek sonarprofiel? En hoe zat het met de Franse luchtstrijdkrachten aldaar – vliegtuigbemanningen van de *Jackson* moesten in staat zijn snelheden, bereik, radarfrequenties en bewapening op te dreunen, mochten ze met Franse vliegtuigen worden geconfronteerd, terwijl iedereen van de Franse IFF- en NAVO-identificatiecodes op de hoogte zou moeten zijn. En nog heel veel meer, en daarvoor had hij een hele stapel publicaties onder zijn arm en lag er nóg een stapel op zijn werkplek in de flag-ruimte. En nu kwam hij terug en zag hij hoe zijn overhemden, sokken en ondergoed over een lengte van wel twintig meter in de gang verspreid lagen! En er was gewoon overheen gelopen! Over álles! Hij was voldoende moe om te denken: *Dit is niet eerlijk; er ligt nog belangrijk werk op me te wachten; ik ben de* – Maar plotseling besefte hij waarmee hij bezig was, en dacht: *Ja, ik ben wel degelijk in staat om me kleinzielig op te stellen. Zorg er dan zélf voor dat je vuile was bij de wasserij komt, klootzak!*

Hij gooide de zak met vuile was over zijn schouder en liep naar de S-2-ruimte in de buurt van de Dirty Shirt-kantine, iets verder naar voren dan zijn hut. Het was nacht aan boord, even na 22.00 uur plaatselijke tijd, en een eenzame, ietwat verwilderd uitziende korporaal was met een Game Boy in de weer. Toen Alan naar binnen stapte keek hij op, hoewel de man niet in staat leek hem scherp in beeld te krijgen.

'Hé! Korporaal – ehh – Sanchez.' Alan kon het naamplaatje slechts met de allergrootste moeite lezen. 'Waar moet de vuile was naartoe?'

'O, jawel, meneer. Bent u nieuw hier? Ah, ik begrijp het al. Air wing? Bemanning?'

'Flag-staf.' Het kostte hem nog steeds moeite dat te zeggen. Het klonk net alsof hij de mast bedoelde waaraan de vlag wapperde: *Hoi, ik hang aan de vlaggenmast.*

'Eh, ik denk dat u die naar de flag-longroom moet brengen. Of naar een van de squadronruimtes.'

Daar moest Alan even over nadenken. De volgende wasdag was pas over een week.

'Hoe liggen mijn kansen m'n was direct gedaan te krijgen?'

'Moet kunnen. Alleen moet u hem dan zelf even naar de wasserij brengen. Dek vier, wat meer naar voren. Dan kunt u erop wachten.' De man was duidelijk een optimist – en waarom ook niet? Het was niet *zíjn* wasgoed.

'Bedankt.' Alan stapte de gang weer op. Deze gang van zaken maakte weer herinneringen bij hem los; aan boord van de *Jefferson* had hij ooit eens persoonlijk zijn wasgoed naar de wasserij gebracht omdat hij graag wilde dat de overhemden werden gestreken die hij aan de wal wilde dragen. Dat was geen enkel probleem geweest.

Twintig minuten later zwierf hij op dek vier van het ene bemanningsonderkomen naar het andere. Omdat het overgrote deel van de bemanning sliep, werd het hele benedendekse gebied slechts verlicht door een stuk of wat donkerrode lampen. Hij kon de spantnummers op de deuren dan ook nauwelijks lezen en zo te zien was er niemand wakker om hem de weg te wijzen.

De marine probeerde manschappen met dezelfde rang ploegsgewijs zoveel mogelijk in één ruimte onder te brengen. Het feit dat er vrouwen aan boord waren gekomen had daar wel wat wijzigingen in aangebracht, aangezien vrouwen over een eigen onderkomen dienden te beschikken maar vaak te weinig in aantal waren om in dezelfde ruimte onderdak te bieden aan – bijvoorbeeld – een complete groep vrouwelijke air-warfare onderofficieren, hoewel het gebruik zoveel mogelijk in ere wordt gehouden. Het heeft ook nog een praktische kant: tandtechnici zijn over het algemeen weer een heel ander slag mensen dan stoomregelaars, vaak met heel andere werkuren en een heel ander ritme.

Puur geluk zorgde ervoor dat hij bij het bemanningsonderkomen uitkwam waar de inlichtingenspecialisten waren ondergebracht. Datzelfde geluk wilde dat er nog iemand wakker was die naar een John Wayne-film keek die op de scheepstelevisie werd uitgezonden. Alan stapte behoedzaam naar binnen: men ziet nu eenmaal liever niet dat officieren bemanningsverblijven binnengaan.

'Ah – sorry. Sergeant, eh – ?' Het was te donker om het naamplaatje te kunnen lezen.

De man keek op met een traagheid die suggereerde dat hij sneller kon als hij dat gewild had, maar dat hij dat niet wilde omdat hij zin had om naar deze verdomde film te kijken, *sir.* De man had een groot hoofd, terwijl zijn gezicht nog steeds in schaduwen was gehuld, hoewel het schijnsel van de televisie in twee schrandere ogen weerkaatsten. Hij stond niet op. Hij keek naar Alans rangonderscheidingstekens op de punten van zijn boord, zag het flag-insigne, zijn onderscheidingen. De onderscheidingen leken een nader onderzoek te vereisen, waarna de man van zijn stoel overeind schoot en met een door het vele roken schor geworden stem vroeg: 'Kan ik u helpen, meneer?'

'Ken ik jou niet ergens van?' vroeg Alan. Hij had het inlichtingeninsigne al gezien en zag nu het SEAL-embleem – een drietand en een pistool – dat op de linkerborstzak van het blauwe werkoverhemd was gestreken. Alan grinnikte. 'Jij bent sergeant Djalik.' Men had hem al over Djalik verteld, de enige SEAL bij het CVIC.

Djalik was supervisor binnen het CVIC, het inlichtingencentrum aan boord van het vliegdekschip, een man met het natuurlijke overwicht van iemand die groot was en tegen een stootje kon. Hij had een hoekig lichaam en een lang, leeuwachtig hoofd. Hij sprak erg zacht, op een zodanige manier dat officieren en tieners onmiddellijk zouden luisteren, met nogal wat half ingeslikte g's, en wat t's en d's die op Chicago of omgeving zouden kunnen wijzen. Alan kende het verhaal al: Djalik was een SEAL geweest totdat zijn knieën het dreigden te begeven en parachutespringen te veel pijn begon te doen. Wat hem aan professionele kennis over het inlichtingenwerk ontbrak, werd goedgemaakt door zijn leiderschap, en hij runde het inlichtingencentrum uiterst efficiënt. Djalik werd door nogal wat mensen bewonderd, terwijl anderen hem benijdden vanwege zijn SEAL-insigne. Alan was niet helemaal immuun voor dit soort mystiek: hij merkte dat hij tegenover deze voormalige SEAL nauwelijks in staat was toe te geven dat hij verdwaald was.

Een typisch mannelijke, buitengewoon stomme reactie. Hij besloot door de zure appel heen te bijten.

'Ik ben op zoek naar de wasserij.'

Djalik zei glimlachend: 'Dan bent u een heel eind op weg, meneer.' Was hij geamuseerd? Beleefde hij hier plezier aan? Nee, hij dacht na, want hij zei nu: 'Dan neem ik aan dat ú luitenant-ter-zee der eerste klasse Craik bent. Klopt dat?'

Alan stak zijn hand uit. 'Dat kan ik niet ontkennen.'

'Ik heb over u gehoord.'

Ik heb over u gehoord. Wát had Djalik gehoord? vroeg hij zich af. Bij het CVIC had men niet bepaald te doen met personeel dat van het flag-dek afkomstig was. 'Zin in koffie, meneer?'

Alan vond het niet verstandig om te lang in het onderkomen van deze inlichtingenspecialisten te blijven rondhangen, maar hij moest straks nog het een en ander doen en hij was al een tijdje aan het zoeken.

'Heb je die dan bij de hand?'

'O, zeker weten, meneer.' Djalik pakte een thermosfles, draaide die open en schonk een beker vol koffie, pakte vervolgens zijn eigen beker en liep in de richting van de deur. 'Loopt u achter me aan, meneer?' Hij stond al bijna op de gang. Voor hij achter de sergeant aan ging nam Alan snel een slok. De koffie was vol en warm, en nét iets aangezoet. Het was de beste koffie die hij ooit aan boord van een schip had geproefd.

Pas toen de deur naar het bemanningsonderkomen zich achter hem sloot en ze in een felverlichte gang waren terechtgekomen, lukte het Alan Djalik in te halen.

'Heerlijke koffie was dat.'

'Ja. Die zet ik zelf. Ik heb bonen mee aan boord genomen. Ik heb nogal een tijdje in Colombia gezeten, weet u. Het mogen daar dan wel allemaal drugsbarons zijn, ze weten wél hoe ze koffie moeten maken. En je moet je filter regelmatig schoonmaken. De koffie in het inlichtingencentrum smaakt alsof ze een vuile onderbroek als filter hebben gebruikt.'

'Ik haal mijn koffie altijd in de ASW-module. Dat is een soort gewoonte geworden.' Feit was dat het eigenlijk een soort strategie was – ga je koffie bij de ASW-unit halen en je krijgt van de experts geheel gratis de meest verse informatie.

'O. Inderdaad. Die van hen is ook best redelijk. Ik zeg tegen de jonge jongens in het CVIC dat ik allang blij ben als ze de filters regelmatig schoonmaken, maar ze begrijpen het blijkbaar niet. Het zijn in feite nog maar kinderen.' Djalik was ongeveer even oud als Alan, misschien een jaar of twee ouder, maar op de een of andere manier zag hij er bij een bepaalde lichtval een stuk ouder uit. 'We zijn er, meneer.'

Alan was het lawaai en de grootte van de scheepswasserij helemaal vergeten. Hij voelde zich heel even overrompeld. Djalik, niet in het minst van zijn stuk gebracht, nam de leiding. Alan besefte dat Djalik het soort man was dat over álles wat niet vastgespijkerd zat de leiding zou nemen; dat soort rechtlijnige machismo bezat hij nu eenmaal.

Djalik keek om zich heen in deze chaotische ruimte, die er eerder uitzag als een fabriekshal dan als de ruimtes aan boord van een schip zoals Alan die kende. Elke sectie van het schip was verplicht voor het wasserijcorvee een aantal jonge bemanningsleden op te hoesten en momenteel waren hier twintig mannen en vrouwen druk in de weer, ondanks het feit dat het midden in de nacht was. Djalik liet zijn blik langs hen glijden totdat hij een kleine Aziatische jongen ontwaarde.

'Hé, Lew!' bulderde Djalik. De jongen draaide zich om en haastte zich naar Djalik toe. Toen hij vlakbij was kon Alan zijn naamplaatje lezen. Lu, geen Lew. Klonk zinnig. Lu maakte een doodsbange indruk – kwam dat door Djalik, of door Alan? Officieren zag je zelden in de wasserij, en ltz1's al helemaal niet, maar dat gold ook voor voormalige SEAL's.

'Hé, Lu, hoe gaat het? Klotewerk hier, hè? Nou, jongen, nog maar één week dan ben je weer terug op het CVIC, waar je thuishoort, oké? Ik hoor van sergeant-majoor Roberts goeie dingen over je.'

'Dank u, sergeant Djalik. Alles is oké.' *Oké* klonk uit de mond van Lu alsof het één stapje van onverdraaglijk verwijderd was.

'Luister, zou je luitenant Craik hier uit de brand kunnen helpen? Een of andere idioot heeft vergeten zijn wasgoed op te halen.' Toen Lu aarzelde, zei Djalik: 'Ik regel het wel met de majoor hier.'

'Dan kan wel, meneer. Geeft u maar hier, alstublieft.' Zijn accent was enigszins vreemd, maar zijn Engels was uitstekend. Alan probeerde hem te plaatsen.

'Maleisië?' vroeg Alan.

Lu grinnikte. 'Indonesië, meneer.'

'Jakarta?'

'Oost-Timor.' Hij bleef glimlachten, maar Alan kon de stilte lezen. *Een tweede Rwanda, een tweede Bosnië.*

'Fijn dat je m'n was wilt doen, matroos Lu.'

'Geen probleem, meneer. Hutnummer?'

Zijn waszak was nog een oude, afkomstig van de *Jefferson*, en de spantnummers klopten op dit nieuwe schip niet meer. Lu rommelde in een doos en haalde een zwart viltstift tevoorschijn die hij aan Alan gaf, waarna die op zijn hurken zittend de niet meer kloppende cijfers doorhaalde. En dat waren heel wat cijfers. Het werd een rommeltje.

'Zal ik Lu uw spullen naar O-3 laten brengen als het klaar is?'

Opnieuw was er een flauwe glimlach op Djaliks gezicht waar te nemen. Zou hij op een bepaalde manier genieten van Alans ongemakkelijkheid? 'Laat hem het maar naar het CVIC brengen, oké?'

'Dat is prima.'

'Dan geef ik hem een appeltaart uit de Dirty Shirt mee voor de jongens van de wasserij.' Een iets te mollige vrouw met een T-shirt aan liep voorbij, gevolgd door diverse mannenogen. 'Én meisjes.'

Djalik liet een knorrend geluid horen. 'Breek me de bek niet open.'

Djalik liep zwijgend met hem terug naar het bemanningsverblijf, waarbij hij twee keer met zijn hand aangaf dat ze een hoek om moesten, de vingers bij elkaar en recht, op de manier zoals een Masai wijst. Het was net alsof hij in het donker door Afrika werd geleid. Alan vroeg zich af of de voormalige SEAL het ook wel eens op die manier bekeken had. Toen ze een felverlichte corridor hadden bereikt, een gang die na de roodverlichte slaapruimtes bijna pijn aan de ogen deed, bleef Djalik bij een steile trap staan en wees met diezelfde gestrekte vingers omhoog.

'Enorm bedankt.' Alan stak zijn hand uit.

'Geen probleem.' Djalik schudde hem de hand.

Alan stond op het punt omhoog te klimmen, maar hij was geïntrigeerd geraakt door het beeld van Djalik als junglegids, en hij deed weer een stapje terug en vroeg: 'Ben je ooit in Afrika geweest?'

'Nee. Voornamelijk Zuid-Amerika. En ooit een keertje in de Filippijnen. U wél, heb ik gehoord.'

Alan boog zijn hoofd. 'Jij hoort behoorlijk wat.' Hij probeerde het vriendelijk te laten klinken.

'Ik heb gehoord dat we daar misschien naartoe gaan. Afrika, bedoel ik.'

'Ach – er wordt wat afgekletst aan boord van schepen. Ik zou het geld voor een junglejasje voorlopig maar in m'n zak houden.'

Ze spraken over heel iets anders, maar Alan wist niet zeker wáárover. Iets tussen hen beiden, een vreemde vorm van spreken in geheimtaal, al vreemd genoeg om dat met iemand te doen die je niet kent, en nóg vreemder tussen een officier en een onderofficier. Het leek wel of ze beiden iets met dezelfde vrouw hadden en nu probeerden erachter te komen wát precies.

'Nou, bedankt voor de hulp. En voor de koffie.' Hij stak hem de beker toe.

'Tot uw dienst. Meneer.'

Alan beklom de trap. Toen hij boven was, wierp hij een snelle blik naar beneden en zag dat Djalik nog steeds beneden stond, in elke hand een beker en hem nakijkend.

Een paar dagen later kwam hij erachter dat Djalik enkele jaren geleden met een Silver Star onderscheiden was voor iets in Colombia. Alan had er eentje gekregen voor Afrika, en hij dacht dat Djalik naar dát lintje had gekeken toen hij die eerste keer het bemanningsverblijf binnen was gestapt. Dat was de mogelijke link tussen hen beiden, misschien de onderliggende tekst van die laatste conversatie. Of Djalik nu rivaliteit of kameraadschap had laten zien kon Alan onmogelijk zeggen. Misschien wel beide.

Sneesen was aanvankelijk ingeroosterd voor de wasserij, maar zijn nieuwe rang zorgde ervoor dat dat niet doorging. Hij ging ervan uit dat hij te waardevol was, dat men zijn reparaties niet kon missen. Men had hem nodig. Hij had de pest aan de wasserij met al dat lawaai en al die hitte. En ook nog eens veel te veel zwarten, hoewel dat natuurlijk de plek was waar die lieden thuishoorden – dit was het soort werk waar die lieden voor geboren waren. Maar blanke mensen zouden toch niet met hen hoeven samen te werken.

Het enige vervelende was nu dat sergeant-majoor Borne weg was. Er werd gezegd dat hij naar de *Rangoon* was overgeplaatst omdat daar een ervaren iemand voor het vliegdek nodig was. Hij had een kort briefje voor Sneesen achtergelaten. 'De Heer heeft me naar een plaats gestuurd waar ik harder nodig ben. Blijf je best doen voor de Heer.'

Het idee dat hij dat werk nu in z'n eentje zou moeten doen beangstigde Sneesen.

20

Oktober

IVI, voorstedelijk Maryland.

Abe Peretz was bezig met zijn twee weken durende reservistentaak bij het IVI. Hij had de suggestie die Rose al tijden geleden had gedaan eindelijk opgevolgd en had zichzelf bij deze instelling laten indelen, hoewel dat voornamelijk werd ingegeven door het feit dat zíj hier al werkte. Net als zo'n beetje alle vrienden van Alan genoot hij van het gezelschap van Alans echtgenote. IVI zelf 'prikkelde' hem, om het woord te gebruiken waarmee hij het werk daar na de eerste dag tegenover zijn eigen vrouw, Bea, beschreef. Het was zó gefocust, zó enthousiast, zó hightech; na zijn eigen bezadigde afdeling in het Hoover Building mocht het wel bijna uitzinnig worden genoemd.

Op de maandag dat hij zich meldde was Rose in Naples. Op dinsdagmiddag was ze weer terug en de rest van de week spraken Peretz en Rose elkaar tijdens de koffiepauze. De tweede ochtend al vroeg hij haar tot welke offensieve taken Peacemaker in staat was.

'Offensief? Je bedoelt als wápen?'

'Ja, offensief, zoals bedoeld in offensief.'

'Nul komma nul. Peacemaker is een verkennings- en communicatiesatelliet voor de korte termijn.'

'Ja, ik heb de pr-presentatie ook gelezen.' Peretz blikte altijd geamuseerd en ietwat ironisch de wereld in, en beide hadden een rol gespeeld bij zijn vroegtijdig opstappen bij de marine. Nu liet hij die ironische blik op Rose rusten en zei: 'Geloof jij alles wat je leest, Polyanna?'

'Ik heb het veel te druk om het anders te bekijken, Abe. Waar zit je aan te denken?'

'Jij koopt je eten ook bij de bedrijfswinkel, hè?'

'Wat bedoel je daar eigenlijk mee?'

Peretz hield zijn hoofd enigszins scheef en grinnikte; haar stem klonk defensiever dan hij had verwacht. Peretz vond dat de mensen zich dienden te amuseren bij de organisaties waarvoor ze werkten, en nergens van onder de indruk moesten zijn. 'Ik bedoel dat jij ook min of meer de partijlijn hier volgt, toch?'

'Luister, Abe, ik heb het enorm druk. Ik verdoe mijn tijd niet aan het stellen van vragen waar ik toch geen antwoord op krijg. Wat precies probeer je me te vertellen?'

'Tjonge jonge.' Peretz keek haar opnieuw glimlachend aan. Hij probeerde er een vaderlijke glimlach van te maken, want hij was tien jaar ouder dan zij en ze was de echtgenote van zijn vriend. 'Tjonge jonge. Goh. Nou, wat ik probeerde te zeggen, overste, is dat men mij voor een niet-offensief apparaat als Peacemaker toch wel érg veel doelwitgegevens laat verzamelen. Je weet wel, doelwitten – van die plekken waar je bommen op laat vallen en waar dan enorme explosies plaatsvinden?'

'Peacemaker is niet groot genoeg om bommen mee te kunnen voeren. Sorry, je laat je door je fantasie op sleeptouw nemen. Luister, dit is een grandioze plek om te werken; de generaal is een recht-door-zee-vent met prima ideeën en er heerst een enorme bedrijvigheid; ik scoor punten voor mijn uiteindelijk doel, astronaut worden. Je moet geen domme vragen stellen, oké?'

'Waarom doe je zo defensief?'

'Ik bén helemaal niet defensief! Ik wil alleen – ' Ze liet haar hand door haar overvloedige zwarte haardos glijden. 'Ik zit tot mijn nek in het werk, Abe. Oké?'

Hij glimlachte opnieuw. '"Zeur daarover niet aan mijn lieve hoofdje?"'

Op dat moment stond ze op het punt boos te worden, maar ze kreeg zichzelf weer onder controle en zei toen: 'Hoe houdt Bea het eigenlijk bij je uit?'

Terwijl ze wegliep besefte ze dat er nu twéé mensen waren die zich zonodig met haar werkzaamheden rond Peacemaker wensten te bemoeien, eerst Valdez en nu Abe Peretz! Het drong geen moment tot haar door zich eens af te vragen of ze daar misschien een goede reden voor hadden. In de wereld van Rose Craik was er, als je je werk goed deed, geen tijd om je af te vragen of de mafkezen al dan niet gelijk hadden.

De volgende ochtend maakte Abe nog wat grapjes over het onderwerp, en de toon tussen hen beiden was luchtig, hoewel hij wel degelijk kalm opmerkte: 'Het is echt een verdomd grote hoeveelheid doelwitgegevens, Miz Scarlett,' toen zich na de koffiepauze hun wegen weer scheidden. Maar op vrijdagochtend bracht hij met een gefronst gelaat zijn koffie naar haar tafeltje. Hij zette zijn kopje op het tafeltje en ging kalm zitten, haar op een korte groet na verder negerend, om even later zonder ook maar een spoortje humor of ironie op te merken: 'Rose, ik maak deze keer géén grapjes. Wat is er met dat project precies aan de hand?'

'Abe, in godsnaam – '

'Nee, ik méén het, Rose, je gaat me deze keer níet afkeurend aankijken. Er is iets vreemds mee aan de hand. Ik maak momenteel PDA's voor schadezonerestricties die op geen enkele manier passen bij een bom die ík ken!' PDA stond voor *Projected Damage Assessments* – schaderamingen. 'En zonder nagenoeg ook maar énige secundaire schade, alsof het hier om een precisiebombardement met een kernwapen van geringe kracht gaat, behalve dan ter hoogte van de inslag. Vertel me dat dát deel zó geheim is dat ik eigenlijk m'n mond zou moeten houden, dan doe ik dat ogenblikkelijk. Hmm?'

'Hou je mond.'

'Nee, dat is niet voldoende. Ik bedoel, vertel me alleen maar dat je weet wat er speelt en dat het allemaal oké is, dan hoef ik verder niets meer te weten.'

Ze maakte een grimmige indruk, en ze wist dat ze er opnieuw klaar voor was om kwaad te worden. Ze *hield* van Peacemaker, besefte hij, identificeerde zich er op een bepaalde manier mee, wellicht omdat ze een belangrijke rol binnen het geheel speelde en omdat ze er hogerop mee kon komen. Ze stond op het punt om iets lelijks te gaan zeggen, dacht hij, toen ze haar ogen over zijn schouder zag schieten, naar iets of iemand achter zich, en ze zei: 'Goddank, daar hebben we precies de man die je kan vertellen hoe het precies in elkaar zit! Ray – hé, Ray – kom eens – !'

Ze stelde de lange, ietwat zwaarmoedige man voor als Ray Suter. Hij had vroeger eveneens bij de marine gezeten, legde ze uit, maar hoorde tegenwoordig tot het vaste meubilair bij het IVI. 'Ray,' zei ze, 'leg eens aan dit ijverige baasje uit dat Peacemaker precies is wat we zéggen dat het is, oké? Vertel hem dat wat hij ziet is wat hij krijgt, goed? Ik word gek van die man.'

'Wat zijn de problemen?'

Peretz was onmiddellijk bereid een hekel te krijgen aan Ray Suter. Hij vond het niet prettig om zijn pauzes met Rose onderbroken te zien; hij had op slag de pest aan het bijna neerbuigende toontje waarvan Suter zich bediende, misschien ook omdat de man aan Rose's kant van de tafel was gaan zitten, en ook nog eens net iets te dicht bij haar, alsof hij op een bepaalde manier beslag op haar wilde leggen. 'Een deel van het materiaal waarmee ik bezig ben.' Zijn toon minimaliseerde het enigszins. 'Lijkt op boem-boem betrekking te hebben.'

'Boem-boem?' Suter deed het klinken als het gepruttel van een kind.

'O, hij bedoelt dat het surveillanceplan vol doelwitinformatie zit, informatie die we van Touhey's luchtmachtvriendjes hebben gekregen,' zei Rose. Ze had haar hoofd iets naar voren gebogen en met haar rechterhand tilde ze het haar uit haar nek. 'Abe vindt het nogal offensief allemaal.'

'Offensief?' herhaalde Suter op dezelfde toon.

'Ja, zoals in "offensief".' Peretz hield zijn hoofd een tikkeltje scheef. 'Je kent het woord "offensief" – zoals in de kreet "offensieve manier van doen"? Of "offensief wapen"?'

Suters gezicht werd rood. Hij was een van die mensen, zag Peretz, die aanvankelijk een overrompelende indruk weten te maken, maar zich terugtrekken zodra ze worden uitgedaagd – maar niet voor lang. Hij kwam tot de conclusie dat Suter niet bepaald iemand was die hij graag wat beter zou willen leren kennen.

Nu, wat milder deze keer, zei Suter: 'Ik kan je verzekeren dat Peacemaker enkel en alleen een inlichtingenproject is. Geen twijfel mogelijk. Ik heb toegang tot bepaalde elementen van dit project waar Rose niets mee te maken heeft, en ik kan je zeggen dat ook dáár van offensieve doeleinden geen enkele sprake is. Wat we gecompartimenteerd houden zijn de technische gegevens, en dan met name de details betreffende de computer en de raket, want die zijn in het huidige wereldbeeld nu eenmaal uiterst gevoelig. Als u nog meer overtuigd wenst te worden, meneer Peretz, kan ik eventueel een gesprek tussen u en kolonel Han regelen, want dat is de grote baas, iemand die het hele beeld overziet.'

'Nou, ik zou die grote baas wel eens willen ontmoeten, en al helemaal als hij het hele beeld overziet. Maar nee, ik vertrouw je op je woord.' Peretz wierp de man een snelle glimlach toe, die niet werd beantwoord.

'We willen niet dat iemand de verkeerde vragen stelt,' zei Suter. 'En we willen al helemaal niet dat u deze vragen buiten deze muren stelt.'

Peretz glimlachte niet langer. Hij begon zijn spullen bij elkaar te pakken. 'Ik weet hoe beveiligingstoestanden werken. Mocht ik ergens m'n twijfels over hebben, dan vraag ik er híer na of nergens.' Hij grinnikte naar Rose. 'Oké?'

'Oké.' Ze gaf hem een klopje op zijn hand. 'Vergeet alleen niet dat ik het te druk heb om naar je te luisteren.'

Peretz moest lachen en ging terug aan het werk. Hij dacht dat het laatste woord hier wel over gesproken was.

Op zee.

Alan was drie keer opnieuw aan een brief aan Rose begonnen en had elke keer weer geen kans gezien die af te maken. De brief begon met: 'Ik ben hier nog maar een week en het lijkt wel een maand! Ik ben zo hard bezig dat ik – ' Op dat moment had iemand hem gevraagd naar de ASW te komen, en toen hij opnieuw naar de brief had gekeken was het al ruim twee dagen geleden dat hij de eerste zin had geschreven. Hij maakte die zin af en voegde er nog een stuk of wat aan toe over Rafe en de admiraal en het eten, en toen moest hij er weer vandoor; hij liet de brief op zijn bureautje liggen, zodat hij hem die avond zou kunnen voltooien.

Vijf dagen later ging hij er weer eens voor zitten. Het leek gevoelloos hem daar zo te laten liggen; hij *miste* haar, dus hoe kon hij nou geen tijd hebben om haar dat te vertellen? Zich schuldig voelend ging hij zitten en schreef twintig minuten lang – het relaas over de wasserij; Kravitz, met wie het eigenlijk best goed ging, ondanks het feit dat hij wisseldiensten moest draaien in het communicatiecentrum van het schip; zijn eerste maaltijd in de flag-longroom – Hij stopte met schrijven en keek op zijn horloge.

'Ik moet er weer vandoor! Ik hou van je! Schrijf me! Meer later!'

Terwijl hij zich naar de flag-operations room haastte stopte hij de brief in een envelop, heilig van plan de brief die dag nog op de post te doen.

Twee dagen later vond hij de envelop onder een hele stapel publicaties.

Sarajevo.

Voor Dukas in Sarajevo waren de werelden van O'Neill en Alan Craik en de marine ver weg, vaag. Hij schreef een paar brieven, maar eigenlijk was hij helemaal geen brievenschrijver; afgezien van korte notities naar Rose Craik, opteerde hij het liefst voor een ansichtkaart met daarop een woord of tien gekrabbeld – 'Zit hier nog steeds, alles oké!' De ansichtkaarten lieten het nieuwe Sarajevo zien en vormden een sieraad voor het plaatselijke ondernemerschap: kleurenfoto's van de puinhopen van de bibliotheek, bomschade op de oude markt, herbouwwerkzaamheden in Nova Sarajevo, en oude bekenden als de olympische berg. Maar de ansichtkaarten waren niet meer dan een soort postscript; al zijn concentratie betrof de frustratie van het op oorlogsmisdadigers moeten jagen van wie een groot aantal in alle openheid leefde, zij het net buiten zijn bereik.

Hij herinnerde zich het verhaal weer dat Al Craik hem over de Kenianen en Italianen in Bosnië had verteld, die er voortdurend tandenknarsend bij liepen omdat ze niets konden doen tegen een vijand die openlijk de spot met hen dreef. Hij en zijn mensen zaten nu eenmaal zo in elkaar. Het fiasco in de Franse zone had hun moreel geen goed gedaan. Twee van hen hadden het voor gezien gehouden en deden nu weer politiewerk in hun eigen land, waar de problemen hetzelfde waren, maar waar voldoende andere politiemensen rondliepen om je het gevoel te geven niet in je eentje bezig te zijn.

'We móeten proberen meer informatie boven water te krijgen,' zei hij tegen Pigoreau. 'We moeten meer geld beschikbaar stellen ten behoeve van tipgevers. Ik haal dat wel ergens vandaan.'

'Moet ik dat regelen? Op míjn manier?' Pigoreau geloofde niet in de subtiliteiten van spionage op de Agency-manier, de dingen die O'Neill op de Ranch had geleerd – rekrutering, verleidingstechnieken, training, communicatieplannen – maar in ouderwetse omkopingstechnieken.

'Als het maar vruchten afwerpt.'

Mevrouw Obren bleef hun beste bron. Ze deed hem geruchten toekomen, roddels, af en toe zelfs wat snippers over een geïdentificeerde naam op zijn lijst, info die ooit op een dag tot een arrestatie zou kunnen leiden.

Washington.

Suter liep in de richting van de deur van de vergaderruimte waar de Ops/Plans-commissie bijeenkwam, hartgrondig wensend dat hij niet hier was, maar in plaats daarvan in het IVI, waar zijn échte leven zich nu leek af te spelen. Hij genoot daar met volle teugen, uiteraard, want Rose was daar ook, Rose, die momenteel een vast bestanddeel in zijn mentale wereld vormde, druk bezig een obsessie voor hem te worden; maar hij genoot ervan, simpelweg om wat het was – de parkachtige campus, de atmosfeer, Touhey – en het project, dat hem nog steeds opwond. Maar hij moest met Shreed praten, en Shreed zat daarbinnen, deelnemend aan een van die vele ogenschijnlijk eindeloze vergaderingen die het grootste deel van zijn tijd in beslag namen. Shreed had graag adjunct-directeur voor Ops/Plans willen worden, maar dat zou hij niet worden, althans, dat had hij te horen gekregen; hoe zou hij dat aan de weet zijn gekomen? Waarschijnlijk wíst je dat soort dingen gewoon, vermoedde Suter. Of misschien vertelden ze je het wel recht in je gezicht – een of andere vijand op jouw niveau, of wellicht net één trapje hoger, die je dan met duidelijk genoegen komt vertellen dat hij of zij zeker weet dat je hartenwens nooit vervuld zal worden.

De deur ging open, opengehouden door een bewaker, en Suter kon nu een mannelijke receptionist zien zitten, alsmede een stuk of zes mensen met attachékoffertjes en notitieblokken voor zich, waarvan er enkele onmiskenbaar assistent waren, slaafjes, dicht in de buurt blijvend voor het geval de neus of de billen van hun meester gesnoten of geveegd moesten worden, alsof ze tot taak hadden voor kleine maar uiterst rijke kinderen te zorgen. Terwijl hij toekeek verschenen Shreeds wandelstokken in beeld, eerst de uiteinden, schuin, als zilveren pijlen, en daarna, terwijl ze hoegenaamd verticaal zichtbaar werden, het kwaadaardige gelaat en het kortgeknipte haar. Shreed keek naar de vloer, alsof hij overdacht hoe hij zijn volgende aanval op de zwaartekracht aan zou pakken, selecteerde de juiste plek en zwaaide naar voren. Iemand vanuit de groep richtte het woord tot hem, maar hij reageerde er niet op, zwaaide opnieuw naar voren en keek op, om toen hij Suter zag alleen maar even te knikken. Hij zette de uiteinden van zijn stokken vlak buiten de deur en zwaaide het vertrek uit.

'Er heeft zich iets voorgedaan,' zei Suter.

'Stomme idioten,' raspte Shreed. Óf hij onderging fysieke pijn, óf intellectuele, óf beide; zijn gezicht was vertrokken. Hij was op weg naar een andere vergadering aan de andere kant van het gebouw, en ook nog eens op een andere etage. Suter kende zijn agenda, was hier omdat dit het enige tijdstip was waarop hij hem kon spreken. Hij had gedacht de gang door te moeten benen, maar Shreed drukte zich met zijn rug tegen de wand, stak zijn hand naar Suter uit en siste: 'Ik word zíek van die dwazen.'

Shreeds hand omklemde Suters rechterarm als een soort klauw, en voor het eerst was Suter zich bewust van Shreeds leeftijd. De greep had iets oerouds, zoals een erg oude maar krachtige hand van iemand die zich heel even vastgrijpt om in evenwicht te blijven. 'Níets van wat ze te berde brengen doet er ook maar iets toe,' hoorde hij Shreed grommen. Zijn stem klonk intens, bijna te zacht om te kunnen worden gehoord. 'Operations – onbeduidende mannetjes die andere onbeduidende mannetjes in het rond schuiven. *Trivia.* Geen énkele grote gedachte.' Suter herinnerde zich dat Shreed eens had gezegd – wanneer? – dat alleen chefs van plaatselijke bureaus macht hadden, waarmee hij bedoelde dat alleen Operations macht had; waar had hij het nú over? Het leek wel of hij zichzelf tegensprak. Als Suter een wat meer bespiegelend persoon was geweest, zou hij hebben kunnen denken dat Shreed zichzelf tegensprak omdat hij zich plotseling oud voelde en van het ene op het andere moment in de positie verkeerde van de oude man die dacht dat hij al zijn gemiste kansen met één laatste, weergaloos wapenfeit alsnog goed kon maken. Maar toch was zijn gehoor nog goed genoeg om de onderliggende tekst waar te nemen, die zei dat Shreed bezig was zich van de anderen af te scheiden.

'Niet kleinschalig denken,' mompelde Shreed in zijn oor. 'Denk gróót.'

Suter had het gevoel dat hij iets moest zeggen. 'Peacemaker is er nog,' zei hij zacht. In de gang werden ze door diverse mensen gepasseerd. Niemand keek hun kant uit, want de mensen fluisterden elkaar hier voortdurend allerlei geheimen toe.

'Ook dat is nog veel te klein,' gromde Shreed. 'Dat is maar één stap.' Hij begon naargeestig te lachen. 'Kreupele stappen voor kreupele voeten,' merkte hij op. 'Wat wil je eigenlijk?'

'Misschien is er iets gaande. Ik wilde dat je dat wist.'

'Voor de draad ermee.'

'Rose Siciliano kwam gisteren naar me toe met iemand die vragen had over doelwitgegevens voor Peacemaker.'

De haviksogen van Shreed richtten zich strak op Suter. 'En?'

'Iemand is bij haar komen aanzetten met het idee dat er wat Peacemaker betreft te veel aandacht wordt geschonken aan de mogelijkheid doelwitten te selecteren om van een passief systeem te kunnen spreken.'

'Dat zegt niets.'

'Maar het is iemand naar wie ze luistert. Een of andere vriend van haar die hier zijn reserveplicht vervult. Hij werkt bij de FBI.'

Shreed leunde tegen de muur. Zijn gegroefde gelaat leek twee seconden lang in gedachten verzonken te zijn, waardoor hij er heel even bijna vredig uitzag. 'Hij kletst maar wat; of denk je dat hij iets vermoed?'

'Ze maakte zich er voldoende zorgen over om me erover aan te spreken.' Feitelijk was Suter opgetogen geweest toen ze hem had aangesproken, hoewel hij niet van plan was dat tegen Shreed te zeggen.

'Breng Touhey op de hoogte.'

'Touhey zit de komende week in Houston. Ik heb even overwogen ermee naar de interne beveiliging te gaan, maar die lieden maken de zaak waarschijnlijk alleen maar nog erger. Door erachteraan te gaan benadrukken ze het alleen nog maar.'

Shreed knikte. 'In welke mate maakt ze zich zorgen?'

'Niet zo heel erg. Ze compartimenteert. Als ik haar zeg dat ze zich geen zorgen moet maken, doet ze dat ook niet. Maar die andere knaap – '

'Wie is het eigenlijk?'

Suter had dat al nagetrokken. 'Peretz. Komt bij de marine vandaan. Net als ik. Ltz1. Inlichtingendienst, werd niet bevorderd tot kapitein-luitenant-ter-zee en heeft toen ontslag genomen. Hij zit bij de FBI bij het FISA-bureau. Niet op zijn achterhoofd gevallen. Ze zijn met elkaar bevriend. En hij is ook met Craik bevriend.'

'Twee weken reservetaken?'

'Hij is nog maar net met het einde van de eerste week bezig.' Hij hoefde er niet eens aan toe te voegen dat deze man op die manier nog een hele week de tijd had om nog meer problemen te creëren.

Shreed duwde zich af tegen de muur. 'Ik zal dit varkentje wel wassen. Jij neemt Siciliano voor je rekening. Durf je mij de verzekering te geven dat je wat deze dame betreft objectief kunt blijven? Als ze achterdocht mocht gaan koesteren wil ik straks niet met jouw excuses worden geconfronteerd omdat je met alle geweld met haar in de koffer moest.'

Suter liet de stilte voor zich spreken. Hij besefte dat als hij nu met veel misbaar zou protesteren Shreed hem helemaal niet meer zou geloven.

Shreed strompelde door de brede gang, terwijl mensen gehaast om hem heen liepen. 'Meld dit niet aan de mensen van de veiligheidsdienst. Laat mij dit maar afhandelen.' Hij deed moeizaam twee passen vooruit, draaide zich toen om en keerde op zijn schreden terug, met Suter haastig achter zich aan lopend.

'Nee, handel jíj het maar af,' zei Shreed. 'Ik ben hartstikke stom – mezelf zo te pijnigen. Ergo. Doe jij het maar. Je gaat het volgende doen. Bij het ONI zit een kapitein-luitenant-ter-zee die Harley Ohlheim heet. Mijn secretaresse heeft zijn telefoonnummer. Regel een afspraak en praat vandaag nog met hem. Zeg tegen hem dat hij deze Peretz tijdens de tweede week van zijn reservetijd ergens anders indeelt; wáár dat dondert niet, zolang het maar niet bij het IVI is. Met eventuele bezwaren neem je geen genoegen. Ohlheim denkt dat hij ooit nog

326

eens DNI zal worden, wat een lachertje is, maar het is een nuttige zwakheid waar je op in kunt spelen. Hij zal uiteindelijk akkoord gaan.' Shreed steunde met zijn linkerelleboog op de stalen stok en krabde aan zijn neus. 'Misschien vergeet die Peretz dan wel alles over het IVI. En als dat níet het geval mocht zijn – ' Hij haalde zijn schouders op. Hij bedoelde te zeggen: dan verzinnen wel weer iets anders.

Eigenlijk hoopte Suter dat Peretz het níet zou vergeten. Hij hield van dit soort gemanoeuvreer, van het gevoel dat iets het daglicht niet kon verdragen, en dat daardoor bepaalde risico's met zich meebracht. Het gevoel dáár te zijn waar echt iets gebeurde, ondanks het feit dat dat soms zaken waren die Shreed als triviaal afschilderde. Terwijl Shreed probeerde daar zoveel mogelijk afstand van te nemen, probeerde Suter er zo dicht mogelijk bovenop te zitten. Hij mocht Shreed; en wat nog veel belangrijker was, hij bewónderde de man. In feite zou hij het liefst Shreed willen *zijn*. Theoretisch is dat bij een ondergeschikte een ambitie die bewonderenswaardig genoemd mag worden, maar in de praktijk is het vaak buitengewoon gevaarlijk.

21

Oktober-november

Aan boord van de Andrew Jackson, op zee.

De tijd begon te vervagen, zoals dat maar al te gemakkelijk gebeurt in de routine van een zeeman. Pizza-avond, elke vrijdag aan boord van de *Jackson*, kwam, ging voorbij, en diende zich opnieuw aan. Matroos Lu keerde terug naar zijn eigen werk in het CVIC, en hij en Alan glimlachten elkaar toe. Sergeant Djalik werd in deze routine een rots in de branding en was altijd in het CVIC te vinden.

Zoals altijd bij hem werd het avondeten een probleem. Aanvankelijk at hij afwisselend met oude vrienden van zijn squadron in de Dirty Shirt, en in de meer formele longroom, een etage hoger en verder naar voren, samen met vaste bemanningsleden van het schip. Maar hij hoorde bij de flag-staf en hoorde dan ook eigenlijk te eten in de flag-longroom, hoewel de etenstijden daar uiterst rigide waren en hij nog steeds druk bezig was enorme stapels nog niet gelezen materiaal door te worstelen. Nadat hij een week aan boord was stelde de flag-captain hem voor de maaltijd toch maar in de flag-longroom te gebruiken, want dáár werden spijkers met koppen geslagen, en Alan besefte dat bij de staf horen meer inhield dan je zo op het eerste gezicht zou denken.

Veel meer zelfs. Om te beginnen fungeerde de flag N-2 (inlichtingen) als de ambassadeur van de admiraal, als de admiraal hem vertrouwde, dus tijdens de eerste weken aan boord vloog hij een keertje naar Walvisbaai, de enorme oliehaven aan de kust van Namibië, om te kijken wat daar eventueel beschikbaar was aan brandstof voor de vliegtuigen en het schip; en een keertje naar Rota in Spanje, om te praten over het eventueel omzetten van de Deny Flight-taken boven Bosnië omdat alle vliegtuigen van de battle group zich nog steeds op de Atlantische Oceaan bevonden.

Hij probeerde op de hoogte te blijven van de situatie rond O'Neill, maar O'Neill was in een zwart gat verdwenen, en het trieste maar uiterst menselijke feit was dat O'Neill ook in het zwarte gat van zijn aandacht was gevallen: hij had het te druk om verdriet te hebben. Er was simpelweg geen nieuws: de CIA leek zichzelf van alles en iedereen afgesloten te hebben; het ministerie van Buitenlandse Zaken zweeg. Toch had Alan zijn vriendschap met O'Neill tijdens zijn eerste diner in de flag-longroom ter sprake gebracht, en hij was geëindigd met het vertellen van zijn belevenissen tijdens zijn eerste vaarperiode. Misschien dat O'Neill de admiraal en de staf wat meer zou zeggen als ze beseften dat het hier een voormalige marineman betrof, een van hun eigen mensen. Maar hoe dan ook, die wetenschap stelde Alan in staat om te vragen of ze konden kijken of er via de Zaïrese ambassade misschien ook wat meer bekend over hem was geworden, maar Pilchard schudde alleen zijn hoofd maar. 'Absoluut onmogelijk. Ambassades praten niet met militairen.' Hij sprak alsof hij in het verleden al eens een onplezierige ervaring op dit gebied had gehad; Alan herinnerde zich dat hij ooit eens een tijdje ergens als marineattaché gedetacheerd was geweest. 'En als we het nu eens aan de marineattaché vragen?'

'Attachés doen voornamelijk datgene wat ze door hun ambassadeur opgedragen krijgen. En de ambassadeurs zeggen ze dat ze niet met militairen moeten praten.' Alan kon zien dat dát de onplezierige ervaring geweest moest zijn. 'Is het echt belangrijk voor je?' vroeg de admiraal. Na het avondeten ontspande hij zich in zijn ruime kajuit.

'Jawel, meneer. Het is mijn beste vriend.'

De admiraal fronste zijn wenkbrauwen enigszins. Wat had dat te beteken?

O'Neill of geen O'Neill, Midden-Afrika stond op het punt met een crisis geconfronteerd te worden. Nog voordat Alan het Pentagon had verlaten was duidelijk geworden dat de 'rebellen' een hoop hulp van buiten ontvingen en dat ze elke keer dat ze met de strijdkrachten van Mobutu strijd leverden die troepen in de pan hakten; een paar weken later werd het duidelijk dat ze aan de winnende hand waren. De flag-inlichtingendienst, aangespoord door de bevelhebber van LANTFLEET, begon voorbereidingen te treffen voor een mogelijke evacuatie van Amerikanen uit Zaïre, een enorme operatie waarbij de benarde situatie van een verdwenen inlichtingenofficier volkomen in het niet viel. Bij zo'n operatie zouden naar alle waarschijnlijkheid mariniers worden ingezet en de inlichtingenofficier van de *Rangoon* kwam dan ook een dag en een nacht aan boord voor briefings waar Alan al zijn aandacht voor nodig had, en hij liet de ochtendbriefing dan ook noodgedwongen aan Kravitz over, daarbij het ergste vrezend, maar Kravitz deed het prima en de admiraal wees hem geen enkele keer terecht.

Tegelijkertijd bereidde de staf van de air wing aan boord van de *Jackson* luchtaanvallen op Libië voor. Alan was van mening dat zoiets tijdens deze reis niet zou gebeuren, maar niet een van de jonge inlichtingenofficieren wist dat en ze stelden mappen met doelwitinformatie samen met dezelfde soort humorloze concentratie die accountants aan de dag leggen als ze belastingformulieren moeten natrekken. Terwijl deze werkzaamheden werden uitgevoerd was hij zich bewust geworden van Christy Nixon in het CVIC, en had eens twee of drie minuten via een televisiescherm naar een van haar briefings gekeken. Ze zag er aantrekkelijk uit, leek competent, niet afkerig van wat geflirt, niet zijn type; hij begreep dan ook niet waardoor Rafe zo opgewonden raakte. Maar je kon nu eenmaal nooit doorzien wat je vrienden in bepaalde vrouwen zagen.

Rafe zelf verkeerde in een heel andere wereld en hun paden kruisten elkaar alleen maar als een van hen duidelijk van plan was dat te laten gebeuren. Ze liepen elkaar één keer toevallig tegen het lijf in de Dirty Shirt. Ze grapten wat en spraken wat over vliegerzaken totdat Alan aankondigde dat hij weer weg moest, en vroeg: 'Hoe staan de zaken er eigenlijk voor – je begrijpt wel wat ik bedoel. Je privé-zaken?'

'Dat gaat hartstikke goed. Gaaf, mag ik wel zeggen – echt.'

'Ik heb haar een briefing zien doen. Niet grandioos, maar ook niet slecht.'

'Niet slecht! Jezus, ze is de beste briefer die we aan boord hebben! Ik breng haar momenteel ASW bij.' Hij keek ietwat schuldig, maar het volgende moment was hij weer één en al uitdaging.

'Tja – oké. Ik neem aan dat je dat best gaaf kunt noemen.'

Drie dagen later was hij in het CVIC voor wat luchtfoto's die hij voor de admiraal tot een composietbeeld moest ombouwen, toen Nixon daar ook aanwezig was. Ze glimlachte hem breed toe, en stak even haar hand op. *Doe dat nou niet*, dacht hij, maar er was geen enkele reden waarom ze dat níet zou doen. De waarheid was dat ze hem irriteerde. Waarschijnlijk vanwege Rafe, omdat hij het beste met Rafe voorhad – wat absurd was, aangezien Rafe hem helemaal niet gevraagd had vanwege hem geïrriteerd te zijn. Ze was bezig met Libische SAM-batterijen, en hij was zich haar terdege bewust, bepaalde vragen die ze stelde, spullen die ze verzamelde voor een briefing die ze moest doen – grondig, geduldig, maar te veel tijd spenderend aan triviale bijkomstigheden. Ze deed het simpelweg niet op de manier zoals híj het gedaan zou hebben. Toen ze op het punt stond te vertrekken vroeg hij: 'Vind je het erg als ik met je mee loop?'

'Helemaal niet!' Opnieuw die veel te brede glimlach. Alan had in het Pentagon geleerd dat deze enthousiaste glimlachjes boven alles als een verdedigingsmiddel moesten worden gezien.

'Rafe heeft het vaak over u!' zei ze terwijl ze door de gang liepen. Ze hield een stapeltje papieren tegen haar borst gedrukt, en leek daardoor op een schoolmeisje dat met haar boeken op weg naar huis was. Alan ging niet op haar opmerking over Rafe in, en zei in plaats daarvan: 'Mag ik je een welgemeend advies geven?'

Ze draaide zich half naar hem om en trok een wenkbrauw op. Advies was nooit een goede zaak voor subalterne officieren. 'Uiteraard, meneer. Zegt u het maar.'

Bij spant 133 bleef Alan staan, want hier moest hij rechtsaf naar het N-2 bureau van flag, en daar stonden ze dan, met hun rug tegen de stalen wanden opdat de mensen er nog langs konden. 'Richt je op de dingen die belangrijk zijn,' zei hij. 'Je leert erg snel, maar ik krijg de indruk dat je probeert *alles* tot je te nemen. Wat je moet proberen te doen is bepalen wat echt belangrijk is, die informatie tot je te nemen en de rest te vergeten. Ze betalen ons niet om volmaakt te zijn. Ze betalen ons om het bij het goede eind te hebben, met de juiste informatie op de proppen te komen.' Hij keek haar aan en moest glimlachen om de ernst op haar gezicht, ondertussen denkend: *god, was ík dat?*

Ze keek nu hem aan en er gebeurde heel wat achter haar ogen, hoewel haar ernstige glimlach stevig op z'n plaats bleef. 'Heb ik problemen?'

'Helemaal niet. Je bent een uitstekende inlichtingenofficier. Als je leert het materiaal goed te schiften word je nóg beter. Luister, ik maak geen deel uit van jullie eenheid. Maar je hebt er tijdens Fleetex een puinhoop van gemaakt omdat je uiteindelijk door de bomen het bos niet meer zag, niet?'

Een minimaal knikje. Een nóg minimaler glimlach.

'Goed. En nu ben je druk bezig je de hele geschiedenis van de luchtverdediging eigen te maken, omdat je de admiraal één enkele briefing over Libische SAM-batterijen moet geven. Probeer vooruit te kijken, Christy, voorspel. Probeer te bedenken wat hij je zal vragen. Maak dát je eigen. Probeer te doorzien wat hij moet weten. Ga dáár achter aan. Laat de rest vallen. Wat is het belangrijkste aan de Libische luchtverdediging?'

'Hun zware luchtdoelraketten. De locatie en het bereik van hun zware luchtdoelraketten.' Ze klonk bijna afgemeten en aarzelde geen moment.

'Dat is belangrijk voor de bemanningen van de vliegtuigen, inderdaad. Maar was is belangrijk voor de admiraal?'

Ze maakte een ietwat ontredderde indruk, en hij had medelijden met haar, op een gang in de hoek gedrukt, maar ze zat nu eenmaal bij de marine. Ze schudde haar hoofd.

'Onderhoud. Infrastructuur. Dóen die dingen het nog? Hoe oud zijn ze eigenlijk? Dát soort zaken. Op die manier stel je het hoogste echelon in staat beslissingen te nemen.'

Hij zag de vonk van begrip in haar ogen.

'Oké, meneer. Ik begrijp het. Maar, meneer? Ik vind het nu eenmaal prettig om alles te weten. Echt.' Even leek het alsof er een siddering door haar heen trok, alsof de woorden haar tot de orde hadden geroepen, en ze probeerde dit alles te verbloemen door de stapel papieren naar de andere hand over te brengen.

Zó had Sneesen hen gezien, bij spant 133 de hoek om komend en vervolgens de gang in lopend. Hij herinnerde zich ltz1 Craik van de vlucht vanuit Bermuda nauwelijks meer, wist alleen dat het een vriend was van kltz Rafehausen. Maar háár herkende hij wel degelijk. En hij zag dat ze er opnieuw mee bezig was, haar lichaam wellustig bewegend op die karakteristieke manier, in de ogen kijkend van die knaap – precies dezelfde manier waarop ze Rafehausen had staan opgeilen.

Hij liep langs hen, en haatte haar. In zijn hoofd sprak hij het woord *nikker* zorgvuldig *níet* uit, omdat Borne hem had verteld dat dat stom was en ervoor zorgde dat je niet goed nadacht. In plaats daarvan noemde hij haar wat ze in feite was: *mud-bitch*.

Alan was nu voortdurend onderweg van en naar het CVIC, en Djalik was óf daar ook, óf een eindje verderop in de gang, in de onderhoudsruimte, zodat hij deel uit ging maken van Alans persoonlijke landschap. Als een soort faciliteitenmanager was hij slechts marginaal bij het inlichtingenwerk betrokken, maar desondanks op de hoogte van alle zaken die er besproken werden; je kon obscure oorden noemen, of esoterische militaire zaken, en hij wist waarover je het had en misschien ook nog wel wie er op dat moment mee bezig was. Alan begon hem te zien als een 'interessante knaap', iemand met een nét iets andere kijk op dingen. Hij raakte eraan gewend een paar woorden met hem te wisselen, gewoonlijk over de koffie, om mee te beginnen. De dag na zijn bezoek aan de wasserij hadden ze elkaar ook gesproken, en Alan had toen – omdat de geur van de sterke koffie overduidelijk de ruimte vulde – opgemerkt: 'Ik zie dat je je eigen brouwsel drinkt.'

Djalik had een minachtend gesnuif ten gehore gebracht. 'Die klootzakken kunnen het gewoon niet.' Maar uit de toon die hij bezigde kon worden opgemaakt dat hij voor die klootzakken wel degelijk affectie koesterde. Hij was duidelijk ingenomen met het feit dat Alan niet was vergeten een appeltaart naar de wasserij te sturen. Maar daar bleef het verder bij, ondanks het feit dat Alan zijn uiterste best had gedaan iets te verzinnen waarover ze zouden kunnen praten. Maar Djalik was niet bepaald toeschietelijk, en Alan had het er op dat moment bij gelaten.

'Nogmaals bedankt voor je hulp,' zei hij.

'Geen probleem.' De man was niet bepaald een briljant causeur. Maar deed dat er iets toe? Nou, voor Alan eigenlijk wel. Misschien, bedacht hij, was Djalik gewoon verlegen. Een verlegen SEAL?

Washington.
Voor Rose was Alans afwezigheid een hele opluchting, althans, in het begin.

Het kostte haar moeite het te erkennen, maar ze vond het heerlijk om naar het lege huis terug te keren en met niemands emotionele behoeften rekening te hoeven houden, behalve die van de hond dan. Ze moest dit onverwachte deel van zichzelf onder ogen zien, deze plek waar ze geen 'echte vrouw' hoefde te zijn en alleen maar rust zocht. Beslotenheid. Een eigen plekje.

En toen ging dat gevoel voorbij. Ze miste hem. Ze miste hem lichamelijk, werd een paar nachten lang zo geil als een tiener, maar dat ging toen weer over. Toen arriveerde er een brief van hem, een brief die hij blijkbaar in gedeeltes en over een paar dagen verspreid had geschreven, niet bepaald samenhangend, niet geschreven met steeds zijn hoofd erbij, en ze werd plotseling door zo'n gevoel van gemis overvallen dat ze moest huilen.

Op dat moment wist ze dat het alleen maar weer beter kon worden.

Op zee.

Op een ochtend, nadat hij de admiraal had gebrieft en zijn laptop dichtklapte met de bedoeling te vertrekken, zei de admiraal: 'Heb ik goed begrepen dat jouw vrouw lanceerofficier is aan boord van dat USNS-schip dat we geacht worden te bewaken?'

'Jawel, meneer.'

'Ze heeft na Fleetex nogal wat misbaar gemaakt.' De admiraal zweeg, onmiskenbaar wachtend op een of ander antwoord.

Alan dacht snel na en kwam tot de conclusie dat een rechtstreeks antwoord het beste was. 'Haar lanceerschip kreeg er tijdens die oefening van langs. Ze wil er alleen maar zeker van zijn dat zoiets in werkelijkheid nooit zal gebeuren.'

'Nou, we zijn van mening dat we dat voor de toekomst geregeld hebben.' De admiraal draaide met één enkele vinger een berichtenformulier honderdtachtig graden. 'We hebben zojuist een verzoek binnengekregen voor een sectie mariniers die haar schip – de *Philadelphia* – zou moeten beschermen. Wat heeft dat allemaal te betekenen?'

'Ze heeft aan sommigen van ons gevraagd wat voor een soort bescherming ze zou moeten hebben. Ik heb toen gezegd dat de Golf van Sydra wel eens een plek zou kunnen zijn waar je rekening moet houden met Libische patrouilleboten, waarvan de commandanten niet noodzakelijkerwijs van mening zijn dat hun gezag twaalf mijl uit de kust ophoudt. Plus het feit dat ze misschien op zoek zijn naar iets waardoor de wereld even niet aan Lockerbie denkt.'

'Zou jij willen voorstellen dat ze mariniers aan boord neemt?'

'Nee, meneer.'

De admiraal keek naar het berichtenformulier en maakte een aantekening. 'Ik autoriseer er vier, niet een hele sectie. Als we die mensen uit Zaïre moeten evacueren zullen we elke marinier hard nodig hebben.' Hij keek Alan aan en knikte. 'Bedankt voor het feit dat je niet hebt geprobeerd gunsten voor haar los te peuteren. Maak een aantekening voor de CAG AI: ik wil een *korte* samenvatting van de dekking die we de *Philadelphia* gaan geven zodra dat schip in de Golf van Sydra arriveert.' Hij knikte opnieuw, waaruit Alan terecht opmaakte dat hij kon gaan.

Alan merkte dat hij op zoek was naar een onderwerp waarmee hij van Djalik wat meer los kon krijgen dan alleen koffie, maar niets werkte. Hij begon over wapens, bracht zijn H&K ter sprake; Djalik kwam niet verder dan de opmerking dat 'elk wapen een goed wapen is op het moment dat je er eentje nodig hebt', maar liet het daar verder bij. Hij was helemaal geen wapengek, of dol op sport, of verzot op NASCAR-races. Het simpele feit, een feit dat slechts uiterst langzaam tot Alans grijze massa doordrong, was dat Djalik op geen enkel gebied overmatig enthousiast genoemd mocht worden. Hij zat aanzienlijk ingewikkelder in elkaar. Het enige onderwerp waar hij even geïnteresseerd in was als Alan was de Silver Star. De derde of vierde keer dat ze elkaar spraken had Djalik zijn lintjes op. Toen ze elkaar aankeken moest Alan glimlachen. 'Ik had al gehoord dat jij er ook een hebt,' zei hij. Hij zei niet wát. En dat hoefde ook niet, bleek algauw.

'Ik heb gehoord dat de reden waarom ú er eentje hebt gekregen geheim is,' merkte Djalik op.

'Ja. En die van jou?'

Djalik mompelde 'Nee' en dat was het dan, tot een volgende keer, toen hij vroeg hoe lang het geleden was. En toen, weer een andere keer, wat Alan eigenlijk in Afrika had gedaan. Altijd vragen, alsof hij iets probeerde iets uit te puzzelen, maar niet, zoals Alan uiteindelijk begreep, iets dat betrekking had op Alan Craik. Djalik probeerde iets uit te puzzelen over zichzelf.

Een aanzienlijk complexere knaap dan hij voor mogelijk had gehouden.

Toen, drie weken nadat hij aan boord was gekomen, stapte hij het CVIC binnen en stonden Kravitz en Djalik in een hoekje met elkaar te praten met een intensiteit waaruit direct kon worden opgemaakt dat het hier moest gaan om twee mannen die hebben ontdekt dat ze een gemeenschappelijke belangstelling hebben – schuine moppen, zeldzame boeken, honkbalstatistieken, het kan van alles zijn. Alan liep er wat dichter naartoe en hoorde woorden als 'vorken' en 'legeringen', en nu begreep hij er helemaal niets meer van. Maar even later, na een gebaar van Kravitz en nadat Djalik het over 'stammenspringen in British Columbia' had gehad, kreeg hij de indruk dat ze het over bergbeklimmen hadden.

'Wat is dit voor iets, een soort code?' vroeg Alan. 'Waar hébben jullie het eigenlijk over?'

Kravitz keek hem verbijsterd aan. 'Mountain-biking,' antwoordde hij, alsof dat bij iedereen allang bekend was.

Djalik was een mountain-biker. Maar niet zomaar een cross-country-enthousiast met een dure fiets. Hij was een *extreme* biker, iemand die er berghellingen mee afdaalde, over de toppen van omgevallen sequoia's, zich een weg baande door een terrein dat zelfs te voet onbegaanbaar leek.

En plotseling kwam Djalik scherp in beeld. Hij was iemand die het liefst op z'n eentje was, iemand die risico's durfde te nemen en een taaie rivaal. Wat jij deed, zou hij proberen beter te doen, sneller, moeilijker. En zo kwam het dat hij het liefst alleen was. Het verklaarde ook het hele gedoe rond de Silver Star: wij zijn twee knapen, op onszelf aangewezen, onder extreme omstandigheden. En misschien heeft een van ons een betere medaille dan de ander.

'Kan ik luitenant Kravitz lenen om aan het NEO te werken?' vroeg Alan met valse bescheidenheid.

'Natuurlijk, meneer, als u me vertelt waar de letters NEO voor staan.'

'Die staan voor Non-combatant Evacuation Operation, het evacueren van burgers. En het feit dat we zo'n operatie voorbereiden gaat géén onderdeel vormen van het geruchtencircuit aan boord – oké?'

Djalik zei glimlachend: 'Geen probleem.'

Alan zuchtte eens diep. Terwijl hij samen met Kravitz wegliep, zei hij hardop dat hij wilde dat hij net zo weinig problemen zou willen hebben als Djalik, want de man reageerde op alles met de opmerking *geen probleem*. En hij vroeg zich af waarom een voormalige SEAL net deed alsof hij niet wist wat een NEO was. *Uitproberen.*

's Ochtends briefte hij eerst de admiraal en vervolgens de staf. Daarna liep hij langs het CVIC en de ASW, had een gesprek met de CAG AI, ging vervolgens terug naar zijn eigen werkplek en deed het berichtenverkeer, en liep vervolgens door naar de squadronruimtes om daar de hoogtepunten van de dag voor de air wing nader toe te lichten. Bijna vier weken nadat hij aan boord was gekomen, vroeg de admiraal hem een lijst te maken van mogelijke verlofhavens langs de Afrikaanse kust, want de kans bestond dat ze minder snel de Middellandse Zee binnen zouden varen dan aanvankelijk gehoopt werd. Alan was al tot dezelfde conclusie gekomen, en dat gold voor het merendeel van het schip; aan boord van het schip had zich langzaam maar zeker een spanning opgebouwd die voortkwam uit vijfduizend mensen die langer met elkaar opgezadeld zaten dan de bedoeling was geweest.

Rond dat tijdstip hadden ze allang dezelfde havens moeten aandoen als de *Fort Klock* – Nice, Napels, Antibes – en hadden de bemanningen even opgewekt moeten zijn als de opvarenden van de *Klock*. In plaats daarvan bevonden ze zich nog ruim buiten de Zuilen van Hercules, op en neer stomend, onafgebroken luchtoperaties uitvoerend die de inzetbaarheid van de squadrons weliswaar aanzienlijk verhoogde, maar tegelijkertijd een heel stel jonge zeelieden met een krachtige hormoonwerking langzaam maar zeker gek makend.

Alleen al voor Rafe was Alan blij dat er helemaal geen verlofhavens waren. Hij was er heilig van overtuigd dat Rafe en Christy Nixon zodra ze aan de wal zouden arriveren zich onmiddellijk naar het dichtstbijzijnde hotel zouden laten brengen. Zo ver hadden ze het al laten komen. Hij had ze samen in de squadronruimte gezien; er was duidelijk sprake van seksuele spanning, ze wachtten ergens op. Ze gedroegen zich beiden uiterst onverschillig, maar het was toch duidelijk te merken. En hij was bang dat iedereen het zou merken. In tegenstelling met Alans advies had Rafe haar aan boord van zijn eigen toestel ingedeeld; als ze vloog, dan deed ze dat met hém. Alan vond dat een grote vergissing, maar Rafe had het wat dat betreft helemaal voor het zeggen. En misschien dat de atmosfeer aan boord van de S-3 nog eens als een soort antiafrodisiacum zou kunnen gaan werken: verveling, lichaamsgeuren, moeten plassen in een zak, werkend alsof je onderdeel van een machine bent. Misschien dat het vliegen haar van de glamour zou ontdoen. Misschien gaven koeien in plaats van melk ooit nog wel eens rechtstreeks Ben & Jerry-ijsjes. Via het geruchtencircuit hoorde hij hoe ze aan boord excelleerde. Alan besefte dat haar buitengewone aandacht voor details haar daar zeer ten goede kwam.

Wat hemzelf betrof wenste hij dat ze morgen al in Napels zouden arriveren. Hij en Rose hadden afgesproken dat ze elkaar daar zouden ontmoeten. Hij had verscheidene brieven van haar ontvangen en hij zag dat de zaken alweer een stuk beter gingen. Napels zou grandioos worden.

22

November

De Straat van Gibraltar, aan boord van de Haai.
Suvarov glimlachte naar Lebedev, de zoon van zijn admiraal en zijn eerste sonarman, iemand die buitengewoon bedreven was in dit werk. Momenteel was het zijn taak om tussen al die honderden koopvaardijschepen in het oostelijk deel van de Atlantische Oceaan het USNS *Philadelphia* eruit te pikken. Zoals gewoonlijk kweet hij zich uitstekend van zijn taak.
'Recht vooruit, 010 relatief, vierduizend meter,' zei Lebedev kalm. 'Twee escortevaartuigen, een van de Ticonderoga-klasse en een van de Burke-klasse.'
'Hoe ver van de Rots verwijderd?'
'Vijftienduizend meter.'
'Maak omwentelingen voor drie knopen. Ik wil recht voor de *Philadelphia* komen te zitten. Ik wil dat ze pal over ons heen vaart. Roerganger, positioneer ons zó dat onze voorsteven iets omhoog wijst terwijl we in de laag zitten. Bewapening, bereid een aanval met een passieve torpedo voor, recht vooruit.' De officier-bewapening keek hem verbijsterd aan.
De spanning op de brug was als een dikke laag sigarenrook. Hij was bijna tastbaar; en in elk geval was hij te ruiken. Suvarov nam Lebedev aandachtig op. Hij was niet bepaald een rots in de branding, maar ook weer niet iemand die zich gemakkelijk uit zijn evenwicht liet brengen. Hij liet het schip zorgvuldig haar weg zoeken. Suvarov keek naar de schermen terwijl hij in zijn hoofd de seconden aftelde. Hij had geen sonar nodig om te weten waar de schepen zich ergens bevonden. Hij nam een ongelooflijk risico: hij ging ervan uit dat de Amerikanen niet van een sleepantenne gebruik zouden maken. Ze stonden op het punt de Straat van Gibraltar te passeren en hij hoopte van ganser harte dat ze geen flauw idee zouden hebben dat hij hier was. Als ook maar één enkele Amerikaanse torpedobootjager een akoestische sleepkabel achter zich aan sleepte, zou hij wel eens gesnapt kunnen worden, en dat zou een ongelooflijke vernedering betekenen, en wellicht ook het einde van de missie. *Protest* betekende dat hij de Amerikanen kon laten zien dat hij tot actie had kunnen overgaan, als hij dat gewild had. Dat was de taal van de Koude Oorlog, en marinemensen spraken die taal beter dan wie ook. En dan vooral de mensen van de diverse onderzeebootdiensten.
Hij voelde hoe het schip vaart minderde, voelde hoe het schip anders kwam te

liggen terwijl Lebedev de interne ballast veranderde en de boeg een paar graden omhoog liet wijzen. De bemanning zweeg. Die had absoluut geen sonar nodig om de grote Amerikaanse schepen over zich heen te horen varen. Terwijl elke man op de brug strak naar zijn scherm keek – en de meesten witte knokkels hadden – keek Suvarov hen aan, liet hij langzaam zijn blik over elke man glijden. Het was geen slecht stelletje, en op dat moment hield hij van hen, zelfs van de kleine Rubinov, die zijn uiterste best deed zijn hyperventilatie te camoufleren.

'Bereid je voor op omwentelingen voor zesentwintig knopen,' zei hij uiterst kalm. Het laatste Amerikaanse schip bevond zich nu bijna pal boven hen. Over veertig minuten zouden de getijdenstromen beginnen, een periode van akoestische chaos.

Lebedev bracht zijn hoofd met een ruk omhoog. Hij lachte, twee korte kefjes, als van een schoothondje. 'Het is een spelletje!'

Uiteraard was hij nooit van plan geweest om een torpedo te lanceren. Hij had simpelweg 'hallo' gezegd. *Protesteer, laat het niet tot een gevecht komen.* Dat stond in zijn bevelen. De commandanten van de oppervlakteschepen wisten dat, maar hij wilde zijn bemanning een idee geven hoe het vroeger in z'n werk was gegaan, ze heel even zichzelf laten ontdekken.

Suvarov glimlachte. Hij wendde zich tot het hoofd-machinekamer. 'D'r tegenaan,' zei hij, en maakte nauwelijks zichtbaar een gebaar. Het motorgeluid zwol iets aan en de *Haai* leek naar voren te springen. Suvarov besefte dat alle sonarlieden aan boord van deze Amerikaanse schepen nu precies wisten waar hij zich bevond. Hun officieren zouden het binnen de kortste keren te horen krijgen.

Ik zat pal onder jullie. Ik had jullie in mijn macht. Welkom in de Middellandse Zee.

Het protest was begonnen. Evenals zijn wraak.

Voor de kust van Afrika, aan boord van de Jackson.

'Dus,' zei Alan tegen Kravitz, 'dit past precies in jouw straatje. Maak een lijst van alle grote havens van hier tot aan Kaapstad. We moeten er water, verse goederen en naar alle waarschijnlijkheid ook brandstof aan boord kunnen nemen – vraag aan de Texaco (de bijnaam van de tanker die constant achter het vliegdekschip aan voer) wat ze nog hebben en wat ze straks nog nodig zullen hebben – en als de bemanning aan wal wil zal die haven eerst goed gecontroleerd moeten worden. Neem contact op met het NCIS-kantoor hier aan boord. En denk aan aids, en vergeet het terrorisme niet. Oké? Zie je hoe veelomvattend zoiets is? En ik wil morgen graag een eerste opzetje.'

Alles bij elkaar genomen ging het best redelijk goed.

Toen kregen ze van de *Fort Klock* de melding binnen dat ze naar alle waarschijnlijkheid een kostbare, uiterst geavanceerde Russische onderzeeboot had gelokaliseerd, en kon het grote graaien beginnen.

Ze voeren net de Aftrikaanse kustwateren binnen toen de *Fort Klock* hun een serie sonogrammen deed toekomen die wezen op een mogelijk contact met een Russische onderzeeboot in de buurt van Gibraltar.

Alan kreeg de banden niet te zien, maar hij kreeg de samenvatting, en hij en de andere hogere inlichtingenofficieren bespraken de mogelijkheid dat er weer eens een Russische onderzeeboot naar de Middellandse Zee was gekomen. Rusland was een afgetakelde oude krijger geworden, een land dat financieel en sociaal gezien op zijn laatste benen liep, hoewel zijn marine nog steeds voldoende slagkracht kon leveren, met name onder water. De allereerste derdegeneratie Victor III's waren kernboten van hoge kwaliteit, terwijl de Akula-klasse tot de beste ter wereld gerekend mocht worden. Aan het begin van een vaartocht, als de mensen nog niet al te snel reageerden, wilde je zo'n ding absoluut niet in de buurt hebben, ondanks het feit dat de Koude Oorlog al een hele tijd achter hen lag.

Het was al een hele tijd geleden dat de Russen voor het laatst een onderzeeboot naar de Middellandse Zee hadden gestuurd, en deze had onmiskenbaar geprobeerd hen uit hun tent te lokken, om vervolgens te verdwijnen, maar het schip moest de *Fort Klock* op uiterst korte afstand zijn gepasseerd.

Nu, terwijl hij een maand op zee was, had Alan geleerd regelmatig bij het avondeten in de flag-longroom aan te schuiven, waar veel zaken die betrekking op de staf hadden werden besproken en waar door admiraal Pilchard bij een kopje koffie vaak knopen werden doorgehakt. Nog steeds etend liep Pilchard die avond het berichtenverkeer door, en vroeg vervolgens aan Alan en de vlaggenkapitein om commentaar. De admiraal aarzelde niet zijn staf deelachtig te maken van zijn problemen, en hij maakte zich over talloze dingen zorgen, waarvan het mogelijke contact van de *Klock* een uiterst onwelkome toevoeging was. Nadat hij de hele stapel berichten had doorgenomen werkte hij het laatste voedsel naar binnen, gebaarde naar de messbediende voor het dessert en de koffie, en zweeg vervolgens totdat die op tafel waren neergezet. Toen schraapte hij zijn keel ten teken dat hij graag even aandacht wilde.

'Heren, ik wil uw aandacht vragen voor onze situatie, en daarna wil ik het hebben over de mogelijkheden waaruit we kunnen kiezen. We zitten enigszins in de problemen: de *Philadelphia* is gisteren de Straat van Gibraltar gepasseerd en is op weg naar Napels, precies zoals gepland. We zitten momenteel op Lanceerdatum minus dertig dagen – een van de twee belangrijkste verantwoordelijkheden tijdens deze tocht.

De situatie in Afrika verslechtert in een hoog tempo. Zo kernachtig mogelijk gezegd: LANTFLEET wil dat onze battle group op twee plaatsen tegelijk is – in het westelijk deel van de Middellandse Zee om voor dekking te zorgen tijdens de lancering van Peacemaker, en in de Baai van Benin om Zaïre in de gaten te houden.' Hij keek om zich heen de tafel langs. De vlaggenkapitein en de logistiek officier waren een en al aandacht; sommige andere stafleden probeerden er gefascineerd uit te zien; enkele anderen luisterden uit beleefdheid. Strategie was hún probleem niet en ze hadden het hier al eerder over gehad, toch? Alan luisterde maar liet een deel van zijn hersenen toch een heel andere kant uit dwalen; hij had het een uurtje voor het eten gehoord, en hij maakte zich zorgen over de NEO, over Rafe, over O'Neill –

'Craik doet zijn uiterste best om ons zo goed mogelijk op de hoogte te houden van de situatie in Afrika, maar, Alan, ik heb méér informatie nodig. Over een dag bereiken we ons Afrikaanse station, wat verder richting Ivoorkust, waar we zonodig weer haastig kunnen vertrekken. Als me dat lukt wil ik op tijd de Middellandse Zee binnenstomen om Palma nog aan te kunnen doen, twaalf dagen vóór Peacemaker. Als dat goed uitpakt wil ik de *Rangoon* en haar escortevaartuigen hier achterlaten, maar alleen als de toestand dat wettigt – als de situatie in Zaïre tegen die tijd weer een beetje genormaliseerd is, komt de hele BG in de Middellandse Zee weer bij elkaar, en kunnen we probleemloos naar de thuisplaats sukkelen. Maar tot dat tijdstip lijkt LANTFLEET niet in staat te beslissen wat belangrijker is, Peacemaker of Afrika, en áls het Afrika wordt, wat dan weer belangrijker is: een NEO of een interventie? En ze vragen ons om een nadere toelichting.' Hij keek Parsills aan. 'Wat gebeurt er als we straks moeten gaan interveniëren?'

Parsills liet een broodkruimeltje tussen zijn vingers rollen. 'Het meest voor de hand liggende is dat we in dat geval de *Rangoon* haar mariniers op het strand laten afzetten, terwijl we de *Fort Klock* hierheen halen om ondersteunend vuur te geven. Misschien dat we Peacemaker dan moeten schrappen.'

'Je bedoelt dat we dan moeten vragen of Peacemaker geschrapt kan worden. Die beslissing kunnen wij niet nemen. Er wordt erg veel druk uitgeoefend dat ding te lanceren; ik weet niet zeker waar die druk vandaan komt. Misschien wel vanuit het Congres.' De admiraal wierp een snelle blik op Alan, zich ongetwijfeld herinnerend dat Craiks vrouw bij die lancering een sleutelrol speelde, maar hij bleef het woord tot Parsills richten. 'Vraag aan LANTFLEET of ze een inschatting willen maken in welke mate zo'n uitstel invloed heeft op Battle Groups Acht en Negen. Als een van die jongens kans ziet om het onderdeel van het scenario te maken, zal er dat ongetwijfeld voor zorgen dat iets anders in het honderd loopt.' Hij keek opnieuw in de richting van Alan. 'Van welke verlofhavens kunnen we gebruikmaken als we Palma niet op tijd halen?'

'Kravitz heeft uitstekend werk verricht door alles op een rijtje te zetten. Maar feit is dat er tussen hier en Kaapstad eigenlijk geen geschikte haven ligt met voldoende faciliteiten.'

'Jack, zouden wij de *Rangoon* en haar bemanning naar Kaapstad kunnen sturen, terwijl wij hier blijven patrouilleren, om vervolgens met ze te ruilen?'

'En de BG in drieën op te splitsen? Kom nou. Dat zijn tweeduizend mijl.'

'Vierentwintighonderd,' reageerde Alan. 'Kravitz heeft naar de brandstof gekeken en dat met de Texaco doorgesproken. We hebben een tweede tanker nodig en zullen in Walvisbaai opnieuw brandstof moeten innemen.'

'Shit.' Pilchard legde zijn lepeltje met een klap naast zijn bord neer. 'We kunnen geen kant uit, heren. We zitten straks met een stelletje hoogst ongelukkige schepelingen opgezadeld; je kunt dan wel zeggen dat ze soft zijn, maar we verkeren niet in oorlogstijd. Zeelieden moeten af en toe met verlof aan de wal. En ze verdienen het; ik heb het ze de afgelopen maand niet bepaald gemakkelijk gemaakt. Nou – ' Hij keek Parsills aan. 'Walverlof is iets waar je zonder risico afstand van kunt doen.'

'Nou en of.'

'Er zijn nog nooit schepen gezonken omdat de bemanning geen walverlof had gehad.'

Een stem aan het andere uiteinde van de tafel zei: 'Ik stel voor dat we de *Rangoon* voor de kust van Zaïre stationeren en daar in gereedheid houden, terwijl wíj blijven waar we zijn. Dan moeten we die verlofhaven maar vergeten. Dan kunnen we als het per se moet vanaf hier met behulp van de kettingzaag nog voor luchtdekking in het Middellandse-Zeegebied zorgen.'

Alan hield zijn hoofd enigszins gebogen. Hij trok voorzichtig aan een losse draad van het linnen tafelkleed. 'Twee toestellen,' zei hij.

'Twee! Eerder tien! Heb jij je rekenwerk wel gedaan?'

'Jawel, meneer. Twee F-14's en de S-3 om ze van brandstof te voorzien, en als het zich in het oostelijk deel van de Middellandse Zee afspeelt hebben we ook nog eens een KC-10 nodig, anders gaat alles de plomp in.'

Veel gemompel en gekreun. Sommigen van hen zouden opnieuw moeten gaan rekenen, hem naar alle waarschijnlijkheid niet gelovend omdat hij niet tot hun factie behoorde, en ook nog eens geen vlieger was. Het was een politieke tafel, met pro- en anti-Pilchard-facties, en pro- en anti-Parsills-facties, plus een stelletje idioten die nog onder Newman hadden gediend en hem op de een of andere manier terug leken te willen. Alan was niet gewend aan het op deze manier manipuleren met ideeën; het overgrote deel van zijn ervaring had hij opgedaan op plaatsen waar die ideeën werden vertaald naar tactiek. Desalniettemin kende hij zijn rol: het aanleveren van feiten en met redelijke ideeën op de proppen komen. Hij nam opnieuw het woord en zei: 'We zouden een deel van onze vliegtuigen naar het Middellandse-Zeegebied kunnen overbrengen om daar aan onze verplichtingen te kunnen voldoen. We kunnen ze in Sigonella aan de wal stationeren.'

'Negatief! Daar ga ik niet mee akkoord!' bulderde een lage stem vanuit de achterhoede. Het was de plannings-ktz van de staf, een onverzettelijke marinevlieger die het vreselijk had gevonden niet meer op squadronniveau te kunnen opereren. De admiraal merkte mild op: 'Voorlopig gaan we nog helemaal níets negatiefs doen, Tommy.' Hij gebaarde naar Alan. 'Craik bedoelt alleen maar te zeggen dat we geacht worden een bijdrage te leveren aan de luchtdekking boven Bosnië, dat komt er allemaal nog eens bij – daar zal op een gepast tijdstip ongetwijfeld nog wel eens over gesproken worden, of we krijgen het te horen als blijkt dat we die bijdrage níet hebben geleverd. Tommy, kijk eens wat je met dat voorstel kunt – misschien een squadron F-18's en een stuk of wat Prowlers?'

'Ik vind het maar niks,' zei de lage stem.

'Ik ook niet. Maar er zijn heel wat dingen die ik maar niks vind.'

De admiraal pakte zijn lepeltje weer, proefde een kubieke centimeter roomijs op het puntje van zijn tong, en wees vervolgens met het lepeltje in de richting van Alan. 'Welke rol speelt die Russische onderzeeboot bij dit alles?'

'Als het een boot van de laatste generatie is, zou hij de *Klock* op korte termijn wel eens heel wat trainingsmogelijkheden kunnen bieden. Het zou toeval kunnen zijn, maar er bevindt zich momenteel ook een Russische oppervlaktegroep in de Middellandse Zee, die de laatste keer dat Kravitz het heeft nagekeken met verlof in Algiers lag. Een moderne, kostbare onderzeeboot als onderdeel van een oppervlaktegroep is voor de Russen in de Middellandse Zee vrij ongewoon, maar – ' Alan krabde aan zijn hoofd. 'Ik zou graag willen horen wat de anderen denken van het idee dat dit wel eens iets met Peacemaker te maken zou kunnen hebben.'

Verscheidene stafleden keken elkaar aan. Eentje gaf een knipoog, waarmee hij blijkbaar bedoelde te zeggen dat de staf-inlichtingenofficier zijn fantasie weer eens de vrije loop liet. Maar voor de admiraal was het geen nieuw idee; hij en Alan hadden het erover gehad direct nadat ze de melding van de *Klock* binnen hadden gekregen. 'Vertel ze jouw idee maar,' zei Pilchard terwijl hij een wat grotere hap van zijn ijs nam.

Dus legde Alan het hun uit: de Russische marine wilde de Amerikaanse marine duidelijk maken dat ze niet blij was met de lancering van Peacemaker. En ze zouden aan hun misnoegen uiting geven door een ultramoderne onderzeeër in de buurt te houden, waardoor de battle group voortdurend gedwongen zou zijn al haar aandacht aan ASW – onderzeebootbestrijding – te schenken. De oppervlaktegroep, áls die er al iets mee te maken had, zou nog eens een extra complicerende factor betekenen.

'Er bestaat geen enkele aanwijzing voor zo'n zienswijze,' zei een kltz van Operations. Al dat gespeculeer kwam hem zijn strot uit.

'Dat klopt,' reageerde Alan, zich enigszins omdraaiend omdat de man zich achter hem bevond.

'Waarom schenken we er dan aandacht aan?'

'Omdat,' zei de admiraal, 'ik denk dat het belangrijk is.' Even was het stil: iemand had duidelijk iets verkeerds gezegd. Een tweede kltz schraapte zijn keel en zei dat hij niet inzag waarom de Russen zich zoveel van een simpele proef met een raket zouden aantrekken om woedend met hun wapens te gaan zwaaien.

'Ze zwaaien helemaal niet woedend met hun wapens,' zei Alan. 'Als dit als gebaar is bedoeld, kunnen we alleen maar vaststellen dat ze erg veel zelfbeheersing weten op te brengen. Tot nu toe. Luister, heren, de meesten van ons hebben in het verleden wel spelletjes gespeeld met Victors; het is een uitstekende training en bovendien is het ook nog eens erg leuk. Misschien is ook dit niet veel meer dan zo'n spelletje. Maar vergeet niet dat Peacemaker geen raket is. Het is een satelliet die omhoog wordt gebracht door een raket. Die satelliet komt laag in een baan rond de aarde te zitten, en als je voldoende paranoïde bent, zou je best wel eens tot de conclusie kunnen komen dat de Amerikanen weer druk bezig zijn de boel te vernachelen, ABM-overeenkomsten aan hun laars lappen en het Star Wars-programma van Reagan nieuw leven proberen in te blazen. En neem dit maar van me aan: de Russen zíjn paranoïde.'

Een van de luitenants achteraan merkte op: 'Wat is het idee achter de bombardementsplannen voor Libië?'

'Dat is enkel en alleen bedoeld om de mensen daar bezig te houden terwijl wíj gaten in het water boren,' gromde Parsills.

'Peacemaker is geen apparaat waarmee we Libië kunnen bombarderen?'

Parsills wilde een scherpe opmerking maken, maar de admiraal keek hem aan en fronste zijn wenkbrauwen. Alan nam onmiddellijk het woord en zei: 'Ik wou dat ík daar aan had gedacht, Fred. Nee, Peacemaker wordt vanuit de Golf van Sydra gelanceerd om de Libiërs te laten zien dat de Middellandse Zee niet van hén is. Ik denk dat we er verder niets achter moeten zoeken – behalve dan dat de omloopbaan van dat ding zodanig is dat hij nog een stuk of wat keren over dat land heen komt, misschien om ze er nog eens fijntjes aan te herinneren.'

'Ik zie die Russische connectie niet,' zei iemand aan de andere kant van de tafel. 'Dat wil er niet bij me in.'

Alan wierp een snelle blik in de richting van de admiraal, wachtte op goedkeuring, die kwam in de vorm van een kort knikje, en zei: 'Er bevindt zich ter hoogte van de Canarische Eilanden momenteel een Russisch spionageschip van de Balzam-klasse. En dat is nou net iets dat je niet bepaald kunt gebruiken als je het daar tegen onderzeeboten moet opnemen.'

'Maar je had het over de Middellandse Zee!'

'De Russen beschikken over meer dan één ultramoderne onderzeeboot. Als die boot in de Middellandse Zee een Akula is, kan uit haar aanwezigheid worden afgeleid dat er iets aan de hand moet zijn. Het heeft samen met de oppervlaktegroep de thuishaven verlaten. Als er sprake is van een tweede boot, kan van een brede inzet worden gesproken.'

Enkele mensen bogen zich naar voren. Plotseling veranderde de sfeer: kwamen er nu écht serieuze zaken ter tafel?

De admiraal genoot nu zichtbaar van de knoeiboel van gesmolten ijs en geprakte aardbeien. Nu bleek dat hij zijn ijs eigenlijk alleen maar op deze manier wilde. 'Alan, je kunt maar beter voorbereidingen treffen voor ASW-operaties op twee zeeën tegelijk. Heren, ik krijg de indruk dat hier al duidelijk van een brede inzet sprake ís. We zullen de Russen serieus moeten nemen.' De restanten van de Newman-factie wisselden snelle blikken met elkaar.

'Ik ben ermee bezig, meneer. Ik zou er vrijdagochtend een briefing over kunnen geven.'

De admiraal legde zijn lepel neer. 'Jij bent hier vrijdag niet. We hebben het er nog over.'

Volkomen verbijsterd keek Alan Parsills aan, die alleen maar knipoogde.

'Stafvergadering, 08.00 uur morgenochtend,' zei Pilchard. 'Ik wil aanbevelingen betreffende het gesplitst houden van de BG, het weer bij elkaar brengen vóór Peacemaker, en de mogelijkheid om in twee zeeën tegelijk te opereren. Tommy, hou er rekening mee dat je wel eens toestellen naar Sigonella zou moeten sturen. Voor die vergadering is afgelopen moeten we daarover een besluit genomen hebben.' Hij stond op. 'Heren, geniet van uw koffie zonder onze aanwezigheid, alstublieft. Alan, we moeten praten. Jack, kom jij ook mee?'

De suite van de admiraal had de vorm van een woonkamer die ook als studeerkamer en kantoor kon worden gebruikt, met stoelen die slechts een klein beetje minder comfortabel waren dan die in de squadronruimtes. Een jonge blanke messbediende (hier was duidelijk sprake van de *nieuwe* marine, waarin geen plaats meer was voor al die ouderwetse raciale vooroordelen) zette net een dienblad met koffie neer toen ze het verblijf betraden; een kort knikje van de admiraal was voldoende om hem te laten verdwijnen. Zonder verdere plichtplegingen ging de admiraal zitten, en nadat hij Parsills een doos uitstekende si-garen had voorgehouden zei hij: 'Zeg het hem maar, Jack.'

'Er is nieuws over jouw vriend O'Neill.'

Alan, die nog steeds aan het bijkomen was na het *jij bent hier vrijdag niet* van de admiraal, dat hem in de oren had geklonken als een aankondiging dat zijn carrière afgelopen was, of dat hij iets vreselijk stoms had gedaan, voelde een golf van hoop door hem heen schieten. 'Grandioos!'

'Afkomstig van de Fransen.'

De admiraal was druk bezig met de sigaar die hij straks zou opsteken. Op dit moment snuffelde hij eraan. 'Eindelijk werkte het eens in óns voordeel. De am-bassadeur daar is vertrokken – "teruggehaald voor overleg" zoals dat heet, wat in diplomatieke taal betekent dat Washington Mobutu eindelijk zat is. Het nieuws kwam binnen via de Franse militaire inlichtingendienst – de *militaire* inlichtingendienst, en daarom is het niet eerst naar de CIA gegaan. Een of an-dere Fransman, een militair, in Kinshasa heeft contact opgenomen met de ma-rineattaché – en dat was geen toeval, want die knapen kennen elkaar blijkbaar. Hoe dan ook, voor hij zijn melding via de geëigende kanalen doorgaf, vertelde hij het eerst aan mij, als Amerikaanse commandant ter plaatse.'

'Waar is O'Neill?'

Parsills nam het verhaal over. 'Dat weet hij niet. Wat er gebeurt, is dit, en de si-tuatie kan razendsnel veranderen: de Franse inlichtingendienst oefent druk uit op de mensen die O'Neill in handen hebben om de man zo snel mogelijk op te hoesten.' Hij trok een wenkbrauw op toen Alan een sigaar van de admiraal accepteerde. 'Tussen haakjes, enig idee waarom dit een militaire aangelegenheid is, en niet eentje van de civiele inlichtingendienst?'

'Misschien – bestaat er een soort rivaliteit. Of erger nog. Toen ik in Bosnië zat werd er gezegd dat je de Fransen bepaalde zaken niet kon vertellen, dat er ge-lekt werd. Of misschien komt het alleen maar omdat de militairen weigeren af-stand van Afrika te doen. Alleen zijn zíj nu degenen die naar ons toe zijn ge-komen, lijkt het wel, terwijl wíj – vanuit het Franse perspectief gezien – de slechteriken zijn.'

'Deze Franse militair – wie het ook mag zijn – vertelde de attaché dat ze willen dat O'Neill wordt overgedragen. Híj heeft O'Neill niet, dat mag duidelijk zijn, en hij kríjgt hem ook niet. Wij hebben te horen gekregen dat de Franse mili-taire inlichtingendienst zal proberen de kidnappers onder een dusdanige druk te zetten dat ze hem aan de ambassade in Kinshasa zullen overdragen.'

'God, dat zou grandioos zijn.'

'Stel je er nou niet te veel van voor, want al dit nieuws komt uit de tweede hand.'

De admiraal verschoof even in zijn diepe stoel. Hij blies een dikke straal sigarenrook uit. 'Ik wilde je op reis sturen, een kort uitstapje – naar Kinshasa. De zogenaamde reden daartoe is dat je geacht wordt een beleefdheidsbezoekje bij de ambassade af te leggen om van de mensen daar te horen te krijgen hoe de situatie is. Ik wil ook dat je dat daadwerkelijk doet. Het is verdomde belangrijk. Maar ik wil ook – ' Via een mondhoek blies hij opnieuw een sliert rook naar buiten en klopte boven een grote asbak de askegel van zijn sigaar. In het laag door het raam naar binnen vallende licht zag hij er vermoeid uit. Hij was twintig jaar ouder dan Alan en had minstens net zo'n druk bestaan. 'Je hebt het uitstekend gedaan sinds je hier aan boord bent gekomen. Beter dan ik ooit had durven hopen. Je bent een verdomd goede officier. Beschouw dit als mijn manier om jou te bedanken: ik dacht dat je het misschien prettig zou vinden om aanwezig te zijn als je vriend wordt vrijgelaten.'

Alan zag nauwelijks kans iets weg te slikken. 'Dank u, meneer.'

'Neem een goed uniform mee. Praat daar zo mogelijk met het bureau – met de CIA-mensen. Ik ben bang dat zij de onderhandelingen zullen doen; uiteraard gaat het om een van hun eigen mensen. Als je jezelf nuttig kunt maken, doe dat dan – per slot van rekening ben jij daar de enige die hij kent. Of die hém kent.'

De flag-captain rolde de sigaar tussen zijn vingers. 'In Kinshasa is het nogal chaotisch, meneer. Ik zou graag zien dat Craik iemand met zich meenam.'

De admiraal keek Alan aan, en vervolgens naar Parsills. 'Waar denk je aan – mariniers?'

Maar Alan wist al wie hij mee wilde, en voor Parsills iets kon zeggen zei hij: 'Als u me toestaat, meneer – er werkt in het CVIC een knaap, een voormalige SEAL. Hij zit bij de inlichtingendienst, hij is intelligent en hij weet erg veel. Een prima iemand om in een chaotische stad bij je te hebben.'

'Is het een officier of een onderofficier?'

'Een sergeant der eerste klasse, meneer. Met een Silver Star.'

De twee oudere mannen keken elkaar aan. Pilchard haalde zijn schouders op, knikte; Parsills boog zich voorover om bij de asbak te komen en zei: 'Wat mij betreft geen probleem,' en dat was het dan.

'Wanneer ga ik?'

Pilchard glimlachte. 'Als ik nu een toestel op het vliegdek klaar had staan, zou je het allerliefst nú vertrekken, hè? Morgen laat in de middag, als er verder niets verandert. Sneller lukt het niet, maar als er nieuwe ontwikkelingen zijn bestaat de kans dat we het uitstellen. Hou je gereed en wees voorbereid op plotselinge veranderingen.' Hij priemde met zijn sigaar in de lucht. 'Wees voorzichtig, maar kom wél met nuttige informatie terug. Ik weet dat O'Neill de belangrijkste reden is dat je gaat; oké. Maar gebruik die trip ook om fatsoenlijke informatie boven water te krijgen. Alles wat ook maar énig licht kan doen schijnen op de redenen waarom we hier zijn. Laat me weten wat de ambassade denkt van een eventuele NEO of een interventie en de timing ervan – dat is míjn prioriteit.' Hij keek Alan strak aan. 'Moet ik ook nog zeggen: "Haal geen domme dingen uit"?' Hij gaf zelf antwoord op zijn vraag. 'Je kent Afrika; je hebt er al eerder in benarde situaties gezeten en je bent er intact vandaan gekomen. Daarbij moet dit een routineklusje zijn. Maar – ' Hij zakte iets verder onderuit in zijn stoel en werd wat minder formeel. 'Weet je, een hele tijd geleden ben ik ook attaché geweest. Tenzij er veel veranderd is, zijn ambassades afgrijselijke oorden. Ze denken daar heel anders dan wij. Dus geef ik je een bevel mee: je laat je niet door die lieden onderschoffelen. Ik zal een dusdanig brede opdracht voor je uitschrijven dat je wat O'Neill betreft de grootst mogelijke discretie in acht kunt nemen, en ik zal ze verdomd duidelijk maken dat je daar bent om door hen op de hoogte gebracht te worden, zodat ze niet aankomen met kreten als "dat-hoef-je-niet-te-weten" of andere flauwekul. Denk je dat Kravitz voor je kan waarnemen voor, eh, een dag of vijf?'

'Als de CAG AI hem een handje helpt, jazeker, meneer. Is het oké als Kravitz een paar keer een briefing voor u verzorgt?'

'Tja, hij heeft een nogal saaie aanpak, maar het spul waarmee hij komt is goed. Ik denk dat we dat wel zullen overleven.' Hij rechtte zijn rug en maakte aanstalten te gaan staan, het signaal dat Alan kon gaan. 'Praat met die mensen. Haal de waarheid boven tafel. Spoor die vriend van je op. Kom dan hier terug en stel een operationeel plan op, zodat we door kunnen gaan met deze verdomde cruise.'

Alan keek de twee al wat oudere mannen aan, die nu beiden stonden. Het vertrek was blauw van de sigarenrook. Hij probeerde iets te bedenken wat hij kon zeggen, en zei uiteindelijk alleen maar simpelweg en eerlijk: 'Dank u, meneer.' Toen hij verdwenen was, keken de twee oudere mannen naar de deur waar Alan zojuist door verdwenen was, waarna de admiraal ging zitten, om na enkele ogenblikken stilte op te merken: 'Hoe ver zal hij gaan om zijn maatje te redden, als dat noodzakelijk mocht zijn?'

Parsills, die in de Golf zowel O'Neill als Craik had meegemaakt, dacht daar even over na. 'Behoorlijk ver. Heel erg ver.'

De admiraal knikte. 'Dat is goed voor hem.' Hij leek bijna in zichzelf te praten, naar binnen te kijken – naar het verleden wellicht? 'Dat is goed voor hem...'

23

November

Sarajevo.

De kou in Sarajevo mocht bijna boosaardig worden genoemd. Er was geen ver-
warming in het appartement van Dukas, althans, die indruk kreeg je; hij sliep
in speciaal thermisch ondergoed en een winterslaapzak van het Korps Mariniers, en nóg had hij het altijd koud. Leidingen bevroren; burgers stierven door
kolendampvergiftiging bij hun pogingen om warm te blijven door middel van
houtskoolkacheltjes; de officiersclub van de VN was de enige plaats waar het altijd behaaglijk was. Dukas droomde van Florida, Hawaii, Californië. Hij
schreef voor zichzelf een reisopdracht uit naar Napels, om te overleggen met de
NIS-man aldaar, maar in Napels was het bijna even koud als in Sarajevo.

'Spanje misschien?' zei hij toen hij was teruggekeerd. Hij zat achter zijn bureau
met een met dons gevoerde jas aan terwijl zijn adem tussen zijn ijskoude handen door condenswolkjes vormde.

'De Seychellen,' zei Pigoreau, die zijn handen diep in zijn broekzakken had gestoken. Hij droeg een rafelige sweater over een stuk of wat coltruien heen, maar
maakte op de een of andere manier toch een verzorgde indruk, terwijl Dukas
maar al te goed besefte dat hij er regelrecht smerig uitzag. Pigoreau had een sigaret aan zijn onderlip hangen, alsof hij had leren roken door naar Franse films
te kijken. De sigaret ging even op en neer en Pigoreau bracht een wenkbrauw
omhoog, terwijl hij tegelijkertijd snel zijn hoofd bewoog om óm zijn eigen
rookwolk heen te kunnen kijken. 'Michael, ik moet je iets vertellen.'

'Goed nieuws, mag ik hopen.' Een tip die ze van mevrouw Obren hadden gekregen had uiteindelijk tot twee arrestaties geleid. Twee agenten van Dukas waren momenteel in Den Haag om daar een verdachte af te leveren – was daarbij
soms iets misgegaan?

'Jij hebt tegen me gezegd dat ik eens wat geld aan informanten moest besteden,
Michael.'

'Verklikkers, ja. En dat heeft zijn geld opgebracht.' Eindelijk waren ze bezig een
netwerk op te bouwen; nog twee jaar, dan zouden ze de zaak in de klauw hebben. Maar Dukas wilde nú iets, op korte termijn.

'Ik heb een rapport, Michael. Je zult dat niet leuk vinden.' Pigoreau haalde zijn
schouders op.

Mevrouw Obren. Hij wist het onmiddellijk. Pigoreau had altijd een bepaalde gelaatsuitdrukking als hij het over haar had – een cynisch gegrom gecombineerd met een flauwe, verontschuldigende glimlach omdat zijn vriend een relatie met haar had. Mét die gelaatsuitdrukking legde hij een gesloten map op zijn bureau.

'Vertel het me nou maar gewoon, Pig.'

'Michael, ik zou liever – '

'Vertel het nou maar! Of vat het voor me samen, verdorie! Ik ben geen kind meer, Pig.'

Pigoreau haalde zijn schouders op. Hij haalde de sigaret uit zijn mond en krabde aan zijn neus. Hij keek door de kleine, amoebeachtige vorm van helder vensterglas, waarvan de rest van de binnenkant met een dikke ijslaag was bedekt, naar buiten. Hij schudde wat as van zijn sigaret en hield die naast zich. 'Ik heb een knaap in RS ingehuurd. Ik zweer je dat ik haar niet als doelwit heb genoemd, Michael. Het is een of andere kennis van Dubricovic de boer, die knaap met de trekker. Vorige week heeft die knakker ons een rapport doen toekomen dat daar een Serviër druk bezig was met het rekruteren voor een militie, rond de tijd dat de scheidslijn werd getrokken, en dat hij iemand had gedood, of hij had opdracht gegeven iemand te doden. Toen kwam hij terug en werd er een of ander feestje georganiseerd, met een hoop "Groot-Servië"-gedoe eromheen, waarna die gast met een lokale dame mee naar huis ging. Mijn verklikker denkt dat we hier met een oorlogsmisdadiger te maken hebben omdat hij iemand heeft vermoord.' Pigoreau gooide zijn gedoofde sigaret op de vloer en stopte zijn hand boven in de coltruien om een andere uit een pakje te peuteren. 'Wat míj interesseerde was het feit dat hij met de naam van de vrouw op de proppen kwam.'

'Mevrouw Obren.'

'Precies.' Pigoreau stond in zijn pogingen het pakje sigaretten te pakken te krijgen nu scherp voorovergebogen. Toen hij zijn rug weer rechtte had hij een sigaret tussen zijn vingers. 'Maar dat is nog maar een deel ervan.' Hij klikte een aansteker open en keek door de vlam Dukas aan. 'De vent die aan het rekruteren was werd "kolonel Zulu" genoemd.' Pigoreau nam een trek aan zijn sigaret, wachtte even, en zei toen: 'In het Amerikaanse militaire alfabet staat de Z voor Zulu.'

'Ik begrijp het, Pig. Ik ben niet zo stom al ik eruitzie.' Dukas was uiterst kalm, killer nu dan het vertrek waarin hij zat. 'Is dat het?'

Pigoreau schudde zijn hoofd. 'Ik ben ernaartoe gegaan en heb met mijn verklikker gesproken. De IFOR voerde daar wat routinepatrouilles uit met een aantal Bradley's; ik heb ze om een lift gevraagd en heb toen een afspraak gemaakt met een stuk of wat Servische politiemannen – als dekking. Mijn mannetje daar zegt dat kolonel Zulu een agent in het stadje heeft zitten. Een school-meester. Obren is nogal bevriend met de echtgenote van de schoolmeester en gaat daar minstens één keer per week op bezoek. En volgens mij doet ze daar dan verslag.'

'Dat is het?'

'De details staan in het dossier.'

'Je verzamelt al die gegevens niet binnen één week. Hoe lang laat je haar al in de gaten houden?'

Pigoreau haalde zijn schouders op.

'Verdomme, Pig – !'

'Al een hele tijd, oké? Michael, ze speel ons specifieke, voorgekookte informa-tie toe! Die laatste keer was een cadeautje, om ons gunstig te stemmen – een *goodie*, zoals jullie dat noemen. Ze wordt vanaf de overkant van de grens, van-uit RS, aangestuurd!'

'Zulu.'

'Misschien niet. Zulu is afgereisd, volgens mijn mannetje daar. Hij weet niet waar naartoe, maar hij is weg. Hoe dan ook, hij komt niet uit RS, maar uit Joegoslavië; hij dacht uit Belgrado, maar zeker weten doet hij het niet.' Pigo-reau inhaleerde diep, haalde de sigaret snel uit zijn mond en hield hem weer naast zijn zij. 'Het spijt me, Michael.'

Dukas sloeg het dossier open. Hij las snel en zag dat de rapporten op Pigoreaus laptop waren getikt en waren afgedrukt op een al wat oudere printer, om ver-volgens te worden bewaard op floppies, omdat ze bang waren dat hun desktop-netwerk onveilig was. Pigoreau schreef prima rapporten. Het kostte weinig tijd om ze te lezen.

'Breng haar hierheen,' zei hij. 'Verzin een of ander excuus – een bonus vanwege de knaap die we hebben gearresteerd, zeg haar dat we haar graag een bonus wil-len geven, dat moet voldoende voor haar zijn. Maak haar niet kopschuw.'

Voor zijn geestesoog waren de twee mannen die tussen de vrouwenbenen lagen nu dríe mannen geworden. Maar een daarvan was dood of werd vermist; de twee belangrijkste waren Dukas en die andere man – de man die Zulu werd ge-noemd? Hij voelde hoe de walging heel even bezit van hem leek te nemen.

24

Eind november

Kinshasa, Zaïre.

Alan keek zonder ook maar enige afgunst in de richting van Djalik, die in de riemen naast hem in slaap was gevallen. De trillingen en het geluid van het vliegtuig maakten elk rationeel nadenken onmogelijk, en dat was misschien maar goed ook.

Alan dommelde zelf ook weg. Het was niet de verandering in het geluid dat de propellers maakten, of het doffe gerommel van het landingsgestel dat naar buiten werd gedraaid waardoor hij wakker werd; dit was een andersoortige thuiskomst. Hij voelde het eerst de verandering in temperatuur, en toen hij langzaam uit zijn lawaaiige slaapje wakker werd had hij het gevoel dat hij, ondergedompeld in het kille, enigszins beschimmelde leven van de marine, eindelijk aan de oppervlakte kwam, maar toen zijn ogen zich openden detecteerden zijn zintuigen de verschillen onmiddellijk: warme, vochtige lucht; een bijna delicate zoetzure geur die het won van de geur van het vliegtuig en de JP-5. Uitlaatgassen van loodhoudende benzine. Afval en kruiden en overvloedige vegetatie, die haar uiterste best deed zich zo snel mogelijk van veelbelovende knop naar het rottingsproces te haasten. Afrika.

Alan rommelde in zijn helmtas terwijl de piloot een laatste bocht uitvoerde en aan de eigenlijke aanvliegroute naar Kinshasa begon. Ze zaten nu onder de duizend voet boven grondniveau en Alan transpireerde al als een otter, volgepompt met adrenaline. Waterdicht verpakte lucifers. Condooms. Global Positioning System. Zaklantaarn, het oude marinemes, vijfentwintig biljetten van één dollar. H&K 9mm en vijfentwintig patronen – waarschijnlijk in strijd met de ambassaderegels, maar dan moesten ze eerst nog proberen deze spullen te vinden. Zou Djalik ook iets uit de wapenkamer bij zich hebben? Hij groef nog wat verder: voedzame repen. Een pocketboek. Waar had hij zijn paspoort nou ergens opgeborgen? Aha, in een zijzak. Visgerei.

Aan boord van een COD – *Carrier On-board Delivery*, een transportvliegtuig dat tussen vliegdekschip en de vaste wal pendelt – wordt geen service verleend. Niemand praat met de passagiers, die maar al te vaak met de rug in de vliegrichting zitten, naar alle waarschijnlijkheid overdenkend hoeveel COD's een start vanaf een vliegdekschip of een landing daarop niet overleven. Het laatste vliegtuig binnen het Amerikaanse wapenarsenaal dat nog tijdens de Tweede

351

Wereldoorlog zou zijn ontworpen, althans, dat had iemand hem eens verteld. Alan probeerde door het raampje naar buiten te kijken, zoals hij gewoon was te doen, maar hij moest concluderen dat het zodanig zat gemonteerd dat hij nooit iets zou kunnen zien.

Hij was in 1993 tijdens een kennismakingstrip door Afrika al eens in Kinshasa geweest. Had Parsills liever gezien dat hij een bewapende marinier met zich mee had genomen? Kinshasa zou waarschijnlijk binnen niet al te lange tijd vallen en iedereen was gespannen, en alleen al de aanblik van één enkele Amerikaanse helm en kevlar-vest zou wel eens kunnen leiden tot dat wat ervaren Afrika-gangers het 'Liberia-effect' noemen. Nee, het was beter om Djalik bij zich te hebben.

Het gerucht deed de ronde dat hij niets op had met zwarte mensen, dus had Alan hem ernaar gevraagd en Djalik had schouderophalend opgemerkt: 'Geen probleem', en dat moest dan maar voldoende zijn.

Alan had ervaren dat als de boel goed uit de hand liep één vuurwapen niet vol-doende was. Aan de andere kant betwijfelde hij ten zeerste of er de komende vier of vijf dagen wel iets fout zóu gaan. De meeste Afrikanen gingen uiterst zorgvuldig met bezoekende Amerikanen om.

Door zijn volkomen nutteloze raampje zag hij een stukje landschap voorbij-schieten, precies op het moment dat de wielen het asfalt van de landingsbaan raakten. BAM. Bam bam Bam. Oké, zo gek veel asfalt wás dit eigenlijk niet. De vlieger probeerde duidelijk de gaten in de baan te ontwijken, oude granaat-trechters en ander opwindend spul dat baan 14-32 van Kinshasa voor bezoe-kers in petto had. Ze kruisten baan 09-27, die recentelijk door een Frans bouw-bedrijf van een nieuwe laag Frans asfalt was voorzien. Hij vroeg zich af of alleen 'vrienden van Frankrijk' hierop mochten landen. BAM. De piloot deed het niet slecht. Ze minderden nu vaart, en het taxiën ging – zij het dat er af en toe nog wat gebonk te horen was – een stuk rustiger.

'Verdomme,' mompelde Alan hardop en worstelde met de vreemde sluiting van de riemen – heel anders dan bij een schietstoel. Hij had deze dingen nog maar een keer of vijftig eerder meegemaakt. Alsjeblieft – los. Ondanks het schudden van het toestel, dat nu net een aanzienlijk gladdere taxibaan opdraaide, ging hij staan en deed een paar stappen in de richting van het raampje. Smog en een duidelijk waarneembare nevel – zichtbaar gemaakte angst, of de mist van een oorlog? Maar daar was het groen, de groene rivieroever, de bruine rivier. De ooit zo protserige terminal, duidelijk een poging om uit te groeien boven de eenvoudige winkelstraatbenadering die bij de meeste Afrikaanse vliegvelden werd gehanteerd: Mobutu-modernisme. Nu zag het er vervallen, misbruikt, desperaat uit. Dat gold voor erg veel Afrikaanse vliegvelden, maar díe hadden tenminste nog bloemen, bomen en prachtige vrouwen die het toestel opwachtten. Maar daar was deze keer geen sprake van. In Kinshasa hing dezelfde sinistere sfeer als in het Mogadishu van 1991.

Maar dat vond Alan geen probleem; het was Afrika.

Ze taxieden naar de civiele terminal. Een groene Chevrolet Blazer kwam naar het toestel gereden en stopte naast de Grumman Trader nog voordat de piloot de beide motoren uit had kunnen zetten. Na enkele ogenblikken besefte Alan dat de piloot helemaal niet van plan was de motoren uit te schakelen – hij hoefde helemaal niet te tanken. Hij zou straks alleen maar omkeren, terug naar de baan taxiën en opstijgen.

Uit het cockpitgedeelte doemde een bemanningslid op die de deur achter in de cabine openmaakte. Alan wachtte tot de ingebouwde trap was gezakt en dronk de felle zon in zich op, het felle schijnsel en de bijbehorende schaduw. Hij pakte zijn tas op en deed zijn helm af, die hij aan het bemanningslid gaf, terwijl op dat moment de integraaltrap het betonnen platform raakte. Alan liep terug naar de twee stoelen en legde zijn hand op Djaliks schouder. Djalik werd wakker, keek naar de trap en frunnikte aan zijn veiligheidsgordel, terwijl Alan naar achteren liep en de trap afdaalde.

Ze bevonden zich op ongeveer honderd meter van de terminal. Geen douane, geen paspoortcontrole. Djalik verscheen, volkomen op zijn hoede nu. Alan ging hem voor naar de Blazer, waarvan de passagiersdeur nu openging, en hij stapte in, terwijl Djalik op de achterbank plaatsnam.

'Craik?' De man was vrij kort, breed en stevig gebouwd. Hij boog zich half over de versnellingshendel heen om Alan de hand te schudden. 'Ralph Halland. Ik ben van de ambassade.' Hij droeg een kaki shirt met korte mouwen en een korte broek, en was diep gebruind. *Ik ben van de ambassade' betekent dat hij niet op de ambassade werkt,* bedacht Alan. *Ik verblijf óp de ambassade, maar ik ben niet ván de ambassade. Wat was hier allemaal aan de hand? De Agency, dát was er aan de hand.*

'Alan Craik. Marine. Nog nieuws over O'Neill?'

'Je zult worden gebrieft.' Hij draaide zich naar de achterbank om, waar Djalik zich naast een andere man installeerde, eveneens nét iets te zwaar, eveneens met een korte broek aan – een standaardmodel Amerikaan, afkomstig van het ministerie van Buitenlandse Zaken? – die iedereen een hand gaf terwijl Halland de Blazer in de eerste versnelling zette.

'Arnie Molnar,' zei de tweede man. 'Diplomatic Security.' *Wat betekende dat hij niet van de CIA was, dus bij de ambassade hoorde, en ook niet bij Halland, maar een oogje op hem moest houden. O-o.* Het beveiligen van ambassades was in handen van de Diplomatic Security Office – DS – het vergaren van inlichtingen ter plaatse was een taak van de Agency. Die twee hoefden niet noodzakelijkerwijs goed met elkaar op te kunnen schieten.

Djalik nam Molnar aandachtig op.

'Heb je wel eens in Little Creek geoefend?' vroeg Djalik.

'O, zeker weten.'

'Team Zes?'

'Hoezo?'

'Navy SEAL.'

Halland wendde zich tot Alan. 'Ze wisselen geheime handdrukken uit.' Het werd niet gezegd als een onschuldige, humoristische opmerking, maar eerder met een soort vervelende ondertoon – persoonlijke antipathie? Of professioneel wantrouwen? *O-o.*

Alan glimlachte, ondanks zijn eigen vooroordeel nogal ingenomen door de man. 'Ik heb altijd gedacht dat wíj geacht werden dat te doen.' Ze moesten beiden grinniken, hoewel niet écht van plezier.

Halland reed stevig door. Ondanks het feit dat er in de motorkap een blijkbaar recentelijk toegebracht kogelgat zat maakte zowel Halland als Molnar niet bepaald een gestreste indruk – geen vuurwapens onder handbereik, geen angstige blikken. Halland opende het handschoenenkastje, haalde er een Coke uit tevoorschijn, en dat allemaal terwijl hij over een startbaan scheurde. Hij liet het handschoenenkastje openstaan.

'Neem er ook een.' Hij wees met zijn Coke-blikje naar het handschoenenkastje. In het compartiment lag, naast een bedauwd blikje Classic Coke, een glimmende, zo te zien splinternieuwe Beretta.

'Even niet, dank je.' Alan deed het handschoenenkastje dicht.

'Heb je ook zo'n ding?' mompelde Halland terwijl hij zijn rug weer rechtte.

'Mmm, om je de waarheid te zeggen, ja, ik heb er ook een.'

'Vertel maar niet tegen – ' Hallands blik schoot in de richting van het achteruitkijkspiegeltje.

Alan wierp een snelle blik in zijn eigen spiegel om te zien wat Halland zag. Djalik en de knaap van DS waren herinneringen aan het ophalen over bars in Little Creek, Virginia.

'Heb je nog koeriersspullen van het schip meegekregen?'

'Ja.'

'Later praten we verder.' Hij ging wat verzitten op de plakkerige autostoel, en ging tegelijkertijd tot de aanval over. 'Hoe gaat het met de Caps?'

Aan Alan was sinds hij aan zijn eerste operationele toer was begonnen geen vraag meer over honkbal gesteld, maar hij was een goede gast en zag inderdaad kans enkele feiten uit de sportwereld over het toneel te brengen. Zelfs Molnar boog zich naar voren om naar hem te luisteren.

Alan zag hoe Halland de startbaan af draaide en recht op een opening in het hek rond het vliegveld af reed. Verveelde zwarte militairen in gerafelde camouflage-uniformen en met baretten op keken hem ongeïnteresseerd aan; geen enkel wapen werd ook maar voor een seconde hun kant uit gedraaid – een niet onprettige ervaring bij een wegversperring in Afrika. 'Ik voel me nooit zo héél prettig bij gewapende tieners,' zei Alan terwijl ze doorgewuifd werden. Halland moest bulderen van het lachen.

Ze draaiden een weg op die zo te zien ooit een belangrijke doorgangsroute was geweest en reden met een snelheid die Alan als roekeloos zou willen omschrijven. De infrastructuur van Zaïre was aan flarden geschoten – de straten zaten vol gaten, de riolen waren verstopt, gebouwen werden niet langer meer onderhouden. Er waren heel wat uniformen op straat te zien, voornamelijk erg verfomfaaide; de dragers ervan waren nog maar nauwelijks een week geleden vanwege achterstallige soldij aan het muiten geweest.

Alan draaide zich naar Halland. 'Is Kinshasa gevaarlijk?'

Halland moest lachen. 'Verdomme, wat is gevaarlijk? Ja, je kunt hier afgeschoten worden. Maar waarschijnlijk niet als je blank bent en een potige indruk maakt. Wilde je soms een rondritje maken?'

'Mijn admiraal wil een rapport over de toestand ter plaatse.'

'Dat krijgt-ie wel van ons.' Alan wist niet zeker of dit een aanbod of een bevel was.

Alan glimlachte. Het werd tijd om geheime handdrukken uit te wisselen. Hij knikte naar de vervallen stad. 'Doet me aan Mogadishu denken.'

'Weleens geweest daar?'

'Voor de stad naar de filistijnen ging. Juni.'

'Ja? Heb je wel eens in die kantine van het Canadese hoofdkwartier gegeten?'

'Ja, een keer of twee. Echte friet, als ik het me goed herinner.'

'De Queen wel eens ontmoet?'

Alan moest heel even diep nadenken. Toen wist hij het weer.

'Jazeker, ik ben een keertje met haar wezen vissen vanuit Mombassa.'

Halland glimlachte en bekeek hem nu toch iets anders. De meeste Agency-jongens hadden regelmatig in die kantine in Mogadishu gegeten. De Queen was een bekend figuur, zij het in uiterst beperkte kring. Van die feiten waren ze beiden op de hoogte. Halland moest al weten wie Alan was, maar op de een of andere onweerlegbare wijze was Alan nu, meende hij, wat acceptabeler geworden. Maar toch beviel de atmosfeer hem helemaal niet, het gebrek aan *spielerei* tussen Molnar en Halland. *En het lot van O'Neill hangt van deze lieden af.*

Het kantoortje van de waarnemend ambassadeur mocht niet bepaald een op-
beurend vertrek worden genoemd; het metalen, officiële meubilair, de vaal-
bruine wanden en het feit dat er niets aan de muren hing, verstikten elke opgewektheid die de waarnemer eventueel tentoon had kunnen spreiden. De
Amerikaanse vlag die op een standaard in de hoek stond was het enige kleurige
in het hele vertrek, hoewel het feit dat hij voortdurend met de omringende
kleurloosheid had moeten concurreren het blauw en het rood had doen verble-
ken. De twee marinemannen in hun grijsgroene vliegerpakken leken in deze
omgeving naadloos te passen.

Als Alan een warm welkom had verwacht, dan kon dat alleen maar op een teleurstelling uit lopen. Enkele seconden nadat de waarnemend ambassadeur
hem de hand had geschud (en zorgvuldig níet die van Djalik) begon deze met
een tirade over het gebrek aan medewerking van de kant van de strijdkrachten.
Hij was een vermoeid uitziende man van rond de vijftig, die nu de ambassadeur
weg was misschien wel vierentwintig uur per dag in touw was, terwijl hij zich
waarschijnlijk ook nog eens zorgen liep te maken hoe hij zijn familie hier op
tijd weg moest krijgen. Maar toch vond hij het blijkbaar nodig om de verplichte
BZ-treurzang te verkopen: hij liet in volgens hém geciviliseerde termen doorschemeren dat hij van mening was dat admiraal Pilchard zélf de ambassadeur
had moeten opzoeken. En in plaats van de admiraal was Alan op komen dagen.
' – en dat brengt me bij ú, luitenant. Ik begrijp eigenlijk niet waarom u hier
bent.'

'Luitenant-ter-zee der eerste klasse.' Hij glimlachte. 'Mijn rang is luitenant-ter-
zee der eerste klasse.'

Verslaafd aan het protocol, en zonodig zelfs in staat er ter plekke eentje te ontwikkelen, begon de plaatsvervangend ambassadeur te blozen.

'Sorry, jezus, luitenant-ter-zee der éérste klasse.' Hij glimlachte en keek op zijn
horloge. 'Hoe dan ook, ik probeer alleen maar te zien welke rol hier voor u zou
zijn weggelegd. U bent toch niet van plan om, eh, een militaire expeditie op te
zetten, hè?' Hij lachte weliswaar, maar het was duidelijk dat hij zich hierover
wel degelijk zorgen maakte. 'We moeten de Zaïrezen ervan blijven overtuigen
dat ons werk hier vreedzaam is.'

'Ik denk dat mijn aanwezigheid wel eens nuttig zou kunnen zijn vanwege het
feit dat ik het slachtoffer ken en hem kan identificeren.'

De ambassadeur liet een verachtelijk gesnuif horen. 'Hoe moeilijk is het nou
om in Afrika een Amerikaan te identificeren?'

Alan glimlachte zijn zachtaardige, meedogenloze glimlach. 'Meneer O'Neill is
een zwárte Amerikaan.'

Het gezicht van de plaatsvervangend ambassadeur vertrok. Hij liep op zijn laatste benen en hij begon fouten te maken, en duidelijk was te zien dat hij zich daarvoor geneerde. 'Het spijt me,' zij hij. En hij klonk oprecht. 'Dat wist ik; alleen – ' Hij keek op zijn horloge.

'Ik heb verschillende geclassificeerde zaken bij me voor uw bureauchef hier. Ik neem aan dat u en hij een plan hebben om contact op te nemen met de mensen die O'Neill in handen hebben. Ik wil niemand voor zijn voeten lopen. Sergeant Djalik en ik zouden graag met ze mee willen om O'Neill te identificeren, en gezien de situatie in de stad zouden we hem graag naar het hospitaal aan boord van het vliegdekschip willen overbrengen, mócht daar aanleiding voor zijn.' De vertrouwelijke toon leek de waarnemend ambassadeur enigszins te kalmeren, en Alan vervolgde: 'Meneer, ik weet dat u het erg druk heeft. Misschien is het beter als ik rechtstreeks met de bureauchef praat, dan kan die weer aan ú rapporteren, ja?'

De waarnemend ambassadeur schraapte zijn keel en keek Alan dankbaar aan.

'Ja, goed. Doe dat. Ik spreek Tom later nog wel en dan hebben we het nog over de contacten. We kunnen niet de indruk wekken dat we met bepaalde facties zaken doen – begrijpt u, luitenant. Eh, éérste klasse. Dat brengt onze relatie met de Zaïrese overheid in gevaar.' Het schraapte opnieuw zijn keel. 'De legitieme Zaïrese overheid, bedoel ik.'

Alan bedacht dat Laurent Kabila de hele Mobutu-overheid al zodanig in gevaar had gebracht, dat de ambassadeur zich geen zorgen hoefde te maken wie er hier nou legitiem was en wie niet, maar hij sprak die gedachte niet uit, knikte alleen maar, stootte Djalik aan en maakte dat hij weg kwam.

Hallands baas, de bureauchef van de CIA, was een ervaren Afrika-ganger. Hij droeg een kakikleurig overhemd en dito korte broek, en had een dusdanig gebruinde gelaatskleur, hier en daar doortrokken met rood, dat daaruit kon worden afgeleid dat de man zich niets van UV-niveaus aantrok en zich nooit met een zonnecrèmemiddel insmeerde. Een zwaar kaliber revolver in een vestachtige uitrusting hing achter hem aan de muur, precies op de plek waar in andere kantoren het portret van de president hing. Alan vroeg zich af of dit soms als een politiek statement was bedoeld. Aan de andere kant ontkwam deze man aan de kwalificatie 'koloniaal stereotiep' door het feit dat hij Alan géén borrel aanbood. Hij was aan de telefoon toen Alan bij hem binnenstapte en de nogal lange conversatie stelde Alan in staat eens naar de boeken in zijn kast te kijken. *The Scramble for Africa. The Washing of the Spears.* Nogal koloniaal. Kenyatta's *Facing Mount Kenya* en een toneelstuk van Ngugi. Een stuk minder koloniaal. 'Sorry dat ik je moet laten wachten, Craik. Heb je een beetje genoten van je bezoekje bij Zijne Excellentie de Assistent?'

Alan glimlachte en zweeg.

Dat gold ook voor de man in kaki. Alan verloor. 'Ik heb wat boodschappen voor u, meneer.' Hij zocht in zijn helmtas en haalde er twee dubbelgevouwen enveloppen uit.

'Verdorie, noem me alsjeblieft geen "meneer". De naam is Tom.' Hij begon een van de enveloppen open te scheuren, wierp een snelle blik op de geheimhoudingsstempels op de map die hij eruit tevoorschijn had gehaald en scheurde toen ook die open. 'Halland zegt dat je oké bent.'

'Ik denk dat hij wellicht ook oké genoemd mag worden.'

Tom moest daar hard om lachen. Hij keek om zich heen, vond een glas en schonk een donker goedje voor zichzelf in. Hij hield de fles omhoog. Alan dacht: *O god, daar heb je de drank weer.* 'Wil je ijsthee?'

Geloutert accepteerde Alan een glas ijsthee. Tom nam kennis van zijn geheimen en legde de twee enveloppen naast zich neer. 'Laat mij je op de hoogte brengen van de situatie hier. Deze stad is één grote dierentuin. Kabila's troepen zijn nog zeshonderdvijftig kilometer van ons verwijderd, maar iedereen is van mening dat Mobutu zijn langste tijd gehad heeft.'

'Hij heeft in de loop der tijd al heel wat mensen weten te verassen.'

'Ja, nou, die verrassingen behoren tot het verleden. Sommige Franse voorstanders van de harde lijn, lieden van vroeger, zijn daar niet zo blij mee, maar die kunnen barsten. Wij denken dat ze nog steeds proberen de klok een jaar of wat terug te zetten. Het is hier uiterst ingewikkeld, Craik – goede Fransen en slechte Fransen, goede Zaïrezen en slechte Zaïrezen – en dat is allemaal met een dikke stok stevig door elkaar geroerd. Het is een rotzooitje. Je moet begrijpen dat de Fransen die het vroeger voor het zeggen hadden altijd Mobutu en de Hutu's hebben gesteund, terwijl ze nu in Frankrijk in regeringskringen ook niets meer in te brengen hebben. Dáár mogen ze misschien niets meer te zeggen hebben, híer bemoeien ze zich nog steeds overal mee. En een van de dingen die ze doen is steun verlenen aan de Hutu's.'

'En de Hutu's hebben O'Neill in handen.'

Tom gromde iets. 'O'Neill was waarschijnlijk op het verkeerde moment op de verkeerde plaats, maar ze hebben wel een enorme blunder gemaakt door hem gevangen te nemen. Nu zijn ze in deze oorlog aan de verliezende hand en hopen we maar dat ze proberen hun last wat te verlichten, en een van de dingen die ze in dat geval kunnen doen is O'Neill aan ons overdragen.' Zijn wenkbrauwen gingen op en neer, en hij nam nog een paar grote slokken thee. Toen keek hij op en zei: 'We zijn aan het onderhandelen.'

'Ik kan hem identificeren.'

'Ja, ik was nogal opgewonden toen ik dat hoorde. Eerlijk gezegd kan ik niet geloven dat ze stom genoeg zijn om te proberen ons te bedonderen, maar ze waren ook stom genoeg om hem op te pakken, en ze hebben momenteel behoorlijk de pest in vanwege het feit dat ze enorm op hun lazer krijgen van de Tutsi's en de Oegandezen. Volgens Ralph Halland zou je een wapen bij je hebben.'

Alans gezicht verried hem onmiddellijk.

Tom keek hem aandachtig aan en grinnikte. 'Die zou ik maar bij me houden.'

'Heb je een plan om O'Neill vrij te krijgen?'

'Ik wacht op een ontmoeting waarbij we te horen zouden krijgen waar het gaat gebeuren; we hebben al drie plekken geselecteerd die grondig zijn onderzocht, in de buurt van Kinshasa, maar waar de mensen die hem gevangen houden zich niet al te bedreigd voelen. Ik ga de ambassade vragen de beperkingen wat betreft het dragen van vuurwapens tijdelijk op te heffen – momenteel worden we niet geacht het ambassadeterrein gewapend te verlaten – en voor een stuk of wat schutters te zorgen die de ontmoeting kunnen dekken zonder dat de boel in het honderd loopt. Heb je wel eens een overdracht meegemaakt? Er kan van alles misgaan – er hoeft maar één persoon nerveus te worden en plotseling begint iedereen in het rond te schieten. Ik wil dat het snel en probleemloos gebeurt, en daarna wil ik die O'Neill zo snel mogelijk kwijt. En daar heb ik jou voor nodig en daarom vind ik het niet erg dat je hier bent: vóór het hele gebeuren hier de pers haalt vlieg jij met hem terug naar het vliegdekschip, en op die manier is iedereen gelukkig. Oké?'

Alan nam de vrijheid even te glimlachen. Alles zou in orde komen, en hij mocht van deze knaap daarbij een hoofdrol spelen. En hij zou wat informatie mee terug naar de admiraal nemen. Goed, als hij nou maar kans zag die zenuwtrekking te onderdrukken die zijn rechterkuit als een drilboor deed trillen, was er met hem verder niets aan de hand.

Die middag lieten Tom en Halland hem hun voltooide rapporten lezen, die tot vier weken geleden teruggingen, en hij gebruikte die rapporten bij het schrijven van een informele situatieschets voor de admiraal. Hij liet het resultaat aan Tom zien, en keek het volgende uur toe hoe deze het verslag volkomen omgooide. Hij wilde daar bezwaar tegen maken, maar besefte dat Tom rekening moest houden met allerlei politieke implicaties; Tom besliste of zijn samenvatting zou worden vrijgegeven, en daarom zat er niets anders op dan de veranderingen te accepteren. Maar toen hij en Djalik die avond in het mariniersverblijf hun bed opzochten, had hij via het reguliere berichtenverkeer een situatieverslag verstuurd dat wellicht dwars door alle verwarring heen die door LANTFLEET werd veroorzaakt op de plaats van bestemming aan zou komen – hoewel zijn boodschap in feite was dat de verwarring vooral op de ambassade heerste.

Terwijl Alan nog steeds aan het typen was, keerde iemand – niet Tom en ook niet Halland, en Alan kwam er nooit achter wie het wél was geweest – terug van de ontmoeting waarop de vrijlating van O'Neill zou worden besproken. Alan ging slapen met de gedachte dat Tom O'Neill sowieso los wilde krijgen, en dat hij op het eerste gezicht net zo recht door zee was als iedereen die door zijn baas werd gewantrouwd, omringd werd door geweld en niet precies wist of Alan zelf wel tegen dit alles was bestand. De hele nacht door was er sporadisch geweervuur te horen, hoewel het van een heel eind verderop kwam. Sommige schoten moesten van de overkant van de rivier, uit Brazzaville komen, vermoedde hij. Zouden ze soms twéé evacuatieoperaties tegelijk moeten organiseren?

Djalik en Alan werden beiden pas laat wakker en ze waren om 09.00 uur de enigen die van de mess gebruikmaakten. Alan werkte een kleine steak en een stapeltje uitstekende pannenkoekjes naar binnen, terwijl Djalik een soort bodemloze put leek: hij consumeerde een ruime hoeveelheid eieren, bacon, een steak en fijngehakte cornedbeef, zonder ook maar even stil te staan bij de consequenties daarvan. Een douche en een Amerikaans ontbijt zorgden voor dat grandioze gevoel van welzijn, de wetenschap het beschermde leven van een Amerikaan te leiden. Het ambassadeterrein was een kleine enclave, een klein fort in een doodzieke stad. Buiten heersten chaos, totale willekeur, armoede; hier heersten orde, reinheid, overvloed. Alan begreep heel goed waarom mensen naar ambassades trokken als de wereld daarbuiten ineen dreigde te storten. Maar met het gevoel van veiligheid kwam ook het gevoel speciaal te zijn, en daarna het onvermijdelijke gevoel van schaamte.

Hij wachtte met praten totdat ze beiden hun tweede kop koffie ophadden.

'Djalik, heb je een vuurwapen bij je?'

'Ik heb begrepen dat ik hier als inlichtingenman naartoe ben gestuurd, en niet als schutter. Trouwens, Arnie zegt dat niemand hier gemachtigd is een wapen te dragen.' Arnie was zijn maatje van de achterbank.

Djalik vroeg niet of Alan een vuurwapen bij zich had, en hij was net van plan hem over de H&K te vertellen toen hij besefte dat Djalik dat misschien niet eens wílde weten – dat hij er misschien wel opzettelijk niet naar had gevraagd. Op die manier kon hij open kaart spelen met Arnie. Waardoor het feit dat ltz1 Craik een vuurwapen bij zich had zíjn zaak was, en dat hij, Djalik, niet degene zou zijn die de ambassade in de problemen zou brengen. Pas later drong het tot hem door dat Djalik geen antwoord op zijn vraag had gegeven.

Hij wierp een snelle blik op Djalik en vroeg zich af hoe goed hij de man kende. Hij zou het hem toch moeten zeggen voor ze daadwerkelijk op stap gingen om O'Neill terug te halen, als het zo tenminste zou gaan. Maar het was beter om het pas te zeggen vlak voor ze in actie zouden komen – en nadat het contact met Arnie verbroken was.

Alan smeerde nog wat boter op een stukje toast en schudde zijn hoofd. Hij had zijn belangstelling verloren voor het avontuurlijke van dit alles. Hij wilde zijn vriend zien, samen met hem in het vliegtuig stappen en terugkeren naar het vliegdekschip.

25

Eind november

Kinshasa.

Toen Alan het kantoortje binnenstapte zag hij direct aan Toms gezicht dat er problemen waren. Eerder had hij dat diep gebruind gezien, maar nu zat het vol rode vlekken. Ralph Halland stond naast een boekenkast tegen de muur geleund, en zelfs met zijn armen over elkaar zag hij er nog steeds uit alsof hij in de houding stond.

'Goedemorgen,' zei Alan, terwijl hij naar Ralph knikte. Beiden negeerden hem. 'Wat haalt hij verdomme in zijn hóófd?' bulderde Tom. Dit had niets met Alan Craik te maken, maar alles met de gang van zaken op de ambassade. Alan begon door Toms bakje met binnengekomen berichten te bladeren; Tom legde zijn hand erop. 'Nee.' Alan keek naar zijn ogen. Het was een totale ommekeer. Van het ene op het andere moment. 'We hebben opdracht gekregen je geen toegang tot onze informatie te verlenen.'

Dit was de behandeling waar hij gisteren bang voor was geweest. Vandaag zo behandeld te worden sloeg nergens op.

Ralph sprak vanuit zijn hoekje bij de boekenkast. 'De waarnemend ambassadeur is niet blij met de boodschap die je gisteravond hebt laten verzenden. Hij zegt dat die een negatief licht laat schijnen op de missie hier en dat je suggereert dat de situatie in Zaïre onstabiel zou zijn. Hij zei ook dat het allemaal zeer vooringenomen klonk en zou aangeven dat we je hebben misleid. Hij heeft zich met name erg kwaad gemaakt over de suggestie dat de Amerikaanse en bepaalde Franse belangen wel eens in strijd met elkaar zouden kunnen zijn.'

Alan probeerde dit alles te verwerken en wenste dat hij nog een derde kop koffie had genomen. 'Jezus, dat is precies wat jullie me hebben verteld!'

'Ja, en daarom word ik gestraft. Ik mag me niet meer bemoeien met het terughalen van jullie mannetje.' Hij schoof een berichtenformulier over het bureaublad naar Alan. 'Jíj hebt geen puinhoop van deze zaak gemaakt, maar die kloteadmiraal van je.' Alan keek naar het bericht. Onder alle kopjes stond de afkorting 'Pfor' – *persoonlijk voor* – ltz1 Craik. Nou, die Pfor's hadden op een ambassade blijkbaar niets te betekenen.

Prima materiaal. Probeer het aantal Amerikaanse, Britse en Canadese staatsburgers vast te stellen, alsmede de plaatsen waar ze zich hebben geconcentreerd, in verband met een mogelijke NEO, daarbij uitgaande van Kinshasa en Brazzaville. Graag in-

formatie betreffende het mogelijke tijdstip waarop Kabila binnen zal trekken.
Probeer je zo snel mogelijk over O'Neill te ontfermen.
Groeten aan iedereen daar. Pilchard.

Toms gezicht was nu iets minder rood. Hij steunde met zijn armen op het bureaublad en keek Alan strak aan. 'De waarnemend ambassadeur is van mening dat elke discussie over een evacuatie van burgers voorbarig is, zowel hier als in Brazzaville. Hij vindt het verder onbehoorlijk dat de admiraal berichten naar zijn ondergeschikten stuurt in plaats van rechtstreeks naar de ambassade. Hij wil weten waarom jouw admiraal zoveel belangstelling heeft voor de gang van zaken hier, maar nooit moeite heeft gedaan contact met ons op te nemen. Ik zit natuurlijk niet altijd op dezelfde lijn als hij, maar deze keer ben ik het wel enigszins met hem eens.'

'Als een admiraal zijn flag-inlichtingenofficier stuurt, communiceert hij wel degelijk.'

'Niet in de ogen van een kleinzielige knakker van de Buitenlandse Dienst! Hoe dan ook, dat is gebeurd. Veel erger is het feit dat mijn verzoek om wapens te mogen dragen naar de ontmoeting waarop O'Neill aan ons wordt overgedragen is afgewezen. De waarnemend ambassadeur zegt dat in de ogen van de Afrikanen hier Amerika het land is van de vele vuurwapens, en hij vindt dat dat beeld maar eens moet veranderen.' Tom hield een hand omhoog. De hand trilde. Zijn gezicht zat weer vol rode vlekken. 'Ik weet het, ik weet het – sommige van de Afrikanen hebben óók een wapen bij zich, maar daar hebben we het nu niet over. Blijkbaar is de waarnemend ambassadeur van mening dat dat beeld onmíddellijk bijgesteld dient te worden.' Hij ging staan, zette zijn handen in zijn zij en staarde een seconde of wat door het raam naar buiten. 'Wij mogen die knaap van jou niet ophalen. Hij stuurt een of andere jonge gast van de Buitenlandse Dienst, "om misverstanden te voorkomen". Géén wapens, géén schutters die dekking kunnen geven, géén ondersteuning. Ik hoop dat je daarmee uit de voeten kunt.' Hij wierp een snelle blik op Alan en haalde zijn schouders op. Hij wekte de indruk dat hij elk moment kon exploderen. 'Misschien werkt het. Ik beschouw het als dé manier om dit op een ramp uit te laten lopen en heb de vergissing begaan dat ook daadwerkelijk te zeggen. We mogen die jonge gast niet eens naar het ontmoetingspunt brengen. Dat wordt gedaan door een knaap van DS.'

Alan slikte moeizaam iets weg. 'Ga ik met hem mee?'

'Op dit moment niet.' Alan voelde de woede bij zich omhoogkomen, maar onderdrukte die toen Tom vervolgde: 'Als we hem uitleggen dat O'Neill een persoonlijke vriend van je is, vermoed ik dat hij je wel zal laten meegaan – als zondebok voor het geval er iets fout mocht gaan, en misschien nog wel om wat andere redenen. Dat zou ík tenminste doen. Als je ook maar een grammetje verstand hebt, zou ik als ik jou was weigeren. Ik heb bij de directeur telegrafisch om hulp gevraagd, maar voor we daar antwoord op krijgen heeft die ontmoeting al plaatsgevonden.'

Alan dacht aan O'Neill. Alleen, zoals Alan nog nooit alleen was geweest. Vernederd omdat ze kans hadden gezien hem in handen te krijgen, misschien wel mishandeld, misschien wel verminkt, misschien wel ziek. Alan probeerde zich voor te stellen hoe het moest zijn om helemaal alleen te zijn, en wie er binnen deze verdeelde ambassade naar O'Neill uit zou kijken. O'Neill had altijd uitstekend voor zichzelf kunnen zorgen, maar in welke conditie zou hij zijn na al die weken bij de Hutu-milities?

'Ik wil mee. Alsjeblieft.' De woorden waren al uitgesproken nog voor hij zich de gedachte bewust was.

Twee uur later had Alan spijt van zijn opwelling. Het was duidelijk dat niemand bij dit terughalen betrokken wilde worden. Niemand wilde de leiding ervan op zich nemen, terwijl iedereen zijn best deed Alan van die rol af te houden. Niemand bereidde iets voor.

De groene Chevrolet Blazer stond op de binnenplaats. Het ambassadelid dat voor deze taak was aangewezen, een jongeman van betere komaf die Thorn heette, meer Engels dan Amerikaans klonk en niet bepaald stond te springen om zich van deze taak te kwijten, wachtte tot hij kon vertrekken. Djaliks nieuwe maatje Arnie zou als chauffeur fungeren. Het gerucht deed de ronde dat de chef van Embassy Security had geprobeerd dit voertuig en zijn mannetje uit deze hele operatie los te weken, maar niemand kon dat bevestigen. Als hij daar alsnog in zou slagen, wat moesten ze dan? Gaan liften soms?

Alan dacht aan de tijd die nodig was om een luchtaanval voor te bereiden. Hele groepen planners. Kaarten. Briefings. Hier gebeurde helemaal níets – niet eens een praatje bij een kop koffie. Alan wist van Harry dat het er bij de Agency heel anders aan toeging.

Hij probeerde – zonder succes overigens – de waarnemend ambassadeur te spreken te krijgen, en daarna probeerde hij, eerst via Ralph en vervolgens via de militaire attachés, een boodschap naar het schip te versturen. Hij werd met een uiterst ijzige behandeling geconfronteerd: de attachés waren elders met hun werk bezig. Twee anderen waren met verlof thuis. Hij was wat ze officieel SOL noemden: *Shit Out of Luck.*

Alan zat in het lege marinekantoor en wenste hartstochtelijk dat de attaché er was, zodat die hem kon helpen, en staarde naar de telefoon alsof hij op die manier de eigenaar te voorschijn zou kunnen toveren. Toen drong het tot hem door dat de ALUSHNA, de marine-attaché, zijn sleuteltje in de beveiligde telefoon had laten zitten. Alan draaide het sleuteltje een halve slag. Niemand kwam naar hem toe om hem te vragen wat hij aan het doen was. Hij toetste een cijfer in. Het toestel wachtte op méér. Wie zou hij kunnen bellen die vervolgens in staat was hem met de boot door te verbinden? Je kon met zo'n telefoon nooit naar de boot doorverbonden worden – alleen maar met de munttelefoons die de bemanningsleden gebruikten om naar huis te bellen. *Nou, tijdens een storm is elke haven goed.* Hij toetste het nummer in van de wachtcommandant van LANTCOM.

Hij had er twee minuten voor nodig om een gekwelde sergeant zo ver te krijgen hem door te verbinden met de wachtcommandant zelf, en de wachtcommandant zover te krijgen dat hij hem doorverbond met de INMARSAT-lijn naar de *Jackson* – de satellietverbinding met de openbare telefoons die bij de onderkomens van de squadronbemanningen waren geïnstalleerd. Nadat de telefoon elf keer – het leek wel een eeuwigheid – was overgegaan, kreeg hij een jonge bootsmansmaat aan de lijn, en wist hij deze jongeman zover te krijgen dat hij drie dekken omhoog klom om te proberen iemand van het inlichtingencentrum te pakken te krijgen. Eindelijk hoorde hij aan de andere kant van de lijn iemand aan komen stommelen.

'Overste Scott.' De CAG AI in hoogsteigen persoon.

'Meneer? U spreekt met Alan Craik.'

'Jezus, Alan, waar zit je ergens? Waarom bel je verdomme via de – '

'Ik ben aan de wal. Waar ik geacht word te zijn. Dit is een open verbinding.'

'Ik begrijp het. Wat gebeurt er allemaal?'

'Meneer, ik sta op het punt m'n pakje op te halen en ik ben niet écht gelukkig met de planning van deze missie en de ondersteuning daarbij, als u begrijpt wat ik bedoel.'

Een lange pauze – Transatlantische transmissietijd via de satelliet, gevolgd door diep nadenken.

'Oké, Al, ik denk dat ik het heb begrepen. Wat kan ik doen?'

Hij wilde zeggen: *Zeg tegen de admiraal dat ik geen kant meer uit kan,* maar veel zouden die woorden niet uitmaken en hij wist niet zeker of het wel verstandig was om via een open lijn 'admiraal' te zeggen. 'Zeg tegen mijn baas dat de situatie binnen deze muren zodanig is dat ik geen faxen meer kan versturen, en dat ik van plan ben om hier zo snel mogelijk te vertrekken.'

Een lange pauze.

'Is het zo erg? Onze jongen of hún jongens?'

Een lange pauze.

'Geen jongens in uniform. Geen vreemdelingen.'

Een lange pauze.

'Ik begrijp het. Doe wat je moet doen, Al. Heb je iets nodig?'

Een lange pauze.

'Een COD om 21.30 uur. Als ik hem sneller nodig heb bel ik nog. Geef me het nummer waarop ik u kan bereiken, meneer.'

'Wacht even. Eh – een ogenblikje – het staat aan de zijkant van het toestel geschreven. 01131236571119. Zou dat kunnen?' Een nog wat langere pauze, compleet met echo's. 'De knaap die achter me op zijn beurt staat te wachten zegt dat dat het goede nummer is. Hij heeft het voor het vertrek van zijn ombudsman gekregen. Waarom hebben wíj geen ombudsman?'

'Dank u, meneer.' Alan wachtte. Hij voelde zich verbonden met het schip, met zijn manier van leven, door het krassende geluid.

'Hou je gedeisd en zorg ervoor dat je weer heelhuids thuiskomt, mister!' Ophanggeluiden.

Alan haalde diep adem. Hij borg het telefoonnummer in zijn portefeuille op. *Oké* – de COD zou er zijn om hen direct naar het schip terug te brengen. Nu moest hij alleen nog proberen O'Neill aan boord ervan te krijgen. Hij keek op zijn horloge. De ontmoeting – áls er al van een ontmoeting sprake zou zijn – zou over twee uur plaatsvinden.

Hij liep terug naar het mariniersonderkomen en trok zijn korte broek en het kaki overhemd aan dat hij bij REI had gekocht – hoe lang was dat al weer geleden? Een maand. Het leek wel tien jaar. *Rose. Mikey. Afscheid nemen* – Hij trok sportsokken en lichte wandelschoenen aan. Hij pakte zijn helmzak – wapen, patronen, eerstehulpdoos – zaklantaarn, GPS, visgerei, *waar heb ik in godsnaam visgerei voor nodig?* – jasje, junglehoed, spul tegen insecten – malariapillen – zijn Zwitserse legermes –

Toen liep hij terug naar het kantoor van Tom. Leeg.

Alan ging op zoek naar Ralph Halland, en vervolgens naar een secretaresse.

Niemand. Ze waren blijkbaar allemaal weg – wat kwam ze dát goed uit. Aan de wand naast het bureau van Tom bevond zich een heel rek met mobieltjes voor plaatselijk gebruik. Op verschillende daarvan zat een naam geplakt, terwijl er eentje was die nog in het oorspronkelijke plastic zat en ook niet van een naam was voorzien. *Die is nu van mij.* Hij mikte het ding in zijn helmzak en gooide er een batterij achteraan. *Je weet nooit wat je nog wel eens nodig zou kunnen hebben nadat je het ambassadeterrein hebt verlaten.*

Hij liep naar het voertuig en trof Djalik daar al aan, min of meer identiek gekleed als Alan, in voor Afrika praktische burgerkleding, compleet met ruim zittende korte broek. Zou het nu het juiste tijdstip zijn om het over het pistool te hebben?

'Ik heb de boot gebeld. Om 21.30 uur komt er een COD.'

'Geen probleem.'

'Dit zou wel eens de grootste miskleun sinds Little Big Horn kunnen worden.'

'Dat vermoeden had ik ook al, meneer.' Djalik hield een plastic doos ter grootte van een laptop omhoog waarop een rood kruis zat geplakt. 'Eerstehulpdoos. Je weet maar nooit.' Hij glimlachte. De glimlach was dubbelzinnig – zou het écht een eerstehulpdoos zijn?

Hij wilde nog wat zeggen, maar de chauffeur van DS, die iets onder de motorkap controleerde, keek Alan glimlachend aan. *Wat betekent dat hij geacht wordt me in de gaten te houden. De theorie is dat Djalik al niet eens meer een probleem zal vormen.*

Djalik liet zijn stem een paar octaven zakken. 'Commander – wapen bij u?'

Alan moest daar even over nadenken. 'Niet op m'n lichaam.'

'In de helmtas?'

'Inderdaad.'

'U kunt hem beter aan mij geven.' Djalik zei het op een manier alsof hij alleen maar een feitelijke vaststelling deed. Hij droeg een zonnebril; nu draaide hij de uitdrukkingsloze glazen Alans kant uit. 'Dat is zo'n beetje de eerste plaats waar ze zullen zoeken.'

'Het zijn lieden die tot de Hutu-militie behoren. Die vinden hem niet. Ik heb er sigaretten bovenop gelegd; dat is zo'n beetje het enige wat die knapen willen.' Hij klonk, besefte hij, een stuk zelfverzekerder dan hij zich voelde.

'Commander, als u uw leven wilt laten afhangen van een pakje sigaretten, prima. Maar ik niet.' Hij stak zijn hand zodanig uit dat Arnie, die voor bij de auto stond, het niet kon zien. Alan wilde met hem in discussie gaan – hij had nog nooit meegemaakt dat er in Afrika bij een controlepost iets werd gevonden. (Maar hij moest daarbij wél toegeven dat de mensen nooit erg gemotiveerd waren geweest om de boel grondig te doorzoeken.) En vervolgens vroeg hij zich af wie beter met het wapen zou kunnen omgaan als er stront aan de knikker was. Hij had in zijn jeugd heel wat basketball gespeeld, maar was nooit in staat geweest om te scoren, niet van dichtbij en niet van veraf. Hij had geleerd de bal zo dicht mogelijk naar de basket te brengen en een pass af te geven, zelfs als hij vrijstond en zelf zou kunnen schieten. Elke SEAL kon beter schieten dan hij, en dit was waarschijnlijk de laatste kans om het ding af te geven vóór het spel gespeeld zou zijn.

En toen liet Arnie de motorklep met een klap dichtvallen, wat inhield dat hij klaar was om te vertrekken. Alan stak zijn hand diep in de helmtas en gaf de H&K aan Djalik over.

'Ga niet in m'n schootsveld staan. Als ik u een duw geef, stribbel dan niet tegen.' Djalik stak het pistool op zijn rug tussen zijn broeksband.

'Jeetje, dát is cool,' zei Alan. 'Daar zullen ze nooit kijken, hè?' Hij was kwaad. Op dat moment kwam Arnie bij hen staan.

'Jullie zitten achterin. Mr. Thorn komt naast me voorin zitten.'

Thorn kwam naar buiten met een aktetas in de hand en met een colbert van bobbeltjesstof aan, uit één stuk, uitermate Oostkust-establishment. Hij zag eruit alsof hij op weg was naar Bar Harbor om daar het weekend door te brengen. Hij zag er ook uit alsof hij het elk moment van angst in zijn broek kon doen.

Niemand deed hen uitgeleide. Geen ambassadeur, geen team. Geen ondersteuning. Geen plan, geen uitwijkmogelijkheden, geen voorverkenningen. Alleen Mr. Thorn maar, die geen dag ouder dan vijfentwintig kon zijn.

Ze reden het ambassadeterrein af, waarbij de plaatselijke politie bij de poort – terwijl het hydraulische hek langzaam omhoogschoof – hen aankeek alsof ze zojuist van Saturnus waren gearriveerd. Djaliks vriend bleef een kaart raadplegen die hij op het stuurwiel had neergelegd; na twintig minuten gaf hij de kaart terug. Alan keek naar de route die iemand er met een glaspotlood op had gezet – nou, in elk geval was er van énige planning sprake.

Niemand had hem verteld waar de ontmoeting plaats zou vinden. Nu zag hij dat die een heel eind verderop langs de rivier was gepland en hij zag ook dat ze daar veel te laat zouden arriveren. Hij zei niets en bleef zichzelf voorhouden dat deze lieden ongetwijfeld wisten waarmee ze bezig waren.

Om hem heen wekten de mensen op de smerige, overvolle straten de indruk dat ze precies wisten waar ze naartoe moesten. De auto passeerde een groep militairen die zo te zien met een soort lichamelijke oefening bezig waren, krachtig uitziende, lange kerels, die soepel langs de kant van de weg holden.

Uiteindelijk hadden ze de stad achter zich. Slecht geplaveide straten maakten plaats voor slecht geplaveide wegen. Aan de ene kant bevonden zich provisorische onderkomens, terwijl aan de andere kant van de weg – die hier van kapot asfalt in aangestampte aarde overging – kleine lapjes grond lagen, plus af en toe bouwsels waar thee kon worden gedronken en die voornamelijk uit houten kratten opgetrokken leken. Zodra het overige verkeer maakte dat ze moesten stoppen werd hun auto belaagd door kleine jongetjes die met flesjes Coca-Cola zwaaiden. Ondanks het feit dat Thorn het maar niets vond draaide Alan zijn raampje naar beneden en kocht hij vier flesjes. Toen de airconditioning via het portierraam ontsnapte drong er een schoner Afrika tot hem door. De Coke was veel te zoet. Thorn weigerde trouwens toch er iets van te drinken. Ongetwijfeld was hij, die de belegeringsmentaliteit van de ambassade met zich meedroeg, er heilig van overtuigd dat de plaatselijke versie rechtstreeks uit het dichtstbijzijnde riool afkomstig was.

Op een gegeven moment werden ze geconfronteerd met een muur van mensen, naar alle waarschijnlijkheid vluchtelingen die vanuit Kanindi een goed heenkomen zochten, en konden ze geen kant meer op. Ze waren nog zo'n vijftien kilometer van de plaats van samenkomst verwijderd.

'We zijn aan de late kant.' Alsjeblieft, nou had hij het tóch gezegd.

Thorn draaide zijn hoofd niet eens naar hem om. 'Ze moeten hun plaats maar eens weten.'

Alan wist niet precies hoe hij hierop moest reageren. *Plaats? Bedoelde hij – was het mogelijk – dat in de betekenis van plááts, zoals in 'je plaats kennen'?* 'Welke plaats ís dat, Thorn?'

'Ze vertegenwoordigen geen land, noch een erkend onderhandelingsplatform. Dit is géén officiële ontmoeting. Ze moeten beseffen dat we niet van plan zijn hún tijdschema aan te houden.' Thorns angsten werden door zijn stem enigszins gedempt, maar waren wel degelijk aanwezig. Alan had het gevoel dat hij alleen maar herhaalde wat hem geïnstrueerd was.

'Waarom?'

Thorn draaide zich half om en keek Alan een ogenblik lang als een ontstemd kind aan.

'Je hebt bij dit alles geen andere taak dan het identificeren van je maatje, en ik geloof niet dat je beseft wat er hier allemaal op het spel staat, terwijl ík volledig gebrieft ben. Bemoei je verder nergens mee. Ik heb de leiding hier.'

Dáár besteedden ouders blijkbaar hun geld aan als ze hun kinderen naar scholen als Choate en Andover stuurden – aan lieden die hun kinderen leerden te spreken met een alles tartende overtuigingskracht, ondanks het feit dat ze het in hun broek deden van angst, nauwelijks de luiers waren ontgroeid en geen flauw idee hadden waarover ze het hadden. Het was een eigenschap die het Britse imperium nog een halve eeuw nadat het in elkaar had moeten storten overeind had gehouden.

Alan glimlachte terug – een plezierige glimlach, althans, voor iemand die hem niet echt goed kende. 'Zeg het maar als ik je op wat voor manier dan ook kan helpen.'

De stilte die Alan door Afrika leek te achtervolgen vulde de auto.

Ze waren meer dan een uur te laat toen de auto zich losmaakte uit de mensenmassa bij een brug, ze een controlepost van het Zaïrese leger passeerden waar de jonge militairen alle hoop verloren leken te hebben, en rechtsaf een smallere, onverharde weg van rode aarde op reden. Alan becijferde dat ze anderhalve kilometer hadden gereden vóór ze het gebouw zagen. Het was groot en gemaakt van golfplaten, en had – net als Zaïre – aanzienlijk betere dagen gekend. Twee mannen in gevechtskleding stonden buiten te roken. Alan was allang blij dat ze geen capuchons droegen.

Thorn draaide zijn raampje naar beneden en een vlaag Zaïrese middag drong naar binnen, daarbij de droge koelheid van de bureaucratie die de auto had gevuld in één klap verdringend. Alan rook hout dat werd verbrand en de vegetatie om hen heen.

'Ik ben gestuurd door Mr. Hatusis,' riep Thorn. De twee mannen keken elkaar eens aan. Een van hen ging naar binnen, terwijl de tweede zonder te reageren bleef staan.

Sinds ze de stad achter zich hadden gelaten leken Djalik en Arnie heel andere mannen te zijn geworden. Hun ogen waren voortdurend in beweging, korte, economische bewegingen, maar hen ontging niets. Djalik sprak zonder zijn hoofd te bewegen.

'Knapen in het gras links.'

'Ik zie ze. Zien er niet bepaald vriendelijk uit.'

Er klonk een fluitje, het geluid gedempt door het glas van de auto. Rond de wagen kwamen mannen overeind. Veel van hen waren in vodden gekleed, terwijl de meesten een wapen bij zich hadden. Enigszins opgelucht zag Alan dat het overgrote deel van die wapens AK-47's waren zonder magazijn in de houder. Maar toch waren er nog genoeg AK's mét magazijnen over om zijn gezelschap meerdere keren naar de andere wereld te helpen.

Eén man kwam naar de auto toe gelopen. Hij was klein, al wat kalend, had een rond hoofd, en leek ietwat in verlegenheid gebracht, maar hij droeg een kostuum met stropdas en hij had schoenen aan.

'Alstublieft, wie van u is Ralph?' vroeg hij in duidelijk, zij het enigszins geaccentueerd Engels.

'Ik ben Mr. Thorn.' Thorn klonk gepikeerd, alsof iemand op het feestje van mama hem niet direct had herkend.

'Komt u dan alstublieft uit de auto, Mr. Thorn. We moeten een kort tripje maken.'

'Niks kort tripje! De ontmoeting dient híer plaats te vinden.'

'Ja, ja – tripje. Kort tripje.'

'Wat voor een tripje? Waarheen? Laat maar eens zien op de kaart.'

'Het spijt me bijzonder, Mr. Thorn. Maar – nee. Stapt u nu uit, alstublieft.' De lopen van de wapens wisten van geen wijken, of er nou magazijnen in zaten of niet. Alan kon duidelijk zien dat Thorns nek trilde.

Alan stapte de auto uit. Evenals Djalik. Zijn vriend Arnie niet, aangezien twee man tegen zijn portier geleund stonden. De knaap van DS maakte desalniettemin een ontspannen indruk achter het stuur, alsof hij daar alleen maar zat omdat hij eigenlijk een tukje wilde doen, en niet omdat twee potige jongens met hun achterwerk het portier dichthielden. Op dat moment vroeg Alan zich af of hij een wapen bij zich had, herinnerde zich de uitdrukkelijke opdracht van de ambassadeur, en vroeg zich opnieuw af of deze knaap inderdaad zo gehoorzaam of oerstom was om geen wapen bij zich te dragen. *Wát een security.*

Iemand liep van achteren op Alan af en liet een hand over zijn rug en tussen zijn benen glijden. Alan voelde een geweerloop in zijn rug prikken. Het was allemaal verdomde echt. *Little Big Horn.* Een andere man was voor hem komen staan, ritste de helmtas open en keek erin; toen hij de sigaretten zag moest hij grinniken. Hij trok aan de tas; Alan trok terug; hij zwaaide zijn AK omhoog. Nog steeds mokkend stapte Thorn de wagen uit.

De kleine man die Engels sprak haastte zich naar Alan toe, duwde de loop van de AK-47 weg, zei iets tegen de militair, waarbij de woorden nog het meest op mitrailleurvuur leken, waarna de man de tas losliet; de kleine man nam hem van Alan over en zei met iets dat oprechtheid geweest had kunnen zijn: 'Ik zorg hier wel voor. U krijgt hem na afloop weer terug – absoluut. Geen probleem.' Dus toch.

Djalik werd gefouilleerd door een militair die zijn vak beter verstond dan de man die zijn hand over Alans rug had laten glijden. Binnen twee seconden had de knaap de H&K tussen Djaliks broekband gevonden. Hij zei iets en de andere man moest lachen, waarna de kleine man hun kant uit kwam, de helmtas van Alan openhoudend, alsof hij een collecte voor de mensen in nood hield, en de H&K verdween erin. 'Niet nodig,' zei de man tegen Djalik. 'Absoluut niet nodig. Onverstandig.' Hij nam ook Djaliks eerstehulpdoos in beslag, deed die open en bestudeerde de inhoud.

Alan keek naar Djalik. Haalde hij zijn schouders op? En als hij inderdaad zijn schouders had opgehaald, wat bedoelde hij daar dan mee – leuk geprobeerd? De volgende keer meer geluk? *C'est la vie*, verdomme?

Hij begon om zich heen te kijken. Hij merkte de twee auto's op, een oude Citroën en een iets minder oude Land Rover. Er waren minstens twintig militairen aanwezig – van het FAZ, het Zaïrese leger, vermoedde hij, geen Hutu-militie.

Thorn was duidelijk ongelukkig en begon te krijsen toen de man die Engels sprak een zak over zijn hoofd deed. Die was van stof, misschien ooit een kussensloop geweest, waarvan de oude strepen nu tot grijs waren verbleekt. Thorn probeerde zich ervan te ontdoen, terwijl de andere man zijn polsen vasthield op de manier waarop Afrikanen de polsen van een tegenstribbelend kind vasthouden, niet kastijdend, enkel bedoeld om te voorkomen dat het kind zichzelf of anderen pijn zou doen.

Alan keek Djalik eens aan, die op bijna serene wijze terugkeek.

De Engelssprekende man kwam naar hen toe.

'Alstublieft, wij gaan u nu naar de plaats brengen waar de ontmoeting plaats zal vinden. U beiden bent ook van de ambassade?'

Alan besloot het erop te wagen. 'Ik ben hier om de man te identificeren die uitgewisseld zal worden.'

De man wendde zich tot Djalik. 'U bent medicus?'

'Ik ben de enige die beschikbaar was,' gromde Djalik. Alan vond het de beste halve waarheid die hij van z'n leven had gehoord. Achter hem klom iemand van de passagierskant in de Blazer met in z'n hand een wapen dat hij op het hoofd van de DS-man gericht hield. De twee mannen die tegen het portier hadden geleund waren aan de kant gegaan en keken belangstellend toe, waarbij een ervan aanstalten maakte om aan de achterzijde van de auto naar binnen te kruipen. Het zag ernaar uit dat Arnie een ritje ging maken. Alan keek naar Djalik. Djalik trok een van die dubbelzinnige gezichten: *Ik neem aan dat-ie voor zichzelf kan zorgen.*

'Alstublieft, ik zal u een blinddoek om moeten doen. Duurt maar kort.' Alan vond het omdoen van een blinddoek een goed teken. Je zou eruit op kunnen maken dat ze niet om het leven zouden worden gebracht. Of zou het het doden juist makkelijker maken?

Ze liepen in de richting van de Citroën.

De auto leek erg snel te gaan, terwijl de gaten in de weg diep en talrijk waren, en ze stuiterden er dan ook overheen, waarbij ze de ene keer nagenoeg helemaal door de vering gingen, om het volgende moment met hun hoofd het dak te raken. Alan was nu enigszins in staat om door de dunne stof van de blinddoek te kijken, alleen maar een beetje licht en verder niet veel meer. Hij vroeg zich af waar Thorn was, waarom hij in een andere auto zat. Maar het deed er verder eigenlijk niet toe.

De tijd verloopt anders als je niet meer kunt zien. Hij had geen idee hoe lang ze reden en hij besefte dat hij misschien wel even was weggedommeld. Hij was er niet zeker van. Erg voor de hand liggend was het niet. Djalik snurkte luidruchtig – was dat echt of deed hij alsof? Maar hoe dan ook, de rit was niet langer dan 'niet lang' en hij rekende uit dat ze misschien vijftig, zestig kilometer hadden afgelegd – dat ze misschien net een uurtje hadden gereden, over slechte wegen, met een onwijze snelheid.

De chauffeur mishandelde de versnellingsbak en zette de wagen in z'n achteruit. Alan hoorde hoe hij de handrem aantrok en toen uitstapte, waarna de Engelse stem hun verzocht ook uit te stappen. Toen Alan zich uit de wagen liet glijden, pakte iemand hem bij een schouder, draaide hem om en hield hem in evenwicht, om hem vervolgens van zijn blinddoek te ontdoen. Het felle licht maakte dat hij met zijn ogen knipperde, ondanks het feit dat het hier ging om het prachtige licht van de vooravond dat zo karakteristiek is voor Equatoriaal-Afrika.

Ze bevonden zich bij een rivier. Het gras was bruin. Dat zag hij het allereerste. Aan de overkant van de rivier hoorde hij het geschreeuw van een baviaan. Vlak bij hen in de buurt koerden een stuk of wat duiven. Hij keek om zich heen.

Ze stonden vlak bij een kleine landingsstrip geparkeerd – een streep rode aarde die haaks op de rivier stond. Hij zag een klein tweemotorig toestel op het veld staan dat hij herkende als een ASTRA Nomad, het Afrikaanse werkpaard voor alle mogelijke doeleinden. Een man was met een van de motoren bezig. Terwijl Alan toekeek, draaide de man zich om en keek hoe een andere wagen, de groene Land Rover, vlak bij hen stopte en Thorn naar buiten werd geleid. Hun Blazer kwam daar vlak achter tot stilstand. Alan en Djalik begonnen die kant uit te lopen, en niemand hield hen tegen. Feitelijk leek iedereen Thorns kant uit te kijken. *Ze denken dat híj de CIA-man is, de arme donder. Beter hij dan ik.* De nieuwe groep militairen hier zagen er heel anders uit dan de eerste: goede uniformen en gevechtslaarzen, elke man droeg een wapen en had een stuk of wat magazijnen bij zich, terwijl sommigen zelfs pistolen of revolvers in een holster aan hun koppel hadden hangen. Hutu Interahamwe.

De man die Engels sprak zei: 'Wilt u zo vriendelijk zijn allemaal aan boord van het vliegtuig te gaan?'

Thorn keek hem aan, zijn mond een fractie openhangend. Hij schudde zijn hoofd. 'Waar is de Amerikaan – O'Neill?'

'We brengen u naar hem toe.'

'Breng hem hierheen.'

'Dat is niet wat we geregeld hebben.'

Thorn draaide zich naar Alan om. 'Keer om en loop terug naar de auto. Die van ons staat helemaal achteraan.'

Alan keek naar het vliegtuig. Hij zag een vogel, een heel eind verderop, aan de andere kant van de startbaan, die traag rondjes draaide in de bewegingloze avondlucht. Hij boog zich langs Thorn en richtte zijn vraag tot de man in het kostuum. 'Waar brengt u ons naartoe?'

'Nérgens heen!' siste Thorn. 'We gaan hier wég!'

'In de buurt van Kisangani,' zei de man. 'Een lange vlucht, maar – ' Hij keek naar het toestelletje, trok een gezicht. 'Niet ál te oncomfortabel.' Hij sprak het uit als *oncomfortabèl*, en moest toen grinniken.

'Deze mensen hebben geen enkele diplomatieke status!' zei Thorn. Zijn stem klonk steeds hoger. 'Ik heb helemaal geen tóestemming om me buiten Kinshasa te begeven, en dat ben ik ook helemaal niet van plan!' Hij begon weg te lopen. Niemand kwam in beweging om hem tegen te houden, en Alan vermoedde dat niemand instructies had voor dit soort gedrag. Ze waren hier om de Amerikanen naar die CIA-man te brengen, zodat ze hem weer mee terug konden nemen, punt uit; als de Amerikanen niet mee wilden – nou, als de Fransen zonodig wilden dat ze dit deden, dan hadden zíj zich in elk geval aan de afspraak gehouden, ondanks het feit dat de Amerikanen dat niet hadden gedaan, toch? Djalik bracht vragend één wenkbrauw omhoog. Alan ging ervan uit dat de Hutu's O'Neill op hun eigen gebied wilden overdragen, waar ze niet bang hoefden te zijn voor vergelding. Misschien om een mild soort woedeaanval ten beste te geven om te laten zien dat ze zich niet de les lieten lezen, dat ze zelf wel bepaalden wat er zou gebeuren. Kisangani was de stad waar zich het overgrote deel van Mobutu's troepen en zo'n beetje al zijn Hutu-bondgenoten bevonden, alsmede nog een half miljoen Hutu-vluchtelingen die door de militairen op hun terugtocht in westelijke richting voor hen uit werden gedreven. Hij dacht over dit alles na en probeerde zichzelf in de positie van de Hutu's voor te stellen.

'Djalik, ik ga mee. Jij gaat terug.'

Djalik veegde met zijn gehele linkerhand zijn gezicht af, volgens Alan een gebaar waaruit pure frustratie sprak. Djalik schudde zijn hoofd en keek vervolgens naar een punt ergens áchter Alan, naar de twee Amerikanen die in de Blazer stapten. Hij krabde aan zijn kruis.

'Meneer, als ik u hier achterlaat ga ik met mijn kloten voor het blok.'

'Ik zal er een dienstbevel van maken. Geef me iets waarop ik kan schrijven – '

Djalik draaide zich om en stond nu vlak bij Alan. Alan voelde hoe de man in zijn gezicht ademde, kon het zelfs ruiken – een tikkeltje zurig. 'Als u met die apenbekken in dat vliegtuig stapt is het met u gedaan, meneer.'

'Djalik, hij is mijn vriend en ik kan hem niet in de steek laten. Jij wel.' Hij klopte op zijn zakken, op zoek naar een stukje papier. 'Voor jou is het alleen maar een taak. Voor mij is het mijn beste vriend. En taak komt pas op de tweede plaats, ná vrienden.' Alan werd verrast door zijn eigen woorden. Hij meende het woord voor woord, maar vóór hij ze had uitgesproken had hij ze niet echt overdacht. 'Geef me een velletje papier, dan zal ik je het bevel zwart op wit geven. Vanavond komt de COD; daar kun je nog mee mee. Zeg tegen de mensen op de *Jackson* dat ik contact met ze op zal nemen nadat O'Neill aan mij is overgedragen.'

De kleine man in het kostuum keek naar hem en vervolgens naar de Chevrolet Blazer, waar Thorn en Arnie al in hadden plaatsgenomen, en hij gebaarde met zijn kin de betreffende kant uit. 'En díe man?'

'Hij zegt dat hij zijn bevoegdheden niet te buiten mag gaan. Hij kan niet mee. De mijne liggen heel anders. Ik ben officier bij de Amerikaanse marine en ik ga met u mee. Heeft u misschien een velletje papier voor me?'

Die vraag maakte dat hij begon te blozen, maar hij doorzocht zijn zakken en haalde een gevouwen, niet al te schoon velletje papier en een ballpoint tevoorschijn. Boven aan het velletje krabbelde hij wat woorden neer.

'En uw metgezel?'

Alan schreef, en gebruikte daarbij Djaliks rug als lessenaar. *U krijgt hierbij het bevel u onmiddellijk bij de ambassade te Kinshasa te melden* – 'Ik vind het beter als hij teruggaat naar de ambassade. Ik schrijf net een dienstbevel voor hem uit.'

De militairen gingen aan boord van het vliegtuig. Alan moest zijn stem verheffen om zich boven het gegier van de motoren verstaanbaar te maken. Hij gaf het velletje papier aan Djalik, pakte de elleboog van de kleine zwarte man en liep in de richting van het toestel.

Toen hij zich bij de cabinedeur nog even omdraaide, klom Djalik vlak achter hem aan boord.

26

Eind november

Zaïre.
'Waarom ben je meegekomen, Djalik?'
'U heeft een oppasser nodig.'
'Nee, Dave, dat heb ik níet. Ik heb dit soort dingen eerder gedaan.'
'Ja? Nou, ik ook. Wat vaker zelfs. En, meneer, met alle respect, u maakt op mij de indruk als iemand die op gevaarlijke wijze naar glorie hongert. Iemand die te weinig training heeft voor dit soort ellende.'
Ze zaten samen opeengepakt, helemaal achter in het vliegtuig. Twee militairen zaten tegenover hen. Niemand leek zich er iets van aan te trekken dat ze met elkaar praatten, of dat hun positie nogal abnormaal was – geen goedverzorgde gasten, maar ook geen gevangenen.
'Dave, ik doe het voor m'n vriend. Meer niet.'
'Ik heb een vrouw en twee kinderen, meneer. En noem me alsjeblieft niet steeds "Dave" als het in uw kraam te pas komt. Ik heb dit soort werk opgegeven opdat ik mijn vrouw recht aan zou kunnen kijken wanneer ik zei dat ik terug zou komen. En die vriend van u interesseert me geen barst! Mijn gezin komt bij mij op de eerste plaats. U doet dit vanwege uw vriendschap! Grandioos! Zeg dat maar tegen mijn vrouw. Want ik móet namelijk met u mee. Hoort u me? Als u dit alles heelhuids doorstaat en nóg een medaille krijgt, en u laat míj met m'n gezicht in de aarde in dit vervloekte Afrika achter, dan mag ú mijn vrouw vertellen dat u dit voor een vriend hebt gedaan. Ik weet zeker dat ze daar begrip voor op zal kunnen brengen.'
Hij had Djalik nog nooit zo veel achter elkaar horen zeggen. Buiten werd het nu écht donker.

Na drie uur werden ze geblinddoekt. Zelfs met een volle maan was de nacht zó zwart dat ze voor hetzelfde geld boven water hadden kunnen vliegen, en Alan besefte dat ze tóch nooit iets op de grond hadden kunnen herkennen.
Hij vermoedde dat ze nóg een uur hadden gevlogen toen hij de landingskleppen hoorde bewegen en besefte dat ze aan de naderingsvlucht waren begonnen. Het toestel voerde twee bochten uit, beide keren naar links, en begon toen snel hoogte te verliezen. Hij voelde hoe ze een soort onzichtbare barrière passeerden toen de aanwezigheid van de grond zich leek te manifesteren, waarbij de lucht

vochtiger leek te worden en smaak leek te krijgen, ondanks de blinddoek. Toen raakten de wielen de grond en waren ze geland.

Toen het vliegtuig na het taxiën tot stilstand kwam hoorde hij de militairen stommelen, werd hij vastgepakt, overeind getrokken, naar de cabinedeur geleid en moest hij het vliegtuigtrapje af. Hij hoorde andere vliegtuigmotoren, plus nog iets dat erg veel op het hoge gehuil van helikopterturbines leek. Hij rook de geur van hout dat werd verbrand, krachtig, scherp. Toen werd hij in een voertuig geduwd. Hij stootte zijn hoofd tegen iets.

Ze hadden nog maar nauwelijks een minuut gereden toen de auto weer tot stilstand kwam. Opnieuw werd hij door verschillende handen vastgegrepen die hem door een deur duwden waar hij met zijn schouder tegenaan stootte. Hij werd in een stoel geduwd, terwijl zijn handen werden vrijgelaten. Hij besloot een poging te wagen zijn blinddoek af te doen. Niemand hield hem tegen. Hij en Djalik zaten in een klein vertrek. Gehavende klapstoeltjes stonden tegen de muur. Ze keken elkaar aan. 'Daar zijn we dan,' zei Alan. 'Waar "daar" dan ook zijn mag.'

De deur ging open en een kleine, erg zwarte man in een groen legeruniform zonder knopen kwam binnen met een blad in zijn handen. Hij gaf hun beiden een beker koffie, waarna hij weer naar buiten slofte op zijn sandalen die van een oude autoband waren gemaakt.

'Die koffie smaakt niet slecht,' zei Djalik.

'Je had helemaal niet mee hoeven gaan.' Alan klonk agressiever dan zijn bedoeling was geweest.

'Hou daar eens mee op.' Djalik klonk ernstig, en was blijkbaar niet langer meer boos. 'Wat denkt u dat ze van plan zijn?'

Hij vermoedde dat ze in een gebouwtje ergens op een vliegveld zaten, misschien een zijvertrek van een hangar, want de stemmen aan de andere kant van de wand leken na te echoën. Boven het geluid van die stemmen uit was het motorgeronk van vliegtuigen te horen, waarbij met name het constante, hoge gehuil van de helikopters opvallend was, alsof ze al een hele tijd stonden te wachten en elk moment op konden stijgen. En boven de vliegtuiggeluiden was in de verte weer het vuren van lichte wapens te horen, onregelmatig en onmogelijk te herkennen, maar aangezien het midden in de nacht was mocht worden aangenomen dat de mensen niet voor de lol aan het schieten waren. De bijna allesoverheersende geur van brandend hout betekende dat ze midden tussen de vluchtelingen zaten, wier kampvuurtjes vanuit de lucht waarschijnlijk zichtbaar waren — ongetwijfeld de reden dat ze van een blinddoek waren voorzien. Hij vertelde Djalik dit alles. 'Ik denk dat ze oprecht van plan zijn hem aan ons over te dragen. Ze brengen ons niet helemaal hiernaartoe om ons vervolgens met een kluitje in het riet te sturen; er wordt gezegd dat ze hem kwijt moeten. Dus ik stel voor dat we open kaart spelen, waarbij we wellicht een donderpreek over ons heen krijgen, maar we houden onze mond dicht. Dit is een terrein waarin ik meer ervaring heb dan jij, oké? Als er gepraat moet worden, laat míj dat dan doen. Ik wil niet dat er str– '

Aan de andere kant van de stalen profielwand schreeuwden twee stemmen iets in het Frans. Alans Frans was niet meer zo héél erg vloeiend, op z'n best mocht het eigenlijk wel rudimentair worden genoemd, maar hij meende aan de toon te horen dat iemand woedend was. Was het de stem van O'Neill? Schreeuwde iemand naar O'Neill? Of maakte iemand ruzie om O'Neill? Het waren twee stemmen, de ene schril en woedend, en de andere lager, killer, maar even woedend.

'Waar hebben ze het over?' vroeg Djalik.

'Iets over helikopters. Een van hen schreeuwt onophoudelijk "Blancs, blancs" – blanken. Misschien heeft-ie het over ons.'

'Hij klinkt niet écht blij.'

Alan luisterde. Hij meende het woord *lâche* op te vangen – lafaard. Het kon ook meervoud zijn, lafaards. Blanke lafaards? Waren hij en Djalik blanke lafaards? Toen was de schrille, hoge stem weer overal bovenuit te horen: *'Allez, allez, sauvez-vous! Foutrez-vous, lâche blanc! Laissez-nous à notre afrique sanglante, traître!'* Direct gevolgd door een metaalachtige klap – werd er iets gegooid? Viel er iets?

En toen stilte.

'De ene met de hoge stem zei tegen de ander dat-ie kon barsten, dat-ie kon opsodemieteren, eh – vervolgens iets over het bloedende Afrika – breng jezelf maar in veiligheid, blanke lafaards – '

De kleine man kwam weer binnen en nam – met een doodsbange blik op zijn gezicht – een stuk of wat klapstoeltjes mee. Alan stond op en liep naar de deur. Er bevond zich inderdaad een hangar aan de andere kant van de metalen wand. De hangar bestond uit een roestig skelet dat was bekleed met dunne metaalplaten. Als de zon aan de hemel stond moest het hier zo heet worden als een oven, bedacht hij. Hij zag een deur, die blijkbaar al zó lang open had gestaan dat zich een permanente laag aarde had gevormd die twee centimeter hoger was dan de onderkant van de deur, terwijl binnen nog de restanten van een betonnen vloer zichtbaar waren. In de loop der jaren was daar heel wat olie op gelekt, terwijl er zich tussen de roestige balken van de hangar heel wat vogels hadden genesteld, die hun uitwerpselen nog eens aan de troep beneden hadden toegevoegd. Aan de andere kant van de hangar, recht tegenover de deuropening waar hij nu stond, waren de grote schuifdeuren waardoor de vliegtuigen ge-

woonlijk naar binnen kwamen, bijna helemaal gesloten, en door de smalle opening die over was kon hij alleen maar duisternis waarnemen.

Er stonden geen vliegtuigen in de hangar. Er waren onderdelen te zien van dingen die ooit vliegtuigen geweest zouden kunnen zijn, maar voor hetzelfde geld
konden het ook oude auto's zijn, of misschien wel landbouwgereedschap uit het
bronstijdperk. Stuk voor stuk restanten van zaken die in eerste instantie ge-
sloopt waren, om vervolgens herhaaldelijk geplunderd te worden. Bijzonder opmerkelijk aan de hangar was dat hij in geen enkel opzicht aan luchtvaart deed
denken, maar in alles aan een burgeroorlog: precies in het midden stond een tafel, en de man met de klapstoeltjes zette ze neer alsof het om de zetels van een
Franse rechtbank ging. Er was één enkele lamp, het soort van gelige werklamp
die gewoonlijk door agenten bij de plek van een ongeluk wordt neergezet, terwijl nu het gedempte gestamp van een generator te horen was. Een vlag die
Alan onmogelijk thuis kon brengen hing aan een stalen balk boven de tafel.

In een hoek van de kamer, buiten het schijnsel van de lamp, keken een lange
zwarte man en een gespierde blanke in een donker uniform elkaar woedend
aan. Een stuk of zes, zeven zwarte militairen die bij de smalle opening van de
grote hangardeuren stonden, maakten een gespannen, misschien wel angstige
indruk, en twee blanke soldaten áchter de blanke militair hadden hun vinger
zelfs aan de trekker van hun automatische geweer.

Hij deed een stapje naar achteren, het kleine vertrek weer in. 'Ik denk dat we
een probleem hebben. Er staan daar een stuk of wat blanke huursoldaten; daar
moet dat geschreeuw van daarnet iets mee te maken hebben. Volgens mij zijn
ze zich aan het terugtrekken.'

'Dus?'

'Dus laten we hopen dat ze verdwijnen voordat iemand het vuur opent. De Zaïrese artillerie heeft vorige week een van die huurlingenonderkomens beschoten
omdat die blanke jongens per man een paar duizend Amerikaanse dollars per
maand incasseren, terwijl de plaatselijke soldaten al een jaar lang hun soldij van
tien dollar per maand niet uitbetaald hebben gekregen.' Hij beet op zijn onderlip. 'Een slechte timing.'

Het geschreeuw hield op. Toen hij weer de hangar in keek, was zowel de lange
zwarte man als de blanke niet meer te zien, terwijl Hutu-militieleden posities
bij de opening in de deuren hadden ingenomen, waar ze grapjes probeerden te
maken en daarbij sigaretten rookten die volgens Alan best wel eens uit zijn
helmtas afkomstig konden zijn.

Toen verscheen de kleine man die Engels sprak weer ten tonele. 'Komt u mee,
alstublieft.'

Op een van de klapstoeltjes, helemaal tegen de wand van de hangar, ver buiten het schijnsel van de lamp, zat een man. Zijn handen, die hij in zijn schoot had liggen, waren gebonden, maar verder hing hij zó ver voorover dat hij niet aan de stoel vast leek te zitten. In feite leek het of de man sliep – of dood was. Hij was eigenlijk niet veel meer dan een vorm, maar Alan vermoedde dat als O'Neill werkelijk ter plaatse was, hij die beklagenswaardige gestalte op die stoel moest zijn.

Ze werden naar voren geduwd, met hun gezicht naar de tafel. Ze hadden twee bewakers, die ieder waren bewapend met een Ingram M-10, een pistool-mitrailleur. Djalik bekeek elk van hen met een soort professionele belangstelling en glimlachte zelfs even tegen een van de knapen. Geen reactie.

Zwarte mannen in legergroene gevechtskleding liepen naar de stoeltjes toe, vijf man, en de lange, ontstemde man die met de blanke ruzie had staan maken liep langzaam naar de tafel en het werd plotseling stil in de hangar. Hij ging zitten, waarna de andere mannen ook gingen zitten. Alans en Djaliks bezittingen lagen nu op de tafel vóór hen – helmtas, eerstehulpdoos, H&K P-9. Er was ook een ruw stapeltje papieren op tafel verschenen.

De lange man nam het woord en deed dat in het Frans. De Engelse spreker, die zich tussen Alan en de tafel had opgesteld, vertaalde.

'Hij zegt u dat hij kolonel Peter Ntarinada is, van het Grande Armée Rwandaise. Hij heeft deze krijgsraad bijeengeroepen om deze man hier, Mr. Harold O'Neill, terecht te laten staan vanwege spionage en verraad aan het Hutu-volk en het volk van Rwanda.' Hij wees naar de bewusteloze gestalte. 'Díe man daar.'

Dus dat was Harry. Alan probeerde iets te herkennen, maar de gestalte was bijna geheel in duisternis gehuld.

De lange man, Ntarinada, bladerde door de papieren.

'Deze man, deze O'Neill, hij, eh, beweert Amerikaan te zijn, wij staan toe – stellen u in staat deze gebeurtenissen bij te wonen.' De vertaler wist dat dit niet het goede woord was, maar had het juiste woord niet bij de hand. Alan zorgde stilzwijgend voor de juiste uitdrukking: *zitting.*

Alan dacht aan Thorn en speelde zijn rol, maar met een nagenoeg emotieloze stem, alsof hij zichzelf uit een andere taal vertaalde. 'Ik moet hiertegen protest aantekenen. Mij is van tevoren niets over deze zitting verteld, en ik ben hier niet als vertegenwoordiger van de Amerikaanse ambassade. Als uw gevangene een Amerikaans staatsburger is, verzoek ik u hem onmiddellijk in vrijheid te stellen.' Hij zette zich mentaal schrap en keek Ntarinada strak aan terwijl zijn woorden werden vertaald. Ntarinada glimlachte en nam opnieuw het woord. 'Wij hebben blijkbaar een, hm, *pas compris*, eh, misverstand. Als u hier niet bent voor de ambassade, wilt u de gevangene zeker ook niet zien?'

Alan glimlachte en pretendeerde een zelfverzekerdheid die hij absoluut niet voelde. 'Als de gevangene Amerikaans staatsburger is, heeft u helemaal het recht niet hem vast te houden, meneer. Amerika is hier geen oorlogvoerende partij.'

Ntarinada's stem zwol aan totdat hij regelrecht schreeuwde; zijn rechterhand kwam keihard op de tafel neer, vond de H&K, en liet zijn hand erop rusten. Alan begreep wat hij bedoelde nog voor de tolk het had verwoord. 'De gevangene is een verrader van het Rwandese volk. Hij heeft een vrouw verleid haar bloed en haar volk te verraden. Hij heeft geprobeerd te voorkomen dat het Hutu-volk zou worden bevrijd. Hij is een agent van de Central Intelligence Agency en van het zogenaamde Rwandese Volksleger. Hij heeft bekend schuldig te zijn aan alle tenlasteleggingen. Wij hebben zijn bekentenis, vele malen zelfs. Begrijpt u dat, meneer?'

Bij de opening tussen de twee grote deuren was enige beweging waar te nemen. Alan begon te spreken, maar zijn ogen schoten opzij en hij zag dezelfde blanke weer binnenkomen, op de voet gevolgd door twee anderen. De zwarte soldaten gingen voor hem aan de kant. Alan ging door, maar hij bleef naar de blanken kijken, want direct na hun entree was de sfeer radicaal veranderd. Buiten lichtte iets krachtig op en hij zag het profiel van de man. *De heksenneus.*

'Spreekt u mij alstublieft aan bij mijn correcte militaire rang. Ik ben luitenant-ter-zee der eerste klasse Alan Craik van de marine van de Verenigde Staten.'

Verscheidene officieren mompelden iets. Het was zijn bedoeling geweest dat zijn rang hem tegenover hen zou legitimeren, hem dichter bij de uitwisseling zou brengen, de ene militair tegenover de andere. Een ogenblik lang leek het ook te gaan werken; zelfs Ntarinada leek onder de indruk, misschien zelfs wel opgelucht. Toen stapte de blanke huurling de lichtkring binnen. Er was wat geritsel van beweging hoorbaar, alsof een windvlaag droge bladeren over het beton had verspreid. Alan voelde hoe Djalik druk uitoefende tegen zijn rechterzij. *Wat had dat verdomme te betekenen?* Hij begreep het niet. Opnieuw voelde hij de druk, harder deze keer, en hij herinnerde het zich weer: *Als ik u een duw geef, stribbel dan niet tegen*, maar hij besefte: *Hij heeft geen vuurwapen meer, waarom zou hij een vrij schootsveld willen hebben?* Maar hij was nog niet goed en wel naar links gezwaaid, om vervolgens een halve stap naar voren te doen, of hij voelde hoe de spanning om hen heen begon te stijgen.

Tijdens dit alles had Ntarinada hem onafgebroken de les gelezen; de tolk begon te vertalen wat hij zojuist had gezegd.

' – een excuus aan het Hutu-volk uit naam van uw regering. U schrijft, eh, zoiets, en zet er dan uw handtekening onder, uw naam – uit naam van de Verenigde Staten van Amerika – als u geen excuus maakt, zal ik hem laten doden.'

'Pardon, mon colonel – n'est pas te projet – ' Het was de stem van iemand die aan

tafel zat. Nu luisterde de blanke huurling ook; hij had hier blijkbaar ook belang bij. Maar zijn ogen schoten terug in de richting van Alan, en nu kruisten hun blikken elkaar. Voor Alan was het alsof hij in het wild een gevaarlijk dier tegenkwam, niet wetend waarom er van enige vijandschap sprake zou moeten zijn, maar die wel degelijk voelend. *Alan zag de donkere gang in Bosnië weer voor zich. De scheve neus.*

Ntarinada schreeuwde iets in het Hutu. Zijn toon was woest. De andere man schudde zijn hoofd.

De andere officieren wilden Harry vrijlaten. *Dit is niet volgens plan*, had de officier gezegd. Om Harry te vermoorden, had hij bedoeld.

De witte huursoldaat liep wat dichter op Ntarinada af. *'Dépêche-vous; il faut partir.' Schiet een beetje op; we moeten hier weg.* Alsof híj hier de lakens uitdeelde. Ntarinada's hoofd ging met een ruk opzij en hij snauwde iets. Ze waren Ntarinada aan het isoleren – gevaarlijk.

'Ik ben bereid een excuus op papier te zetten,' zei Alan kalm, 'maar ik heb geen enkel bewijs gezien dat op een misdaad zou kunnen wijzen.' Hij had geen flauw idee wat de eventuele gevolgen van zo'n excuus zouden kunnen zijn, maar als de andere officieren aan tafel een excuus wilden zien om vervolgens O'Neill aan hem over te dragen, dan was hij met alle plezier bereid deze lieden een been toe te werpen; het protocol kon hem gestolen worden. *Die blanke kerel was de oorlogsmisdadiger, Zulu.*

Het korte, blaffende geluid van handvuurwapens kwam van veraf, maar het vormde voor deze transactie een bijna constante achtergrond. De soldaten bij de opening werden steeds onrustiger, staarden in het duister en lieten hun vingers over hun wapen glijden. Een van hen draaide zich om, riep iets naar de mensen in de hangar. Mannen begonnen van de tafel op te staan, en degene die even eerder had gesproken zei iets tegen Ntarinada, daarbij wijzend naar de ineengezakte gestalte tegen de wand en vervolgens naar Alan, en maakte daarbij een dringend gebaar, terwijl Alan zijn stem verhief om boven het geluid uit te komen en riep, omdat hij voelde hoe alles als rul zand tussen zijn vingers door leek te glippen, voelde hoe de gebeurtenissen uit de hand dreigden te lopen en de spanning met de seconde steeg, voelde hoe alles in duigen dreigde te vallen: 'Heren, alstublieft – '

Op dat moment draaide de blanke huurling zich naar hem om terwijl hij tegelijkertijd zijn hand naar een van een flap voorziene holster bracht, en Alan alleen maar tijd had om te denken: *Hij ís het!* En toen zag hij Ntarinada ook in beweging komen, verrast door het feit dat de blanke naar zijn pistool reikte, en hij stak zijn hand uit naar de op tafel liggende H&K.

Toen bevond Djaliks hand zich ergens ter hoogte van zijn kruis, om een fractie van een seconde later weer tevoorschijn te komen. Hij schoot de eerste bewaker in het hoofd, de loop van een Colt Mustang tegen de slaap gedrukt, om tegelijkertijd het machinepistool van de man over zijn hoofd te trekken terwijl de bewaker in kwestie nog maar goed en wel begonnen was in elkaar te zakken. De op de stalen dwarsbalken van het dak zittende vogels stoven op, iets dat met veel geklapwiek gepaard ging. Djalik schoot de tweede bewaker neer nog voordat de eerste de grond had geraakt en voor de huurling kans had gezien zijn pistool uit zijn holster te rukken, wederom een schot dwars door het hoofd van uiterst korte afstand, en hij draaide met het tweede slachtoffer mee, zodat hij het in elkaar zakkende lichaam tussen hem en de tafel in hield. De huurling schoot in zijn poging om Alan te raken dan ook in het lichaam van de bewaker, terwijl Djalik nóg een schot loste om zich vervolgens op de grond te laten vallen en de M-10 omhoog te brengen. Nog een stuk of wat schoten echoden lawaaiig door de metalen hangar en in het halfduister vlak buiten de lichtcirkel flitste steeds weer het centimeters lange mondingvuur op. Ntarinada rolde bij de tafel vandaan, recht in de verwarring van de officieren die achter hem in paniek waren geraakt, maar Alan dook in de richting van de tafel, naar een man die nog probeerde overeind te komen. Alans gewicht maakte dat de tafel omver klapte en hij belandde in een soort warrige kluwen, met de tafel tussen hem en de blanke, terwijl hij alleen maar kon denken: *Zulu*. Djalik was opnieuw in beweging gekomen. Een van de bewakers achter de tafel vuurde, en de ander probeerde de loop van zijn wapen naar hen omhoog te brengen, maar Djalik stapte binnen het bereik van de loop en schoot de man van slechts enkele centimeters afstand dood, om vervolgens onder de arm van het derde slachtoffer door zijn partner te elimineren. Dat waren de vijf patronen uit de bijzonder kleine .380, en het eerste lichaam was nog maar nauwelijks met de grond in aanraking gekomen.

Alan had geen flauw idee tegen wíe hij vocht. Ze waren met z'n allen in één grote wirwar terechtgekomen, en hij vocht op de manier die hij eens van een marinier had geleerd: met zijn ellebogen, zijn knieën en zijn vingernagels, in een poging de anderen tegen de grond te houden om te voorkomen dat ze Harry zouden doodschieten. Ze waren met z'n drieën. Alan kreeg met zijn linkerhand een hoofd te pakken en bonkte dat woest tegen de vloer. Iemand ramde een knie in zijn kruis en de wereld explodeerde, en het volgende moment klapte hij met zijn rug tegen de tafel. Hij kreeg een paar schouders te pakken en hoorde nog twee snel opeenvolgende schoten. Bijna verblind van pijn had Alan geen flauw idee dat Ntarinada zojuist de tolk Engels had neergeschoten in een poging Zulu te doden. *O, god! Harry!* dacht hij – die in elkaar gezakte gestalte, hulpeloos op zijn stoel –

Djalik tuimelde achterover, met het lichaam van zijn derde slachtoffer boven op zich, en vuurde met de M-10 in het groepje bij de hangardeuren.

Alan vond een pistool onder zijn dijbeen, haalde de slede naar achteren, richtte zonder iets te zien en haalde de trekker over. Hij hapte nog steeds naar adem en zijn zicht was doorspekt met rode stippen. De trap in zijn kruis deed ontzettende pijn. De laatste adem van zijn slachtoffer blies warm en stinkend in zijn gezicht. Alan zette zich met zijn benen af en schoof in de richting waar Harry zich zou moeten bevinden. Ntarinada was verdwenen. Alan vuurde op een blanke man die door de hangardeur naar buiten holde en raakte een tweede die zich omdraaide om terug te vuren.

Hij keek om de rand van de tafel, haalde adem en schoot op een zwarte man die zijn hoofd om de rand van de hangardeur stak.

Djalik ramde een nieuw magazijn in de M-10.

Stilte en cordiet hingen in de vochtige lucht. Toen begon het gekreun. Alan bleef de opening in de gaten houden. Het leek wel of de wereld in het luchtledige hing.

'Achter ons is er niemand, Djalik.'

'De hangar hebben we onder controle, meneer. Waar is die blanke klojo naartoe gegaan?'

Alan snelde op handen en voeten in de richting van de gestalte die O'Neill zou moeten zijn, doodsbang dat hij doodgeschoten zou zijn, en zag hem op de vloer liggen, naast de omgevallen stoel. *Jezus, nee,* bad hij. Zijn kruis deed pijn; hij kroop verder, bereikte het stille lichaam en stak zijn hand uit.

'Harry?' Hij probeerde vast te stellen of er nog een polsslag voelbaar was. De man stonk, naar urine en stront en kleren waarin hij al weken had geslapen. Alan bracht zijn hoofd iets omhoog, betastte het doffe haar, hield het vast, greep het beet, alsof het ronddraaien van de haren de man wakker zou doen worden.

'Harry?'

Op dat moment dacht hij niet dat het Harry was, dat het om een grap ging, een truc. Het zag er in elk geval niet uit als Harry. Het gezicht was gezwollen, de lippen zodanig opgeblazen dat ze eruitzagen als groteske ballonnen. Het rechteroog was zodanig opgezwollen dat het nagenoeg dicht zat. Alan rolde het hoofd iets opzij om naar het andere oog te kijken en werd onpasselijk door wat hij zag: een rode, starende oogbol zonder oogleden. De oogholte was ontstoken en de huid erboven was gezwollen door de pus en zat onder de bloedkorsten. Hij had dit eerder gezien, in de martelruimte in Pustarla. Zulu.

'O, Jezus, Harry, wat hebben ze met je gedaan!' jammerde hij.

Hij bracht zijn gezicht tot dicht bij de geschaafde wangen. Hij voelde tranen op zijn gezicht en besefte dat het zijn eigen tranen waren. 'Harry – Harry – ' En hij tastte in zijn eigen geheugen naar het woord dat dit wrak tot leven zou kunnen wekken, en zei: 'Creole? Hé, Creole – ík ben het, Spy – '

Het goede oog ging een fractie open. De pupil draaide zijn kant uit.

'O, Harry – ! Verdómme – !'

De stem van Djalik drong tot hem door. 'We moeten hier weg! Een of andere klootzak rolt straks door die deur daar een handgranaat naar binnen.' Het licht ging uit. 'Kom op, weg hier – !'

Alan probeerde naar de opening terug te tijgeren op de manier die de marinier hem ooit geleerd had, maar zijn knieën trilden nog steeds terwijl zijn ballen ook nog behoorlijk pijn deden. Djalik had de deur naar het vertrek waar ze hadden zitten wachten dichtgedaan en die vervolgens geblokkeerd met twee van de lichamen. Iemand die door Djalik was neergeschoten kreunde even waarna een zachte, borrelende kreet aan zijn lippen ontsnapte. Hij was in de onderbuik geraakt en de inhoud van zijn darmen maakte de stank in de hangar alleen maar nóg erger. Djalik, wiens blik strak op het terrein buiten de hangar was gericht, boog zich over de gewonde man, haalde diens vuurwapen uit zijn holster en schoot hem door het hoofd. Djalik had bij dat alles niet één keer op de man neergekeken.

'Is dat uw vriend?'

'Ja.'

'Kan hij lopen?'

'Weet ik niet.'

'Dat kan hij maar beter wél; na al deze ellende zullen ze echt niet bereid zijn ons hier vandaan te vliegen. Hoe dan ook, ze nemen buiten nu elkáár onder vuur. Op het platform liggen twee dode blanken; ík heb ze niet omgelegd.'

Alan haalde zijn magazijn tevoorschijn. Op de een of andere manier had hij zijn eigen pistool weer te pakken gekregen. Waar had hij negen schoten op gelost? Hij zat naast de toegang tot de hangar en drukte patronen van een van de neergeschoten bewakers in het magazijn.

'Waarom heb je die gewonde man doodgeschoten?'

'Je kunt zo'n man niet zomaar laten liggen. Kom op, meneer, laten we die vriend van u oppakken en hier verdwijnen.'

Alan wilde Djalik prijzen, hem vertellen hoe verbijsterd hij was dat één enkele man het tegen zóveel mensen kon opnemen en nog winnen ook, maar de woorden kwamen niet. Hij vond het moeilijk om lovende woorden uit te spreken na deze slachtpartij. Uiteindelijk zei hij alleen maar: 'Bedankt. Goed gedaan.'

Hij zocht tastend zijn weg naar de omgevallen tafel, deed zijn zaklantaarn aan en liet de lichtbundel kort door de ruimte spelen – en zag zijn helmtas. De inhoud was nog geheel intact: de kleine man die Engels had gesproken had woord gehouden. Zelfs de sigaretten waren er nog. Een kleine man van eer, die deze blanke buitenstaanders had willen laten zien dat zíjn mensen ook rechtschapen konden zijn. Alan liet de lichtbundel opnieuw om zich heen glijden en vond het lichaam van de man. Een fatsoenlijke, kleine man die tussen de moordenaars klem was komen zitten. Alan dacht vervolgens aan de blanke man die met schieten begonnen was en vroeg zich af wat er tussen hen was voorgevallen dat zo dodelijk was – tussen hem en Alan, hem en Ntarinada, tussen Ntarinada en Harry; Hutu en Tutsi; blank en zwart – en een kleine man die zo fatsoenlijk was geweest woord te houden had een kogel in zijn voorhoofd gekregen. Alan verplaatste de lichtbundel en zag Ntarinada, die dood aan de voeten van de kleine man lag. Misschien hadden zijn officieren genoeg van hem gehad.

Hij verzamelde een stuk of wat wapens en magazijnen. 'We hebben water nodig,' zei hij.

'Vergeet dat voorlopig even.' Djalik liep naar Harry, hield één seconde lang het schijnsel van zijn zaklantaarn op hem gericht, boog zich toen iets voorover en bracht het bovenlichaam omhoog. Alan pakte de benen beet; ze ondersteunden Harry, en Djalik ging iets door de knieën en tilde hem op totdat hij hem in een soort brandweergreep had. 'We gaan hier weg.' Alan liep voor hen uit – door het kleine vertrek, om vervolgens via de achteruitgang de duisternis te betreden. Ze streken neer in een metalen bijgebouwtje, zo'n vijftig meter verderop.

Alan scheen met zijn eigen zaklantaarn in Harry's gezicht. Zijn oog was open. 'Harry?'

De geruïneerde mond vertrok enigszins. Uit beide ogen – het gigantische rode en het andere – rolden tranen. Alan besefte dat het monstrueuze oog het resultaat was van het feit dat de oogleden waren weggesneden.

'Laat mij maar,' zei Djalik. 'Blijf bij die deur staan en schiet iedereen neer die te dicht in de buurt komt. Wel eens met een AK geschoten?' Hij gaf Alan een AK-47. Van buiten klonk nu aanzienlijk meer geweervuur, terwijl Alan op het vliegveld iets zag bewegen. Er was maar weinig licht en er stond geen maan.

'Kijk goed in het rond,' zei Djalik. Hij had de eerstehulpdoos erbij gehaald en desinfecteerde een stuk van Harry's arm. 'Ik ga hem een stevige dosis morfine geven. Een érg stevige dosis.'

'Zouden we hem kunnen wassen?'

'Túúrlijk, en als we daarmee klaar zijn een ijsje toe. Zijn broek zit vol stront omdat iemand hem heeft afgeranseld, naar alle waarschijnlijkheid gisteren. Maar aan stront gaat-ie niet dood. En dat geldt ook voor u. Meneer.'

'Hoe erg is hij eraantoe?'

'Geen idee. Dat zal ik u morgen vertellen. Vanavond geef ik hem alleen maar voldoende pijnstillers om ons in staat te stellen er als een haas vandoor te gaan. Met voldoende morfine in je lijf kun je als het moet zelfs met twee gebroken benen nog lopen.' Hij maakte de naald los en gooide het knijpspuitje weg. 'Hier – wacht twee minuten en dien hem dan nóg een dosis toe. Steek hem er in en knijpen maar. Ik ga even rondkijken.'

Djalik klonk pisnijdig. En daar was ook alle reden toe, bedacht Alan. Voor dit soort werk was hij helemaal niet ingehuurd – geen enkel onderdeel ervan. Hij wilde dat hij Harry kon wassen, maar er was geen water. Het kleine zaklantaarntje wierp een witte, scherpe lichtcirkel met een doorsnede van net dertig centimeter; het beeld van Harry's afgrijselijke oog in dit licht was te veel voor hem. 'Kunnen we iets aan dit oog doen?' riep hij. Djalik lag op zijn buik in de deuropening. Djalik rolde naar hem toe en zei: 'Er zit een tube met een drievoudig antibioticum in de doos; de halve inhoud daarvan over het oog en de directe omgeving uitsmeren,' en rolde weer terug. Tegen de tijd dat Alan daarmee bezig was en hem de tweede injectie met morfine had gegeven, was Djalik weer terug.

'Daarbuiten is de hel losgebroken, meneer. Ik weet niet wie welke rol speelt, maar ik krijg de indruk dat die blanke knakkers proberen met de helikopters weg te komen, terwijl iemand anders druk bezig is in oostelijke richting de boel aan flarden te schieten. Ik heb een paar indrukwekkende dreunen gehoord, zo te horen mortiergranaten.' Hij knikte kort naar Harry. 'Is hij bij bewustzijn?'

'Af en toe.'

'We dienen hem een injectie met speed toe. Óf hij gaat er de pijp van uit, óf hij staat straks weer op eigen benen. Die schoften hebben hem wél toegetakeld.' Het lukte Djalik nu beter zijn woede onder controle te houden dan daarnet. 'Ik heb een pad ontdekt waarlangs we zouden kunnen ontkomen.'

Alan bewoog zich in de richting van de deur, en draaide zich toen om in de richting van de kleine lichtcirkel. 'Waarom heb je me niet verteld dat je nóg een wapen bij je had?'

Djalik pauzeerde even, maar slechts één enkel ogenblik. 'U zou zich dan wel eens anders hebben kunnen gedragen, zodat ze het hadden gemerkt.'

'Waarom heb je míj dan m'n wapen afgenomen, verdomme?'

'Zodat ze die zouden vinden.'

De amfetaminen hadden inderdaad een bijzondere uitwerking, want nadat hij de ronde rond het bijgebouwtje had gemaakt zat Harry met zijn rug overeind tegen de wand en schreeuwde hij – hoewel de woorden door zijn gebarsten lippen gedempt en vervormd klonken: 'Val dood! Smerige Hutu-schoft, val hart-stikke dood!'

In het maanlicht keken ze naar het vliegveld, waar op verschillende plaatsen vuurwerk te zien was. Ze zagen verscheidene blanken en heel wat zwarte militairen, sommigen in het rond rennend, een stuk of wat stervend, weer anderen gesneuveld. Hij nam aan dat de andere troepen tot de 'Grande Armée Rwandaise' van Ntarinada behoorden. Ze waren allemaal in camouflagekleding gestoken en beschikten over kwalitatief goede webbing, junglehoeden en -schoenen.

Bijna tweehonderd meter verderop op het vliegveld stond een tweede hangar. Onafgebroken snelden er gestalten langs; ze konden het geschreeuw horen, en af en toe zelfs het gehuil van baby's. Hij vermoedde dat de vluchtelingen door de een of andere aanvaller deze kant uit werden gedreven. Drie Russische Mi-8 helikopters stonden vlak bij de andere hangar: twee met huilende turbinemotoren, terwijl de derde in brand stond en de hele omgeving in een fel schijnsel zette.

Ze zagen hoe blanke soldaten van ergens achter de noordelijke hangar tevoorschijn kwamen, de handen vol met rugzakken en plunjebalen, die ze vervolgens in de heli's begonnen te laden. Anderen, in camouflagepakken gestoken, zorgden voor dekking en bleven schoten wisselen met de GAR-militairen die zich in het duister ophielden.

'Ik zou van hieruit treffers kunnen plaatsen,' zei Djalik terwijl hij zijn AK-47 richtte. Alan was op zoek naar Zulu. Alan was zich bewust van een nieuw gevoel; het verlangen om te doden. Hij had deze persoonlijke noodzaak om een specifiek iemand te doden nooit gevoeld, niet eens bij de verrader die ervoor had gezorgd dat zijn vader was omgekomen. Hij wilde Zulu doden. Maar de afstand was groot en het licht onzeker.

'Zit bij de blanken die je ziet ook de officier die in de hangar met schieten begon?'

'Nee. Is daar iets mee dat ik zou moeten weten, meneer?'

'Het is een oorlogsmisdadiger naar wie in Bosnië gezocht wordt. Ik heb ooit een keertje het vuur op hem geopend.'

'U komt nog eens ergens. Nee, ik heb hem niet gezien.'

'Trouwens, we komen hier toch nooit levend vandaan als we zouden gaan schieten.'

'Ja, daarom doe ik dat ook niet. Ik neem aan dat we vanavond niet hun voornaamste zorg zijn.'

'Djalik, volgens mij staan die blanke gasten op het punt te vertrekken. Ze halen de wielblokken weg.'

Djalik bekeek het drama dat zich een eind verderop voltrok langs het metalen vizier van zijn geweer.

'Een prima tijdstip om op te stappen.'

'Ze zeiden dat ik een slaaf was en het kind van slaven,' zei O'Neill plotseling. Hij sprak met een dubbele tong en zijn medeklinkers klonken vanwege zijn zwaar geteisterde mond onduidelijk: een s klonk als sj, th als een h. 'Dat mijn voorvaderen slaven waren. Ze kunnen doodvallen. Witte schoft!'

'Ja, Harry, ze kunnen doodvallen. Harry, we moeten ons alleen een beetje stilhouden momenteel.'

'Ja, goed, stilhouden.' Hij was ongeveer drie seconden stil, en schreeuwde toen: *'Foutrez-vous, bâtards!'*

Djalik lachte. 'Dat komt door de speed. Wat zei-ie?'

'"Val dood, klootzakken".'

'Nou, daar kan ik het wel mee eens zijn. Oké, bent u klaar?'

'Klaar.'

'U houdt de omgeving in de gaten.'

Dat was de afspraak – Djalik had de leiding als er gevochten moest worden. Alan zei welke route ze zouden volgen en verkende de omgeving. Beiden ondersteunden ze Harry.

Alan liep behoedzaam naar buiten en drukte zich tegen het gebouwtje aan terwijl zijn ogen aan het sterrenlicht probeerden te wennen. Zijn kruis vormde één grote, dof-pijnlijke plek, maar de adrenaline hield hem op de been. Hij kreeg de indruk dat er heel wat mensen om hem heen in beweging waren. Toen hij de omgeving enigszins kon onderscheiden – beter zou het waarschijnlijk nooit worden – liep hij naar voren totdat hij een boma – een doornhaag – bereikte, die de omheining rond het complex vormde. Hij begon behoedzaam de buitenkant van de boma te volgen. Toen hij de hoek bereikte, draaide hij naar het noorden en bleef de dichte heg volgen. Van de andere kant van de boma klonken af en toe nog steeds schoten en zo nu en dan fluisterden er toevallige kogels door de doornrijke wand naast hem. Alan voelde zich buitengewoon blootgesteld, maar logischerwijze wist hij dat er niet op hem werd gevuurd – hoewel dat niet veel hielp wanneer hij door een verdwaalde kogel zou worden geraakt. Aan de andere kant van de boma bevond zich een veld waar plastic tenten als geesten stonden de klapperen. Mensen holden langs hem heen en hij keek toe hoe ze voorbij stommelden om vervolgens in het woud te verdwijnen. Er moest daar ergens een pad liggen, en dat liep in de juiste richting, naar het westen. Hij keerde om en liep terug naar de hangar.

Het was Djalik gelukt Harry overeind te krijgen.

'Kan hij lopen?' vroeg Alan. Zelfs in het donker was hij opnieuw geschrokken van de stinkende kolos.

Djalik sloeg een verbazingwekkend tedere arm rond O'Neills middel. 'Tuurlijk kan hij lopen, nietwaar, Bud?' Hij liet Harry een behoedzaam stapje doen. 'Langzaam aan maar – langzaam aan maar – daar gaan we – ' O'Neill wankelde naar voren.

Deel drie

De onwetende legers

27

Eind november

Op zee, het vlaggendek van de Jackson.

Ktz Parsills maakte admiraal Pilchard niet eerder wakker om hem te vertellen dat Alan Craik en Mike Djalik het COD-toestel dat ze naar Kinshasa hadden gestuurd niet hadden gehaald. Deze zaak mocht nu nog geen crisis worden genoemd – er waren nog niet eens vierentwintig uur verlopen – en Pilchard was moe; laat hem nog maar even slapen. De COD-piloot had het vliegen boven Kinshasa blijkbaar nogal vervelend gevonden, maar daar had hij nu eenmaal opdracht toe gekregen. *Vanavond komen ze terug aan boord*, dacht Parsills. Hoopte hij.

Hij vertelde het de admiraal tijdens het ontbijt. Een fractie van een seconde lang gleed er een zorgelijke trek over het vermoeide gelaat en toen was hij weer verdwenen. 'Ik hoop dat ik wat dit betreft geen vergissing heb gemaakt,' zei hij. 'We proberen er via de ambassade achter te komen wat er gebeurd is, maar erg snel reageren ze daar niet.'

'Die – !' Pilchard maakte een wegwuivend gebaar. 'Je weet hoe ik denk over die lieden.' Hij richtte zijn aandacht weer op zijn ontbijt. 'We kunnen de *Rangoon* maar beter een extractieplan laten voorbereiden. Voor het geval dát.'

'We weten niet waar hij is.'

'Nou – ergens in een straal rond Kinshasa. Verdorie, Jack, doe nou maar!'

De woede van de baas flakkerde heel even op en was toen weer verdwenen, maar er kwam geen enkele vorm van excuus. Parsills manier van doen veranderde niet; hij bleef opgewekt, betrouwbaar, misschien een beetje fantasieloos. Toen hij vertrok, zei hij: 'Ik heb de mensen aan boord van de *Rangoon* al gevraagd een extractieplan voor te bereiden.'

Pilchard knikte. 'Hou de druk op de ketel.' Hij bladerde door de binnengekomen berichten.

Die middag kregen ze een boodschap van de ambassade binnen: hun mannetje was teruggekomen vanwege 'onaanvaardbare risico's en bedreigingen'; de twee marinemensen – geen namen, waarschijnlijk vergeten door degene die de boodschap had geschreven – waren 'zonder autorisatie of toestemming van de ambassade' in een niet-geïdentificeerd vliegtuig gestapt, samen met leden van een 'onbekende en ongeverifieerde plaatselijke militie' en verdwenen.

Parsills vroeg om nadere opheldering en gaf het bericht door aan de *Rangoon*, zodat ze daar hun actieradius voor de mogelijke extractie, gerekend vanuit Kinshasa, zouden kunnen uitbreiden. De chef-staf wees de suggestie af om de familie van de twee vermiste mannen op de hoogte te stellen. Daar was het nog te vroeg voor.

Sarajevo.
Het had vijf dagen geduurd voordat het gelukt was mevrouw Obren buiten de Republika Srpska te lokken. Niet dat ze wantrouwen koesterde, maar hun systeem werkte nu eenmaal niet erg snel. Iemand moest de grens over en daar een boodschap achterlaten; ze moest vervolgens het teken zien, wachten tot het veilig was om die boodschap op te pikken en ten slotte voorbereidingen treffen voor het vertrek.

Dukas was bezig met iets dat hij voor zichzelf de 'twee anderen' was gaan noemen – haar echtgenoot en de man die Zulu werd genoemd. Hij had een prioriteitsaanvraag naar de States gestuurd met het verzoek hem het dossier te sturen betreffende de actie waaraan Craik had deelgenomen, toen de Serviër door het raam de sneeuw in was gevlucht en hij de foto had gevonden met 'kolonel Zulu tijdens de Slag op het Lijsterveld'. Dukas had contact opgenomen met het NIS, met de vraag of ze in hun computersysteem eens konden kijken naar contacten of meldingen betreffende ene Z of Zulu. Hij kon zich herinneren dat hij het met Craik over Serviërs in Afrika had gehad, en dat had hij gecombineerd met Pigoreaus informatie dat Zulu 'weg' was. Zou dat de reden geweest kunnen zijn dat hij hier had gerekruteerd, ondanks het feit dat de gevechten in Kroatië en Bosnië beëindigd waren?

Twee dagen nadat Dukas mevrouw Obren had laten weten dat haar komst op prijs werd gesteld, had hij Pigoreau in zijn kille kantoortje ontboden. Pigoreau had hem ontweken en stapte met duidelijke tegenzin naar binnen, met gebogen hoofd, als een hond die verwacht uitgescholden te zullen worden. Het weer was omgeslagen en er had zich iets dat op dooi leek ingezet; het kantoor was vochtig en doods, maar Dukas voelde een nieuwe energie, hoewel dat misschien kwam door het feit dat hij 's ochtends weer een borrel nam en hij zichzelf in feite in de maling nam.

'Ga zitten,' zei hij. Pigoreau ging zitten. Pigoreau was een taaie en liet zich door niemand de les lezen, maar dit was anders, want ze waren vrienden. Dukas keek Pigoreau net zo lang strak aan tot de ander de blik beantwoordde. 'Oké?' zei Dukas.

'Wat oké?'

'Dat weet je best, verdomme. Het is afgelopen, Pig. Je hebt het juiste gedaan. Voor mij best moeilijk – ik had het behoorlijk te pakken. Dat weet je. Maar je hebt het enige juiste gedaan en nu is het wat mij betreft afgelopen. Oké?'

Pigoreau keek hem bedachtzaam aan. 'Oké.' Hij trok een la open en ging op zoek naar een sigaret.

'Volgens mij, Pig, is het de echtgenoot. Ze zal alles doen, is bereid met iedereen naar bed te gaan, om haar man terug te krijgen. Zulu gebruikt die echtgenoot, zoals ik dat ook heb gedaan, denk ik. Dus loop de lijsten met leden van de Servische milities eens door en kijk eens welke officieren een achternaam hebben die met een Z begint.' Pigoreau kreunde; dat hadden ze al twee keer eerder gedaan. 'Dat weet ik, dat weet ik; probeer het nóg maar eens. Loop die lijst door met iemand die weet wat er in Belgrado gaande is. De Franse inlichtingendienst – kun je de Franse inlichtingendienst vertrouwen?'

Pigoreau tuitte zijn lippen en bolde zijn wangen, alsof hij wilde gaan fluiten, en blies vervolgens een straal rook naar buiten. 'Daar doet men momenteel onderzoek naar, Michael. Ik denk dat ik daar een contactmannetje heb zitten die oké is.'

'We willen weten wie er heeft gerekruteerd en wie er via Libië van Belgrado naar Zaïre zijn gereisd. Kunnen ze je niet helpen, ga dan naar de Italianen. Ik wil weten wat de Joegoslaven daar hebben – een kantoor misschien? Ze zijn daar naartoe gevlogen en konden ook weer zo vertrekken – hebben ze daar vliegtuigen gestationeerd? Worden ze daar onderhouden? Een vriend van me heeft eens verteld dat het eigenlijk vrij vreemd is dat de Libiërs steun verlenen aan lieden die hoe-heet-hij-ook-alweer in het zadel willen houden – die dictator met kanker – ?'

'Mobutu. Ja, opmerkelijk maar niet onmogelijk; met geld krijg je alles voor elkaar, plus het feit dat we nog oude vrienden in Libië hebben.'

'Wé?'

'Frankrijk.' Pigoreau plantte zijn ellebogen op het bureau. De sigaret bungelde uit zijn mondhoek. Hij genoot hiervan, besefte Dukas – twee politiemensen, wederom twee vrienden. 'Waar gaat Mobutu naartoe als hij ziek is? Naar Frankrijk. Tot welk land wendt hij zich als dat pathetische, als een dinosauriër stervende land van hem weer eens een keertje wordt aangevallen? Frankrijk. Maar Frankrijk zegt: "Oké, Sese Seko, oude makker, het is prima als je je kanker hier mee naartoe neemt, we zijn per slot van rekening oude vrienden, maar niet die dinosauriër van je. De tijden zijn veranderd. We beschouwen dinosauriërs niet langer meer als huisdier. Sorry. Die dinosauriër van jou staat op het punt de laatste adem uit te blazen; laat het rustig sterven." Dus gaat Mobutu naar bepaalde oude vrienden in Frankrijk en zegt: "Snik-snik, mijn dinosauriër gaat dood, help me! Dat zijn jullie me vanwege vroeger verplicht." En deze specifieke vrienden, vrienden die eigenlijk helemaal niet willen toegeven dat de tijden veranderd zijn, en omdat ze van mening zijn dat de Franse *gloire* met name afhankelijk is van het redden van dinosauriërs, zeggen dan: "Sese Seko, *copain*, jouw zaak is onze zaak, wij zullen jouw dinosauriër redden." En ze nemen een miljoen of wat van Mobutu aan en sturen hem naar die luxueuze kliniek van hem, en ze sturen dat geld door naar Belgrado en Tripoli, waar ze nog andere vrienden uit de dagen van de dinosauriërs hebben, en *voilà!*, plotseling zitten er Servische huurlingen in Zaïre.'

'Ik denk dat een van hen onze meneer Zulu moet zijn. Hoewel dat eigenlijk niet meer dan een gevoel is.' Ze keken elkaar aan. 'We zullen het mevrouw Obren eens vragen.'

Later overwoog hij contact met Al Craik op te nemen, die wat Afrika betrof erg goed op de hoogte was. Hij liet dat idee varen omdat hij ervan overtuigd was dat Craik ergens op een boot moest zitten, ver verwijderd van de realiteit in Zaïre.

Op zee, het vlaggendek van de Jackson.

Op de tweede ochtend na het verdwijnen van Alan Craik en Mike Djalik, keek Parsills toe hoe admiraal Pilchard in scherpe bewoordingen een bericht opstelde, een bericht voor de ambassade in Kinshasa. Hij wilde de details weten rond het 'in de steek laten' van zijn mannen door de ambassade, terwijl hij van de lokale bureauchef van de CIA de laatste bijzonderheden betreffende de veiligheidssituatie ter plekke wilde hebben. Verder dreigde hij het gebrek aan medewerking van de ambassade via de chef marine-operatiën aan het Witte Huis te melden.

Maar de ambassade maakte opnieuw gebruik van de uiterst verfijnde diplomatieke kunst van het zich aan alle kanten indekken. De versie van de ambassade van dit alles luidde dat er volkomen onaangekondigd een officier uit de lucht was komen vallen die zich had opgedrongen bij een zaak waarbij hij helemaal niet welkom was geweest, om vervolgens spoorloos te verdwijnen. Dat was de geclassificeerde boodschap die zich in Washington in bepaalde kringen al begon te verspreiden. In de pers werd met geen woord over deze zaak gerept.

Washington.

Sinds zijn vertrek bij het IVI had Abe Peretz aan Rose en Peacemaker moeten denken, zelfs tijdens zijn normale werk bij de FBI. Het abrupte einde van zijn diensttijd bij het IVI irriteerde hem mateloos: wat een plezierige twee weken durende invulling van zijn reservistendienst had moeten zijn, was uitgedraaid op een zeer onplezierige week aldaar, plus nog eens een volkomen zinloze, weggegooide week achter een leeg bureau van het Air Medical Evacuation Training

Office in Fort McNair. Op zijn tegenwerpingen dat hij helemaal niets wist van het door de lucht evacueren van gewonden, dat hij een inlichtingenspecialist bij de marine was, en geen landmachtarts, werd pas na drie weken gereageerd, en tegen die tijd was hij allang weer met zijn eigen werk bezig. Het enige antwoord, hem telefonisch medegedeeld door een enigszins onzeker klinkende luitenant, luidde dat er plotseling iemand nodig was geweest in Fort McNair. Verder was het allemaal hou-je-mond en doe-wat-je-wordt-opgedragen.

Peretz was achterdochtig geworden. Voor zijn werk bij het IVI kreeg hij een uitstekend functioneringsrapport, maar hij vermoedde nog steeds een adder onder het gras. En die adder zou wel eens de knaap kunnen zijn die naar hun tafeltje was gekomen terwijl hij en Rose achter hun koffie hadden gezeten – de voormalige marineman die naar de naam Suter luisterde.

Dus was Peretz hier en daar wat navraag gaan doen. Peretz' belangstelling voor doelwitinformatie zou tot niet meer dan een anomalie beperkt zijn gebleven als hij niet zo abrupt was overgeplaatst. Nu was hij nieuwsgierig geworden – écht nieuwsgierig. Tijdens de middagpauzes, op vreemde tijdstippen dat hij ongestoord vanachter zijn bureau kon telefoneren en internetten, alsmede 's avonds thuis, startte hij een onderzoek naar het IVI en enkele van haar medewerkers. Met name Suter interesseerde hem bijzonder.

Het is verrassend hoeveel informatie er in een vrije maatschappij beschikbaar is. Veel daarvan ligt diep begraven in allerlei overheidsdocumenten. Iets daarvan is op het web te vinden, vaak in de vorm van zelfingenomen websites van diverse instellingen. Erg veel is er ook te vinden in de documenten van het Congres, die de Congressional Record Service maar al te bereid is voor je op te hoesten – zolang je maar een Congreslid kunt noemen die borg voor je wil staan. Peretz was zelfs in staat om nog beter te scoren dan dat: een van de mensen met wie hij regelmatig tenniste was een invloedrijke stafmedewerkster die op Capitol Hill werkte. Bovendien vond ze Peretz erg aardig – voldoende aardig om ervoor te zorgen dat Bea Peretz zich er zorgen over maakte.

'Wat heb jij met Mindy Goren?' merkte Bea op. Het was een uitdaging; Bea uitte zich bijna altijd in de vorm van uitdagingen, aankondigingen en furieuze ontkenningen.

'Ik heb twee keer per week een afspraak met haar in het Quick-Fuck Motel.'

'Abe, ik waarschuw je – !'

Dus had hij haar alles verteld. Bea was woedend om wat hem was aangedaan, was ook al woedend geweest toen hij plotseling bij het IVI had moeten vertrekken, en was nu weer woedend omdat hij vermoedde dat er méér zat achter de plotselinge overplaatsing. Zowel uit mededogen als zelfbescherming had Bea zich bij de zoektocht aangesloten en werd ze zijn verbindingspersoon tussen

Mindy en de Congressional Record Service.

Al snel waren er twee onderzoekslijnen naar boven gekomen. Na het avondeten gingen ze samen achter zijn computer of haar bureau zitten, waarbij het geluid van de rock-cd's van hun dochter dat vanaf de bovenetage de trap af denderde als achtergrond fungeerde; elke keer dat er iets bruikbaars naar de oppervlakte kwam stootte de een de ander even aan of knorde iets onduidelijks. Om te beginnen was er de geschiedenis rond het contract voor Peacemaker; daarna de commissievergaderingen waarin Peacemaker werd besproken. Abe leerde het spoor van Peacemaker bij allerlei geheime hearings te volgen door uit de kijken naar de naam van generaal Touhey; zeer tot zijn verrassing werd hij daarbij ook regelmatig met die van George Shreed geconfronteerd.

'Wat heeft Shreed verdorie met Peacemaker te maken?' gromde hij.

'Wie?'

'Shreed, Shreed – die CIA-knakker die ervoor heeft gezorgd dat Alan een paar jaar geleden in Afrika in de problemen kwam – weet je nog?'

'O, díe ellende.'

Bea had haar tanden in de contracten gezet. Dat vormde een interessante onderbreking van het corrigeren van het huiswerk van haar vijfdeklassers. Het ging om honderden contracten. Maar ze waren stuk voor stuk te vinden – althans, de meeste ervan. Ze waren allemaal van een nummer voorzien, erg lange nummers, en op een avond riep Bea 'Hebbes!' toen ze merkte dat er in de numerieke volgorde negentien nummers ontbraken.

'Wát hebbes?'

'Ik weet het niet, domoor, ik ben er net tegenaan gelopen!' Maar de nummers ontbraken wel degelijk, en hoe ze ook speurde, ze wist ze nergens te vinden.

'Geheim,' zei ze. 'Ze maken ook gebruik van geheime contracten.'

'Een heleboel contracten zijn geheim.'

'Nee, klojo – een hoop contracten hebben een geheime *inhoud*. Een stuk of wat contracten van deze lijst hebben gewoon de toevoeging "geheim", maar de volgnummers staan wel degelijk op de lijst. Dit zijn *ontbrekende* nummers – ze staan simpelweg niet op deze lijst!'

'Een boekhoudkundig foutje.'

'Kóm nou – !'

Abe was nog druk bezig met de commissievergaderingen. De commissie voor de Strijdkrachten, voor de Inlichtingendiensten, voor de Toewijzing van Middelen – alles leek normaal voor een op zichzelf staande entiteit als het IVI. Uit de verklaringen van Touhey kon hij opmaken dat het IVI een eenmansmonoliet was, zorgvuldig gecreëerd door iemand die alle civiele en militaire achterkamertjes in Washington kende. Het IVI leek ook over een eigen lobbyist te beschikken. Peretz wilde de man opbellen, maar de verstandige Bea wist hem van dat idee af te brengen en herinnerde hem eraan dat je, vóór je achter iemands rug om ging werken, eerst alle legitieme bronnen diende na te lopen.

'Misschien zou ik die schoft van een Suter eens moeten bellen.'

Maar nu was het eind november. Peretz overlegde een paar dagen met zichzelf en belde vervolgens Suter op bij het IVI. Hij was er niet, kreeg hij van een ietwat kortaffe damesstem te horen; hij was op het kantoor in Washington. Peretz belde het nummer dat hij van haar had gekregen, en een zuidelijke stem vertelde hem dat *Mistuh Sutuh* niet aanwezig was; had hij het kantoor in Maryland al geprobeerd? Hij speelde dit telefoonspelletje nog twee dagen langer en kwam toen tot de conclusie dat Suter de stad uit was, totdat hij in het telefoonboek van Virginia een Ray Suter zag staan. Hij belde die avond, en Suter nam op met die bekende arrogante stem van hem.

'Sorry, verkeerd nummer ingetoetst,' zei Peretz, terwijl hij zijn stem automatisch een octaaf liet dalen.

'Waarom die James Earl Jones-imitatie?' vroeg Bea.

'Instinct. Ik dacht – geef je niet bloot tegenover deze knaap.'

'Ik dacht dat je hem wilde spreken.'

'Dat wilde ik ook, totdat ik erachter kom dat hij gewoon thuis is, terwijl ik hem op kantoor nooit te pakken kan krijgen. Dat begrijp ik niet.'

'Hij werkt parttime.'

'Nee, nee. Met deze knakker moet je uitkijken.'

'Hij heeft een ander kantoor.'

'Ja, maar – dríe? Nee, nee, Bea, niemand heeft drie verschillende kantoren – tenzij – '

Peretz belde het informatienummer van de overheid en noemde Suters naam. Hij kreeg twee nummers. Een daarvan was het IVI. Het tweede was dat niet. Hij liet Bea bellen, en even later vertelde ze hem dat dit het nummer was van het Directoraat Operationele Planning van de CIA.

'Bingo.' Peretz trok een gezicht. 'Het domein van George Shreed. Suter moet Shreeds mannetje bij het IVI zijn – maar waarom?'

De volgende dag belde hij Rose op. Hij vertelde haar over de ontbrekende contracten en de duidelijke connectie tussen Suter en Shreed. Hij herhaalde zijn vermoeden dat Peacemaker een soort wapen was. Ze hadden het niet over Alan. Geen van beiden wisten ze dat hij op dat moment al achtenveertig uur vermist werd in Zaïre. Beiden dachten ze dat hij op zee zat. Rose was bezig aan haar laatste dagen thuis vóór ze naar Napels zou vliegen om daar aan boord te gaan van de *Philadelphia*, het schip van waaraf de lancering plaats zou vinden. Ze had het druk, had momenteel alleen maar oog voor haar werk, en was geïrriteerd.

Ze ging met Peretz' vragen naar Suter.

En Suter nam contact op met George Shreed.

Op zee; het NCIS-bureau aan boord van de Jackson.

De meeste vliegdekschepen hebben twee agenten van de Naval Criminal Investigative Service – een soort marinerecherche – aan boord, die met hun dossiers, hun computers en hun zorgen in een klein kantoortje worden gepropt; twee burgeragenten binnen een enorme militaire gemeenschap. Ze werden maar al te vaak lastiggevallen met allerlei onbeduidende zaken.

'O, shit,' merkte een van de agenten aan boord van de *Jackson* op. 'O, *shit!*' Hij hield een velletje papier omhoog en schudde ermee in de richting van zijn partner. 'Wat denk je?'

'Je hebt een geheime bewonderaar bij het mariniersdetachement zitten.'

'Wíj zitten weer eens opgezadeld met zo'n engerd die hoog opgeeft over zijn christenidentiteit! Moet je híer eens naar luisteren – "Ik voel dat de Heer mij opdraagt de satanische intrieges" – nog verkeerd gespeld ook – "te onthullen betreffende een zwart wijf en een christelijke blanke man." O, Jezus Christus en de Zeven *fuckin'* Dwergen! Zijn we eindelijk die zak van een Borne kwijt en nou dít weer!'

'Van wie heb je dat briefje?'

'Van de vlootpredikant.'

De partner, een iets oudere knaap met een buikje en een air – niet noodzakelijkerwijs terecht – van meer ervaring, zei: 'Een kreet om hulp, denk je niet?'

'Me reet.'

'Ach, tja, we hebben al skinheads; laten we die knaap maar eens opsporen. Het móet een man zijn; het is altíjd een man – "een christelijke blanke man", hè?'

De ander las zwijgend verder. 'Hé, luister hier eens naar – "deze vrouwelijke zwarte officier – " Hè, officier? Hoeveel vrouwelijke zwarte officieren hébben we eigenlijk aan boord? Hm? Moet ik dat eens nalopen?'

Zijn partner knikte. 'Loop maar eens na. Stel een lijst op, en controleer die twee keer – het klink als een functieomschrijving van iemand bij de NCIS, vind je niet?'

Op zee, op de brug van de Jackson.

Admiraal Pilchard bevond zich met de commandant van de *Jackson* op de brug, toen de vlaggenluitenant hem bij een mouw pakte. Het gebaar was ontdaan van enige vorm van protocol en de matroos die als roerganger fungeerde deinsde er bijna zichtbaar voor terug. De luitenant bracht zijn mond vlak bij het betere oor van de admiraal en mompelde iets, en er verscheen een jongensachtige glimlach op het gelaat van de al wat oudere man, waardoor heel even zowel de rimpels als de vermoeidheid leken te verdwijnen.

'Weten ze het zeker?'

'Absoluut. Scott is er momenteel beneden bij.'

'Kunnen ze het hiernaartoe doorverbinden?'

'Eh – het is binnengekomen via de INMARSAT-telefoon op dek twee, meneer – ze doen hun best.' Hij glimlachte onzeker. 'Ik heb begrepen dat hij ergens in een boom zit.'

'Dat interesseert me geen barst, al zit-ie in Disneyland! Hoe is de situatie?'

'Meneer, ik heb nog niet – '

Bij die woorden drukte iemand weinig zachtzinnig een headset op het hoofd van de admiraal en hoorde hij de stem van overste Scott, metaalachtig vanwege de dubbele telefoon-naar-radioverbinding, en even later die van Craik, bijna onverstaanbaar vanwege de statische ruis.

'Craik! Craik – hier admiraal Pilchard! Kun je me verstaan?' Hij draaide zich naar de vlaggenluitenant om. 'Laat Parsills komen – maak een verbinding naar het CVIC en laat alles op band zetten, elk woord – '

'Jawel, admiraal.'

Het gekraak klonk steeds harder. Met mensen op de maan kon je duidelijker communiceren, en dat was al een kwart eeuw geleden.

'Craik, waar zít je verdomme ergens?'

'Dit is een niet-beveiligde lijn, meneer – ik noem liever geen coördinaten – '

'Ik begrijp het, oké – ' Hij moest daar even over nadenken. 'Laten we ons daar maar even niets van aantrekken. Hoe is het met de andere man – van de boot – ?'

'Hij is goed. Van onschatbare waarde.'

'Heb je gevonden waarnaar je op zoek was?'

'Jawel, meneer. Hij is – we hebben hem de tweede dag moeten dragen. We hebben morfine nodig, meneer. En voedsel.'

Pilchard maakte aantekeningen – *afwerpen: – morfine – noodrantsoenen – radio* – 'Wat is er verdomme gebeurd?'

'De ontmoeting liep uit de hand, meneer.'

'Waar zit je ergens?'

'In de buurt van Kisangani, meneer. Ik kan eventueel UTM- of LAT LON-coördinaten geven.'

'Zie je kans om de FAZ-basis bij Kisangani te bereiken?'

'Meneer, dat doe ik liever niet. De lieden die onze vriend vasthielden hadden dezelfde baas. Er hebben zich wat schotenwisselingen voorgedaan.'

'Slachtoffers?'

'Aan onze kant niet, meneer.' *Nog meer ellende met mensen van de ambassade,* dacht Pilchard; *hij heeft het vuur op de plaatselijke troepen geopend; het enige waar de ambassade oog voor zal hebben is de woede en de irritatie die dat bij de Zaïrese autoriteiten tot gevolg zal hebben.* 'Is het schieten nu afgelopen?'

'We denken dat we achtervolgd worden. Moeilijk te zeggen – overal om ons heen zitten vluchtelingen – '

'Craik, ik besef dat dit een open lijn is. Vertel me toch maar wat er is gebeurd.'

'De mensen die de Amerikaanse staatsburger vasthielden waren Hutu-militairen. Ze deelden een kampement met erg veel vluchtelingen en een stuk of wat blanke huurlingen en leden van het Zaïrese regeringsleger. De uitwisseling liep fout; we denken dat dat kwam omdat de huurlingen en de Hutu's het niet met elkaar eens waren. We zijn al schietend ontsnapt.'

'Een ogenblikje.' Iemand gebaarde naar hem, en hij kreeg een andere headset; het was Parsills, die hem een boodschap van de *Rangoon* in handen drukte. 'Craik?'

'Meneer?'

'Zorg ervoor dat je een goed extractiepunt vindt en geef ons dan de coördinaten en het tijdstip door. Denk je dat je daartoe in staat bent? Klopt jouw SAR-kaart nog?'

'Jawel, meneer. Admiraal, die blanke huurlingen vormen een Servische eenheid onder aanvoering van een gezochte oorlogsmisdadiger die Zulu wordt genoemd. Zou u die informatie door willen geven, meneer?'

'Doe ik. Oké, en nu op pad.' Een wat minder norse, minder strenge ondertoon was nu in zijn stem te horen. 'En wees voorzichtig.'

Hij gaf de headset terug. 'Waarschuw de chef-staf. Mijn kantoor, over vijf minuten.' Hij verontschuldigde zich tegenover de commandant van het schip, zei dat hij terug zou komen, en haastte zich naar buiten. Terwijl hij met grote passen de gang door liep, op weg naar het blauwe-tegelgebied, dicteerde hij orders aan de vlaggenluitenant, die aan zijn ene kant liep, en aan de vlaggenkapitein, die aan de andere kant van hem was verschenen. 'Ik wil dat die arme drommels luchtdekking krijgen, zorg daarvoor! De Harriers van de *Rangoon* zitten het dichtstbij, maar die dingen hebben maar een geringe actieradius, dus waarschuw onze CAG en laat hem in beweging komen. Ik wil een vliegplan voor een driedaagse luchtdekking; als we ze daar morgen weg kunnen halen, zoals eigenlijk zou moeten, dan hoeven we niet in actie te komen, maar zeg tegen de CAG dat we klaar moeten staan om dit tot een goed einde te brengen.'

'De ambassade, meneer – '

'De ambassade kan barsten! Dat zijn ónze jongens die daar vastzitten; ik ben niet van plan om me door die lui tegen te laten houden!' Hij draaide zich naar de vlaggenluitenant om. 'Waarschuw de Zaïrese luchtmacht, als zoiets tenminste nog bestaat, dat ze aan de grond blijft. Probeer het wat diplomatieker te brengen, maar – neem daarover contact op met Parsills en de CAG AI. Jezus, ik wou dat ik Craik bij me had om dit te doen – maak wél duidelijk dat we het vuur zullen openen als dat nodig mocht zijn om onze mensen te beschermen, dus gaan ze er níet op af en worden er in een straal van tachtig kilometer rond onze jongens géén luchtaanvallen uitgevoerd, oké?'

Op dat moment bereikten ze het vlaggengebied en de admiraal ging hen voor zijn kantoor in, gebaarde naar Parsills dat hij bij hem moest komen, en zei: 'Coördineer dit met de Fransen. Die beschikken over vliegtuigen ter plekke; breng ze op de hoogte van de situatie – de waarheid, de waarheid, hún inlichtingenmensen hebben dit aan het rollen gebracht – en zeg ze dat ze niet tussenbeide moeten komen. Ze blijven uit de buurt, begrepen? En stuur een boodschap naar de Agency. Geef dat rapport over die Serviërs door, maar gebruik dat alleen als middel om ze te laten weten dat we contact met hun mannetje hebben en dat de mogelijkheid bestaat dat we tot actie moeten overgaan. Die knapen zouden weleens goede bondgenoten kunnen zijn, hoewel de kans bestaat dat we hier en daar iemand tegen de veren in zullen moeten strijken.' Hij keek op. Een vastbesloten kijkende sergeant-majoor elektronica stond in de deuropening.

'En?'

'Meneer, de *Melward* zou volgens de ASW mogelijk sonarcontact hebben gehad met een onderzeeboot. Een boot uit de Russische Akula-klasse, aan de sonogrammen te zien.'

Pilchard keek Parsills aan en moest plotseling lachen. 'Nou, uiteraard! Wat had het ánders kunnen zijn?' Hij gaf Parsills een klap op de schouder. 'Er tegenaan, Jack. Heren, we hebben werk te doen! Ik wil die jongens morgen om deze tijd uit Zaïre weg hebben, en zo niet – '

Terwijl de vlaggenkapitein en -luitenant vertrokken hoorden ze hem zeggen: 'Wat heeft één Akula-klasse nou te betekenen als je met vrienden bent, toch?' Hij klonk twintig jaar jonger.

'Daar heb je die geest weer,' zei adjudant-onderofficier Hamilton, kauwend op een niet-aangestoken sigaar en helemaal voorovergebogen over zijn minuscule lichttafeltje. Daarop te zien waren de sonogrammen die gemaakt waren door middel van de SQR-19 getrokken array van een van de FFG-7-fregatten, evenals door twee van de S-3's waarover de battle group beschikte, en eveneens die dag genomen. Ten behoeve van de Tactical Action Officer en zijn evenknie bij flag liet Hamilton zijn duim en wijsvinger lang twee lijnen glijden. Beiden bogen zich ver over het tafeltje heen om te zien wat hij hen liet zien, want die lijnen sprongen wat hun betreft niet bepaald in het oog.

'*Hier* en *hier*. Dit hier is van vanmorgen 09.20 uur. Toen pikte de FFG-7 hem om 11.40 uur *hier* op.' Hamilton trok de sonogrammen van het tafeltje, waardoor de gevlekte kaart met tientallen aantekeningen en doorhalingen zichtbaar werd. Hamilton beschikte over een computer die dit alles ook kon, maar hij bleef gebruikmaken van technologieën die hij begreep.

'Toen had de AG707 om 21.35 uur een contact hier. Dit zijn de krachtigste lijnen.'

De vlaggen-TAO legde zich gewoonlijk helemaal bij Hamiltons mening neer. 'Hamilton, je weet waarover je het hebt. Maar, eh, ik zie helemaal niks.'

'Verdorie, ik ben zelf ook niet helemaal zeker van mijn zaak. Ik heb nog nooit eerder met een derdegeneratie Rus te maken gehad. Maar ik neem aan dat-ie er zó ongeveer uit moet zien. Luister, dit is er een uit de 688-klasse, een stille, genomen vanuit een S-3. We hebben dit patroon opgevangen tijdens Fleetex. Wat ziet u?'

'Niets,' zei de TAO, die sowieso geen sonogrammen kon interpreteren.

'Precies. Er is nauwelijks iets te zien.'

'Maar je denkt dat er iets moet zijn?'

'Jawel, meneer, dat gevoel heb ik.'

'Oké, Hamilton, ik zal het de admiraal zeggen. En dan zetten we er nog een stuk of wat S-3's op en waarschuwen we de heli's. Is dit al eerder gebeurd? Sovjetonderzeeboten in de Baai van Benin?' Zoals zovele zeelieden van een bepaalde leeftijd sprak hij nog steeds over Sovjets in plaats van over Russen.

'Ik heb gevraagd of de S-3 AI er eens naar kijkt. Juffrouw Nixon. Zij zal u op de hoogte stellen.'

Ze dronken hun koffie op en vertrokken door de openstaande deur naar het CIC. 'Denk je dat het wat is?'

'Verdorie, jazeker. De *Fort Klock* heeft vorige week een patroon van iets derdegeneratie-achtigs geregistreerd. Ze moeten er een stuk of wat onderzeeboten op uit hebben gestuurd.'

'Het lijken de jaren tachtig wel!' Hij klonk niet bepaald ongelukkig.

Hij werd niet écht gelukkiger toen de parmantige en competente juffrouw Nixon hem een historisch overzicht gaf van de inzet van Russische vlootonderdelen in dit deel van de wereld. De Russen hadden dit gebied wel eerder bezocht, maar dat was al heel wat jaren geleden. Sinds het vallen van de Berlijnse muur en de glasnost het machtsevenwicht ingrijpend hadden veranderd, was dat niet meer het geval geweest. De TAO gaf Christy opdracht om haar informatie wat op te poetsen en de admiraal en de commandant van het schip te briefen, noteerde een lange aantekening in zijn actielog en vroeg zich de rest van zijn wachtdienst af waar de Russen verdomme mee bezig waren. Had Newman gelijk? Iedereen zei dat de Russen niets meer te betekenen hadden. Dat splinternieuwe, uiterst stille spookcontact was misschien wel een van hun beste onderzeeboten.

De Russen waren volkomen blut. Ze hadden geen cent meer, en trouwens ook de macht niet meer, voor woeste avonturen. Maar ze waren ook niet op hun achterhoofd gevallen. Dat wist hij maar al te goed. Ze achtervolgden hen niet voor niets tot in de Baai van Benin.

Waar waren ze in godsnaam mee bezig?

28

Eind november

Washington.

Op vrijdagmiddagen probeerden degenen die een excuus hadden al zo vroeg mogelijk huiswaarts te keren. Op de Beltway – de ringweg rond Washington D.C. – kon het dan al behoorlijk druk zijn; als je niet beter wist zou je zweren dat de kantoren in Washington volkomen verlaten waren. Maar daar waren nog steeds erg veel mensen te vinden, van wie er sommigen zelfs nog daadwerkelijk aan het werk waren. George Shreed vond dit een uitermate geschikt moment om eens wat nog niet-afgewerkte zaken rond te breien.

Clyde Partlow was, althans volgens het organisatieschema van de Agency, zijn baas, hoewel er enkele zeer verwarrende stippellijntjes in dat schema waren te vinden die suggereerden dat ze beiden op vreemde plaatsen nogal wat invloed hadden, waardoor voor de hand liggende gevolgtrekkingen weleens helemaal fout zouden kunnen zijn. Hoewel ze geen oude vrienden waren, waren ze wel degelijk oude bekenden, en ze hadden er altijd voor gezorgd dat ze nooit rechtstreeks met elkaar in conflict waren geraakt.

Shreed liet zichzelf in een ongemakkelijke stoel zakken en zette zijn wandelstokken tegen een boekenkast in Partlows kamer. De regen geselde de ramen, en de toppen van de bomen, die boven de vensterbank net zichtbaar waren, bogen en zwiepten in de wind. Hij en Partlow namen vrijblijvend wat kantoorroddels door en hadden het even over het weer, en toen Partlow stopte om een stevige pijp te stoppen, viel ook Shreed stil, en Partlow mompelde: 'Wat kan ik voor je doen?' Partlow was jonger dan Shreed, werd van boven al wat kaal en had een krachtig lichaam dat net iets te zwaar begon te worden. Hij hield van assertieve kleding – vandaag droeg hij een crèmekleurig overhemd met een gele das en goudkleurige bretels.

'Een beleefdheidsbezoekje.'

'M'n reet.' Hij zweeg weer even. 'Je bent hier toch niet vanwege het feit dat de afdeling zich zonodig weer eens moet terugtrekken om te bezinnen, hè?'

'M'n hele leven is één grote terugtocht, Clyde.'

'Niet zó'n soort terugtrekken. Maar dat navelstaarderige soort, dat kussen en knuffelen, dat delen en zorgen voor elkaar. Ik had net een employee van de andere kunne bij me op bezoek, die me twintig minuten lang de oren van het hoofd heeft gekletst hoe belangrijk het wel niet is om je terug te trekken in een "omgeving die als voedingsbodem kan dienen".'

Shreed lachte. Hij mocht Partlow wel, althans, voorzover hij dat durfde. 'Ik ben bang dat ik hier ben vanwege een écht probleem.'

'Godzijdank.' Partlow slaagde er met een hoop gezuig en gehoest in de brand in zijn pijp te krijgen. 'Heb je last van de rook?' Het hele kantoor rook er naar, net als Partlows kleren, lichaam en adem. Shreed wuifde het weg.

'Balkan Sobranie,' zei Shreed. Partlow knikte. 'Ik had een agent in Macao die het rookte. Je kon hem een paar huizen verderop ruiken. Elke keer dat ik hem ontmoette had ik het vermoeden dat de tegenpartij aan míj kon ruiken dat ik met hem had gepraat.'

'Wil je soms zeggen dat je me kunt ruiken, George?'

'Niet erger dan een brandende autoband. Nee, nee; trouwens, het kan me niet schelen. Het doet me weer aan vroeger denken.' Het was altijd verstandig wanneer hij met lieden binnen het groepje van Partlow verkeerde, om hen er subtiel aan te herinneren dat hij ooit chef de bureau was geweest, en ook nog eens in belangrijke plaatsen in Azië, niet in Europa, waar de meeste CIA-mensen blinde vlekken hadden ontwikkeld en nog steeds niet bereid waren dat te erkennen. Partlow, vreemd genoeg, erkende dat wél – een van de dingen aan hem die Shreed wist te waarderen. En alsof hij dat nog eens wilde demonstreren, zei Partlow tussen een stuk of wat pufjes door: 'In elk geval was jóuw man geen dubbelagent, stel ik me zo voor.'

Shreed glimlachte. Partlow had een groot deel van zijn loopbaan in Bonn doorgebracht, waar hij met name Duitse agenten had aangestuurd, die na het omhalen van de Berlijnse muur stuk voor stuk dubbelagenten voor de Stasi bleken te zijn geweest. Partlow maakte een pijnlijk grapje over de enorme hoeveelheid informatie die ze voor hem bijeen hadden gebracht. Nou, natuurlijk hadden ze daarvoor gezorgd: dubbelagenten dragen het letterlijk met kilo's tegelijk aan; het enige probleem is dat al die info pure troep is. Maar dat deed er blijkbaar allemaal niet toe; het had Partlow gebracht op de positie die hij vandaag de dag innam, één treedje hoger dan Shreed, die het in Macao en Jakarta waarschijnlijk aanzienlijk moeilijker had gehad bij het boven water halen van kwalitatief goede informatie, dan een tandarts die kiezen met zijn blote handen moet trekken.

'Ken je Peacemaker?' zei Shreed.

Partlow haalde zijn pijp moeizaam uit zijn mond, alsof de steel aan zijn tanden zat vastgelijmd, en zei: 'Touhey.'

'Touhey's Dwaasheid – een wapen dat is vermomd als verkenningssatelliet. We hebben geld in dat project gestopt.'

Partlow haalde opnieuw zijn pijp uit zijn mond – de steel had nauwelijks tijd

gekregen om met de tanden in aanraking te komen – en zei: 'Ik weet het weer.
Je was erg overtuigend.' Waarmee hij bedoelde: *Dit was jóuw kindje, en als het verkeerd gaat is het jóuw nek.*

'Iemand van buiten het kringetje stelt allerlei schrandere vragen.'

'Vinden we dat vervelend?'

'Ík vind het vervelend.'

'Waarom?' Hij gebaarde met de steel van zijn pijp. 'En dan heb ik het over de ándere dan de voor de hand liggende reden. Ik bedoel, het is toch niemand die tot het andere kamp behoort, hè?'

'Wélk andere kamp?' zei Shreed met een ondeugende glimlach. 'Daar zijn er tegenwoordig zóveel van. Nee, ik denk het niet. Iemand van de FBI.' Hij glimlachte opnieuw. 'Uiteraard ís de FBI tegenwoordig een ander kamp, toch?' Hij ging verzitten. 'Deze knaap werd argwanend tijdens het zomerkamp van de marine, waarin hij aan Ivy was toegevoegd. Ik heb hem daar weg laten halen en dacht toen dat het daarmee was afgelopen, maar die knakker is verder gaan graven. Hij heeft, naast andere zaken, de contracten doorgewroet. En dat heeft-ie lang niet slecht gedaan, moet ik toegeven. Een voormalige inlichtingenman die bij de marine heeft gezeten; niet op zijn achterhoofd gevallen.'

'Confronteer hem met het ambtenarenreglement. Met de wet op de geheimhouding. Dreig hem zijn clearance af te nemen, dat zijn belastingaangifte tegen het licht zal worden gehouden – zet hem zodanig onder druk dat-ie doodsbang wordt.'

'Dat zou wel eens niet voldoende kunnen zijn.'

'Túúrlijk is dat voldoende.' Toen drong – enigszins aan de late kant – Shreeds toon tot Partlow door; met zijn 'Túúrlijk is dat voldoende' had hij zich schuldig gemaakt aan neerbuigend gedrag ten opzichte van Shreed, en nu kwam hij wat verder overeind. 'Bedoel je – denk je dat hij écht op meer details uit is?'

'Hij is een persoonlijke vriend van de lanceerofficier. Ik denk dat hij probeert haar te waarschuwen. Het is enigszins gecompliceerd, Clyde – haar echtgenoot zit ook bij de marine, en zit momenteel op zee, dus onze man is super beschermend. Op een welhaast vaderlijke manier. Verder is er niets tussen die twee, denk ik. Maar de knaap, laten we het beestje bij de naam noemen, is een soort liberaal cliché – joods, sociaal verantwoordelijk, *principieel*. Ik heb het gevoel dat hij er een soort kruistocht van maakt, enkel en alleen vanwege zijn maatje. Ik denk dat als we proberen hem af te schrikken, hij alleen maar nóg overtuigder zal zijn van het feit dat hij op iets gestoten is. En dat zal hij haar ongetwijfeld vertellen – met als gevolg dat de lancering wel eens in gevaar zou kunnen komen.'

Partlow keek Shreed eens aan. 'Jij was érg enthousiast over dit project,' zei hij.

Waarmee hij bedoelde te zeggen: *Jíj hebt ons bij dit alles betrokken, je zorgt er ook maar weer voor dat we er weer van af komen.*

'Dat ben ik nog steeds.'

'We willen momenteel niet nóg meer problemen met het Bureau creëren.' Partlow bedoelde daarmee dat elk officieel geklaag bij de FBI contraproductief zou werken. Hij bedoelde er ook mee te zeggen dat hij zich bedreigd voelde, en dat het vrijdagmiddag was, regenachtig en winderig, en dat hij vergeten was een regenjas mee te nemen, en dat hij zin in een borrel had. 'Van ons wordt verwacht dat we pro-actief zijn,' mompelde hij.

Jij slappe klootzak, dacht Shreed. Desalniettemin glimlachte hij. 'Ik wil in elk geval niet de verdenking op me laden *re*actief te zijn. Of bedoel je dat ik *vóór de curve uit* moet zien te blijven? Of moet ik meer aan *geavanceerde pre-planning* doen?' Mensen bij de Agency vonden Shreed een arrogante klootzak omdat hij de spot dreef met het jargon waarvoor ze zoveel moeite hadden moeten doen om het zich eigen te maken.

'Tut-tut,' zei Partlow. 'Je weet wat ik bedoel.' Hij zoog aan zijn pijp, zuchtte eens diep. 'Regel het maar.'

Dat waren de woorden die Shreed graag wilde horen. 'Goed!' zei hij terwijl hij naar zijn stokken reikte. Hij moest net iets te enthousiast hebben geklonken, want Partlow zei: 'Niets dramatisch!'

Voor Partlow was drama datgene wat tot zíjn baas door zou dringen. Toen Shreed niet reageerde, klapte Partlow met de omgekeerde pijpenkop keihard op een metalen asbak. 'Je kent de richtlijnen,' merkte hij op.

'Ik heb de richtlijnen zelf helpen opstellen.'

Tegen die tijd was Shreed al overeind gekomen. Zelfs op zijn wandelstokken leunend was hij groot. Buiten bliksemde het, bijna direct gevolgd door een enorme donderslag, en Partlow mompelde met een fronsende blik: 'Dat was dichtbij.'

'Praten met die man zorgt er niet voor dat hij zijn mond houdt. Maar uw wens is mijn bevel.'

'Nee, nee – ' Partlow trok een gezicht bij de mogelijkheid dat hij later wel eens beschuldigd zou kunnen worden van het geven van een bevel.

'Goed, als praten met hem niet werkt, zal ik binnen mijn eigen bevoegdheden *pro-actief* zijn.'

'We zitten hier niet in Jakarta,' waarschuwde Partlow, die aanstalten maakte zijn pijp opnieuw te stoppen.

'Nee, dit is een écht gevaarlijke stad.'

'Een hoop oorden zijn aanzienlijk erger – Moskou, Johannesburg – '

'Nou, erg genoeg voor ónze doeleinden.' Hij glimlachte. Hij plaagde Partlow;

en plagen, wist hij heel goed, was een vorm van agressie. Nou, dan had Parlow hem maar niet terug moeten fluiten.

'G-o-e-d – ' gromde Partlow. Shreed had nagenoeg zoveel gezegd dat hij later zou kunnen getuigen dat ze het over geweld hadden gehad (*onze doeleinden*) binnen de context van deze klootzak die de verkeerde vragen over Peacemaker had gesteld. Geweld was voor laag-bij-de-grondse zakkenwassers élders, niet binnen het grondgebied van de Verenigde Staten, verdorie. 'Geen actie – ' zei Partlow nadrukkelijk, terwijl hij met zijn duim de tabak in de pijpenkop propte alsof hij probeerde iemand een oog uit te drukken, ' – met – *je weet wel* – ' liet de rest hangen, liet het ongezegd.

'We zijn de KGB niet,' zei Shreed glimlachend. 'Níemand is tegenwoordig de KGB meer. Ah, die goeie ouwe tijd toch! Giftige pijltjes in paraplu's, gaspatronen in tampons, exploderende scheerapparaten – '

Bij elk woord ging er een huivering door Partlow. 'Dat is niet leuk, George! Geen leuke grapjes. *Geen actie op basis van vooringenomenheid*, oké?' Zo, hij had het gezegd. Shreed genoot ervan dat hij hem zover had gekregen dat hij het tóch had gezegd, en Shreed lachte en herinnerde zich weer waarom hij de man toch wel mocht, want Partlow was geen slechte vent, alleen maar iemand die toevallig een klein hartje had.

'Maak je geen zorgen, Clyde. Ik ben niet gek.' Shreed grinnikte. 'Nóg niet, tenminste.'

Daar moesten ze beiden hard om lachen.

Nog steeds nahikkend kwam Partlow achter zijn bureau vandaan en zei: 'Nu je hier toch bent – ' De woorden hadden in koper gegoten kunnen zijn, om aan de muur te worden bevestigd als 'De Wraak van de Manager'. Vertaald betekenden ze: *Jouw straf om mij met dit probleem te confronteren zal zijn* – Partlow legde een hand op Shreeds schouder. 'Wat weet jij van de millenniumbug?'

Shreed wist daar heel wat van, maar hij was absoluut niet van plan dat te zeggen. 'Die wordt geacht z'n kop op te steken in 2000,' mompelde hij, wat betekende dat hij nooit memo's las.

'Jij weet meer van computers dan ik, George – meer dan iedereen op deze etage, verdórie. Luister, d'r is voor deze millenniumflauwekul een adviesraad in het leven geroepen en we moeten daar iemand naar afvaardigen. Hmm? Jij vindt dat spul toch zo leuk?'

'Ik vind dat spul niet *leuk*. Ik aanvaard het als een onderdeel van de echte wereld.'

Partlow legde een hand op zijn hart. 'George! Jij wilt toch niet zeggen dat ik níet in de echte wereld leef?'

Shreed wierp hem een flauwe glimlach toe, als een kras die je met een puntig instrument in het ijs trok. 'Jij bent een van de mensen die maar blíjven schreeuwen dat we Israël moeten redden van de grote boze wolf in Irak – noem jíj dat de echte wereld?'

Partlow sputterde wat tegen. Saoedi-Arabië, zei hij; Koeweit, de Golf, olie, Israël, Israëlische straaljagers boven Irak op het moment dat we er niet meer bovenop zitten, oorlog in het Midden-Oosten, Iraakse raketten die op Israël terechtkomen –

'En?' zei Shreed.

'*En?* En als Irak atoombommen op Israël gooit, hebben we de Israëli's niet meer in de hand!'

'Nou, én?'

Ze keken elkaar aan. Uiteindelijk zei Partlow met een wat gelijkmatiger stem, bijna mompelend, alsof hij bang was dat iemand anders hem zou horen: 'Dat mag je niet zeggen, George.'

'Jawel, dat mag ik wél. Daarom willen lieden als jij mij in de buurt hebben, om díe dingen te zeggen waarvoor jij te bang bent om ze uit te spreken. Jullie leven allemaal in een soort droomwereld, bedacht door die verdomde presidentiële mannetjesmakers. Zie je deze wandelstokken, Clyde? Dit zijn eigenlijk antennes. Ze verbinden me met de grond, en met alle échte shit van de echte wereld. Ze gaan pas langs het Witte Huis wanneer ze hun tweehonderd dollar hebben geïnd. Ze vertellen me dat de staat Israël één gigantische, sentimentele vergissing is geweest, door ons gemaakt vanwege de Holocaust, en ze vertellen me dat in het échte wereldgebeuren Israël geen barst te betekenen heeft. Dat zul je niet toe willen geven. En omdat je dat niet wilt toegeven, zul je er ook niets van kunnen leren. Je leeft liever in een droomwereld!' Shreed bracht zijn rechterschouder omhoog, tilde zijn wandelstok op en beukte ermee op de vloer. Shreed was nu echt boos. 'De Tweede Wereldoorlog zal nooit eindigen voor jou!' merkte hij verbitterd op. 'Jezus, zie je dan niet wie straks onze échte vijand is?' Zijn wenkbrauwen raakten elkaar nu bijna, terwijl de woeste haren aan de uiteinden ervan zijn gelaat een satanische uitdrukking gaven. '*China!*' gromde hij. 'De vijand is China, stommeling!' Hij bleef nog een tijdje woedend naar het rood aangelopen gezicht van Partlow kijken, wendde zich toen af en begon te lachen. 'Hij begrijpt het niet!' kraaide hij. 'Hij begríjpt het gewoon niet!' En hij strompelde weg, nog steeds lachend, zich ondertussen afvragend hoe hij met Abe Peretz zou afrekenen, de man die de pech had een vriend van Alan Craik te zijn.

Zaïre.

'De laatste.' Djalik gooide Alan het noodrantsoen toe. 'Meneer, als u met dat

411

kooksetje de soep en de ham opwarmt, kijk ik hoe het met het oog van meneer O'Neill staat.'

'Goed.' Alan vond het helemaal niet erg om tot kok te worden gereduceerd. Hij was moe, vermoeider dan hij zich kon herinneren ooit geweest te zijn, maar hij had Harry bij zich en hij was nog niemand kwijtgeraakt. Nóg niet. Met behulp van de veldfles uit zijn helmtas kreeg hij het kooksetje uit het noodrantsoen aan de gang. Het pakje soep was binnen enkele seconden heet, en toen warmde hij de ham op. De rest van het water goot hij in zijn roestvrijstalen beker en maakte koffie. Niet bepaald grandioos, maar het spul was warm en zoet.

Ze deelden de soep met z'n drieën, en Djalik voerde O'Neill steeds een klein stukje ham. Harry was drie tanden kwijt, terwijl er nog twee gebroken tanden in zijn mond zaten, die Djalik met behulp van een tandheelkundig setje uit de eerstehulpdoos zo goed mogelijk had proberen vast te zetten. Vandaag had hij kans gezien op eigen kracht vooruit te komen, maar zijn conditie was nog steeds bijzonder slecht.

Djalik gaf hun beiden een Snickers-reep. Harry keek er met zijn goede oog naar en stopte de zoetigheid vervolgens in zijn borstzak. Hij was nog steeds smerig, stonk nog steeds. Djalik had het oog zonder ooglid met spul dat 'Second Skin' heette en verbandgaas afgedekt, waardoor de vliegen er in elk geval niet meer bij konden – en de anderen er niet meer mee geconfronteerd werden.

Alan en Djalik aten het meeste van wat er nog over was. Ze werkten alle kaakjes naar binnen, gevolgd door de dikke pindakaas en de jam, en doorzochten alle pakjes van het noodrantsoen totdat ze er zeker van waren dat er niets meer over was. Djalik kwam met nog wat water aanzetten, maakte de Kool-Aid en schonk iets daarvan in het foliebakje dat Harry als drinkbeker gebruikte. 'Poe – poe – ' Harry probeerde door zijn kapotte lippen door iets te zeggen. 'Poe – jie – ' Hij moest een paar keer slikken. 'Poe – jie. Foe – wie – sé.'

'Wat zegt-ie?'

'Hij maakte een grapje. Over de wijn. Hij voelt zich al een stuk beter.'

Alan begroef de plastic verpakking.

Om hen heen bewoog het woud.

Washington.

Een uur nadat hij met Partlow had gesproken ging Shreed bij Suter op bezoek.

'Heb jij wel eens iemand gerund?' vroeg Shreed. Hij bedoelde met 'runnen' het aansturen van een agent.

'Natuurlijk niet.' Suter leek enigszins beledigd; Shreed wist precies wat hij wel en wat hij niet had gedaan.

'Je moet in zo'n geval meedogenloos zijn. Je mag je nooit laten beïnvloeden door je gevoelens. De agent komt terug, uitgeput, doodsbang, staat op het punt in te storten, en dan moet jíj hem debriefen op een manier zoals hij ook door de tegenpartij zou worden verhoord, op de martelingen na dan. Steeds weer, je daagt hem uit, je zaait twijfel bij hem, je verandert zijn hele zelfbeeld. En daarna stuur je hem terug. De jongens hier genieten daarvan. Goedkope macht over iemand.' Hij maakte een bedachtzame indruk, maar dat kwam alleen maar omdat hij probeerde, zoals hij dat zo vaak deed, Suter iets bij te brengen. 'Je moet meedogenloos zijn. Na afloop heb je de pest aan jezelf.' Steunend op zijn stokken strompelde hij weer weg.

Suter had kunnen vragen: na afloop waarvan? Maar hij vermoedde dat hij dat wel wist.

Alan Craik werd nu zesenvijftig uur vermist. Suter en Shreed zouden – als ze het hadden geweten – opgetogen zijn geweest.

29

Eind november

Sarajevo.

Mevrouw Obren arriveerde met de bus vanuit de Republika Srpska. Dukas had haar vanaf het station laten schaduwen. Ze kwam rechtstreeks naar hun ont-moetingsplaats in het park; hij omhelsde haar, glimlachte, praatte honderduit, en ze glimlachte de glimlach waarvan hij altijd zo blij werd, en hij verlangde naar haar en besefte dat hij nooit meer met haar naar bed zou gaan.

Hij reed haar naar de flat in de Radovanstraat en vertelde haar dat hij nog even weg moest in verband met haar cheque. Ze maakte een ongewoon gelukkige in-druk; misschien kwam dat door het geld. Dukas bracht haar naar boven, waar-bij hij met zijn grote hand haar pols vasthield, op het eerste gezicht een gebaar van genegenheid. Hij kreeg een 'oké'-teken van de vrouw die haar geschaduwd had, wat inhield dat er geen contrasurveillance was geconstateerd.

Pigoreau en twee Britten die in Noord-Ierland terroristen hadden ondervraagd zaten in de flat te wachten. Dukas voelde hoe ze zich probeerde los te trekken en hoorde hoe haar ademhaling versnelde. Hij keek haar niet aan.

'Probeer alles te weten te komen. Ik wil álles – elk detail, elke naam, elk woord dat is gezegd. Breek 'r.'

Ze begon te huilen en noemde zijn naam. Hij liet haar pols los en ging naar buiten. Een eindje verderop in de straat leunde hij tegen zijn auto en moest een paar keer diep ademhalen om niet misselijk te worden.

Op zee, het vlaggendek van de Jackson.

Het lukte hun niet de mannen op te pikken binnen de vierentwintig uur zoals door de admiraal geëist. Ze hadden weliswaar vliegtuigen boven het betreffende gebied, en de ambassade schreeuwde daar moord en brand over, maar het lukte hun niet hun mensen op te sporen. De piloten die het gebied op geringe hoogte overvlogen meldden dat ze honderden mensen zagen, misschien wel duizenden. Als de Amerikanen achtervolgd werden, dan was het volkomen onmogelijk die achtervolging als zodanig te herkennen. De weinige wegen zaten verstopt; er was geen vervoer – in de wouden hier waren minstens een half miljoen mensen onderweg.

Een F-18 maakte op een gegeven moment contact met een Franse Jornada, maar de E-2 Hawkeye bond de piloot op het hart in godsnaam afstand te nemen; de Franse piloot had zijn NAVO IFF geactiveerd. Vrij laat, maar hij had hem in elk geval ingeschakeld. Admiraal Pilchard wilde weten waarom Craik niet opnieuw contact had gezocht. Overste Scott, die Craiks telefoontje had aangenomen vóór hij met de admiraal werd doorverbonden, legde uit dat Craik gebruikmaakte van een mobiele telefoon, en dat je daarmee in Zaïre buiten de steden niet kon bellen. Daarom was hij wat dichter in de buurt van Kisangani getrokken – enkel en alleen om binnen het bereik van het mobiele net te komen. 'En nu is hij weer op weg gegaan, meneer.'

'Te voet,' zei Pilchard, alsof te voet gaan iets volkomen afkeurenswaardigs was. 'Ik denk van wel, meneer.'

De admiraal gooide een pen tegen de muur.

Zaïre.

Ze bereikten een verlaten dorpje. Alan liep langs de eerste hut, zijn geweer in de aanslag, en passeerde toen een tweede, en een derde. Hij keek bij elke deuropening naar binnen. In de derde hut zat een oude vrouw op de vloer. De banda – de hut – geurde op aangename wijze naar rook. Alan herinnerde zich die geur weer van vroeger. Rook en ongewassen lichamen. Rook en urine. Rook en rook. Hij glimlachte naar de vrouw.

'*Habari ya leo. Bonjour? Eh – bei gani?*' Hij probeerde verschillende combinaties. Ze zat op haar hurken. Ze zei nog steeds niets. Alan trok zijn hoofd terug, liep behoedzaam naar de andere banda's en keek bij elk langs de naar beneden hangende flap naar binnen. Niemand.

Djalik stond midden in de nederzetting te wachten. 'Nergens iets te zien,' zei hij. 'Ik ben er helemaal omheen gelopen. Er lopen sporen in noordelijke richting. Wat heeft ú gevonden?'

'Een oude vrouw.'

'Wat doet díe verdorie hier?'

'Ze hebben haar achtergelaten.'

Deze dorpjes liepen leeg voordat de grote stroom vluchtelingen passeerde. De vluchtelingen waren bang, hongerig en woedend. Ze streken als sprinkhanen op een nederzetting als deze neer.

Djalik liep terug en hielp Harry naar het midden van het dorpje.

Alan werd pragmatisch.

'In die banda staat een prima aluminium kookpot. Het enige wat we nodig hebben is een kip.'

Harry's borst ging op en neer. Het leek of hij moest hoesten, maar toen bleek het een soort lachen te zijn. 'O-oo-ooit – ' begon hij. 'O-oo-ooit – rat – ge-geten?' Hij glimlachte er zelfs bij. Zijn stem werd steeds krachtiger. 'Ik wel. Zelf gevangen, doodgeslagen, gevild – en gegeten.' De woorden klonken zacht, maar zijn mond was vandaag minder opgezwollen. 'Valt wel mee.'

Alan probeerde hem aan de gang te houden. 'Bij Patrick O'Brien proberen de adelborsten altijd ratten te vangen, die toen als een soort lekkernij werden beschouwd.'

Harry's borst ging opnieuw op en neer; waarschijnlijk moest hij weer lachen. 'Ja, maar – maar – zij kóókten die – dingen – altijd.'

Djalik knikte langs de kam in de richting van de rivier. 'Daar staat een Gouldhandpomp, gefabriceerd in de Verenigde Staten, net aan de andere kant van de heuvel. Ik heb de veldflessen gevuld en er zuiveringstabletten ingedaan.' Hij keek Alan aan. 'We zijn bijna door onze voorraden heen.' Hij wierp een nadrukkelijke blik in de richting van Harry. 'Op diverse gebieden.' Hij doelde op de morfine.

Toen hoorden ze de kip. Ze kraste meer dan dat ze kraaide, maar het was een echte kip. Misschien een zieke kip, want Djalik had er maar één rondje in een hut voor nodig om haar te pakken te krijgen.

Alan schudde zijn hoofd. 'Deze mensen zijn zo arm als de neten. Ik vind het afschuwelijk om ze hun kippen af te nemen.'

'Deze kip is een wonder van de eerste orde. Gelooft u in wonderen? Na deze kip ík wel.' Djalik hield het dier bij de nek, draaide een keer hard aan het kippenlijf, en ze was dood.

Uiteindelijk kookte Alan en keek Harry toe. Ze probeerden de stukjes taai vlees met de oude vrouw te delen, maar ze was tandeloos en keek alleen maar naar het voedsel. Ze lieten de aluminium pan voor haar achter met op de bodem nog wat bouillon; Harry misgunde haar zelfs dát, want volgens hem zou ze toch binnenkort doodgaan. Alan sneed wat stukken sisaltouw van de achterkant van de banda en maakte daar een soort draagstel van voor zijn helmtas. Toen hij daarmee klaar was had hij voor het eerst in drie dagen beide handen vrij. Uit schuldgevoel, en bedoeld op de manier zoals Afrikanen iets ten geschenke geven, liet hij drie vishaken en een stuk vislijn op de mat achter, als een vorm van betaling, of misschien ook wel als een soort verzoening. Hij pakte zijn geweer van de grond en liet de rook van de hut achter zich. De vrouw staarde nog steeds naar de onaangeraakte kippenbouillon.

Ze liepen nog drie uur voor het donker werd. Volgens de GPS hadden ze na het vuurgevecht op het vliegveld ruim vierendertig kilometer afgelegd.

Sarajevo.

Dertig uur nadat ze begonnen waren met het ondervragen van mevrouw Obren werd Dukas door Pigoreau gebeld met de mededeling dat ze verdomde taai was, maar dat haar stilzwijgen langzaam maar zeker barsten begon te vertonen. Ze

probeerde in ruil voor informatie nog steeds nieuws over haar man los te krijgen. 'Ik weet niet zeker of ze wel helemaal goed bij haar hoofd is, Michael.'
Nou, dat zou best eens kunnen. Dukas had aan die mogelijkheid nog niet gedacht. 'Hoe lang nog?' vroeg hij. Hij dronk whisky uit een koffiekopje.
'Ze is spijkerhard, Michael.'
'Zeg haar maar dat als ze niet over de brug komt, ik haar in de gevangenis laat gooien en dat ze in dat geval vijf, tien jaar lang niet meer naar haar echtgenoot op zoek kan. Zeg haar maar dat we haar in de States terecht zullen laten staan. Dat zal ze onmiddellijk geloven, want die klote-Serviërs denken nog steeds dat Amerika het Rijk van het Kwaad is. Zeg haar maar dat ik ervoor zal zorgen dat ze twintig jaar krijgt en dat Amerikaanse vrouwengevangenissen vol zwarte potten zitten, zodat ze, tot ze te oud is om er nog wakker van te liggen, niets interessanters zal neuken dan een bezemsteel.'
'Trek het nou niet in een té persoonlijk vlak, Michael.'
Misschien was hijzelf ook niet helemaal goed bij zijn hoofd, bedacht hij. Misschien hadden ze zich dáárom tot elkaar aangetrokken gevoeld. 'Oké, vergeet die laatste opmerking. Maak haar doodsbang en zorg ervoor dat ik wat nuttige informatie op m'n bureau krijg.'
Hij regelde met de Bosnische grenspolitie dat er een proces-verbaal werd opgemaakt, waarin haar het in bezit hebben van valse documenten ten laste werd gelegd, iets waarvan Dukas wist dat dat waar was, want hij had haar die documenten toen hij haar had gerekruteerd zelf gegeven. Volgens het papieren spoor zou ze bij de grens zijn gearresteerd en zat ze momenteel in een vrouwengevangenis. Die info zou ongetwijfeld tot in de RS doorsijpelen, en daarna tot in Belgrado.
Zesendertig uur later namen twee vrouwelijke agenten haar mee naar het treinstation en vervolgens in noordelijke richting naar de VN-gevangenis in Stobranica. Daar zouden ze haar een paar weken vasthouden, waarin ze haar tot dubbelagent zouden omturnen, om haar vervolgens naar RS terug te sturen. Dukas keek hen door het raam van zijn kantoor na. Ze zag er mager uit, en bleek. Ze hadden geen sporen op haar achtergelaten; daar waren ze erg goed in.
De transcripties van haar verhoren vormden een dik dossier. Het overgrote deel was pure shit. Ze mocht een intuïtieve agente worden genoemd; ze mocht dan misschien niet op de hoogte zijn van de theorie van het ondervragen, ze wist precies hoe ze ontwijkende antwoorden moest geven, op haar woorden terug moest komen en verwarring moest stichten. Nadat ze was gaan praten was het meeste wat ze prijsgaf klein spul – de leraar die haar contactman was, Servische politiemannen in de RS die ze van informatie over haar buren voorzag – maar ze werd goed toen het onderwerp Zulu werd aangesneden. Hij was als laatste

aan de beurt. Het was zoals Pigoreaus verklikker had verklaard: ze had Zulu twee keer mee naar huis genomen, was tijdens een rekruteringssessie gastvrouw geweest, en had hem verteld over Dukas en het WCIU.

Heeft u die man Zulu verteld dat u een affaire met meneer Dukas had?

Ja.

Wat zei hij toen?

Hij zei dat ik ermee door moest gaan, dat ik hem tevreden moest houden.

Laat in het verhoor was ze weer begonnen van alles te verzinnen en werd de transcriptie onsamenhangend. Ze was een geboren leugenaarster, zeker weten, maar tegen die tijd probeerde ze bij hen in het gevlei te komen door dingen te zeggen waarvan ze dacht dat ze die graag zouden willen horen.

Ik weet hoe hij heet. Ik ken de naam van die man.

Ze noemde hem geen 'Zulu' of 'Z'. Ze noemde hem 'de man' of 'de man die naar mijn flat kwam' of 'de rekruteerder'. Dat moest ze voor het laatst hebben bewaard, en het lukte hun niet er veel dieper op in te gaan.

U bent met hem naar bed geweest terwijl u niet eens wist hoe hij heette?

Ja.

U heeft de nacht met hem doorgebracht? Hoe noemde u hem?

Ik noemde hem helemaal niets.

Dukas herinnerde zich weer hoe opgetogen hij was geweest toen ze zijn eigen naam had uitgesproken. Ze zei dat ze híeld van de naam Michael.

Toen, helemaal aan het eind, had ze wat gebied prijsgegeven.

Ik weet hoe hij heet. Ik ken de naam van die man.

Welke man?

De rekruteerder – die man die naar mijn flat kwam – waarover ik het al eerder heb gehad. Heb ik het al niet eerder over hem gehad? BIJZONDERHEID: Persoon in kwestie niet meer geheel coherent vanwege gebrek aan slaap en andere factoren.

Hoe heet hij dan?

Zijn naam staat op zijn arm – boven aan zijn arm – hoe noemt u dat – ?

Schouder?

Nee, hier – hier –

Bovenarm.

Ja, ik zag het toen hij – naakt? – was. Zonder kleren. Zijn naam.

Hoe luidde zijn naam dan?

Het is een Italiaanse naam, geen Servische. Misschien is hij spion? Geen naam die ik ken.

Hoe luidde zijn naam dan?

Zijn naam is Semperfi. BIJZONDERHEID: Persoon in kwestie spelde de naam bij deze gelegenheid. De naam is naar alle waarschijnlijkheid verzonnen. Naam komt niet voor in de standaardlijsten.

Nou, dacht Dukas, zo vreemd was dat niet. En waarom zouden die twee Britten het hebben herkend.

Hij schreef de naam op het schrijfblok dat voor hem lag. Toen trok hij een streepje tussen twee van de letters.

Semper/fi.

Semper Fi.

Had ze het geweten? Of was ze simpelweg knettergek? Ze moest toch hebben geweten dat deze man zijn eigen naam niet op zijn arm zou laten tatoeëren? Nee, ze was uiterst slim – zelfs wanneer ze uitgeput was, onder druk werd gezet en doodsbang was, omdat ze iedereen wantrouwde en ze vermoedde dat datgene wat ze zei de Serviërs wel eens ter ore zou kunnen komen. Dus had ze deze bonbon overhandigd alsof ze niet wist wat het was – overhandigd, wist Dukas, aan hém. Omdat híj zou weten wat die tatoeage betekende.

Zou weten dat Zulu ooit een Amerikaanse marinier was geweest.

Op zee, het vlaggendek van de Jackson.

'Meneer, ik zou de battle group liever nú westwaarts laten draaien dan daar nog een week mee te wachten.'

'Wat is het probleem?'

'Die Russische onderzeeër, meneer. We zijn haar kwijtgeraakt – vier dagen geleden hadden we haar nog, maar nu zijn we d'r kwijt. Ik zou het liefst weg willen van het diepe water hier en de trog die voor de Goudkust ligt, en vertrekken naar een plaats waar onze jongens meer kans hebben haar te detecteren. Ik zou het niet erg vinden te verkassen naar een plek waar de P-3's uit Rota onze ASW-inspanningen kunnen ondersteunen. De S-3-jongens hebben het zwaar te verduren, want die zitten vierentwintig uur per etmaal in de lucht.'

'Hoe ver moeten we?' Admiraal Pilchard wist het antwoord. Hij wilde alleen zeker weten dat iederéén het wist.

'Ik zou graag naar een punt ten zuiden van Kaap Palmas willen opstomen. Dan zitten we dichter in de buurt van de Middellandse Zee, terwijl we tegelijkertijd nog steeds Zaïre binnen ons bereik houden. We zetten twee beveiligde gebieden uit op zee, hier en hier, en varen daartussen dan met hoge snelheid heen en weer, zodat ook die Russische onderzeeër vaart zal moeten maken – wil ze ons tenminste bijhouden. En dan zullen we d'r ongetwijfeld horen.'

'Doe dat maar.' De admiraal ging weer verder met zijn berichtenverkeer.

Het was een goed plan. Op het feit na dan dat de *Haai* al achthonderd mijl van hen verwijderd was.

Zaïre.

Op de ochtend van de vijfde dag vonden ze een plek waar een helikopter zou kunnen landen en waar Alan via zijn mobieltje contact zou kunnen maken. Djalik wist precies aan welke eisen een extractiepunt – een oppikplaats – voor helikopters moest voldoen, en hij verkende dan ook de directe omgeving, terwijl Harry sliep en Alan toekeek, die zich zorgen maakte over het feit dat hij van een onbeveiligde verbinding gebruik had gemaakt, gebruik had gemaakt van een mobiel systeem in een stad die nu door de Hutus was bezet. Hij maakte zich ook zorgen over de grote aantallen vluchtelingen in de wouden. Dat waren er veel te veel en de piloot van de heli zou zeker niet willen landen als Alan niet kon garanderen dat het gebied veilig was.

Direct nadat Djalik was teruggekeerd, mompelend dat de plek waardeloos was maar dat iets beters niet voorhanden was, gaf Alan de coördinaten aan de boot door. De verbinding was vreselijk, maar hij hield vol, wachtend tot de batterijen het voor gezien zouden houden, maar uiteindelijk meende hij de coördinaten doorgegeven te hebben en een tijd te hebben gehoord.

'06.30 uur,' zei hij tegen de anderen. Althans, dat was de tijd die hij meende gehoord te hebben. 'Nu maar afwachten.'

Op zee, het vlaggendek van de Jackson.

Parsills werd gewekt door de vlaggenluitenant met het nieuws dat de extractie zou gaan plaatsvinden. De admiraal wilde hem spreken, kreeg hij te horen; hij kleedde zich aan, nam met een borstel zijn haar zodanig onder handen dat het niet te wild overeind stond, en ging naar voren. Pilchard was wakker, op, en zat in een marineochtendjas in een van de leren stoelen, en maakte een bijna elegante indruk. Hij was druk met allerlei papieren in de weer en er lag al een stapeltje naast hem op de vloer.

'Je werkt veel te hard,' zei Parsills.

'Hou op, Jack.' Hij reikte een velletje papier aan, een transcriptie van het laatste telefoongesprek met Craik. 'Dit hele gedoe met draagbare telefoons stínkt. Als deze extractie mislukt zullen we moeten proberen hen een radio in handen te spelen.' Hij keek op. 'De *Rangoon* schat de kans op succes in op één op drie. Ze zitten veel te dicht bij een stad, veel te dicht bij gebieden waar FAZ-activiteit wordt gemeld. Ik denk dat Craik wanhopig is, want de plek die hij heeft uitgezocht is waardeloos.'

'We doen ons best.'

'Dat is in dit geval niet genoeg! Althans, dat zal het geval zijn als we hem daar niet weg weten te halen.' Hij stak hem een tweede velletje toe. 'Een prioriteitsbericht voor mij van de CNO – hij is gebeld door de een of andere makke columnist van de *Washington Post* met de mededeling dat Buitenlandse Zaken op het punt staat een en ander naar buiten te brengen. "Marineteam vermist in Zaïre." Dan zijn de rapen helemáál gaar – zodra de media er zich mee gaan bemoeien zullen onze jongens als konijnen worden opgejaagd.'

'Jezus, dat kunnen ze niet doen – '

'Nou, dat kunnen ze wel degelijk. Maar ze zijn bereid een deal te sluiten: als wíj uit de buurt van Zaïre blijven, houden zíj dat verhaal onder hun hoed. De ambassade verbiedt het ons vanaf 08.00 uur morgenochtend om boven dat land te vliegen. Als we dat wel doen zullen ze het gebeuren openbaar maken.' Hij nipte van zijn koffie, die al minstens een uur koud moest zijn. 'Een ambassade kan zoiets doen – juridisch zijn ze in staat om ons buiten de deur te houden. We worden geacht ons bij hun regels neer te leggen. Gewoonlijk mogen we in een dergelijke situatie voor onze eigen mensen opkomen, zolang we maar discreet te werk gaan en niemand aan het schrikken maken. Heb je gehoord dat gisteren een van onze jongens een Frans toestel op de korrel had? De Fransen gingen helemaal door het lint. Blijkbaar heeft dat nieuws zelfs het Witte Huis bereikt.' Hij hield zijn beker koffie vast alsof hij zich niet lekker voelde. 'De CNO wil dat ik me aan die opdracht hou, Jack.'

'Verdomme, dan is dit onze laatste kans.'

De admiraal zette zijn beker neer. 'Nog niet. In het bericht van de CNO stond een suggestie, onofficieel uiteraard. In het zuiden speelt een clandestiene operatie van de Agency, waarvan de leiding denkt dat we nog steeds voor dezelfde overheid werken, godzijdank. Als wij genoodzaakt worden om ons terug te trekken, zijn zij bereid een dropping voor ons uit te voeren – het is een deal tussen drie partijen – wij, de ambassade, de CIA. Als de extractie niet lukt, is het het beste waarop we kunnen hopen. Dus ik zou maar opschieten: stuur een S-3 met alles wat we in de buurt van Craik zouden kunnen droppen de lucht in. De bijzonderheden staan genoemd in het bericht van de CNO – overvliegtoestemmingen van de diverse landen, de route die strikt in acht genomen moet worden, geen vergissingen, geen gerommel. Het luchtruim van Zaïre dient te worden vermeden.'

'De plaatsvervangend commandant van het S-3-squadron,' zei Parsills. 'Hij brandt van verlangen iets te doen.' Hij keek op zijn horloge, zag hoe weinig nacht er nog resteerde. 'Jezus, slaap je dan nóóit?' Hij reikte naar enkele berichtenformulieren. 'Ikzelf ben meer een ochtendmens.'

Zaïre.

Alan hoorde de rotorbladen al vóór hij de helikopter zag die laag over de heuvelkam aan kwam vliegen. Het vroege ochtendlicht maakte elke vorm van identificatie moeilijk. Ze zaten met z'n drieën in een kreupelbos in de hoek van een groot veld waar ooit sisal was verbouwd. Hij had via zijn mobieltje een fragmentarische boodschap ontvangen, maar ze hadden hun dekking niet verlaten en waren onzichtbaar voor iedereen die vanuit de stad hun kant op keek. Hij drukte op de zendknop en werd na een pijnlijk vertraging met de *Jackson* verbonden. Binnen enkele seconden werd hij via Air Ops doorverbonden en sprak hij met de heli.

'Stranger, hier is Big Bird, over?'

'Big Bird, ik kan u zien.'

'Roger, Stranger. Zeg de woorden.'

'Roger, Big Bird. Stranger had een grote bastaardhond die Bayard heet; Bayard was doof.'

'Roger, Stranger. Ik heb het gehoord.'

Djalik hoorde boven het geluid van de rotorbladen uit een korte vuurstoot, en greep Alans arm beet.

'Shit!' Waarschijnlijk deserteurs die zich in het nauw gedrongen voelden, en die op alles en iedereen het vuur openden. Alan schreeuwde in de telefoon: 'Big Bird, er wordt op u geschoten!'

De heli beschreef een scherpe bocht en klom al wegdraaiend bij de kam vandaan, weg van het vuur dat vanaf de grond op haar werd geopend.

'Stranger, nemen het vuur waar. Een ogenblikje – we moeten even kijken hoe erg het is.'

De tweede helikopter had zich aanvankelijk een behoorlijk eind op de achtergrond gehouden, maar kwam nu dichterbij, terwijl er vanuit de deuropening met een zware mitrailleur werd gevuurd. Deze heli's, die werden gevlogen door mariniers, waren uitstekend voor hun taak berekend, maar vanaf de overkant van het oude sisalveld klonk een hevig vuren. Dit waren niet zomaar een paar knapen met wat geweren, maar minstens een halve compagnie, en wellicht met zware mitrailleurs bewapend. Djalik gebaarde naar hem.

Alan moest een beslissing nemen.

'Kunt u ze op een afstand houden, Big Bird?' Kon je via een mobieltje spijt laten doorklinken? 'We hebben bevel niet terug te schieten, Stranger.' *Nou, wat deden jullie verdomme daarnet dan – pissen soms?* Opnieuw opende de andere heli het vuur, maar het toestel bleef enigszins op de achtergrond, probeerde klaarblijkelijk eerder indruk te maken dan die knakkers op de grond in dekking te jagen. Hij wist precies waarvoor ze bang waren. als een van de helikopters werd neergehaald, zou er pas écht stront aan de knikker zijn, niet alleen in Kinshasa, maar ook in Parijs en Washington.

En nu kwamen tussen de plukken sisal door gestalten hun kant uit.

Het was al te laat. Hij sprak de woorden uit die hem op slag misselijk maakten.

'Afbreken, Big Bird, afbreken. We moeten verder.'

'Bevestigen afbreken.'

De grote helikopter draaide in de richting van de bomen.

'Hou vol daar beneden, Stranger.'

De heli draaide over de bomen weg en verdween toen achter de boomtoppen, waarbij ze slechts het steeds verder afnemende geluid van haar rotorbladen achterliet. Djalik had Harry al overeind getrokken en leidde hem langs hun ontsnappingsroute. De mislukking maakte dat Alan zich op slag bekaf voelde, al zijn hoop vervlogen tijdens één minuut geweervuur.

Djalik maakte zich zorgen om een heel ander aspect: de omvang van het geweervuur. Het klonk uiterst professioneel. Djalik dacht aan de blanke huurling die Zulu werd genoemd en de blik die die man met Craik had gewisseld.

30

Eind november

Zaïre.

Zulu zat met het hoofd in zijn handen op de grond, terwijl zijn schouders en nek pijn deden van de koorts. Als het niet erger werd kon hij in elk geval nog in beweging blijven. Malaria kon het onmogelijk zijn, bedacht hij; hij had steeds zijn medicijnen ingenomen, beschikte nog steeds over pillen, hoewel ook die langzaam opraakten.

Hij hoorde de helikopter aankomen, en hij keek met rode, waterige ogen omhoog. Zijn eigen helikopter was van de geïmproviseerde landingsplaats geduwd en min of meer gecamoufleerd, maar het was halfslachtig gebeurd omdat er niet genoeg manschappen waren en de FAZ-militairen hielden zich op de achtergrond, keken toe maar staken geen hand uit. *Die hielpen op geen enkel gebied*, bedacht hij. *Even nutteloos bij het camoufleren als bij het vechten.*

De heli wiekte neer en de wielen raakten de grond, terwijl er duizenden waterdruppels omhoog werden gejaagd, afkomstig uit de vele plassen die overal op het doorweekte terrein stonden. Zulu huiverde en kwam overeind toen een man op de grond sprong en zijn kant uit kwam gesopt, voorovergebogen, zoals iedereen, bang wellicht dat de rotorbladen hem zouden onthoofden. Het was een blanke man, Lascelles' beste man in Centraal-Afrika.

Zijn beste man, bedacht Zulu, *en kijk eens naar de positie waarin we ons bevinden.*

'Eh, Jackie.' Zulu stak zijn warme hand naar hem uit. 'Welkom in nergenshuizen.'

'Godzijdank bestaat er GPS – anders had ik je nooit gevonden – waar zouden we zonder de Amerikanen zijn, hè?' Jackie was halverwege de veertig, was mager, klein, en had een rood gezicht. Hij was Lascelles' contactman met Ntarinada geweest – totdat Ntarinada de pijp uit was gegaan. 'Wat doe je hier verdomme, Zulu? Je ziet er ziek uit. Malaria?'

Zulu maakte zwakjes een afwerend gebaar. 'Een of andere klote-insect. Afrika.' Hij veegde zijn voorhoofd af, waarbij hij zijn pink in de holte liet glijden waar eigenlijk de brug van zijn neus had moeten zitten, iets wat hij altijd deed als hij zijn voorhoofd afveegde. 'We moeten praten, Jackie.'

'Nee, dat moeten we níet. Ik weet wat je wil zeggen: Het is afgelopen. Heb ik gelijk of niet?'

Zulu was verrast. Misschien kwam het door de koorts. Hij had verwacht te moeten vechten. 'Ik wil dat je tegen Lascelles zegt dat ik mijn jongens mee naar huis neem. Tenminste, wat er nog van hen over is.'

Jackie leidde hem naar een plek onder een boom, alsof ze daar meer privacy hadden. 'Dat weet hij al. Hij is daartoe bereid.'

'Krijg ik mijn geld nog steeds? Wat er allemaal gebeurd is, was niet ónze schuld! Die verdomde zwarten hebben gewoon geen zin stand te houden; de troepen zijn oké, Jackie, maar de officieren zijn één grote grap! Zie je dat stelletje daar? Als ik een maand of twee de tijd had zou ik iets van ze kunnen maken. Maar hun kapitein is een of ander kind uit Kinshasa, wiens vader toevallig een maatje van Mobutu is; dat kind schijt alleen al bij de gedachte dat er op hem geschoten zou kunnen worden in zijn broek. Het enige deel van zijn uniform dat smerig is, is het zitvlak van zijn broek.' Zulu veegde opnieuw zijn voorhoofd af, en voelde onbewust de oude snijwond op zijn neus. 'We hebben ons best gedaan. Méér nog dan dat. Jezus Christus, ik heb zóveel mannen verloren – '

Jackie legde een hand op zijn schouder. Hij was klein, maar hij gedroeg zich met het fysieke gemak van iemand die een stuk groter was – hij was duidelijk niet bang voor Zulu, niet bang voor Afrika. 'Wat doe je verdomme hier in deze godvergeten uithoek, Zulu?'

'Ik volg de drie klote-Amerikanen die al die ellende op het vliegveld zijn begonnen. Waar ze die arme Ntarinada hebben doodgeschoten.'

'De Hutu's zeggen dat jóuw mannen dat hebben gedaan.'

'Ze zijn gek! Plotseling was er sprake van een vuurgevecht en dook er een tweetal Amerikaanse marinemannen op, die Ntarinada doodden om er vervolgens met een gevangene vandoor te gaan. Ik ben niet van plan ze met rust te laten. Ik zal ze blijven achtervolgen.'

Jackie keek naar het gloeiende gelaat van de grotere man. 'Een paar dagen in bed zouden je geen kwaad doen. Luister, Zulu, het interesseert me geen barst wie Ntarinada heeft gedood; het is veel te laat om daar nog bij stil te blijven staan. Maak je niet druk. Laat die jongens lopen.'

Zulu keek hem aan, wendde zijn blik af naar de helikopter. 'Ze weten wie ik ben.' Hij haalde zijn schouders op. 'De gevangene – '

'Die zwarte CIA-knaap.'

Zulu knikte. 'Ik heb hem behoorlijk onder handen genomen; hij zal mij ongetwijfeld herinneren. Plus een van die Amerikaanse marinemannen, begrijp je; we zijn elkaar al eens eerder tegengekomen – ik heb een gezicht dat de mensen zich blijven herinneren, Jackie – '

Jackie klopte Zulu op de schouder. 'Lascelles dacht dat het jouw bedoeling was om alledrie de Amerikanen in handen te krijgen en ze als gijzelaars te gebruiken, maar toen ging het fout en werd Ntarinada doodgeschoten. Oké, wie ligt daar wakker van? Daar is het te laat voor. De mensen van Kabila kunnen nu elke dag Bumia innemen, en vervolgens trekken ze op naar Kinshasa om daar de macht over te nemen. Dat betekent dat we deze ronde verloren hebben en dat we het over één, twee jaar nóg eens zullen moeten proberen.' Hij stak een sigaret op en bood er eentje aan aan Zulu, die zijn hoofd schudde. 'Lascelles is bereid je te laten gaan. Op één voorwaarde.'

'Ik ben níet van plan te gaan onderhandelen!' bracht Zulu bijna jammerend uit. 'Hij staat bij mij in het krijt – '

'Op weg naar huis zou Lascelles graag zien dat je nog één klusje voor hem opknapt. Jij, met een man of tien, twaalf van je mensen. Libië.'

'Hij kan barsten. We gaan naar huis.'

'Natuurlijk ga je naar huis, maar dat doe je via Libië, en daar blijven jullie dan vierentwintig uur om een klusje te klaren, uiterst snel en redelijk gemakkelijk. Als je het níet doet – ' Hij gebaarde even met zijn hand. 'Lascelles is enigszins ontstemd over je, Zulu. Hij kan ervoor zorgen dat er geen vliegtuig voor je is. Hij is in staat je niet te betalen. Hij kan het zodanig regelen dat je hier langzaam wegrot.'

'Nee, dat kan hij níet!' Maar Zulu besefte dat de man daartoe wel degelijk in staat was. Hij had een barstende hoofdpijn. Het enige wat hij wilde was ergens gaan liggen.

'Je gaat het volgende doen, Zulu. Je gaat naar Gbadolite. Dat ligt in het thuisland van Mobutu, en het heeft een vliegveld waar grotere straalkisten kunnen landen. Lascelles zal tegen Mobutu zeggen dat je daar bent om zijn thuisgebied tegen de rebellen te beschermen. Daar train je tien dagen tot twee weken voor de missie in Libië, daarna sturen we twee vrachttoestellen die je daar weg zullen halen. Oké?'

'Er liggen gewonden van me in diverse, over dit hele verdomde land verspreid liggende jungleziekenhuisjes. Ik kan die jongens niet zomaar achterlaten.'

'Je hebt twee weken de tijd. Gebruik je helikopter. Mocht het nodig zijn dan kun je die van mij ook nog wel een dag of twee lenen.' Jackie liet de sigaret op de doorweekte grond vallen, staarde er een tijdje naar en zette er vervolgens toch nog een van zijn schoenen bovenop. 'Nou?'

Zulu keek hem aan. 'Weet je dat het FAZ ons met hun artillerie onder vuur heeft genomen? *Ons?* Omdat ze hun soldij niet hadden gekregen, zeiden ze, en wij miljonairs zouden zijn! Hm? Ik heb daarbij drie man verloren. Jézus!' Hij veegde opnieuw zijn gezicht af. 'Wat is die klus in Libië precies?'

'Je gaat aan boord van een onbewapend koopvaardijschip en doodt de bemanning, om het schip vervolgens naar de haven van Tripoli te brengen. Meer niet.

Het schip zal eerst door een kleefmijn tot stoppen worden gedwongen; jullie komen met speedboten langszij en gaan aan boord, waarna het schip voor jullie is. Tekeningen en plattegronden van het schip zullen in Gbadolite op je liggen te wachten; die heb je nodig en daar kun je dan mooi een dag of tien op trainen – we bouwen het daar op eenvoudige wijze na, zodat je dat schip even goed kent als je eigen woning. Als het dan zover is, is het een fluitje van een cent.'

'Zo gemakkelijk kan het anders niet zijn.'

Jackie haalde zijn schouders op. 'Het is een Amerikaans schip. Koopvaardij, maar onder commando van de marine. Maakt deel uit van een oefening.'

'Shit! Nee! Weet jij wat de – ?' Hij stampvoette een paar keer, waardoor modder en water in het rond vlogen. 'Verdomme, shit! Ik kan niet eens meer nádenken.' Hij draaide zich met een ruk om. 'Jackie, in godsnaam, laat ons gaan! We lopen op ons tandvlees.'

'Aan boord van dat schip bevindt zich een raket. Dáár hebben jullie het op voorzien. Een kwart miljoen extra, dollars, als het je lukt die veilig in de haven van Tripoli af te leveren.'

De FAZ-militairen begonnen zich enigszins te roeren. Twee kleine zwarte mannen hadden zich zojuist bij het groepje gevoegd, twee mannen in verfomfaaide burgerkledij, maar wél beiden met een AK-47 in de hand. Een ervan sprak geanimeerd met de FAZ-kapitein, waarna een sergeant over de natte aarde in de richting van Zulu kwam gelopen.

'Is dat schip onbewapend?' wilde Zulu weten.

'Zeker weten.'

'Waarom zou de Amerikaanse marine dat schip niet wegslepen?'

'Omdat dat schip zich op dat moment binnen de twaalfmijlszone bevindt. De Libiërs zullen schepen in de buurt hebben, vliegtuigen in de lucht. Veel opschudding in de pers – Amerikaanse interventie in de Middellandse Zee, schending van de Libische territoriale wateren – Het moet lukken, Zulu.'

'Maar – een rakét?'

'Een of andere test. En hoe moeilijk kan zoiets nou zijn? Een kleine bemanning, een stuk of wat wetenschappers. Jouw mensen maken die lui moeiteloos koud.'

De zwarte sergeant stond nu vlak bij hen. Geen van beiden sloegen ze acht op de man. Zulu huiverde. 'Ik kan niet goed nadenken,' mompelde hij. 'Oké. Maar we zijn hier nú weg – we hebben het gehád.'

Jackie draaide zich naar de sergeant om. 'Ja?'

De sergeant salueerde, hoewel de boodschap voor Zulu was. 'Ze hebben het spoor van de drie blanken gevonden, kolonel. Volgens de *shenzi* zijn ze twaalf kilometer verderop en trekken in westelijke richting.'

Zulu rechtte zijn rug. 'Kunnen we er met de heli achteraan?'

'De *shenzi* zeggen van niet, kolonel. Ze gaan steeds dieper de jungle in en volgen alleen maar smalle paden. Straks zijn ze helemaal verdwenen.'

Zulu gebaarde naar zijn eigen mannen, slechts een handjevol, bekaf, moedeloos. Ze deden hun bepakking om en pakten hun wapens op.

'Ik móet afrekenen met die Amerikaanse schoften,' zei Zulu. 'Ik moet op pad.'

Jackie bracht als groet heel even een hand naar zijn hoofd. 'Ik zie je in Gbadolite.' Hij pakte Zulu bij een arm. 'Twee weken, dan is dit alles achter de rug.'

Zulu staarde naar zijn uitgeputte mannen, en naar de weinig toeschietelijke FAZ-militairen. 'Als je me besodemietert, Jackie, is het met je gebeurd.'

Teheran, Iran.

Joeri Efremov had zijn dag ingedeeld als een onvervalste zakenman, en ging elke ochtend naar een kantoor dat was ondergebracht in een gebouw van vóór de revolutie aan het Inwijdingsplein. Het dragen van een westers pak en een wit overhemd met een mooie das – een van de stropdassen die hij ooit eens in Londen of Rome had gekocht toen hij nog in Moskou gestationeerd was geweest – gaf hem een gevoel van normaliteit. Vervolgens liet hij zijn auto voorrijden, en werden hij en een lijfwacht naar een plekje ergens in de buurt van het plein gereden, waarna hij en zijn lijfwacht uitstapten om de rest van de route lopend af te leggen, door een mensenmenigte die bestond uit aanzienlijk minder elegant geklede mannen – mannen die soms niet eens een das droegen – en vrouwen in de kleding die op dat moment door het regiem als politiek correct werd beschouwd. Efremov genoot van het gedrang van de mensen om hem heen, van de bloemenverkopers en de straatventers in de straten van Teheran, het lopen door de parken en langs de bouwplaatsen, van alle sporen van vijftienhonderd jaar keizerlijke cultuur, sporen die men de afgelopen vijftien jaar voortdurend geprobeerd had opnieuw te definiëren.

Hij werd door verschillende groepen gevolgd, en hij had zich ooit eens met een soort afstandelijk plezier afgevraagd of de verkoop van koffie en sinaasappelsap langs bepaalde straten daadwerkelijk steeg wanneer hij bij zijn route díe straten volgde. De agenten van de Revolutionaire Garde volgden hem; de agenten van rivaliserende geheime diensten schaduwden hem; en dáár weer achteraan liepen zijn eigen agenten. En wíe volgden hen weer? De Amerikanen, de Russen, de Israëli's, de Chinezen?

Het kantoor was een soort kruising tussen een commandocentrale en een dekmantel voor een of ander bedrijf. Op de deur stond in het Engels en Arabisch 'Executive Security Services'. Zijn medewerkers waren zorgvuldig gescreend. In Iran hield een zorgvuldige screening meestal alleen maar in dat je voldeed aan de eisen voor religieuze toewijding, waarvoor je dan vervolgens een certificaat kreeg uitgereikt, maar voor Efremov betekende het een grondig onderzoek van iemands achtergronden en verschillende stevige ondervragingen. De Amerikanen maakten nog steeds gebruik van de leugendetector. Efremov had dertig jaar lang mannen en vrouwen ondervraagd. Hij had helemaal geen machine nodig. Bovendien, áls ze zo'n apparaat in Teheran zouden hebben, zou het waarschijnlijk niet eens werken en zou de operator die dat ding moest bedienen niet precies weten hoe dat moest, of zou iemand van de Raad voor Loyaliteit en Waarheid het hem afhandig hebben gemaakt.

Efremov was kolonel bij de oude KGB geweest. En hij was erg goed geweest. Maar zijn loyaliteiten hadden de ondergang van de Sovjet-Unie niet overleefd. Hij vroeg zich tegenwoordig wel eens af waarom; het moest voor iemand zoals hij toch mogelijk zijn vandaag de dag in Moskou een hoop geld te verdienen. Misschien had hij moeten blijven. Maar geld was niet het belangrijkste. 'Macht' was het toverwoord tegenwoordig; nou, hij hád macht gehad, maar misschien niet zoveel als hij gewild had. Een gevoel van verraad. De titel van een oud boek over het communisme – de god die faalde. Nou, ja. Behalve dat hij nooit in God had geloofd en hij dacht ook dat hij nooit in het communisme had geloofd, hoewel hij tegelijkertijd walgde van datgene wat de mensen kapitalisme noemden! Wat waren de Amerikanen toch verslaafd aan geld verdienen! Hij zou alles hebben gedaan om daaraan te ontkomen. Hij had gezien hoe het zich ook in Rusland had genesteld. Een visioen van de staat waarin alles te koop was, zoals iemand weleens over het oude Rome had geschreven. Dus was hij overgelopen naar de islamitische staat, waar slechts enkele zaken te koop waren, en de rest van de mensen bekrompen en star was. Vreemd genoeg paste de islamitische staat bij hem, of paste bij zijn geprivilegieerde positie van buitenlander, waarin hij kon beschikken over een maîtresse en een afgesloten privé-terrein en een rekening bij de aan de Zwitserse ambassade verbonden winkel, zolang hij maar kwalitatief betere informatie bleef leveren dan de reguliere staatsinlichtingendiensten.

Vandaag scheen er een bleek zonnetje, alsof het licht naar binnen viel door een beregend venster, en er hing een stoffige nevel in de lucht. Het was druk in het centrum van Teheran, en wel op de manier zoals het in steden in derdewereldlanden altijd druk is – ongelooflijk lawaaiig, stank, veel beweging, hoewel hij het gevoel had dat erg veel van die beweging overbodig was. Hij vermoedde dat het niet veel erger was dan in het huidige Moskou, misschien zelfs wel beter – het onderhoud van de gebouwen bijvoorbeeld stond op een vrij hoog peil. Hij keek opzij en zag hoe zijn auto langzaam met hem op reed, terwijl de chauffeur andere auto's en voorbijgangers uit de weg gebaarde. En ondanks het hectische verkeer ging iedereen voor hem aan de kant.

Wat ik niet heb, bedacht Efremov, *is het privilege van anonimiteit.* Het was een paradox: in zijn KGB-tijd had hij een veelheid aan identiteiten gehad, had hij in de schaduw geleefd, had hij een groot deel van zijn leven onder valse namen geleefd. Hier had hij voor hetzelfde geld een beroemde filmster kunnen zijn. Op een dag, besefte hij, zou hij dit spuugzat zijn en zou hij weer ondergronds gaan om te zijner tijd op weer een heel andere plek op te duiken. Maar nu nog niet. Momenteel had hij Anna. Anna de Complicatie, want ze was hem aangereikt als een extraatje dat zijn verblijf hier moest veraangenamen, maar hij was tot over zijn oren verliefd op haar geworden.

Juffrouw Rezai stond zoals altijd al met haar agenda op hem te wachten. Ze was vrijgezel en vastbesloten dat zo te houden. Het hebben van een goedbetaalde baan vormde haar bescherming tegen een overheersing die erger was dan die van het theocratische Iran. Donker, mollig en met dikke randen onder haar ogen was ze wat hem betreft niet bepaald aantrekkelijk, maar ze was erg goed in haar werk en ze amuseerde hem steeds weer met haar strategieën om onder de zedelijkheidswetgeving uit te komen, met name met haar uitgebreide verzameling zijden shawls, die dan weer omhoog gingen, omlaag, op het hoofd, over de schouders; nu weer voor het gezicht, over het haar, over een arm – de shawls van juffrouw Rezai waren als semaforen die de religiositeit van dat moment aangaven. Ze vertelde hem tevens onmiddellijk welke vreemdelingen er op dat moment in het kantoor op hem zaten te wachten.

'Het gesprek met de marineman begint over vijfentwintig minuten,' zei ze. Niet bepaald een godsdienstige fanatiekeling, dat zag hij direct; haar imitatie-Hermès had ze over haar linkerborst geknoopt en werd gedragen als een shawl. Ze liep voor hem uit zijn kantoor binnen, met in haar handen een dienblad met koffie, als een priesteres met een schaal met wierook. Hij nipte van zijn zwarte koffie terwijl hij de internetedities van de Londense *Times* en de *Guardian* doornam. Hij had een tijdje als case-officer in Engeland gewoond en was om de een of andere reden altijd Engelse kranten blijven lezen. Vervolgens ging hij naar de briefingruimte en maakte die zelf verder klaar, zette nog wat kannen koffie neer en legde wat pakjes goede westerse sigaretten op de bijzettafeltjes, waarna hij de reproducties van impressionistische schilderijen waaraan hij zelf de voorkeur gaf verving door beelden van verschillende zeeslagen. Hij liet de vergadertafel weghalen en vervangen door twee gemakkelijke stoelen die hij tegenover elkaar liet zetten, maar ietsjes scheef ten opzichte van elkaar, zodat het er niet direct als een confrontatie uit zou zien, met daartussen een laag tafeltje dat noch opdringerig genoemd mocht worden, noch de gebaren van de gesprekspartners voor de ander aan het gezicht zou onttrekken. Juffrouw Rezai bracht bloemen binnen met hetzelfde ietwat mistroostige enthousiasme waarmee ze de rest van haar werk deed, duidelijk implicerend dat zoiets moois als dit toch nooit blijvend kon zijn.

De gast van Efremov arriveerde precies op tijd. Hij was niet in uniform, maar zijn op maat gemaakte blazer en zijn kakikleurige broek vormden niet alleen een verwijzing naar zijn rang, maar tevens naar zijn training in het buitenland. Ze schudden elkaar als oude vrienden de hand.

'Overste, mag ik ons gesprek op de band opnemen?'

'Absoluut.' Zijn zelfvertrouwen was verrassend. Efremov ontmoette maar heel weinig mensen met zelfvertrouwen.

'Ik kon niet veel meer opmaken uit het telefoongesprek dat we met elkaar hadden dan dat u me wilde spreken.'

'Ja.' Ze spraken Engels, Efremov met een Russisch accent, de overste met een onmiskenbaar Amerikaanse tongval die het Iraans nagenoeg geheel maskeerde. 'Het leek me het beste het maar niet via de telefoon te zeggen. Ik heb geen idee of het belangrijk was, of misschien zelfs alleen maar een test. Ik heb gewacht, maar niemand zei iets. Ik wilde het niet bij onze mensen melden. Ik zit tegenwoordig bij de Revolutionaire Garde, en daar vertrouwen ze niemand die in Amerika zijn opleiding heeft gekregen. En toen zag mijn vrouw uw, eh, gezelschapsdame in het winkelcentrum van Golestan –'

Efremov was opgehouden zich te verbazen over hoe bekend Anna was geworden. Ze hield zich niet verborgen, en hij hield haar ook niet verborgen. Anna was bevrijdend en gevaarlijk – misschien de reden waarom hij verliefd op haar was geworden.

'Ik heb het allergrootste vertrouwen in uw contra-inlichtingenwerk bij de Garde,' zei Efremov. Het was weinig voor de hand liggend dat deze verfijnde man een provocateur van de IRG zou zijn, maar alles was mogelijk. Hun afdeling contra-inlichtingen was in feite een toevluchtsoord voor allerlei fanatieke bruten, en Efremov had absoluut geen respect voor hen.

'Tja, goed. Mmm.' Zijn gast keek naar een punt vlak boven Efremovs hoofd. 'Hebt u belangstelling voor maritieme geschiedenis?' Hij tuurde naar een reproductie met daarop het USS *Constitution* dat de strijd opnam tegen het HMS *Guerrière*.

'In zekere zin. Ik ben mijn loopbaan in Rusland inderdaad begonnen bij de marine, hoewel ik met die informatie over het algemeen niet te koop loop.'

'Op zee geweest?'

'Jazeker, en ik heb in de jaren zeventig nog een tocht meegemaakt die me niet al te ver van hier heeft gebracht. We zijn toen op bezoek geweest in Bandar Abbas. Iran was toen zo héél anders.' Dat was de regel tekst die Efremov beslist had willen uitspreken. *Het aas was uit!*

'Ja, dat mag je wel zeggen. U weet dat ik ten tijde van de sjah bij de marine ben gegaan.'

'Dat vermoedde ik al. Maar om te eindigen als overste bij de Revolutionaire Garde – '

'Daar hebben ze me nodig – om hun mini-onderzeeërs te besturen. En om ervoor te zorgen dat ze gerepareerd worden. Verder kijken ze alleen maar op me neer. En ik op hen, dat begrijpt u wel. Er zitten maar een paar echte zeelieden bij, en aan de rest heb je niets. De helft wil graag op een glorieuze manier sterven, maar is niet eens in staat om simpel onderhoud te plegen. En de andere helft, tja – '

'Ik begrijp het, ja – ' Efremov had zijn man gevonden. 'Nog een kop koffie?' *Van de oude garde.* Best loyaal, maar vol nostalgie naar de tijd dat vrouwen op straat nog korte rokken droegen en er in de winkels gewoon whisky kon worden gekocht. Maar sinds de revolutie had hij desalniettemin een uitstekende staat van dienst weten op te bouwen. Met zijn Amerikaanse opleiding en de Russische onderzeebootschool zou hij binnen de Garde in feite nooit voor bevordering in aanmerking hebben mogen komen. Onmiskenbaar een uitzonderlijke knaap.

'Zijn dat echt Dunhills.'

'Bedien jezelf.'

'Zoals ik al zei – ik weet niet of wat er gebeurd is – datgene wat ik u ga vertellen – een test was, vanwege mijn achtergrond, of een serieuze aanbieding. Hoe dan ook, bijna twee weken geleden werd ik in Bandar Abbas benaderd door een buitenlander. Hij zei dat hij speciaal met de draagvleugelboot vanuit Dubai was overgestoken om met mij te spreken. Ik denk dat het een Egyptenaar was. Maar misschien ook niet. Tegenover mijn vrouw was hij in elk geval uiterst charmant; Egyptenaren hebben daar nogal een handje van – het maakt een toenadering altijd een stuk makkelijker, begrijpt u? Hij had een fles whisky bij zich, die allang op is, en een fles parfum voor mijn vrouw, waar we waarschijnlijk de rest van ons leven voldoende aan hebben. Allah zij geprezen.' Die laatste zin werd uitgesproken op een manier die zó van humor gespeend was, dat hij wel degelijk humoristisch bedoeld moest zijn. Het plaatselijke gevoel voor humor verbijsterde Efremov steeds weer. Hij glimlachte. De overste glimlachte terug.

'Had ik die geschenken moeten inleveren?'

'Wat wilt u dat ik daarop zeg? U kent de wet. Aan de andere kant, vraagt u mij of ik daarover wakker lig? Nee, daar lig ik niet wakker van.'

'Hoe dan ook, hij stelde zich voor als de eigenaar van een bergingsbedrijf. Opererend in de Middellandse Zee, hoewel ik dat misschien alleen maar heb aangenomen; ik weet niet zeker of hij dat met zoveel woorden heeft gezegd. Hij vertelde me dat hij zijn werkterrein wenste uit te breiden en een stuk of wat kleine onderwatervaartuigen wilde aanschaffen en nu op zoek was naar ervaren lieden die die dingen kunnen onderhouden en besturen.'

Efremov nipte van zijn koffie. Terwijl de overste zijn verhaal vertelde leek iets van zijn zelfvertrouwen uit hem weg te vloeien.

'Ik heb hem verteld dat ik niet dacht daarvoor een visum te krijgen. Maar dat bezwaar wuifde hij weg. Hij wilde over de prijs praten. Ik heb hem gezegd dat ik niet beschikbaar was. Hij was vrij goed op de hoogte over mijn situatie – daarom dacht ik dat het misschien een soort test was, zó veel informatie had hij over mij. Aanvankelijk bood hij me duizend dollar per week, terwijl verder alle onkosten zouden worden betaald, en een bonus nadat de eerste operatie tot een goed einde zou zijn gebracht.' Hij bloosde. 'U weet wat voor een enorm bedrag dat is in Iran! Het was eigenlijk al te veel van het goede – begrijpt u? En toen kwam hij met de informatie dat de eerste operatie in de buurt van Libië plaats zou vinden, en vroeg hij me of dat het krijgen van een visum gemakkelijker voor me zou maken.'

'Het klinkt als een volkomen oprechte aanbieding.' Feitelijk deed het dat helemaal niet, maar Efremov zag geen enkele reden om belangstelling te tonen. Hij meende te weten wat er nu zou gaan gebeuren.

'Wacht, wacht, u heeft de rest nog niet gehoord. Ik heb geweigerd. Ik heb het op mijn leeftijd gegooid. Hij zette me vervolgens hevig onder druk en erkende uiteindelijk dat hij me alleen maar vanwege die ene operatie nodig had. Toen gingen bij mij de alarmbellen rinkelen, dat kan ik u wél zeggen. Ik zei dat ik geen huurling was. Toen begon hij me meer geld te bieden. Ik heb hem weggestuurd. Het werd steeds gekker – hij bood me één miljoen dollar als ik de operatie succesvol tot een einde zou kunnen brengen! Toen ik hem vroeg te vertrekken werd hij boos. Hij suggereerde dat iemand hem had toegezegd dat ik toe zou stemmen.' Hij boog zich naar Efremov toe. 'Waarom? Wie?' Alsof hij zei: *Jij? Jij?*

Efremov schudde zijn hoofd. Iemand in de buurt van deze patriottistische overste was agent van een buitenlandse mogendheid – en dat was niet Egypte, vermoedde hij. Die persoon had zijn naam doorgegeven en had het bij het verkeerde eind gehad. Op een later tijdstip zou Efremov ervan genieten de naam van die verrader binnen de gelederen van de fanatieke Gardisten boven water te krijgen, om hem vervolgens te gebruiken om de spot met die fanatiekelingen te kunnen drijven. Nee; vergeet dat kortstondige pleziertje; bewerk hem net zo lang tot hij gaat meewerken, en je hebt een nieuwe agent binnen de Revolutionaire Gardisten.

Met een beetje geluk zou hij van deze ouderwetse marineman een held kunnen maken, ervoor kunnen zorgen dat hij bevorderd werd, om er binnen de ontoegankelijk geachte Gardisten tegelijkertijd een nieuwe bondgenoot bij te krijgen. Hoe noemden men zoiets ook alweer? Twee vliegen in één klap slaan?

'Zou u mij alstublieft een ogenblikje willen verontschuldigen?'

'Natuurlijk.' De overste stak een nieuwe Dunhill op en schonk nog een kop koffie voor zichzelf in. Efremov bekeek hem een ogenblik lang vanuit het andere vertrek. Hij schoof niet nerveus heen en weer en keek niet op zijn horloge. Hij keek met duidelijke belangstelling naar de zeegezichten. Efremov had dit type man eerder gezien, bij de Spetznaz, bij de Onderzeebootdienst, bij de Amerikaanse marine. Maar hier waren ze vrij zeldzaam.

Hij kwam terug met een zwarte ordner onder zijn arm. De overste kon onmogelijk weten dat Efremov die ordner bij zich had gehad toen hij Rusland ontvlucht was. Hij sloeg hem open bij een van de tabbladen en begon vervolgens bladzijden met foto's voor de overste om te slaan. Na zes bladzijden gingen zijn borstelige wenkbrauwen theatraal omhoog en daalde zijn vinger als een valk op de foto neer.

'Zeker weten?'

'Ja, beslist – hij is hier een stuk jonger, maar het is hem onmiskenbaar. Die zelfvoldane blik. Hij is een stuk dikker geworden.'

Helemaal geen Egyptenaar, maar een Fransman, met een Algerijnse grootmoeder: André Malmaison, geboren in Algiers, en met zijn ouders naar Nice verhuisd nadat De Gaulle Algerije had opgegeven. Een *pied noir*-tiener die al op jonge leeftijd betrokken was geweest bij de reactionaire krachten die De Gaulle hadden willen vermoorden, maar die daarvoor nooit vervolgd was geweest, óf omdat hij in het geheim tegen hen had getuigd, óf omdat hij al van begin af aan geïnfiltreerd was geweest. Maar hoe dan ook, hij was vanaf zijn zeventiende een agent van de oude garde in het Deuxième Bureau geweest, en tijdens de jaren tachtig ontslagen.

En toch, dacht Efremov, werkte hij nog steeds voor een van de twee.

Lascelles, dacht hij. De man moet nu tachtig zijn, en krankjorum. Wat is die man in godsnaam van plan, dat hij een expert op het gebied van onderwatervaartuigen nodig heeft voor een klus in Libië?

Het zou een leuk onderwerp kunnen zijn om eens aan zijn vrienden in Libië door te geven.

Zaïre.

Hij kreeg op zijn mobieltje geen enkel signaal meer. Hij dacht dat de batterij leeg was, maar ze waren buiten het bereik van een antennemast gekomen. Hoe dan ook: volgens de laatste melding zouden ze naar een verder westelijk gelegen locatie moeten trekken om daar te wachten tot er voorraden zouden worden afgeworpen. Geen enkele uitleg. Een dropping, geen extractie. Hij dacht dat hij wist wat dat betekende.

Alan had 's nachts een vuur aangelegd en de wacht gehouden. Ondanks het gebrek aan voedsel maakte Harry op deze ochtend opnieuw een wat betere indruk, hoewel hij nog steeds veel pijn had. Djalik zei dat hij er zeker van was dat hij door het lidloze oog niets meer kon zien, maar hij bleef antibiotica in Harry pompen in een poging de infectie die daar woedde te beteugelen.

Ze hoorden de motor van het lichte vliegtuigje tegen de bomen vibreren, dat nu eens aanzwol, om vervolgens weer weg te sterven. Alan stookte het vuur op met alles wat hij kon vinden en gooide er vochtig gras en varens op om het maar te laten roken. Het vliegtuigje zelfs zagen ze niet; het bladerdak van het woud was te dik. Maar binnen enkele meters van de plek waar ze zaten viel iets door de takken en bleef hoog boven hen aan parachutekoorden bungelen. Het motorgeluid werd weer langzaam minder. Elke zwaai van de koorden zorgde ervoor dat het pakje wat dichterbij kwam te bungelen. Alan klom de boom in, duizelingwekkend hoog, ook al hoefde hij niet helemaal naar de top, en sneed de koorden door.

De inhoud was beter dan een kerstpakket: voedsel en medicijnen, wapens en kaarten en twee radio's. Twee Beretta's en een kaliber .22/20 overlevingsgeweer. Duizend dollar in Zuid-Afrikaanse gouden munten. Batterijen en een oplader die op zonne-energie werkte.

Ze bekeken de kaarten terwijl ze het noodrantsoen tot het laatste plastic zakje naar binnen werkten.

Op de beste kaart die er van het gebied beschikbaar was, een TPC, waren drie kleine vliegveldjes gemarkeerd. De eerste lag pakweg dertig kilometer naar het westen, terwijl de andere ruwweg vijftig respectievelijk honderd kilometer verderop lagen. Hij nam aan dat het potentiële oppikpunten waren, maar er was verder geen enkele boodschap bijgevoegd: die zou hen ongetwijfeld via de radio bereiken.

Djalik had de medicijnen uit het pakketje gehaald en de spullen in drieën gedeeld; ieder van hen droeg een deel ervan. Hij liet een stuk of wat doosjes aan Harry zien. 'Percodex. Tylenol met codeïne. Seconal. We zullen je eens van de morfine afhelpen voor je straks nog een junkie wordt.' Ze moesten beiden grinniken. Ze hadden een vreemd soort relatie met elkaar ontwikkeld, Djalik en Harry.

Djalik vertelde Harry niet wat hij wel al tegen Alan had gezegd: ze moesten proberen wat morfine te bewaren voor het geval een van hen een schotwond op zou lopen.

Alan ontfermde zich over de radio's. Met een ervan kon je alleen maar ontvangen – weerberichten, ingeblikte mededelingen. Het gaf hem de codes voor de zender/ontvanger, en dat vertelde hem het nieuws dat hij vervolgens aan de anderen doorgaf.

'Voor ons uit liggen drie mogelijke extractiepunten – dertig, tachtig en honderddertig kilometer verderop. Vanaf nu mag de battle group zich niet meer met een extractie bemoeien, maar ze proberen iets anders te organiseren, hoewel het van onze kant dan wel helemaal moet kloppen – geen vijandelijk vuur, een goed landingsterrein en geen getuigen.'

Harry moest lachen. Hij kon nu weer duidelijk spreken. 'Wie sturen ze op ons af, American Airlines?'

Alan grinnikte. 'Air France. Kom op.'

Maar hij was wel degelijk serieus. Het was duidelijk dat de Fransen die taak voor zichzelf hadden gereserveerd. Maar op dat moment was Alan zelfs bereid om bij de Rode Baron achter in zijn Fokker driedekker te springen, als het hem zou lukken bij hen in de buurt te landen.

Die avond kwam Djalik kalm met het slechte nieuws.

'We worden gevolgd. Ik kon het gevoel dat we pech bleven hebben trouwens toch al niet van me af zetten.'

Alan voelde hoe bij de gedachte alleen al zijn hart als een gek tekeerging. Alan was moe, zijn knieën en zijn rug deden zeer, en hij wist niet zeker hoeveel andere kleine crises hij nog het hoofd kon bieden. Hij bracht langzaam zijn hoofd omhoog en keek eerst naar Harry. Diens toestand was een stuk beter, maar hij was nog steeds niet erg snel.

'Weet je het zeker?'

'Nee, dat niet, maar toch wel redelijk zeker dat het zo is. Ik wil me vannacht een stuk terug laten vallen en eens kijken hoe of wat.'

Alan vroeg zich af waar Djalik van gemaakt was. Hij maakte geen vermoeide indruk. Hij wekte ook nog eens de indruk alsof hij twee keer zoveel werk verrichtte als Alan, en fungeerde bovendien als verkenner. Het liefst zou Alan het zelf hebben gedaan. Hij was van mening dat hij het aan zijn leiderschap verplicht was om voorop te lopen. Maar hij was ook realistisch genoeg om te beseffen dat Djalik, en zelfs Harry, over overlevings- en gevechtstechnieken beschikten die hijzelf niet had.

Hij vond het verschrikkelijk om leiding te geven aan mensen die beter voor hun taak berekend waren dan hij. Hij had altijd de leiding gehad door zijn energie en vakmanschap, door zijn vermogen zich elke taak snel eigen te maken. Nu was hij leider uit hoofde van zijn functie, maar Alan besefte dat elk van hen de leider had kunnen zijn. Alan dacht een ogenblik na en keek uit over het snel donker wordende woud aan hun voeten. Het open terrein ten zuiden van hun positie gloeide in de ondergaande zon goudachtig rood op.

'Is het Zulu?'

Djalik knikte. Harry bracht zijn hoofd met een ruk omhoog.

'Als je weg wilt, doe dat dan. Ik hoef je niet te vertellen dat je moet proberen zo min mogelijk risico te lopen. Ik geloof niet dat we zonder jou helemaal tot hier zouden zijn gekomen.'

Djalik keek alleen maar een ogenblik lang naar de grond en gromde even.

Djalik bewoog zich moeiteloos tussen de bomen door. Hij had een dichte vegetatie en een overvloedige jungle verwacht, maar dit deel van Afrika leek voornamelijk uit droge rode modder en doornige, open bomen te bestaan, met midden in de vlakte af en toe wat massieve heuvels. Ze hadden hun kamp aan de voet van een van deze heuvels opgeslagen. Djalik volgde momenteel al ruim anderhalve kilometer lang de route terug die ze gekomen waren, waarbij hij nauwelijks moeite deed om niet gezien te worden. Beginnelingen waren altijd veel tijd kwijt met het om zich heen kijken in de jungle. Djalik probeerde in eerste instantie zoveel mogelijk afstand te overbruggen.

Hij was verrast door de lof die Craik hem had toegezwaaid. Aanvankelijk had Djalik Alan Craik beschouwd als een kerel die het alleen om de glorie te doen was, het soort officier dat zijn mannen al dan niet bewust de dood in joeg om vervolgens gedecoreerd te worden. Djalik schudde nauwelijks zichtbaar zijn hoofd toen hij in een ondiep ravijn even halthield en enkele keren nadenkend aan zijn kin plukte, alsof hij aan een onzichtbare baard trok. Craik bleek toch niet zo'n op glorie beluste vent als hij in eerste instantie gedacht had. Hij nam een slok water, spoelde zijn mond er langzaam mee en spuwde het vervolgens uit. Vervolgens controleerde hij zijn bewapening en kwam weer in beweging. Nu liep hij langzaam en voorzichtig.

Ze waren niet zo dichtbij als hij had verwacht, en toch nam hij bijna een uur de tijd om in het duister rustig dichterbij te komen, van vooruitgeschoven positie naar vooruitgeschoven positie, om, terwijl de duisternis totaal werd, het terrein vóór hem te verkennen. Hij raadpleegde twee keer zijn kaart, maar hij navigeerde voornamelijk aan de hand van het beeld in zijn hoofd, het beeld dat hem zelden in de steek liet.

Ze hadden wachtposten uitgezet, maar die waren lawaaiig en zelfingenomen, en bevonden zich veel te dicht bij het eigenlijke kamp. Hij zag kans erg dicht bij de wachtposten te komen, voldoende dichtbij om er eentje nagenoeg geluidloos te doden, maar dat deed hij niet. Hij begreep hun taal niet, maar hij was er verdomde zeker van dat het niet een of andere Afrikaanse taal was, en toen een van de mannen een sigaret opstak, kon Djalik zien waarom. Het waren blanken. Ondanks hun vreemde, buitenlands aandoende kledij en bewapening, was Djaliks eerste indruk dat het hier om een of ander extractieteam moest gaan. Maar zijn voorzichtigheid en ervaring waarschuwden hem dat het hier om iets heel anders moest gaan. Hij wachtte af, bleef bewegingloos liggen, totdat de grootste man van het stelletje in beweging kwam, waarbij er een tak brak en de man zachtjes vloekte. Djalik hoefde de taal niet te verstaan om te weten wie deze mannen waren. Het waren Serviërs, dezelfde Serviërs als bij het vliegveld. Dezelfde mannen die eerder op de heli's hadden gevuurd. De grote gestalte was de man die Craik 'Zulu' had genoemd. Djalik bleef liggen luisteren.

Zulu was niet alleen een imposante gestalte, hij was een killer. Djalik had dat op het vliegveldje gezien. Een goedgetrainde partizaan. Djalik kon maar moeilijk begrijpen dat Craik in het donker een confrontatie met deze knaap had gehad, en die ontmoeting had overleefd, maar dat was onmiskenbaar het geval geweest. Op het vliegveld was Craik niet bepaald briljant geweest, maar hij was toch ook weer niet onbezonnen te werk gegaan. Hij had een enorm tumult gecreëerd door op die knapen achter de tafel af te springen. Niet bepaald een uitstekend schutter, maar toch redelijk in staat van zich af te slaan – tenminste, zolang zijn geluk hem niet in de steek liet.

Djalik hoorde de grotere man nog een paar keer iets zeggen. Hij ging grondig te werk, controleerde waar zijn mannen sliepen en waarschuwde ze wanneer ze te luidruchtig met elkaar kletsten. Hij ging ook op bezoek bij de wachtposten, benaderde ze net zo geluidloos als Djalik. Hij was veel te goed om zomaar een huursoldaat te zijn. Zulu's klaarblijkelijke minachting voor zijn prooi had ervoor gezorgd dat zijn groep wat minder voorzichtig was geworden, maar verder was het een niet onverdienstelijke eenheid, voor huurlingen dan, een groep waar Djalik een speciaal soort minachting voor koesterde. Ze waren hoogstens met z'n vijftienen en ze beschikten alleen maar over lichte bewapening. Djalik speelde met het idee om het tegen hen op te nemen. Als hij nog één extra schutter bij zich had gehad...

Met een schok besefte Djalik dat er nog andere mannen rondliepen. Hij bleef bewegingloos liggen, luisterde naar het geluid van zijn hart dat in zijn oren klopte, en hoorde de beweging. Het kwam ergens links van hem. Djalik begon voorzichtig achteruit te kruipen, het feit vervloekend dat zijn geweer nog op zijn rug zat.

Toen riep de man die bewoog iets en kwam half overeind. De dichtstbijzijnde wachtpost fluisterde een antwoord. De wacht werd gewisseld. De man die had geroepen had in het duister zijn post duidelijk gemist. Djalik draaide zijn hoofd om teneinde zich ervan te vergewissen dat zich niemand achter hem had genesteld, en kroop verder naar achteren.

Djalik trok zichzelf uiterst langzaam terug. Hij had ruim een uur nodig om buiten gehoorsafstand te komen van de twee mannen die het kamp bewaakten, en bijna even veel tijd om een zodanig veilige afstand tussen zichzelf en de mannen te creëren dat hij durfde te gaan hollen. Maar toen zette hij het ook op een lopen. Twee keer liep hij verkeerd, maar nooit lang. Voor de maan onderging was hij terug in het kamp.

Craik was nog op en zat met zijn rug tegen een boomstam, zijn wapen dwars over zijn schoot.

Djalik bewoog zich zo dicht mogelijk naar Craik toe, ademde een keer in zijn oor en fluisterde toen: 'Vijftien man. Serviërs. Die knaap die het op het vliegveld op u had voorzien.'

Craiks smalle gelaat was ontspannen. Voor hij zich van Djaliks aanwezigheid bewust was geweest, had dat behoorlijk gespannen gestaan; hij leek niet bepaald gebukt te gaan onder het vooruitzicht dat vijftien man erop gebrand waren hem te doden. Djalik keek hem een ogenblik lang aan. Craik zweeg en tuurde in de nacht.

'Ik vind dat we ze daar moeten overvallen. Het is er een prima plaats voor. Ik denk dat ze van plan waren ons een halfuur na zonsopgang aan te pakken. Als ze van mening waren dat we echt gevaarlijk waren, hadden hun wachtposten wel beter opgelet.'

'Is dat echt beter dan nu gewoon verder trekken?'

'Ik denk van wel, meneer. Als we drie of vier mannen kunnen uitschakelen, zullen ze van een verdere achtervolging afzien. Wáár ze ook precies achteraan mogen zitten, verdere slachtoffers kan het ze niet waard zijn. Als u en ik en Harry er direct bij het begin elk een voor onze rekening nemen, zou dat voldoende moeten zijn.'

Alan schudde zijn hoofd. Er verscheen een scheve glimlach op zijn gezicht, terwijl hij Djalik nog steeds niet aankeek, maar toen hij zijn hoofd terugdraaide was de glimlach verdwenen en was ondanks de duisternis te zien dat zijn ogen iets dofs hadden gekregen.

'Hij zit achter míj aan. Omdat ik hem als oorlogscrimineel kan aanwijzen. En dan moet ik zeker blij zijn met deze kans? Oké, we gaan het proberen.'

Djalik glimlachte onzichtbaar in het donker en liep bij Alan vandaan om voorbereidingen te treffen.

31

Eind november

Washington.

Adams-Morgan is een voorstad van Washington die haar best doet om het Greenwich Village van de hoofdstad te zijn. Het is multi-etnisch, een tikkeltje nerveus en kunstzinnig. Voor mensen die het niet prettig vinden alles per auto te moeten doen is het een verademing. Het is een interessante en opwindende buurt – en soms zelfs gevaarlijk.

Abe Peretz woonde in Adams-Morgan, een keuze die door Bea was gemaakt. Ze beschikten over het grootste deel van een oud huis aan een zijstraat, die altijd vol stond met auto's, waaronder die van hen. Hun buren kwamen uit Zuid-Amerika en het Verre Oosten, en hadden hun bovenste etage aan een onvriendelijke Ethiopiër verhuurd. Abe stapte elke ochtend om zes uur de voordeur uit, keek dan of zijn banden niet doorgesneden waren en of zijn achteruitkijkspiegels niet kapotgeslagen waren (in de twee jaar dat ze hier woonden was hem beide een keertje overkomen), en sloeg dan linksaf om richting DuPont Circle te joggen. Hij droeg hardloopschoenen en een groene korte broek, een donkerrood nylon vest met een ritssluiting erin, en een rood met wit petje dat van een kleine klep was voorzien. Hij had zijn handschoenen vergeten, die hij eigenlijk aan had moeten doen, want het was nauwelijks een graad of zes, zeven. Hij keek op zijn horloge, stak de straat over en liep in zuidelijke richting. Vijf blokken meer naar het zuiden stonden er twee mannen op de straathoek. Op dit uur van de dag was er op deze hoek meestal niemand te zien, wist hij, want hij liep deze route elke dag en kon wat het passeren van die plek betrof zijn horloge er bijna op gelijkzetten. De twee mannen wekten niet de indruk hem op te wachten, maar toen in de verte zijn eenzame gestalte verscheen, op en neer verend langs de vuilnisbakken van een Braziliaans restaurant, mompelde een van hen iets en kwam vervolgens in beweging.

Beide mannen waren zwart, beiden waren halverwege de dertig; beiden droegen het grootstedelijke uniform dat bestond uit een veel te ruime pantalon, een veel te ruime sweater, basketbalschoenen waarvan de veters los waren, en afgerond met een honkbalpetje dat achterstevoren op het hoofd stond. Ze werden geacht de indruk te wekken uit de buurt te komen, maar iets ondefinieerbaars maakte dat ze er juist níet zo uitzagen, er klopte iets niet. Misschien bewogen ze zich op de juiste manier, hanteerden ze de juiste taal, maar Mike Dukas zou, áls hij beide mannen had kunnen zien, onmiddellijk hebben geconstateerd dat ze hier niet thuishoorden.

Abe Peretz kwam steeds dichterbij. Nadat hij een blik naar links had geworpen en de laatste zijstraat voor hun blok was overgestoken, dook een van de mannen plotseling naar de andere kant van het trottoir en leunde tegen een telefoonpaal met daarop een afbladderend aanplakbiljet waarvan alleen nog maar de tekst *Neem het op tegen de onderdr – ooit!* te lezen was.

Abe nam de stoeprand en jogde hun kant uit. Zijn ademhaling was regelmatig, en hij liep met zijn bovenlichaam enigszins voorovergebogen. Toen hij de twee mannen wat dichter genaderd was, glimlachte hij. Hij stond op het punt tussen hen beiden door te lopen.

'Hé, m'man!'

Abe draaide zijn hoofd iets opzij.

'Hé, man, heb je de tijd?'

Abe stopte niet echt, maar bracht zijn linkerpols omhoog en keek erop. Hij draaide zich half om naar de man om hem te vertellen hoe laat het was.

Achter hem maakte de tweede man zich van de telefoonpaal los en bracht een afgezaagde honkbalknuppel omhoog.

Zaïre.

Alan was al van zoveel natuurgeluiden geschrokken dat het geluid van stemmen en het zachte gekraak van een gevechtslaars op een half vermolmde tak als een opluchting kwam. Nu was het echt. Het was even na zonsopgang. Zijn AKM, met een dun laagje oranje roest op de trekkergroep, balanceerde op de tak vóór hem. Alan keek langs de loop van zijn wapen en zag een gestalte in donkergroene lompen met glimmend koperen knopen het pad over tijgeren. FAZ. Het leger van Mobutu Sese Seko. Officieel hadden de Amerikaanse marine en het FAZ niets tegen elkaar. Maar wíst deze knaap dat?

De eerste gestalte kroop achteruit terug over het pad en het volgende moment zag Alan hem niet meer. Opnieuw hoorde hij stemmen. Zijn hart ging als een bezetene tekeer, een mengeling van angst en hoop. De stemmen bleven hoorbaar. Wacht tot Djalik het vuur opent.

Een tweede gestalte bewoog zich over het pad, samen met de eerste, de FAZ-gids. Alans ogen verwijdden zich boven zijn vizier. Moest hij zich inhouden? Hij beschikte over maar dertig patronen. *Wacht tot Djalik als eerste vuurt.*

Een lang *braaaat* rechts van hem beantwoordde de vraag voor hem. Harry had een M-10. Nadat Djalik in het donker de omgeving had verkend hadden ze hun posities ingenomen. Maar nu was Harry in paniek geraakt, of had zijn haat de overhand gekregen. Hoe dan ook, Alan herkende het geluid van de M-10, en daarna dat van Djaliks AK. De nieuwkomer draaide zich met een ruk om, wellicht getroffen. De gids was duidelijk uitgeschakeld, achteruit geworpen door de kogels, om vervolgens uit de lichtvlek op het pad te verdwijnen waarop Alan voortdurend zijn wapen gericht had gehouden. Er werd met andere wapens gevuurd, maar even later stopte het geratel abrupt; het vuren had maar enkele seconden geduurd. De man áchter de gids was een blanke geweest. Alan probeerde geluidloos adem te halen en keek of er nog iets was waarop hij kon schieten.

Beweging in de bomen links van hem, iemand die probeerde achter hen op het noordelijk deel van het pad te komen. Hij rolde zich over een omgevallen boomstam. Eén schot. Hij bleef stil liggen en luisterde. Vervolgens tijgerde hij behoedzaam langs de stam. Twee mannen bewogen zich langzaam evenwijdig met het pad, bijna onzichtbaar toen ze halthielden, waarbij alleen hun bewegingen hen verraadden. Het houtblok zat zijn wapen nu in de weg en het kostte hem trage, aan paniek grenzende seconden om de AKM iets op te tillen, een paar millimeters tegelijk, om hem vervolgens over zijn hoofd en zijn lichaam in een positie te brengen van waaruit hij zou kunnen richten, wachtend totdat ze hem zouden zien, het vuur op hem zouden openen. Hij hyperventileerde. Hij was drijfnat van het zweet en het rode stof en stukjes hout plakten aan zijn handen, zijn gezicht en zijn wapen.

Doelwit midden in het vizier *krak* en het geweer sloeg tegen zijn schouder. De man die zich het dichtst bij het pad bevond gromde en sloeg tegen de boom naast hem. Zijn metgezel keek verwonderd om zich heen. *Krak.* Deze man schreeuwde toen hij werd geraakt en blééf schreeuwen. Het woud leek vervuld van geschreeuw en toen klonk er een lange kreet en een kort salvo vanuit het zuiden, aan de andere kant van het pad, direct gevolgd door meer beweging. Het zweet stroomde van Alans voorhoofd, opgepompt vanuit zijn borst en ribben, en hij voelde hoe zijn hart als een waanzinnige tekeerging, keiharde hamerslagen. Hij rolde soepel naar rechts en probeerde zijn geweer langs de boomstam aan zijn linkerkant te richten,

Alan tijgerde razendsnel, maar hield om de paar seconden even pauze, half en half verwachtend bij elke beweging door een kogelregen te worden getroffen. Hij hield halt toen hij weer langs het pad kon kijken. Het was maar een korte afstand, maar zijn intense concentratie zorgde voor een draaierig gevoel van desoriëntatie. Hij had geen enkel besef van tijd, wist niet waar hij was of waar hij beweging kon verwachten. Toen zag hij de gids, die op nauwelijks een meter afstand van hem op de grond lag, de uittreewond op zijn rug groot en glinsterend, en al bedekt met een dikke laag vliegen. In het woud bewoog iemand, richting heuvelkam, en Alan zag hem en schoot te snel, miste, waarna van vlakbij

Djaliks AK een kort schor geblaf liet horen; vanuit drie posities werd er terug-gevuurd en Djalik gromde en hield op met vuren. Een groene flits. Alan kon zich niet herinneren dat hij al vijftien keer geschoten had, maar toen hij de trekker overhaalde klonk er geen schot. Hij moest van magazijn verwisselen, en de hele tijd dat hij zijn trillende handen dwong die klus te klaren zag hij achter een hoop aarde twee benen naar buiten steken, terwijl hij tegelijkertijd de afgrijselijke we-tenschap probeerde te negeren dat hij nauwelijks meer munitie had en Djalik ge-troffen was. *Neem rustig de tijd.* Alan schouderde net iets te snel zijn geweer en in de boom naast hem boorde zich een kogel. Hij richtte zijn vizier nu op de benen en vuurde. Er klonk een kreet, een vreselijk, deerniswekkend gekrijs, en de be-nen sloegen opzij, waarna de grond vlak voor Alan door inslaande kogels op-spatte. Hij bleef ondanks het vuur liggen waar hij lag. Hij keek toe en loste één enkel schot. Zijn handen en voeten voelden steenkoud aan, en hij proefde hoe het zout langs zijn ongeschoren gezicht in zijn mond liep.

Djalik had voor rugdekking voor Harry gezorgd. Alan kon Djalik nu enigszins onderscheiden, nauwelijks een meter bij hem vandaan, terwijl het bloed uit zijn linkerhand gutste. *Als u me met m'n gezicht in de aarde in dat vervloekte Afrika achterlaat, Commander* – Hij zag hoe Djalik met een rechterhand een pistool trok en de slede met één hand langs zijn heup naar achteren haalde, om het wa-pen vervolgens vlak naast zich te leggen. Vervolgens begon hij een tourniquet rond zijn linkerarm aan te leggen. Harry was druk bezig patronen in een shot-gun te pompen, de M-10 leeg naast hem liggend.

Een fractie van een seconde was er achter een boom die hij scherp in de gaten had gehouden een gezicht te zien, hoewel een stuk lager dan hij verwacht had. Alan vuurde. Niets. Verscheidene mannen die waren neergeschoten schreeuw-den het uit of kreunden van de pijn. Alan vermoedde dat er minstens vier man waren neergegaan. De man achter de boom kwam op grondniveau heel even te-voorschijn en gaf een kort salvo af. De man was groot en zijn junglehoed was verdwenen en *het was Zulu* en hij vuurde zonder te richten, zinloze schoten die hele kluiten rode aarde omhoogwierpen. De man draaide zich woest om en ver-dween weer achter zijn boom.

Zulu. Alan wachtte tot het hoofd opnieuw tevoorschijn zou komen. In plaats daarvan zag hij langzaam een elleboog zichtbaar worden, pal boven de grond. Alan vuurde één enkel schot af. Op de boom was een lange rode veeg te zien. *Ik had op het hoofd moeten wachten.* Zulu, als het Zulu wás, maakte geen enkel geluid. Zijn hart leek elk moment in zijn borst te kunnen exploderen, leek de boom waar hij zich tegenaan had gedrukt woest heen en weer te bewegen. Zulu die martelde. *Zulu, die Harry had gemarteld.*

Alan keek gespannen naar het woud, zijn gezond verstand en zijn haat volkomen in evenwicht. Zijn gezond verstand zei hem dat hij de enige man was die vuurde, dat hij verantwoordelijk was. Zijn haat stuwde hem voort, haat en woede, maakte dat hij naar de boom wilde stormen. Zulu moest geraakt zijn. Was misschien wel neergegaan. Alan wilde hem dood, en hij bleef ineengedoken zitten, terwijl zijn ademhaling tegen de geluidloze achtergrond de intensiteit van een schreeuw leek te hebben en zijn brein door besluiteloosheid opgerekt leek te worden. Er was geen enkele beweging te zien, en de enige geluiden werden voortgebracht door de gewonden. Harry kroop naar Djalik en draaide aan de tourniquet. De pols was verbrijzeld door een kogel van zwaar kaliber. Djalik bloedde hevig, Harry moest het aandraaien van de tourniquet uiteindelijk opgeven en lag simpelweg in de fijne rode aarde, de aderen met zijn duimen dichtdrukkend. Op dat moment wist Alan wat zijn taak was, en daarvan kweet hij zich. Hij wachtte.

Na twee minuten merkte hij dat niemand had geprobeerd dichterbij te komen. Hij hoorde iets bewegen bij de boom waarachter volgens hem Zulu dekking had gezocht, en even later een eindje verderop. Na lange minuten kreeg hij de indruk dat de patrouille zich had teruggetrokken. Hij hoopte het van harte. Hij besefte maar al te goed dat écht goede militairen simpelweg zouden afwachten. Alan wist niet of hij voldoende lang had gewacht, maar op een gegeven moment sneed hij de knoop door, woog een verdere stilte af tegen de noodzaak Djalik te hulp te komen. Behoedzaam kwam hij in beweging. Er werd niet op hem gevuurd en hij voegde zich bij Harry.

'Misschien gaan ze versterkingen halen,' zei hij. Harry knikte en wachtte ineengedoken af tot Alan de tourniquet voltooide die Harry vasthield.

'Dat waren Zulu's mannen.' Alan moest plotseling naar adem happen. Hij had zojuist drie mannen gedood. Hij was heel, héél blij dat hij nog in leven was.

Harry knikte. Hij kon van pure emotie niets uitbrengen, en zijn gezicht was verwrongen van haat, dezelfde haat die op Alans gelaat te zien was.

'Ik zag hem en ik kon niet... Ik kon alleen maar op hem vuren. Als de eerste de beste amateur. *Hij heeft mijn ooglid weggesneden.*' En Alan zag dat dit alles, de woede en de haat vanwege de vernedering en de pijn, door middel van kogels uit de loop van zijn M-10 was gespoten. Harry zag er een stuk beter uit.

Djalik stootte een laag, hees gekraak uit dat een lachje moest voorstellen.

'Arrogante klootzakken. Hoeveel man hebben we neergelegd, vijf? Tien?' Zijn stem stierf weg in gemompel.

Alan kon alleen maar hopen dat het voldoende was om hen verder van de achtervolging af te laten zien. Hij keek op zijn horloge en dacht even dat het niet meer liep, maar zag toen dat de secondewijzer nog steeds bewoog.

'We moeten dit *afbreken*, meneer,' zei Djalik duidelijk. De woorden hadden de een of andere bijzondere betekenis voor hem. Harry keek over Djaliks hoofd Alan aan.

'Hij bedoelt dat als we nu snel in beweging komen en kans zien ze kwijt te raken, ze rekening zullen houden met het feit dat we wel eens opnieuw in een hinderlaag zouden kunnen liggen, want ze zijn ons immers uit het oog verloren – en daardoor zullen ze slechts langzaam vooruitkomen. Dat hebben ze me op de Ranch geleerd.' Djalik knikte, te uitgeput om nog iets te kunnen zeggen. Alan sloeg wat water achterover en liep behoedzaam over het pad. Er werden geen schoten op hem afgevuurd. Vervolgens probeerden ze zich zo snel mogelijk uit de voeten te maken. Nu ondersteunde Harry Djalik.

IV.

Suter kwam net uit een vergadering toen hij hoorde wat er met Peretz was gebeurd. Iemand – later kon hij zich niet meer herinneren wíe, zo verbijsterd was hij geweest – was hem letterlijk in de deuropening tegen het lijf gelopen, was langs hem heen geschoven en had toen gezegd wat je in zo'n geval zei. Herinner je je die FBI-knaap nog die hier deze zomer een tijdje heeft gewerkt? Heb je gehoord wat hem is overkomen? Om vervolgens met kennelijk genoegen de details uit de doeken te doen. 'Volgens de *Post* denken de artsen niet dat hij het zal overleven.'

Toen pas begreep hij wat Shreed had bedoeld toen hij het over meedogenloosheid had gehad. Hij had geen moment aan geweld gedacht, alleen maar aan het soort laakbaar gedrag dat in zo'n geval op de werkvloer van de uiterst geciviliseerde overheidsgebouwen kon worden toegepast – bedreigingen, druk van boven, misschien aan de beveiligingsmensen laten doorschemeren dat hij een veiligheidsrisico vormde en dat hij had gepraat. Maar, Jézus, om hem nou in elkaar te laten slaan – en wel op zó'n manier dat hij het wel eens niet zou overleven? Hij dacht er tijdens de koffie een paar minuten over na en kwam toen tot de conclusie dat hij er niets mee te maken had, noch met de bruutheid van het pak slaag, noch met de verantwoordelijkheid ervoor, zou er ooit van hem verlangd worden dat hij die op zich nam. Eigenlijk had een bepaald element van deze hele zaak wat hem betrof iets heel opwindends, niet zichtbaar, maar diep vanbinnen, op een plekje waar sommige mensen iets hadden zitten dat geweten werd genoemd – op een plek waar gewoonlijk de moraal aan zijn winterslaap bezig was. Dáár bewoog zich krampachtig en schokkerig een of ander beest, wakker geworden door een fascinerende droom.

Suter miste iets dat over het algemeen als 'warmte' werd beschouwd, terwijl het hem tevens aan een normale mate van menselijkheid ontbrak. Desalniettemin was hersendood zijn iets waar hij bang voor was en verafschuwde; het idee om als een kasplantje verder te moeten leven – *en je daar misschien wel van bewust te zijn?* – joeg hem angst aan. Zelfs uit de tweede hand, zelfs wanneer het iemand was die hij nauwelijks kende, zoals Peretz, was hij erdoor geschokt.

Dat had Shreed bedoeld met meedogenloosheid, en verantwoordelijkheid nemen.

Vervolgens maakte hij zich zorgen over Rose, en over wat ze misschien wist of vermoedde.

Paradoxaal genoeg zorgde het feit dat Peretz in elkaar was geslagen ervoor dat zij voor het eerst wat vertrouwelijker met hem omging. Ze was er beroerd aan toe en bijna instinctief kwam ze naar hem toe om over Peretz te praten, en over Peretz' gezin. Suter genoot met volle teugen van haar triestheid. Wat ze hem over de familie Peretz vertelde – twee dochters, van wie er één zo te horen midden in een puberteitscrisis zat, terwijl de moeder zich klaarblijkelijk te veel met haar identificeerde – leek nog het meest op een exotische roman. Wat écht was, was Rose's lijden. Haar echtgenoot was weg en hij nam nu Craiks plaats in.

Rose huilde uit op Suters schouder, en vertelde hem dit alles. Hij kreeg een erectie. Hij zag de weg naar het bed al duidelijk voor zich.

Zaïre.

Op de derde dag na de hinderlaag kwamen ze in de buurt van een stad die Yahuma werd genoemd, een klein groepje betonnen hutten, iets ten zuiden van de belangrijkste vluchtelingenstroom. De langdurige regens waren begonnen, dagelijkse plensbuien die voornamelijk 's middags vielen, om dan 's nachts tot rust te komen, terwijl de wolken zich in het westen weer op kolossale schaal samenpakten. Het was tijdens zo'n regenbui dat ze een weg bereikten.

Ze zagen hem voor het eerst onder aan een lange, ontboste helling liggen, een oranje streep door een oude vallei. De weg was afgeladen met mensen, mensen die in noordelijke en westelijke richting trokken. Ze zouden die weg over moeten steken.

Alan had hem als eerste gezien, want hij liep voorop. Hij liet ze stoppen en leidde hen terug naar de bomen, waar de regen minder hard viel.

'Mensen op de weg. Ook hebben veel mensen een kamp langs de helling opgeslagen. Een hoop tijdelijke onderkomens en een stuk of wat op z'n kop liggende voertuigen. Geen militairen.'

'Ik denk dat we moeten proberen zo onopvallend mogelijk over te steken,' zei Djalik. Hij kreeg nu de morfine toegediend, had veel pijn, wilde zo snel mogelijk naar een punt waar ze zouden worden opgepikt.

'De mensen op de weg zullen zich ongetwijfeld twee blanken herinneren,' zei Harry. 'En de zwarte knaap met het oog.'

'Daar kunnen we niets aan doen.' Alan haalde zijn schouders op. 'We weten niet dat ze achter ons aan zitten.'

'Verdomme, laten we gaan,' zei Djalik en maakte aanstalten om in de regen de heuvel af te lopen. Hij gebaarde met zijn linkerarm, het verband vuil en bloederig, zodat het eruitzag als een stompje. Ze liepen over het open terrein naar de weg.

Alan besefte dat ze het punt hadden bereikt waarop ze zodanig oververmoeid waren dat ze fouten gingen maken. Djalik liep zonder de omgeving te observeren de kale vlakte op. Alan stak zijn hand in zijn jas op zoek naar een reservevoorraad, vond niets, en strompelde achter hem aan.

Terwijl ze langs de kam van de heuvel naar beneden liepen, bleef een gedeelte van de vluchtelingenstroom in beweging, maar groepjes en afzonderlijke personen begonnen zich, net als smalle stroompjes die zich van een brede rivier losmaken, van de grote massa los te maken en liepen in de richting van het woud. Enkele mensen gingen simpelweg liggen of verborgen zich langs de kant van de weg. Alan en Harry en Djalik zagen eruit als militairen – wapens, geen vrouwen of kinderen.

Ze bleven doorlopen. Djalik was op weg naar een auto die tot aan de deurhendels in een met water gevuld gat vast was komen te zitten, terwijl vlak voor de wagen een non op de weg stond. De auto was een hopeloze zaak, dat zagen ze al nog voor ze hem hadden bereikt. Terwijl ze dichterbij kwamen zag Alan dat het om verscheidene nonnen ging. Twee ervan waren blank. Hij zou zelf een stuk verderop de weg zijn overgestoken, maar Djalik liep voorop en sjokte zonder meer rechtdoor, want hij had pijn. Djalik wekte de indruk vlak langs de vrouw over te willen steken, maar ze posteerde zich midden in zijn route en bleef daar staan, de handen om haar ellebogen geslagen, terwijl de regen langs haar gezicht gutste.

'Vous vous dépêchez pour tuer des noirs?' zei ze. *Hebben jullie soms haast om nog meer zwarten te doden?* Ze was misschien veertig, slank, en had een krachtige stem; ze sprak Frans met een afgrijselijk accent.

Harry, die vlak achter Djalik liep, zei: 'We hebben haast om bij deze weg vandaan te komen, zuster.'

'Zodat jullie er nog meer kunnen doden,' zei ze. Haar Engels had een Schots accent.

'Wij zijn Amerikanen,' zei Harry.

'Het wordt van kwaad tot erger. Wie heeft dat oog van jou zo toegetakeld?' Ze reikte al omhoog naar het verband, en trok dat een stukje opzij. Ze keek aandachtig toe. 'Je hoort in een ziekenhuis te liggen,' merkte ze op.

Harry moest lachen 'Wélk ziekenhuis?'

'Heb je antibiotica bij je?' vroeg ze hem.

'Een beetje.'

'Geef mij daar dan wat van, uit liefde voor God. Deze mensen hebben niets. Geef me wat pijnstillers – alstublieft, God!'

Alan begon te zeggen dat ze misschien wel wat konden missen, toen Djalik blafte: 'Niet doen!' Alan keek Harry aan, die zijn hoofd schudde. 'Het beetje dat we hebben zullen we hard nodig hebben.'

De andere blanke non, ouder, minder scherp, reikte naar Djaliks hand, maar hij trok die snel terug. 'Wat heb je gedaan?' vroeg ze.

'Een kogel.'

'Laat eens zien – '

Djalik stopte de bloederige hand achter zijn rug. 'Ik ben niet een van die Afrikanen van u.' Hij keek Alan aan. 'Laten we in godsnaam proberen zo snel mogelijk deze weg achter ons te laten!'

Alan rommelde in zijn eerstehulpdoos, op zoek naar medicijnen die ze zouden kunnen missen. Hij kwam niet verder dan een handjevol kleine kompressen, wat merthiolaat en een pakje aspirines. Hij reikte het de eerste non aan. 'Dit kunnen we wel missen – '

Ze moest het woord *aspirine* op het etiket hebben zien staan.

'Aspirine!' krijste ze. 'Jij hebt het lef om me *aspirine* aan te bieden?' Ze sloeg de spullen uit zijn hand en ze vielen in het modderige water. 'Kijk eens naar die mensen,' schreeuwde ze. 'Kíjk eens naar ze!' Ze wees naar de weg met daarop de duizenden vluchtelingen. 'Eerst veroorzaken jullie dít, en dan komen jullie met aspirine aanzetten!'

Alan haastte zich naar de anderen. Haar stem achtervolgde hem terwijl hij tegen de helling op klauterde en tussen de bomen verdween. 'Dit is Afrika! Dit is *Afrika*!' Nog lang nadat hij de woorden al niet meer kon verstaan hoorde hij haar stem nog.

Washington, D.C.

In een hokje binnen het hoofdkwartier van de Naval Investigative Service legde een vrouwelijke medewerker een afgehandelde opdracht naast zich neer, nam een snelle pauze waarin ze naar het toilet ging en een fles water haalde, en ging weer achter haar bureau zitten. Ze wierp een snelle blik op het omslag van de nieuwe opdracht en begon de gegevens in te tikken. Deze was iets interessanter dan de andere die ze die dag had behandeld; het had iets van een spel en dat intrigeerde haar. De laatste tijd had ze zich voornamelijk beziggehouden met dossiers betreffende deserteurs, en het werk wat ze daaraan had was eigenlijk weinig meer dan het toevoegen van nieuwe gegevens. Maar in dit geval moest ze op zoek naar een naam die misschien wel, maar misschien ook niet aan een deserteur toebehoorde.

De redactie, gedaan door iemand die hoger in de hiërarchie stond, sloeg ze over en begon onmiddellijk aan het verzoek dat door de indiener op de achterkant van het formulier was genoteerd. Dit verzoek, meer nog dan de zoekvoorwaarden die door een gezichtloos figuur boven haar werden geformuleerd, vormde een rijke bron aan suggesties, vage ideeën en regelrechte vragen: *Naam of bijnaam 'Z' of 'Zulu'; a.u.b. op zoek naar namen die met Zul of iets dergelijks beginnen. Geen Afro-Amerikaan. Is misschien geboren of opgegroeid in of in de buurt van Chicago. Is misschien in het bezit geweest van een Bears-asbak. Heeft wellicht bij het Korps Mariniers ontslag genomen ten tijde van het uiteenvallen van Joegoslavië – 1990 of 1991. Moet nu rond de vijfendertig jaar oud zijn – heeft misschien één keer bijgetekend. Controleer of betrokkene disciplinair gestraft is vanwege activiteit binnen of lidmaatschap van een haatgroep, met name anti-moslim, inclusief Afro-Amerikaanse moslims. Is misschien bij het Korps opgestapt nadat hij opdracht had gekregen naar Kuweit (islamitisch land) te gaan. Beschikt blijkbaar over goed leiderschap en militaire vaardigheden; is misschien hogere onderofficier of officier geweest.*

Ze keek naar de naam van de agent die het verzoek had ingediend en zag dat dat Mike Dukas was geweest. Barb had ooit eens een keertje voor hem gewerkt en was bereid een stapje harder voor hem te lopen, want hij was een van de weinige agenten die leek te beseffen dat mensen als zij sowieso bestónden.

Ze begon te zoeken conform de voorgeschreven parameters – achternamen die begonnen met een Z; geboortedatum tussen 1958-1964; in dienst tussen 1978-1992. Zoals gewoonlijk was dit alles op erg veel mensen van toepassing. Een verrassend groot aantal ex-mariniers had een achternaam die met een Z begon. Wat echter níet naar boven kwam was iemand die tijdens de periode 1990-91 was gedeserteerd, sergeant of hoger was geweest en uit het noorden van het Mid-Westen kwam.

Ze probeerde Z, Chicago. Niets. Hetzelfde gold voor Z, Detroit, en Z, Cleveland. Lág Cleveland eigen wel in het noorden van het Mid-Westen? Ze ging naar het web, riep een kaartpagina op en keek welke staten er precies in het Midden-Westen lagen. Maakte vervolgens een lijst van steden. Logde af, probeerde die steden. Helemaal niets.

Zul. Namen die met Zul begonnen. Dit was eigenlijk een beperking van datgene wat ze al had (achternamen die met een Z begonnen) maar veel had ze er niet aan – tussen 1988 en 1992 hadden achttien Zulu's met min of meer aan de juiste leeftijd het Korps verlaten.

Daarna probeerde ze vóórnamen die met een Z begonnen.

Uit Chicago.

Uit Detroit. En kreeg: *Panic, Zoltan, geb. 1961, in dienst gegaan Detroit, Michigan, 1980; bevorderd tot korporaal, 1983; tot sergeant der eerste klasse, 1986; gedegradeerd tot marinier der eerste klasse, 1987, wegens vechtpartij en het distribueren van racistisch materiaal op overheidsterrein. Bevorderd tot korporaal, 1988. Onwettig afwezig, 1990, Napels, Italië, op weg naar Saudi-Arabië; tot deserteur verklaard, 1990. Zie dossier P805937DE voor waarnemingen en mogelijke contacten.*

Ze ging door met zoeken, en ze stelde een lijst samen met honderddertien mogelijke kandidaten, van wie negentien waarschijnlijke, maar wat haar betrof was Zoltan Panic de man naar wie ze op zoek waren. Ze bevestigde een klein geel plakkertje op het pakketje met haar beweegredenen. En direct daarna, omdat het voor Dukas was, nam de ze hoorn van haar telefoon en belde ze het FBI-kantoor in Detroit.

Zaïre.

Nadat ze de weg waren overgestoken probeerden ze er zo goed mogelijk de gang in te houden. Qua afgelegde afstand was dit een van hun betere dagen; Harry kon nu vrij redelijk lopen, en Djalik, hoewel die problemen met zijn knieën had, maakte nog steeds een krachtige indruk. Alan fungeerde nu noodgedwongen als verkenner. Hij was de enige die nog over voldoende conditie beschikte. De volgende dag bereikten ze het eerste vliegveld dat op hun kaart stond aangegeven.

Het hele veld werd gevuld met vluchtelingen. Er waren Luo, afkomstig van het gebied rond de meren, en Hutu's uit Rwanda, en zelfs Banye Melenge-families, Tutsi's die door verwantschap of pure pech aan de verkeerde kant van de oorlog waren terechtgekomen. Er waren mensen uit Kisangani, en mensen die van nóg oostelijker kwamen. Er waren Kantangese winkeliers. Op die lange, onverharde landingsstrip waren vertegenwoordigers van alle veertig Zaïrese stammen te vinden.

Starende ogen. De holle blik. Afwezigheid. 'Vluchteling' worden díe mensen genoemd van wie alles is afgenomen; gezin, huis, werk, liefde. Misschien is er zo weinig menselijkheid bij hen over dat het een stuk gemakkelijker wordt hen te doden, te verkrachten, of ze te negeren. Na verloop van tijd, als ze niet worden doodgeschoten of verkracht, als ze niet sterven van de honger of dood worden geslagen, lukt het hun weer iets van hun oude ik terug te krijgen en keren ze terug naar het land der levenden. Maar op dit voormalige missievliegveldje bij Djolugana had nog niet één volwassene die fase bereikt. Het waren stuk voor stuk ademhalende lijken. Alleen het geluid van de kinderen, het gelach, het gehuil, hongerig, gekwetst of nieuwsgierig, liet zien dat er nog van énig leven sprake was. De kinderen waren steeds weer de eersten die tekenen van herstel vertoonden.

De missionarissen waren uiteraard al een hele tijd geleden vertrokken.

De vluchtelingen waren op de plaats waar ze tot stilstand waren gekomen op de grond gaan liggen. Overal hing de penetrante stank van uitwerpselen. Overal was een bijna tastbare angst te voelen. Militairen hadden de nacht ervoor een meisje ontvoerd. Niemand wist wie het waren geweest of waar ze vandaan waren gekomen. Voor deze weerloze mensen bestonden er alleen nog maar dit soort gebeurtenissen. Iedereen met een vuurwapen had alleen maar het ergste met hen voor. Angst en wanhoop regeerden.

De gezichten van de mensen op het terrein zagen er aanzienlijk erger uit dan dat van Harry, toen Alan er in die hangar een eerste glimp van had opgevangen. Het zou hem altijd bijblijven. Het lukte hem niet zijn ogen ervan los te maken, moest onwillekeurig steeds weer kijken, maar hij bleef daarbij niet één keer stilstaan. Hij kon onmogelijk vragen hier een vliegtuig naartoe te sturen, en als hij dat wél deed, zou dat toestel direct na de landing onmiddellijk volkomen worden geplunderd. Djalik echter maakte een onzekere indruk.

Ze hingen hun geweer over hun rug en gingen op zoek naar een ander pad dat naar het westen leidde.

Washington.
Rose was in Houston toen ze hoorde wat er met Abe Peretz was gebeurd. Bea had haar 's avonds laat opgebeld, aanvankelijk kalm en rustig, en vervolgens nagenoeg hysterisch. Voor Rose was het een bijna afstandelijke pijn, enigszins gedempt, alsof die pijn eerst door een dikke muur heen moest. Ze had zelf al genoeg voor haar kiezen gehad – de baby die ze verloren had, een trauma dat ze nog steeds elke dag probeerde te verwerken; Alan op zee; de spanningen rond haar werk. En nu had het verdriet van haar vriendin bijna iets buitenaards.

'Hoe gaat het met hem?'

'Hoe het met hem gaat? Hij is nagenoeg dood, verdómme!' Bea barstte in snikken uit. 'Ik wil helemaal niet tegen je schreeuwen, Rose, ik word langzaam maar zeker gek. Wat moet ik nou zonder Abe, Rose?'

'Maar hij lééft nog, Bea – alles komt straks weer in orde met hem – '

'Nietes! Hij gaat dood. Ze willen me het niet recht in m'n gezicht zeggen, maar ík weet dat hij stervende is. Ik heb hem gezíen. Het lijkt wel een oud mannetje. Wat moet ik straks doen, wat moet ik straks doen – ?'

Dit was een nieuwe Bea. Rose kende de lawaaierige Bea en de agressieve Bea en de beledigende Bea redelijk goed, maar ze had nooit beseft hoezeer al die Bea's op Abe hadden gesteund. Ze vloog de volgende dag naar huis, belde haar onmiddellijk op en kreeg haar aantrekkelijke dochter aan de lijn, de dochter die naar Israël was geweest en op haar veertiende aan de pil was gegaan (en er vervolgens weer van af omdat 'seks klote is'). Bea was in het Holy Cross-ziekenhuis. Abe lag op de operatietafel.

'Zijn hoofd,' zei het meisje. Ze klonk kalm, meer volwassen dan haar moeder. 'Hij heeft een hematoom. Een te grote druk op zijn hersenen. Ik heb m'n moeder verteld dat het allemaal in orde zou komen, want áls ze in je hoofd gaan rommelen, is dit zo'n beetje de meest gebruikelijke operatie die er bestaat, maar ze is momenteel één brok zenuwen.'

'Wil je dat ik naar haar toe ga?'

'Ik denk dat dat een goed idee is.'

Ziekenhuizen waren 's avonds vreemde oorden, volkomen verlaten, op de mensen na die er door een crisis naartoe waren gestuwd. Rose voelde die vervreemding opnieuw toen ze haar hoge hakken tegen de muren van de verlaten gangen hoorde echoën. Ze werd geacht zich over drie dagen in Napels aan boord van de *Philadelphia* te melden. En nu dreigde Bea's lijden haar bij dat pijnstillende middel weg te lokken, haar overgevoelig te maken, alsof het gejammer van de ene vrouw bij de ander ook gejammer zou opwekken. Maar Rose had helemaal geen zin om te weeklagen en ach en wee te krijsen. Ze wilde zichzelf verliezen in haar werk.

De twee vrouwen omhelsden elkaar. Ze bevonden zich met z'n tweeën in een wachtkamer die groot genoeg was voor dertig man. De tijdschriften – sport, roddel, binnenhuisarchitectuur – waren nutteloos. Bea zat recht overeind, alsof ze elk moment verwachtte iets te horen te krijgen.

Om twee uur 's nachts mompelde een verpleegster Bea's naam en liepen ze de gang op. Een arts kwam traag hun kant uit gelopen, hoofd en schouders gebogen van vermoeidheid. En van verslagenheid, dacht Rose. Ze begon te bidden, was weer op slag het katholieke meisje dat ze ooit was geweest.

De arts kwam dichterbij. Hij zag er jong en donker uit, niet bepaald aantrekkelijk. Hij pakte Bea's hand.

'Fluitje van een cent,' zei hij triest. Hij klonk alsof hij op het randje van uitputting balanceerde. 'Het is een sterke kerel. Hij heeft vier maanden nodig om te herstellen, dus verwacht voorlopig niet dat-ie opgetogen gaat staan dansen.'

'Hij wordt dus weer – béter?'

'O, zeker weten. Misschien dat hij straks doof is aan zijn rechteroor; het trommelvlies is gebarsten, het gevoelige gedeelte rond het aambeeld is verbrijzeld, maar – goh, hij heeft toch twéé oren. Geen verlammingsverschijnselen. Maar ik

wilde hem nog wel een paar weken hier houden. Heeft hij een goede verzekering? Ik wil niet dat ik achteraf allerlei kritiek over me heen krijg vanwege de
kosten, maar soms kunnen ziekenhuisrekeningen – '
'We betalen – álles!' Bea begon ongecontroleerd te ratelen. De arts, die er tries-
ter en hopelozer uitzag dan ooit, gaf een klopje op haar hand en drukte haar op
het hart dat ze zich nergens zorgen over moest maken.

Eigenlijk had Bea paranoïde moeten zijn en had zíj met de suggestie moeten
komen dat de mishandeling van Abe wel eens iets met zijn onderzoek naar het
IVI te maken zou kunnen hebben. Maar Bea was veel te opgelucht, te uitgeput,
ze maakte een radslag en werd op slag veel te gelukkig. Het was dan ook Rose
die, terwijl ze de volgende dag naar Maryland reed, zichzelf afvroeg: *Wie over-
valt er nou een jogger? Joggers hebben nooit iets bij zich*, en toen ietwat bevreemd
aan de laatste keer dacht dat ze door Abe was gebeld en Suters boze toon toen
ze hem over Abe's twijfels had verteld.
Ze wilde dat ze er met Alan over kon praten. Hij zou weten wat er moest gebeuren. Maar hij had het druk aan boord van zijn schip. Misschien kon ze een
e-mail sturen naar Dukas.
Terwijl ze verder reed dacht ze aan dat wat Alan en Dukas hiervan zouden vinden. Zij beiden waren gepokt en gemazeld door het inlichtingenwerk, beschikten over een soort verhoogd bewustzijn dat, vanuit een ander gezichtspunt bezien, misschien wel als scepsis, of zelfs als cynisme, kon worden beschouwd.
Zijzelf voelde zich altijd het meest op haar gemak in een uitvoerende rol, waarin
ze datgene wat haar gevraagd werd zo goed mogelijk probeerde te doen. Alan
en Dukas stelden vragen; zijzelf probeerde vragen altijd te vermijden.
Over twee dagen zou ze aan de laatste fase vóór de lancering van Peacemaker
beginnen. Ze had de hond al naar de kennel gebracht. Het was haar bedoeling
geweest zo min mogelijk lasten mee te torsen, geen onontwarbare allianties,
klaar te zijn voor de actie.
En nu dit.
Ray Suters gezicht bleef tussen haar en de weg opduiken. En dan te bedenken
dat ze op zijn schouder had uitgehuild.
Nu –
Nu wilde ze eerst wel eens antwoord op wat vragen.

Op zee, het vlaggendek van de Jackson.
Parsills liep het flag-verbindingscentrum binnen, waar een vrouwelijke ltz2 j.c.
van een van de squadrons de ochtendbriefing deed. Dat ze aantrekkelijk was
drong nauwelijks tot hem door. Er was gewoon veel te veel te doen. Ze was aan

het afronden, wees naar een grafiek, benadrukte iets dat ze al een keertje had gezegd, en werd onmiddellijk nadat ze klaar was bedankt door admiraal Pilchard, die zich vervolgens snel naar zijn chef-staf omdraaide.

'Het oppikken op de plek die we als eerste hebben geselecteerd gaat niet door, meneer.' De admiraal keek hem vragend aan: waarom niet? Parsills vervolgde: 'Ik citeer Craik nu letterlijk: "Ik sta tot mijn enkels in de stront en terwijl ik praat laten de mensen om me heen steeds meer van dat spul vallen. Momenteel bevinden zich in dit oppikgebied ongeveer tienduizend man." Einde citaat.' De admiraal knikte. 'Blijf het proberen,' zei hij, en wijdde zich aan andere zaken.

Detroit, Michigan.

Marvin Burke, agent bij de Naval Investigative Service, had Mike Dukas nog nooit ontmoet, maar de analist in D.C. wél, en die had hem verteld dat Dukas een goeie kerel was. Dus had Burke Dukas' verzoek boven op zijn stapeltje dossiers gelegd, en had hij het als excuus gebruikt om het kantoor achter zich te laten. Het was een ongebruikelijke dag, een dag die eigenlijk helemaal niet bij dit jaargetijde paste; het leek wel voorjaar, en zelfs de armoedige oude straten in de buurt van de St. Clair Flats hadden vandaag iets fleurigs. Blok na blok stonden hier kleine huisjes op kleine stukjes grond, met hier en daar een oude auto in de tuin, of een niet bijgehouden gazon, maar de meeste toch pijnlijk netjes onderhouden, met een hoop beelden van de Maagd Maria, waarvan sommige op omgekeerde badkuipen waren neergezet en weer andere in miniatuurgrotten van beton of flagstones waren geplaatst. Hij zag vensters met plastic geraniums ervoor, of zelf uitgezaagde houten figuren van dikke vrouwen waar van achteren overheen werd gebogen, en van kleine jongetjes met hun broek naar beneden. Hij zag een paar borden met teksten als *Haal ons uit de Verenigde Naties!* en *Buurtpreventie* en *Drugsvrije Zone.* Hij wist zonder naar de bewoners te kijken dat hij zich in een blanke wijk bevond; hij wist ook dat hier verhoudingsgewijs erg veel Zuid-Slaven woonden en dat veel van de bewoners hier gepensioneerd waren – of daar bijna aan toe waren – en hier rond 1954 waren gearriveerd. Hij wist dat de mensen hier hun kinderen rechtstreeks naar de Ford-fabriek hadden gestuurd, waar zo'n beetje levenslang werk werd gegarandeerd, maar dat, nu dat niet meer zo was, diezelfde kinderen de streek ontvluchtten zodra ze ergens anders werk vonden, waar ze in voorsteden woonden en hard moesten lachen wanneer ze hoorden dat Detroit zichzelf tegenwoordig Renaissance City noemde.

Burke liep het pad op naar een keurig huis met een witgeschilderd portiek en een combinatie van tocht- en hordeur, en hij vermoedde dat als hij naar de kelder van dit huis afdaalde hij daar een werkplaatsje zou aantreffen waar de bewoner aan houtbewerking deed, compleet met allerlei elektrisch gereedschap, maar dat hij in dit huis vergeefs naar een computer zou zoeken. Een grote televisie, ja; fm-radio, nee. Misschien werd hier niet eens een krant gelezen; misschien wat marginale 'nieuwsbrieven' die per post arriveerden.

Hij drukte op de bel en wachtte af. Hij hoorde voetstappen. Witte vingers deden de dunne, strakke gordijnen van het raam naast hem op een kier en hij zag een angstig oog. Burke glimlachte. Hij wachtte. De opening in de gordijnen werd iets breder, zodat er een smal vrouwengelaat zichtbaar werd dat door grijs haar werd omkranst. De gelaatsuitdrukking was nog steeds angstig. De vrouw schudde haar hoofd. Burke glimlachte nog wat breder en hield zijn badge omhoog.

Toen de vrouw de voordeur voor hem opende telde hij drie sloten – een ketting, een nachtslot en het slot dat bij de zeventig jaar oude deur hoorde. Zelfs nadat ze de voordeur voor hem had geopend hield ze de tochtdeur tussen hen beiden in.

'Agent Burke, mevrouw Panic – Naval Investigative Service.' Hij wachtte even. 'Het gaat over Zoltan.'

Ze schudde verwoed het hoofd. 'Mijn man is er niet!'

'Het gaat over Zoltan, mevrouw Panic. Uw zoon. Ik wil alleen maar even met u praten.' Hij hield opnieuw zijn badge op. De vrouw was zo te zien doodsbang voor haar man, misschien zelfs wel doodsbang voor de wereld. Maar ze was zelfs nog banger voor de Amerikaanse overheid en de wens van die overheid om haar gedeserteerde zoon op te sporen. Ze wist dat die overheid het nooit op zou geven; ze had op de televisie een hoop programma's gezien over misdadigers die werden gezocht, en sommige van die gevallen waren al vijfentwintig, dertig jaar oud. De Amerikaanse overheid gaf het nooit op.

Burke bediende zich van zijn 'als-u-mij-niet-binnenlaat-gaat-er-nog-iets-veel-vervelenders-gebeuren'-glimlach.

Ze deed de tochtdeur open. 'We horen nooit iets van hem. We weten helemaal niets van hem,' zei ze.

In de woonkamer bevond zich een kleine open haard met een gasgestookt houtvuur erin en bruingroene tegeltjes eromheen die daar in de jaren twintig waren aangebracht. Erboven was een schoorsteenmantel in donker hout en met heel veel lak erop aangebracht, en op die schoorsteenmantel stond een heel stel foto's, waarvan er sommige een heel stuk ouder waren dan het huis. Burke bekeek er een, zag de cyrillische lettertekens in een benedenhoek en zei, terwijl hij naar een andere foto wees: 'Dit moet uw moeder zijn.'

'De moeder van mijn man.'

'Voor u naar de States afreisde.'

Ze knikte en verstrengelde de vingers van beide handen. 'In ons vroegere vaderland.'

'Zoltan is geen Joegoslavische naam, hè, mevrouw Panic?'

'Ik kwam uit Slovenië. Daar woonden erg veel Hongaren. Zo heette mijn vader.'

Burke glimlachte en kuchte een keertje. Opnieuw kuchte hij opzettelijk. 'Heeft u misschien een glas water voor me, mevrouw Panic?'

Zodra ze de kamer uit was, reikte hij naar een kleurenfoto die niet ingelijst was en die achter de andere foto's tegen de muur was neergezet. Op de betreffende foto was een man te zien die een camouflage-uniform droeg en die het een of andere geweer boven zijn hoofd vasthield.

Burke keek op de achterkant van de foto. Op de achterkant had een agressieve hand gekrabbeld: 'Uw jongen tijdens de Slag op het Lijsterveld!'

Dáár was hij naar op zoek geweest.

Pas toen hij op het punt stond te vertrekken had hij gehoord dat er wel degelijk een computer in huis was. Met de angst van een doodsbang iemand had ze gezegd: 'U wordt geacht te bellen voor u ergens langsgaat. De volgende keer moet u eerst bellen.'

'Dat heb ik gedaan, mevrouw Panic. Ik heb het drie keer geprobeerd: gisteren en eergisteren. Maar niemand nam op.'

Haar boosheid leek te verdwijnen, en opnieuw was ze het doodsbange kleine vrouwtje. 'Ik hoor niet zo goed meer,' zei ze terwijl ze haar vingers opnieuw in elkaar schoof. Hij herinnerde zich de keihard staande televisie weer. Hij stond op het punt naar de deurknop te reiken, toen ze mompelde: 'U kunt beter mijn man bellen, maar die is tegenwoordig nauwelijks nog te bereiken. Dat internet ook!'

Een ogenblik lang vroeg hij zich daadwerkelijk af wat ze bedoelde – wat was een internet? dacht hij, want de term werd volkomen buiten de gebruikelijke context gehanteerd – en toen viel het kwartje, en hij haalde zijn hand van de deurknop en zei: 'Heeft uw man een computer, mevrouw Panic?'

Hij besefte dat ze hem iets had verteld dat ze niet geacht werd te vertellen, maar het was al te laat. Ze maakte een geslagen indruk.

Zaïre.

Met Djaliks hand ging het steeds slechter. Hij zag er niet zozeer slecht uit – gezwollen, de duim te wit, het gebied direct rond de wond te rood – maar hij bloedde nog steeds en het lukte ze niet dat bloeden te stelpen.

'Als je die tourniquet laat zitten, ben ik straks die hand kwijt vanwege gangreen,' zei Djalik. 'En ik was niet van plan die hand kwijt te raken!' Het was hoogstens maar een deel van zijn hand; de buitenste twee vingers waren verdwenen, en een hoop van het weefsel tot aan de pols, weggeslagen door de kogel tijdens het vuurgevecht op het pad. Hij keek Alan aan met een blik waardoor hij onmiddellijk weer aan de vlucht vanuit Kinshasa moest denken: *Als u míj met m'n gezicht in de aarde in dit vervloekte Afrika achterlaat, dan mag ú mijn vrouw vertellen dat u dit voor een vriend hebt gedaan!* Hij stond op het punt te gaan zeggen: 'Ik ben geen arts,' en had nog maar een paar woorden gesproken, toen Djalik zijn blik naar O'Neill verplaatste en zei: 'Híj begrijpt het.'

O'Neill gromde iets onverstaanbaars.

Djalik zat op de grond. Zijn geruïneerde hand stak naar voren, waarbij hij zijn arm op zijn knie liet rusten, alsof hij probeerde te bedelen bij voorbijgangers. 'Brand deze klotewond maar dicht,' zei hij tegen Harry. Het was nu iets tussen hen beiden; Alan had hier niets mee te maken, werd buitengesloten. Hij zei iets over een mogelijkheid de ader dicht te knopen, maar ze negeerden hem. Hij besefte dat ze gelijk hadden. Hij kon in al dat zwaarbeschadigde weefsel sowieso geen ader ontdekken. Alleen maar bloed.

Ze vonden een van die half verlaten dorpjes waar het in elk geval mogelijk was een vuur aan te leggen, en O'Neill verhitte het lemmet van een mes in de kooltjes. Djalik zat vlak naast hem en staarde in het vuur.

'Ik ga je wat morfine geven,' zei O'Neill.

'Nee! Bewaar dat maar voor later!'

O'Neill keek Alan aan. Het lemmet van het mes was kersenrood. Djalik keek Alan aan. 'Hou me tegen.' Alan keek naar O'Neill, die knikte. Alan greep Djaliks schouders vast en trok hem achterover totdat hij plat op de grond lag, en het volgende moment was O'Neill er plotseling met een van hun morfinecapsules, en hij had de injectie al toegediend voor Djalik goed en wel in de gaten had wat er gebeurde, en Djalik vloekte. Alan vermoedde dat hij ergens diep vanbinnen dankbaar moest zijn.

'Ben je er klaar voor?' zei O'Neill een paar minuten later.

'Ja, Bud. Luister – je moet het met kracht naar buiten laten spuiten, zodat je weet waar de ader ergens zit. Daarna druk je het stevig dicht zodat het bloeden ophoudt, oké? En daarna – brand je het dicht.' Hij transpireerde hevig, maar dat gold voor hen allemaal. 'Probeer het een beetje snel te doen, Bud.'

De mensen die het dorpje niet verlaten hadden keken toe. Voor hetzelfde geld stonden ze naar iets onbelangrijks te kijken, of zelfs iets uiterst saais.

O'Neill legde een grote hand op Djaliks schouder. 'Denk aan je gezin, oké.' Hij maakte de tourniquet los. Het bloed spoot over de aarde. O'Neill tuurde naar de hand. 'Denk aan je vrouw. Aan je kinderen. Is iedereen er?' Hij knikte snel naar Alan en de tourniquet, en hij draaide hem stevig aan, waarbij hij het stokje ín de stof op Djaliks pols drukte. 'Kijk goed – kijk heel goed – kijk ze recht in hun ogen, Mike – concentreer je op hun ogen – '

Het volgende moment rook het alsof er een biefstuk werd gegrild. Djalik schokte krampachtig, een van de dorpsbewoners wendde zijn blik af, en de geur vulde de lucht.

32

1-2 december

Sarajevo.
Op het dieptepunt van een uiterst droog seizoen belandde er via het berichtenverkeer een onverwachte bonus op het bureau van Dukas: een tijdje geleden had hij bij de Amerikaanse inlichtingengemeenschap min of meer in arren moede een verzoek ingediend of ze in hun bestanden eens naar de namen Zulu of Z wilden kijken, en had hij te horen gekregen dat de CIA had 'weten vast te stellen' dat een huurling die 'Z' werd genoemd twee jaar geleden in Afrika was gesignaleerd. Hij kreeg niet te horen uit welke bron deze informatie afkomstig was, en hij kon dan ook niet weten dat deze conclusie het resultaat was van de druk binnen de Agency om met informatie over de lieden die O'Neill gevangen hadden genomen op de proppen te komen. Een alerte analist had verband weten te leggen met O'Neills rapport betreffende het relaas van Elizabeth Momparu, en iemand hoger in de hiërarchie binnen de Agency had ervoor gezorgd dat Dukas een uitgeklede versie van de analyse in handen kreeg gespeeld. Binnen de kortste keren vlogen er diverse berichten heen en weer, en aan het eind van de dag beschikte Dukas over een uitvergrote foto van de man die 'Z' werd genoemd. Niet bepaald *Eureka!*, of zelfs *Bingo!*, want erg scherp mocht de opname niet worden genoemd, maar in elk geval: *Hé, misschien is dit iets!* De foto was op enige afstand genomen (door Elizabeth Momparu, hoewel hij dat natuurlijk niet wist), en enigszins onscherp, maar er was in elk geval een gezicht op te zien. Hij vergeleek het gelaat met dat van Zoltan Panic, wiens pasfoto uit zijn mariniersdossier afkomstig was – het zou hetzelfde gezicht kunnen zijn, bedacht hij, maar tussen beide opnamen lagen heel wat jaren, en op de Afrikaanse foto klopte iets niet met de neus, iets dat op de mariniersfoto niet te zien was. Als hij voor zichzelf alles op een rijtje zette, zou het kunnen: Zulu zou in 1994 in Zaïre geweest kunnen zijn om dat vliegtuig neer te halen, en misschien was Zulu daar nu ook weer. Maar er was geen enkel bewijs. Als hij daar wél bewijs voor kon vinden, zou hij Zulu-Panic als deserteur kunnen melden; het zou best mogelijk kunnen zijn dat hij in Zaïre met de een of andere actie bezig was, hoewel uit alle meldingen bleek dat het daar één grote chaos was, een chaos waarin legers uit zes verschillende landen en twee guerrillalegers het met elkaar aan de stok hadden, terwijl er in het strijdgebied ook nog eens een half miljoen vluchtelingen een goed heenkomen probeerden te zoeken. Een regel uit een gedicht

dat hij eens op de middelbare school had moeten leren was hem bijgebleven omdat het zo toepasselijk was gebleken voor de professie waarin hij was terechtgekomen – 'waar onwetende legers 's nachts strijd leveren'. Zo te horen sloeg dat helemaal op Zaïre.

Hij wilde het bewijs dat Z Zulu was, en dat Zulu Panic was. En hij besloot dat hij daarvoor van mevrouw Obren gebruik zou maken.

'Michael, dan gaat ze ervandoor! Ze zal alles vertellen wat ze weet; ze zal volkomen doorslaan,' gromde Pigoreau met in een mondhoek zijn eeuwige sigaret.

'Misschien. Dus geven we haar geen enkel contactadres – ze krijgt niets mee dat ze te gelde zou kunnen maken. Ze gaat ernaartoe, ze krijgt de informatie die ik van haar nodig heb, ik ontmoet haar aan de grens en hoor haar uit, en we hebben verder niets meer met haar te maken.'

'Je stuurt haar naar Belgrado zonder ontsnappingsplan? Geen enkel contactadres?'

'Dat heb je uitstekend begrepen.'

Pigoreau keek hem aan, zijn ogen halfgesloten tegen de rook. 'Je bent harder dan ik ooit heb kunnen bevroeden, Michael. Wat is je drijfveer achter dit alles?'

'Zulu is een zware jongen en ik ben van plan hem aan het kruis te nagelen.' Dukas tikte met een vingernagel die nodig geknipt moest worden op het bureaublad. 'Zulu vormt het middelpunt van het een of ander. Die knaap heeft een eigen website, alleen niet onder die naam. Voorzover ik heb begrepen, heeft de FBI de computer van zijn vader in beslag genomen. De NCIS-knaap die ernaartoe is gegaan en die met zijn oude moeder heeft gesproken, was godzijdank niet op zijn achterhoofd gevallen. Ze flapte eruit dat haar man voortdurend op het internet bezig was; de agent wilde het liefst op dát moment al beslag op die computer leggen, maar hij wist dat hij juridisch geen poot had om op te staan, dus zegt hij iets tegen haar in de trant van: "Nou, dan laten we dat speeltje van uw man toch gewoon met rust", in de hoop dat ze niets tegen hem zegt, want ze is doodsbang voor hem. En blijkbaar hééft ze hem ook niets verteld, want toen ze de computer uiteindelijk in beslag namen – het duurde twee dagen voor ze een bevel tot huiszoeking hadden geregeld, terwijl ze drie keer contact met mij hebben opgenomen om de betreffende oorlogsmisdaden te verifiëren – was alles nog intact. En dan bedoel ik álles – de website van zoonlief stond zelfs gewoon onder Favorieten; hij had drie e-mails van hem in zijn Prullenmand; en hij beschikte over allerlei bestanden waar ze nog steeds onderzoek naar doen, waaronder spul dat hij gedownload heeft en waarvan men denkt dat het van Zulu afkomstig is. De vader is een Servische nationalist; hij is volkomen doorgeslagen op dat gebied, dus heeft hij al dat haatgedoe en veel ander spul dat van het net is gehaald; we weten nog niet wat van zijn zoon afkomstig is en welke zaken ergens anders vandaan komen. Maar het geeft ons wél inzicht in datgene waarmee Zulu bezig is. Hij is een belangrijke speler, Pig. Hij is niet zomaar een misdadiger. Hij is een *operator*.'

'En dit is dezelfde knaap op wie die vriend van jou in Bosnië geschoten heeft?'

'Ik kan mijn vriend niet bereiken, dus kan ik daar ook geen bevestiging van krijgen.'

'Een folteraar. En jij stuurt er een vrouw op uit met wie je naar – Michael, als je met een vrouw naar bed bent geweest, kun je niet – '

'Wat nou? Maak je je plotseling zorgen over haar?'

'Ze moet weten hoe gevaarlijk dit voor haar is. Ze doet het vast niet.'

'Ze doet het wel degelijk.' Hij keek Pigoreau strak aan. 'Ik heb haar echtgenoot gevonden. Om hem terug te krijgen zal ze alles doen wat ik zeg.'

Ze keken elkaar aan. Pigoreau haalde zijn schouders op. 'Oké.'

Dukas sprak met mevrouw Obren op een onderduikadres. Hij had erop gestaan dat ook Pigoreau en een vrouwelijke agent erbij aanwezig waren. Het was erg vochtig in het appartement – een ijzig commentaar op hun gebrek aan succes, want ze hoefden nagenoeg nooit een beroep op deze woning te doen. Dukas zat op een hard stoeltje, dat hij had omgedraaid, zodat zijn maag tegen de rugleuning drukte. Iedereen had zijn of haar jas aan. Mevrouw Obren had wanten aan en een wollen muts op, en zag eruit alsof ze van plan was op reis te gaan. Tussen hen beiden was er helemaal niets meer: ze begreep de situatie volkomen.

Hij vertelde haar wat er van haar verwacht werd. Ze zou terugkeren naar de RS, twee dagen lang uitleggen dat ze was opgepakt en vastgehouden door die ellendige grenspolitie, waarna ze naar Belgrado door moest reizen. Daar aangekomen moest ze proberen contact op te nemen met Zulu.

'Maar ik zou absoluut niet weten hóe ik contact met hem op zou moeten nemen!'

Hij negeerde haar stem, wat die vroeger met hem gedaan had. 'Ik vertel je wel hoe je dat moet aanpakken. Hij leeft onder de naam Zoltan Kousavik – de familienaam van zijn moeder.' Hij vertelde haar niet dat de NCIS het telefoonnummer in de computer van zijn vader had gevonden, en van daaruit het adres en de naam had weten te achterhalen. 'Hij heeft een vrouw en twee kinderen. Hij woont in een appartement in een van de buitenwijken. Jij gaat proberen contact met hem op te nemen.'

'Maar – ' Ze liet haar tong langs haar lippen glijden. Die waren gebarsten en geschilferd. Haar huid zag er uitgedroogd uit. 'Hij zal direct weten hoe of wat. Waarom zou ik hem willen spreken?'

'Omdat ik je opdracht geef dat te doen. Omdat ík je zijn adres heb gegeven en je heb gevraagd een boodschap naar hem toe te brengen. Die boodschap luidt dat hij een deserteur is van het Amerikaanse Korps Mariniers, en dat als hij zichzelf bij mij aangeeft en bereid is zich door mij te laten verhoren, ik hem kan beloven dat hij er in de States met een lichtere straf af zal komen.'

Ze stond op. Iedereen stond op, op Dukas na. Ze zag er hopeloos uit. 'Dat doet hij nooit.'

'Trouwens, je zegt zelf dat hij er niet is. Je hebt ons verteld dat hij is weggegaan. Als hij is weggegaan is hij er niet meer en hoef je hem helemaal níets te vertellen. Dus in plaats van hem die boodschap te bezorgen, zorg je ervoor dat je mij wat informatie kunt geven. Ik wil weten waar hij naartoe is en wanneer hij terugkomt. Ik wil dat je het zodanig regelt dat je te horen krijgt waar en wanneer hij terugkeert. Dat ga jíj voor mij uitzoeken.'

Haar mond hing een eindje open. Ze keek hem wezenloos aan. 'Hoe?'

'Jij gaat naar zijn vrouw. Je zorgt ervoor dat je bevriend met haar raakt. Dan zal ze het jou ongetwijfeld vertellen.'

'Dat kán ik niet! Probeer maar iemand anders te krijgen!'

'Er is verder niemand meer.'

'Nee! Ik doe het niet!'

'Je doet het wel, anders zie je je echtgenoot nooit meer terug. Ik weet waar hij is. Als jij dit níet doet, zorg ik er persoonlijk voor dat hij ergens wordt opgeborgen waar je hem nooit terug zult vinden. Nóóit. Als je het wél doet, geef ik hem aan je terug.'

Pigoreau en de vrouwelijke agent keken uitdrukkingsloos toe, als verplegend personeel dat aanwezig is wanneer de arts slecht nieuws te vertellen heeft. Beiden deden hun best er zo afstandelijk mogelijk uit te zien.

'Wéét je dan waar hij is?'

'Hij bevindt zich in een hospitaal aan onze kant van de demarcatielijn.'

Haar gelaatsuitdrukking veranderde, ze leek op te lichten, nieuwe hoop te koesteren. 'Hoe gaat het met hem?' bracht ze jammerend uit.

'Dat zal ik je vertellen zodra je uit Belgrado bent teruggekeerd.'

Heel even was er op de kaak van Pigoreau een zenuwtrekje zichtbaar, alsof hij op het punt had gestaan achteruit te deinzen, en zich toen had bedacht. Maar in werkelijkheid lukte het hem even niet afstand te nemen. Dukas was nóg harder dan hij gedacht had.

Op zee, aan boord van de Jackson.

Sneesen zag kans zich redelijk in te houden. Zo beschouwde hij het zelf – zichzelf bijeenhouden, zodat hij niet uit elkaar zou spatten als een veer die in elkaar werd gedrukt en dan plotseling werd losgelaten.

Het was moeilijk. Niemand zei veel tegen hem, zelfs blanke bemanningsleden niet. Ze begrepen het niet. Het was precies zoals sergeant-majoor Borne had gezegd: ze waren allemaal gevallen voor die flauwe kul over verscheidenheid en samen één maatschappij vormen, en ze wilden niet naar hem luisteren, terwijl ze tegelijkertijd deden alsof ze konden hip-hoppen, jiven, honkbal spelen als de eerste de beste nikker.

Vandaag was hij erachter gekomen dat de squadroncommandant een jood was. Dat maakte dat een hoop dingen op hun plaats vielen, maar het was wel moeilijk. Niemand anders besefte het, maar Sneesen kon dat opmaken uit de manier waarop de man in de squadronruimte allerlei joodse woorden liet vallen – gotspe, mesjogge, tuchus – en daarbij de bovenkant van zijn hoofd aan bleef raken, waar ze van die kleine keppeltjes droegen als ze onder elkaar waren. Het verklaarde erg veel – waarom dat zwarte wijf altijd met overste Rafehausen vloog, en waarom er nu een nikker was, McAllen, die een grandioze ASW-onderofficier zou moeten zijn en als SENSO fungeerde, maar dat kon natuurlijk helemaal niet, dus moest het deel uitmaken van een complot om overste Rafehausen met zwartjes te omringen en zo zijn ondergang te bewerkstelligen.

Als híj zoiets kon zien, waarom zagen de ánderen dat dan niet?

Sneesen bad tegenwoordig vaak. Hij bad dat God ervoor zou zorgen dat de ogen van de blanken eindelijk eens open zouden gaan, zodat ze de waarheid zouden zien. Hij bad voor Rafehausen. Hij schreef opnieuw een brief aan de aalmoezenier.

Washington.

Rose zat in haar kantoortje op het IVI. Dat was op zích al ongebruikelijk. Nóg ongebruikelijker was het feit dat ze een stukje papier tussen haar vingertoppen liet rollen, om dat, toen het aanvoelde als een glad bolletje, in haar prullenmand te mikken. Daarna scheurde ze, zonder te kijken, nóg een stukje papier van een envelop, en begon ook daar een balletje van te rollen. Twee dagen voordat ze in Napels aan boord van de *Philadelphia* zou gaan, zat ze hier papieren balletjes te rollen.

Valdez keek om de hoek van de deur. Hij leek op het punt te staan iets te gaan zeggen, maar kon nog net zijn mond houden. 'Hé, man,' zei hij in plaats daarvan. Hij maakte zich duidelijk zorgen over haar. Hij was heel even bang dat ze crack had geslikt.

'Wat?'

'U dóet helemaal niets. Ik geloof niet dat ik u ooit niets heb zien doen. Bent u ziek?'

'Hé, Valdez.'

'Hé, luitenant-ter-zee der eerste der eerste klasse Siciliano.' Hij stapte naar binnen. 'Hé, alles goed met u? Waarom neemt u niet een paar dagen vrij, gaat u naar – '

'Luister, Valdez, wat is er met al dat lawaai gebeurd dat je over de datastroom voor Peacemaker hebt gemaakt?'

'U heeft zelf gezegd dat ik daarover mijn mond moest houden.' Ze had blijkbaar iets van hem nodig. Prima.

Ze gooide het papieren propje naar de prullenmand, zag hoe het tegen de rand stuiterde. 'Ben je er nog op doorgegaan?'

'Ik heb hier en daar wat vragen gesteld. En toen kreeg ik te horen dat als ik verstandig was, ik daar onmiddellijk mee op zou houden.'

Ze fronste haar wenkbrauwen. 'Ánders?'

Hij haalde zijn schouders op.

'Herinner je je nog dat ze hebben geprobeerd je hier weg te krijgen, over te plaatsen?'

'Jazeker.'

'Dat was toen je vragen begon te stellen.'

'Ja. Daar was ik zélf ook al achtergekomen.'

Ze begon opnieuw een stukje papier tot een balletje te rollen. 'Suter heeft geprobeerd je overgeplaatst te krijgen.'

Daar leek Valdez absoluut niet van op te kijken. 'Ik had al gemerkt dat hij me liever niet om zich heen had, en dat hij op ú viel, als ik dat mag zeggen, maar toen begon ik al één en één bij elkaar op te tellen; ik denk dat het komt door die vragen over de datastroom, niet vanwege het feit dat hij op u valt. U weet nog dat ik bij de afdeling Beveiliging moest komen en mij allerlei vragen werden gesteld, waarna u het voor me heeft opgenomen. Het zijn verdorie een stelletje nazi's; ze wilden me een test met de leugendetector laten ondergaan, en toen heb ik ze gezegd dat ik moeiteloos een kind van twaalf van de straat kon plukken dat met dat apparaat de kachel aan zou maken. Volgens mij zat Suter achter dat alles. Ik vond dat hij er nogal veel werk van maakte, enkel en alleen omdat hij op u viel, dus kwam ik tot de conclusie dat mijn vragen wel degelijk bij bepaalde mensen irritatie opriepen, en heb toen maar verder mijn mond gehouden.'

'Herinner jij je meneer Peretz nog? De man die hier een week lang zijn reservistentijd heeft doorgebracht?'

'Ja, die heeft óók een zwak voor u. Aardige vent.'

'Deze man heeft eveneens een hoop vragen gesteld. Hij zat hier nog maar één week van de twee die hij hier door zou brengen, of hij werd al overgeplaatst.'

Ze keek op. Hun blikken kruisten elkaar.

Valdez grinnikte. 'Begint zich hier misschien een bepaald patroon af te teke- nen?' merkte hij op. 'Zoals bijvoorbeeld de voormalige ltz1 Suter, die een vriendje opbelt, en hem laat overplaatsen?'

'Vorige week is Peretz op straat in elkaar geslagen.'

'Dat heeft u me verteld. Afgrijselijk, maar – wat heeft dat met elkaar te maken?'

'Denk daar eens over na.'

'Dat is dan een hele tijd nadat hij hier vragen heeft gesteld.'

'Het mag dan misschien een hele tijd geleden zijn dat hij híer heeft gezeten, Valdez, maar hij is tot vlak voordat hij in elkaar werd geslagen vragen blijven stellen. Een dag of vier, vijf voordat het gebeurde belde hij me op, en stelde een hoop vragen over Peacemaker. En over Suter.'

Opnieuw kruisten hun blikken elkaar. Met een rood hoofd merkte ze op: 'Ik heb dat aan Suter verteld.'

'O, man – !' Valdez wierp in een groots gebaar beide armen omhoog, alsof hij een grote menigte wilde vragen toch vooral goed nota te nemen van het feit hoe stóm deze vrouw wel niet moest zijn. 'Waarom heeft u het míj niet verteld? Die knaap stelt vragen over Suter, en u zegt dat tegen Súter? Op z'n best kan Suter alleen maar een hypocriete klootzak worden genoemd, en u vertelt die knakker zo'n beetje alles! Valt u soms ook voor hém?' Hij veegde zijn zwarte haar naar achteren en ademde luidruchtig uit. 'Jeetje, nu heeft u bloed aan uw handen.'

'O, god, Valdez – !'

'Hé, hé, hé –! Dat bedoel ik niet letterlijk; bij wijze van spreken. Die knaap, Peretz, komt er toch wel weer bovenop? Toch?'

'Hij is gisteravond geopereerd; ze zeggen dat hij uiteindelijk weer zal herstellen, maar dat het wel erg lang gaat duren.'

'Nou, ziet u wel. Maar, míjn god, dit is wel *heavy*, een knaap in elkaar laten tim- meren omdat hij vragen stelde.'

'Dat weten we niet.'

'Nou, ik weet ook niet zeker of leeuwen verzot zijn op Latino's, maar ik klim in de dierentuin niet in het leeuwenhok, neem dat maar van mij aan. Hé, luister: waar zit u op dit moment écht aan te denken? Waarom bent u voortdurend propjes aan het maken? Ik heb u dit nog nooit zien doen.'

Ze rolde het papier tussen haar vingers, steeds weer, en wreef het vervolgens tus- sen haar beide handpalmen. 'Ik vraag me af wat er met Peacemaker aan de hand zou kunnen zijn waarover we geen vragen mogen stellen. Plotseling – aan de late kant, ik wéét dat het aan de late kant is, Valdez; het lijkt wel of ik er bewust m'n ogen gesloten voor heb gehouden – ik wilde er helemaal níets van horen, begrijp je – ik wilde me nergens door laten afleiden – en nu maak ik me zorgen.'

'U maakt zich zodanig zorgen dat u uit zou willen stappen?'

Ze gooide het propje precies in de prullenmand, zonder de rand te raken. 'Mooi van niet.' Ze kwam overeind en ging staan. 'Ik wil eindelijk wel eens gaan oogsten. Morgen nemen jij en ik de hele lancering nog eens door, en daarna vliegen we naar Napels, waar we aan boord van de *Philadelphia* zullen gaan. Maar ik ga eerst eens even met Ray Suter praten – en jij gaat met me mee, als getuige.' Ze zei niet: *en ik laat me niet langer door die knaap om zijn vinger winden omdat ik zo van zijn aandacht gecharmeerd ben,* maar dat dácht ze wel.

Suter was aanwezig, en hij was maar al te bereid tijd vrij te maken voor ltz1 Craik, zei zijn secretaresse. Rose beende door de gangen van het IVI als een vrouw met een missie, terwijl Valdez zijn best moest doen om haar bij te houden. Ze vormden een vreemd maar vertrouwd stel – zij slank, soepel, hoofdomdraaiend aantrekkelijk; hij vierkant, gespierd, een tikkeltje onbehouwen. Geen van beiden keek op een manier die anderen aanmoedigde het met hen aan de stok te krijgen.

Rose stapte als eerste Suters kantoor binnen, en Suter kwam al achter zijn bureau vandaan, zijn armen omhoog brengend teneinde haar te omhelzen – gebruikmakend van haar kwetsbaarheid die ze had getoond direct nadat Peretz in elkaar was geslagen – toen hij Valdez achter haar aan naar binnen zag stappen. 'Wacht op de gang en doe de deur dicht,' beet Suter hem toe.

'Blijf hier, Valdez.' Rose deed een stapje opzij om de avances van Suter te ontlopen. 'Maar misschien is het een goed idee om de deur dicht te doen.'

Ze stond vlak bij het grote raam dat uitzicht bood over het glooiende terrein van de industriële campus, waar Marylands zwakke imitatie van de winter zich probeerde te nestelen. Valdez, de armen over elkaar geslagen, stond op enige afstand van de twee anderen, maar zo te zien klaar om elk moment tussenbeide te komen.

'Oké, Ray,' zei ze, 'laten we de flauwekul achterwege laten. Sinds ik hier werk heb je me alleen maar een rad voor ogen gedraaid; ik wil nu de waarheid weten. Wie heeft Abe Peretz in elkaar geslagen?'

Suter aarzelde de milliseconde die liet zien hoe geschokt hij was door die vraag, en probeerde vervolgens het zo hautain mogelijk aan te pakken. 'Rose, wat heeft dit verdomme te betekenen? Peretz – wie is Peretz?'

'De reserveofficier die jij hebt laten overplaatsen omdat ík je heb verteld dat hij steeds vragen stelde over Peacemaker en doelwitgegevens. Kom op, Ray – welke problemen heb jij met dat soort vragen?'

'Heeft jouw jongetje hier je soms weer allerlei verhalen over de datastroom verteld, hm? Ik dacht dat we dat geregeld hadden.'

'Jíj hebt dat geregeld, ik niet – en gebruik het woord "jongetje" niet.' Ze perste haar lippen op elkaar en een ogenblik lang leek het wel of haar gezicht iets verzachtte. 'Ray, ik mocht je graag. Ik genoot van het feit dat je je tot mij aange-trokken voelde. Maar daar heb je misbruik van gemaakt.'

Suter wierp een blik opzij, richting Valdez, en stond op het punt te protesteren.

'Je hebt tegen me gelogen,' zei ze. 'Je hebt tegen me gelógen.'

'Bepaalde dingen over Peacemaker hoef je niet te weten.'

'Ik ben de lanceerofficier! Ik ben gemachtigd om kennis te nemen van topge-heimen. Ik móet het weten!'

'Daar beslis ík niet over en daar beslis jíj niet over. Je bent een officier binnen de strijdkrachten. Dit soort dingen accepteér je.'

'Is dát de reden waarom je eruit bent gestapt, omdat je dit soort zaken accep-teerde?'

'Mijn eigen ervaringen doen hier niet ter zake.'

'Jouw ervaringen, daar drááit het juist om! Verdomme, Ray, ik heb je verteld wat Abe Peretz in z'n eentje over Peacemaker heeft ontdekt, en vier dagen later wordt hij zodanig in elkaar geslagen dat hij bijna het loodje legt. Vertel me de waarheid!'

'Rose, god, luister – laten we hier eens rustig over praten zonder – ' Hij wierp ene korte blik in de richting van Valdez.

'Hij blijft híer. Ray – *jij hebt bepaalde mensen over Peretz verteld en vervolgens wordt hij half doodgeslagen*. Wie heb je over hem verteld? Wíe heb je over hem verteld?'

Suter leek na te gaan welke keuzes hij nog had, en op zijn gezicht was nu echte pijn te zien, pijn veroorzaakt door het feit dat hij eindelijk begreep dat zijn ge-voelens jegens Rose niet beantwoord werden, en misschien zelfs wel werden verpulverd. Hij schraapte zijn keel. 'Het was een veiligheidsaangelegenheid. Ik heb het alleen maar aan de afdeling Security doorgegeven. Verder, eh – weet ik het – eh, niet.'

'Heb je het er met George Shreed over gehad?'

Er trok een huivering over Suters gelaat, iets dat op pijn zou kunnen wijzen, misschien zelfs lichamelijk lijden – maar het zou ook de pure ellende kunnen zijn van het feit dat men hem doorhad. Het zorgde er in elk geval voor dat Val-dez 'Zie je wel!' mompelde, waarna er een brede grijns op zijn gezicht verscheen en Rose hem gebaarde dat hij zijn mond moest houden. Nu sloeg ze zélf de armen over elkaar. Ze had nu duidelijk de leiding. 'Wat voor relatie heb jij met George Shreed?' wilde ze weten.

'Ik geef geen antwoord op deze vragen. Op deze ongepaste vragen.'

'Komt het soms omdat jij en Shreed allebei de pest hebben aan mijn man? Ray, George Shreed geeft alleen maar ellende – wat héb je verdomme met hem; werk je soms voor hem?'

'Ik wérk niet voor hem. Ik kén hem niet eens. Waar haal je al deze flauwekul vandaan? Volgens mij zijn dit alleen maar wilde veronderstellingen, Rose. Het is pure waanzin – en ik ben dan ook niet van plan hier aan mee te doen. Volgens mij kun je beter vertrekken. Jullie béiden kunnen nu beter vertrekken. Ik ben heel erg teleurgesteld in je, Rose.'

Ze schudde haar hoofd. 'Iemand als George Shreed scheurt jou in kleine stukjes en spuwt je vervolgens uit zonder ook maar één keer met zijn ogen te knipperen. Ray, Shreed is precies het soort man dat in staat is Peretz datgene aan te doen wat hem nu is overkomen – of iemand anders daar opdracht toe te geven, want gewoonlijk laat hij het vuile werk door anderen opknappen. Zoals hij jou zover heeft gekregen dat je ging proberen invloed op mij uit te oefenen. En op het IVI, als ik het goed begrijp. Goed – wat is er met Peacemaker aan de hand?'

Suter slikte even moeilijk, liep terug achter zijn bureau en ging zitten. 'Dit gesprek is afgelopen. Als je nog andere vragen mocht hebben stel ik voor dat je die rechtstreeks aan generaal Touhey stelt. Meer heb ik niet te zeggen.'

Ze keek hem strak aan. Het was het einde van dit gesprek – en van iets waarvan hij had gehoopt dat het zou kunnen uitgroeien tot een verhouding, en beiden waren ze zich daar terdege van bewust. 'Oké,' zei ze, 'dat zal ik dan maar doen.'

En vervolgens beende ze samen met Valdez in de richting van Touhey's kantoor, maar tegen de tijd dat ze daar arriveerde had Suter al met Touhey gesproken, en van de receptioniste kreeg ze te horen dat de generaal haar twee minuten kon ontvangen, en dat Valdez daarbij niet welkom was. Eenmaal in het kantoor van de generaal moest Rose blijven staan, werd ze eraan herinnerd dat ze militair was en dat ze gehouden was de wetten op de geheimhouding in acht te nemen, en kreeg ze verder nog van Touhey te horen dat als er aspecten waren die het voor haar onmogelijk maakten om optimaal binnen het Peacemaker-project te functioneren, ze nú terug diende te treden en haar taak aan de plaatsvervangend lanceerofficier moest overdragen.

En dat zou het einde van haar carrière betekenen. En de plaatsvervangend lanceerofficier was Ray Suter.

'Ik zou graag één enkele vraag willen stellen, generaal.'

'Zeg het maar.'

Haar stem klonk afgemeten, officieel. 'Zijn alle bevelen die ik in het kader van de lancering van Peacemaker zal ontvangen, legitieme bevelen in de zin van de Uniforme Gedragscode betreffende het Militaire Recht?'

'Daar kan ik bevestigend op antwoorden.'

'Daar zal ik u aan houden, meneer. Dank u voor uw tijd.'

Weer op de gang trok ze Valdez in haar kielzog met zich mee en zette koers naar haar kantoor.

'En?' zei Valdez terwijl hij zich haastte om haar bij te houden. 'Wat gaan we nu doen?'

'We vertrekken overmorgen naar Napels, gaan aan boord van ons schip, varen naar de Golf van Sydra, en kwijten ons van onze taak.'

'Alsof er helemaal niets is gebeurd?'

Ze had een gelaatsuitdrukking die Alan moeiteloos zou hebben herkend, en waar hij best een beetje beducht voor was. 'Daar gaat het bij het kwijten van je taak volgens mij om.'

33

2 december

Zaïre.

Ze hadden een smal, onverhard pad gevolgd, en vervolgens een breed spoor waar ooit voertuigen gereden moesten hebben, om uiteindelijk bij de oever van een klein meertje uit te komen. Aan de westkant van het water stonden twee half in elkaar gezakte rieten hutten. Het was een kamp dat vroeger door blanke jagers was gebruikt en waar nu nog een stuk of wat oude Luo-stropers woonden. Die zouden ongetwijfeld over vuurwapens beschikken.

Alan begaf zich behoedzaam op het open terrein dat vroeger als parkeerplaats dienst had gedaan en riep zachtjes om de M'zee. Na een minuut of wat kwam er een oude man uit de dichtstbijzijnde hut, met in zijn hand een enkelschots jachtgeweer. De loop was recht op Alans onderbuik gericht, hoewel de ogen van de oude man bijna helemaal wit waren van de grauwe staar. Hij begreep het rudimentaire Bemba/Swahili van Alan best redelijk, hoewel hij net deed alsof dat niet zo was. De kleur van de gouden munten begreep hij aanzienlijk beter, en hij stemde toe hen van voedsel te voorzien.

De grond liep in de richting van het meer langzaam af, terwijl de twee grote banda's aan het uiteinde stonden van iets dat ooit een strandje was geweest en nu tot een klein, egaal rietveld was verworden. Aan de overkant van het meer verhieven zich boven de vlakte twee hoge heuvels, die beide voorzien waren van een rotsachtige uitstulping die scherp afstak tegen het donkere groen van het woud. Op de voorgrond groeide tussen de hutten en de waterrand een veelheid aan bontgekleurde bloemen, ondanks de regen bijna opzichtig; na meer dan een week eentonigheid in het woud waren de uitbundige kleuren in het daglicht bijna even luidruchtig als een geweerschot. Pal aan het meer waren links van hem twee bloemen te zien die eruitzagen als stokrozen. Hij sneed een ervan af en deed die tussen het dagboek dat hij in zijn helmtas bewaarde – voor Rose, omdat de bloem zo apart was.

Harry en Djalik kwamen nu ook de open plek tussen de twee bouwvallige hutten op. Alan hielp ze bij het afdoen van hun bepakking, en de drie mannen streken neer in de rieten bouwval die ooit de bar was geweest. Er stonden zelfs nog echte stoelen. Djalik ging zitten en viel onmiddellijk in slaap.

Ze aten wilde impala totdat hun handen en stoppelbaarden onder het vet zaten. De impala had een uur daarvoor nog geleefd, vermoedde hij, om vervolgens –

illegaal – te worden geschoten om hen te kunnen voeden. Op dat moment was het het heerlijkste wat hij ooit had gegeten. Hij en Harry wasten zich in het meer, grapjes makend over bilharzia en andere tropische infectieziekten, maar in feite was het water van het meer steenkoud, veel te koud voor dat soort organismen.

Harry probeerde Tutsi te spreken met de vrouwen die het vlees bereidden, maar slaagde daar niet in. Hij vertelde Alan later dat deze mensen 'ere'-Banye Melenge waren. Ze spraken geen enkele taal die hij of Alan kende, behalve dan net voldoende woorden Bemba, Swahili en Creools om met Alan te kunnen onderhandelen. En ze waren ook absoluut nergens bang voor; aan de overkant van het meer zag hij mensen bewegen, jongelieden met geweren, en hij vermoedde dat hun gastheren hier gewend waren hun eigen boontjes te doppen en zich van niemand iets aantrokken.

Harry vond Alan terwijl hij in de laatste stralen van de ondergaande zon zijn vislijn in het meer wierp, staande op het uiteinde van een oude betonnen strekdam. Het was opgehouden met regenen en de lucht was nu nevelig, goudachtig. Terwijl Harry naar hem toe liep verdween Alans dobber met veel gespetter onder water en begon hij de vis naar zich toe te trekken. Harry moest lachen terwijl hij Alan hielp het dier aan land te krijgen. Ze waren beiden drijfnat geweest, maar de vrouwen hadden hun kleren te drogen gehangen en nu hadden ze een oude lap stof om zich heen gewikkeld en droegen die als een soort sarong. Alan sloeg de vis net zo lang met zijn mes op de kop tot het dier niet meer bewoog.

'Dat is een forel!' zei Harry.

Alan haalde zijn schouders op en glimlachte. Wat voor soort vis het ook mocht zijn, het had inderdaad iets weg van een forel.

'Hoe gaat het met Djalik?'

'Die is weer in slaap gevallen.' Harry aarzelde. 'Ik denk dat hij koorts heeft. De hand.'

De oude man en een jongen legden van omgehakte stammetjes een groot vuur aan, met de opmerking dat 'dit de manier was waarop ze het vroeger altijd deden'. Voor het eerst sinds een week waren ze in staat om languit te gaan liggen. De wildernis waarin ze hadden geleefd had voortdurend een benauwende indruk gemaakt, vol vluchtelingen, of vijanden. Het Zaïrese woud was óf zo droog als een woestijn, óf vochtig, en er was nauwelijks een vlak stukje te vinden waar je kon liggen, laat staan je uit te rekken. Overal trof je omgevallen bomen, moerassen, struikgewas en plassen water. Alleen het zien al van deze open plek in het bos, het vuur en de weerspiegeling van het meer zorgde ervoor dat ze aanzienlijk opmonterden.

Terwijl ze daar zo zaten sneed Alan een stuk canvas aan repen, een lap die ooit onderdeel een tent was geweest. Hij maakte er windsels van waarmee hij zijn blote benen tot aan zijn knieën kon omwikkelen. Hij maakte ook een stel voor Djalik. Ze dronken thee uit oude colaflesjes en staarden in het vuur.

Dat was het tijdstip waarop hij met het slechte nieuws kon komen. Alan legde de kaart op de wat drogere grond bij de vuurkuil en zette er een petroleumlamp vlakbij, zodat het papier van beide kanten verlicht werd. 'De oude man zegt dat het tweede oppikpunt door het FAZ wordt gebruikt. Ik heb begrepen dat het om een vliegveldje gaat van waaruit hij vroeger onderdelen van illegaal geschoten neushoorns verscheepte. Het FAZ gebruikt dat veld nu voor precies hetzelfde – spullen die ze hebben gestolen, wapens, goederen van buitenlandse hulporganisaties. En dat maakt dat dat terrein voor ons niet veilig is.'

'Dus zeggen we maar dag met ons handje,' merkte Harry op.

'Inderdaad.'

'Hoeveel verder moeten we nu?'

'Hij denkt dat het tot het derde vliegveldje een dag of drie lopen is, maar ik geloof niet dat hij er zelf ooit geweest is. Als hij zegt drie dagen, dan bedoelt hij dat in zijn eigen tempo. In óns tempo is dat vier, misschien zelfs wel vijf dagen.' Alan tikte op de kaart. 'Ik denk dat het verstandig is om nog een dag en een nacht hier te blijven, en dan op pad te gaan.'

'Nee.' Het was Djalik. Zijn gezicht leek door het schijnsel van het vuur verwrongen. Hij wist dat híj degene was die geacht werd uit te rusten.

'Je bent bekaf, Mike.'

'Dat bepaal ik zélf wel, *commander*.'

Alan slikte het antwoord dat hij had willen geven in. In elk geval had Djalik niet 'geen probleem' gezegd. Nu hij erover nadacht had hij die kreet al een paar dágen niet meer gehoord.

'Oké. Probeer wat te slapen. Dan vertrekken we bij het aanbreken van de dag.'

Napels, Italië. 3 december.

De straten van Napels glommen van de regen, en de weinige mensen die buiten moesten zijn holden van de ene droge plek naar de andere, terwijl de taxi van Rose door een brede doorgaande straat in de richting van haar hotel reed. Onderweg, vlak na het vertrek van het vliegveld, had terwijl het regende tegelijkertijd de zon geschenen, en ze had zich afgevraagd wat – de regen of de zon – symbolisch voor de afloop van haar missie zou kunnen zijn. Ze had gedacht dat ze Alan hier terug zou zien, maar zijn schip bevond zich nog steeds op de Atlantische Oceaan, en ze had de afgelopen paar weken niets van hem gehoord. Valdez, die naast haar zat, hield zich stil. Het was hun derde trip naar Napels.

'Drie keer is scheepsrecht,' zei ze. Terwijl ze het zei bedacht ze dat het uiterst stupide moest klinken.

'Waar is onze ontmoeting met die mariniers?' Valdez, een massieve aanwezigheid waarop ze was gaan bouwen, had duidelijk geen zin in vrijblijvend geklets. 'Áls Suter niet op het laatste moment heeft ingegrepen, en áls de marine niet verward is geraakt in haar eigen bureaucratische regels, zouden ze hier eerder moeten zijn aangekomen dan wij.'

'Ik wil ze eerst zíen. Dan geloof ik het pas.'

Daar was ze het mee eens, maar ze wilde niet laten merken dat ze zich ook zorgen maakte. Met de lancering kon nog van alles fout gaan – het schip, de raket, het weer, onverwachte zaken – maar ze had haar zinnen gezet op de mariniers, alsof hun aanwezigheid het succes van de missie zou kunnen afdwingen. Een paar jaar geleden had ze een medaille gekregen vanwege het feit dat ze een groepje mariniers naar vijandelijk gebied had gevlogen om daar drie Amerikanen (een daarvan was haar echtgenoot) weg te halen, maar ze besefte dat alle heroïek toen van hún kant was gekomen. Nu wilde ze er zélf deel van uitmaken.

Goddank lag er in het hotel een boodschap op haar te wachten. Ze belde het betreffende nummer, kreeg een hotel een paar straten verderop aan de lijn, en werd doorverbonden met *gunnery*-sergeant LaFond, een onderofficier die klaarblijkelijk in artillerie was gespecialiseerd.

'Goedemorgen, meneer, u spreekt met LaFond.'

De stem klonk evenwichtig, vrij laag. Er sprak competentie uit, doelmatig handelen.

'Gunny, hier luitenant-ter-zee der eerste klasse Siciliano.'

Een nauwelijks waarneembare aarzeling – zou hij niet geweten hebben dat ze een vrouw was? 'Jawel, mevrouw.'

'Ik ben net aangekomen. Gaat alles door?'

'We zijn klaar om aan boord te gaan, mevrouw. Ik heb drie uitstekende mannen bij me en we zijn momenteel bezig met het controleren van onze, eh, noodapparatuur.' *Wapens*, bedoelde hij. Ze voelde hoe er een golf van opwinding door haar heen voer en dacht: *Het komt allemaal in orde.* 'Ik kom direct naar je toe,' zei ze.

'Eh, mevrouw, de jongens zijn, eh – '

'Zeg tegen je mannen dat ik niet op inspectie kom, maar ik kom wél naar je toe!'

Ondanks het feit dat hun hotel vlakbij was, nam ze een taxi. Toen ze Gunny LaFonds kamer binnenstapte moest ze hard lachen. De vier mariniers hadden op elke beschikbare plek onderdelen van hun gevechtsuitrusting neergelegd, en de kamer leek wel een depot voor lichte wapens, terwijl door het raam de Vesuvius te zien was. De mariniers droegen een T-shirt en spijkerbroek, en ze dacht: *Ze zijn zo jong – zo verdomde jong*. Maar dat had ze ook gedacht van de mariniers die ze eerder in actie had gezien, en steeds weer hadden ze zich erdoor weten te slaan.

'Weet de bedrijfsleider van het hotel dit?' vroeg ze aan LaFond. Hij was een magere, kleine man met zandkleurig haar en het soort harde gelaat dat in films altijd als cowboy wordt gecast.

'We willen niet op straat worden gezet, mevrouw. Of gearresteerd.'

Ze zag nachtzichtapparatuur, kevlarvesten, zes handvuurwapens, waarvan er slechts twee de gebruikelijke standaard-Beretta's waren, een stuk of wat messen, twee bijlen en iets dat eruitzag als een ouderwetse kortelas, een vroeger door zeelieden gebruikte sabel. Ze pakte hem op en keek LaFond vragend aan.

'Een soort talisman,' zei hij. 'Ik heb hem hier in Napels bij een uitdragerij gevonden. Om enteraars terug te slaan.' Hij keek haar grijnzend aan, en ze zag dat deze LaFond een probleem zou kunnen vormen, hoewel hij zijn best deed dat niet te zijn. *Cajun*, besefte ze. Hij bekeek haar met ogen die vrouwen op een heel aparte manier bezagen, en dat was niet een manier waarop hij gezag afdwong. Maar hij deed zijn best dat te onderdrukken.

Snel noemde hij de spullen die rechtstreeks naar de *Philadelphia* waren gestuurd: twee Mark 19's met HE, APHE en frag – HE stond voor *High Explosive*, APHE was *Armour Piercing High Explosive*, pantserdoorborende granaten, terwijl *frag* stond voor fragmentatiegranaten – hun vier standaard M-16A2's; handgranaten; en zes Claymore-mijnen, die, zo zei LaFond bijna verontschuldigend, waarschijnlijk van weinig nut zouden zijn, maar wat explosieven betrof was het het enige waarop hij de hand had kunnen leggen. 'Ik dacht dat ik hier in Napoli misschien wel iets op de zwarte markt zou kunnen scoren.'

'Dat zou ik niet doen; daar hebben we geen tijd voor en ik wil niet dat je mannen problemen krijgen met de plaatselijke politie. Dat zou er nog net bij kunnen, jullie in de lokale lik, terwijl ik naar de Golf van Sydra op weg ben. Hoe dan ook, samen met de spullen die ik aan boord heb laten brengen moet het voldoende zijn.' Ze vertelde hem dat Touhey alleen maar had willen tekenen voor een LAW (Light Anti-tank Weapon), die oké zou zijn geweest tegen de lichte tanks uit de jaren zestig, mochten die zich op zee hebben vertoond, maar naar alle waarschijnlijkheid weinig effectief zou zijn tegen drijvende voorwerpen. Ze was er op eigen kracht nog in geslaagd twee riotguns te ritselen, die bedoeld waren voor de bemanning van het schip, alsmede vier Steyr AUG's, waarvan er eentje een pistoolmitrailleur was die ze voor zichzelf had bestemd. 'Hebben jullie ooit wel eens een LAW afgevuurd?' vroeg ze.

LaFond gromde: 'Ik heb zo'n beetje álles afgevuurd, mevrouw. Zo niet in het gevecht, dan wel tijdens de een of andere opleiding.' Hij kneep zijn ogen nu halfdicht en zei: 'Wat verwacht u eigenlijk, met al deze vuurkracht tot onze beschikking?'

'Ik verwacht helemaal niets, Gunny. Ik wil alleen niet verrast worden. Je hebt gehoord wat er tijdens Fleetex is gebeurd?'

Hij glimlachte flauwtjes. 'Mevrouw, ik was erbij – op het vlaggendek.'

'Nou, dat zal niet meer gebeuren.'

Hij keek haar met dezelfde onbuigzame blik aan. 'Ik wil niet persoonlijk worden, mevrouw, maar bent u soms de Siciliano die een paar jaar geleden als helikopterpiloot een stuk of wat mariniers Sudan in en uit heeft gevlogen?'

'Dat was ik.'

LaFond draaide zich naar de drie andere mariniers om. 'Ze ís het, jongens.' Hij stak haar zijn hand toe. 'Het is voor mij een eer onder u te mogen dienen, mevrouw.'

De hand was droog, de handdruk kort en deed zelfs enigszins pijn.

'Ik zie jullie om 08.00 uur bij het schip. Geniet van Napels.' *Eerst Napels zien en dan sterven*, schoot het door haar heen. Ze keek de mannen met een brede glimlach aan.

Op zee, aan boord van de Jackson.

Rafehausen zat in zijn schietstoel en liep voor de vlucht de checklist door. Ze kwam aan boord, wierp hem een warme glimlach toe en ging terug naar haar stoel, en hij onderging haar aanwezigheid als iets dat hem in verwarring bracht, een gloeiend hete flits, iets dat andere mensen konden zien en waar ze om zouden moeten lachen. Hij moest vandaag de dag alle mogelijke moeite doen om zich volledig onder controle te houden, niet alleen wat haar betrof, maar op elk gebied. Maar met name ten opzichte van Screaming Meemie, die hij het liefst een harde klap op zijn bek zou willen geven, en die hij, zodra ze weer op de vaste wal waren gearriveerd, naar alle waarschijnlijkheid écht op zijn donder zou geven.

Misschien moest iedereen aan boord momenteel moeite doen om zichzelf in de hand te houden – ze hadden al lange tijd geen walverlof meer gehad, hadden al té lang gaten in de lucht moeten boren, gaten in het wáter moeten boren, wachtend tot er iets zou gebeuren.

Hij hoorde haar zachtjes vloeken, en toen zat ze op haar knieën, pal achter hem, rechts van hem, aan het eind van de tunnel. Hij beging de fout achterom te kijken. Daar was ze, met gebogen hoofd, iets van de vloer rapend. Papieren bij elkaar zoekend. En een ogenblik lang was de verleiding om zijn hand uit te steken en haar haar heel even aan te raken onweerstaanbaar, en direct daarna besefte hij dat zijn hand al aanstalten had gemaakt in beweging te komen, maar dat hij nog net op tijd bij zinnen was gekomen. Hij werd overvallen door een soort duizeligheid en zei bijna hardop: *Christy, ik ben verliefd op je.*

Maar hij slikte de woorden in. Dat kón niet. Als hij dat zou zeggen zou het hele squadron uit elkaar spatten. Het schip zou zinken. De marine zou ophouden te bestaan.

Eerst discipline, anders werd het weer een chaos.

34

4-7 december

Belgrado.

Draganica Obren zit in het appartement van Z. Ze is doodsbang, maar laat dat niet merken. Ze is nog steeds op van de zenuwen na het verhoor dat haar is afgenomen, maar qua kracht beschikt ze nog steeds over reserves. Ze zal dit alles overleven, weet ze, zolang ze kans ziet híer doorheen te komen.

De vrouw van Z zit tegenover haar. Ze glimlacht. Ze is enigszins mollig, een tikkeltje ouder geworden door het baren van zijn kinderen, een aardige huisvrouw. Hoewel ze aanvankelijk nogal achterdochtig was jegens mevrouw Obren, is ze nu open en vriendelijk, want mevrouw Obren bezit het vermogen charmant te zijn.

Mevrouw Obren verkoopt cosmetica. Althans, dat heeft ze gezegd toen ze voor de deur stond. Ze had een gratis artikel bij zich, zei ze, voor elke vrouw die bereid is naar haar catalogus te kijken; het geschenk is een dure lippenstift en oogschaduw die ze van haar eigen geld in een warenhuis in Belgrado heeft gekocht. De vrouw, deze aardige vrouw, deze glimlachende dikzak, kon tegen dat geschenk geen weerstand bieden.

En nu is ze hier. Ze moet alleen een manier zien te vinden om het gesprek op haar echtgenoot te brengen. Ze weet hoe; ze zal het onderwerp onderwijzer aansnijden, en zeggen dat het hier om een gemeenschappelijke vriend gaat, en hoe klein de wereld wel niet is. En deze aardige dikzak zal het daarmee eens zijn, en ze zullen praten over mensen die ze beiden kennen – kent u zo-en-zo, woont zij ook in RS? Kent u X? Kent u Y? En daarna zullen ze het over echtgenoten hebben: mijn echtgenoot doet dit; mijn echtgenoot zegt dat; heeft uw echtgenoot – ?

En daarna: waar is uw echtgenoot momenteel?

De dikzak glimlacht.

Mevrouw Obren nipt van haar zoete thee en glimlacht ook. Ze heeft lovend over de kinderen gesproken, over de smaakvolle wijze waarop de kamer is ingericht, over de heerlijke geur van het zojuist gebakken brood. Ze glimlacht. *Nu*, denkt ze. Zweetdruppeltjes lopen langs haar oksels en bovenarmen, en bevochtigen haar beha. *Nu zal ik over de onderwijzer beginnen, en dan –*

Het geluid van een rat die ergens op kauwt, een soort geschraap, en vervolgens één enkele klop op de deur. De vrouw maakt een geïrriteerd geluid en loopt naar de deur als iemand die weet wie het is en dat bezoek momenteel het liefst niet zou willen ontvangen.

Ze doet de deur open.

Het is de onderwijzer. Hij stapt naar binnen en loopt de kamer door, en pas dan werpt hij een blik op mevrouw Obren. Ze kijken elkaar aan, en ogenblikkelijk begrijpt ze: hij volgt haar al sinds ze de grens van de RS is overgestoken. 'Wat doet deze vrouw hier?' wil hij weten.

De volgende dag. De grens van Bosnië en Republika Srpska.

Dukas wacht op haar. Hij wacht nu al twee dagen op haar, en ze is te laat, en over drie uur is het donker, ze zal niet komen, en dan is het over en uit.

Hij zit in een half in elkaar gestorte boerderij die tijdens de laatste dagen van de oorlog door een artilleriegranaat was getroffen. Vanaf de resten van de boerderij liep de helling glooiend af richting de grens, met daarachter een hele serie bordjes die waarschuwen voor een mijnenveld dat wellicht écht is, maar voor hetzelfde geld een wrede vinding is van de zich terugtrekkende Serviërs. Op een dag, over niet al te lange tijd, zal de NAVO zich ermee gaan bemoeien en zullen ze het terrein gaan vegen, maar voorlopig is het buitengewoon echt, en het wordt nóg reëler door de beenderen van een dood paard, bij wie de grens precies door de ruggengraat loopt. Dukas heeft naar een weg van fijngestampt puin gekeken en naar de grensposten die erlangs zijn gesitueerd – eentje aan de voet van de heuvel, waar Bosnië begint, en een andere honderd meter verderop, waar het grondgebied van de Republika Srpska start. Dit is de Amerikaanse zone, beide kanten, en de Amerikaanse strijdkrachten komen en gaan om langs beide kanten te patrouilleren – op identieke wijze, zeggen ze – maar als ze de RS binnengaan, doen ze dat met Bradley's of tanks of gepantserde Humvees.

Als ze komt, komt ze hier de grens over. Dat was het plan, het enige plan.

Hij wacht. Naast hem wacht Pigoreau ook. Pigoreau is er voornamelijk om te voorkomen dat Dukas iets stoms doet als – áls – ze ten tonele komt. Pigoreau heeft hem ervan overtuigd dat Zulu, of mensen in de buurt van Zulu, van deze gelegenheid gebruik zullen maken om Dukas te doden. Het is een perfecte situatie, met mevrouw Obren als het perfecte aas.

'Ze komt niet,' zegt Dukas.

Pigoreau haalt zijn schouders op. Pigoreau hoopt dat ze niet komt. Wat Pigoreau betreft geeft ze alleen maar problemen.

Ze wachten nog eens twintig minuten. De schaduwen van de bomen op de heuvel in RS worden steeds langer, in vuile lijnen over de vuile sneeuw geschilderd. Aan de RS-kant verschijnt een bus.

'Daar is de bus,' zegt Pigoreau. 'Te laat, uiteraard.' Hij steekt een nieuwe sigaret op. Ze hebben de bus de hele dag al zien komen en gaan.

Na twintig minuten passeert de bus het checkpoint en begint aan zijn rit heuvelafwaarts. Beneden aangekomen stopt hij bij de Bosnische controlepost en gaan Amerikaanse militairen aan boord om de passagiers eens goed te bekijken. Dukas bestudeert de bus door zijn verrekijker en zijn hart slaat een slag over als hij haar bij een raampje ziet zitten. 'Daar is ze,' zegt hij.

'Shit,' zegt Pigoreau.

'Het is haar gelukt. Verdorie, het is haar gelukt!' Dukas grijnst en maakt aanstalten overeind te komen, terwijl hij zegt: 'Het heeft gewerkt; alles komt in orde,' maar Pigoreau trekt hem weer naar achteren, naar beneden, bij het venster vandaan.

Ze kijken hoe de bus het checkpoint passeert om even later opnieuw te stoppen, waarna er drie passagiers uitstappen. Een van hen is mevrouw Obren. Dukas, die haar door zijn veldkijker bekijkt, ziet dat ze glimlacht. Ze maakt een gelukkige indruk. Gelukkig omdat ze denkt dat ze hem straks weer zal zien? Nee, dat kan niet. Waarom maakt ze zo'n gelukkige indruk?

Bij het verst verwijderde checkpoint is nu een groene Yugo verschenen, die aan de kant van de weg tot stilstand is gekomen. Dukas ziet de auto, maar denkt daar verder niet over na. Pigoreau echter bekijkt de wagen uiterst aandachtig door zijn eigen kijker. Beneden stapt een van hun eigen mensen uit zijn auto en loopt in de richting van mevrouw Obren. Pigoreau heeft erop gestaan dat het op deze manier zou gebeuren. De man in kwestie is Belden, een jonge Brit uit Cardiff. Hij heeft een regenjas aan. Vanaf deze plaats lijkt hij op Dukas, en dat was precies de bedoeling van Pigoreau.

'Het is de onderwijzer,' zegt Pigoreau. Hij kijkt naar de groene Yugo. Hij klinkt grimmig. Hij grist een radio van zijn riem, drukt op een knop en snauwt: 'Belden, wég daar, wég – !'

Dukas ziet Belden aarzelen, en het volgende moment verdwijnen hij en mevrouw Obren in een explosie van lichtflitsen en vlammen, en de schokgolf rolt tegen de heuvel op, de bladloze struiken en kleine bomen meebuigend, en een man die samen met mevrouw Obren uit de bus is gestapt vliegt opzij, waarbij het bloed over de sneeuw spuit; de groene Yugo draait weer richting RS en verdwijnt uit het zicht; en het geluid treft de half in puin liggende boerderij als een doffe klap op een grote trom, of van een hart dat breekt.

35

5-8 december

Sarajevo.
Na een pseudo-voorjaar dat slechts drie dagen duurde was het weer koud in Sarajevo en had de winter opnieuw toegeslagen. Even na vijven in de middag – het begon al schemerig te worden – stond Dukas bij het raam, druk bezig een stapeltje dossiers door te nemen. Toen hij begonnen was met lezen, was hij even later naar het venster gelopen vanwege het licht; nu was het hier de donkerste plek van het hele vertrek, maar hij las door, hoorde het zachte gesis van de sneeuw tegen het glas, maar merkte dat verder niet op. Pigoreau had de dossiers binnengebracht en was weer vertrokken; hij had twee keer zijn hoofd om de hoek van de deur gestoken, had gezien dat Dukas nog steeds aan het lezen was, en was weer vertrokken.

Op dit moment keek Pigoreau opnieuw naar binnen en Dukas gebaarde zonder op te kijken dat hij binnen moest komen. Diep in zijn trui naar een sigaret zoekend trok Pigoreau een van de twee stoelen naar zich toe, waarna hij zich bijna dubbelgevouwen van de ene kant van het vertrek naar de andere begaf en daarbij nog het meest leek op iemand die huisknecht moet spelen in een toneelstuk van Tsjechov.

'Wat denk jij van dit forensisch onderzoek? Kunnen we dat voor het hof hardmaken?'

Pigoreau haalde zijn schouders op. 'Het zijn Hongaren. Wie weet?'

'Vraag of ze nog wat verdere bijzonderheden betreffende de door de explosieven gevolgde banen boven water kunnen tillen – de zijkant van de bus, daar hebben ze nog nauwelijks wat aan gedaan. En dat geldt ook voor het scherfwerende vest; kijk eens of we dat als bewijsmateriaal kunnen krijgen, en het hóuden, en vraag ze of ze die militair een verklaring kunnen laten afleggen; hoe hij precies stond, dat soort zaken. Het is niet voor nu; maar voor over drie, vier, vijf jaar, als we Zulu in handen hebben. Ik wil hem wat dít betreft onder bewijsmateriaal begraven. Ik wéét dat het Zulu geweest moet zijn.'

'Het was de onderwijzer.'

'Wat heeft het IWCT over hem te vertellen?'

'Niet voldoende om hem tot een oorlogsmisdadiger te bestempelen. Dit was op óns gerichte terrorisme, vinden ze daar.'

Dukas stak de vingers van beide handen in elkaar, legde die op zijn buik en liet een lange zucht ontsnappen, zijn wangen gebold als van een trompettist. 'Zo heb ik het ook gelezen. Hoeveel tijd hebben we nog voor we hem moeten overdragen?'

'Dat moet eigenlijk nu al gebeuren. Op z'n laatst morgen. De politie van de Federatie wil hem al sinds gisteren. De Amerikaanse militaire autoriteiten willen hem. Jullie FBI "eist" exclusief toegang tot de man. Iederéén wil hem. Misschien kunnen we hem te koop aanbieden.'

'Misschien moeten we die schoft naar de andere wereld helpen. Oké, hou hem minimaal tot morgenavond vast, ook al moet je hem daarvoor weer een keertje verkassen. Zeg dít maar tegen hem: het was hartstikke slim om een detonator van islamitische origine te gebruiken, maar zo werkt het niet. Die lading is van een afstand tot ontploffing gebracht, mevrouw Obren was een agent van hem – dat kunnen we bewijzen, zeg hem dat maar – en het was geen zelfmoord. Zeg hem maar dat het een mooie soapopera is, dat hij een erg creatieve geest heeft, maar dat we niet denken dat hij daar in zijn auto zat omdat hij zich zorgen maakte over haar mentale toestand. Híj heeft haar gedood, en de reden dat hij haar heeft gedood is de volgende: de echtgenoot van mevrouw Obren zat tot de dag voor haar dood in een gevangenis voor criminele gekken. Toen werd hij – met behulp van valse papieren – naar de spreekkamer van een arts in de Republika Srpska overgeplaatst. Daar heeft ze hem bezocht.'

'Dat weten we niet.'

'*Ik* weet dat! Waarom denk je dat ze er zo gelukkig uitzag? Dan komt ze hierheen en blaast hij haar op, enkel met de bedoeling een van ons te pakken te nemen. Dat is typisch Zulu. Ik weet niet hóe hij het voor elkaar heeft gekregen, maar hij hééft het gedaan. De onderwijzer doodt geen mensen op eigen houtje. Zeg maar tegen hem dat als hij meewerkt we hem aan de Amerikaanse militaire autoriteiten zullen overdragen. Zo niet, dan wordt het de politie van de Federatie. Herinner hem er nog maar eens aan dat er bij de explosie ook een Bosniër om het leven is gekomen en dat een ander een arm en een oog is kwijtgeraakt. Laat hem de foto's maar zien.'

'Hij is een fanatieke pro-Serviër. Hij vindt zichzelf een held.'

'Voor mijn part vindt-ie zichzelf een *fucking* martelaar. Hij mag vinden van zichzelf wat hem het beste uitkomt. Probeer er alleen achter te komen welke rol Zulu bij dit alles speelt.'

Pigoreau verliet het kantoor en Dukas begon opnieuw de dossiers door te nemen. Daar was hij nog steeds mee bezig toen Pigoreau zich de volgende ochtend in de andere stoel liet vallen. 'Hij komt alleen maar met shit op de proppen. Niets, hij geeft geen krimp.'

'Draag hem maar aan de Federatie over. Nu. Geef hem aan die Bosnische rechercheur, hoe heet-ie ook alweer? – Rago – Raguz. Die grote kerel met dat kaalgeschoren hoofd. Zeg hem maar dat als hij informatie over Zulu uit de onderwijzer weet te persen, wij bereid zijn een Bosnische naam van onze actieve lijst met oorlogscriminelen te schrappen.' Dukas keek Pigoreau aan, wiens gezicht er in het weinige licht grauw uitzag. 'Ja, ja, ik weet het, ik gedraag me nu als een slecht politieman. Nou?'

Pigoreau stond op. 'Wat je doet is wat mij betreft allemaal oké, Michael. Maar tussen jou en mij gezegd en gezwegen, ík vind dat die Raguz zélf op de lijst van oorlogsmisdadigers thuishoort.'

Twee dagen later had Dukas in een door politiemannen gefrequenteerd café een ontmoeting met Raguz, en kreeg hij te horen dat de onderwijzer had verteld dat de moord op mevrouw Obren door Zulu zelf op touw was gezet, en wel via e-mails vanuit Afrika, en dat het de bedoeling was geweest dat ook Dukas daarbij om het leven zou komen. 'Ik geloof hem,' zei Raguz. 'Míj vertelt hij de waarheid,' zei hij grinnikend, waarbij er een gouden tand zichtbaar werd.

'De FBI wil met hem praten. In welke toestand verkeert hij?'

'Voor iemand die uit het raam van de derde verdieping is gesprongen, niet slecht.' Raguz zei het precies alsof hij het zelf geloofde. 'Goed, nu moet je je wel aan je woord houden, Dukas – je haalt een Bosnische naam van de lijst van oorlogsmisdadigers?'

'Het enige dat ik kan doen is een naam schrappen van mijn actieve lijst. Den Haag is verantwoordelijk voor de tenlastelegging.'

Raguz ging staan. 'Ik laat je de naam weten.'

Op die dag kwam Pigoreau met de resultaten van een betaalde Franse hacker die in Zulu's website had zitten peuren (waarvan de basisinformatie onbedoeld via Dukas door de NCIS was aangeleverd). De hacker was op een gegeven moment uitgekomen bij een website die toebehoorde aan een Franse organisatie die zichzelf FranTek noemde, en van daaruit bij een man die Lascelles heette. 'Ik wil twee dagen naar Parijs, Michael – ik denk dat we op iets heel belangrijks zijn gestoten.'

Dukas keek hem aan met iets dat gemakkelijk voor vijandigheid door had kunnen gaan. 'Verslag uitbrengen bij de baas?'

'Zoiets is het niet, Michael.' Pigoreau wachtte op een vorm van goedkeuring, maar kreeg die niet. 'Ze kunnen ons behulpzaam zijn, Michael.'

'Tot nu toe hebben ze dat nog geen moment gedaan. Tot nu toe heeft eigenlijk nog níemand ons echt geholpen, vind je niet? De CIA werpt ons af en toe wat kruimeltjes toe, maar levert niet de informatie waarover ze wel degelijk beschikken; je weet dat ze dossiers hebben, vermoedens, meer foto's – ! Je zou haast denken dat we een stelletje verdomde paria's zijn. Veiligheidsrisico's! Ik ben voor jouw mensen een veiligheidsrisico omdat ik Amerikaan ben; jij bent voor mijn mensen een veiligheidsrisico omdat je een Fransman bent. Oké, ga naar Parijs. Vertel ze wat we hebben. Maar luister – ' Hij leek zich enigszins te generen. 'Je geeft ze Zulu niet op een presenteerblaadje, hè? Hij is van ons.' Pigoreau was erbij geweest toen mevrouw Obren was gedood. 'Hij is van jou, Michael,' zei hij.

Parijs.

Pigoreau rolde behoedzaam van het bed en ging op zoek naar schone kleren, die nog steeds op hun oude vertrouwde plaats lagen, hoewel hij de afgelopen maanden nauwelijks hier was geweest. Hij deed het zo geluidloos mogelijk, maar ze hoorde hem toch, en ze draaide zich naar hem om, waarbij haar kattenogen hem glinsterend aankeken.

'Ik moet weg,' zei hij.

'Je gaat altíjd bij me weg, smeerlap.' Ze gleed duidelijk af naar een van haar meer onplezierige stemmingen, waarvan ze er nogal wat had. Dat maakte het leven een stuk interessanter voor haar, besefte hij – en voor hem trouwens ook. Zijn kruis maakte een uitgeputte indruk, een dof, hol gevoel had zich er meester van gemaakt; hij had vanwege het vrijen geen oog dichtgedaan. Ook dat zorgde ervoor dat hun leven interessant bleef.

'Je bent in Bosnië met vrouwen naar bed geweest,' merkte ze op.

'Weet je dat zeker?'

Ze moest lachen, een hatelijk, agressief lachje. 'Smeerlap die je bent. Als je me met aids opzadelt, vermoord ik je. Zeker weten, Jean-Luc! Ik wacht dan tot je in slaap gevallen bent en schiet je dan met je eigen pistool dood.'

'Jaloerse vrouwen gebruiken daarvoor een mes. *Crime passionel* – een aantrekkelijke vrouw als jij zou weleens vrijgesproken kunnen worden als ze een mes heeft gebruikt. Een pistool – ' Hij tuitte zijn lippen en bewoog afkeurend zijn hand heen en weer.

'Ik was helemaal niet van plan terecht te staan; ik zou zelfmoord plegen. Met gif. Ja, ik geef er de voorkeur aan me te vergiftigen. Met een of ander vreselijk middeltje – met loog, denk ik. Dat spul brandt je van binnenuit op. Het doet pijn als de hel.' Haar ogen stonden helder. Sophie hield van drama, en hij vermoedde dat ze daarbij niet altijd bij haar volle verstand was. Desalniettemin was het een uiterst interessant iemand om mee getrouwd te zijn.

Hij boog zich voorover en kuste haar. 'Rij me naar de Quai d'Orsay.'

'Nee.'

'Doe het. In naam van de liefde.'

'Liefde; wat weet jíj nou van liefde – ? Smeerlap, je bent steeds weg, andere vrouwen naaiend, grote Slavische boerinnen met een kont waar je een heel bankstel van kunt maken! Ik rij jou nérgens heen.'

'Sophie – ' Ze kusten elkaar. En bléven elkaar kussen. Met haar lippen op de zijne opende ze haar ogen en zag dat hij zíjn ogen ook open had. 'Hou je van me?' vroeg ze.

'Veel te veel. Ik heb het gevoel alsof iemand een kraan in m'n voeten heeft opengedraaid.'

Ze kwam snel van het bed overeind. 'Ik kén je, smeerlap; morgen doe je het allemaal wéér.' Hij hoorde de douche. Drie minuten later was ze er alweer onder vandaan en kleedde ze zich aan, gebruikmakend van kleding die door de hele kamer verspreid lag. Ze rook aan verschillende kledingstukken, keurde ze af en rook vervolgens aan iets anders. Het vinden van een schone blouse, althans een blouse die de reukproef kon doorstaan, was nog het moeilijkst. Pigoreau zag dit alles bijna vertederd aan. Hij was niet met haar getrouwd vanwege haar properheid. Toen hij afscheid van haar nam omhelsden ze elkaar lange tijd en fluisterde ze: 'Wat hou ik toch veel van je, smeerlap van me. Kom weer terug naar me.' Sophie was statisticus; ze verdiende met haar werk meer dan hij. Het enige vervelende tussen hun beiden was het feit dat hij politieman in Lille was geweest; iets dat ze vreselijk had gevonden; nu, terwijl hij in Bosnië zat, woonde ze in Parijs en was – niet gelukkig, want Sophie was naar alle waarschijnlijkheid niet in staat om gelukkig te zijn – wat minder óngelukkig. Hij drukte haar nog eens stevig tegen zich aan en stapte de auto uit.

Bij de Quai d'Orsay maakten de bureaucraten bij het betreden van het gebouw een hoop problemen; hij was hier niet veel meer dan een gewone politieman, en hij moest zijn naam opgeven en een formulier invullen en een speciaal pasje dragen, als een jongetje dat op school iets ondeugends heeft uitgehaald. Desalniettemin kreeg hij uiteindelijk toch nog toegang tot de speciale inlichtingensectie, waar hij via een lange gang het kantoor van Belloc bereikte. Belloc zag er een stuk dikker, kaler en vermoeider uit dan voorheen. Hij stak Pigoreau een mollige hand toe en gebaarde naar een groene stoel.

'En?'

Pigoreau vertelde hem wat er rond Zulu was gebeurd – de moord op mevrouw Obren, de niet-bewezen connectie tussen Zulu en het in 1994 neergeschoten vliegtuig in Rwanda, het computerspoor.

'Die lul,' gromde Belloc. Hij mompelde iets in een microfoon die op zijn bureau stond, wreef even over zijn voorhoofd en bood Pigoreau om de tijd te doden koffie aan, waarna er een aanzienlijk slankere jongeman het vertrek binnenstapte en Pigoreau het hele verhaal nóg een keer kon vertellen. Hij stelde de jongere man voor als Hamy. Alleen Hamy – geen rang of functie, geen voornaam.

'Goed,' zei Belloc. 'Wat betekent dit alles?' Hij keek daarbij eerst Hamy aan, en toen pas Pigoreau. Vervolgens keken beide mannen Pigoreau aan.

Pigoreau haalde zijn schouders op. 'Dat betekent dat hij voor Lascelles werkte toen hij in vierennegentig dat vliegtuig neerhaalde. Het betekent dat hij nu in Afrika zit, en opnieuw voor Lascelles werkt.' Hij ging op zoek naar een pakje sigaretten. 'Hebben jullie daar misschien meer informatie over?'

'Dat zijn ónze zaken,' zei Hamy, maar Belloc gebaarde dat hij zijn mond moest houden en mompelde iets over blanke huurlingen die voor Mobutu werkten. 'Ze horen niet bij ons,' zei hij.

'U kunt me de verzekering geven dat die Zulu niet voor u werkt?'

'Absoluut.'

Hamy keek kwaad voor zich uit. Het vond het maar niets dat zijn baas zich zo duidelijk uitsprak.

'Dan werkt hij voor iemand van de Oude Garde, niet?' Pigoreau stak een sigaret aan en blies luidruchtig zuchtend een dikke straal rook uit. 'Lascelles. Toch? Of niet?'

Geen van beide mannen was van zins om zich daarover uit te laten; de naam Lascelles alleen al leek Belloc buitengewoon ongelukkig te maken. Toch vocht men het niet aan: iedereen wist redelijk goed waar de holbewoners in Frankrijk te vinden waren, en wie als hun leiders beschouwd moesten worden.

Belloc begon met de achterkant van zijn ballpoint onzichtbare tekeningetjes op zijn bureau te maken. Zijn jasje had hij losgeknoopt en Pigoreau kon zelfs over het bureaublad heen de transpiratielucht ruiken. Bellocs pen bewoog en bewoog, en eindelijk leken er woorden te staan die Belloc kon lezen. 'Als we iets definitiefs te weten zouden komen, kunnen we onze aandacht wat meer op Lascelles richten. Wat we nodig hebben is het harde bewijs dat die twee contact met elkaar hebben. Als deze Joegoslaaf, deze – ?'

'Zulu, alias Panic, terwijl hij van nog een stuk of wat namen gebruikmaakt.' Pigoreau maakte een gebaar waarmee hij wilde zeggen: een lang verhaal, saai, vervelend. Hamy haalde een sigaret uit het pakje van Pigoreau en stak die op.

Belloc vervolgde: 'Als deze Zulu nou eens direct in verband kan worden gebracht met Lascelles, het liefst nog binnen zijn organisatie kan worden geplaatst, ja, dán zouden we iets kunnen doen.' Hij keek naar Hamy. 'Ja toch?'

Hamy haalde zijn schouders op, en wel op een manier die het dichtst bij een bevestiging moest liggen.

'Heb je daar iemand binnen zitten?' vroeg Pigoreau. Hamy leek achteruit te deinzen; Belloc fronste zijn wenkbrauwen. 'Ja, dat bedoel ik: iemand in Lascelles huis. Kom op, Belloc! Ik ben niet op mijn achterhoofd gevallen – je móet iemand binnen Lascelles organisatie hebben. Nou? Als dat inderdaad zo is, kan die persoon Zulu identificeren en hem daar plaatsen, en dan heb je een connectie.' Hij haalde de uit verschillende bronnen afkomstige foto's van Becque/Zulu tevoorschijn – het Amerikaanse Korps Mariniers, de muur van het folterhuis in Pustarla, de CIA-analyse.

Belloc nam de foto's ter hand, wierp een snelle blik in de richting van Hamy. 'Ik moet hiermee naar de chef.'

'Wanneer komen jullie in beweging?'

Belloc schudde zijn hoofd.

'Wat? Wat is er aan de hand? Is Lascelles soms net een maatje te groot voor de Quai d'Orsay? Durven jullie hem niet aan te pakken?'

Hamy schraapte zijn keel en boog zich voorover naar Pigoreau. Hij had een vreemde stem, het was eigenlijk niet veel meer dan fluisteren, alsof er iets helemaal verkeerd was met de plaats waar bij hem geluid werd geproduceerd. 'Iemand heeft een bemanning voor een minionderzeeër bijeengebracht. Iemand heeft een minionderzeeër gehuurd en die naar Tunis laten transporteren. Het hele departement is daar nogal ontstemd over, want de Amerikanen zijn daar in de buurt allerlei domme dingen van zins met de een of andere raket, en dat betekent gigantische problemen, want het gebeurt wél allemaal in ónze achtertuin. Als Lascelles daar inderdaad achterzit, en hij veroorzaakt ellende waarvan de Amerikanen de Fransen de schuld kunnen geven, dan vilt de regering ons levend.'

'Het is helemaal níets voor jullie om je zorgen over de Amerikanen te maken.' Belloc gromde. 'Geld. We kunnen het ons niet veroorloven dat Amerika zich uit Bosnië terugtrekt. Zíj en die vervloekte hamburgers van ze.' Belloc trok nog wat cirkels op zijn bureaublad en zei: 'Bedankt voor het feit dat je hiermee naar ons bent gekomen. Ik zal eens kijken wat de mensen boven me ervan vinden.'

Pigoreau moest lachen. 'Meer zit er niet in – alleen maar "bedankt"?'

Belloc opende een hand, alsof hij wilde laten zien hoe leeg die was. 'Wilde je de president soms toespreken?'

'Nee, ik wil deze klootzak, die Zulu! Mijn eenheid heeft zich uit de naad gewerkt om die knaap in handen te krijgen; mijn baas, een prima politieman, een grandioze politieman, richt zichzelf bijna te gronde vanwege deze schoft! Hij heeft zelfs geprobeerd óns te doden, hééft een van ons zelfs weten te doden, door middel van een op afstand tot ontploffing gebrachte bom! Kom op, Belloc – '

'We hebben hem niet.'

'Nee, maar je hebt wél iemand binnen de organisatie van Lascelles, en je hebt nog steeds mensen over heel Afrika zitten!'

Hamy schraapte opnieuw zijn keel en boog weer naar voren. Zijn stem klonk alsof hij langzaam werd gewurgd. 'Als we hem in handen hadden, zouden we hem moeten liquideren. Te gevaarlijk. De man moet van érg veel op de hoogte zijn.'

'Hij is een oorlogsmisdadiger. Als we hem in handen krijgen zal hij terecht moeten staan.'

'Te gevaarlijk.'

Balloc schoot uit zijn stoel overeind, een erg snelle beweging voor een zo dik iemand. 'Ga nou niet bakkeleien over iemand die we nog niet eens in handen hebben! Daar schiet niemand iets mee op. Misschien blijft hij wel in Zaïre, wie weet?'

Maar Pigoreau wilde het hiermee niet laten eindigen. 'Het is een fanatieke Serviër; hij zal ongetwijfeld naar Servië terugkeren. We willen hem arresteren.'

Belloc haalde zijn schouders op, draaide zich onrustig in allerlei bochten en klopte met zijn mollige hand op het bureau. 'Ik doe mijn best.'

'Je staat bij me in het krijt.'

'Ik weet het, ik weet het. Ik zei je al, ik doe mijn best.'

Pigoreau moest het hiermee doen. Hij stond op, schudde beide mannen de hand en vertrok, waarbij hij op het allerlaatste moment zijn pakje sigaretten nog van het bureau griste, om nog voor hij goed en wel de gang had bereikt zijn vingers al zoekend in het pakje te steken.

Nadat Pigoreau was vertrokken keek Belloc Hamy eens aan, pakte een van de foto's op en wierp die voor de ander op het bureau. 'Laat deze opnames aan Benoit zien en probeer erachter te komen of dit de "Quebecois met de verfomfaaide neus" is die bij Lascelles op bezoek is geweest. Als dat het geval is, vraag dan om een *congé judiciaire* om huiszoeking te kunnen doen. Stel een team samen – helikopter, twee auto's, burgerkleding met daaronder kogelvrije vesten – je weet wel. Benoit wacht ons bij het hek op en laat ons binnen. Lascelles wordt per heli afgevoerd, misschien moeten we daar een traumahelikopter voor gebruiken – hou er daar ook maar eentje van achter de hand – hij is per slot van rekening een oude man; ik wil niet dat-ie tijdens onze komst zijn laatste adem uitblaast. Je kunt gaan.'

Hamy stond op. 'Wat doen we met hém?' vroeg hij, terwijl hij met zijn hoofd in de richting van de deur gebaarde die Pigoreau zojuist achter zich had dichtgetrokken.

'Mmm. We moeten maar eens kijken hoe het loopt. Hij is een prima kerel, maar – ' Hij haalde zijn schouders op. 'Misschien kunnen we hem een bot toewerpen.'

Teheran.

Efremov en Anna werkten uiterst nauw samen, en wisten – zoals toegewijde archeologen uit kleine stukjes aardewerk die ze in de aarde om hen heen vonden een verbrijzelde vaas konden samenstellen – uit de kleine stukjes informatie die ze elke dag aan de oppervlakte brachten zich een beeld te vormen van deze samenzwering en het beoogde doelwit ervan. Anna stapte het koninkrijk van het World Wide Web binnen alsof ze ervoor in de wieg was gelegd. Efremov excelleerde in puzzels.

Anna had maar weinig te doen in een huis dat helemaal gerund werd door bedienden. Ze was een courtisane, en ze was dagelijks vele uren met haar lichaam in de weer, dat ze door middel van allerlei middeltjes en training in optimale conditie wist te houden. Efremov was erin geslaagd haar loyaliteit te winnen nadat hij haar een instructeur oosterse vechtsporten had bezorgd. Oosterse vechtsporten waren wat Anna betrof opwindender en leuker dan callanetics en westerse aerobics. Uiteindelijk gaf ze de voorkeur aan aikido. Dat stelde haar in de gelegenheid om de Japanse zakenlieden te ontmoeten die vaak naar Iran afreisden. Haar minnaar waardeerde datgene wat ze hem vertelde zéér. Ze genoot ervan iets góed te doen waar geen seks bij betrokken was. Ze genoot ook van het westerse schermen. Dat was iets waarbij ze Efremov op gelijk niveau tegemoet kon treden. Hij had jarenlange schermervaring opgebouwd. Ze werd er erg goed in, héél erg goed.

Het internet werd haar tweede grote succes. Ze had thuis uren de tijd. Ze kon zaken helemaal in haar eentje onderzoeken, om die vervolgens bij het avondeten te laten zien. Ze was goed in talen, maar haar typen leek nergens op, en Efremov stuurde een typeleraar naar haar toe en liet zijn secretaresse, die afgestudeerd was aan de universiteit van Londen, haar de basisbeginselen van de computer bijbrengen. Anna vond de anonimiteit van het net heerlijk. Ze chatte op chat-rooms en loog over haar kunne, haar voorkeuren en haar professie. Ze stelde vragen aan westerse universiteiten en kreeg maar al te vaak antwoord. In één maand tijd lukte het haar twee keer om geclassificeerde informatie in het Westen los te peuteren, enkel en alleen door met een wetenschapper te chatten. In toenemende mate was ze niet zozeer Efremovs maîtresse, maar werd ze zijn researcher. En ze was alleen hém loyaliteit verschuldigd. Dat wist hij.

Toen Efremov de informatie betreffende Lascelles en de minionderzeeër in handen kreeg, bestond er al een kader waarbinnen die info geplaatst moest worden. Anna had een scheepsbeweging gevonden van een onder Fransc vlag varende koopvaarder, vanuit een Pakistaanse haven, die paste bij de door Efremov boven water getilde melding van een door Noord-Korea verkochte minionderzeeër aan iemand in Karachi die blijkbaar over een vervalst eindgebruikercertificaat beschikte. Anna had van een pukkelige tiener uit de Loirevallei gehoord dat hij de plannen betreffende het USNS *Newport*, een zusterschip van de *Philadelphia*, van de website van de Merchant Navy Academy had gekraakt.

En toen werd het allemaal zo klaar als een klontje. Er was weliswaar nog sprake van een stuk of wat veronderstellingen, maar de theorie was ruimschoots onderbouwd met feiten: Lascelles, ooit de steun en toeverlaat van het Franse inlichtingensysteem, ging proberen om enkele uren voordat een geleid projectiel dat de naam Peacemaker had meegekregen aan boord van de *Philadelphia* aan haar lanceerprocedure zou beginnen, die raket in handen te krijgen. Hij beschikte over wapens uit Sri Lanka. Hij had een enterploeg die geheel uit Joegoslaven bestond. Hij beschikte over een minionderzeeër uit Noord-Korea. En hij runde deze hele operatie via Libië. Over twee dagen.

Maar vanavond maakte Efremov zich niet zozeer zorgen over Lascelles. Wat hem wél zorgen baarde was de mogelijke mol binnen de CIA – iemand die in porno verpakte informatie naar Beijing verstuurde.

Hij legde vijf dossiers voor zich neer. In elke map zaten de resultaten van de vragen die hij al eerder naar zijn analisten had gestuurd.

'Zo,' zei hij tegen Anna. 'Wie zou het zijn?'

Ze keek naar de dossiermappen, die alle van een naam waren voorzien. Ze had de inhoud gelezen en vervolgens haar eigen research gedaan.

'Deze is dood,' zei ze terwijl ze een map opzijschoof die van de naam *Dvorkin* was voorzien.

'Goed.'

'Deze zit nog niet lang genoeg bij de CIA, en daarvoor was hij in het verkeerde deel van de wereld gestationeerd.' Ze legde de map met de naam *Suter* ook opzij. Efremov knikte.

'Uit de andere drie kan ik eigenlijk geen keuze maken – te weinig gegevens.' Ze keek met een behoedzame glimlach naar hem op. 'Maar ik heb wél een gevoel.'

'Alleen dwazen laten zich leiden door gevoelens,' zei Efremov. 'Nou, wat zegt dat gevoel van jou?'

Ze legde haar hand op de meest rechts liggende map en keek opnieuw naar hem op.

Efremov moest grinniken. 'Mijn instinct komt overeen met jouw gevoel,' merkte hij op.

Op de map stond de naam *Shreed*.

Zaïre.

Ze liepen. De regen viel als een gordijn recht naar beneden, waardoor ze in hun eigen wereld opgesloten waren. O'Neill was nu sterker, en Djalik zwakker. Toen ze halt hielden liet hij zich op de grond zakken en staarde in de regen, en viel af en toe ter plekke in slaap. Ze stopten hem vol met antibiotica en verbonden de hand opnieuw, maar zijn temperatuur bleef stijgen en de hand maakte een dode indruk. Djalik voelde hem niet langer.

Ze legden vijfentwintig kilometer af. Toen zeventien. Toen tien.

Alan was vaak verdwenen. Nu was hij de verkenner, de man die twee keer zoveel kilometers maakte als de anderen. Tijdens de eerste twee dagen praatten O'Neill en Djalik soms wat met elkaar. O'Neill moest alle ideeën spuien die zich bij hem hadden gevormd in de weken dat hij gevangene was geweest, weken waarin hij dag in dag uit met de zich terugtrekkende Hutu's in westelijke richting had moeten lopen. Nu borrelden er allerlei denkbeelden op het gebied van stammenstrijd en etnische zuiveringen bij hem op, en Djalik luisterde, en ze waren even serieus als twee oude mannen die alle problemen van de wereld weleens zouden oplossen.

' – het *gezin*. Dat is altijd de basis van het primitivisme. Het is typisch iets voor Afrika. Je helpt je familieleden, je neemt smeergeld aan opdat je dat over je familie kunt verdelen – '

'Clan?'

'Ja, zoals bij de Schotten. De stam. Het geeft een nieuwe betekenis aan de uitdrukking "bloedverwantschap". Want het eindigt altijd met bloed, mijn familie tegen een andere familie.' Ze sopten door de modder, terwijl de regen op hen neer bleef drenzen.

'De Hatfields en de McCoy's.'

'Of de MacDonalds en de Campbells, of de Hutu's en de Tutsi's, of – Het is pure waanzin. Moorddadige *fucking* waanzin.'

'Mijn familie gaat boven alles,' hoorde hij Djalik zeggen.

'Dan ben je hartstikke stom. In eerste instantie kan ik me voorstellen dat je denkt dat je familieleden je nader staan of kostbaarder zijn of iets dergelijks. Je weet in elk geval waar ze vandaan komen, hè? Maar het is wél flauwekul. Er bestaat geen enkele reden om aan te nemen dat jouw familie of mijn familie of zíjn familie beter of slechter of anders zou zijn dan de familie van iemand anders.'

Djalik zei: 'Ik hou van mijn familie en ben bereid ervoor te sterven.'

'Natúúrlijk ben je daartoe bereid, maar dat is *liefde*. Dat is geen mystiek! Je bedoelt dat je bereid bent te sterven om jouw vrouw en kinderen en je vader en moeder het leven te redden, ja? Maar je oom? En een achterneef? Het vierde kind bij haar tweede echtgenoot van de dochter van de broer van je moeder? Lieden die je nog nooit gezíen hebt? Kom nou. Je staat in de deuropening met in elke hand een M-16 en je zakken vol handgranaten om vreemden te beschermen die niet eens dezelfde náám hebben maar wel "hetzelfde bloed zouden hebben"? Dat is nou net de lariekoek die ervoor zorgt dat al deze lieden van de ene kant van Afrika naar de andere blijven zwerven!'

En later, dezelfde dag nog: ' – omdat je Amerikaan bent en geen verdomde *keuterboer*, want daar hébben we het hier over. Die primitieve lieden zijn *keuterboertjes*. De Interahamwe zijn *keuterboertjes*. Hoe-heet-ie-ook-alweer, die dictator in Belgrado – '

'Milosevic – '

'Dondert niet, ook hij is een keuterboer. Als plattelandsbewoner leef je een leven vol sociale paranoia, vertrouw je alleen maar mensen die je kent. Het betekent dat de mystiek waarmee taal en godsdienst worden omringd jouw bestaan bepaalt – míjn god, míjn woorden, míjn accent – en iedereen die anders is, is een vijand – smous, nikker, spaghettivreter! De keuterboer is de belichaming van de vooringenomenheid. Hij is nooit ergens geweest, hij heeft eigenlijk nog nooit met iemand anders gesproken, hij heeft nog nooit zelfstandig na durven denken, want als hij zoiets wél zou doen, zou hij zich moeten openstellen en een vijand binnen moeten laten, terwijl hij ervan overtuigd is dat die hem dood zou steken en hem van zijn vrouwen zou beroven. Zó zit de keuterboer in elkaar. Zó zit het etnisch denken in elkaar. Dát is de hardnekkige flauwekul waarop etnische zuiveringen zijn gebaseerd.'

En later: 'Je kunt niet tegelijkertijd in democratie geloven en een primitieve plattelander zijn.'

En vervolgens, omdat Djalik niets zei: 'In een democratie vormen mensen eerder een politieke dan op familie gebaseerde macht. Begrijp je? Ze geloven in de politiek. Politieke partijen. Een politieke consensus. Ja?'

En toen, omdat Djalik niets zei: 'Je kunt niet tegelijkertijd Amerikaan zijn en de pest hebben aan politiek. Begrijp je?'

Maar Djalik zei nog steeds niets.

De volgende dag moesten ze hem dragen.

Zaïre – Dehibat, Tunesië.

Zulu vertrok samen met de restanten van zijn twee compagnieën per vliegtuig vanuit het land van Mobutu. Degenen die nog konden lopen hadden makkelijk in één toestel gekund. Net als hij waren zijn mannen verbitterd: een kwart van hen was dood, voornamelijk ten gevolge van ziektes en slechte medische verzorging. Een derde van zijn mannen lag in ziekenhuizen in Frankrijk en Joegoslavië, van wie de meesten wederom ten gevolge van allerlei ziektes, en niet vanwege opgelopen verwondingen. Ze hadden aan twee belangrijke veldslagen meegedaan en hadden bij beide tot de verliezende partij behoord; ze waren onder artillerievuur van hun veronderstelde bondgenoten komen te liggen; ze hadden het punt bereikt waarop ze hun rug niet meer naar de Hutu's konden keren uit angst dat er een handgranaat hun kant uit zou worden gegooid of dat ze in de rug zouden worden geschoten. En nu trokken ze zich terug, waarbij ze een half miljoen dollar aan oorlogsbuit achter moesten laten. Terwijl zeven man door die Amerikanen waren gedood.

Klootzakken, lafaards. Het FAZ was zelfs nog erger dan de Hutu's; als ze je flank moesten beschermen was je er geweest. Ze leken in het niets op te lossen.

De acceleratie drukte hem tegen zijn stoelleuning en hij hoorde de wielen van de Fokker ingetrokken worden en voelde opluchting. *Vaarwel, Afrika. Je kunt barsten, Afrika.* Dat was het enige waaraan hij kon denken tijdens de lange, saaie vlucht naar Tsjaad, tijdens het oponthoud daar, en tijdens de lange, saaie vlucht naar Tunesië, terwijl de lange wond langs zijn arm tot aan zijn gemangelde elleboog in brand leek te staan. *Je kunt barsten, Afrika. Neem me terug, Servië.*

Hij was de afgelopen dagen steeds woedend. Enkel en alleen vanwege Afrika. Het was vanaf het begin een mislukking geweest. Hij had gedacht dat de blanke troepen moeiteloos zouden afrekenen met de zwarte soldaten, dat één goedgeoefende blanke minstens twintig negers waard was. Maar de Rwandezen en de Ugandezen bleken taaie soldaten te kunnen zijn. Deze keer waren *zíjn* mannen in de pan gehakt. Daar stond tegenover dat als ze het tegen het Zaïrese leger hadden moeten opnemen, ze ongetwijfeld tot de overwinnaars hadden behoord: het FAZ was shit. Hij zat aan de verkeerde kant, dat was alles. En ook *dát* was de schuld van Lascelles.

Hij ging verzitten in zijn stoel, boog zijn gewonde arm. Die laatste ochtend – de hinderlaag. Dat was zijn eigen stommiteit geweest. En de Amerikaan had hem opnieuw weten te raken. De blanke Amerikaan die volgens hem dezelfde was die hij in Pustarla had gezien, die schoft die ervoor had gezorgd dat hij de sneeuw in had moeten vluchten. En dan die ander, de man met het pistool, dat was de snelste schutter die hij ooit had meegemaakt. En dan die klootzak van een Ntarinada, met z'n geparadeer en uitsloverij; als hij die Amerikaan simpelweg had teruggegeven, zoals hem was opgedragen, zou *dát* in elk geval in orde gekomen zijn. Maar hij hield blijkbaar van dramatiek! Nou dat had hij gekregen: een regelrechte oorlog tussen Zulu's, blanken en *zíjn* zwarten. De Joegoslaven waren er nauwelijks in geslaagd heelhuids weg te komen, terwijl ze ook nog eens de helft van hun zware uitrusting hadden moeten achterlaten.

Toen hij in Dehibat – een stom Tunesisch vliegveld waar ze vanwege dat stomme embargo jegens Libië moesten landen – uit het vliegtuig stapte, stonden de Libiërs al op hem te wachten, en verwachtte hij dat alles geregeld was, dat het ergste achter de rug was, nog één laatste stomme missie voor Lascelles, en dan naar huis.

Maar dit waren niet de goede Libiërs.

Er stond een limousine op hem te wachten; er waren vrachtwagens voor zijn mannen, precies zoals was afgesproken – maar de mensen die hij had verwacht aan te treffen waren er niet. Hij had gedacht opgewacht te zullen worden door Lascelles' gebruikelijke mensen – corrupte legerofficieren. Maar dat was niet het geval.

De officieren die hem stonden op te wachten hadden geen smeergeld gezien en werkten niet in opdracht van Lascelles. Hij voelde het als een soort misselijkheid in zijn onderbuik: dit ging helemaal verkeerd.

Ze waren beleefd maar onbuigzaam. Twee secties in gevechtstenue gestoken militairen blokkeerden met behulp van een stuk of wat pantserwagens het vliegtuig. De Tunesiërs hielden zich afzijdig; dit was duidelijk afgesproken werk, ten uitvoer gebracht op de landingsbaan, zonder Tunesische douane, politiemensen of wie dan ook in de buurt. De Tunesiërs namen hem apart toen hij nog aan boord van het vliegtuig was en lieten hem als eerste uitstappen, en gaven vervolgens de anderen opdracht naar buiten te komen, en dreigden de Fokker op te blazen als ze dat níet zouden doen. Zijn mannen daalden de vliegtuigtrap af, terneergeslagen, boos, en lieten zich gewillig ontwapenen.

'Waar brengt u mijn mannen naartoe?'

'Die worden naar Joegoslavië gebracht. Wannéér dat gebeurt hangt van u af.'

'Waar is majoor Al Benyazi?'

'Die is gearresteerd.'

Twee Libische soldaten fouilleerden Zulu met een grondigheid die bijna als een compliment kon worden opgevat, en duwden hem vervolgens in de limo. Het laatste wat hij van zijn mannen zag was dat ze op het beton van de baan in het gelid werden gezet, waarna een van de sergeants hen in de houding liet springen, en ze salueerden toen hij voorbijreed. Hij werd over de grens naar Libië gereden.

Aan boord van de Haai, ten zuiden van Napels.

Suvarov had hard moeten werken om de *Haai* naar een dusdanige positie te brengen van waaruit de *Fort Klock* en haar groep konden worden onderschept, wat haar bestemming na Napels ook mocht zijn. Hij wachtte haar op in de buurt van de Straat van Messina. Hij grapte tegen de zoon van zijn vriend, zijn tweede officier, dat ze nu van Scylla in Charybdis kwamen. Toen hij met een nietszeggende blik werd geconfronteerd liep hij naar zijn kajuit, pakte een editie van de *Odyssee* uit de kast en keerde ermee terug. Suvarov kon onnozele officieren die alleen maar over kennis der zee beschikten niet uitstaan. En hetzelfde gold voor Lebedevs vader, de admiraal. De jonge Lebedev was een competente, zelfs talentvolle ondergeschikte. Maar er bestond veel meer dan alleen maar maritieme kennis. 'Lees dit maar eens,' zei hij. Lebedev deed net of hij enthousiast was.

Hij wachtte dagenlang af, kruiste zo ver zuidelijk als Lampedusa en zo noordelijk als Palermo, maar steeds weer naar de Straat van Messna terugkerend. Na een tweede herhaling wist Sergei's zoon waar de opmerking betrekking op had. Na de derde keer op en neer varen citeerde hij de *Odyssee* wanneer dat maar mogelijk was. Vervolgens gaf Suvarov hem de *Ilias*.

Hij liep ze bijna nog mis, zo lang bleven ze binnengaats. Hij was twee keer naar de oppervlakte geweest om meldingen vanuit Moskou op te vangen, want hij was zijn zelfvertrouwen enigszins aan het verliezen en nam aan dat de *Philadelphia* de lange omweg rond Sicilië had genomen. Maar toen ze eenmaal arriveerden was hij er maar al te klaar voor.

Het groepje schepen voer bijna recht over hem heen. Beide escortevaartuigen hadden hun sleepantennes uitgevierd. Ze waren blijkbaar op zoek naar hem. Prima. Er was voldoende lawaai om zich in schuil te houden.

Hij volgde ze op een afstand van een mijl of vijftien. Wanneer de hydro-akoestische omstandigheden goed waren of als zijn instinct hem zei dat het het juiste tijdstip was, voerde hij een sprintje van een kilometer of twee uit, waardoor het gat weer wat meer werd gedicht. Aan de oppervlakte werd het weer steeds slechter, wat in zijn voordeel werkte. Rond middernacht was hij hen dicht genaderd. Toen hij zich tweeduizend meter achter de *Fort Klock* bevond verhoogde hij zijn drijfvermogen enigszins, zodat hij langzaam richting oppervlak zou zweven, terwijl hij nauwelijks meer over manoeuvreervaart beschikte. Hij draaide zijn periscoop en radiomast omhoog en joeg een uiterst korte transmissie in de richting van een verre Russische satelliet. Vervolgens liet hij zich volgens plan twintig meter zakken, trok nadat hij een prachtige foto van een door een storm geteisterde *Philadelphia* had gemaakt zijn periscoop in, draaide scherp naar bakboord en joeg met een vaart van twintig knopen weg in oostelijke richting.

Aan boord van de *Fort Klock* maakte een matroos de in zijn zeekajuit slapende ktz Cobb wakker. 'Die Russische onderzeeboot is er weer, meneer. We hebben hem gedetecteerd terwijl hij zich bínnen de formatie ophoudt.'

Cobb wreef de slaap uit zijn ogen en keek door zijn patrijspoort naar het zwarte water.

'De klootzak,' mompelde hij. 'Breng flag op de hoogte. Intensiveer het ASW-scherm.' *Klootzak*, dacht hij opnieuw. De spelletjes van die Rus zorgden ervoor dat zijn middelen in een veel te hoog tempo werden opgebruikt. En hij vond het afgrijselijk om te verliezen.

De Tunesisch-Libische grens bij Nalut.
7 december.
'Om welke reden bent u naar Libië gekomen, kolonel?'
'Om mijn mannen wat uit te laten rusten. Ze de kans te geven een paar dagen aan het strand te liggen. Ze in staat te stellen wat Amerikaanse dollars uit te geven. Zo was het afgesproken, kapitein. We hebben dit wel eerder gedaan.'
'U heeft twee vliegtuigen vol wapens bij zich, kolonel.'
'Waar we vandaan kwamen was het nogal een puinhoop. Met Mobutu is het gedaan; we hebben ons teruggetrokken. De wapens vertegenwoordigen nogal een groot bedrag voor mij.'
De kapitein knikte. De man naast hem wipte ongeduldig van de ene voet op de andere. Zulu kon hem niet goed plaatsen, maar hij had hier absoluut niet met de een of andere ongeletterde Arabische boer te maken. Aan zijn gezicht was duidelijk te zien dat hij het in het Frans gevoerde gesprek moeiteloos kon volgen. Een Fransman? Misschien een of andere collega van Jackie?
'U heeft wel eens van Lockerbie gehoord, kolonel?'
Hij maakte een gebaar waarmee hij wilde zeggen: *Schiet een beetje op.*
'U bent hier om aan boord van een speciaal gehuurde Libische speedboot te gaan. Nee, nee, ontken het maar niet – majoor Al Benyazi heeft ons er alles over verteld. We hebben majoor Al Benyazi heel wat harder aan moeten pakken dan u – tot nu toe althans – maar het was nu eenmaal nodig om op korte termijn te weten te komen wat hij wist. We hebben de speedboot op kunnen sporen en hebben die in beslag genomen, en, eh, de kapitein ervan gearresteerd. Goed – in uw bagage bevond zich een speciaal geprepareerde radio, compleet met codes waarmee gecommuniceerd kan worden. Elf van uw mensen hebben mijn collega's tijdens de rit hierheen verteld dat ze twee weken lang geoefend hebben in het enteren van een schip. Het lijkt er dus op, het spijt me te moeten zeggen, dat u bezig bent met een samenzwering die tot piraterij zou moeten leiden.' Hij schudde zijn hoofd als een man bij wie de gedachte aan piraterij alleen al een enorme treurnis veroorzaakte. 'En dan ook nog eens binnen de Libische wateren.'
Nou, het was duidelijk dat Lascelles' plannetje in duigen was gevallen. En dat dit niet zíjn schuld was. Hij was bijna opgetogen: soms komt alles toch nog in orde.
'Wat wilt u?'
'Ik wil alles over uw opdracht weten. Leg uw plannen zo gedetailleerd mogelijk

aan me uit. Als ik ervan overtuigd ben dat u de waarheid spreekt en als datgene wat u zegt blijkt te kloppen, zal ik u naar Tunis laten brengen en u daar op een vliegtuig naar Belgrado laten zetten. Uw mannen – en uw wapens; we zijn nu eenmaal geen dieven – zullen u binnen zesendertig uur volgen. U kunt er natuurlijk ook de voorkeur aan geven heroïsch te zwijgen, en in dát geval stuur ik u met een heel ander vliegtuig naar een luchtmachtbasis die de Italianen delen met de Amerikaanse luchtmacht, alwaar de FBI op u zal staan te wachten om exact dezelfde vragen aan u te stellen. U begrijpt hoe aantrekkelijk dat tweede plan voor mij is: als ik bereid ben om u aan de Amerikanen uit te leveren, bewijst dat dat Libië toch niet zozeer een terroristische staat is, en wordt Lockerbie nóg verder naar de achtergrond verdrongen. Dus probeert u mij maar eens te overtuigen van het feit dat ik u níet aan de Amerikanen moet uitleveren, kolonel Zulu.

Hij praatte. Een uur later werd hij naar een luxueus hotel gereden.

De officier die Becque had ondervraagd keerde niet naar Tripoli terug, maar liep naar een militair verkenningsvoertuig waarin een radio was gemonteerd die van een scrambler was voorzien. Daar maakte hij contact met een kantoor van de civiele inlichtingendienst in een van de voorsteden van Tripoli, en gaf zijn boodschap door. Toen hij daarmee klaar was, zei hij: 'Ik denk dat we door kunnen gaan. Het enige dat we nodig hebben zijn een stuk of tien, twaalf man om de plaats in te nemen van het oorspronkelijke aanvalsteam. Ik weet het, ik wéét het, we hebben nog maar weinig tijd – Nee, ik denk dat we hem simpelweg moeten dumpen. Nee, nee, niet op díe manier – het is beter als hij in leven blijft, maar niet hier, niet in Libië. Begrijp je? Hij is de vertegenwoordiger van een door het buitenland opgezet plan om Libië uit te buiten. Ik wilde je de volgende procedure voorstellen. De Franse officier, Duboucq, was aanwezig bij de ondervraging, dus hebben we duidelijk laten blijken dat we samen willen werken; nu weet hij alles van dit complot dat in hún land is ontwikkeld, en van deze oude man, die Lascelles. Dus, laten we deze Zulu, of hoe hij in werkelijkheid ook mag heten, eens lekker hard hollen, begrijp je? Ja, een hollend doelwit is altijd interessant, ja – je begrijpt wat ik bedoel. Maar de timing moet precies goed zijn. Ja, precies – de Fransen zullen ons dankbaar zijn; wij pikken die Amerikaanse raket in; de Amerikanen zullen zich vernederd voelen – ' Hij klonk overtuigend. Het leek een uitstekend idee.

36

8 december

Zaïre.

Ze hadden Djalik de hele dag gedragen op een soort draagbaar die ze van takken en zachte voorwerpen uit hun bepakking hadden gemaakt. Hij was niet bij bewustzijn – nooit ijlend, nooit één enkel geluid, altijd slapend. Zijn temperatuur liep nu tegen de veertig graden Celsius en zijn hand rook naar iets dat hen beiden zeer aan gangreen deed denken.

Ze daalden een heuvel af door modder dat ooit een pad geweest moest zijn, terwijl de bomen nog nadruppelden van de regen die nog maar een paar minuten geleden gestopt was. Alan ving de scherpe plantengeur op die hij voor het eerst gewaar was geworden nadat hij in Kinshasa was geland – een miljoen jaar geleden. *Stinkend en rottend.* Hij was uitgeput, maar hij had geen flauw idee hoe Harry erin slaagde het vol te houden, want aanvankelijk was hij van hen het zwakst geweest. En toch ging hij door, volhardend, nauwelijks meer pratend.

Hij was bang voor wat hij zou zien als ze het vliegveld zouden bereiken. Nog meer vluchtelingen, nog meer tenten, nog meer mensen? Hij had gedacht dat ze vóór de mensenmassa's uit liepen, maar daar was hij niet langer meer zeker van.

Ze zagen het vliegveld pas toen ze er al bijna op liepen. Het was niet te zien geweest vanaf het pad, dat eigenlijk niet meer dan een afdaling richting vlakte was geweest, met direct daarna nog wat moeizaam geploeter door een minder dicht wordende jungle waardoorheen af en toe hoog gras zichtbaar was. En toen, plotseling, was er licht tussen de bomen te zien en kreeg Alan het gevoel dat alles zich voor hem opende.

Het was een zorgvuldig aangelegde gravelstrip, voldoende lang voor de Nomads, die slechts een korte aanloop nodig hadden, en lichte toestelletjes als een Cessna. De startbaan maakte een nieuwe indruk. Het was perfect.

Geen vluchtelingen. Geen tenten, geen stank van uitwerpselen, geen gekrijs van baby's en woedekreten.

Maar op de startbaan stonden, honderdvijftig meter bij elkaar vandaan, twee grote grondverzetmachines geparkeerd, die er zó oud uitzagen dat ze voor hetzelfde geld nog door stoom aangedreven zouden kunnen zijn. Ze splitsten de startbaan of effectieve wijze op in drie stukken gravel van elk honderdvijftig meter lang. Het enige soort vliegtuig dat nog op deze baan zou kunnen landen was een helikopter.

Dit moest opzettelijk zijn gedaan. Naar alle waarschijnlijkheid om het FAZ en smokkelaars uit de buurt te houden. Iemand kon duidelijk de zon niet in het water zien schijnen.

'Wat denk je?' vroeg Harry.

Alan keek naar het einde van de landingsbaan. 'Ik denk dat iemand een geweer op ons gericht houdt, dát denk ik.'

De zon kwam op en de stoom begon vanuit de modder op te stijgen. Ze zetten Djalik neer in de schaduw van een van de grondverzetmachines. Alan probeerde via de radio het schip op te roepen, terwijl Harry, het wapen in de aanslag, de knaap met het geweer in de gaten hield. Vanuit hun nieuwe observatiepost zagen ze dat er ook nog een klein gebouwtje stond, naar alle waarschijnlijkheid een van die spelonkachtige, uit betonblokken opgetrokken vensterloze huisjes die nét iets beter zijn dan de bouwsels die van modder waren gemaakt.

'Big Bear, hier Bear Cub, over.' Hij raadpleegde het communicatieplan dat hij in het eerstehulpboekje had neergekrabbeld. Ja, deze stomme codenamen klopten. Als dit een dag was die door twee deelbaar was, dan was hij Bear Cub. 'Big Bear, hier Bear Cub, over.'

Harry snoof. 'Volgens mij wordt er ergens gekookt.' Ze hadden de afgelopen dagen nauwelijks iets gegeten.

'Big Bear, hier Bear Cub, over.'

'BEAR CUB, HIER BIG BEAR, WE HOREN U LUID EN DUIDELIJK, OVER.' Hij hield het toestelletje wat verder van zijn oor en draaide het volume iets terug. 'Big Bear, hier Bear Cub, ik bevind me op Punt Drie, die door conventionele vliegtuigen niet gebruikt kan worden, ben ik duidelijk?'

'Begrijpen dat conventionele vliegtuigen er geen gebruik van kunnen maken. Kunt u dat bevestigen?'

'Bevestigen dat er geen conventionele vliegtuigen kunnen landen, Big Bear. Heli's oké. Heli's oké. Wij, eh, hebben de plek nog niet nagetrokken, maar er zijn geen vijandelijke troepen, geen plaatselijke bevolking, niemand. Eén enkele knaap. Begrijpt u mij?'

'Ik begrijp dat heli's oké zijn, dat er nog geen terreincheck is uitgevoerd en dat er geen mensen zijn. Over.'

'Wanneer kunt u ons hier weghalen?'

Stilte. En toen: 'Daar moeten we even naar kijken, Bear Cub.'

'Verdómme, we hebben hier een man die aan gangreen dood ligt te gaan! Jezus, we staan op het afgesproken punt, waarom kunnen jullie dan niet –' Hij kon van woede even niets meer uitbrengen. Harry keek hem strak aan en hij dwong zich-

zelf weer tot kalmte. 'Big Bear, we moeten hier zo snel mogelijk worden wegge-haald. Ik heb hier een man bij me die de afgelopen vierentwintig uur niet bij be-wustzijn is geweest; we denken dat hij gangreen heeft. Ontvangt u mij, over?'
'Luid en duidelijk, Bear Cub. Ons is een verbod op overvliegen opgelegd. We hebben met je te doen, man.'
Hij had zin om *Hou eens op met mij te doen te hebben, en stuur een toestel deze kant op!* te roepen, maar hij dwong zichzelf langzaam in en uit te ademen, en hij zei: 'Hoe zit het met de Fransen? Ik dacht dat dat ook nog een optie was. Over.'
'Bear Cub, het overgrote deel van hen is de rivier overgestoken, en blijkbaar ontaardt de boel daar nu ook in een chaos. Misschien – we hebben alleen maar wat meer tijd nodig. Over.'
Hij staarde naar de kleine radio. 'Ik héb helemaal geen tijd meer. We lopen op onze laatste benen.' Hij klikte de microfoon uit, klikte hem toen weer aan en zei: 'Over.'
De stilte voelde aan als een soort doofheid, die werd gevuld door een enorm ge-zoem van insecten, en daarna door het schrille gekrijs van vogels, dat klonk alsof ze gemarteld werden. Hij en O'Neill keken naar Djalik, en vervolgens naar elkaar. 'En als ze nu eens helemaal níets kunnen doen?' zei O'Neill.
'Misschien kunnen we naar de Congo lopen. En daar een boot proberen te vin-den. Naar de kust is het ruim elfhonderd kilometer, en dan krijgen we met min-stens twee grote stroomversnellingen te maken. En Kinshasa en Brazzaville, mochten we daar ooit komen, zijn oorlogszones.' Hij ging zitten, met zijn rug tegen de grote bulldozer, en voelde zich zó bekaf dat hij het gevoel had nooit meer overeind te kunnen komen. Zijn hoofd hing tussen zijn knieën, waarbij zijn armen recht naar voren staken. Een ogenblik lang hoorde hij een stem zeg-gen: *Het is over en uit; het is een hopeloze zaak; het lukt ze niet* – Hij zuchtte diep. Moeizaam ging hij staan. 'Ik zie een Coca-Cola-reclame op dat gebouwtje daar, dus ik neem aan dat het een soort winkeltje is. Ik wandel er naartoe en ga eens kijken wat voor eetbaars ze te koop hebben.'
'Die knaap met zijn geweer staat er ook nog steeds.'
'Nou, als hij het vuur mocht openen, dan leg je hem om. Je hebt per slot van rekening een AK-47.'
Alan liep in de richting van het gebouwtje. Toen hij voldoende dichtbij was ge-komen zag hij dat op de voorkant ervan met grote witte letters nogal ruw een naam was geschilderd: *Grand Super-Store A Go Go.* Het gebouwtje zag er nog het meest uit als een garage voor één auto.
'*Arrêtez!*' riep de man.
'Ach, hou je bek,' mompelde Alan. Hij schreeuwde in zijn middelmatige Frans terug dat als de man van zijn geweer gebruik zou maken, hij zou worden geëli-

mineerd door een automatisch geweer. *'Je voudrais acheter de la nourriture! J'ai de l'argent! Je payerai!'*

Toen hij zei dat hij bereid was te betalen, verscheen er een vrouw in de deuropening. Ze was groot, majestueus en gehuld in de schoonste kleren die hij de afgelopen weken had gezien. Ze zei iets tegen de man en stapte rechtstreeks de vuurlinie in.

'Jij Engelsman?' vroeg ze in het Engels.

'Amerikaan.'

'Heb je geld?'

'Ja.'

'Amerikaanse dollars.'

'Ja.'

'Oké, ik zal erg lekker voedsel voor je maken. Tien Amerikaanse dollars.'

Goeie god, je kon in Afrika voor tien dollar de hele dág blijven eten. 'Voor twee man,' zei hij. Het was weinig waarschijnlijk dat Djalik ooit nog eens iets zou eten.

'Twintig Amerikaanse dollars.'

'Kip,' zei hij.

'Rijst,' reageerde ze. 'Rijst, tien dollars. Ook erwten, tien dollars.'

'Veertig dollar voor rijst en erwten voor twee man?'

Ze glimlachte. Een brede glimlach. 'Je hebt het door,' zei ze. 'Oké?'

'Coca-Cola?'

'Tien dollars.'

Zestig dollar voor rijst met erwten en een Coke. Dit waren Washington-prijzen. Hij reikte in zijn shirt en tastte naar de gouden munt die hij daar had vastgeplakt. Toen hij hem te pakken had haalde hij de munt tevoorschijn en hield hem haar voor.

'Dollars,' zei ze.

'Goud.' Hij wilde zijn verdomde dollars zo lang mogelijk bij zich houden, er zo lang mogelijk over beschikken. Bovendien, hij wist niet eens meer of ze nog zoveel van dat spul hádden. Ze kwam wat dichter naar hem toe, nam de munt van hem aan en beet erop, rook eraan, woog hem in haar hand. 'Oké.'

'Oké? En óf die munt oké is. Die munt is meer dan honderd dollar waard!' Hij stak zijn hand ernaar uit. Ze wuifde hem van zich af en verdween in het winkeltje, en toen ze even later weer tevoorschijn kwam had ze een goudweegschaaltje bij zich. Die vrouw had álles, vermoedde hij; waarschijnlijk beschikte ze ook nog over een computer met een directe verbinding met Wall Street. Ze woog de munt, voerde met een lucifer op haar zwarte huid een snelle berekening uit en zei: 'Negentig dollars, deze munt. Ik zal er een stuk voor je af halen.' En dat deed ze dan ook, met een hamer en een beitel, waarna ze als wisselgeld aanzienlijk minder teruggaf dan hij gedacht had te zúllen krijgen.

'Licht je je eigen mensen ook zo op?' vroeg hij.

'Dit hier zijn mijn mensen niet! Ik kom uit Nigeria!' Ze leek enigszins op te zwellen. 'De mensen hier zijn zíjn mensen.' Ze maakte een kort hoofdgebaar in de richting van haar echtgenoot.

De rijst en de erwten smaakten heerlijk. En het waren enorme porties. De Cokes waren warm en zaten in blikjes die rond 1960 gefabriceerd moesten zijn, maar de inhoud was nog steeds de vertrouwde vloeistof. Nadat ze zich hadden volgegeten zetten ze hun bord bij de deur op de vloer neer en liepen terug naar Djalik, die ze in de schaduw van het gebouwtje, dat zowel winkel als onderkomen bleek te zijn, hadden neergezet. Alan had een snelle blik naar binnen geworpen en zakken vol rijst en bonen gezien, alsmede machetes, pakken lucifers, stoffen. 'Met prijzen die je kunt vergelijken met wat ze ons in rekening heeft gebracht,' zei hij tegen Harry. 'Die begroet de vluchtelingen die hier straks arriveren op dezelfde manier als de heks Hans en Grietje heeft begroet.'

Toen keken ze naar de lucht. En vervolgens naar de grondverzetmachines. De echtgenoot, die onder een boom was neergehurkt en er met zijn rug tegenaan leunde, hield hen onafgebroken in de gaten. Het bijna antieke geweer onder handbereik.

Alan bleef naar de lucht kijken. 'Hier met een helikopter landen is een fluitje van een cent,' merkte hij op.

De ondernemende vrouw stond achter hem. 'Wil je soms een vliegtuig kopen?' vroeg ze glimlachend.

Het vliegtuig stond op een ander vliegveld, anderhalve kilometer verderop. Het was het oude vliegveld; het veld waar de bulldozers stonden geparkeerd was het nieuwe. Beide waren eigendom van een Franse oliemaatschappij, en toen de werknemers van dat bedrijf twee weken geleden met hun grote toestel waren vertrokken, hadden ze het kleine toestelletje naar het oude veld gevlogen en het daar zo goed mogelijk aan het oog onttrokken.

De Nigeriaanse vrouw vertelde hun dit alles terwijl ze naar het oude vliegveld liepen, en Alan en O'Neill Djalik droegen. Ze had geen goed woord over voor de blanken die waren vertrokken, noch voor haar echtgenoot, die was achtergebleven. 'Hij noemt zichzelf de politie! De manager! Omdat ze hem een oud geweer hebben gegeven en hem hebben gevraagd een oogje op hun spullen te houden.' Ze spuwde op de grond. Deze dame liet in elk geval níet over zich heen lopen.

Toen hij het vliegtuigje zag, wist hij dat hij ermee zou kunnen vliegen. Het was een in Frankrijk door Reims-Aviation in licentie gebouwde Cessna 182, die onder het vuil zat; naar alle waarschijnlijkheid hadden ze er opzettelijk modder op gegooid om het toestelletje zo goed mogelijk te camoufleren. Maar toen hij eromheen liep zag hij dat de Cessna nog vliegwaardig was. 'Hoeveel?' vroeg hij. 'Hoeveel goud heb je bij je, lieverd?'

Hij schudde zijn hoofd. 'Nee, nee. Vertel me maar wat hij kost. En ik wil de sleuteltjes, en benzine. Ik ga niet alles stukje bij beetje van je kopen. Geen honderd dollar per liter benzine.'

'Ik heb de sleuteltjes.' Ze reikte in de halsopening van haar uitbundige jurk en haalde ze tevoorschijn. Tegelijkertijd haalde ze ergens een oud Star Modela M 9mm-pistool vandaan en hield het wapen nu op hem gericht. 'Probeer me niet in de maling te nemen, lieverd.'

'O, in godsnaam – ! Hoeveel?'

'Vijfhonderd in goud voor het vliegtuig. Driehonderd voor de benzine. Honderd voor de sleuteltjes.'

'Ik koop pas van je als ik gezien heb dat de motor werkt.'

Ze stond erop naast hem plaats te nemen, het pistool nog steeds in haar hand, alsof hij weg zou kunnen vliegen met een vliegtuigje dat om te beginnen niet eens van haar was. Hij stond op het punt medeplichtig te worden aan diefstal, bedacht hij. Hij merkte dat dat hem eigenlijk geen barst kon schelen.

De motor sputterde tegen, haperde een paar keer, sloeg een paar keer terug, en draaide net voldoende om te laten zien dat er compressie aanwezig was, en toen sloeg hij aan en begon de tweebladige propeller steeds sneller omwentelingen te maken. Hij gaf wat meer gas, schoof daarvoor de gashendel iets naar voren, voelde dat het toestel probeerde weg te rollen, terwijl het motorgeronk steeds sonoorder ging klinken. De vrouw uit Nigeria gilde. Hij keek haar lachend aan en bracht de motor tot zwijgen.

'We kopen hem,' zei hij. 'De helft nu, de andere helft als we vertrekken.'

Ze was niet van plan het zo af te handelen, maar hij nam haar het pistool af en dwong haar te gaan zitten, telde de helft van zijn Zuid-Afrikaanse goudstukken af, wierp die in haar schoot en zei haar dat ze ze maar moest natellen – en dat ze daar maar van moest genieten.

'Benzine!' zei hij. Ze wees naar een inzinking in het terrein, zo'n dertig meter verderop. Er lagen een spade en drie machetes in het toestel, door de eigenaars achtergelaten, en hij pakte de spade en begon te graven tot hij op een jerrycan stuitte. Hij groef hem uit, opende de dop en rook eens aan de inhoud.

'Bind haar vast,' zei hij. 'Ga dan terug, overmeester haar man en bind die óók vast. Daarna graaf je de rest van de benzine op en probeer iets te vinden waardoorheen we het kunnen zeven – dat stuk stof dat ze om haar hoofd heeft gewikkeld is wel goed, denk ik – want ik zou niet graag willen dat de brandstof-toevoer verstopt raakt als we ergens boven de middle of nowhere zitten.'

Harry keek hem aan. 'Was je écht van plan met dat ding de lucht in te gaan?'

'Jazeker.'

'Alan – kún jij met dat ding vliegen?'

'Kun jíj het?' Hij gebaarde met zijn hoofd. 'Bind haar vast, dan ga ik straks de tuin doen.'

Hij pakte een van de machetes en liep naar de startbaan. Misschien had er vóór het was gaan regenen minder onkruid gestaan; misschien had men het regelmatig verwijderd, maar er stonden nu zelfs weerbarstige kleine struikjes en manshoge wilde bananen op. Hij vermeed zorgvuldig naar het einde van de baan te kijken, want hij ging ervan uit dat het hem nooit zou lukken als hij wist hoever hij nog te gaan had; in plaats daarvan boog hij zijn hoofd en begon te hakken. Hij was van mening geweest dat hij al uitgeput was toen hij aan deze klus begon – dat was halverwege de dag geweest – maar toen was hij het veld opgestapt, waarna hij vijf uur lang zwaaiend en hakkend en de troep opzij gooiend verder was getrokken. 's Middags was het gaan regenen, en voor zijn rug was dat een regelrechte zegen geweest.

Af en toe stond hij zichzelf toe zijn rug te rechten, waarbij er een brandende pijn in zijn schouders optrad, maar hij ging weer terug aan het werk. Er verschenen blaren op zijn rechterhand, dus ging hij zijn linker gebruiken, en toen weer terug naar de rechter; de blaren sprongen open, begonnen te bloeden. *Ik krijg ons hier weg; ik krijg ons hier weg*, hield hij zichzelf steeds weer voor. Toen iets als een snik aan hem ontsnapte omdat het allemaal zo'n pijn deed, durfde hij zijn hoofd iets op te tillen en zag toen dat hij nog maar tien meter van het einde van de baan was verwijderd. Hij keek op zijn horloge. Hoe was het mogelijk dat hij dit voor elkaar had gekregen? Dit hele terrein! Hij keek naar zijn rauwe rechterhand. Alleen het vasthouden van de machete al deed verdomde veel pijn. Desalniettemin greep hij het mes stevig beet, haalde uit naar de bananenplant en boog weer voorover, waarbij een pijnscheut zich vanuit zijn rug naar zijn schouders voortplantte. Dit was het soort werk dat sommige mensen hun hele leven moesten doen, de hele dag, de hele week, het hele jaar. Hij hakte in op de stelen, de héle dag, de héle week, het héle jaar. Mensen die suikerriet moesten oogsten. En als zíj ertoe in staat waren – Hij bereikte de muur van begroeiing aan het einde van het veld.

Hij wankelde terug en gooide de machete in het haksel. Hij liet zich op de grond vallen en bleef daar liggen, overal pijn voelend.

'Wanneer krijg ik geld?' vroeg de vrouw. Harry had haar vastgebonden aan een boom, niet al te ver van het vliegtuigje.

'Dat krijg je echt wel van me.' De regen spetterde op zijn gezicht. Hij wilde nooit meer overeind komen, nóóit meer. Maar hij móest weer in beweging komen.

'Laten we de brandstof in de tanks doen,' zei hij tegen O'Neill. Harry moest hem helpen bij het overeind komen, en vervolgens ook bij het hem op de vleugel helpen, zodat hij de tanks kon vullen. Elke keer dat hij er eentje optilde probeerden de bijna twintig kilo wegende jerrycans zijn arm eraf te trekken. De brandstofcapaciteit van dit toestelletje was driehonderdvijfendertig liter – maar ze hadden helemaal geen driehonderdvijfendertig liter. Op z'n hoogst tweehonderddertig liter. Nou, daar moest hij zich dan maar zorgen over maken als de tijd er rijp voor was.

Hij liet zich van de vleugel af zakken en goot de resterende druppels van alle jerrycans in één blik, en hield ze daarbij zó lang op hun kop vast tot zijn armen en rug uitschreeuwden ermee te stoppen. Hij wilde élke druppel meenemen. Toen deed hij de dop op het laatste verzamelblik, wierp de andere opzij en liep terug naar de Grand Super-Store A Go Go. Het begon al donker te worden. Er waren drie kleine kinderen tevoorschijn gekomen, die duidelijk bang van hem waren, hun ouders misten, en hij probeerde ze duidelijk te maken dat ze met hem mee moesten lopen, maar ze bleven jammerend bij de rand van het oerwoud staan. Hij pakte een tiental blikjes met voedsel en vier blikken Coke, en nam die mee terug, liet ze aan de vrouw zien en liet enkele Amerikaanse bankbiljetten in haar schoot dwarrelen.

'Niet genoeg!' krijste ze. 'Je beduvelt me!'

'Vast wel.'

'Ik wil meer dollars!'

'Droom maar lekker verder.'

Hij maakte een blik bonen en een blik spinazie open, waarvan ze de inhoud vervolgens naar binnen werkten, leunend tegen het vliegtuigje. Daarna dronken ze ieder een blikje Coke. Hij maakte nog twee blikken open die hij bij de Nigeriaanse vrouw en haar echtgenoot neerzette; toen ze niet wilden eten, dumpte hij de inhoud op de grond, want het was hem om de blikjes te doen. Hij goot in beide blikjes wat motorolie, zette die op een rij bij de Cessna, kroop in het vliegtuigje en maakte aanstalten om te gaan slapen. 'Maak me om vier uur wakker,' zei hij tegen O'Neill.

'Wat denk je dat ik ben? De nachtwaker?' reageerde O'Neill.

'Je hebt het door.'

Hij kon niet wachten. Hij was om drie uur al wakker, lag dwars over de zitplaatsen, met dingen die hem prikten, ellendig en alleen maar de behoefte hebbend zo snel mogelijk weg te gaan, maar tegelijkertijd bang om in het donker te starten. Om vier uur klom hij uit het vliegtuigje en rook de zoete nachtelijke lucht. Harry was wakker, zacht voor zich heen zingend, af en toe het voorhoofd van Djalik aanrakend, zacht fluitend. De vastgebonden man en vrouw sliepen min of meer. De kinderen hadden hen uiteindelijk toch weten te vinden en lagen slapend om hen heen op de grond.

Hij goot het droesem van de benzine in de blikjes met olie en scheurde vervolgens de hoofddoek van de vrouw doormidden en propte een stuk ervan in elk van de blikjes en liep toen de hele lengte van de startbaan af met alleen zijn kleine zaklantaarn om hem tegen de gevaren van de Afrikaanse nacht te behoeden. Hij moest onwillekeurig voortdurend aan slangen denken, maar er wáren geen slangen. Er was iets groots dat met veel lawaai een goed heenkomen zocht, zodat het hart hem in de keel klopte. Zodra de vluchtelingen hier zouden arriveren, zou het ongetwijfeld binnen de kortste keren gedaan zijn met de hier in het wild levende dieren. Tot en met de muizen aan toe.

Helemaal aan het einde van de baan zette hij vier blikjes op een rij. Hij zette ook nog eens aan elke kant een blikje bij twee plaatsen waar de startbaan iets omhoogkwam en vervolgens weer afliep, want hij mocht niet bepaald egaal worden genoemd en kon nog het beste omschreven worden als een erg ondiepe V met deze twee hobbels erin.

Verder stonden er hier en daar ook nog plassen op en waren andere gedeelten vrij modderig.

Harry verbond de blaren op zijn rechterhand. Alan deed antibioticum op Harry's dode oog, en samen verwijderden ze pus uit Djaliks hand, deden er antibiotica op en gaven hem een injectie met penicilline. Hij kwam niet bij kennis. Alans handen trilden van bezorgdheid en het verlangen te vertrekken.

Om kwart over vijf stak er een zacht briesje op, en – alsof de zon deze eerste windstoot voor zich uit had geduwd – werd in het oosten het eerste grijs zichtbaar.

'Laten we maar vertrekken,' zei hij. Hij kon niet langer wachten. Hij ervoer het als iets dwingends, een druk, en hij had het idee dat als hij nú niet wegging hij spontaan uit elkaar zou klappen. O'Neill probeerde hem tot rust te manen, maar hij reageerde furieus: 'We gáán! Niemand komt ons halen; er zijn geen heli's, er wordt níemand opgehaald! We moeten het zélf doen! Niemand anders doet het! Kom op!'

'Maar Jezus, Alan – ze zeiden dat we moesten wachten, misschien – '

'Ik ben niet van plan om door heel Afrika te trekken om uiteindelijk van ouderdom de pijp uit te gaan, wachtend tot er eindelijk eens een toestel komt dat ons op zal pikken! Ik ga! En jij gaat met me mee!'

'Ja, maar – het is nog dónker. Waarom kun je nog niet even wachten?'

'Omdat ik niet van plan ben Djalik voor dood in dit verdomde Afrika achter te laten! Omdat ik gek ben op roem! Omdat ik verdomme verslaafd ben aan actie!' Hij wendde zich af, plotseling helemaal leeg vanbinnen. 'Je zegt het maar.'

O'Neill pakte hem beet. 'Jezus, je weet toch hoe dankbaar ik je ben?'

Hij omhelsde O'Neill een ogenblik lang. 'Het komt alleen maar omdat alles zo'n puinhoop is. Het is allemaal één grote puinhoop.'

Hij pakte zijn aansteker uit de helmtas en liep met grote passen de baan af, om even later over te gaan tot hollen. Aan het einde van de baan stak hij de vier blikjes aan, waarbij de benzine met een zacht plofje en een lichtflits tot ontbranding kwam, en vervolgens holde hij het veld over, zigzaggend om de andere blikjes aan te steken, deze keer niet één keer aan slangen denkend, af en toe bijna uitglijdend, gehaast terugsprintend. Aan de oostelijke hemel was een dunne streep goud zichtbaar geworden.

Hij haalde de munten uit zijn helmtas, en merkte dat het nog een heel gewicht was. Hij wierp de gouden munten in de schoot van de vrouw, die er onmiddellijk naar begon te graaien. O'Neill gooide de patronen uit hun vuurwapens de ene kant op, waarna hij de Star en het antieke geweer de andere kant uit slingerde.

'Laten we Djalik aan boord tillen.'

'Hij is al aan boord.'

O'Neill had Djalik helemaal in z'n eentje aan boord gebracht. Alan schaamde zich voor het feit dat hij zo uit zijn slof was geschoten – en waarom eigenlijk, tegen de man voor wie hij in feite hierheen was gekomen?

Hij wandelde om het toestelletje heen, liep het met zijn kleine zaklantaarn na, terwijl hij zich de drie vlieglessen probeerde te herinneren die hij alles bij elkaar had gehad. Maar wat hij zich vooral herinnerde was het feit dat hij deze pre-flightcontroles altijd samen met andere piloten had gedaan – Rafe, Surfer, Skipper Parsills. Bij computersimulaties kwam dit onderdeel nooit aan de orde. Geen wielblokken, dus legde hij stukken verrot hout voor de wielen en schrok toen in het schijnsel van zijn zaklantaarn uit een van die stukken een schorpioen tevoorschijn schoot, een halfdoorzichtig, iel ding van een centimeter of tien lang.

'Zodra ik het zeg trek je die stukken hout voor de wielen weg en klim dan zo snel mogelijk aan boord, want dan rij ik al. Ik heb daarnet een schorpioen gezien.'

O'Neill stond naast het vliegtuigje en glimlachte schaapachtig. Alan draaide het contactsleuteltje om en de propeller begon langzaam te draaien, terwijl het hoge gehuil van de startmotor steeds verder aanzwol, maar toen begon de motor te sputteren, sloeg aan en kwam brullend tot leven. Hij probeerde het brandstofmengsel wat beter af te stellen, had de verkeerde knop te pakken, kon helemaal niets zien omdat ze alleen maar over een zaklantaarn beschikten; kreeg hem toen te pakken en luisterde naar het scherpe motorgeronk dat hem vertelde dat het mengsel goed was. De motor liep nu volkomen gelijkmatig en hij schoof de gashendel iets naar voren.

Hij keek een keertje achterom om te zien hoe het met Djalik was. Die lag er voor dood bij, maar hij was er tenminste.

'Blokken weg!'

Harry bevond zich onder het toestel en Alan schoot plotseling de angst om het hart – hij was vergeten hem te zeggen dat hij uit de buurt van de propeller moest blijven! Maar Harry was niet gek en hij klauterde al aan boord om met een harde klap de cabinedeur achter zich dicht te slaan, terwijl Alan het toestel naar voren liet rollen om vervolgens in de richting van de baan te taxiën, zich ondertussen afvragend van welke kant de wind kwam, en of dat eigenlijk wel iets uitmaakte, want hij ging nú en niets kon hem nog tegenhouden.

Harry keek achterom. 'Dat mens is op zoek naar haar pistool,' zei hij. 'Dat hebzuchtige wijf!'

Alan schoof de gashendel wat verder naar voren. Het vliegtuigje wilde weg. Hij liep metertjes en schakelaars na, vloekte binnensmonds omdat hij de Franse tekst bij verschillende instrumenten niet goed kon lezen en wist niet zeker of de aanduidingen in meters of voeten, in kilometers of mijlen werden gegeven. *Daar komen we wel achter als we eenmaal in de lucht zitten.*

Hij hyperventileerde. Zijn hart ging als een bezetene tekeer, alsof hij op het punt stond iets angstaanjagend definitiefs te doen – een vrouw ten huwelijk vragen, voor een rechtbank moeten verschijnen. Het wás angstaanjagend. Hij reikte naar de gashendel.

'Zou je me misschien kunnen vertellen waar we naartoe gaan?' schreeuwde O'Neill.

'Rangoon,' antwoordde Alan en schoof de gashendel helemaal naar voren; het motorgebrul zwol nog verder aan, hij liet de remmen los en ze schoten in de richting van de brandende blikjes aan het einde van de baan.

Vlak voor zonsopgang, in de buurt van Cannes.
Twee grote Renault-personenauto's stopten in het donker bij de poort van Lascelles' villa, de koplampen gedoofd, terwijl de voorste auto de bumper pal tegen het hek had aangedrukt. De halogeenlamp die altijd boven de poort brandde deed het niet; zo te zien doorgebrand.

Aan de andere kant van het hek knipperde een zaklantaarn; vanuit de voorste auto knipperde er een ten antwoord terug. Het hek zwaaide naar binnen toe open en de voorste wagen schoof naar voren, alsof het aan het hek bevestigd zat, vervolgens snel accelererend, en de man die zich aan het autoportier vast-klampte en op de treeplank sprong deed dat maar net op tijd, want beide wa-gens reden met hoge snelheid over het grindpad naar het huis, waarbij de ban-den door de steentjes knarsten met een geluid dat nog het meest op regen leek. De wachthonden waren nergens te zien (alle vier bevonden ze zich achter het huis, vol vlees dat van een verdovingsmiddel was voorzien); de twee bewakers zaten in de garage naar een nieuwe pornofilm te kijken.

Een van de auto's beschreef een wijde bocht en reed door de *porte-cochère* naar de binnenplaats erachter, waar de portieren openvlogen en in donkere kledij ge-stoken mannen tevoorschijn sprongen. De voorste auto stopte bij de voordeur; één man klapte er een plak zelfklevende *plastique* tegenaan, sprong opzij, en het volgende moment werd de deur met een harde klap uit zijn hengsels geblazen. Enkele seconden later werd er een schokgranaat naar binnen geworpen, en wa-ren ze binnen.

Belloc kwam wat langzamer achter hen aan. Hamy was helemaal vooraan, aan-wijzingen gevend aan zijn mannen. Belloc hoorde richting achterkant enkele verwarde stemmen, één enkel pistoolschot.

'Naar boven.'

Hamy knikte. 'LaGrange en Bejard zijn daar al.' Zijn schorre gefluister had iets samenzweerderigs, maar ook iets angstigs. Was hij uiteindelijk toch nog bang voor Lascelles? vroeg Belloc zich af.

Belloc beklom de trap met een snelheid die je bij iemand met zo'n lichaams-omvang niet verwachtte. Boven aan de trap werd hij opgevangen en verder ge-leid, hoewel dat veel weg had van iemand snel naar een cel afvoeren. Overal was nu het licht aan; hij zag alle tekenen die op rijkdom duidden – marmer, herin-neringen aan Lodewijk de Zestiende, schilderijen – en bande ze onmiddellijk weer uit zijn hoofd.

Lascelles stond naast een bed dat groot genoeg was voor zes personen. Hij droeg een zijden pyjama, waar zijn voeten als een stel wortels onderuit staken. Het waren erg oude voeten, vond Belloc, en ze hadden iets triests.

'Dit is een schandaal!' krijste Lascelles. 'Dit is een belediging van het Franse volk! Ik eis – !'

Belloc gaf hem een klap in het gezicht, de rechterhand op de linkerwang. De oude man wankelde en zou zijn gevallen als een van Bellocs mannen hem niet overeind had gehouden. 'Er wordt hier níets geëist,' zei Belloc. 'Het is afgelo-pen.' Hij draaide zich naar Hamy om. 'Laat de helikopter maar landen. Die dokter kan maar beter klaarstaan met zijn toverdrankjes; ik wil onderweg al met hem aan de gang.'

'Nee – nee – !' krijste Lascelles. 'Ik ben burger van de Franse – '

Belloc gaf hem opnieuw een klap in het gezicht, en Lascelles hield zijn mond. 'Controleer hem op wapens en vergif – z'n tanden, z'n kont, tussen z'n vingers en tenen – Hamy, zie erop toe dat het goed gebeurt. Ik wil niet dat hij in ons bijzijn de pijp uit gaat.' Belloc liep naar een balkon terwijl op een groot gazon tussen de garages de eerste heli landde. Het gras zag er in de landingslichten van de helikopter bleekgroen uit. Iemand riep hem van beneden af iets toe: het hele huis was in hun handen; geen eigen mensen gewond, een van Lascelles' mannen had een schotwond opgelopen. Moest die naar de heli worden afgevoerd?' 'Nee, hij kan nog wel even wachten.'

Hij verliet de slaapkamer en daalde naar de begane grond af, gevolgd door Lascelles, die door twee grote kerels werd gedragen. Hij kreunde en begon vervolgens zachtjes te huilen, maar daar werd geen aandacht aan geschonken. Toen ze de voet van de brede trap bereikten, kwam net het medisch team de opgeblazen voordeur binnen. De twee mannen deponeerden Lascelles in een stoel en hielden hem daar vast terwijl de arts een injectienaald gereedmaakte. Lascelles begon het op een krijsen te zetten.

'Laat hem zijn mond houden!' bulderde Belloc.

'O, die houdt straks wel op,' zei de arts kalm. Hij stak de injectienaald in Lascelles' arm. Hij had gelijk; de oude man hield halverwege een hoge gil op en staarde naar zijn arm. De arts begon aan de litanie van de reactie op een verdovend middel: tel vanaf honderd langzaam af, alstublieft, meneer, alstublieft, doe dat nu maar –

'De plaatselijke politie komt eraan!' schreeuwde iemand.

'Klote. Hamy! Zeg tegen ze dat ze zich nergens mee bemoeien.' Belloc zat in een stoel die eigenlijk veel te delicaat voor hem was en keek naar de oude man. Zijn ogen waren veranderd, niet langer doodsbang, bijna kinderlijk nu, wijdopen. 'Hoelang nog?' vroeg Belloc.

'Geef hem een minuut of drie.'

'Breng hem naar de heli.' Belloc sjokte naar de deur, maar moest een stapje achteruit doen zodat Lascelles naar buiten kon worden gedragen. Toen hij de stenen trap bereikte, werd hij daar opgewacht door een lange man die hem een koptelefoon aanreikte. 'Een boodschap vanuit Parijs, *Chef.*'

'Belloc,' gromde hij in de microfoon.

'Belloc, Martin-Poiseneuve hier.' De baas. De gróte baas. 'Ging het een beetje?'

'Het is allemaal gelukt. En nu het moeilijke onderdeel.'

'Ja, dat is jóuw verantwoordelijkheid. Er is net een nieuw bericht uit Libië binnengekomen, Belloc. In het belang van het bevorderen van de internationale vrede zetten ze deze man, Zulu of hoe hij ook mag heten, in Tunis op een passagiersvliegtuig.'

'Dat kunnen ze niet dóen! Wíj zouden hem krijgen.'

'Tja, van een formele overeenkomst is geen sprake – je hebt dit alles zó snel geregeld, Belloc, dat er altijd ruimte zou zijn voor verassingen. En dat alles is jóuw verantwoordelijkheid.' De minister klonk slaperig maar tevreden. 'Hoe dan ook, ze zetten hem in Tunis op het eerste het beste lijnvliegtuig naar zijn vaderland.'

'Verdómme! Mijn verontschuldigingen, meneer de minister. Nou, ja, een verrassing, hoewel dit eigenlijk wel past bij de Libiërs. Die proberen volgens mij altijd van twee walletjes te eten. Goed, we zoeken dit uit. Dank u voor uw belangstelling.' Hij slaagde erin dat laatste woord zonder ironie over zijn lippen te krijgen, althans, dat hoopte hij. Hij gaf de koptelefoon terug, overtuigde zich ervan dat het ondervragingsteam aan boord van de heli was en gaf hun bevel te vertrekken. Enkele ogenblikken later stond Hamy naast hem en hij vertelde zijn medewerker over de laatste zet van de Libiërs.'

'Verdómme,' zei Hamy.

'Zo reageerde ik ook al. Oké, dit gaan we doen. Neem contact op met Pigoreau in Sarajevo. Zeg hem dat hij contact opneemt met de militaire inlichtingendienst in de Franse zone; ze moeten een niet-gebruikt vliegveld selecteren en voor een compagnie harde jongens zorgen – zeg maar dat ik persoonlijk de voorkeur geef aan het *Légion étrangère*, als hij daar tenminste de hand op kan leggen. Hoelang duurt het om van Tunis naar Belgrado te vliegen? Vier uur? Zes? Hoe dan ook, dit moet erg snel gebeuren. Zeg tegen Pigoreau dat hij met die baas van hem, die Amerikaan, moet praten – dat wordt het been dat we hem toewerpen, Hamy, en dit is uiterst belangrijk; we moeten schoon schip maken met de Amerikanen – als dit straks tot een ontknoping komt, dan moeten zij er bij betrokken zijn. En daarna – nee, doe eerst dit – neem contact op met de luchtmacht, zeg ze dat ze dat vliegtuig moeten opvangen – O, Jézus, we weten helemaal niet om wélk toestel het gaat. Oké, ik ga van achteren naar voren. Informeer in Tunis en Tripoli en probeer het vluchtnummer, het type vliegtuig en de maatschappij los te krijgen – álles. Je weet hoe je dat moet aanpakken. Neem daarná contact op met de luchtmacht. We hebben minstens vier straaljagers nodig, twee vanuit Bosnië en twee vanuit, eh, ik neem aan Marseille. We gaan het volgende doen – '

Een windvlaag deed de dode bladeren aan de prachtige oude bomen boven hun hoofd ritselen, en beide mannen keken omhoog. De helikopters waren al vertrokken, de sterren stonden fel fonkelend aan de hemel. De windstoot zorgde ervoor dat de takken zich bewogen als danseressen, maar toen, even plotseling als het was begonnen, hield het ook weer op.

'Winter,' zei Belloc.

37

9 december

Zaïre.

Hij was opgestegen met volle vleugeltanks en een gedeeltelijk gevulde reserve-tank, voldoende, had hij berekend, om – mits hij zo zuinig mogelijk vloog – ruim negentienhonderd kilometer af te leggen. Maar al tijdens het eerste uur in de lucht werd er door alle berekeningen een dikke streep gehaald. Wat was er verdomme aan de hand? Hij vloog boven de vijfduizend voet, hij hield het toestel keurig horizontaal, zijn brandstofmengsel was niet al te rijk – Na één uurtje vliegen gaf zijn brandstofmeter aan dat zijn tanks al voor een kwart leeg waren. Of de tanks waren lek, óf hij las het instrument verkeerd af, óf zijn berekeningen klopten niet.

Vanwege dit brandstofprobleem kon hij zich niet volledig aan het vliegen wijden. Hij probeerde de invalshoek van het toestel wat aan te passen, om te kijken of daardoor het brandstofverbruik werd beïnvloed. Hij tikte tegen het glas van de brandstofmeter. *Dit is een Frans toestelletje, dus zal het wel in alles verschillen van normale vliegtuigen,* dacht hij. Desalniettemin leek het in alles op een Cessna 182, en voelde het ook als zodanig aan.

Harry was in de stoel naast hem door slaap overmand en zijn donkere gelaat hing slap, een direct gevolg van de uitputting waaraan hij nu kon toegeven. De start had hen beiden de stuipen op het lijf gejaagd; Harry probeerde daar overheen te komen door te slapen.

Djalik was nog verder weggezakt. Alan kon hem niet goed zien, omdat hij op de achterbank lag, met zijn hoofd achter de stoel van de piloot, en elke keer dat hij zich omdraaide, begon het toestel aan een langzame bocht naar rechts. Die bocht naar rechts maakte dat het toestel snelheid en hoogte verloor, zodat Alan de neus weer omhoog moest zien te krijgen en weer extra gas moest geven om de Cessna weer behoedzaam naar de meest economische hoogte te sturen, om daar eenmaal aangekomen weer gas terug te nemen, terug op koers te brengen, en vervolgens de juiste instellingen te vinden om het toestel op een constante snelheid en koers te houden. Hij merkte dat hij zachtjes vloekte vanwege al deze correcties, en dat hij ook nog eens overcompenseerde. Hij moest zijn uiterste best doen om het golfeffect te bestrijden, dat maakte dat het toestel onafgebroken steeds weer steeg en daalde, daarbij een hoogte van ongeveer zestig meter winnend en verliezend, waardoor hij extra brandstof verbruikte. Hij besefte dat dit golfeffect veroorzaakt werd door het feit dat hij te krampachtig met de stuurkolom omging. Twee angstaanjagende minuten lang slaagde hij er niet in dit effect tot staan te brengen.

Hij wilde een van de slapers wakker maken, zodat hij gezelschap had. De geruststelling dat hij niet alleen was. Wat hij vooral wilde was zijn bestemming bereiken. De landing zou ongetwijfeld het ergst zijn. Hij wilde het nú doen – nú, zodat het achter de rug zou zijn.

Niets hielp. Het ene moment worstelde hij met de stuurkolom, om het volgende moment weer heel even in te dommelen. De slaap wachtte hem op, heel dichtbij, hoewel hij de afgelopen vierentwintig uur evenveel had geslapen als hij aan boord had gedaan.

Hij probeerde rechter op te gaan zitten, aan Rose te denken, dezelfde gedachtespelletjes te spelen waarmee hij aan boord van de S-3 de slaap op afstand had gehouden. Hij had de kriebels, kon niet stil blijven zitten en verdeed twee uur lang zijn energie en zenuwen.

Toen vond hij de automatische piloot, die op een ongewone plaats zat en was voorzien van een Franse tekst die hij niet kon thuisbrengen. Erger nog, hij was helemaal vergeten ernaar op zoek te gaan.

Boven de Middellandse Zee.

Een heel stuk noordelijker dan Zaïre beschreef een Boeing 737 van Air Libya een bocht naar het noorden, die het toestel binnen enkele minuten buiten het Libische luchtruim zou brengen. De 737 was opgestegen vanuit Tunis, ten opzichte van het eigen land het dichtstbijzijnde vliegveld waar het kon landen, een direct gevolg van de sancties. Nadat het zijn bocht had voltooid, begon het aan de oversteek van de Middellandse Zee richting Europese vasteland.

Toen het toestel het Libische luchtruim achter zich liet, voerden drieduizend voet hoger twee Franse SEPECAT Jaguar A's van het Escadrille de Chasse 4/11 een wijde bocht uit en namen een positie schuin boven en achter de 737 in. Daar hielden ze als twee beschermengelen de wacht.

Sarajevo.

Ver ten noorden van Libië kwam Sarajevo weer langzaam bij. Dukas, die in zijn kille flat wakker werd, proefde de bitterheid van een kater en legde zijn hand op de rinkelende telefoon. Hij was van plan geweest de vorige avond de stekker uit het stopcontact te trekken, maar hij was te dronken geweest om dat te doen. Nu betaalde hij daar de prijs voor.

'Dukas.'

'Michael, Pigoreau hier. Kleed je aan; ik zou het prettig vinden als je over een kwartiertje beneden bent.'

'Waarom, verdomme?'

'Dat vertel ik je als je beneden bent.'

De verbinding werd verbroken. Dukas stond op, dronk drie glazen water en staarde in de spiegel naar zijn gezwollen gelaat. Hij voelde zich klote. Maar hij wist uit ervaring dat je aan een kater niet doodging; hoewel je dat soms wel wenste. Hij nam vier aspirientjes en een handvol vitaminepillen in en kleedde zich zo langzaam als hij durfde aan – een overhemd zonder stropdas, een flanellen pantalon, een verfomfaaid tweed jasje waaraan twee knopen ontbraken. Hij deed het jasje weer uit en deed zijn schouderholster met de .357 om, trok toen moeizaam zijn jasje weer aan, pakte zijn regenjas en ging naar beneden.

Daar stond Pigoreau met een Franse jeep op hem te wachten. De chauffeur en een officier met een haviksneus zaten voorin. 'Nuchter?' vroeg Pigoreau.

'Ik weet het niet. Misschien niet helemaal honderd procent. Wat is er aan de hand?'

Pigoreau overhandigde hem een thermosfles. Die zat vol Franse koffie, maar er zat geen bekertje bij. Hij dronk rechtstreeks van de dikke kunststof rand. 'De mensen die dit spul drinken, overleven dat over het algemeen toch wel, hè?'

'Zulu is weg.'

Dukas keek hem over de thermosfles aan. '*Weg?*'

'Hij zit in de lucht. In een lijntoesel, Air Libya, opgestegen vanuit Tunis met bestemming Belgrado. Kom op.'

'Waarheen? Belgrado?'

'Michael – ! Stap verdomme in die wagen.' Zodra Dukas in de jeep zat kwam het voertuig in beweging.

'Waar gaan we heen?'

'We gaan Zulu verwelkomen.'

Boven West-Afrika.

Vier uur na het opstijgen moest Alan zijn reservetank al aanspreken. De automatische piloot had ervoor gezorgd dat hij met zijn eigen energie zuinig aan kon doen; voordat de brandstofsituatie kritiek was geworden had hij twee keer kans gezien een uurtje te slapen en was hij wakker geworden door drie alarms die hij had ingesteld: zijn horloge, de GPS en de automatische piloot. Harry maakte hem de eerste keer wakker, hij dronk toen wat water en viel weer in slaap. Djalik kwam niet bij bewustzijn.

Djaliks hand stonk. Alan kende gangreen alleen maar als een ziekte waarover de hoofdpersonen in de boeken van C.S. Forester zich zorgen maakten, maar hij wist wel dat het op een gegeven moment het punt bereikte waarop er bloed-vergiftiging kon optreden en dodelijk was, Hij vroeg zich af of ze hadden moe-ten proberen de hand te amputeren. Waarschijnlijk niet: hij wist meer af van vliegen met dit vliegtuigje dan van chirurgie. En dat gold ook voor O'Neill. Dat betekende dat Djalik zo snel mogelijk naar een ziekenhuis moest. Hij was van plan richting Bata en Libreville te vliegen, maar hij was er nog niet zeker van, was er helemaal niet zeker van – aids, Ebola, een werelddeel dat geken-merkt werd door lowtech en armoede, waar naalden meerdere keren werden ge-bruikt – Elk land waar hij nu zou landen zou visa en doorreisvergunningen wil-len zien. En nadere uitleg – ze hadden veel te veel wapens aan boord, en die zaten ook nog eens onder het bloed. Misschien kon hij het toestel ergens een noodlanding laten maken, om vervolgens radiocontact met het schip te maken, waarna zij het met de plaatselijke ambassade konden regelen.

In het Microsoft-universum had hij zijn Cessna tientallen malen op een virtu-ele *Nimitz* laten landen – dus in zekere zin wist hij hoe hij dat moest doen. Maar misschien was dat hetzelfde als zeggen dat een kind dat op zijn of haar pc een slechterik om zeep had geholpen, dat in het echt ook zou kunnen. Wéten dat het kon was niet hetzelfde als het daadwerkelijk dóen, zoals hij dondersgoed zou beseffen als hij met een klap tegen het vliegdek zou slaan. Of tegen het water.

De verschrikkelijke waarheid was dat hij terug op het schip wilde zijn. Hij wilde niets liever dan O'Neill en Djalik naar huis brengen.

Maar van eerder zorg was het feit dat hij niet voldoende brandstof had om de *Rangoon* te halen, laat staan de *Jackson*. Hij zou ergens moeten landen om ben-zine te tanken.

Hij maakte Harry wakker en vroeg hem of hij op hun grootschalige kaart een truckroute in zuidelijk Kameroen kon lokaliseren. Vervolgens bracht hij een uiterst kleine koersverandering in de automatische piloot aan.

Over een uurtje zou hij proberen te landen. Op een weg.

Twee keer vloog hij als proef op geringe hoogte aan. Bij de derde keer dat hij overvloog zag hij dat al heel wat mensen tevoorschijn waren gekomen uit het bleke struikgewas dat groeide aan beide kanten van de geasfalteerde weg die als een zwart lint in noordelijke richting naar Yaoundé liep. Prima: het was zijn be-doeling de aandacht te trekken van de mensen die langs de vrachtwagenroute woonden.

Een kleine jongen zat op zijn hurken aan de rand van het struikgewas, waarbij hij een van zijn handen boven zijn ogen hield om tegen het licht in te kunnen zien, terwijl hij met de ander zijn lange rode gewaad omhoeghield, zodat het plaveisel niet zo koud bij hem op zou trekken. Hij had wel eens eerder een vliegtuig gezien, maar nog nooit eentje die zó laag over zijn eigen huis was gevlogen. Steeds weer! Het was een stuk interessanter dan de vrachtwagens die over de grote weg heen denderden. Hij wilde later dolgraag chauffeur van een van die trucks worden.

Lui tekende hij de contouren van het vliegtuig in het fijne zand aan de kant van de weg. De jongen moest een scherp waarnemer zijn, want hij zag kans om een redelijk goedgelijkende afbeelding van het toestel met de kleppen helemaal uitgedraaid te maken. Het vliegtuig was nu vier keer laag overgevlogen. De jongen had het idee dat het toestel zou gaan landen, maar zei dat niet, uit angst door de oudere mensen om hem heen belachelijk gemaakt te worden. Hier was nog nooit eerder een vliegtuig geland.

Terwijl de vrachtwagenchauffeurs hun motoren juist extra hard lieten ronken als ze langsreden, met name als ze een vrouw passeerden, leek de piloot van het vliegtuigje juist gas terug te nemen. Het schorre geronk van de eerste paar keer overvliegen was nu tot een gedempt gegrom geworden. Het vliegtuigje viel als een baksteen naar beneden. Toen viel het minder snel. Toen leek het te zweven, en blééf zweven, om op enkele opwindende meters hoogte over de jongen heen te vliegen. Een einde verderop op de weg, ter hoogte van het pad van Ab'jans, raakten de wielen de grond en verdween het toestel in een kolkende wolk van fijn grind. Veel mensen holden weer terug de bush in. De jongen holde naar het vliegtuigje.

Alan richtte de neus van de Cessna in zuidelijke richting door het toestel op een keerplaats voor vrachtwagens honderdtachtig graden te draaien. De stijve bries die uit het zuiden waaide was verfrissend, maar lang niet zo verfrissend als het feit dat hij kans had gezien te landen zonder frontaal op een tegemoetkomende vrachtwagen te knallen.

In het hele gebied ten zuiden van de Sahara zorgden de vrachtwagens op de oude, slecht onderhouden wegen ervoor dat beschavingen contact met elkaar konden houden. De truckers zijn de kapiteins van grote schepen die steeds weer de enorme afstanden tussen steden afleggen. Er zijn geen benzinestations. Hij en O'Neill wisten dat er langs elke vrachtwagenroute rechtstreeks werd getankt vanuit het hoge kreupelhout langs de weg, en dat daarover geen belasting aan de overheid werd betaald. Waar komt die benzine vandaan? Hoeveel ligt er naast de weg opgeslagen? Welke onvolkomenheden zitten er in die brandstof? Alan wist op geen van die vragen het antwoord, maar het toestel zat nu vol benzine en de motor liep. Aanvankelijk was er slechts één jongetje naar het vliegtuig gekomen, die weer was weggehold om even later met de eerste benzine ten tonele te verschijnen. Daarna had zich een kleine menigte gevormd en uiteindelijk waren er zelfs enkele vrouwen tevoorschijn gekomen.

En toen had hij Harry Frans met hen horen praten. Die zat tussen de mannen en de jongens op zijn hurken naast de weg, en hij had het over datgene waar hij tijdens zijn gevangenschap zo vaak aan had moeten denken en waarover hij tijdens de tocht door de jungle met Djalik had gesproken: over familiebanden en democratie en een fatsoenlijke opleiding voor de kinderen. Hij kon hun niets aanbieden, zei hij, alleen maar woorden, want alles wat hij bezat was hem afgenomen. Dus gaf hij hun wat hij geleerd had. De oude mannen knikten. De jongens keken met wijdopen ogen naar hem op: een zwarte man die zei dat hij Amerikaan was, was uit de lucht komen vallen om met hen te praten.

Alan betaalde voor de benzine met Amerikaanse dollars, klom in het vliegtuigje en riep Harry. Twee keer. Wachtte af. Eindelijk lukte het Harry zich van de mensen los te maken en kwam hij naast Alan zitten om na een paar laatste woorden de deur dicht te klappen. Alan draaide het toestel met de neus in de wind, schoof de gashendel naar voren en ze denderden over het zwarte lint, een gemakkelijke start die bij hem de mening post deed vatten dat het allemaal moest lukken.

Naast hem draaide Harry zich helemaal om om naar achteren en beneden te kijken. 'Zo heb ik het me altijd voorgesteld dat het zou zijn,' merkte hij op. *In Afrika*, bedoelde hij. Toen Alan naast hem keek zat hij met gebogen hoofd en huilde geluidloos.

Zodra ze de kust waren gepasseerd probeerde Alan de mobiele radio. Er was nooit sprake geweest van een beslissing de steden links te laten liggen; de beslissing was al in Zaïre genomen, toen hij voor het eerst met de Cessna was geconfronteerd. Ze waren op weg naar de *Rangoon*.

Alans vermoeidheid was nu een constante. Djalik leek in een heel andere fase terechtgekomen te zijn, want hij begon nu krampachtig te woelen en te mompelen. Harry bette zijn gezicht met wat water en gaf hem opnieuw een injectie met antibiotica.

'Hoe lang nog?' vroeg hij.

'Nog een uurtje, ongeveer.'

Even na twaalf uur 's middags plaatselijke tijd slaagde hij erin contact te maken met de *Rangoon*. Hij vertelde hun wat zijn bedoeling was. Een hoofdofficier kwam aan de lijn, was wat stijfjes maar klonk tegelijkertijd wellicht enigszins verontschuldigend. Het waren uiteindelijk de aan boord van de *Rangoon* gestationeerde heli's die hen hadden moeten evacueren.

'Bent u in het bezit van een vliegbrevet, Bear Cub?'

'Nee.'

Stilte. 'We praten je wel naar beneden. Succes. Over.'

Terwijl ze nog aan het praten waren werd aan boord van de *Rangoon* het vlieg-dek ontruimd. Elk vliegtuig en elke helikopter die op het hangardek kon wor-den gestouwd werd naar de deklift gesleept. De twee resterende heli's en één Harrier werden klaargemaakt om direct de lucht in te kunnen, waarbij de Har-rier – die verticaal kon starten en landen – vleugel aan vleugel met de Cessna zou vliegen, terwijl de helikopters direct bij de hand zouden zijn voor het geval hij in het water terecht zou komen. Bij de vliegers ging men op zoek naar een LSO – deklandingsofficier – die bekend was met lichte vliegtuigjes, maar de commandant van het Harrier-squadron zei dat het zijn verantwoordelijkheid was en dat hij het zou doen. Hoewel hij er eigenlijk helemaal geen zin in had.

Op het flag-dek van de *Jackson* werd admiraal Pilchard op de hoogte gebracht door een hijgende flag-luitenant, die helemaal vanaf het communicatiecentrum was komen hollen. Hij staarde de jongeman een ogenblik lang niet-begrijpend aan; hij had net naar een evaluatie van hun onderzeebootcontacten staan luis-teren en moest helemaal overschakelen.

'Waar is hij nu?'

'Hij is twintig minuten geleden de kust gepasseerd, meneer.'

'Bedoel je – dat iemand hem daar uiteindelijk toch nog heeft weggehaald?'

'Zo te zien heeft Craik kans gezien om daar op eigen kracht weg te komen, meneer. Dat staat met zoveel woorden in het net binnengekomen bericht – "Ltz1 Craik aan de stuurknuppel".'

'Van wát?'

De luitenant schudde zijn hoofd. 'Dat wordt verder niet gespecificeerd, meneer. "Licht vliegtuigje," meer niet.'

De admiraal staarde naar de verbijsterde gezichten om hem heen. Hij legde een hand op de schouder van de ltz2. 'Je zorgt er onmiddellijk voor dat alle vloot-geestelijken aan boord van dit schip onmiddellijk bij elkaar komen, zeg ze maar dat deze opdracht rechtstreeks van mij afkomstig is, en je vertelt ze dat ze met z'n allen via de scheepsomroep voorgaan in gebed. Zeg ze dat ik wil dat dit hele schip bidt voor iemand die alle hulp nodig heeft die hij kan krijgen.'

'Hoe ver zal hij gaan om zijn maatje te redden, als het moet?'

'Behoorlijk ver. Héél ver.'

Twintig minuten later dook de Harrier naast hen op. Toen hij dat zag maakte het hart van Alan een sprong van vreugde. Bijna thuis. Bijna *thuis*.

Harry zag het kleine vliegdekschip dat bedoeld was om luchtsteun te geven bij landingsacties als eerste. Hij zat recht overeind in zijn stoel en probeerde óver het instrumentenpaneel heen te kijken. Het schip zag er bijna onnatuurlijk uit, met haar volkomen lege vliegdek.

'Ze zien er allemaal zo klein uit, als je aan komt vliegen,' merkte Alan op om zichzelf een beetje moed in te spreken.

'Al, probeer me niet te besodemieteren – hoelang is dat vliegdek écht?'

'Tweehonderdvijftig meter.'

'Kun je dit ding binnen die tweehonderdvijftig meter laten landen?'

'Tja – zie je, de normale uitloop is ongeveer vierhonderd meter, maar dat is op een gewoon vliegveld. We hebben hier met de theorie te maken dat het vliegdekschip ook een eigen snelheid heeft, dus kunnen we háár snelheid van de onze aftrekken, zodat we een landingssnelheid hebben van zo'n pakweg vijfenveertig kilometer per uur – verhoudingsgewijs dan. Snap je?' Hij wierp een blik opzij. Harry staarde naar het vliegdekschip. 'Ik denk niet dat we veel meer nodig zullen hebben dan een meter of honderdvijftig, tweehonderd,' merkte Alan op.

'Hebben ze een vangnet, net als aan boord van de *Jefferson*?'

'Nee. Verdomme, Harry, tijdens de Tweede Wereldoorlog landden ze met aanzienlijk grotere toestellen dan dit op dat soort vliegdekschepen!'

'Ja, maar díe toestellen beschikten over een landingshaak.'

'Ja, ze hadden allemaal een landingshaak. Maar dat schip daar beschikt niet over remkabels, ook al hadden wij wél een haak – Harriers en helikopters hebben helemaal geen haak nodig. Harry – het principe klopt gewoon! Zij zullen proberen zoveel mogelijk vaart te maken, en ik neem gas terug; het komt gewoon neer op een landing met een snelheid van vijfenveertig kilometer per uur!'

Het vliegdekschip was nu een stuk dichterbij, en als hij zich wat uitstrekte kon hij het ook zien. In elk geval was het vliegdek behoorlijk breed. Het eiland stond helemaal aan de zijkant. Naar de linkerkant toe had hij in elk geval nog enige speling.

Hij vroeg de Harrier hem richting *break* te leiden, het punt waarop hij van koers moest veranderen om op het schip aan te vliegen. Hij had er geen behoefte aan om ook nog eens aan afstanden en timing te moeten denken. Hij wilde zich helemaal concentreren op het oplijnen en zijn aanvlieghoek.

Hij zou maar één keer de kans krijgen zijn toestelletje neer te zetten. Hij zou al binnen de eerste dertig meter van het dek aan de grond moeten zien te komen en dan vol op de remmen gaan staan, wilde hij het redden, ook al voer het vliegdekschip op volle kracht. Als hij de boel verkeerd inschatte en hij landde te ver op het dek, zouden zijn remmen geen kans meer zien zijn Cessna op tijd tot stilstand te krijgen en zou hij aan de voorkant van het dek rollen. Hij had dat wel gezien in documentaires over de Tweede Wereldoorlog. Hij had dat maar niet aan Harry verteld. En als dat gebeurde was er geen redding meer mogelijk: hij zou niet de gelegenheid krijgen waarover Rafe tijdens een deklanding nog beschikte: vol vermogen geven zodra hij het dek had geraakt en dan óf een van de remkabels te pakken krijgen of een doorstart maken en het opnieuw proberen. Niet voldoende dek, niet voldoende vermogen.

De *break* in. De LSO had aangeboden hem in één lange rechte lijn op het schip aan te laten vliegen, maar zo had hij het op de simulator ook nog nooit gedaan en hij voelde er weinig voor om het anders te doen. De LSO had nogal vreemd opgekeken toen hij had gezegd: 'Ik ben er aan gewend de break te nemen, meneer,' maar hij was er mee akkoord gegaan.

Hij vloog achter het kleine straaltoestel aan en verloor hem vrijwel onmiddellijk uit het zicht. De Harrier vloog al een heel eind voor hem uit, veel te snel om zodanig gas te kunnen minderen om gelijk op met de Cessna te kunnen vliegen, en Alan meldde zich bij hem af. 'Bedankt, Harrier Een. Prima werk.' Hij moest oppassen om niet overmoedig te worden. 'Ik zie u straks aan dek.'

De *Rangoon* had een vaart van negenentwintig knopen – ruim drieënvijftig kilometer per uur. De overtreksnelheid van het kleine vliegtuigje – met de landingskleppen helemaal uitgedraaid – lag rond de vijfenvijftig knopen – iets meer dan honderd kilometer per uur – wat inhield dat hij, als hij het goed deed, slechts een relatieve snelheid van zesentwintig knopen – achtenveertig kilometer per uur – zou hebben wanneer zijn wielen het dek raakten, precies zoals hij Harry had gezegd.

Alan draaide zijn landingskleppen maximaal naar buiten en begon aan zijn bocht naar het punt van waaruit hij recht op de *Rangoon* aan zou vliegen.

Hij dacht niet meer aan Harry, en ook niet meer aan Djalik. Hij dacht ook niet meer aan Rose, of aan Mikey, en zelfs niet aan zijn vader, die dit misschien wel duizend keer had gedaan in misschien wel tien verschillende typen vliegtuig. Hij dacht alleen maar aan de landing.

Hij schoot te ver door om fatsoenlijk op te kunnen lijnen en haastte zich weer terug naar de ideale lijn.

'Keurig opgelijnd,' klonk de stem van de LSO uit de radio, die zich nu in Harry's schoot bevond. De stem probeerde geruststellend te klinken.

Hij herinnerde zich dat hij gas terug moest nemen, wat hem wat meer tijd gaf, maar wel hoogte kostte. Hij haalde de gashendel zover naar zich toe dat de motor net iets meer dan het minimale vermogen gaf, en liet het toestel hoogte verliezen.

De LSO zag het toestelletje heen en weer schommelen, op jacht naar het vliegdek, en hij besefte dat deze knaap zoiets nog nooit eerder had gedaan. Het probleem was dat de LSO een Harrier-piloot was en dat hij sinds zijn opleiding in Pensacola – waar hij met T-2 Buckeye had gevlogen – geen 'echte' deklandingen met conventionele vliegtuigen had gemaakt. Ze waren beiden hier niet helemaal op hun plaats.

Hij meldde de Cessna dat hij was opgelijnd om de knaap een beetje op zijn gemak te stellen.

Het zag er redelijk uit. Nee, het zag er níet redelijk uit. Jezus, dit is niet de manier om een toestel op een schip uit de Tarawa-klasse neer te zetten. Jezus, hij verliest veel te snel hoogte. Nee, misschien toch niet. Moeilijk te zeggen. Eigenlijk was hij helemaal niet gekwalificeerd om als LSO voor Cessna's op te treden.

'Meer vermógen!'

Alan vond dat het er allemaal grandioos uitzag, maar ramde desalniettemin de gashendel naar voren. Zijn daalvlucht ging – na even een korte dip te hebben beschreven – vrijwel onmiddellijk over in horizontale vlucht. Hij haalde de gashendel weer een fractie naar zich toe.

Op de Harrier-skipper en de reddings- en brandweermensen na lag het vliegdek er verder volkomen verlaten bij; het schip zelf verkeerde in staat van alarm, terwijl de bemanningsleden díe voorzorgsmaatregelen troffen die ook vlak voor een mogelijke aanvaring werden getroffen. De ad-hoc LSO zweette peentjes. *Verdómme.* Nu zat die knaap weer te hoog. Nú zat hij goed. Niet slecht, eigenlijk. *Nee!* Terug naar die steile daalvlucht. Het zou op het randje worden. Hij kon zien dat die knaap het hele dek wilde gebruiken om af te remmen. Hij leek niet te beseffen dat het vliegdekschip bijna even veel vaart had als hijzelf. Het ging allemaal maar net. Misschien wel net níet.

'Meer vermógen!'

Alan schoof opnieuw de gashendel iets naar voren. Het vliegdek vulde nu zo'n beetje zijn hele blikveld en het eiland scheen met hoge snelheid zijn kant uit te komen. Wat op een lange glijvlucht richting zekerheid had geleken was nu één grote worsteling geworden. Harry hield de radio voor hem omhoog. Hij kon de rand van het dek niet zien, maar die was wél vlakbij, verdomde dichtbij en hij trok de neus van het toestel nét iets te ver omhoog bij zijn poging een paar decimeter extra ruimte te creëren om dóór te kunnen zweven, en de Cessna raakte in een *stall*, raakte overtrokken. Hij voelde hem gaan. En de neus leek onder hem weg te vallen.

De LSO zag het toestelletje overtrokken raken en dacht dat de piloot dat met opzet deed. Hij voelde zich genoodzaakt zijn mening omtrent deze knaap volledig te herzien. De stall reduceerde de voorwaartse snelheid tot nul en zorgde ervoor dat het toestelletje met een klap op het dek belandde. Het was een prachtige, van lef getuigende manoeuvre.

Alle drie de wielen raakten het dek, en het toestel stuiterde één enkele keer om vervolgens nog tien meter door te rollen vóór Alan voldoende van de klap hersteld was en op de rem ging staan. Het vliegtuig kwam tot stilstand. Voor hen uit strekte het vliegdek van de *Rangoon* zich nog over een lengte van minimaal twee voetbalvelden uit.
Ze hadden voor hun landing precies vierendertig meter nodig gehad.
Alan bleef zitten en trilde als een espenblad. Reddingswerkers en medics sprintten in de richting van het vliegtuigje. Harry draaide zich glimlachend om terwijl de zweetdruppeltjes over zijn donkere, geelgevlekte, toegetakelde gezicht liepen. Een warme hand kromde zich rond de achterkant van Alans nek.
Toen de medics de deur van de Cessna openrukten omhelsden de twee mannen elkaar net innig en lieten een hyena-achtig gelach horen.

Hij had er geen rekening mee gehouden dat men erop stond dat hij op een brancard zou gaan liggen, net als de anderen, maar toen hij uit het kleine vliegtuigje klom stond hij te zwaaien op zijn benen, en men dwong hem min of meer te gaan liggen. Het kleine vliegdekschip deed vreemd aan, de afmetingen van het vliegdek klopten niet, terwijl zijn evenwichtsgevoel na zo'n lange periode aan de wal ook van slag was. Diverse handen hielden hem vast en hij probeerde ze van zich af te schudden, maar toen lag hij languit op de brancard, en was daar dankbaar voor. Het volgende moment draaide hij zijn hoofd helemaal opzij en zag hoe een brancard met daarop Harry in de richting van de stalen deur onder in het eiland werd gedragen. Hij gaf een schreeuw. Harry draaide zijn hoofd zodanig dat hij met zijn goede oog naar hem kon kijken; Alan kwam van zijn draagbaar overeind, terwijl de medics hem weer terug probeerden te duwen.
'Harry!' schreeuwde hij. 'Harry – !'
O'Neill zwaaide. Zijn woorden werden meegevoerd door de wind die over het vliegdek stond. 'Was dat glorieus of niet, man?' De deur sloeg achter hen dicht.
'Waar is Djalik? De ander die ik bij me had – ik had twéé man bij me – '
'Die is al richting ziekenboeg gebracht, meneer. Misschien ziet u hem straks beneden wel. Blijft u nu maar rustig liggen, oké? Alles komt in orde. Blijf maar rustig liggen – zó, ja – '

En hij viel in slaap. Hij werd wakker toen ze hem in het scheepshospitaaltje op een brancard legden, en nadat hij lang genoeg bij een arts had gesoebat, werd hij zittend in een rolstoel naar de operatiekamer gereden, waar men al met Djalik bezig was. Een verpleegster ging naar binnen, omdat hij erop aan bleef dringen, en kwam even later kalm en neutraal voor zich uit kijkend weer naar buiten – op die karakteristieke manier waarmee verpleegsters hun persoonlijke gevoelens weten te verhullen – en zei opgewekt: 'Hij wordt momenteel geopereerd. Ze hebben geen seconde verloren laten gaan! Hij komt er weer helemaal bovenop!'

'Wat doen ze met hem?'

'Ze zijn aan het opereren, luitenant. Hij wordt weer helemaal – '

'Wat dóen ze met hem?'

'Ze verwijderen een gedeelte van zijn hand.'

Alan liet zich terugvallen in de rolstoel. 'En O'Neill?' vroeg hij na een tijdje.

'Dat weet ik niet. Ik denk dat hij momenteel wordt klaargemaakt.' Ze klonk nu een tikje geïrriteerd. Alan begon zich daar net zorgen over te maken, en ook over O'Neill en Djalik, maar viel toen weer in slaap.

Hij sliep twee uur lang, merkte hij later, en toen hij wakker werd was O'Neills oog 'gestabiliseerd', en was Djaliks linkerhand nagenoeg helemaal geamputeerd. Beide mannen, kreeg hij te horen, zouden voor verdere behandeling naar Duitsland worden overgevlogen.

'U bent er alles bij elkaar genomen redelijk goed doorheen gekomen,' merkte een ietwat bekakte arts tegen hem op. 'Uitputting, een hoop insectenbeten, maar verder kan ik weinig ontdekken. Neemt u uw malariapilletjes trouw in? Dan zou u binnenkort weer helemaal het mannetje moeten zijn. We onderwerpen u aan een uitgebreid onderzoek, controleren uw ontlasting en uw bloed, de hele mikmak. Verder geen afgrijselijke ziektes opgelopen? Ik zal uw handen even insmeren. Het is beter als u ze een paar dagen niet gebruikt.'

'Ik moet naar de *Andrew Jackson*.' Hij dacht aan Rose.

'Nee, dat gaat u níet.'

'Ik ga wel degelijk.' Hij liet zich van de brancard glijden, viel bijna en hield de dokter met een gestrekte rechterarm op afstand. 'Op de *Jackson* hebben ze ook artsen. Kom op, dokter, in feite ben ik helemaal in orde; dat weet u best. Vertel me maar waar ik hier ergens een douche kan vinden, en ik wil mijn admiraal op de hoogte brengen van het feit dat ik hier ben.'

De jonge arts moest grinniken. Hij gaf hem een berichtenformulier. 'Dit is twee uur geleden naar de eenheden van de battle group verstuurd.'

Alan las het. De boodschap was afkomstig van admiraal Pilchard, gericht aan alle bemanningsleden: *Ltz1 Alan Craik, IS1 David Djalik en de burger Harold*

French O'Neill zijn zeventien minuten geleden aan boord van het USS Rangoon *geland. Onze gebeden zijn verhoord.*

De Franse zone in Bosnië.

De jeep was gestopt in een komvormig dal tussen heuvels die verderop overgingen in bergen, die er in de regen uitzagen als grijze schaduwen. Een onverharde weg vol gaten had hen naar de kom geleid, waar een Franse militair in een regencape hen met ogenschijnlijk geïrriteerde bewegingen naar een modderig pad had verwezen. Aan het eind ervan, had Dukas al gezien, lag een vliegveld.

Nu zaten ze in de jeep en wachtten af. De regen was een constant zwaar getrommel op het plastic dak en Dukas voelde zijn hoofdpijn als een scherpe steek tussen de ogen en aan de zijkanten van zijn schedel. De sigaretten die hij bij Pigoreau had gebietst hadden een afschuwelijke smaak in zijn mond achtergelaten; het enige antwoord was het roken van een nieuwe sigaret.

'Is dit het?' vroeg hij.

Pigoreau zei iets tegen de man op de passagiersstoel vóór. Hij antwoordde in slechts enkele woorden. 'Ja, dit is het. Niet verder.'

Dukas spuwde een stukje tabak uit. 'Een oud noodvliegveld van de Joegoslavische luchtmacht, niet?'

'Geloof van wel.'

Dukas liet zijn blik over de landingsbaan glijden. Er leek geen einde aan te komen en de uiteinden verdwenen in de regen.

Pigoreau had hem verteld dat Zulu in de lucht zat; er was geen genie voor nodig om hem duidelijk te maken dat hij zich op een vliegveld bevond omdat Zulu daar naar alle waarschijnlijkheid zou landen.

'Arresteren we hem?' vroeg Dukas.

'We wachten rustig af, Michael.'

Een eind verderop stonden verschillende Franse vrachtwagens geparkeerd, terwijl er in het gras een mobiele radarinstallatie was geplaatst. Dit was de Franse zone; het bewijs daarvan was overal te zien, ook al had Dukas dat vanwege de richting en de afstand die ze hadden afgelegd nooit kunnen opmaken. Hij vond dat de voortekenen er niet goed uitzagen – veel te veel Franse spierballen, niets van zijn eigen kant; Pigoreau was weliswaar een vriend – maar een Fránse vriend.

Nadat ze daar een paar minuten hadden gezeten, hoorde hij voertuigen achter hen, en draaide zich toen zo ver mogelijk om om uit het achterraampje te kunnen kijken en zag twee militaire trucks en een pantserwagen achter hen tot stilstand komen, direct gevolgd door twee burgerauto's, waarvan er eentje bijzonder fraai oogde en van een Frans vlaggetje was voorzien. *Iemand van de diplomatieke dienst*, besefte hij.

De pantserwagen manoeuvreerde zich achter hen en bleef daar staan.

De vrachtwagens reden vervolgens om hen heen naar het einde van de landingsbaan en rolden even later behoedzaam de baan zelf op. De officier in de passagiersstoel zei iets en de chauffeur startte de jeep en even later reden ze achter de twee trucks aan, terwijl de twee burgerauto's weer achter hén aan reden – het leek wel een begrafenisstoet. Zeshonderd meter verderop sloegen ze rechtsaf en reden een taxibaan op, reden vervolgens weer een stuk evenwijdig met de baan, sloegen toen weer rechtsaf en kwamen vervolgens na een korte draai met hun neus naar de baan gekeerd tot stilstand, ongeveer dertig meter van de trucks verwijderd. Drie secties Franse militairen waren al uit de wagens geklommen en stelden zich nu op, ondertussen hun materieel controlerend. Dukas meende hun schouderemblemen te herkennen: *het Vreemdelingenlegioen. Die zaten nergens mee.*

De beide burgerauto's reden langs de vrachtwagens en parkeerden er aan de andere kant met de neus naartoe. Daardoor stond de jeep er nu enigszins verlaten bij.

'Geloof jij in lichaamstaal?' vroeg hij aan Pigoreau. Pigoreau trok vragend beide wenkbrauwen omhoog. Dukas gooide de sigaret door het portierraampje naar buiten. 'Ik denk dat we worden genegeerd. En niet zo'n klein beetje ook.'

'Ze weten dat we er zijn.'

'O ja, ik weet óók dat zíj weten dat we er zijn – een duidelijker manier om dat te onderstrepen hebben ze niet, of ze zouden een bord met de tekst "We zien u niet" voor hun voorruit moeten zetten. Wat heeft dit verdomme allemaal te betekenen? Of is dit soms de beroemde Franse *politesse?*' De man voorin moest daar flauwtjes om glimlachen.

Toen hoorden ze het vliegtuig.

Het had enkele minuten nodig om naar het noorden te cirkelen, ongezien, om vervolgens weer terug te komen, lager en duidelijker hoorbaar, maar nog steeds schuilgaand in de wolken, om vervolgens weer in noordelijke richting te verdwijnen. De regen was overgegaan in een soort alles doorwekende motregen, en het zicht was alleen maar nóg slechter geworden. Dukas dacht dat het vliegtuig zijn poging om te landen had opgegeven, maar de Franse troepen waren weer in beweging gekomen en hadden zich nu in een rij vóór hun voertuigen opgesteld. Tot zijn grote verassing liep er een officier langs de manschappen die af en toe aan een riem of een knoop leek te trekken, en Dukas dacht: *Jezus, het lijkt wel een inspectie.*

Minuten nadat hij had verwacht het te zullen zien, maakte de 737 zich uit de wolkenbasis los. Het was niet veel meer dan een vlekje tussen hem en de lage heuvels, en het leek daar voor eeuwig in de lucht te hangen, niet groter wordend en ook geen hoogte verliezend. Maar toen was het plotseling een vliegtuig en streek het aan het einde van de landingsbaan neer, raakten de wielen de grond en kon hij het aanzwellende gebrul van de direct ingeschakelde straalomkeerders horen. Het landingsgestel wierp als een soort booggolf een enorme hoeveelheid stuifwater omhoog terwijl het toestel nog met hoge snelheid over het oneffen en gebarsten beton denderde, en in de nevel erboven waren nog net twee straaljagers zichtbaar die hun remkleppen naar buiten hadden gedraaid om zoveel mogelijk vaart te minderen.

Pigoreau schraapte zijn keel. 'De 737 is tot landen gedwongen. Althans, de piloot heeft aan ons verzoek gehoor gegeven. De passagiers hebben te horen gekregen dat het vliegveld van Belgrado dichtzit.'

Een stem schreeuwde een kort commando. De Franse militairen klommen in de houding. Bij de auto met het Franse vlaggetje ging een portier open en een kleine man met grijs haar stapte uit. Hij keek om zich heen, trok zijn jas wat strakker om zich heen en haalde zijn schouders op, keek vervolgens omhoog naar de motregen en liet een hand over zijn haar glijden.

Het straalpassagiersvliegtuig draaide de taxibaan op, nog steeds vrij veel snelheid hebbend, en volgde toen dezelfde route die zijzelf hadden genomen, draaide opnieuw hun kant uit en leek heel even dwars door hen heen te taxiën. Vóór in de jeep keek de officier achterom naar Pigoreau, gaf een korte ruk met zijn hoofd en stapte toen uit. Pigoreau trok aan Dukas' mouw. 'Kom mee.'

'Wat is er, verdomme?'

'Kom mee, Michael.'

Hij stapte aan zijn kant uit de jeep en liep om het voertuig heen. Overal stonden plassen; hij stapte er met zijn instappers in en voelde de kilte van het water, hoewel dat bijna aangenaam aandeed. Terwijl hij om de jeep heen liep raakte hij heel even zijn revolver aan, om zich ervan te vergewissen dat die voor het grijpen was.

Iemand met oorbeschermers op had zich voor het vliegtuig opgesteld en wenkte het toestel met behulp van twee verlichte batons naar voren. Ze liet het toestel in de richting van de militairen rollen, waarbij ze de batons met korte bewegingen naar haar schouders bracht – naar achteren, naar voren, naar achteren – totdat de Boeing vlak bij haar was en ze haar beide armen met een ruk naar links bracht, waarna het toestel scherp draaide en tot stilstand kwam. Dukas zag dat bij alle cabineraampjes de zonwering naar beneden was getrokken – standaardprocedure wanneer een vliegtuig in dit deel van de wereld landde, vanwege eventuele sluipschutters.

De motoren bleven draaien.

De diplomaat liep naar voren en op datzelfde moment ging de cabinedeur open, alsof een onderkaak reusachtig geeuwde. Direct daarna kwam er een ingebouwde trap naar beneden. Zodra de trap de grond raakte stapte de diplomaat erop en ging naar boven met een behendigheid van een jong iemand. Hij maakte een gehaaste indruk. Hij schoot naar binnen en was enkele seconden later alweer terug. Hij aarzelde even in de deuropening en deed toen een stapje opzij.

'Hij vertelt Zulu dat hij door Lascelles is gestuurd. We hopen dat Zulu – ' Pigoreau stopte plotseling.

Zulu stond boven aan de vliegtuigtrap. Dukas herkende hem onmiddellijk – de houding, het hoofd, het kracht uitstralende lichaam, en die onmenselijke neus. Een tweede burger liep in de richting van het toestel. De man glimlachte. Hij leek behoorlijk ingenomen met zichzelf – hij zag er goed uit, gladjes. Hij trok zijn colbert iets naar beneden, zodat hij er op zijn best uit zou zien.

Dukas keek om zich heen en zag dat de Franse militairen zich hadden verspreid, de helft van de mannen rond de staart van het toestel, sommigen achter hem en de jeep. Ze stonden allemaal met de rug naar de Boeing 737. Bewaakten ze iemand? Zulu? En tegen wíe – de Bosniërs?

Zulu leek een witte want te dragen – een verbonden hand en arm. Want na dit alles had hij dat inderdaad – een van zijn handen zat in het verband. Dukas voelde een intense walging, direct gevolgd door haat, en zijn eigen hand bewoog in de richting van zijn .357.

'Nee, Michael.' Het was niet meer dan gefluister, maar Pigoreau had zijn vingers rond Dukas' pols gesloten. Daar stonden ze, de armen tegen elkaar als geliefden.

De diplomaat zei iets. Knikte een keer met zijn hoofd. Glimlachte. Zulu keek om zich heen – naar de lage heuvels, de militairen. Zo te zien leek hij Dukas en Pigoreau niet op te merken, of misschien interesseerden de twee burgers die geen vlaggetje op hun voertuig hadden hem wel niet.

Hij begon de vliegtuigtrap af te dalen.

De man onder aan de trap kwam in beweging, haalde zijn rechterhand uit zijn jaszak teneinde Zulu straks de hand te kunnen schudden.

Zulu kwam naar beneden.

De man onder aan de trap deed nog een stap naar voren, met uitgestoken hand, en Zulu pakte die hand en boog zich iets naar voren, alsof hij het idee had dat de Fransman op het punt stond hem als verwelkoming te kussen. De andere hand van de man, zijn linker, bevond zich aan de kant die naar Dukas toe was gekeerd, en Dukas zag hem toen die met een pistool erin weer uit zijn zak tevoorschijn kwam, die hij in één soepele beweging omhoog bracht en tegen Zulu's keel drukte, terwijl op datzelfde ogenblik de 'diplomaat' boven aan de trap een semi-automatisch pistool trok en dat op de rug van Zulu richtte – op Zulu's gezicht was nu duidelijk irritatie waar te nemen.

Dringend aangespoord door het wapen achter hem liep Zulu langzaam over het natte beton. Achter hem werd de vliegtuigtrap weer ingetrokken en even later sloot ook de deur zich weer; Zulu draaide ondanks de pistolen en de militairen zijn hoofd even om en zag hoe de deur dichtging, de hoop naar huis te kunnen vervloog.

Ze marcheerden hem traag naar Dukas en Pigoreau toe. De militairen stonden met hun rug naar hen toe, terwijl het vliegtuig nog op de taxibaan stond geparkeerd. Toen de mannen Dukas tot op enkele meters genaderd waren, bleven ze staan. De achterste man, de 'diplomaat', mompelde iets tegen Zulu, wiens wenkbrauwen omhooggingen en Dukas nu strak aankeek.

'Ik dacht dat ik je had gedood?' zei Zulu in het Engels. Hij klonk als een Amerikaan.

Dukas hield zijn legitimatie van het Internationale Tribunaal voor Oorlogsmisdaden omhoog. 'Ik arresteer u wegens oorlogsmisdaden jegens – '

'Val dood! Je hebt hier geen enkele jurisdictie; dit slaat nergens op! Wat is dit? Jullie proberen me in de val te laten lopen! Jullie kunnen geen donder hardmaken en – '

Dukas moest alle mogelijke moeite doen om niet razend te worden. Zelfs Pigoreau moest de moeite die hem dat kostte voelen; zijn greep op Dukas verflauwde iets. 'Zoltan Panic, deserteur, afkomstig uit het Amerikaanse Korps Mariniers, oorlogsmisdadiger, moordenaar van twee Afrikaanse presidenten. Opgesodemieterd, Panic.'

Maar Zulu bleef staan waar hij stond. Hij was niet bang; hij was woedend. Hij was ervan overtuigd dat er nog een uitweg voor hem was, en, verbijsterend genoeg, ging de deur van het vliegtuig weer open en zakte de trap weer richting beton.

Zulu keek om zich heen. Hij was een dapper man, en een wanhopig man; misschien was hij ook lichtelijk gedesoriënteerd – de militairen die hun wapen niet op hem gericht hielden, de 'diplomaat' die door Lascelles gestuurd zou zijn. Zulu mompelde iets tegen de man, en de twee overlegden even, alsof er een beslissing genomen moest worden. Wat Dukas betrof wáren er helemaal geen opties. Wat probeerde Zulu te doen?

De 'diplomaat' glimlachte en Zulu grinnikte zelfs even. Wat gebeurde er? Dukas had het gevoel dat hij de controle verloor, áls hij die controle ooit al had gehad, en hij wilde een stap vooruit doen, maar toen waren plotseling beide

Franse pistolen op hem gericht en keek Zulu hem grinnikend aan; Pigoreau sloeg zijn hand opnieuw rond Dukas' pols, en de 'diplomaat' zei: *'Allez!'* en Zulu draaide zich met een ruk om en begon naar het vliegtuig te hollen. Dukas probeerde Pigoreau van zich af te schudden, maar Pigoreau hield vast, met één hand, en de tweede Franse gewapende man ging tussen Dukas en de rennende Zulu staan, waardoor Dukas effectief werd afgeschermd.

En toen draaide de 'diplomaat' zich om en bracht zijn semi-automatisch pistool omhoog alsof hij aan het prijsschieten was, met één enkele hand, en vuurde, vuurde opnieuw, en Zulu wankelde. Hij vuurde opnieuw. Zulu spreidde zijn armen in een poging in evenwicht te blijven, nog steeds proberend het vliegtuig te bereiken, en de 'diplomaat' vuurde opnieuw, waarbij Zulu langzaam om zijn as draaide, de armen wijd, om vervolgens achterover tegen het drijfnatte, gebarsten beton te slaan.

De man met het pistool liep in een sukkeldrafje naar voren, keek op Zulu neer en schoot hem in het hoofd. Hij draaide zich vervolgens om en keek strak naar Dukas en Pigoreau, gaf iets dat alleen maar een militaire groet kon zijn, en holde naar zijn auto.

'Tué pendant l'évasion,' zei de ander terwijl hij uit het schootsveld van Dukas stapte. Ook hij gaf een soort militaire groet en snelde eveneens naar zijn wagen. De vliegtuigtrap werd weer ingetrokken en het toestel kwam in beweging.

Er werden bevelen geschreeuwd. Soldaten liepen in de looppas naar de vrachtwagens. Het vliegtuig taxiede in de richting van de startbaan en nam de bocht in de taxibaan veel te snel. De motoren van de trucks kwamen brullend tot leven. De soldaten klommen in de laadbak. De Boeing joeg met huilende motoren richting startbaan, maakte een scherpe bocht en begon zonder vaart te minderen aan haar aanloop, waarbij het motorgeluid alleen maar nóg verder aanzwol.

De auto van de diplomatieke dienst was al niet meer te zien. De tweede burgerauto reed snel vaart winnend in de richting van de taxibaan, waarbij hij dwars door de plassen scheurde, terwijl nu ook de vrachtwagens vertrokken, met brullende motoren, af en toe haperend, heen en weer schuddend terwijl ze door het verfomfaaide gras in een rechte lijn achter de personenauto's aan reden.

Twee minuten nadat Zulu was neergeschoten waren ze alleen. Aan de andere kant van de landingsbaan werd de mobiele radarinstallatie ontmanteld. De pantserwagen kwam langzaam hun kant op gerold. Pigoreaus greep op Dukas' arm verslapte; even later liet hij hem los.

Dukas liep naar het lichaam. Het lag languit op zijn rug, waarbij de regen het bloed van het gezicht had gespoeld, op een plasje onder het linkeroor na, van waaruit nog een waterig, dun stroompje in een barst in het beton verdween. *Een .380*, besefte Dukas. *Om de een of andere reden geven Europeanen vaak de voorkeur aan deze kleine wapens.*

Hij wist wat nu van hem verwacht werd. Hij knielde neer en voelde aan Zulu's hals of er nog sprake was van een hartslag.

Dukas had maar weinig gedode mensen gezien. Hij zat nu eenmaal niet bij de afdeling Moordzaken. De geur van vers bloed maakte hem misselijk. En dat gold ook voor de aanblik. Desalniettemin nam hij zich vast voor hier niet misselijk te worden, hoewel hij alle mogelijke moeite moest doen om niet over te geven bij het zien van deze dode man.

Een Franse officier en soldaat stonden over hem heen gebogen. De soldaat had een reeds opengeritste bodybag in de hand. 'Wij nemen het lichaam mee,' zei de officier in het Engels met een zwaar Frans accent. 'We zitten nu eenmaal in de Franse zone. Er zal een uitgebreid rapport worden gemaakt.' De soldaat maakte aanstalten om met de halfopen zak door de knieën te gaan, maar Dukas gebaarde hem nog even te wachten. Hij voelde in zijn zakken en vond een stuk papier waarvan één kant nog blanco was, en nam, gebruikmakend van het bloed onder Zulu's hoofd, zorgvuldig afdrukken van elk van Zulu's vingers en duimen.

De Franse officier, die ietwat beledigd klonk, zei iets tegen Pigoreau, die antwoordde: *'Taissez-vous. Il est un flic formidable.'*

Dukas kwam overeind. Pigoreau en de twee anderen deden een paar stappen achteruit, alsof ze hem de ruimte boden voor iets eigens, voor een vorm van rouw. Dukas liep een meter in de richting van de jeep. Keek achterom naar Zulu. Zijn kleren zogen het regenwater op, waardoor ze zwart werden. Dukas huiverde. Hij begon bijna medelijden met Zulu te krijgen, en moest toen aan mevrouw Obren denken. De officier en de soldaat begonnen het lichaam in de bodybag te rollen.

'Het is nooit de bedoeling geweest dat ik hem zou arresteren,' merkte Dukas op. De opmerking was niet eens als vraag bedoeld, en Pigoreau wierp hem een ietwat meewarige frons toe.

'Omdat hij te veel wist?' vroeg Dukas.

Pigoreau haalde zijn schouders op. Hij deed een stap richting Dukas. 'Michael, ik wist niet wat ze van plan waren – wat de afloop zou zijn. Ik dacht echt dat ze – '

'Tja,' verzuchtte Dukas. 'We zijn alle drie genaaid. Wat zei je daarnet tegen die officier?'

'Ik zei dat hij zijn mond moest houden.'

'En wat nog meer?'

'Ik heb hem verteld dat je een echte politieman was.'

Dukas keek naar de bodybag, terwijl vanuit de pantserwagen – naast hun jeep het enige nog aanwezige voertuig – nóg drie militairen hun kant uit kwamen gelopen. Hij keek naar zijn handen, nog rood van Zulu's bloed.

'Jij ook, Pig. Je hebt je best gedaan.' Hij rilde. Een ijzige wind joeg hen kleine, ijskoude regendruppeltjes in het gelaat. 'Winter,' zei hij, en ze liepen terug naar de jeep.

Deel vier

Bommen los

38

9 december

Op zee – aan boord van de Jackson.

Sneesen had opnieuw een brief aan de aalmoezenier geschreven maar er was niets gebeurd, en hij was zo'n beetje ten einde raad, kon elk moment exploderen, hád het niet meer, maar toen had overste Rafehausen hem op het squadronkantoor ontboden en had hij verder iedereen weggestuurd, en Sneesen besefte dat uiteindelijk alles toch nog goed zou komen en dat zijn gebeden waren verhoord.

Kapitein-luitenant-ter-zee Rafehausen zat achter zijn bureau en glimlachte niet bepaald toen Sneesen binnenstapte, en hij stelde Sneesen ook niet voor om te gaan zitten. Er lag een opengeslagen kartonnen dossiermap voor hem, met bovenop de brief die Sneesen geschreven had. Dat was oké. Dat betekende dat de aalmoezenier aan hun kant stond.

Kltz Rafehausen legde zijn handen op het bureaublad en keek neer, las de brief. Buiten het kantoor was het een komen en gaan, en in de corridor was het lawaaiig.

Overste Rafehausen keek op. 'Sneesen,' zei hij, 'wat is er verdorie met jóu gebeurd?'

Die vraag bracht hem in verwarring. Eigenlijk had dit nauwelijks iets met hém te maken. Dit had alles te maken met overste Rafehausen en dat donkere wijf en de jood. 'Meneer?' zei hij, terwijl hij de pest had aan zichzelf vanwege zijn hoge kinderstemmetje.

'Sneesen, wat is er in godsnaam met je gebeurd? Je deed het hier grandioos, je was een harde werker, je hebt ons leven gered – en nu dít.' Hij legde een hand op de map. *Dit?* 'Heb jíj deze brief geschreven?'

'Ik – ' Hij wilde *nee* zeggen, want er was duidelijk iets fout, en hij herkende de toon, wist wanneer hij moest liegen. Maar Borne had hem gezegd dat je voor de Waarheid uit moet komen, dus zei hij: 'Jawel, meneer, overste Rafehausen, want, begrijpt u, niemand was – '

'Sneesen, Jezus Christus! Wat speelt er in godsnaam in dat hoofd van jou? Mijn god! Sneesen – ' Kltz Rafehausen maakte een wanhopig handgebaar, alsof hij van het ene op het andere moment oud of hulpeloos was geworden. 'Sneesen, is er thuis misschien iets aan de hand? Problemen met je moeder, of heb je misschien andere zorgen – of heb je een brief van je vriendin gekregen of iets dergelijks – ?'

Sneesen hád helemaal geen vriendin. Zijn moeder schreef hem eens per week een brief. Wat had dát er nou mee te maken? 'Ik bid voor u,' zei Sneesen. 'Ik heb de afgelopen tijd voortdurend voor u gebeden.'

Kapitein-luitenant-ter-zee Rafehausen wreef in zijn ogen en schudde zijn hoofd. Hij was volkomen óp, iedereen zei hem dat. Sneesen voelde hoe er zich een brok in zijn keel begon te vormen, hij borrelde bijna over van mededogen jegens overste Rafehausen.

'Sneesen, ik begrijp er helemaal niets van. Toen je aan boord kwam, was je een van de beste nieuwelingen die ik ooit heb meegemaakt. Je deed prima mee. Het squadron dacht dat je oké was. En nu – ' Hij herhaalde het wanhopige gebaar. 'De helft van de jongens van ons squadron vinden je *eigenaardig*. Wat is er aan de hand?'

Eigenaardig? Ja, dat zouden die mensen misschien wel vinden. Sneesen begon overste Rafehausen over de jood en de nikkers en het grote plan van satan te vertellen, en deed dat veel te gehaast omdat het hem opwond, en hij voelde hoe zijn gezicht warm werd en zijn onderarmen hevig transpireerden, maar het was de Waarheid, en hij ratelde maar door, gooide er alles uit, oké, misschien niet alles in de juiste volgorde, maar – Overste Rafehausen stond op, vele centimeters langer dan Sneesen, en hij sloeg de dossiermap dicht en gebaarde met een enkel handgebaar dat Sneesen zijn mond moest houden. 'Ik wil dat je naar de dokter gaat, dan zal hij ervoor zorgen dat je een telefonisch consult krijgt van een psycholoog aan de wal. Ik zal proberen te voorkomen dat je hiervoor op het matje moet komen, Sneesen, maar wat je hebt gedaan is buitengewoon ernstig. Je kunt niet zomaar allerlei leugens over mensen verspreiden. Je kunt de mensen niet zomaar allerlei vreselijke scheldnamen geven. Luister, we gaan een uiterst drukke tijd tegemoet, en ik kan nu nauwelijks maatregelen nemen, maar ik wil dat je naar de dokter gaat en met hem hierover praat. Ik onthef je van je taak tot – eh, dat weet ik nog niet precies. Laten we even afwachten wat de dokter zegt. Maar Jezus, Sneesen, probeer je te beheersen, ja?'

Toen hij het woord 'psycholoog' hoorde, wist Sneesen dat het met hem gedaan was. Hij wist dat hij niet in staat was nóg een confrontatie met zo iemand aan te gaan. Ze waren veel te stiekem; ze werkten met allerlei pilletjes; ze dwongen hem bepaalde dingen te zeggen, en dan zouden al die leugens die hij had moeten vertellen om bij de marine dienst te kunnen nemen naar boven komen. En dan de rest nog – bij de commandant op het matje moeten komen, en waarvóór? Voor het vertellen van de waarheid? En dan dat ontheffen; hoe konden ze hem nou van zijn taak ontheffen? Hij was de beste elektronicaman van het hele squadron, misschien wel van het hele schip!

Sneesen begon zachtjes te huilen. Niet vanwege de psycholoog of op het matje moeten komen of omdat hij van zijn taak ontheven was; daar werd hij alleen maar misselijk van, en het joeg hem ook angst aan, maar daar moest hij niet van huilen. Het kwam door Rafehausen. Hij huilde om Rafehausen, want hij had geprobeerd hem te redden. Hij was een van *hen*. Maar ze hadden hem al te pakken, en Sneesen was te laat. Hij huilde omdat zijn hart gebroken was.

Sneesen ging terug naar zijn onderkomen, voelde hoe de frustratie tot woede werd. Hij was nog nooit zó woedend geweest. Dit was afgrijselijk. Terug bij zijn slaapplaats schreef hij erover in zijn geheime dagboek, en vervolgens liep hij naar de kantine en haalde twee blikjes Coke waarvan hij de inhoud in het toilet liet weglopen, waarna hij, terwijl hij voelde hoe de woede in hem tot ijs werd, en zijn hele innerlijk óók tot ijs werd, één blik ijskoude haat, naar zijn werkplek liep, helemaal naar achteren, waar de pompen met kunsthars stonden. Het waren er twee, een grote en een kleine; je kon daar mengsels van vijf op één uithalen, kunsthars en een hardingsmiddel. Hij pompte het spul in de twee blikjes en mengde de kleverige massa met een schroevendraaier die hij door de drinkopening stak. Niet perfect, maar het zou ongetwijfeld voldoende zijn.
Hij zette de twee blikjes op een stoomleiding zodat de inhoud snel hard zou worden en ging toen terug naar zijn onderkomen om de rest van zijn dagboek te voltooien, dat hij vervolgens in zijn kast legde, boven op zijn keurig gevouwen uniformen. IJs – een blok ijs. Zo hard als ijs. Er was geen enkele reden meer om zijn woede te verbergen. Hij haalde zijn witte vliegdekvest uit de kast en trok het aan. Ze konden naar de hel lopen – ja, dát was het, dat was het precíes – ze konden naar de hél lopen!
Hij verliet het bemanningsverblijf en ging de twee blikjes halen, die nu behoorlijk warm waren terwijl de kusthars erin keihard was geworden, en ze wogen zwaar in zijn handen, voelden als een soort wapen aan. Met in beide handen een blikje liep hij door de gangen en beklom hij trappen, met zijn rug langs de stalen wanden schuivend, zich echt tegen de muur drukkend als een zwart iemand hem tegemoetkwam. Hij wilde niemand aanraken, noch door iemand aangeraakt worden. Hij had een opdracht. En hij wilde daarbij door niemand worden aangeraakt, dat zou zijn opdracht alleen maar aantasten.
Hij stak het hangardek over en liep naar de catwalk. Hij had oorbeschermers opgedaan, zodat hij eruitzag als alle anderen. Hij had zijn gereedschapskist bij zich. Hij besefte dat hij voor iedereen duidelijk te zien was.
Op het vliegdek was het een gekkenhuis, maar wel een gekkenhuis waar hij tegenwoordig de weg in wist, dat hij begreep. Hij wist waar het hier allemaal om ging. Maar het interesseerde hem helemaal niets meer.
Hij wist precies waar hij Rafehausens S-3 kon vinden, die geparkeerd stond tus-

sen liften Een en Twee, helemaal aan de buitenkant. Sneesen liep er recht naartoe. Hij keek naar de radome – keek er alleen maar naar; waarom zouden ze denken dat hij iets van plan was als hij er alleen maar naar keek? *Eigenaardig – omdat ze zeiden dat hij eigenaardig was.* Sneesen keek om zich heen, liep toen naar de luchtinlaat van de bakboordmotor en keek erin, en toen hij wist dat niemand keek stak hij zijn hand ver naar binnen en schoof een van met kunsthars gevulde Coke-blikjes zo ver mogelijk naar achteren. Vervolgens duwde hij er ook nog wat stukken gereedschap achteraan. Toen liep hij naar de stuurboordmotor en deed daar exact hetzelfde.

Vervolgens liep hij naar lift nummer Twee en stapte kalm over de rand. Niemand zag hem gaan; het ene moment was hij er nog, en het volgende was hij verdwenen – viel, viel vanaf een hoogte van een flat van vijf etages, om in het water terecht te komen, plotseling steenkoud, geschrokken, landde op zijn achterste en rug, en voelde hoe de lucht uit zijn longen werd geperst, om het volgende moment weg te zinken en nog net het enorme lawaai te horen waarmee het schip over hem heen denderde, omvergegooid door het kielzog, steeds verder weg te zinken, te verdrinken. Te verdwijnen.

De Golf van Sydra.

Het USNS *Philadelphia* bevond zich op de afgesproken positie: 32.17 N en 17.04 O. Er stond een lange golfslag die het schip elke keer iets optilde, richting boeg oprukte en vervolgens onder het schip door liep; vanuit het noordoosten stond een harde wind, zodat de schuimflarden, afkomstig van de golfkammen, het schip geselden. Iedereen was zeeziek, maar Rose en LaFond stonden in oliekleding aan dek. LaFond gaf schaamteloos over wanneer dat ook maar nodig was en verontschuldigde zich daar in het geheel niet voor; Rose, die zich vanwege haar rang genoodzaakt voelde zoveel mogelijk het decorum te bewaren, vond een plaats waar ze enigszins beschut was. Het begon te regenen, harde druppels die als zandkorrels doel troffen, en uiteindelijk lukte het haar de brug en de radiohut te bereiken. Ondanks de zeeziekte voelde ze zich sterk genoeg om zich van al haar taken te kwijten. Ze wist niet dat Alan vermist was geweest, alleen maar dat ze een hele tijd niets van hem had gehoord; nu pas had ze van admiraal Pilchard een speciale boodschap ontvangen waarin werd gezegd dat haar man veilig en wel aan boord van de *Rangoon* zat.

Valdez lag in zijn kooi. De mariniers lagen in hun kooi. De IVI-delegatie – twee vertegenwoordigers van het bedrijf en twee wetenschappers – lagen te kooi. De komende zestien uur konden ze weinig anders doen dan afwachten.

De commandant bevond zich in zijn verblijf direct achter de brug. Toen hem werd verteld dat Rose naar de brug was gekomen, kwam hij naar voren. Hij was

een korte, gedrongen man van halverwege de veertig. 'Alles goed?' vroeg hij met de bekende grijns waarmee zeelieden mensen die zeeziek zijn tegemoet treden.
'Ik heb al heel wat tijd op zee doorgebracht, kap'tein.'
'Dat is zo, maar de *Philly* ligt heel wat minder vast in het water dan een vliegdekschip.'
'Ja, maar dit is gelukkig ook geen helikoptercarrier. Die hangen helemaal voorover. Maakt u zich over mij maar geen zorgen.'
'Dat doe ik ook niet. Goed, onze situatie is redelijk, op het weer na dan. Als dit nog veel langer duurt hebben we straks geen luchtdekking vanuit Aviano; het zit daar potdicht.'
'Ik heb al geïnformeerd.'
'Goed, je bent op de hoogte van de situatie. We zullen het moeten doen met de toestellen die eventueel nog vanaf Sigonella kunnen opereren, maar ze hebben me al verteld dat de F-18's weinig voor ons zullen kunnen doen.'
'Ja, die hebben een vrij beperkt bereik. Maar we redden het wel.' Ze wierp een snelle blik naar het radarscherm. 'Hoe staat het met dat schip van de Libische kustwacht?' De Libische kanonneerboot schaduwde hen nu al uren en bleef daarbij net buiten de visuele horizon, maar voldoende dichtbij opdat hun in de mast gemonteerde radar de *Philadelphia* in de gaten kon houden. Maar dat werkte twee kanten op: dankzij de hogere mast van de *Philly* konden ze de Libiër moeiteloos in de gaten houden, en dankzij de afstand die de Libiërs aanhielden kon de masthoogte van de kanonneerboot min of meer worden bepaald – het schip was een stuk kleiner dan een fregat.
'Hij is er nog steeds.' De commandant tikte op de groenachtige echo. 'Hij houdt nog steeds dezelfde afstand aan.'
'Goed.'
'Volgens de oefenopzet zouden we een destroyer binnen gezichtsafstand moeten hebben. Waar is dat schip ergens?'
'De Russen spelen een of ander spelletje ten noorden van ons; er hangt ergens een Akula in de buurt rond. Gewoonlijk proberen ze zo'n boot vanuit de lucht op te sporen, maar het vliegdekschip is nog te ver weg. Aan de wal gestationeerde P-3's doen hun best. Ik neem aan dat admiraal Pilchard van mening is dat hij de destroyers harder nodig heeft dan wij.'
Ze keken beiden op toen een windstoot het dichtstbijzijnde venster met regen geselde. Het schip werd door de golven enigszins opgetild en het leek als een vliegtuig het weer in te zeilen. Rose moest een half stapje achteruit doen om haar evenwicht te bewaren en ze greep de zware commandantenstoel vast.
'Kunt u in dit weer lanceren?' schreeuwde de kapitein boven de wind uit.
'Nee!' Ze trok zichzelf tegen het hellende dek omhoog. 'Nguyen, de burger die

het lanceren begeleidt, zegt dat er maximaal een wind van dertig knopen mag staan, en dan heeft-ie ook nog een of andere krankzinnige schaal voor de golf-slag.' Ze probeerde te grinniken. 'Tijdens Fleetex hebben we niet in slecht weer geoefend.'

Zonder ook maar enige ingenomenheid reageerde de commandant van de *Philly* met: 'O, maar dit is geen slecht weer.' Toen drong het tot hem door wat ze had bedoeld. 'O, slecht voor de lancéring, wilt u zeggen. Tja – we wachten maar af.' Hij zette zich schrap tegen de hoge stoel. 'Tussen u en mij gezegd en gezwegen, ik zal blij zijn als dat ding vanaf mijn dek de lucht in spuit en uit het zicht verdwijnt. Ik bedoel daar niets persoonlijks mee – ik zal alleen blij zijn als dat ding weg is.' Hij keek haar aan. 'U weet dat zowel de Chinezen als de Italianen vandaag in de VN tégen dit ding hebben gepleit?'

'Is dat zo?'

'Ze beweerden beiden dat het een wapen was dat de bedoeling had te destabi-liseren. Er werd vandaag herhaaldelijk over gesproken op de Italiaanse radio.'

Rose moest aan Peretz denken, kwam tot de conclusie dat ze niets kon doen en liep toen naar de ladder. *Doe nou maar gewoon je werk.* Ze daalde achterstevo-ren de trap af, voegde zich bij LaFond en maakte vervolgens een tour langs de onderkomens in een poging de mensen een beetje op te vrolijken. Er was maar weinig ruimte aan boord van de *Philadelphia*, die helemaal niet ontworpen was om zoveel passagiers te vervoeren. Maar op dat moment interesseerde dat nie-mand.

'Laat me rustig doodgaan, man,' kreunde Valdez.

'Kom op, Valdez! Je bent matroos!'

'Ik wil terug naar Silicon Valley.'

Volgens het bijgewerkte weerbericht zou de storm langzaam in noordelijke rich-ting trekken, wat inhield dat de omstandigheden voor de *Philadelphia* morgen misschien wel voldoende goed zouden zijn om tot lancering over te gaan. L minus 8, het officiële begin van de countdown, de aftelperiode, zou aanbre-ken om 04.00 uur. Op z'n best zou het allemaal erg krap zijn, waarbij de civiele experts aantekenden dat ze aan de voorzichtige kant van de beoordelingscurve dienden te blijven, terwijl Rose en de commandant van het schip de lancering graag zo snel mogelijk achter de rug wilden hebben. Maar hoe dan ook, lucht-dekking zou een probleem gaan worden, want als de wind zou afnemen, was ook de kans groot dat de wolkenbasis tot vlak boven zee zou dalen, zodat zowel Aviano als Sigonalla potdicht zou zitten. Terwijl ze geheel gekleed op haar kooi ging liggen voor een hazenslaapje (eindelijk tegenover zichzelf erkennend dat ze misselijk was) dacht Rose: *Als wij niets kunnen doen, kunnen de Libiërs dat óók niet, dus qua totale tijd maakt het weinig uit.* Ze stond zichzelf niet toe zich zorgen te maken over het feit dat de Libiërs ten zuiden van haar zaten, waar het weer als eerste zou gaan opklaren.

Ze werd wakker en keek op haar horloge. 17.20 uur – nog steeds aan de vroege kant. Ze voelde hoe het schip onder haar bewoog, hoe het voorschip wegzakte in een golfdal. De golfslag leek nog hetzelfde, maar hoe stond het met de wind? Ze klom langs een smalle trap omhoog en ging aan dek, maar voor ze dat bereikte hoorde ze aan het geluid van de wind dat die veranderd was. Het hoge, doordringende gegier was verdwenen, en mét dat gegier ook de onvoorspelbare windstoten die het schip hadden geteisterd. Eenmaal aan dek werd ze geconfronteerd met mist en een sterk afgenomen wind die aanvoelde of iemand je slapjes met een natte dweil in het gezicht sloeg.

Maar het was beter – het was een stuk beter. Het zou allemaal in orde komen! Ze wilde dat tegen iemand zeggen – in de eerste plaats tegen Alan, uiteraard, maar Valdez was ook goed. Alles zou in orde komen en morgen om twaalf uur zouden ze tot de lancering overgaan, en zou de *Philadelphia* naar het noorden draaien en koers zetten naar Napels; dan zou haar taak erop zitten en zou ze zich daarvan voorbeeldig hebben gekweten.

Ze sloeg haar armen om zich heen in een poging de vochtige, koude wind buiten te sluiten. Maar toen voelde ze het schip onder zich huiveren, direct gevolgd door een plotselinge slingerbeweging, waarna de achtersteven werd opgetild en het schip aan bakboord slagzij begon te maken. Een hevig geknars en een dof gerommel leken van overal om haar heen te komen, terwijl ze op hetzelfde moment opzij werd geworpen. Ze probeerde haar evenwicht te bewaren, maar klapte uiteindelijk toch tegen het dek en gleed toen drie meter door over de natte staalplaten. Ze was zich bewust van een kolkende watermassa, vlak naast de reling, en dacht aanvankelijk dat het schip door de een of andere plotseling opdoemende vloedgolf was getroffen, maar besefte tóen pas dat het een explosie moest zijn, maar ze gleed verder, werd ondersteboven gegooid en vroeg zich ondertussen af of het de motor van de raket was geweest, of het voortstuwingssysteem van het schip, of de Akula, of misschien – ?

Het bloed stroomde uit haar neus, maar ze bleef alert. Razendsnel werkte ze zich langs de ladder omhoog en stak haar hoofd om de stalen deur die toegang bood tot de brug. Iemand riep: 'Het roer reageert niet meer!'

'Neem onmiddellijk contact op met Cobb aan boord van de *Fort Klock*! Zeg hem dat we vermoedelijk zijn getorpedeerd!'

Op zee – aan boord van de Jackson.

De Air Boss liet zijn blik over zijn koninkrijk glijden en nipte van zijn twintigste beker slechte koffie sinds hij in zijn toren had plaatsgenomen. In slechts twee golven had hij tweederde van de Air Wing de lucht in gestuurd; de eerste toestellen zouden nu ergens in de buurt van Gibraltar moeten zitten; de laatste vliegtuigen in de 'kettingzaag' bevonden zich nu beneden hem op het vliegdek, een S-3 en twee F-14's. Deze drie vliegtuigen vormden in feite het zwaartepunt van de hele luchtoperatie, de feitelijke lading die langs de duizenden kilometers lange keten van wachtende tankvliegtuigen en onderscheppingsjagers zou reizen en ervoor zou zorgen dat de Air Wing zich van haar taak kweet. Twee jachtvliegtuigen en één grote, gevaarlijke melkkoe.

Als hij zich niet verplicht had gevoeld om een masker van keiharde onverbiddelijkheid te handhaven, zou hij heel even hebben geglimlacht. Deze Air Wing had ondanks alles kans gezien zich uit het dal omhoog te werken en nu was het dan misschien toch mogelijk, weliswaar op het kantje af, om iets heel speciaals voor elkaar te krijgen. Een Air Wing die erin geslaagd was een kettingzaag met een lengte van vierduizend mijl – ruim zevenduizend kilometer – de lucht in te krijgen.

Achter hem bewoog er iets en twee van zijn onderofficieren wisselden heel even enkele woorden.

'Wat is er aan de hand?' vroeg hij, terwijl hij geconcentreerd het vliegdek bleef observeren.

'Bij VS-49 wordt een knaap vermist. Ze zouden graag zien dat wij aan dek naar hem uitkijken.'

De Air Boss tuurde een ogenblik naar het dek. 'Oké, laat maar nalopen. Maar geef er zo min mogelijk ruchtbaarheid aan; we hebben momenteel geen tijd om naar een man overboord te gaan zoeken.' Hij hoorde sergeant Dearing via een interne lijn met de chiefs op het vliegdek communiceren. Waarschijnlijk een of andere jonge knaap die zich verslapen heeft; de mannen waren stuk voor stuk afgepeigerd.

De Air Boss zag het signaal waarop hij wachtte en bracht zijn hand omhoog.

'Dek is vrij. Katapultstarts kunnen beginnen.' Onmiddellijk klonken achter hem diverse stemmen terwijl zijn team het dek en Air Wing op de hoogte bracht. De S-3 was al op de katapult gemanoeuvreerd. Het toestel van Rafehausen; dat hoefde niet altijd iets te betekenen, maar de Air Boss vermoedde dat Rafehausen de beste piloot van de hele Air Wing was, en als het erop aan komt stuur je nu eenmaal de beste mensen over wie je beschikt. Hij zag het toestel even trillen, als een kat die op het punt staat toe te springen, toen de katapultslede zich aan het neuswiel hechtte, en toen zag zijn geoefende oog een stukje metaal in de buurt van de linkermotor dwarrelen en hij ramde onmiddellijk op de knop om de katapult tegen te houden, maar die was al geactiveerd en het toestel begon snel vaart te winnen. *Er zat iets in de motorinlaat,* wist hij.

Die motor zou zich binnen de kortste keren helemaal aan gort draaien –

De motor spatte in een oogverblindende, witzilveren lichtflits uit elkaar, maar de onverbiddelijke katapult bleef het vleugellamme toestel langs het dek richting voorsteven slingeren. De tweede motor spatte uit elkaar met een hoog gejank dat zelfs hier op de brug te horen was. Een stuk turbineblad dat zich – terwijl de turbofan vol vermogen had gegeven – dwars door de motorbeplating had geboord, sneed vervolgens als een warm mes door een in de buurt geparkeerde F-18, veranderde daarbij enigszins van richting en raakte een fractie van een seconde later met een keiharde klap het gepantserde raam van de Air Boss. Ogenblikkelijk verscheen er een ster in het geharde glas, maar de nu vleugelloze S-3 die door de katapult naar voren werd geschoten bleef zichtbaar. Het vliegtuig draaide scherp naar links, los van het dek nu, zonder motoren, zonder stijgvermogen. Het volgende moment werd boven het water op een hoogte van twintig meter één schietstoel de lucht in geslingerd; de parachute opende zich en de stoel sloeg vrijwel onmiddellijk tegen het water, waarna de door een raket aangedreven schietstoel heel even over de golven leek te stuiteren. Toen, recht voor het schip uit, raakte het toestel op z'n kop hangend het water. Bijna twee seconden lang bleef de S-3 nog drijven, hoewel hij door de klap al nagenoeg onherkenbaar was beschadigd, maar op de een of andere manier was het nog heel even een onwillige prooi. Maar toen was hij verdwenen.

Op het vliegdek was het één grote chaos en er steeg een helikopter op, maar de Air Boss wist al dat die te laat zou komen voor de bemanning van de S-3. Terwijl hij overeind kwam hoorden hij en alle andere bemanningsleden aan boord het wrede geknars toen de wrakstukken van het toestel onder water werden gedrukt en over de hele lengte van de *Jackson* langs de kiel schuurden.

De roerganger op de brug probeerde bij de wrakstukken vandaan te sturen, hoewel dat niets meer uit maakte. Maar ergens in het Middellandse-Zeegebied stonden er mensenlevens op het spel en de Air Wing had alles op alles gezet om haar keten van toestellen in de lucht te krijgen. De Air Boss slikte zijn vertwijfeling en zijn smart zo goed mogelijk in en deed zijn plicht.

'Zeg tegen VS-49 dat ze een nieuw toestel aan dek brengen.'

39

Voor de Afrikaanse kust.

Alan kreeg zijn zin: ze zetten hem aan boord van een bijna antieke CH-46 en hij ging op weg naar de *Jackson*. Tegen de tijd dat de heli opsteeg was hij zowel bij Djalik als bij O'Neill op bezoek geweest – beiden onder de pijnstillers, beiden in leven, waarbij Djalik weliswaar in kritieke toestand verkeerde, maar men had hem weten te 'stabiliseren'.

Hij was vermoeid maar wakker, actief – veel te actief, hoewel hij zich dat nog niet bewust was. Hij werd nog steeds voortgestuwd door hetzelfde gevoel van urgentie dat hem tijdens de vlucht naar de *Rangoon* had voortgedreven, alsof hij ernaartoe móest, *ernaartoe, zorg dat je er komt!* Ondanks het feit dat dat 'er' steeds verder bij hem vandaan kwam te liggen. Bestond er misschien een nieuw 'er', ergens achter de horizon? Of was dat 'er' de *Jackson*, plicht, dát leven? Of was het Rose, zat hij over háár in?

De heli landde met een hoog gehuil op het vliegdek van de *Jackson* en Alan liet zich uit het toestel zakken, worstelend met zijn helmtas vol spullen die ervoor hadden gezorgd dat hij Zaïre binnen had kunnen komen en dat land ook weer had kunnen verlaten, en merkte dat het schip een enigszins vreemde indruk op hem maakte. Aanvankelijk dacht hij dat het kwam vanwege de relatieve nieuwheid van dit schip, maar toen drong het tot hem door: er stonden nauwelijks vliegtuigen op het dek geparkeerd. Op zowel katapult Een als Twee stond een F-14, maar het dek achter hen was donker en nagenoeg leeg, en hij vroeg zich af wat er aan de hand was – werden ze bedreigd door een onderzeeboot? Of was er een operatie aan de gang waar hij niets van af wist?

Hij holde naar de catwalk, waar hij door zes, zeven officieren hardhandig op de schouder werd geklopt of kort maar krachtig de hand werd gedrukt, maar direct daarna gingen ze hem snel uit de weg, té snel, leek het wel, alsof er iets helemaal fout zat, en maakten gehaast plaats voor een ander, waarbij de laatste man kapitein-ter-zee Parsills was, die alleen maar mompelde: 'Mooi werk, grandioos gedaan – de admiraal wil je graag even spreken – '

En Rafe was er ook, maar glimlachte niet.

Rafe stak zijn hand uit. Alan nam die aan, en Rafe – helemaal niet des Rafe's – liet zijn linkerhand op Alans schouder rusten. 'Kun je vliegen?' vroeg hij.

Alan dacht dat die vraag als grap bedoeld was en sloeg op zijn landing op de

Rangoon, en hij moest onwillekeurig glimlachen, maar toen zag hij dat Rafe allerminst grappig probeerde te zijn; hij was meer dan ernstig. Parsills en de anderen stonden achter Alan; hij kon ze daar bijna voelen, zich enigszins op de achtergrond houdend. *Wat is er verdomme aan de hand?*

'We zijn met een "kettingzaag" bezig; ik ben het laatste toestel. Ik heb een TACCO nodig.'

'Jezus, Rafe – ?' *Je zegt nooit dat je te moe bent om te vliegen.* Hij had zin om zijn beide omzwachtelde handen omhoog te steken en te roepen: 'Ik ben volkomen óp – hoe vind je dat ik eruitzie?' Maar Rafe's gelaatsuitdrukking maakte dat hij dat níet deed.

'De *Philadelphia* is door iets geraakt. Rose is oké, maar ze hebben luchtdekking nodig. Daar is die kettingzaag voor bedoeld. *Kun je vliegen?*'

Hij voelde zich op een stomme manier traag. Rose – *Philadelphia* – het was bijna de dag waarop de lancering zou plaatsvinden, dat moest haast wel, dus dan zou de *Philadelphia* zich ergens in de Golf van Sydra moeten bevinden. *De Philadelphia is door iets geraakt.* 'Geraakt door wát precies?'

'Dat weten we nog niet. Ze hebben momenteel geen dekking vanuit de lucht; de battle group van Cobb concentreert zich helemaal op die Russische onderzeeër. Ze heeft ons hard nodig, man.'

Hij keek om zich heen. Parsills en de anderen keken naar hem. Die wisten het natuurlijk allang. Hij zag de eenzame S-3 op het vliegtuig staan. Het laatste vliegtuig van de keten. *Rose.*

Rafe hield nog steeds zijn hand vast. Nu liet hij die pas los en wendde zijn blik af. 'Oorspronkelijk zouden we niet gaan, maar – ' Het praten kostte hem moeite. 'De laatste S-3 was míjn toestel, maar skipper Paneen zou er gebruik van maken en – tijdens het lanceren bliezen de beide motoren zich op – nog maar nauwelijks tien minuten geleden.'

Alan had het nooit zien gebeuren, maar had er wel eens over gehoord. Het vliegtuig werd door de katapult gelanceerd, verdween onder het vliegdek en kwam nooit meer boven. Boorde zich vóór het schip in het water, waarna het vliegdekschip over de wrakstukken heen denderde –

'Jezus, Rafe, hebben ze – ?'

'Skipper Dickson, majoor Rinehart.' Hij slikte moeizaam iets weg. 'Christy – ' Hij slikte opnieuw. 'Misschien dat Christy het overleeft. Ze heeft nog net kans gezien van haar schietstoel gebruik te maken, maar heeft beide benen gebroken – Misschien dat ze nooit meer kan – Ga je mee of niet?'

'Natuurlijk. Jezus, Rafe, ik ben – '

Maar Rafehausen had zich al omgedraaid en verdween door een deur. Hij zou niet huilen; zo iemand was hij niet, maar hij balanceerde op het randje van een crash, van een peilloze diepte, en hij wilde dat op zijn eigen manier verwerken. Alan draaide zich naar Parsills om. 'Was Nixon de enige die er levend uit is gekomen?'

Parsills knikte. Hij pakte Alan bij een arm beet. 'Dit is een uiterst moeilijke tijd, Al – tot en met de flag. De BG is opgesplitst, het schip van je vrouw verkeert in moeilijkheden, en nou dit. Jij bent momenteel ons enige lichtpuntje. Kom op, de admiraal wil je spreken.'

Alans dwangmatige behoefte om zo snel mogelijk te vertrekken werd ruw verstoord door het feit dat hij moest wachten. Hij had de afgelopen tijd ruim vijf kilo gewicht verloren en zijn hele vliegeruitrusting moest daaraan worden aangepast: een parachutemaker nam enkele riemen iets in, waarna het geheel opnieuw werd vastgenaaid en het harnas weer min of meer paste. Dat soort triviale dingen, en de tijd die het kostte om allerlei kleine dingen voor elkaar te krijgen maakten dat zijn humeur er niet beter op werd. Hij had nog steeds de behoefte 'er' heen te willen, en dat passend maken van zijn vliegeruitrusting belemmerde hem daarbij. Hij wilde nú de lucht in. Hij moest zo snel mogelijk richting Rose. De kettingzaag was al in de lucht. En omdat zíjn vliegeruitrusting passend gemaakt moest worden, kon het laatste toestel nog niet vertrekken!

Rafe maakte weer een uiterst kalme indruk. Hij was al twee keer bij hem boven geweest om het vliegplan door te nemen. Hij was eigenlijk iets té kalm, vond Alan, misschien omdat er erg veel gebeurd was in de paar weken dat hij niet aan boord was geweest, en misschien ook wel omdat Christy Nixon in de ziekenboeg lag met een gebroken rug en twee verbrijzelde knieën.

Alan dronk zijn blikje Coke leeg en keek naar de parachutemaker, die naar een punt in de verte leek te staren.

'Verdomme, ben je nou met dat ding bezig of niet?' snauwde Alan hem toe. De parachutemaker wierp hem een gekwetste blik toe. 'Ik hoef niet naar een modeshow!'

'Ik neem liever twee keer de maat vóór ik er de schaar in zet, meneer. Sorry dat het zo lang duurt.'

Rafe pakte hem bij zijn elleboog. 'Kan ik je op de gang even spreken, Alan?' vroeg hij kalm. Alan liep achter hem aan de werkplaats van de parachuteman uit en stond even later in de gang achter de squadronruimte. Die was leeg. Bijna alle S-3's waren mét hun bemanningen ingezet ten behoeve van de 'kettingzaag'. Alle tankers waarover de Air Wing beschikte zaten in de lucht.

'Alan, kun jij deze missie wel aan? Want als je de mannen en vrouwen die hun werk proberen te doen blíjft uitkafferen, laat ik je hier achter.'

Hij balde zijn vuisten en de pijn in zijn handen zorgde ervoor dat het in zijn hoofd opklaarde. Hij telde tot vijf. Hij wist, hij wíst dat hij buiten zijn boekje ging, maar het ongeduld was er nog steeds en zijn woorden klonken half verstikt. 'Het gaat wel weer. Ik zal me verontschuldigen.' Hij keek in Rafe's veel te kalme ogen. 'Je hebt me nodig.' Maar wat hij eigenlijk wilde zeggen was: *Ook jij kwetst me; ik probeer je alleen maar te helpen.*

'Laat dat maar even voor wat het is.' Rafe wendde zijn blik af. 'Die dieptebom waarom je gevraagd hebt? McAllen zegt dat dat wel eens een goed idee zou kunnen zijn en de bewapeningsmensen duiken er momenteel eentje op in een van de magazijnen. Ik heb je stoel gecontroleerd en McAllen jouw computer. Ga naar de squadronruimte en hou je gedeisd totdat ik je kom halen. Dat is een bevel.'

Alan moest denken aan datgene wat hij met Djalik en O'Neill had doorstaan. Rafe's 'bevel' stond in een context waarom hij moest glimlachen. 'Jawel, meneer.'

Rafe liep terug naar de werkplaats van de parachutemaker en stak zijn hoofd om de hoek van de deur. 'Hé, Waller! Zit maar nergens over in, oké? Zijn vrouw zit aan boord van de *Philly* en hij is daardoor een beetje gespannen.'

Waller keek niet eens op. 'Ik weet het, meneer. Het kan alleen niet sneller.' Waller, net als veel andere mensen aan boord, kon zich voorstellen dat Rafe zich momenteel behoorlijk zorgen over Christy Nixon maakte.

'Je hebt nog een halfuur voordat de bemanning aan boord gaat.'

'Cool, meneer. Bedankt.'

Rafe draaide zich weer om en ging naar de squadronruimte voor een kop koffie. Alan was op de achterste rij stoelen in slaap gevallen. Rafe, Cutter en McAllan begonnen zonder hem aan de briefing.

Toen Rafe hem wakker maakte, was zijn eerste gedachte Rose. Hij werd overvallen door een misselijkmakende angst, die hij wanhopig probeerde te overwinnen. Het halfuurtje slaap en het feit dat hij binnen enkele minuten in actie zou komen, 'er' naartoe zou gaan, bezorgden hem een stoot valse energie. Zijn vliegeruitrusting was klaar en hij snelde nadat hij zijn spullen had aangetrokken naar de parachutewerkplaats om Waller te bedanken, die schaapachtig glimlachte. Vervolgens verviel hij in een oude gewoonte: hij holde naar het ASW-hok, sloeg een mengsel van koffie en chocolademelk naar binnen, vulde de thermosfles en griste een handvol koeken van de schaal op de kaartentafel. Hij wierp nog een laatste blik op de locaties van de veronderstelde Russische onderzeeboot en de andere spelers. De Russische oppervlakteschepen naderden de taskforce rond de *Fort Klock* steeds dichter. Zowel de verbindingen als de locaties hadden te lijden onder het slechte weer. De 'kettingzaag' zorgde voor een keten van tankers die tot op bijna vijfentwintighonderd kilometer van het vliegdekschip reikte. Twee KA-6's vol kerosine waren op weg naar het laatste brandstofafgiftepunt binnen de Middellandse Zee, in de buurt van Algiers, en een KC-10 zou over twee uur vanaf Rota opstijgen om ter hoogte van Lampedusa een rendez-vous met hen te hebben. Hij nam dit alles in zich op, absorbeerde het, dronk het gloeiend hete goedje op, en dacht ondertussen onafgebroken aan Rose, en aan Rafe: hij kon tenminste nog iets doen voor Rose; Rafe kon helemaal niets meer doen voor Christy. Wat zou er allemaal door Rafe's hoofd heen gaan tijdens de vele uren durende vlucht? En hoe zou hij het er zélf vanaf brengen?

Vlak voor ze vertrokken overhandigde een matroos hem een klembord met een binnengekomen bericht. Het bovenste velletje was voor hem bestemd, en was afkomstig van Dukas. *Zulu dood. 'Bij een vluchtpoging neergeschoten.' Je kunt niet altijd winnen.*

Hij gaf het klembord terug. *Zulu dood.* Hij glimlachte, een glimlach die maakte dat de matroos die het bericht was komen brengen iets achteruitdeinsde. Een ogenblik lang was het gezicht van Alan het gezicht van een barbaar. Hij vroeg zich af hoe Dukas Zulu te pakken had gekregen, maar dat deed er nu nauwelijks meer toe. Net als met een wond, zou de druk pas later komen. Hij haalde een pen uit zijn schouderzak en maakte de notitie: 'Doorgeven aan Mr. Harry O'Neill aan boord van het USS *Rangoon*.'

Hij wees op de aantekening. 'Denk je dat dat mogelijk is?'

De matroos knikte en nam het klembord voor de tweede keer van hem aan. Alan vroeg zich af waarom de matroos zo angstig naar hem keek en liep toen de gang in, op weg naar het vliegtuig. Op weg naar de plek waar hij zo snel mogelijk naartoe wilde.

Alan maakte snel een inspectierondje om het toestel. Een externe brandstoftank onder de vleugel om de twee F-14's die vlak achter hen zouden vliegen nog een laatste keer van kerosine te voorzien, vlak voordat ze in de buurt van het operatiegebied zouden arriveren. Plus een Harpoon-raket. Een volledig rek sonoboeien, zowel van het actieve als het passieve model. Nog een externe tank met brandstof. Verschillende hydro-akoestische databoeien. Chaff en fakkelpatronen om eventuele SAM's – luchtdoelraketten – en lucht-luchtraketten op het verkeerde been te zetten. In het bommenruim bevond zich één enkele Mk.46 torpedo en één conventionele dieptebom. Alles bij elkaar de zwaarst mogelijke lading die een S-3 Viking vanaf het vliegdek mee de lucht in kon nemen.

Dit was een serieuze aangelegenheid, bedacht hij. Het was voor hem een serieuze aangelegenheid vanwege Rose, maar hij moest aan de Russische onderzeeboot denken, en in hoeverre de bemanning daarvan graag wilde dat het een serieuze aangelegenheid zou worden. Als hij die dieptebom tegen een kernonderzeeër van de Akula-klasse in moest zetten, wat zou dan de volgende stap zijn?

Hij klom in het vliegtuig, waarvan de motoren al draaiden en waarvan het interieur behaaglijk warm was. Ondanks het feit dat men zijn stoel al had gecontroleerd, liep hij uit pure gewoonte tóch nog een keertje zelf zijn schietstoel na, en gespte zich vervolgens in. Zodra hij zat liet Rafe het toestel naar de plaats op katapult nummer Twee taxiën. Het dek was vreemd leeg, het gevolg van het feit dat de hele Air Wing was ingezet om drie vliegtuigen vijfenderthighonderd kilometer langs de 'kettingzaag' naar het doelgebied te brengen, waarbij de F-14's die hen zouden begeleiden al in de lucht zaten en net contact met een tanker hadden gemaakt, om straks verder langs de keten te vliegen.

Met maximale snelheid en met de wind mee zou de S-3 over acht uur contact kunnen maken met de KC-10, maar desondanks had Rafe het steeds over maar zés uur. Plotseling drong het tot Alan door: Rafe is helemaal niet van plan om een omweg te maken; *hij snijdt een stuk af door dwars over Algerije en Tunesië te vliegen.* Hij moest glimlachen. Rafe was nu squadroncommandant, maar hij had nog steeds meer lef dan iedereen die Alan ooit had meegemaakt. *Zes uur om bij Rose te komen.* God zegene Rafehausen en zijn lef. Zes uur om bij Rose te komen, en bij datgene wat een gat in haar schip geslagen had. Alan had daar een vaag idee over, en dat vage idee had ervoor gezorgd dat hij om een dieptebom had gevraagd.

Hij dacht aan dat vage gevoel toen ze de katapult opreden en de slede op spanning werd gezet. Zijn kniekaarten waren bij de hand, zijn procedures had hij door middel van kleine briefjes op drie plaatsen op het scherm geplakt. Hij was al in het bezit van de gegevens betreffende de door de Libische patrouilleboot en de Russen gebruikte radarinstallaties. Hij dacht opnieuw, zij het zeer vluchtig, aan hoe dicht ze met z'n allen in de buurt zouden kunnen zijn van een écht gewapend conflict: te veel schepen in het water, te veel vliegtuigen in de lucht. Russen, Amerikanen en Libiërs.

Rafe salueerde model naar de katapultofficier en zei: 'Op weg naar de glorie!' en het toestel schoot over het dek. Alan dacht aan Christy Nixon, zittend in net zo'n stoel als hij, terwijl ze van het dek werd geslingerd en hoorde hoe de motoren het voor gezien hielden, voelde hoe ze geen vermogen meer gaven, het water –

Terwijl de AH702 met haar zware last aan brandstof en bewapening haar uiterste best deed een paar meter hoogte te winnen, probeerde Alan zich een scherp beeld te vormen van zijn 'voorgevoel' zoals dat op een bladzijde in *Jane's Fighting Ships* had gestaan. Terroristen hadden er meer dan eens gebruik van gemaakt. Misschien beschikten de Libiërs er wel over een. Klein, compact. Met een bemanning van vier koppen.

Een minionderzeeër.

Maar als hij gelijk had, wat deed die Russische aanvalsonderzeeboot – een kernonderzeeër – daar dan in de buurt?

De Golf van Sydra.

Het USNS *Philadelphia* werd door een dertig knopen sterke wind vol van opzij gegeseld. De golven dreigden haar steeds meer slagzij te laten maken, terwijl de brekers langs de romp omhoog klauwden en het zeewater zich over het dek uitstortte. Datzelfde water beukte tegen de container waarin de raket was opgeslagen; de drie mannen die tot taak hadden te kijken of de container nog goed aan het dek verankerd zat en met de raket nog alles in orde was, droegen overlevingspakken en zaten aan een reddingslijn vast, die ze, terwijl ze zich behoedzaam over het regelmatig onder kolkend water bedolven dek voortbewogen, steeds vastmaakten aan strategisch gepositioneerde bevestigingspunten.

Op de brug probeerden Rose en de commandant inzicht in hun situatie te krijgen. Het schip stond in contact met ktz Cobb aan boord van de kruiser, die zich zo'n honderddertig mijl noordelijker bevond. Rose had gesproken met de dienstdoende wachtofficier van het IVI, en had te horen gekregen dat de In-Flight Command Executive, de man die de supervisie zou hebben ná de lancering – Ray Suter – thuis gebeld was. Rose had gesproken met de Whiskey Bravo – het weerbureau – aan boord van de *Andrew Jackson*, die had gezegd dat ze binnen het uur zouden overgaan tot het de lucht in sturen van hun toestellen. Verder zou ze niet weten met wie ze nog zou moeten praten.

De commandant had een gele oliejas aan, met daar onderuit stekend een blauwe koopvaardijbroek. Hij zag er nogal verwilderd uit, meer een zwerver dan de kapitein van een schip. Rose, het geronnen bloed van een gebroken neus nog steeds op haar bovenlip geklonterd, keek somber naar het zwarte dek, waar lichtbundels van verschillende zaklantaarns door het duister sneden terwijl de bemanningsleden daar druk in de weer waren.

'Hoe is de situatie nu?' wilde ze weten. Ze was benedendeks geweest in een poging de schade vast te stellen, maar ze was weer naar de brug teruggekeerd omdat ze begreep dat ze beneden alleen maar in de weg liep.

'Het roer reageert niet meer en de hoofdmachines hebben de geest gegeven. We beschikken weliswaar over laterale schroeven en daarmee proberen we het schip momenteel met de kont in de wind te krijgen, maar op die manier worden we wel steeds dichter naar de kust gestuwd.'

'Hoe ver zijn we van de Libische territoriale wateren verwijderd?'

'Als we van hun definitie uitgaan, bevinden we ons er al in. Volgens de internationale wetgeving zijn we er nog twintig mijl van verwijderd.' Hij schraapte zijn keel. 'Maar hoe je het ook bekijkt, we zijn hun zogenaamde Dodelijke Lijn al gepasseerd.'

'Hoeveel tijd hebben we nog?'

Hij schudde zijn hoofd. Er verscheen een bemanningslid die de commandant een kort rapport overhandigde, afkomstig van het hoofd-machinekamer: hij zou één laterale schroef terug laten slaan in een poging het schip negentig graden te laten draaien.

'Hoeveel tijd hebben we nog?' vroeg ze opnieuw.

'Misschien een uur of drie. Misschien is het een goed idee om eens naar die neus te laten kijken.'

'Hoe lang hebben we nog als u die laterale schroeven gebruikt om het tegen de wind en de golven op te nemen?'

'Als we dat doen kunnen we onmogelijk met de kont in de wind blijven. Dan komen we vrij snel dwars te liggen, net als nu, en – '

'Hoe lang hebben we dan?'

Hij perste zijn lippen op elkaar. 'Ik denk dat we op die manier nog een dag in internationale wateren kunnen blijven. Misschien een dag en een nacht. Als die hulpmotoren het tenminste blijven doen – die zijn helemaal niet gemaakt om onafgebroken te draaien.' Hij draaide zich naar haar om. 'Weet u hoe het is om vierentwintig uur lang dwars in deze zeegang te liggen?'

'Ik denk dat we allemaal behoorlijk zeeziek zullen zijn. Wat nog meer?'

Ze keken elkaar aan. Hij schudde zijn hoofd. 'Misschien kunnen we een of ander zeeanker uitzetten,' merkte hij op. 'Om zo het afdrijven wat tegen te gaan. En dan kunnen we die laterale schroeven misschien onder een hoek laten draaien – '

Er was een oud, door geluid geactiveerd telefoonsysteem aan boord dat als reserve aan was gehouden. Rose maakte daar nu gebruik van en sprak met Valdez, die door de explosie blijkbaar van zijn zeeziekte af was geholpen en nu beneden bij de schadeploeg was. Een van de civiele vertegenwoordigers was er ook, een voormalige sergeant-majoor die deel uit had gemaakt van de schadeploeg aan boord van een destroyer uit de Arleigh Burke-klasse. 'Hoe gaat het beneden?' schreeuwde ze in de bijna antieke headset.

'We hebben schoren geplaatst en de pompen zijn ingeschakeld!' De stem van Valdez leek van een heel ander schip afkomstig.

'Wat zegt Anson ervan?'

'Hij zegt dat het geen torpedo is geweest. Eerder iets als een mijn. Volgens hem is het een verdomde toevalstreffer, en als dat níet zo is, wist iemand precies waar hij die lading moest plaatsen!' Vervolgens riep Valdez nog iets dat ze niet verstond, en spraken ze door elkaar heen totdat ze het woord 'kleefmijn' opving. 'Jezus Christus,' mompelde ze.

'Wat is er?' gromde de commandant.

'Volgens Anson zou het wel eens een kleefmijn geweest kunnen zijn. Dat betekent – '

'Ik weet wat dat betekent, mevrouw!' Het gezicht van de commandant was een van woede vertrokken masker. 'Dat betekent dat iemand mijn schip gesaboteerd heeft! Dat betekent dat die verdomde Libiërs of de Russen een springlading hebben geplaatst, zodat we naar hún territoriale wateren zouden afdrijven en ze ons kunnen overmeesteren. Nou, ik mag doodvallen als ik dat ooit zal toestaan; ze blijven met hun poten van mijn schip af!'

Dat zou best eens kunnen, bedacht ze. Ja, de Libiërs zouden best eens de hand op een Amerikaans schip willen leggen dat in wateren terecht was gekomen waarvan ze beweerden dat het hún territoriale wateren waren, maar dat ze tegenover de Zesde Vloot nooit durfden te verdedigen; ja, het was eigenlijk best voor de hand liggend dat ze zouden proberen het schip stuurloos te maken, om het vervolgens naar wateren te laten afdrijven waarvan zelfs de VS zouden moeten toegeven dat het hún territoriale wateren waren; ja, onder deze omstandigheden was het begrijpelijk dat er net achter de horizon een Libische patrouilleboot te wachten lag op het juiste moment om toe te slaan.

Rose ging naar de radiokamer en gaf aan de battle group door dat de explosie aan de buitenkant van de romp had plaatsgevonden. Ze meldde wat Valdez van Anson had gehoord: vermoedelijke sabotage, waarschijnlijk explosieven die door een kikvorsman tegen de buitenkant van de romp waren aangebracht. Ze vroeg of de inlichtingendienst kon nakijken of de Libische marine over kleine onderzeeërs beschikte waarmee kikvorsmannen over deze afstand konden worden vervoerd. In haar hoofd – en nu, wist ze, ook in de hoofden van de leiding van de battle group – speelde één enkele vraag: was die springlading geplaatst vanaf een onderzeeboot, en als dat inderdaad het geval was, was die onderzeeboot dan die Russische Akula? En als die vraag niet werd beantwoord, wat zouden de kruiser en haar destroyers, zonder enige dekking vanuit de lucht, dan doen?

Boven Gibraltar.

Tussen de keren dat er tijdens de 'kettingzaag' in de lucht werd bijgetankt, sliep Alan. Ze passeerden de Afrikaanse kust met de wind in de rug en bereikten zonder incidenten Gibraltar. Het weer werd langzaam maar zeker minder, en Alan wist uit de voorspellingen hoe slecht de weersomstandigheden op dit moment aan de oppervlakte in de Golf van Sydra moesten zijn. Iets ten oosten van

Gibraltar werd er opnieuw bijgetankt, precies op het tijdstip dat boven de dichte bewolking onder hen de maan opkwam. De F-14's vlogen voor hen uit en hadden de andere tanker al van z'n brandstofvoorraad afgeholpen. Ten noorden van Algiers zouden ze worden opgewacht door nóg twee S-3's van Rafe's squadron, en daarna zouden ze aan zichzelf overgeleverd zijn – de spits en het uiteindelijke doel van de keten, één S-3 en haar escorterende F-14's, die de gecombineerde slagkracht vertegenwoordigden van een groot vliegdekschip dat ruim drieduizend kilometer van deze speerpunt verwijderd was.

Rafe had de KC-10 een nieuw rendez-vouspunt doorgegeven, en iedereen die ook maar even oplette kon onmiddellijk zien dat Rafe van plan was om óver Noord-Afrika te vliegen in plaats van eromheen, maar niemand hield hem tegen. Alan maakte van de periodes tussen het bijtanken door gebruik om koffie en koeken rond te delen. Niemand zei veel. Rafe meldde dat Spanje en Italië hun luchtruim gesloten hadden voor Amerikaanse toestellen die van bewapening waren voorzien, en dat die toestellen ook niet van hun grondgebied mochten opstijgen. *Daar gáát de luchtsteun die de luchtmacht eventueel aan de battle group had kunnen geven.* Een cynicus zou zeggen dat beide landen wellicht grote handelsbelangen hadden in Libië, belangen die beschermd dienden te worden, maar de verontwaardiging die de komende lancering van Peacemaker teweeg had gebracht leek oprecht. Je zou kunnen zeggen dat Peacemaker een internationaal front tegen de Verenigde Staten had veroorzaakt; Rafe vertelde hem dat hij op het nieuws had gehoord dat de Chinese ambassadeur bij de Verenigde Naties tijdens een toespraak tot de Algemene Vergadering had beweerd dat Peacemaker een afschrikkingswapen was. Die woorden maakten dat Alan zich iets herinnerde, iets dat had gespeeld tijdens de periode dat Abe Peretz zijn reservedienst bij het IVI vervulde. Peretz had op de een of andere manier gezinspeeld op het feit dat Peacemaker wel eens een wapen zou kunnen zijn – zou dat écht zo zijn?

Hij was daar alweer een hele tijd weg – wat was de wereld allemaal wijzer geworden terwijl hij in Afrika rondbanjerde – ?

Zijn hoofd viel naar voren en sloeg bijna tegen het toetsenbord, maar zijn parachuteharnas hield hem tegen en hij werd niet wakker. Hij droomde over kraaien.

Golf van Sydra.

Weer terug op de brug zag Rose dat er op het dek een krachtige schijnwerper was ontstoken en dat er nu wat meer in oliekleding gestoken gestalten in en uit de gele gloed ervan stapten.

'We zijn bezig met het verzamelen van materiaal waarmee we een zeeanker kunnen samenstellen,' zei de commandant. 'Maar daar zullen we minstens een uur voor nodig hebben.' Hij tuurde in de inktzwarte lucht.

'Hoeveel tijd hebben we nog?'

'Nou – als je optimist bent, zou je kunnen zeggen dat de Zesde Vloot toch kans moet zien om hier over een uur of zes een schip te hebben dat ons op sleeptouw kan nemen. Het hangt ervan af wat er beschikbaar is en hoe het met de Russen gaat die ze daar op bezoek hebben. Weet u, ik heb eens nagedacht – dit zou best wel eens door de Russen gedaan kunnen zijn, en niet door de Libiërs, of die twee samen, misschien wel om hier een paar schepen naartoe te lokken om dan – verdorie, ik weet het niet. Misschien hebben ze het wel op uw Peacemaker voorzien.' De commandant was aanzienlijk slimmer en beter geïnformeerd dan ze had gedacht. Zijn angsten waren precies dezelfde als de hare.

'En als ik nou eens een pessimist ben?'

'In het ergste geval zullen we ons zelf hieruit moeten vechten omdat de Zesde Vloot haar handen vol heeft aan andere zaken. Het lukt me nog wel om ons de eerstkomende twaalf uur buiten de Libische territoriale wateren te houden, al moet ik de *Philadelphia* zélf op sleeptouw nemen door de tros in mijn mond te nemen en te zwémmen, maar daarna, o, shit – dan hebben ze ons te pakken. Als we naar de kust blijven afdrijven, hebben ze ons te pakken, zeker weten.' Hij wierp haar een korte, wanhopige blik toe. 'Op welke termijn kunt u dat verdomde ding van mijn dek de lucht in jassen?'

'Het is de bedoeling dat het aftellen begint over, eh – één uur en twintig minuten.'

'Is er een mogelijkheid om dat tijdstip naar voren te halen?'

'Kap'tein, we hebben weliswaar twee stel hersens, maar we denken precies hetzelfde.' Ze drukte op de knop van de stem-geactiveerde telefoon en beval Valdez om naar de lanceer/commando-module te komen. 'Geef beneden maar gelijk door dat het aftellen tot de lancering naar voren is gehaald, en dat het nu L minus acht-dertig is, en dat het aftellen nú is begonnen. Ik wil dat je in de module zit, in je stoel daar, klaar om over dertien minuten tot lancering over te gaan! Neem maar een emmertje mee, want je gaat niet meer terug naar je kooi!'

Voor ze de brug kon verlaten stak een bemanningslid zijn hoofd om de hoek van de deur en riep: 'Kap'tein!' om onmiddellijk weer te verdwijnen, op de voet gevolgd door de commandant. Ze aarzelde, maar na een seconde of twintig verscheen de commandant weer in de deuropening en keek haar ernstig aan. 'Die Libische patrouilleboot is in beweging gekomen! De radar bevestigt dat ze deze kant uit komt – de afstand is nu een mijl of vijftien!'

Rose beet op haar lip. Ze proefde het bloed dat daar was opgedroogd. Ze liep terug naar de radiohut en legde haar hand op de schouder van de verbindingsman. 'Geef aan sergeant LaFond door dat hij en zijn mariniers zich zo snel mogelijk in gevechtsuitrusting pal achter de lanceermodule verzamelen. Alle bewapening aan dek en geladen. LaFond meldt zich bij mij in de module.' Ze gaf een zachte klap op de schouder. 'Ik ga daar nú naartoe.'

Toen ze de brug verliet kwam ze de commandant weer tegen. 'Als u kans ziet ons binnen de internationale wateren te houden, dan neem ik de Libiërs voor mijn rekening.'

'Dit is míjn schip, mevrouw!'

Haar stem klonk zacht. 'Ja, maar het is míjn missie. U kent mijn orders. U vaart ermee, ik maak er gebruik van – en desnoods verdedig ik het. Kap'tein, als ze de *Philadelphia* in handen krijgen, zitten we straks vóór het ontbijt al in Benghazi, en ze zouden ons daar wel eens jaren vast kunnen houden. Ik was niet van plan om na Decatur de eerste marineofficier te zijn die op de kust van Barbarije langzaam weg zit te kwijnen!'

Ze stapte de nu snel in kracht afnemende storm in.

Vierentwintig zeemijl ten noorden van Algiers.

Voor ze de tanker bereikten gespte Alan zich los, pieste in een zak en ging in de tunnel naast de computers liggen om zijn benen een beetje te strekken, terwijl de naast zijn lichaam liggende handen nog steeds branderig aanvoelden. Hij glimlachte zuur. Djalik was een hand kwijtgeraakt, Harry een oog, en hij had blaren op zijn handen. Toen hij klaar was, volgden McAllen en Cutter zijn voorbeeld. Daarna maakten ze precies op het afgesproken tijdstip contact met de laatste twee tankers.

De F-14's vlogen zo zuinig mogelijk en hadden al brandstof getankt. Rafe slaagde erin reeds bij de allereerste poging het uiteinde van de slang te pakken te krijgen en nam alle kerosine over die de andere S-3 te geven had. Vervolgens manoeuvreerde hij zich naar de tweede tanker, en hielp ook die van alle brandstof af die ze te vergeven had. Beide toestellen werden geacht straks te landen in Rota – zouden de Spanjaarden ze nu wél toelaten? Alle manoeuvres werden uitgevoerd zonder radiocontact – signalen werden gegeven met behulp van zaklantaarns. Het ging allemaal niet zo gladjes als bij Alans eerste squadron, maar na de abominabel verlopen Fleetex was dit voor Rafe niet minder dan een wonder. Deze knapen mochten gretig worden genoemd, en ze werden steeds beter. Rafe positioneerde zich naast de recentelijk van brandstof voorziene F-14's en knipperde met zijn zaklantaarn. Toen hij hun aandacht had getrokken, hield hij zijn kleine noodradio omhoog, die een bereik van nog geen vier kilometer zouden hebben. Hij stelde de zijne op de wachtfrequentie en richtte de antenne op het andere toestel.

'Pitcher roept Shortstop op,' sprak hij langzaam in de kleine walkietalkie.

'Roger, Pitcher. Ik ontvang u. Wat is er aan de hand?'

'Het plan is gewijzigd, Shortstop. Volg me maar.'

'Roger, begrepen.'

'Roger, over en uit.'

Rafe liet zijn toestel snel hoogte verliezen en draaide in de richting van de Algerijnse kust, want hij stond op het punt om een illegale overlandvlucht uit te voeren, beginnend bij Constantine in Algerije, tot in de buurt van Ben Gardane in Tunesië – nagenoeg het punt waar de Tunesisch-Algerijnse grens de Middellandse Zee raakte. Alan gaf een gecomputeriseerde kaart naar voren waarop de Algerijnse en Tunesische radarstations stonden aangegeven.

'Bedankt, Al.'

Ook Rafe maakte zijn riemen los en ging op zíjn beurt even in de tunnel liggen, terwijl Cutter vloog. Hij keek nog steeds naar de kaart.

Alan besefte dat Rafe het bijzonder moeilijk moest hebben, dat kon niet anders. Hij raakte Rafe's arm even aan. 'Bedankt, Rafe. Voor alles.'

Op een hoogte van nauwelijks honderdvijftig meter vlogen ze het ochtendgloren tegemoet.

40

9 december

De Golf van Sydra.

De Libische kanonneerboot had bijna een uur nodig om de afstand te over-bruggen die het aanvankelijk van de *Philadelphia* had gescheiden. Toen de af-stand nog maar een kwart mijl was, stuurde ze iets meer naar het noordoosten en minderde vaart, en konden ze het vaartuig in de motregen die was gaan vallen als een bleke lichtvlek onderscheiden. De wind zwakte nog steeds verder af en de korte golfslag en het overvliegende stuifwater waren verdwenen, maar de lange deining deed de *Philadelphia* nog steeds als een boomstam heen en weer slingeren.

Op de brug probeerde Rose, voorzien van een kogelvrij vest, helm en nacht-zichtapparatuur, het aftellen in goede banen te leiden en tegelijkertijd de vrij karige verdedigingsmiddelen van het schip te organiseren. Ze had al twee keer met het IVI gesproken en onder andere om toestemming gevraagd de aftel-cyclus in te korten. Niet tevreden met het ach-laten-we-het-nou-niet-te-snel-doen-antwoord had ze aan Nguyen in de lanceermodule gevraagd haar precies te vertellen hoevéél de lancering naar voren kon worden gehaald, waarbij ze er dan minimaal negentig procent zeker van wilde zijn dat het ding van het dek omhoogkwam en buiten het Libische luchtruim zou blijven.

De mariniers bevonden zich in de buurt van de lanceermodule, waarbij de twee op een luchtdoelaffuit geplaatste Mark 19's zodanig waren geplaatst dat ze elk een zijkant van het schip bestreken. Ook de LAW's waren in positie gebracht. Op de achtersteven waren zes bemanningsleden van het schip als uitkijk gepo-sitioneerd, licht bewapend met pistoolmitrailleurs en een enkel pistool. Het an-dere burgerpersoneel – de vertegenwoordigers van de verschillende leveranciers en wetenschappers – waren benedendeks gestuurd. Valdez, eveneens met een helm op en een kogelvrij vest aan, bevond zich nog steeds in de module, druk in de weer met computeruitdraaien, terwijl hij ondertussen zijn vingers over een Steyer AUG liet glijden en ondanks de bezwaren van de burgers het aftel-len probeerde te versnellen.

Rose drukte de spreekknop van de walkietalkie in. 'Hoe is de stand van zaken, Valdez?'

'Oké wat betreft een lancering minus zeven-negentien. Aflezingen zijn normaal; Peacemaker is tot leven gekomen en loopt momenteel alle systemen na. Over zevenentwintig minuten gaan we het projectiel in de verticale stand zetten, maar Nguyen heeft uiteindelijk toegegeven dat het in zestien-eenendertig mogelijk moet zijn, terwijl we kunnen kijken of alle technische gegevens kloppen nadát hij overeind is gezet. Maar nog iets anders, baas – we moeten lanceren vóórdat binnendringend zeewater de trim van het schip nadelig beïnvloedt. Anson zegt dat we hoogstens nog anderhalf uur de tijd hebben, wat een lachertje is, want tot het aftellen hebben we nog zes uur te gaan. Hoe gaat het bij u?'

'We gaan Peacemaker pas in de verticale stand brengen als de Libische patrouilleboot zich terugtrekt. Stop het aftellen bij Verticaal minus zeven als de situatie niet verandert. Ze bevinden zich momenteel vierhonderd meter aan bakboord – kun je ze zien?'

'Ik zie een soort schim. Wat gebeurt er allemaal?'

'De situatie hier is stabiel. Hé, vraag aan Nguyen of hij nog wat sneller kan en dan weer terugkomt op het verticaal brengen zodra de Libiërs aanstalten maken ons het verdergaan te belemmeren. En blijf aan dat verdomde aftellen vasthouden!' Ze vond het niet verstandig Valdez met haar zorgen en twijfels op te zadelen. Er was nu eenmaal vreselijk veel waar ze zich ernstig zorgen over moest maken, maar daar wilde ze hem niet mee lastigvallen: Suter had haar gezegd dat ze het aftellen moest opschuiven naar lancering minus veertig en daar wachten op nadere orders – wat inhield dat hij aan zijn kant om steun verlegen zat. Van Shreed, had ze zich afgevraagd? Of van Touhey? Ze had ook voortdurend contact onderhouden met de battle group, maar dat had verder niets verhelderd: Cobb had haar op niet mis te verstane wijze duidelijk gemaakt dat hij zich zorgen maakte over de locatie van de Russische onderzeeër. Whiskey Bravo had gemeld dat er vanaf het vliegdekschip een missie was gelanceerd, die vermoedelijk over zes uur ter plaatse zou zijn, en dat er vanaf de basis Rota in Spanje een KC-10 tanker en twee F-16's zouden opstijgen, maar dat de twee jagers geen bewapening zouden meevoeren. Ze had kort daarvoor gehoord dat Spanje en Italië weigerden bewapende Amerikaanse toestellen vanaf hun grondgebied te laten opstijgen, wat inhield dat ze dus niet over luchtdekking zou beschikken.

'Boodschap van de Libische boot!' riep een stem naast haar. Ze probeerde het velletje papier uit de handen van de man schuin naast haar te grissen, maar de commandant was haar net voor.

'"Bereid u voor op het aan boord komen van een inspectieploeg. U bevindt zich in Libische territoriale wateren."' Hij wierp Rose een woedende blik toe.

'Zeg ze maar dat we ons in internationale wateren bevinden en dat ik weiger welke ploeg dan ook aan boord toe te laten,' reageerde Rose furieus.

Hij vond het maar niets dat ze er op deze manier bovenop sprong, maar hij had precies hetzelfde willen zeggen. Hij krabbelde het antwoord op het velletje papier en gaf dat terug aan de verbindingsman.

'Klootzakken zijn het,' zei de commandant. 'Maar zet dat maar niet in het bericht, jongen.'

'Die doen alleen maar wat ze wordt opgedragen.' Ze schakelde over naar het kanaal dat de mariniers gebruikten. 'LaFond, hier luitenant Craik. De Libiërs hebben net de boodschap gestuurd dat we rekening moeten houden met bezoek. Hou je gereed en bied weerstand tegen elke poging van buitenaf om aan boord te komen.'

'Jawel, mevrouw.'

Toen ze contact opnam met de mensen op de achtersteven, meldde een grimmige stem dat ze vanaf hun plek niets konden zien.

'Hou niet alleen het oppervlak in de gaten, maar kijk ook of je daar beneden iets ziet. Ze gaan proberen aan boord te komen.'

De commandant pakte een ander velletje papier aan. 'Nieuw bericht.' Ze zag dat zijn hand trilde. 'U bevindt zich binnen de Libische territoriale wateren. Bereidt u zich erop voor ter uwer bescherming naar de dichtstbijzijnde Libische haven gesleept te worden.'

'Dat betekent dat ze nog een schip achter de hand hebben – een zeesleper of iets dergelijks,' mompelde hij. 'Maar misschien bluffen ze alleen maar. Radar, voer eens een wijde oppervlaktezwiep uit, en kijk dan eens wat er nog meer in de buurt zit.'

'Behalve die ene kanonneerboot zie ik verder niets, meneer. Wel zie ik een hoop onduidelijke echo's in de buurt van de kust.'

'En in de lucht?' vroeg Rose.

De radarinstallatie van de *Philadelphia* was niet bepaald geschikt om de lucht af te zoeken, maar de radaroperator slaagde er met de beperkte middelen toch in zich een beeld te vormen.

'Misschien twee helikopters,' zei hij. 'Pal onder de kust. Het spijt me, mevrouw – deze apparatuur is niet gemaakt voor dit soort werk.'

De commandant stelde opnieuw een antwoord voor de Libische kanonneerboot op, maar ze legde haar hand op zijn arm en schakelde naar het marinierskanaal over.

'LaFond, er zitten heli's aan te komen. Hoe staat het met de LAW's?'

'De beschermingskappen zijn er afgehaald, de veiligheidspinnen zitten nog op hun plaats, de buis is nog niet uitgeschoven.'

'Tref zodanige maatregelen dat ze klaar zijn om afgevuurd te worden, maar wacht tot ik daartoe het sein geef.'

Er kwam nog een boodschap van het Libische schip binnen: *Houd er rekening mee dat we bij u aan boord komen.*

Plotseling werd de Libische kanonneerboot door een fel lichtschijnsel omringd, terwijl de door de motregen veroorzaakte halo het geheel een ietwat goedkoop religieus karakter gaf. Twee krachtige schijnwerpers boorden verblindende lichtbundels door de duisternis. Rose haalde haar hand weg van de arm van de commandant en tikte op het berichtenformulier. 'Ik zou ze simpelweg willen antwoorden met "Antwoord volgt". Oké?'

De commandant wierp een blik naar beneden, naar de plek waar de mariniers zich hadden opgesteld, en keek toen naar Rose. Achter hem werd het al iets lichter aan de horizon. Hij krabbelde een antwoord op en gaf het briefje aan de verbindingsman.

Rose riep LaFond op. 'Richt de LAW een stuk bóven die Libische boot. Kun je hem goed zien?'

'Jazeker.'

'Richt níet op het schip zelf! Dit moet een schot voor de boeg worden. Afvuren wanneer ík het zeg!'

'Begrepen.'

De verbindingsman mompelde: 'Bericht verstuurd, meneer.'

Antwoord volgt.

De commandant knikte Rose toe.

'Vuur!'

De M72 LAW is een nogal rudimentaire raket die gebaseerd is op de bazooka. Het wapen is in eerste instantie bedoeld om tegen tanks te worden ingezet, en wordt op zee niet of nauwelijks gebruikt. Echter, in het duister vlak vóór het aanbreken van de dag biedt de lange vuurstaart die het achter zich aan trekt een indrukwekkend aanzien, terwijl dit wapen met z'n bereik van twaalfhonderd meter – de aandrijfraket blijft tijdens de hele vlucht werken – een niet mis te verstane boodschap afgeeft. Rose zag de oranje vlam van het dek af flitsen, om vervolgens aan een baan te beginnen die nauwelijks hoger lag dan de radarmast van het Libische patrouillevaartuig, om een paar seconden later aanzienlijk lager dan ze veilig had geacht over de boeg van het schip te denderen.

Het schot had onmiddellijk effect.

Het Libische schip doofde onmiddellijk haar schijnwerpers, schoot naar voren en draaide scherp naar stuurboord in een poging zo snel mogelijk behoorlijk wat afstand tussen zichzelf en de *Philadelphia* te scheppen. Zodra het haar achtersteven richting *Philly* had gekeerd begon een 20mm-tweelingkanon lichtspoormunitie naar het Amerikaanse schip te spuwen.

'Nog eentje afvuren, mevrouw?' riep LaFond gretig.

'Nee! Beman de Mark 19's en laden met fragmentatiegranaten.' Ze schakelde naar een ander kanaal over. 'Achtersteven, houd je gereed om enterploeg af te slaan. Ik kom naar jullie toe.' Ze schakelde opnieuw over en dacht over die woorden na. *Houd je gereed om enterploeg af te slaan.* Wanneer zou men dat in deze wateren voor het laatst hebben geroepen? Ze had Valdez nodig – het aftellen moest het maar zónder hem stellen. 'Valdez, kom met je wapen naar het achterdek, ik ben daar straks ook. Vraag aan Nguyen – *vraag* het hem, je kunt het hem namelijk niet bevelen, want hij is burger, hij moet het vrijwillig doen – of hij met het aftellen door wil gaan. Kom dan onmiddellijk naar het achterdek!'

Ze kwam met een snelle beweging uit haar stoel. 'We doen wat we kunnen, kap'tein.'

Terwijl ze zich van de brug haastte hoorde ze de stem van de radaroperator. 'Ik heb een vliegtuig op m'n scherm, één enkele echo, afstand ongeveer tweehonderd mijl en dichterbij komend, mevrouw. Pal vanuit het westen.'

'Komt het uit de richting van Tripoli?'

'Nee, mevrouw. Het bevindt zich boven water, komt vanuit de Middellandse Zee deze kant uit. Het zou een van onze eigen vliegtuigen kunnen zijn.'

'Zou kunnen.' Het klonk bijna terloops, maar vanbinnen bad ze: *Laat het een van onze eigen vliegtuigen zijn! Laat het een vliegtuig zijn dat van het vliegdekschip is opgestegen! Ik ben al blij met een niet-bewapende, van Rota afkomstige F-16!*

Met de gedrongen Steyr AUG in haar hand zette ze koers naar de achtersteven.

Iets ten noorden van de Dodelijke Lijn.

De S-3 joeg in een rechte lijn door de donkere lucht in de richting van de lichte streep die de dageraad aankondigde. Het toestel maakte geen ontwijkende manoeuvres, wierp geen chaff uit om de verschillende radarinstallaties die de S-3 al enige minuten op hun schermen moesten kunnen zien in de war te brengen. De uit vier koppen bestaande bemanning, die zich maar al te bewust was van hun kwetsbaarheid aan boord van dit afgeladen tankvliegtuig dat zes uur eerder van de *Andrew Jackson* was opgestegen, was wakker en gespannen, ondanks het gebrek aan slaap, een situatie waarin een van hen nu al ruim een etmaal lang verkeerde. Ze vormden het uiteinde van de 'kettingzaag' en hadden de brandstof die ze ter hoogte van Gibraltar zelf aan boord hadden genomen al afgegeven aan twee F-14 Tomcats die zich als overmaatse kippen links en rechts onder de stompe vleugels van de S-3 hadden genesteld. Op elk radarscherm zouden de drie vliegtuigen als één enkele echo te zien zijn. Achter hen, boven de Middellandse Zee en een stuk verder naar het noordwesten, volgde een tweede S-3 een evenwijdige koers, ondertussen brandstof overpompend naar een tweetal escorterende F-18's. Die arm van de 'kettingzaag' coverde de toekomstige route van de *Jackson* in de Middellandse Zee.

Rafe was over Algerije gevlogen. In strijd met de internationale regels. Nu hadden ze ten zuiden van het eiland Lampedusa contact gemaakt met de KC-10, want zowel de S-3 als de Tomcats waren bijna door hun kerosine heen. Zelfs onder het klimmen probeerde Rafe de reusachtige tanker zover te krijgen dat ze elkaar op 6.000 voet zouden treffen in plaats van de gebruikelijke 16.000 voet. Rafe wilde niet toegeven dat hij niet over voldoende brandstof beschikte om die hoogte te bereiken, en hij had ook geen zin om de luchtmacht te vertellen dat hij zojuist laag over twee neutrale landen was gevlogen, en dat als hij dat níet had gedaan, maar de lange omweg had genomen, ze nu in het water zouden liggen.

'Met die nieuwe brandstof kunnen we weer zes uur vooruit,' mompelde Rafe, 'maar de Tomcats kunnen met volle tanks slechts een uur of twee, drie in de lucht blijven, terwijl die piloten aan het eind van hun Latijn moeten zijn. Al, hoe is onze situatie?'

'We bevinden ons op tweeënveertig mijl van de *Philadelphia*.' Aan zijn stem was niet te horen dat hij persoonlijk betrokken was bij datgene wat er met het aangeslagen schip zou kunnen gebeuren. Net als de anderen klonk hij gespannen, was hij nauwelijks te verstaan. Er werden op deze ochtend geen grappen gemaakt. 'De andere echo bevindt zich op ongeveer twee mijl afstand van de *Philadelphia*; het is erg moeilijk om ze op het scherm te onderscheiden. We zijn net gevonden door de radar van weer een Libische SAM-batterij, maar ook nu is er geen raket gelanceerd. De P-3 bevindt zich op station op pakweg tachtig kilometer ten noordwesten van Benghazi, en meldt nog steeds dat het, in hun bewoordingen, waarschijnlijk contact heeft met een "groot onderwaterdoelwit", wat best eens die Russische onderzeeër zou kunnen zijn, maar voor hetzelfde geld is het een Libische boot uit de Whiskey-klasse. De P-3 heeft drie uur geleden een waarschijnlijk en een mogelijk doelwit gemeld, maar daarna helemaal niets meer, en wat ze nu doen is strepen door de lucht trekken in een poging iets te vinden dat ze nog niet hebben geïdentificeerd op een koers die ze nog niet hebben gedefinieerd op een diepte die ze nog niet hebben vastgesteld. Kortom, klote.'

Hij was nog niet eens goed en wel uitgesproken, of Rafe en Cutter hadden al kans gezien vast te maken en werd er gulzig brandstof overgenomen vanuit de KC-10, die in het grauwe schijnsel van het eerste ochtendgloren imposant boven hen uittorende. Er werden drie brandstofleidingen uitgevierd, zodat de twee F-14's tegelijkertijd konden tanken, waarna het grote vliegtuig – terwijl de drie toestellen hun tanks vulden – een wijde bocht in oostelijke richting beschreef, richting *Philly*. Heel slim – elke mijl die ze op kosten van dit tankvliegtuig dichterbij konden komen was mooi meegenomen. De bemanning van de S-3 dronk opnieuw koffie en strekte zich heel even uit. Tegen de tijd dat het brandstof overnemen was voltooid, waren ze zes mijl dichter bij de *Philadelphia*, en Alan had het Libische patrouillevaartuig weten te identificeren als een geleidewapenboot van de Nanoesjka-klasse, schepen die niet alleen waren uitgerust met raketten tegen scheepsdoelen, maar ook nog eens een SAM aan boord hadden.

De KC-10 draaide weg naar het noorden om terug te keren naar de bescherming van de aan boord van de *Fort Klock* gestationeerde luchtdoelraketten.

Alan gaf nadere bijzonderheden van de Nanoesjka door. 'Het goede nieuws is dat ze een raket tegen scheepsdoelen aan boord hebben, maar niet van plan zijn dat te gebruiken; het slechte nieuws is dat ik denk dat ze het op Peacemaker hebben voorzien en die onbeschadigd in handen willen krijgen. Het andere nieuws is dat ze ook nog een raket tegen – '

'Een ogenblikje, Al – ' Rafe was plotseling gespannen. Hij keek opzij naar Cutter, trok een gezicht en schakelde over op een ander kanaal, luisterend naar een boodschap die de anderen niet konden horen. Met een abrupt gebaar schakelde hij weer terug: 'Al, de *Philadelphia* kan elk moment door een enterploeg worden overmeesterd, hoor ik net. Het hoofdkwartier wil een exacte positiebepaling van dat schip – voor de goede orde, bevinden ze zich binnen de twaalfmijlszone of niet?'

Eigenlijk hoefde Alan niet eens naar het scherm te kijken. 'Begrepen. Een ogenblikje – ' Hij bestudeerde het scherm en maakte gebruikt van de radarcursor om de afstand zo precies mogelijk te berekenen. 'Ze bevindt zich zeventien zeemijlen *buiten* de territoriale wateren. Ze is er niet eens in de búúrt van.'

Rafe schakelde over naar de commandofrequentie en gaf de boodschap door. Vervolgens draaide hij zich half naar Alan om en zei tegen zijn bemanning. 'We worden doorverbonden met de commandant van de *Philadelphia*.' Hij aarzelde een ogenblik. 'Verder kunnen we straks ook rechtstreeks praten met de verenigde chefs van staven.' Hij schraapte zijn keel. 'Terwijl we ook rekening moeten houden met rechtstreekse orders vanuit het Witte Huis. Jezus Christus! Het Witte Huis! Wat is er allemaal aan de hand? Hou je gereed – '

In hun koptelefoon was zwakjes een nieuwe stem te horen. 'Hier de brug van het USNS *Philadelphia*. Kap'tein Gerault hier. Ontvangt u mij?'

'Vrij zwak maar duidelijk. Zegt u het maar, *Philadelphia*.'

'We liggen momenteel onder zwaar mitrailleurvuur van een Libische patrouilleboot die zojuist twee boten heeft gestreken. Zo te zien komen die onze kant uit. Amerikaanse mariniers beantwoorden het vuur. Ze hebben nog niet geprobeerd bij ons aan boord te komen, maar waarschijnlijk zullen die boten ons binnen drie tot vijf minuten bereiken. Als dat mocht gebeuren – de mariniers beschikken over heel wat vuurkracht.'

'Kap'tein, kunt u bevestigen dat u momenteel wordt aangevallen? Kunt u dat bevestigen?'

'Momenteel komen twee zware rubberboten – Zodiacs waarschijnlijk – met hoge snelheid onze kant op. Het is hier nog vrij donker, maar we kunnen desondanks mannen onderscheiden, zo te zien in gevechtstenue en bewapend. Ja, ik kan bevestigen dat we onder vijandelijk vuur liggen. Ze hebben al een van onze navigatieradars aan flarden geschoten en richten zo te zien op masthoogte. We liggen duidelijk onder vijandelijk vuur. Geen twijfel mogelijk!'

'Hier heb je de CNO,' mompelde Rafe – CNO stond voor chef marine-operatiën – en opende opnieuw de verbinding met de *Philadelphia*. 'Kap'tein, we nemen weer contact met u op. We komen eraan.'

Een pauze, ruis die veranderde, en een nieuwe stem, die jong en fris klonk – in Washington was het nog niet eens middernacht – zei: 'Zijn we doorverbonden? Hallo? Zijn we doorverbonden?'

Rafe schraapte zijn keel: 'Zegt u het maar, meneer.'

'Goedenavond. Of goedemorgen. Een ogenblikje, alstublieft.'

'Hallo, heb ik Kettingzaag Eén te pakken? Of bent u nu Pitcher?' Verdorie, de CNO beschikte over beide communicatiekaarten. Prettig te weten dat die man zijn zaakjes op orde had.

'Jawel, meneer.'

Pauze. Rafe, die het gevoel had dat hij dóór moest gaan, zei: 'Meneer, we hebben zojuist radiocontact gehad en hebben gehoord dat het schip momenteel wordt aangevallen. Dat is bevestigd door de – '

'Dat weten we; we hebben meegeluisterd. Oké, bent u er volkomen, maar dan ook vol-kó-men zeker van dat het schip zich in internationale wateren bevindt?'

'Volkómen.'

'Ik begrijp dat u daar geheel zeker van bent. Een ogenblikje.'

Alan begreep toen wat eraan zat te komen. De verenigde chefs van staven, misschien zelfs de president, wilde zeker weten dat ze gedekt waren, want de CNO stond op het punt hun toestemming te geven dat Libische schip aan te pakken. Terwijl de CNO aan het woord was geweest, had Alan de Libiër op het scherm weten te isoleren en had hij de afstandsgegevens in het richtsysteem van de Harpoon ingevoerd. Toen de CNO was uitgesproken, begon Alan de route-informatie in te toetsen die het blok 1C-projectiel zo ruim mogelijk óm de *Philadelphia* heen moest voeren, om zich vervolgens pal in de midscheeps van de Libische patrouilleboot uit de Nanoesjka-klasse te boren. Hij had dit in de Golf al zó vaak geoefend dat het iets was geworden dat hij nagenoeg gedachteloos kon doen – misschien te vergelijken met het uitwerpen van een vislijn. Toch kon hij zijn gedachten niet losmaken van het feit hoe dicht de *Philadelphia* in de buurt van die Nanoesjka was, en dat de *Philadelphia* voor de explosieve kop van het projectiel een aanzienlijk groter doelwit vormde. Desalniettemin stak hij zijn hand uit, klapte het plastic beschermhoesje omhoog en liet hij zijn vingers op de bewapeningsschakelaar rusten.

'Meneer,' zei Rafe, 'hoor ik u zeggen dat we toestemming hebben om de noodzakelijke maatregelen te nemen en tot actie over mogen gaan?'

Heel even was het stil. Toen: 'Ik geef admiraal Pilchard toestemming u opdracht te geven van uw bewapening gebruik te maken.'

'Meneer, wilt u zeggen – ?'

Ze werden onderbroken door een nieuwe stem. 'Pitcher, u heeft toestemming om van uw bewapening gebruik te maken. U kunt tegenover die Libische Nanoesjka de gewenste maatregelen nemen.' Alan kon horen dat het Pilchard was.

Rafe schudde zijn gehelmde hoofd. 'Oké, ik neem aan dat dat "bommen los" betekent. Alan?'

'We zijn er klaar voor. Routepunten ingevoerd. Bewapening geactiveerd.'

Een ogenblik lang was het stil. 'Meneer?' zei Rafe. 'Ontvangt u mij?'

Stilte.

'Afvuren!'

Alans vingers haalden de bewapeningsschakelaar over, en zijn hand schoot direct naar de afwerpschakelaar, die ook werd overgehaald. Hij keek naar zijn scherm en zag dat langs de kust een luchtdoelbatterij zijn radar had geactiveerd, en zei: 'Harpoon gelanceerd! Onmiddellijk ontwijkende manoeuvres initiëren vanwege mogelijke SAM's – !'

De bodem leek uit de lucht weg te vallen toen Rafe het toestel op d'r neus zette en tegelijkertijd scherp naar het noorden wegdraaide. Alans zicht verduisterde even, maar toen kon hij weer scherp zien, vocht tegen de G-krachten om naar het scherm te kunnen kijken en was verrast toen bleek dat er nog geen luchtdoelraket was gelanceerd, hoewel hij nagenoeg tegelijkertijd zag dat er zich bij de kust ter hoogte van de *Philly* een tweede blip had losgemaakt, die vervolgens weer met de kust leek samen te smelten, om zich het volgende moment definitief los te maken.

Hij moest zich tot het uiterste inspannen om het radarbeeld aan te passen. Rafe draaide weer naar het oosten terug; Cutter telde chaff en hittefakkels af, om die het volgende moment af te werpen. Ze doken met hoge snelheid in de richting van het water, naar een hoogte waar de radarhorizon een stuk kleiner was, zowel voor hen als de SAM-batterijen aan de kust.

'Mogelijke vliegtuigen verlaten de kust op een peiling van een-zes-drie, geen indicatie van snelheid of richting.' Zijn stem trilde toen het toestel even door elkaar werd geschud. 'Waarschuw de *Philly* – mogelijk inkomend toestel op een-zes-drie – ' *O, Jezus, Rose* –

Rafe voerde opnieuw een afleidingsmanoeuvre uit, deze keer in zuidelijke richting en liet de S-3 dalen tot een hoogte van driehonderd voet – nog geen honderd meter – boven het zeeoppervlak.

'Admiraal?' sprak hij in zijn microfoon. Alan was vergeten dat de commandofrequentie nog steeds openstond.

Alan was druk in de weer met berekenen hoelang het zou duren voor de Harpoon haar doelwit zou bereiken. Hij had zijn scherm in tweeën gesplitst en had nu een live radarbeeld van de Nanoesjka die groen en spookachtig in een pikzwarte zee dreef. Op de andere kant van zijn scherm lieten haar drie vuurleidingsradars hem hun signaal zien. Cutter was druk bezig verbinding te maken tussen Shortstop – de twee Tomcats – en ktz Cobb – Catcher – aan boord van de *Fort Klock*. Aan elke geheimzinnigheid was nu een einde gekomen.

Nog negentien seconden tot de inslag. Over negentien seconden zouden de Libiërs, de Russen en iedereen die op deze sombere ochtend verder al wakker was, beseffen dat de Amerikanen op de een of andere manier toch nog over luchtdekking beschikten.

Rafe schakelde over op een ander kanaal. Cutter was met zijn kniebord in de weer; in de andere stoel achterin liep McAllan de overige bewapening nog eens na. Rafe sprak opnieuw met de *Philadelphia*.

'Rose, zoek dekking. Over tien seconden slaat de Harpoon in!'

Iedereen verstrakte toen de stem van de commandant van de *Philly* doorkwam. 'Hier de brug van de *Philadelphia*. Er bevindt zich een enterploeg bij de achtersteven. De mariniers hebben één boot weten te raken vóór die contact kon maken, maar de ander heeft kans gezien aan de achtersteven vast te maken en daar wordt momenteel gevochten. Ik herhaal, we hebben hier een enterploeg en ik vermoed dat ze aan dek hebben weten te komen – een ogenblikje – '

'Kap'tein?' zei Rafe. 'Kap'tein? Harpoon slaat over vijf seconden in, kap'tein? Kap'tein?'

Ze wachtten. Maar er was alleen maar stilte, en even later het geluid van automatische wapens. En toen alleen maar ruis.

Dankzij de magie van de vercijferde datalink was op Alans scherm hetzelfde beeld te zien als dat wat de commandant van de *Philadelphia* op zijn scherm kreeg, dat Cobb op de *Fort Klock* kon zien en dat de commandant van de *Isaac Hull* op de brug van zíjn schip kon waarnemen. Een heel stuk westelijker, in de buurt van Tenerife, zat admiraal Pilchard op de vlaggenbrug van de *Andrew Jackson* en kreeg hetzelfde beeld voorgeschoteld. Zonodig kon de president in het Witte Huis ook naar deze beelden kijken. Tientallen informatiebronnen kwamen op deze schermen samen en gaven de plaatsen aan waar zich eigen schepen en die van bondgenoten bevonden, alsmede die van neutrale en vijandelijke vaartuigen, wáár ook ter wereld. Radar- en sonargegevens, zowel actief als passief, de resultaten van het interpreteren van berichtenverkeer en directe visuele waarneming, álle mogelijke gegevens konden worden ingevoerd om de juiste locatie van elke eenheid te verduidelijken en vast te stellen. Een cirkeltje stond voor een eigen schip of vliegtuig, of dat van een bondgenoot, een vierkantje stond voor een unit van een neutraal land, en een wybertje betekende een schip of vliegtuig van de tegenstander. Verschillende coderingen maakten duidelijk of het contact op een schip, een vliegtuig of een onderzeeboot sloeg. Eén klik van de muis was voldoende om meer info over de identificatie- en classificatiemethode van het betreffende contact op het scherm te laten verschijnen. Een volgende klik en de bewapening en het bereik ervan werden zichtbaar.

Het waren deze cirkels die het scherm van admiraal Pilchard domineerden. Momenteel was de cirkel van de luchtdoelraket van de Nanoesjka zichtbaar; het verschilde aanzienlijk van haar radarhorizon. De halve cirkel die de AH702 voorstelde – Rafe's S-3 Viking – bewoog zich schokkerig in de richting van het wybertje dat de Nanoesjka aangaf, dat zich zó dicht bij het cirkeltje dat de *Philadelphia* voorstelde bevond, dat ze elkaar bij deze resolutie zelfs gedeeltelijk overlapten. De vette blauwe cirkel van de *Fort Klock* bevond zich bijna vijftig mijl noordelijk van de *Philadelphia*, en duidelijk waren haar luchtdoelraketten en haar radarhorizon te zien; vlak bij de cirkel van de *Fort Clock* en binnen haar beschermende ring was de halve cirkel die de KC-10 moest voorstellen te zien. Dertig mijl naar het noordwesten markeerden drie rode vierkantjes de laatst bekende locatie van de Russische oppervlakte-eenheid. Maar momenteel was geen van hun radars geactiveerd, dus zouden ze ook wel eens dichterbij kunnen zijn. Hun cirkels vertegenwoordigden hun radarhorizon tegenover een met een hoge mast uitgerust oppervlakteschip als de *Fort Klock*. Ze beschikten over raketten met een zeer groot bereik, maar zoals altijd was het grote probleem het nauwkeurig naar hun doelwit brengen van die dingen.

Plotseling maakte op het scherm een van de drie Russische schepen een sprongetje van een centimeter of vijf, en schoof van het ene op het andere moment tien mijl naar het oosten op. AH702 was net geïllumineerd door een radaremissie en had kans gezien de bron van dit signaal te identificeren, een torpedobootjager uit de Sovremenny-klasse. Computers hadden de informatie onderzocht en gemanipuleerd, en waren tot een beslissing gekomen. Het symbool maakte een sprongetje.

Aan boord van de Russische torpedobootjager *Poltava* beschikte men over verschillende min of meer identieke systemen, maar ze moesten het doen zonder de door vliegtuigen aangeleverde gegevens, en de Russen tastten dan ook bijna in het duister, konden alleen maar gebruikmaken van hun eigen radars, waarvan de nauwkeurigheid door de lange, zware zeegang en de met zand gevulde wind nogal nadelig werd beïnvloed. De Amerikanen moesten daar ergens zitten, wisten ze, zuidelijker, dichter onder de Libische kust. Een van de Amerikaanse schepen – naar alle waarschijnlijkheid de ongewapende *Philadelphia* – had, gezien de frequenties waarop werd uitgezonden, averij opgelopen. De Russen wisten ook dat de Amerikanen een S-3 Viking in de buurt moesten hebben, want dat toestel maakte af en toe gebruik van hun doelzoekradar, die nog geen minuut geleden ook de *Poltava* had geïllumineerd. Verder bevond er zich ergens boven de *Fort Klock* ook nog een erg groot toestel, dat misschien wel eens een tanker of een vliegende commandopost zou kunnen zijn.

Kapitein der tweede klasse Lutovinov probeerde kalm te blijven. Hij had het bevel gekregen zo dicht mogelijk in de buurt van de Amerikaanse groep te blijven, maar geen direct contact met hen te maken. Hij probeerde hen te schaduwen, maar de enige Amerikaanse eenheid waarvan hij zeker was, was dat vliegtuig, een S-3; hij had er de voorkeur aan gegeven een oostelijke koers aan te houden toen de radar van dat toestel hem gezien had, zodat hij zijn luchtdoelraketten vanuit de flank op de S-3 gericht kon houden, want dat vliegtuig was in staat een Harpoon mee te voeren.

De twee andere Russische schepen voeren in linie achter hem aan. Lutovinov beschikte over twee uitstekende helikopters met radarinstallaties die het hele gebied konden bestrijken, maar als hij de helikopters de lucht in stuurde verraadde hij zijn positie en zou het elektronische stoot-toe-en-pareer-spelletje alleen maar escaleren. Maar het was altijd nog beter om te laten zien waar hij zat dan in dit slechte weer met een van de Amerikanen in aanvaring te komen. Hij moest nu eenmaal om zich heen kunnen kijken.

'Laat de heli opstijgen.'

Lutovinov voelde iets, helemaal onder in zijn maag. Als het angst was, dan was hij een lafaard. Hij had dat gevoel maar al te vaak. Hij was in de hoogtijdagen tijdens de jaren tachtig subaltern officier geweest, toen dit soort spelletjes aan de orde van de dag waren, overal ter wereld. Hij wist hoe het spel werd gespeeld, maar hij was er nooit eerder verantwoordelijk voor geweest. Elke actie veroorzaakte steeds weer een reactie. Hij wist ook dat het niet bij zijn taakomschrijving hoorde om welke vorm van conflict dan ook te starten. Zijn aanwezigheid was als protest bedoeld. Suvarov was wat dat betreft heel duidelijk geweest.

Aan de andere kant was kapitein-ter-zee der eerste klasse Suvarov iets dat de Amerikanen een 'cowboy' noemden. En iemand had dat Amerikaanse lanceervaartuig weten te beschadigen, niet door middel van het een of andere protest, maar met behulp van een echt wapen. Zou Suvarov gek genoeg zijn om zoiets te doen? Lutovinov meende van niet. Hij had meer informatie nodig. Die S-3 was in de eerste plaats bedoeld als onderzeebootbestrijdingsvliegtuig. Zou het naar de *Haai* op zoek zijn?

'Bereid je voor op een bericht naar het hoofdkwartier van de Noordelijke Vloot. Het bericht luidt als volgt...'

Rose rende aan bakboord in de richting van de ladder die naar de brug leidde, happend naar adem en haar best doend LaFond bij te houden. Achter haar liep Valdez, als een hardloper die elk moment kon gaan accelereren, en hij sprong naar rechts en sprintte om haar heen. Zijn gedrongen lichaam was tot hoge snelheid in staat, merkte ze; hij stoof als een onvervalste sprinter langs haar heen, de AUG verticaal voor zich houdend, zijn handen klaar om elk moment te kunnen vuren.

De mariniers hadden al met een van de Libische Zodiacs afgerekend vóór deze kans had gezien het schip te bereiken: zodra die ook maar enigszins in de buurt was gekomen hadden ze het scheepje vol gaten geschoten, zodat de luchtkamers snel leeg begonnen te lopen. De fragmentatiegranaten gingen er doorheen zonder te exploderen, maar toen de boot nog maar tien meter van hen verwijderd was, de stompe V-vormige neus omhoog en met een krachtige boeggolf eronder, boorde een M19-kogel zich door de rubberwanden en raakte toen iets – een wapen, de motor, een helm – en leek de Zodiac met de onderkant naar voren in de richting van de *Philadelphia* te schuiven, om vervolgens aan flarden gescheurd te worden. Enkele seconden later keken de verdedigers van de *Philly* verbijsterd toe hoe de Libische patrouilleboot in een felle lichtflits uit elkaar spatte, want de inkomende Harpoon was voor hen in de nevel en het korrelige licht van de dageraad nauwelijks te zien geweest.

Rose stond op dat moment met de burger bemanningsleden en Valdez op het achterdek. Ze waren zich aanvankelijk alleen maar de explosie aan boord van de Zodiac bewust geweest, en toen pas van de brandende patrouilleboot in de verte. Rose had in haar walkietalkie geschreeuwd, steeds weer LaFonds naam roepend, en toen was de tweede rubberboot onder de achtersteven verschenen en was het al te laat om te kijken wat er gebeurd was.

Drie van de burgers zochten dekking achter de stalen reling, terwijl ze er tegelijkertijd net ver genoeg overheen leunden om langs de schuin aflopende achtersteven van de *Philadelphia* op de tweede enterploeg te kunnen vuren. Vanaf haar positie bij het dekhuis had Rose gezien hoe een van de mannen in een baaierd van bloed uit elkaar was gespat toen de Libiërs de reling met automatisch vuur besproeiden. De twee anderen zakten tussen de spuigaten in elkaar. Ze stond op het punt naar de stalen reling te rennen toen Valdez haar arm vastgreep en haar tegen een stalen wand aandrukte, haar zo ver mogelijk bij de reling wegtrekkend toen vanaf beneden twee verdovingsgranaten naar boven werden gegooid, waarvan er eentje terugstuiterde en in het water viel, maar de ander explodeerde en veroorzaakte op de plek waar de drie verdedigers zojuist hadden geprobeerd weerstand te bieden een krachtige schokgolf.

Verdoofd leunde Rose achterover tegen de stalen wand. Valdez' gezicht was vlak bij het hare; hij schreeuwde iets, maar ze hoorde hem niet. Toen, alsof hij van grote afstand boven de branding uit probeerde te roepen, hoorde ze hem zeggen: 'Oké? Alles in orde met u – ?' en ze knikte, vervolgens haar hoofd schuddend in een poging weer helder na te kunnen denken.

'Luitenant!' riep iemand met een hoog stemmetje tegen haar. Een kind – het leek wel een kinderstemmetje. Metaalachtig. Toen drukte Valdez de kleine radio tegen haar oor en ze hoorde LaFond, aanzienlijk duidelijker nu. 'Luitenant! Hier Gunny! Wat gebeurt er allemaal op het achterdek? Luitenant?'

Het kostte haar ontzettend veel moeite zich te concentreren en haar lippen en tong te bewegen. 'Gunny – Ze proberen via de achtersteven aan boord te komen. We zijn hier nog maar met z'n tweeën.'

Toen drong het tot haar door dat een meter of zes, zeven verderop een man probeerde over de reling te klauteren, en pas later zou ze beseffen dat hij omhoog geklommen moest zijn langs een touw met een enterhaak die zich ergens achter had vastgezet; maar op dat moment leek hij uit zee op te doemen, eerst een hoofd, toen schouders, heupen, een man in een camouflagepak, een kaki bivakmuts op en een kogelvrij vest aan; en Valdez had zich omgedraaid en de man met twee korte salvo's uit zijn automatische wapen zodanig weten te raken dat hij de reling los moest laten, precies op het moment dat hij zijn been over de borstwering wilde zwaaien. Hij tuimelde achterover, en de kracht van het wapen was voldoende om hem in zee te doen vallen, kogelvrij vest of geen kogelvrij vest.

Nóg twee mannen probeerden aan boord te komen en Valdez vuurde onophoudelijk, en het volgende moment voelde ze haar eigen pistoolmitrailleur in haar handen op en neer stuiteren. Zij en Valdez hadden een dag lang met hun Steyrs geoefend op de schietbaan van de Navy SEAL's in Little Creek, maar dat was eigenlijk niet veel meer dan spielerei geweest, en nu stond haar leven op het spel, en toen een van de indringers aanstalten maakte iets te gooien, gaf ze een harde schreeuw, richtte ze met een ruk haar wapen op de man en gaf ze een lang salvo op hem af, waarbij eerst zijn scherfvrije vest aan flarden werd geschoten en vervolgens zijn hals en kin.

Op dat ogenblik waren LaFond en een andere marinier vanaf stuurboord haar kant opgerend. Ze hadden haar afgeschermd, hadden over de achtersteven korte salvo's van drie schoten afgevuurd en handgranaten gegooid in de richting van de aan het oog onttrokken Zodiac. Maar blijkbaar was die rubberboot al verder naar voren opgerukt, want via haar radio hoorde ze iemand schreeuwen dat ze op weg naar de brug waren, dat ze op het hoofddek stonden en op weg waren naar de trap die naar de brug leidde.

LaFond sprong in de richting van de bakboordcorridor, drukte zijn rug tegen de stalen wand en gebaarde naar de andere marinier dat hij zo ver mogelijk naar voren moest komen zonder zich bloot te geven, wierp vervolgens een snelle blik in de corridor en trok zich onmiddellijk terug toen er op hem werd gevuurd. Hij gooide twee handgranaten en rende naar voren, onophoudelijk korte salvo's afvurend, op de voet gevolgd door de tweede marinier. Rose holde achter hen aan, terwijl Valdez in eerste instantie aarzelend de achterhoede vormde, maar op dat moment hoorden ze ergens in de midscheeps het geratel van een van de M19's, en daar waren ze dan nu, rennend over het dek als sprinters die met een hardloopwedstrijd bezig waren.

LaFond draaide zich om en duwde haar naar links, waar ze weinig zachtzinnig in aanraking kwam met een stalen balk en begon te hyperventileren. Valdez liet zich vlak achter haar tegen het dek vallen, het wapen in de aanslag. LaFond had zich met z'n rug tegen de stalen wand tegenover hen gedrukt, een kleine vier meter verderop, terwijl de andere marinier op het dek lag en bloedde. Tien meter voor hen uit zaten vijf man dicht opeen op de trap die naar de brug leidde. Het eerste gedeelte van die trap telde zeven treden, kwam vervolgens uit op een overloop van nauwelijks één vierkante meter, en ging vervolgens in tegengestelde richting verder omhoog. De trap was open, zodat de stalen treden naarmate de mannen hoger zaten meer bescherming boden, maar op dekniveau was die minimaal.

Valdez bracht vanuit een liggende afvuurhouding zijn hoofd iets omhoog, en rolde toen op zijn zij om de Steyr te kunnen richten. Drie mannen bevonden zich al op het bovenste gedeelte van de stalen trap; boven aan de trap bevond zich een looppad dat was voorzien van een borstwering die tot het middel reikte, en doorliep tot aan de brugdeur. 'Ze zijn bijna op de brug!' schreeuwde Valdez steeds weer terwijl hij bleef vuren. De stalen treden vormden een behoorlijke bescherming voor de mannen die de trap op renden: toen struikelde er eentje, die heel even leek te zullen vallen, maar nog net kans zag zich vast te grijpen. De twee anderen waren bijna boven toen de deur naar de brug openvloog en er iemand naar buiten kwam. Het kostte Rose enige moeite de man te herkennen als de commandant van de *Philadelphia*. Hij zag er verwilderd uit, buiten zinnen zelfs, en hij schreeuwde iets.

De commandant had een van de pistoolmitrailleurs in handen. Zodra hij naar buiten was gestapt begon hij te vuren. Hij werd voortgestuwd door adrenaline en woede, maar het was een man van middelbare leeftijd en echt snel was hij niet meer. De eerste man die boven aan de trap verscheen wist hij vol te raken, maar de tweede indringer velde hem met één enkel schot uit een 9mm Helwan. Het was een goedgetrainde commando, de leider van het aanvalsteam voor wie het schot waarmee hij de kapitein van het schip doodde niet meer dan een reflex was. Dat maakte echter wél dat hij zich heel even van Rose en LaFond moest afwenden, en LaFond, die noch een SEAL noch een commando was, beschikte eveneens over snelle reflexen en mocht een instinctief schutter worden genoemd, en hij wist met een kort salvo drie kogels in het hoofd van de man te pompen.

Dat betekende dat er nog drie man over waren, de man die op de bovenste helft van de trap door Valdez was geraakt en de twee die zich achter het onderste deel van de trap schuilhielden, toch al afgescheiden van hun aanvoerder en dekking zoekend achter een stalen wand.

Achter hen en ver over stuurboord brandde het wrak van de patrouilleboot, waarvan de vlammen door de zee weerspiegeld werden. Rose zag het allemaal in één enkele flits: de patrouilleboot stond in brand en ze hadden de leden van de enterploeg in een hoek gedreven – de indringers konden geen kant meer uit. 'Probeer ze levend in handen te krijgen!' schreeuwde ze naar LaFond.

Hij had al een granaat in de hand. Hij aarzelde.

Valdez rolde naar haar toe.

'Laat jullie wapens vallen!' riep ze. Er gebeurde niets – maar er werd ook niet geschoten. Ze schreeuwde opnieuw, kon zich wel voor haar hoofd slaan dat ze geen woord Arabisch sprak (Alan zou precies hebben geweten wat hij in dit geval moest roepen, wist ze) en herinnerde zich toen dat Libië nauwe banden onderhield met Italië. *'Finito!'* blafte ze. Veel Italiaans kende ze niet, maar haar beide ouders hadden het als kind nog veel gesproken, en ze had tijdens haar eigen jeugd in de Italiaanse wijk van de stad Utica, in de staat New York, onwillekeurig wat woorden opgepikt. *'Finito! Tutto morte! A terra i fusili!'* Terra klonk niet écht voor de hand liggend, hier midden op zee, maar ze kende nu eenmaal het woord voor 'dek' niet. En klopte *fusili* eigenlijk wel als je het over vuurwapens had? Fusili was een soort pasta, verdomme. *'No piu! No piu! Fasciate la pace!'* Ze probeerde in haar hoofd een zin samen te stellen – *Jullie boot is zinkende, verdomme! – La vostra – o, shit, boot – marina – nee – verdórie – !*

LaFond bracht zijn hand een centimeter of twee naar achteren, klaar om de handgranaat te gooien, maar toen kletterde er vanaf het tweede niveau een AK tegen het dek, stuiterde één keer op en neer en bleef toen liggen. Na enkele ogenblikken stilte riep een stem: *'Promesso dei lege della guerra? Promesso d'essere prigioneri della guerra?'*

Ja, schreeuwde ze hun toe, ik, een *ufficiale* van de marine van de *Stati Uniti*, ik beloof dat jullie als reguliere krijgsgevangenen zullen worden beschouwd. 'De Conventie van Genève!' riep ze er voor de zekerheid achteraan. Ook daarvan wist ze niet hoe ze het in het Italiaans moest zeggen. *'Mani alla testa! Fasciate scendere coi mani alla testa!'* Als ze zich niet vergiste betekende *testa* hoofd. Maar, Jézus, als het ook voor testikels stond dan zou het een buitengewoon idioot tafereel worden, lieden die zich met hun handen voor hun kruis overgaven.

Maar ze kwamen met hun handen op het hoofd tevoorschijn, angstig, waarschijnlijk aan Lockerbie denkend – behalve de knaap op het bovendek, die door een van Valdez' kogels in de linkerknie was getroffen en alleen maar zacht kon kreunen. Het waren niet bepaald jonge jongens, deze twee, en Rose vond ze eigenlijk nogal op Italianen lijken. Ze voelde geen haat en geen weerzin: dit waren geen inlichtingenmensen die bommen plaatsten die de burgerbevolking moesten treffen, maar militairen die hadden geprobeerd een moeilijke missie tot een goed einde te brengen, maar daarin niet waren geslaagd.

LaFond zette de gevangenen tegen de stalen wand met hun hoofd tegen het grijze staal, en stapte tóen pas voor haar vandaan om vervolgens razendsnel de trap op te rennen, zijn wapen in de aanslag, schreeuwend in de richting van de gewonde Libiër. Die bleek verdwenen. Er liep een bloedig spoor naar een luik, maar dat luik zat dicht. 'Die klojo is een ladder afgedaald en heeft het luik boven zich dichtgedraaid, mevrouw! En hij moet bloeden als een rund! Hij is hartstikke gek!'

'Valdez!'

'Achter u, mevrouw.'

'Neem de aangerichte schade op. Neem contact met Aston op en kijk vervolgens bij Nguyen en het wetenschappelijke team of er gewonden zijn gevallen. Het allerbelangrijkste is nu hoe het aftellen ervoor staat. LaFond! Zorg ervoor dat die marinier geholpen wordt! En ga op zoek naar de knakker die kans heeft gezien weg te kruipen!' Ze rende de ladder op. 'Brug! Hallo, is er iemand op de brug?'

Ze probeerde niet naar het lichaam van de commandant van de *Philly* te kijken, keek toch, en zag toen dat hij vlak boven zijn linkeroog één enkel schotwond had. Je kon nog steeds zien dat hij woedend was geweest. Ze stapte over zijn benen heen, zag toen dat hij een kaki broek had aangetrokken, en vroeg zich af wanneer hij dat gedaan moest hebben, waanzinnig eigenlijk, om daar onder deze omstandigheden aan te denken, deed de deur open en zag toen de roerganger staan, die een pompgeweer recht op haar gericht hield.

'Laat dat verdomde ding zakken!' Ze staarden elkaar aan. 'Het is over! Het is achter de rug!' Hij herkende haar niet, drong het tot haar door. Haar vingers klemden zich rond de AUG en ze bedacht net dat haar kogelvrije vest waarschijnlijk wel bestand was tegen een schot hagel uit het pompgeweer, toen hij het wapen langzaam liet zakken, even wankelde om vervolgens bewusteloos in elkaar te zakken.

'O, shit!' zei ze. 'Waar is degene die hier op de brug wachtdienst heeft?'

Vanachter een console kwam de vrouwelijke werktuigkundige tevoorschijn, met in haar rechterhand een Ruger Highway Patrolman en in haar linker een microfoon. Rose had haar tijdens de hele missie maar nauwelijks gezien, maar ze leek haar zenuwen behoorlijk onder controle te hebben.

'Luitenant Craik? Ik heb hier een vliegtuig aan de lijn dat naar u vraagt. Ze zeggen dat ze zo snel mogelijk een minionderzeeër moeten zien te neutraliseren, en of u nog over explosieven beschikt die als dieptebommen kunnen worden ingezet?'

'Wat voor een minionderzeeër?' Dit sloeg nergens op. Dieptebommen? Wat was er verdomme – ?

'Luitenant?' De werktuigkundige kwam met een merkwaardige blik in haar ogen naar haar toe, de hand naar haar uitstekend waarmee ze de microfoon vasthield, alsof ze in de veronderstelling verkeerde dat ze iets van Rose aan moest nemen. Toen drong het tot haar door dat ze stond te trillen op haar benen, en dat zíj degene was die overeind gehouden moest worden, en ze deed een stapje naar achteren, tot ze met haar rug tegen de wand stond, om vervolgens naar beneden te glijden tot haar achterste met een zachte plof het dek raakte. Haar handen trilden zó hevig dat ze haar radio nauwelijks vast kon houden. 'LaFond – LaFond – Hallo? LaFond – ?'

Op zijn scherm zag Alan hoe vanaf de Russische torpedobootjager een helikopter opsteeg, hoewel hij eigenlijk op zoek was naar signalen die erop wezen dat de Nanoesjka nog radarsignalen uitzond. Hij had het ESM-programma weer ingeschakeld, kijkend naar gegevens van andere schepen of andere vliegtuigen. Een andere torpedobootjager van de Sovremenny-klasse liet haar rondzoekradar één enkele keer roteren, en hij ving het signaal op en gaf het door. Rafe liet het toestel een bocht beschrijven en vloog nu aan op de positie van de *Philadelphia*. Voor een S-3 ging dit allemaal vrij snel. Alan drukte enkele toetsen in, zodat op zijn scherm signalen van vijandelijke radarinstallaties te zien zouden zijn, maar de Nanoesjka, die nog maar enkele seconden geleden op drie verschillende frequenties radars ingeschakeld had gehad, zweeg nu in alle talen. Hij moest zich wel sterk vergissen als ze die boot niet behoorlijk hadden weten te raken.

Hij schakelde de ISAR-radar in en richtte de straal recht op de Nanoesjka. Een enorme radarecho kolkte ter hoogte van haar midscheeps omhoog, precies op de plek waar nog maar enkele ogenblikken geleden de gebruikelijke echo van haar achterover hellende brug te zien was geweest.

'Een voltreffer in de midscheeps. Geen signaal, geen radar.'

Rafe zei niets. Alan zag op zijn scherm hoe ze van koers veranderden en schakelde terug naar zijn datalink-display, die de relatieve positie van het toestel ten opzichte van de Nanoesjka en de *Philadelphia* liet zien. Hij hoefde zich nog geen zorgen te maken over wat in lagere resolutie te zien was – andere Libische schepen achter de horizon, of de Russen, of Libische vliegtuigen. Nóg niet. En als het weer nog verder verslechterde zou hij ze toch niet zien aankomen.

Alan had het veel te druk om stil te staan bij hoeveel mannen om het leven waren gekomen toen die Harpoon doel trof. Hij had het veel te druk om blij te zijn dát die sowieso doel had getroffen. Ooit zou hij, wanneer of waar dan ook, zich herinneren hoe weinig het had gescheeld of hij had een Harpoon op het schip van Rose afgevuurd. Hij drukte op zijn microfoonknop.

'Laten we eens kijken wie er onder de *Philadelphia* zit. McAllen, klaar met de sonoboeien? Iedereen klaar?'

'We zijn er klaar voor!' Alan keek weer naar zijn ESM-scherm. Niets. De Nanoesjka zweeg.

Sergeant McAllen zette op zijn scherm een sonoboeipatroon uit. Alan kon alleen maar toekijken. Hij kende de grondbeginselen en de theorie betreffende de akoestiek, maar McAllen was een ware kunstenaar op dit gebied en Alan liet hem rustig zijn werk doen.

McAllen nam het woord, voor het eerst sinds uren leek het wel.

'Meneer, ik zou graag zien dat u de koers vliegt die ik zojuist heb uitgezet. De 180 is de inkomende radiaal. Ik werp vanaf de eerste markering langs het hele pad sonoboeien uit. Dan draait u naar het westen en volgt u de cirkel die ik daar heb uitgezet, en volgt uiteindelijk de 90 radiaal. Als we daarmee klaar zijn hebben we een kruisvormig patroon van sonoboeien in het water liggen waardoor een gebied van twee mijl rond de *Philadelphia* wordt bestreken.'

'Ga je over op actief?' Rafe klonk alsof hij daar absoluut zeker van wilde zijn.

'Dat was luitenant Craiks plan.' Klonk daar misschien kritiek in door?

Ze voerden een flauwe bocht uit en Alan voelde, om het pas het volgende moment te horen, het *'katsjoenk'* toen de eerste sonoboei werd gelanceerd. De sonoboeien werden met regelmatige tussenpozen uitgeworpen, om de paar seconden één. Actief, passief, passief, actief. Acht boeien op elke pass, vijfhonderd meter uit elkaar, zodat er een kruis ontstond met in het midden de *Philadelphia*.

Alan bleef met de radiocodes in de weer. Uiteindelijk gaf hij het op en vroeg aan Cutter of hij hem met de *Philadelphia* kon doorverbinden. Het kostte hen bijna een minuut om te ontdekken dat iemand de *reset*-knop van de radio had ingedrukt, en Cutter toetste opnieuw de frequentie in. De tijd leek voorbij te druppelen, alleen onderbroken door het meedogenloze *'katsjoenk'* van sonoboei na sonoboei. Toen Alan eindelijk een duidelijk signaal doorkreeg, liet Rafe het toestel een scherpe bocht beschrijven, en keek Alan op zijn scherm naar de koers van het vliegtuig: Rafe zette de voorgeschreven route in alsof de S-3 wielen had en hij een weg was ingeslagen.

'Zulu Bravo, hier Pitcher, over?' Iemand had de kaart met communicatiegegevens geraadpleegd: Zulu Bravo stond voor de *Philly*.

'Pitcher, ik ontvang u luid en duidelijk, waar zat u ergens, over?' Een vrouwenstem vanaf de *Philly*. Niet die van Rose.

'Zulu Bravo, we hadden een probleempje met de radio. We moesten de codes opnieuw inbrengen. Zulu Bravo, hoe is de situatie rond het vijandelijke schip, over?'

'Pitcher, hier Zulu Bravo, dat schip staat in brand en vertoont zware slagzij naar stuurboord, over?'

'Bedankt, Zulu Bravo. Hoe is de situatie bij ú aan boord, over?'

'Pitcher, hier Zulu Bravo. We hebben ons schip onder controle, maar minstens één indringer houdt zich momenteel nog schuil, over.'

'Roger, Zulu Bravo, ik heb begrepen dat u het schip onder controle hebt en dat minstens één indringer zich nog schuilhoudt.'

'Dat klopt, Pitcher.'

'Oké, Zulu Bravo, over naar deel twee. We moeten datgene wat de explosie bij u aan boord heeft veroorzaakt zo snel mogelijk proberen te neutraliseren. Ik denk dat het nog steeds aanwezig is, óf ergens onder u óf vlak in de buurt. Bent u het daar mee eens? Over?'

'Roger, Pitcher, ik heb het gehoord en ben het ermee eens. Een van de mariniers beweert dat hij een paar minuten geleden een onderzeeër heeft gezien. Wat zijn uw plannen?'

'Zulu Bravo, we hebben al naar explosieven gevraagd; heeft u die aan boord?'

'Roger, Pitcher. Dat is niet mijn specialiteit; ik geef u door aan, eh, ltz1 – eh, god, het spijt me, ik weet niet hoe ze heet – de marineofficier die hier de leiding heeft. Een ogenblikje.'

En er klonk een nieuwe stem, wederom een vrouwenstem, en deze keer was het Rose, en het hart van Alan sloeg een slag over en hij voelde hoe er heel even een brok in zijn keel ontstond. 'Hier luitenant-ter-zee der eerste klasse Siciliano. Ik beschik over zes, herhaal zes, Claymore-mijnen aan boord.'

Rafe vertrok geen spier. 'Roger, Bravo Zulu, ik geef u over aan onze ASW-specialist, ltz1 Craik. Een ogenblikje.'

Hij maakte gebruik van de intercom. 'Ze is helemaal voor jou, Al.' En trok zich toen weer terug, elke gedachte die hij misschien had aan een hereniging, aan Christy Nixon en aan vrouwen in het algemeen, onderdrukkend.

Alan merkte dat zijn stem hees klonk. 'Ik heb begrepen dat er zes Claymore-mijnen aan boord zijn. Zes. Hoi, meisje. Ik ga proberen hem met mijn actieve sonar te dwingen onder jou door te varen. Je laat die Claymores op verschillende dieptes detoneren; die Gunny van jou moet in staat zijn daar een manier voor te verzinnen. Als we hem zó niet te pakken kunnen krijgen, wordt hij misschien wel gedwongen zich bloot te geven. Hij moet tot de conclusie komen dat hij zich niet onder jouw schip kan verbergen, dat dat geen veilige plek is, begrijp je?'

Het was heel even stil en hij besefte dat ze huilde. 'Roger, ik heb het begrepen. Ik heb je zó gemist – !' Ze kreeg haar stem nu beter onder controle. 'Pitcher, hoe wilde je hem aanpakken als het met die Claymores niet lukt?'

'Met een zware, allesvernietigende dieptebom, dus hou je goed vast.'

'Roger. En ik begin weer met het aftellen van de – je weet wel.'

'Akkoord.' Hij keek op zijn scherm, probeerde niet emotioneel te zijn, probeerde alles zo feitelijk en toonloos mogelijk te laten klinken, maar hij zou haar het liefst veilig in zijn armen hebben gesloten. 'Rose, er zijn vanuit het zuiden een stuk of wat vijandelijke toestellen onderweg. Ben je er klaar voor?'

'Roger, Pitcher. Over vijf minuten hebben we de spullen aan dek staan. Ik zal de Vliegenmeppers zelf installeren.'

Vliegenmeppers? Alan hoopte dat Rose de Claymores bedoelde.

'Roger, Zulu Bravo. Blijf luisteren.'

'Begrepen.'

Hij haalde diep adem, probeerde normaal te klinken. Hij schakelde over naar de cockpit. 'Cutter, wat is de minimale diepte waarop je een Mk.46-torpedo kunt afstellen?'

'Eh – !' Cutter was enigszins in verwarring. Dat gold trouwens voor hen allemaal. Iedereen had zijn best gedaan zijn persoonlijke gevoelens buiten te sluiten, vanwege Rafe, en nu hadden die zich hier ter plekke toch gemanifesteerd, en ze waren erdoor allemaal enigszins van de wijs. 'Eh, dat heb ik moeten leren tijdens mijn cursus missieleiding. Meneer, eh, Al. Tien meter.'

'Kan ik een duidelijke doelwitindicatie krijgen van een klein onderwatervaartuig, zoals een kikvorsplank of een minionderzeeër?'

De stem van Cutter was zwakjes. 'Geen idee, meneer.'

Alan probeerde Rose uit zijn hoofd te bannen. Hij moest het probleem opnieuw proberen te benaderen. Rose maakte weliswaar deel uit van het probleem, maar als hij aan haar bleef denken, zou ze hem daarbij alleen maar in de weg zitten. Als het doelwit daadwerkelijk een minionderzeeër was, zou de torpedo waarschijnlijk geen enkele zin hebben; erger nog, het was mogelijk dat hij zich op de veel grotere *Philadelphia* zou richten. De dieptebom zou de *Philly* waarschijnlijk óók beschadigen als die te dicht in de buurt was, dus diende het wapen uiterst nauwkeurig te worden afgeworpen, en moest dat op een behoorlijke afstand van het Amerikaanse schip gebeuren. Als ze ook maar een schijn van kans wilden hebben, diende hij precies te weten waar het doelwit zich bevond.

Hij moest dat doelwit ergens proberen te krijgen waar hij het kon *zien*. In de heldere Middellandse Zee kon je zelfs een klein onderwatervaartuig op vijf meter diepte nog zien. En nog wel dieper als het vaartuig in een lichte kleur was geschilderd.

Hij ging ervan uit dat het vaartuig voor de actieve sonar op de vlucht zou slaan en zou proberen zich pal onder de *Philadelphia* te verbergen. Een zeer vermetele commandant zou wel eens kunnen proberen dekking te zoeken onder de brandende Nanoesjka, maar de S-3 zou een zich bewegende minionderzeeër naar alle waarschijnlijkheid snel waarnemen. En om ervoor te zorgen dat dat vaartuig in beweging bleef, moesten ze proberen haar het gevoel te geven hulpeloos te zijn. Als er tenminste sowieso sprake was van een minionderzeeër. Maar goed, íets moest toch die kleefmijn hebben geplaatst.

Hij wilde dat hij over een stuk of wat ASW-fregatten en een extra S-3 beschikte, en over de adjudanten die aan boord van de oude *Jefferson* aan het onderzeebootbestrijdingsteam leiding gaven. Het was net alsof hij de enige politieman in een uitgestrekte stad was.

McAllen activeerde een voor een de passieve boeien en las met half dichtgeknepen ogen de informatie af. Rafe liet het toestel opnieuw een scherpe bocht beschrijven en Alan zag de lange, grijze golven vlak onder het kleine raampje naast hem. Rafe zat behoorlijk laag – prima.

'Die brandende Libische boot maakt een hoop lawaai, meneer,' zei McAllen. 'En de *Philadelphia* is ook niet helemaal geruisloos.'

Alan moest denken aan de Russische onderzeeboot die verstoppertje had gespeeld. Hij vond het weinig waarschijnlijk dat een boot van de Akula-klasse een stuk of wat duikers eropuit had gestuurd om een kleefmijn tegen de romp van de *Philly* te plaatsen. Zouden de Russen tegenwoordig zodanig nauw met de

Libiërs samenwerken dat ze hiertoe in staat waren? Om vervolgens in de buurt te blijven tot er een Libische boot met een enterploeg ten tonele verscheen? Of zou er iets heel anders onder water zitten? Hij had helemaal geen zin om hier in de buurt met een Victor III of de een of andere aanvalsonderzeeër van de derde generatie geconfronteerd te worden. Een Libische, door dieselmotoren aangedreven boot wellicht? Daar hadden ze er een paar van, maar de meeste lagen al jaren in hun marinehaven afgemeerd. Wat zouden de gevolgen zijn als ze hun dieptebom boven op een Russische onderzeeër lieten vallen en die boot zou naar de bodem verdwijnen? Of desnoods een Libische boot? Jezus, wat hij nodig had was een advocaat. Of was dit de reden dat het Witte Huis belangstelling voor dit alles had gekregen?

McAllen maakte zijn hoofd los van zijn console en keek op. 'Dit hier zou iets kunnen zijn, hier, op de veertig decibellijn. Een hulpmotor? Een pomp? Het zou aan boord van de *Philadelphia* kunnen zijn. Ik krijg het door via boei zes, en hier op boei twaalf. Het is niet écht dichtbij en het is nauwelijks te horen.'

McAllen ging terug naar zijn eerste boei, een speciaal type dat hydro-akoestische informatie verzamelde dat als vergelijkingsmateriaal kon dienen. Hij probeerde de achtergrondgeluiden eruit te filteren en te kijken waar de thermische laag zich ergens bevond en hoe het met het zoutgehalte stond. Alan beschikte over een oppervlakkige kennis van dit alles, maar van de details was hij niet op de hoogte, terwijl McAllen al die info in zijn hoofd had zitten.

Alan haalde de schakelaar over waarmee hij met de beide mannen voor in de cockpit kon communiceren.

'Rafe, we hebben geen tijd meer. We moeten op actief overgaan.'

Rafe zweeg enkele ogenblikken. Vandaag had hij opdracht gegeven tot het tot zinken brengen van een Libisch patrouillevaartuig. Hij was ook met drie bewapende vliegtuigen over neutraal gebied gevlogen. Het breken van de regel niet van actieve sonar gebruik te maken kon hem nauwelijks in nóg grotere problemen brengen, maar het níet overgaan tot actief was een ingesleten gewoonte. Alan had weliswaar het totale ASW-overzicht, maar Rafe was de commandant aan boord. Het moest zíjn beslissing zijn; zo werkte het nu eenmaal.

'Oké, doe maar.'

Op vijftig meter diepte lag de *Haai* onder een hoek van dertig graden met haar achtersteven naar beneden gericht, een positie die Suvarov in staat stelde zijn boegsonar bóven de thermische laag uit te laten steken, terwijl de rest van zijn schip ónder die laag verscholen bleef. De sonar in de boeg was niet zo nauwkeurig als zijn sleepantenne, maar het uitvieren van die antenne betekende beweging, en dat zou wel eens tot detectie kunnen leiden. De akoestische signalen zouden door de thermische laag vanwege het grote temperatuurverschil als een spiegel worden weerkaatst: hij kon luisteren, maar bleef daarbij onzichtbaar. Vanwege de noodzaak onzichtbaar en onhoorbaar te blijven, en de moeilijkheid om onder water signalen door te geven, was Suvarov op zijn sonar na volkomen blind. Vanwege het feit dat hij niet over een satellietverbinding beschikte, kon hij zijn kennis – hoe onvolledig die ook mocht zijn – onmogelijk via de datalink doorseinen aan de *Poltava*, die zich een stuk noordelijker bevond. In feite wist hij niet precies waar de *Fort Klock* en haar escorte momenteel zaten, hoewel zijn intuïtie hem zei dat ze zich waarschijnlijk ook ergens noordelijk van hem bevonden, misschien zelf nog iets dichter bij hem in de buurt dan zijn eigen schepen.

Lebedev zat op de stoel van de sonaroperator. Zijn beeldscherm was gewoonlijk in tweeën opgesplitst, zodat hij de data van beide antennes kon aflezen, maar nu de sleepantenne – de zogenaamde *towed array* – aan boord was, was alleen de linkerhelft van het scherm verlicht. Ze hadden aan de hand van de akoestische data kunnen vaststellen dat de *Philadelphia* beschadigd was. Volgens de computer zou een tweede set motoren, die vrij dicht in de buurt ervan te horen waren, moeten toebehoren aan een met geleide wapens uitgeruste patrouilleboot van de Nanoesjka-klasse. Lebedev ging ervan uit dat het een boot van de Libische marine was.

Er moest daarboven nog iets anders zitten. Het bewoog nauwelijks, was bijna niet te horen, maar op twee kilometer afstand en vanuit deze perfecte ligging kon de *Haai* het wel degelijk horen. Lebedev vermoedde dat het derde vaartuig elektrisch voortgedreven werd. Misschien een heel kleine onderzeeboot. Zowel Noord-Korea als Duitsland bouwde die dingen. Het was in elk geval geen Russisch scheepje, dat wist hij zeker.

Suvarov bleef naar zijn plot kijken.

'Zo,' merkte hij op, 'hier hebben we de *Philadelphia*. Dit onbekende vaartuigje is er een paar uur geleden in geslaagd om haar na een explosie tot stoppen te brengen. Daarna komt tegelijkertijd met ons de Nanoesjka ten tonele. Ze sturen er een boot op af, niet, Lebedev?'

'Twee boten, meneer. Twee vrij forse rubberboten, beide uitgerust met een zware buitenboordmotor. Daarna zijn er duidelijk vuurwapens te horen.'

'Dus de Libiërs zijn aan boord van de *Philadelphia* gegaan. *Da*. En daarna, een paar minuten geleden, wordt de Nanoesjka door een geleid projectiel geraakt.'

'Jawel, meneer. Een voltreffer, zo te horen, want het schip lijkt helemaal uit elkaar te vallen. Wacht even, meneer, ik hoor iets in het water vallen.' Hij keek Suvarov met gefronste wenkbrauwen aan. 'Vliegtuigen.' Zijn stem had een zorgelijke ondertoon.

Suvarov maakte een kalme indruk. Bij de oude sovjetmarine had men zich indertijd maar weinig van onderzeebootbestrijdingsvliegtuigen aangetrokken, maar als de Amerikanen zich in voldoende mate zorgen maakten – Lebedev knikte: sonoboeien.

'Tijd om te vertrekken. Machinekamer, geef me voldoende omwentelingen voor twee knopen. Probeer zo geruisloos mogelijk te zijn. Roerganger, laat de boeg heel voorzichtig weer onder de thermische laag zitten, en draai dan met twee knopen in noordelijke richting.'

Als het de bedoeling was geweest om strijd te leveren, dan zou hij het risico hebben genomen en was hij gebleven. De laag vormde een uitstekende bescherming, zelfs tegen actieve sonar. Maar dan zou hij hebben gewacht en had hij de tijd genomen om een gericht schot af te geven. Maar dit was een heel ander soort missie, eentje waarbij heel andere regels golden. Als de Amerikanen hem zouden zien, zouden ze het wel eens verkeerd kunnen interpreteren. Zijn grootste angst was dat ze hem wél en de kleine elektrische onderzeeboot níet zouden zien. Amerikanen stonden erom bekend dat ze nogal eens overhaast te werk gingen. Suvarov voelde zich veilig, maar één enkele vraag speelde constant door zijn hoofd. Als de Amerikanen het vuur op hem zouden openen, moest hij dat vuur dan beantwoorden? Zijn beroepseer vereiste eigenlijk dat hij dat zou doen. Aan de andere kant was dat volkomen strijdig met de aard van de orders die hij had meegekregen. Suvarov beschikte niet over een wapen dat in staat was het Amerikaanse vliegtuig neer te halen, en het torpederen van de *Philadelphia* zou alleen maar voor nóg meer complicaties zorgen. Hij beet op zijn onderlip en wachtte tot de Amerikanen op actieve sonar zouden overgaan.

Vóór Alan opdracht kon geven op actief over te gaan, verstrakte McAllen achter zijn console.

'Er beweegt iets. Iets dat uiterst stil is en vrij diep zit. Stil en diep – ' Zijn stem had iets zangerigs gekregen, ondertussen voortdurend op zoek naar tekenen die wezen op beweging. 'Verdwenen. Ik hoor het alleen nog op boei 12. Dezelfde serie. Het is niet veel, maar het is wel degelijk te horen – ' Zijn vingers vlogen over de toetsen terwijl hij de mogelijke contactpositie intikte. 'Mis-schíen – '

McAllen projecteerde het contact als iets dat met een vaart van twee knopen in noordwestelijke richting bewoog.

Alan keek ernaar. Als dit een Russische onderzeeër was, moest het een van die derde-generatietypen zijn, uit de Akula- of Sierra-klasse. Of zou het een Franse boot zijn? Een dieselboot? Hij was wel een heel eind van huis. Alan meende te weten dat nog nooit eerder een boot uit de Akula-klasse de Middellandse Zee had aangedaan.

'Ga over op actief.'

'Meneer, ik wil graag nog een paar boeien vóór hem uit afwerpen.'

'Vergeet dat maar, McAllen. Ik moet zien wat er ónder de *Philadelphia* zit.'

De sergeant keek van opzij naar Alan. Hij was niet ontstemd, alleen maar nieuwsgierig. Eindelijk had McAllen eens de kans om akoestische data vast te leggen omtrent een écht stille onderzeeboot, en dan zegt een inlichtingenofficier zonder ook maar énige akoestische training om dat te laten vallen voor een hypothetisch onderwatervaartuig dat zich vlak onder de *Philadelphia* zou moeten bevinden! McAllan wist diep in zijn hart dat ze hier te maken hadden met maar één enkele, zéér stille Russische onderzeeër, en dat er zich verder niets onder het wateroppervlak bevond. Per slot van rekening waren de Russen zijn aartsvijanden. Met die wetenschap was hij opgegroeid; waarom dan nog verder op zoek? Maar luitenant Craik leek van zijn zaak overtuigd.

Die overtuiging vereiste een reactie.

McAllen haalde de schakelaar over waardoor de actieve boeien een signaal begonnen uit te zenden. Vervolgens verzocht hij de P-3 koers te zetten naar het meest recente contact met de onbekende onderzeeboot. Hij hoopte dat Craik begreep wat hij hier allemaal voor opgaf.

Het gekrijs van de actieve sonar was overal aan boord van de grote onderzeeër te horen. Het klonk dichtbij, binnen een straal van een kilometer. Of ze nu op hém joegen of op die kleine opsodemieter die zich onder de *Philadelphia* verborgen hield deed weinig ter zake.

'Ervandoor!' beval Suvarov. De *Haai* schoot naar voren. Protesteer, en beslist niet de strijd aanbinden. Suvarov bad dat de Amerikanen een talentvol iemand achter de sonar hadden zitten.

'Positief contact één heeft een vaart van zestien knopen!' McAllen klonk opgewonden. 'Ik heb hem dwars over m'n scherm, meneer. Laat me nog een stuk of wat sonoboeien afwerpen!'

'Wat zie je nog meer?'

McAllen hield zijn adem in, want hij moest nu de tijd nemen om zijn sonogrammen te raadplegen. Hij stond op het punt het equivalent van een eenhoorn door zijn vingers door te zien glippen – een mythisch dier, een rariteit. Hij dacht dat de onderzeeboot die ervandoor ging wel eens een Sierra zou kunnen zijn. Hij had zelfs nog nooit gehoord van iemand die akoestische gegevens betreffende een Sierra had weten vast te leggen, en Sierra's waren zeldzaam en prachtig voor sergeant McAllen.

Het was een eerbetoon aan McAllens plichtsbesef dat hij professioneel genoeg was om desondanks naar de andere sonogrammen te kijken. De grammen die zijn kostbare contact níet lieten zien. Hij keek naar alle vier kwadranten van de akoestische val die hij met zijn kruiselings geplaatste boeien had opgezet. En in het laatste kwadrant dat hij bekeek zag hij het – iets kleins, niet meer dan een zwakke echo. Iets groter dan een torpedo, maar niet eens zo heel erg veel groter. Hij had tijdens zijn opleiding iets dergelijks wel eens gezien.

'Mijn god, ik héb het, meneer. Hierzo!'

Alan boog zich opzij, maakte zijn parachuteharnas los, zó was hij erop gebrand het kleine speldenprikje op het scherm van McAllen te zien. Hij gaf de sergeant een enthousiaste klap op zijn rug. McAllen keek op.

'Laten we een paar passieve boeien boven op hem afwerpen, meneer.'

'Grandioos,' reageerde Alan. 'En een actieve om hem bang te maken. Zo dicht bij hem als maar mogelijk is.'

Opnieuw zette de sergeant een koers voor Rafe uit. Het toestel beschreef een scherpe bocht en toen het weer horizontaal in de lucht hing bevond het zich op tien meter afstand van McAllens ideale positie, en werden er drie sonoboeien afgeworpen. Cutter sprak via de radio met de *Fort Klock*. Terwijl Rafe een vleugel omhoog liet komen om opnieuw een bocht te beschrijven, was Alan in de gelegenheid om over het brandende wrak van de Libische Nanoesjka heen naar de *Philadelphia* te kijken. Op het achterschip was rook te zien, maar zo te zien had ze geen slagzij. Boven haar brug stond de marinevlag strak in de wind.

'Catcher, hier Pitcher, over.'

'Pitcher, hier Catcher. Ik ontvang u luid en duidelijk, zegt u het maar.'

'Catcher, wij hebben een opgewaardeerd positief contact tot mogelijk contact, ik herhaal mogelijk contact. Contact geïdentificeerd als Sly Fox, over.'

Het was een hele tijd stil terwijl iemand aan boord van de *Klock* de communicatiekaart raadpleegde en de codenamen van mogelijke vijandelijke vaartuigen doornam.

'Pitcher, zei u Sly Fox? Wilt u dat nog eens herhalen?'

'Roger, Catcher, het is Sly Fox. Laatste contact om 08.31 Zulu. Laatste locatie – Catcher, heeft u dit op de datalink staan?'

'Roger, Pitcher, het laatste hebben we erop staan.'

Er klonk nu een andere stem door de luidspreker. 'Pitcher, hier de commandant. Wilt u zeggen dat u op uw huidige positie misschien contact heeft met een Russische onderzeeër uit de Sierra-klasse?'

Cutter keek naar het rode lampje dat aangaf het radioverkeer inderdaad werd vercijferd, maar commandanten hadden er vaak een handje van regels aan hun laars te lappen waarvoor jongere officieren een reusachtige douw kregen.

McAllen sprak vanuit zijn stoel achterin.

'Jawel, meneer. Het is óf een Akula óf een Sierra.' McAllen vond het niet nodig om eraan toe te voegen: *En hij komt met een vaartje van zestien knopen uw kant uit.* Dat konden ze op hun datalink zien.

Alan nam het woord. 'Er is sprake van nóg een doelwit – ik denk dat het een minionderzeeër is – op ongeveer tweehonderd meter van de *Philadelphia*, meneer. Ik denk niet dat de Russische onderzeeboot bij dit spelletje betrokken is.'

'Pitcher, wat bent u van plan te gaan doen?'

'Catcher, hier overste Rafehausen. Ik ben van plan die minionderzeeër tot zinken te brengen of te vernietigen, en dat positieve contact te laten lopen.'

'Pitcher, bent u zeker van die minionderzeeër? Ik stel een actieve achtervolging van het positieve contact voor.'

Alan hoopte dat hij de woorden verkeerd verstaan had. Catcher, aan boord van de *Fort Klock*, leek van mening te zijn dat de Russische onderzeeboot voor de aanval verantwoordelijk was. Maar hoe dan ook, op dit terrein had híj het voor het zeggen.

'Negatief. Meneer.'

Aan boord van de *Fort Klock* zagen ze de Russische onderzeeboot simpelweg als weer zo'n akelige blip op een bijzonder smerig scherm. Op de computerterminal van kapitein-ter-zee Cobb waren drie Russische oorlogsschepen te zien, noordelijk van hen, net achter de horizon, twee Libische patrouilleboten die zijn zuidelijke horizon naderden, en de mogelijke Russische onderzeeboot van de derde generatie die zich twintig mijl ten zuiden van hem bevond. Ook was er op zijn scherm in de lucht boven Libië grote activiteit te zien, want naarmate het weer boven de Golf van Sydra opklaarde, werd ook zijn radar betrouwbaarder. En de *Fort Klock* beschikte, ondanks haar positie, over veel nauwkeuriger apparatuur om vliegtuigen te lokaliseren dan de S-3, apparatuur die zelfs betrouwbaarder was dan de radars waarmee de F-14 Tomcats waren uitgerust die daar momenteel patrouilleerden.

Hij had de sonarantenne al in het water laten zakken en zou daar straks de eerste data van doorkrijgen – wellicht. Zijn geleide wapens waren geactiveerd en zijn bemanning stond vol ongeduld te wachten tot ze in actie kon komen. Dat gold niet voor hem. Hij maakte zich grote zorgen en hoopte met heel zijn hart dat de een of andere oude Fleetex-oefening, waarbij de Russen en de Libiërs samen in de buurt van de Lijn des Doods een Amerikaanse battle group aanvallen, strak geen werkelijkheid zou worden.

'Gevechtscentrale, hier de brug. Lanceer de heli met decoy's. Leg een ASW-scherm als aangegeven. Het doelwit is mogelijk een Russische kernonderzeeër van de derde generatie die al eerder op een Amerikaans marineschip heeft gevuurd.'

'Commandant, hier de gevechtscentrale. Ik heb vier mogelijke Su-22 jagers die zojuist vanaf Benghazi zijn opgestegen en koers zetten in de richting van de *Philadelphia*. Meneer, de Su-22 voert over het algemeen geen antischeepsraketten met zich mee. Eh, meneer, weten we zeker dat die onderzeeër op de *Philadelphia* heeft gevuurd?'

'Bedankt, gevechtscentrale. Nee, dat weten we níet. Maar beschouw hem als een vijandelijk vaartuig.' Er hangen onder een Su-22 geen raketten tegen scheepsdoelen? Dat is het beste nieuws van deze morgen. 'Geef me zijn koers. Geef de *Isaac Hull* opdracht op te varen in een Fallow Drop-formatie. We gaan onze vaart verhogen en zorgen ervoor dat onze flank naar die jagers en de Russen gekeerd blijft. Verbind me door met die F-14's. Vermeerder vaart tot vierentwintig knopen op deze koers, 125.'

'Meneer, AC101 is de formatieleider. Het codewoord voor de F-14's is Shortstop.'

'Shortstop, hier Catcher, over.'

'Roger, Catcher, hier Shortstop, over.'

'Shortstop, we zien vier binnenkomende mogelijk vijandelijke toestellen op radiaal 175, heeft u dat?'

'Roger, we hebben ze op de datalink. Wij zenden momenteel geen signalen uit. We houden ons zo stil mogelijk.'

'Roger, Shortstop. Zorg ervoor dat u zowel de P-3 als de S-3 dekking kunt blijven geven. Als die vijandelijke kisten binnen vijf mijl van de *Philadelphia* komen, kunt u wat mij betreft ingrijpen. Herhaal, vijf mijl, over.'

'Roger, Catcher, ik heb begrepen dat we van onze bewapening gebruik mogen maken zodra ze de *Philadelphia* tot minder dan vijf mijl zijn genaderd. Over.'

'Roger.'

Kapitein-ter-zee Cobb zag op zijn scherm hoe de twee F-14's in noordelijke richting draaiden en dichter naar zijn schip toe kwamen. Ze moesten zich zo ver noordelijk van de *Philadelphia* positioneren om hun geleide wapens succesvol op de Su-22's te kunnen afvuren. Deze manoeuvre zorgde ervoor dat ze de P-3 dekking konden blijven geven, maar maakte dat de S-3 geen bescherming meer genoot, maar de S-3 zat vrij laag en was daardoor een aanzienlijk lastiger doelwit.

'Meneer, een van de Russische schepen heeft zojuist een heli de lucht in gestuurd. Draait onze kant op. En zit nú onder de radarhorizon.'

Het waren torpedobootjagers van de Sovremenny-klasse. Die waren bewapend met een raket die minstens even goed was als de Amerikaanse Harpoon, áls ze tenminste in staat waren zo'n ding fatsoenlijk te richten. Waren ze soms van plan om een heli te gebruiken bij het op het doelwit krijgen van hun projectiel? Jezus, hoe je het ook bekeek, het was weinig geruststellend – zouden deze Russen het ménen?

Nou, als zíj serieus waren, was híj het ook. 'Gevechtscentrale, zodra die heli een doelzoekradar activeert, pluk je hem uit de lucht.'

Alsjeblieft. Nu kon hij niet meer terug.

En nu proberen met lieve woordjes de boel te klaren.

'Kan iemand proberen die Russische commandant voor me aan de lijn te krijgen, vóór er straks ongelukken gebeuren?'

'Meneer?' De verbindingsman op de brug klonk onder de indruk. 'Meneer? De *verenigde chefs van staven* zìtten op de commandofrequentie. Ze willen een situatierapport van u en een of andere ltz1 aan boord van een S-3 die – '

'Verbind me met de Russen! Blijf het proberen. De chefs van staven kúnnen me wat. Verbind me door met die S-3.' Op een ander kanaal zei een subalterne officier: 'Admiraal? De commandant heeft het momenteel een beetje druk – '

'Verdórie, zo bedoelde ik het óók weer niet.' Zijn stem veranderde van toon. 'Meneer?'

Admiraal Pilchard zat, omringd door zijn staf, op de vlaggenbrug van de *Andrew Jackson*, en luisterde naar de commandofrequentie. Pilchard had al met de president gesproken. Hij was veel te ver van alle actie verwijderd om tussenbeiden te kunnen komen: Cobb was de bevelhebber ter plaatse, en Cobb was een van zijn beste commandanten. Dat was per slot van rekening ook de reden dat hij het bevel over dit onafhankelijke eskader voerde. Admiraal Pilchard had zijn schepen geoefend, zijn mensen geselecteerd en zijn beslissingen genomen; ze hadden na Fleetex een lange weg afgelegd. En nu zouden de mensen ter plaatse voor moeilijke beslissingen komen te staan.

'Kap'tein Cobb?'

'Jawel, meneer, ik versta u luid en duidelijk.'

'Overste Rafehausen?'

'Meneer. Admiraal, hier overste Rafehausen. Ik vraag aan luitenant Craik om van hieruit het woord te doen.'

'Leg zo snel u kunt uit hoe de situatie is. Bevinden we ons in een oorlogssituatie?'

Cobb zei: 'Admiraal, het is niet onmogelijk dat een Russische onderzeeboot de *Philadelphia* onklaar heeft gemaakt, terwijl een Libisch vaartuig heeft geprobeerd haar te enteren. Tegen die enterploeg is opgetreden.'

'Met succes.'

'Wie is dat?'

'Craik, meneer, aan boord van de S-3. Meneer, de *Philadelphia* meldt dat de enterploeg is geneutraliseerd. En het onderwatervaartuig dat de *Philadelphia* door middel van een springlading tot stoppen heeft gedwongen zou wel eens Libisch kunnen zijn, maar het was geen, herhaal géén, Russisch schip, meneer. Daar durf ik alles onder te verwedden. De Rus is in dit geval alleen maar toeschouwer.'

'Luitenant Craik, wilt u zeggen dat we hier met twéé onderzeeboten te maken hebben?'

'Jawel, admiraal. Een minionderzeeër en mogelijk een Rus uit de derde generatie.'

Opnieuw sprong Cobb tussenbeide, en deze keer klonk hij geïrriteerd. 'Admiraal, de Russische oppervlaktegroep ten noorden van mij heeft zojuist een helikopter de lucht in gestuurd, en lijkt voorbereidingen te treffen het vuur te openen. De Russische onderzeeër die in de buurt was tijdens de aanval op de *Philadelphia*, komt nu ook nog eens met grote snelheid mijn kant op. Ik bereid me voor op het nemen van defensieve actie, maar, ja, meneer, we hebben het hier over een in potentie aanwezig zijnde oorlogssituatie. Sorry, meneer, dit is Cobb, aan boord van de *Fort Klock*.'

Ze hoorden wat gerommel aan de Washingtonse kant van de lijn, en toen zei een nieuwe stem: 'We nemen straks weer contact met u op.' En vervolgens stilte. 'Wéér weg,' mompelde Rafe, schakelde over op het kanaal en zei: 'Catcher, zo te zien is de verbinding met Washington verbroken, over.'

'Roger, Pitcher, we hebben het gehoord.'

Alan keek nog een laatste keer naar zijn eigen en McAllens scherm. De minionderzeeër leek onder de *Philadelphia* te glippen, zoals hij had gehoopt dat hij zou doen, en de Nanoesjka maakte te snel water om als dekking te kunnen dienen, mocht die mini proberen die kant uit te ontkomen. Alan nam zo snel als hij kon de diverse schermen door. Twee Libische vaartuigen hadden net de kust achter zich gelaten, maar hun snelheid was volgens zijn gegevens slechts een knoop of twaalf, een heel stuk minder dan hun maximale vaart. Waren ze voorzichtig, of wisten ze iets dat hij níet wist? Hij riep een nieuw scherm op en keek naar de vier Su-22's, en schakelde over op de Strike-frequentie.

'Red Leader, ziet u die Libische toestellen in het zuiden?'

'Roger. Vier Su-22's die met een snelheid van vierhonderd knopen snel hoogte winnen.'

'Die zijn over zes minuten bij ons.'

Rafe kwam tussenbeide.

'Alan, die Tomcats hebben snel brandstof nodig.' Hij keek Cutter aan. 'Hoe snel?'

Cutter had al vooruit gedacht. 'Die hebben brandstof nodig in één vijf minuten. Eén vijf. En als ze van hun naverbrander gebruikmaken een stuk sneller.'

Ze beseften allemaal dat als puntje bij paaltje kwam, het de *Fort Klock* was die bescherming nodig zou hebben, en niet de *Philadelphia* of de S-3. Rafe schakelde weer over op de Strike-frequentie. 'Shortstop, hier Pitcher, over?'

Chris Donitz, aan boord van zijn F-14, klonk alsof hij pal naast hen vloog. 'Roger, Pitcher, we ontvangen u luid en duidelijk.'

'Shortstop, volgens ons moet u over één vijf minuten bijtanken of anders terugkeren. Is dat correct?'

'Roger, Pitcher.'

'Begrepen, Shortstop. Shortstop, neem contact op met Catcher en ga nu tanken. En ik bedoel nú. Eén toestel tegelijk.'

'Roger, ik heb het begrepen, Pitcher. Break, break. Catcher, hier Shortstop, over.'

'Shortstop, hier Catcher, over. Ik heb dat laatste gehoord en ga ermee akkoord. Eéntje tegelijk.'

Aan boord van de *Klock* had Cobb gekeken naar de klok die de tijd aangaf waarop er opnieuw brandstof zou moeten worden overgenomen, maar hij was van plan geweest ze te laten tanken nádat ze de Su-22's hadden aangepakt. Maar Rafehausen klonk alsof hij niet op zijn achterhoofd was gevallen, dus zou hij het best eens bij het rechte eind kunnen hebben. De radar van de Su-22 had weinig te betekenen, en Rafehausen zat bijna te laag om te kunnen worden gezien, zodat de F-14's wel gemist konden zonder de S-3 in gevaar te brengen. Het was geen gemakkelijke beslissing, maar het was wel de juiste beslissing.

Twintig mijl zuidelijker en twaalfduizend voet hoger draaiden de F-14's bij de naderende dreiging vandaan en zetten met hoge snelheid koers naar de tanker.

Valdez, ga over op Verticaal. Ik kom naar beneden. Sla alles over wat niet strikt noodzakelijk is.'

'We zitten al een stuk verder. We controleren momenteel de signalen naar de raket en gaan naar Verticaal over ongeveer – vijf seconden – vier – drie – '

Rose snelde de buitentrap vanaf de brug af en sprintte over het dek naar de module. De raket verrees net uit zijn houder, gelijktijdig roterend langs alle drie de assen, als een cobra die uit zijn mand tevoorschijn kwam. De schadeploeg had tijdens het vuurgevecht blijkbaar gewoon doorgewerkt, en het schip maakte een stabiele indruk en lag min of meer horizontaal in het water. Valdez en die knakker met de golfactiegrafieken zouden het wel weten.

Ze draaide de deur open en stapte de module binnen.

'Hé, u ziet eruit alsof u door de mangel bent gehaald,' zei Valdez vanachter zijn console. Hij was nog in camouflage-uniform gekleed, verfomfaaid, bezweet – niet bepaald een wervingsposter. 'Alles in orde met u, luitenant?' Hij maakte zich echt zorgen over haar.

'Met mij is niets aan de hand. Ik heb een paar keer overgegeven en voel me weer prima!'

Er was een nieuwe stem aan de lijn.

'Heren, de president van Rusland heeft zojuist ónze president verzekerd dat zijn strijdkrachten de onze níet hebben aangevallen. We hebben de verzekering ge-kregen dat de Russische helikopter die door de, eh, torpedobootjager – ' Zijn stem klonk wat zachter terwijl hij zich blijkbaar iets van de microfoon af-wendde. 'Het was toch een torpedobootjager, hè, Jack?' en zwol toen weer aan om te zeggen: ' – de lucht in is gestuurd, weer aan boord zal worden genomen en dat de Russische oppervlaktegroep zal wegdraaien naar het – ' Toen klonk de stem weer een stuk zwakker, kwam van verderaf deze keer, maar nog steeds verstaanbaar. 'Jack, weten we zeker dat hij naar het noorden zei – nóórden? Wel verdomme, laat iemand dat even navragen – Jezus Christus.' Hij kwam weer aan de microfoon. 'Hallo, Cobb? Een ogenblikje – ' En was weer verdwenen, pratend tegen iemand anders. 'Nou, dat zal tijd worden!' En kwam opnieuw terug aan de microfoon. 'Ja, naar het noorden.'

Cobb wendde zich af en riep de Gevechtscentrale op.

'Gevechtscentrale, hier de commandant. Níet het vuur openen op de Russische groep. Wapens deactiveren.'

Tien seconden later schakelde de Russische helikopter zijn radar in en illumi-neerde de *Fort Klock*.

'Periscoopdiepte. Boeg twaalf graden omhoog. Langzaam omhoogkomen.' Suvarov transpireerde, maar hij wist precies waarmee hij bezig was. Eén vliegtuig was achter het kleine onderwatervaartuig aangegaan dat zich in de buurt van het beschadigde Amerikaanse schip ophield. Een ander toestel, wellicht een P-3, had geprobeerd hem te vinden. Het vliegtuig dat op zoek naar hem was, was de rechte, snelle koers naar de Amerikaanse oppervlakteschepen blijven volgen. Hij had een lange sprint getrokken, had toen een scherpe manoeuvre uitgevoerd en had zich toen een tijdje door de stroming laten meevoeren. Het was een stunt uit het boekje, een stunt die perfect was uitgevoerd, en het vliegtuig was dan ook nog steeds bezig om enkele mijlen áchter hen sonoboeien af te werpen. Met een vaart van twee knopen was hij nu volkomen onzichtbaar voor hen.

Suvarov bleef zich zorgen maken dat de Amerikanen wel eens zouden kunnen denken dat híj degene was die de *Philadelphia* had aangevallen. Nu hij hen had weten af te schudden, voelde hij zich vrij om die fout te corrigeren, niet in de laatste plaats omdat hij het een belediging vond om van zoiets stoms te worden beschuldigd.

'Periscoopdiepte over dertig seconden.'

'Uiterst langzaam. Radiomast omhoog. Voorbereidingen treffen onmiddellijk te duiken.' Suvarov geloofde niet echt dat de Derde Wereldoorlog elk moment uit kon breken, maar je kon maar beter het zekere vóór het onzekere nemen.

'Ik wil van de Amerikaanse Guard-frequentie gebruikmaken.' Hij zag de walging op het gelaat van Lebedev. Wat Lebedev betrof waren de Amerikanen nog steeds hun aartsvijanden. Dat was er bij hem ingestampt. Suvarov besefte dat hij hoognodig eens met de man moest praten. *De tijden veranderen, en dat geldt ook voor de vijanden van de eigen stam*, bedacht hij.

Luitenant-ter-zee der tweede klasse Chris Donitz verzocht de tanker naar het zuiden te draaien, zodat zijn Radar Intercept Officer de radar van de F-14 op de Su-22's gericht kon houden. Hij geloofde niet dat iemand ooit een luchtgevecht was begonnen vanonder een tanker, maar hij was best bereid tot een experiment. Zodra hij zich van de tanker los zou maken diende hij onmiddellijk zijn koers aan te passen; zó dicht waren die Libische jagers al in de buurt. Hij liet zijn vleugelman dichter naar de tanker komen, maakte zich los van de brandstoftoevoer en begon aan zijn aanvliegroute.

Alan keek naar de echo's terwijl de minionderzeeër op weg was naar de beschutting van de *Philadelphia*. Zijn grootste zorg was dat hij wel eens opnieuw tot de aanval kon overgaan. Hij was druk in de weer met het zodanig instellen van de dieptebom dat die op minimale diepte zou exploderen. Het ging allemaal met een natte vinger, maar hij wilde die minionderzeeër minimaal vijfhonderd meter uit de buurt van de *Philadelphia* hebben vóór hij een poging zou wagen. En het weer was opnieuw aan het verslechteren. Als het straks zou gaan stormen zou hij dat verdomde ding niet eens meer kunnen zien, zelfs al slaagden Rose's mariniers erin hem te beschadigen.

'Amerikaans vliegtuig, hier de Russische onderzeeboot op de Guard-frequentie. Amerikaans vliegtuig, hier de Russische onderzeeboot op de Guard-frequentie. Ontvangt u mij?'

Jezus Christus! Alan wist niet hoe snel hij de spreekknop in moest drukken.

'Russische onderzeeboot, hier de AH702. Ik ontvang u.'

'AH702, hier de aanvalsonderzeeboot *Haai* van de Russische marine. Ik heb geen enkele vijandelijke actie ondernomen, over.'

'*Haai*, hier de AH702. Dat heb ik ontvangen.'

Suvarov moest glimlachen. *Moest hij het ze vertellen?* Ja, hij vond van wel. Wie er ook in die minionderzeeër mocht zitten, ze hadden geprobeerd hem bij dit alles te betrekken, hadden op z'n minst geprobeerd van zijn aanwezigheid te profiteren. Als dat een onderdeel van het plan was geweest, zou de admiraal hem dat ongetwijfeld hebben verteld. *Ja toch?* Plotseling keek Suvarov Lebedev aan. Een afschuwelijke gedachte kwam bij hem op. Hij voelde zich plotseling vertragen. Hij liet de spreekknop los.

'Lebedev, is er iets dat je me moet vertellen?' Zijn stem had de hardheid van staal, van titanium.

Lebedev keek hem alleen maar aan, ontzet. Goed. Sergei mocht dan misschien bereid zijn een oude vriend te offeren, maar een zoon? Nóóit. En Sergei was niet bepaald een van die oude mannen die de Koude Oorlog weer terugwilden. Suvarov dacht aan al die keren dat hij naar vroeger had terugverlangd. Nee. De maffia was beter dan dat andere. Reserveonderdelen waren niet het enige dat het leven waard maakte geleefd te worden. Suvarov dacht nog zo'n vijf seconden na. Moskou kon naar de pomp lopen. Suvarov liet zich niet gebruiken. Als de een of andere intellectueel in Moskou zo graag oorlog wilde, dan kon hij daarnaar fluiten. Bovendien kon hij op deze manier het protest duidelijk naar voren brengen. Ja. Een beetje hulp voor de arme, akoestisch uitgedaagde Amerikanen.

'AH702, hier de *Haai*. Wij detecteren een klein onderwatervaartuig in de buurt van uw beschadigde schip, over.'

Alan glimlachte. Als de Russen, met hun uitstekende sonar, zeiden dat het hier om een minionderzeeër ging, dan zaten hij en McAllen in elk geval niet te fantaseren.

'Roger!' Op dat moment zag Alan de blip van de minionderzeeër niet meer. Die moest zich nu pal onder de romp van de *Philadelphia* bevinden. '*Haai*, kunt u dat onderwatervaartuigje nog zien?'

'Roger, AH702. Het bevindt zich vlak onder uw beschadigde schip, op een diepte van één-zes meters.'

'*Haai*, hier de AH702. Ik begin met mijn actie tegen het onderwatervaartuigje. Verlaat u alstublieft de directe omgeving. Dank u voor uw hulp.'

'AH702, hier de *Haai*. Wij zullen aan uw verzoek gehoor geven. Neemt u alstublieft nota van het feit dat wij geen vijandelijke acties hebben ondernomen en dat wij u behulpzaam zijn geweest bij uw pogingen weerstand te bieden aan deze terroristische daad, ondanks onze gevoelens betreffende uw illegale lancering.' Suvarov glimlachte. Dáár! Alsof je een torpedo afvuurde.

Alan had voor dat laatste geen tijd. Hij hoopte dat hij het zich zou herinneren. Goed, ze protesteerden blijkbaar tegen de lancering. Rafe leek de strekking echter te begrijpen, en gaf de informatie aan zijn superieuren door. Alan riep de brug van de *Philly* op en meldde dat ze aan de mariniers moesten doorgeven dat de vijand op zestien meter diepte zat.

'Waar nu heen?' vroeg Rafe.

'Blijf boven de *Philadelphia* cirkelen. Ik weet niet waar dat bootje naartoe gaat als die Claymores afgaan, maar in elk geval moet het érgens naartoe. Als dit niet werkt, vraag ik aan Rose of ze kans ziet de *Philly* weer in beweging te krijgen.'

'Waarmee?'

'Weet ik niet. Zwemvliezen?'

'Roger.'

Cobb hoorde het gesprek met de Rus op de Guard-frequentie. De Russische helikopter was van de radar verdwenen, en het radarsignaal dat het had uitgezonden was ook verdwenen. Zijn ademhaling was weer enigszins normaal, maar nog niet helemaal: de Libische Su-22's waren nog maar drie minuten vliegen van de *Philadelphia* verwijderd, en de F-14's waren er op weg naartoe om ze de weg te versperren.

Hij drukte op de knop van de ASW-frequentie.

'Pitcher, hier Catcher, over.'

'Catcher, ik ontvang u. Zegt u het maar.' Cutter bediende de microfoon nu. Alan sprak met de *Philadelphia*, terwijl Rafe op een hoogte van nauwelijks honderd voet boven de brug van de *Philly* krappe rondjes trok.

'Pitcher, wat zijn uw bedoelingen?'

'Catcher, wij staan op het punt actie te ondernemen tegen de minionderzeeër. Hebben we toestemming om van onze bewapening gebruik te maken?'

Alan had er niet eens aan gedacht daar naar te vragen. *Ik dacht dat we dat allemaal al achter de rug hadden*, schoot het door hem heen.

'Roger, Pitcher. Wat betreft die minionderzeeër kunt u van uw bewapening gebruikmaken.'

McAllen had de dieptebom al ingesteld. Alan liet het afwerpen aan hem over. Alan had er nog nooit eentje afgeworpen en McAllen stond bekend als iemand die op dit gebied uiterst accuraat was. Alan bracht de *Philadelphia* terug op zijn scherm. Hij bedacht hoe dicht hij bij Rose was, besefte dat het helemaal niet dichtbij vóelde. Het was een zeer relatieve afstand en 'dichtbij' voelde op dat moment heel erg ver weg.

'Zulu Bravo, hier Pitcher. Vliegenmeppers *nu* activeren.'

'Roger.' Aan de andere kant van de lijn klonk een mannenstem. 'Vliegenmeppers worden *nu* tot ontploffing gebracht.'

De Claymores gingen af met harde onderwaterknallen die voor McAllen via de passieve boeien duidelijk hoorbaar waren. Zes harde klappen, waarvan twee die wat gedempter klonken dan de rest. McAllen keek naar zijn sonogrammen als een kind dat met een videospelletje bezig was.

'We hébben 'm,' zei hij zacht. 'We hebben 'm niet vernietigd, maar iets maakt aanzienlijk meer lawaai. Ik heb hem nu op passief. Hij bewéééégt.'

Rose keek over de schouder van Valdez mee terwijl zijn vingers over het toetsenbord vlogen. Hij toetste een paar keer een verkeerd commando in; de adrenaline joeg nog steeds door zijn lichaam. De harde klappen waarmee de Claymores explodeerden hielpen ook al niet. Rose liet voor de zekerheid een van de technici de door Valdez ingevoerde commando's controleren.

Rose draaide zich om, zodat ze de aandacht zou hebben van alle wetenschappers en techneuten die in de lanceermodule waren samengedromd.

'Oké, mensen, ik wil dit ding zo snel mogelijk de lucht in hebben. Het liefst binnen enkele minuten. Vertel me maar wat we nog meer uit de voorbereidingsfase kunnen schrappen en tóch nog tot een functionele lancering kunnen komen.' Ze keek de gezichten om haar heen een voor een aan – Anson, kalm en bedaard, maar dit was zijn specialiteit niet; Nguyen, behulpzaam, bijna gretig nu; Maulcker, zoals altijd iemand die je beter kwijt dan rijk kon zijn. 'We hebben zojuist geprobeerd een onderwatervaartuigje te neutraliseren dat zich onder ons schuilhoudt. Als dat niet lukt, zouden ze wel eens opnieuw kunnen proberen toe te slaan. Onze opdracht is Peacemaker in een baan rond de aarde te krijgen. Goed, hoe krijgen we dat op zo kort mogelijke termijn voor elkaar?'

Ze keken elkaar aan. Twee knapen begonnen tegelijkertijd te praten; als iemand de moeite had gedaan te luisteren, had men kunnen horen hoe ze volkomen tegengestelde dingen zeiden. Iedereen wilde zijn eigen terrein beschermen – de technische jongens, de mensen van de telemetrie, de mannen die voor de voortstuwing verantwoordelijk waren. Achter haar hoorde ze hoe Valdez nog steeds druk met de toetsen in de weer was. Nguyen maakte zich los van het groepje mensen, kwam wat dichter naar haar toe en zei toen: 'Luitenant, ik denk dat we direct kunnen overstappen van Lancering minus vijf minuten naar de Lancering minus één-punt-twee minuten-onderbreking, om dan nog een laatste controle uit te voeren, en vervolgens af te tellen. Al het andere is overbodig, althans, technisch bezien.' Hij had in elk geval het fatsoen om bij die laatste opmerking even in elkaar te krimpen. Maulcker wilde onmiddellijk protesteren. Ze draaide zich om. Valdez keek haar bijna begerig aan. Ze knikte. Valdez telde af tot Lancering minus vijf en haalde een schakelaar over.

'Lancering minus één punt twee minuut – de geplande onderbreking!' Hij liet zijn blik over het lanceerpaneel glijden. Alles stond op groen. 'Laatste diagnose loopt. Shit, d'r zit inderdaad een hoop telemetrie in die gegevensstroom, mevrouw. De diagnose laat zien dat we dóór kunnen.'

Ze knikte hem toe en sprak in de lanceerrecorder.

'Lancering minus één minuut twaalf seconden en we zijn klaar om tot lanceren over te gaan. Het aftellen begint opnieuw bij tweeënzeventig seconden vóór het tijdstip van lancering.' Alle controlelampjes stonden nog steeds op groen. Rose bad in stilte dat alles goed zou gaan.

Van kilometers afstand hoorde Lebedev de zwakke explosies. 'Ze zijn tot de aanval overgegaan.'

Suvarov glimlachte. 'Verbind me door met *Poltava*. En laten we daarna zo snel mogelijk verdwijnen.' Hij had helemaal geen zin om zijn prachtige boot nog langer bloot te stellen aan verdere detectie door andere Amerikaanse vliegtuigen, want zoiets zou een regelrechte schande betekenen. En hij voelde er ook weinig voor om het lot te tarten.

De Amerikanen hadden duidelijk te kennen gegeven dat ze verder zouden gaan met de lancering. Hij had zijn taak volbracht. Zijn schip, en zijn groep, hadden zich precies aan hun opdracht gehouden.

'Bericht vanuit Moskou via de satelliet, commandant.'

Suvarov hoefde dat bericht eigenlijk niet eens te lezen. *Trek u terug.*

Zoals gewoonlijk was hij hen weer voor.

Met grote voldoening keek hij om zich heen naar de mensen op de brug. Hij pakte Lebedevs schouder even beet. 'Uitstekend gedaan, iedereen. Kom op, we gaan naar huis.'

Plotseling leek de minionderzeeër met een ruk in beweging te komen. Ze leek ook op weg naar de oppervlakte te zijn. *Gewond? Bereid om zich over te geven? Hebben ze misschien een Stinger aan boord? Of een kleine, voor de* Philadelphia *bestemde torpedo?* Dat laatste zorgde ervoor dat de koude rillingen over Alans rug liepen. Als de *Philadelphia* hen niet langer beschutting kon bieden, zouden ze wel eens kunnen proberen het vuur op het schip te openen – maar ze moesten dan wél eerst voldoende afstand tussen hen en de *Philly* zien te scheppen, anders had de explosieve lading geen tijd zichzelf op scherp te stellen.

McAllen had de minionderzeeër op verschillende lijnen. Hij vermoedde dat er een gat in de buitenwand was geslagen, en hij keek naar een lijn die werd veroorzaakt door stroomgeluiden rond het beschadigde oppervlak. De snelheid van zes knopen waarmee ze ervandoor ging wees op een soort wanhoopsoffensief.

Alan was tot dezelfde conclusie gekomen. De minionderzeeër kon onmogelijk nog over veel vermogen beschikken, aangezien hij waarschijnlijk alleen maar over elektromotoren beschikte. De sprint die hij maakte duidde volgens hem op het feit dat hij op zoek was naar een positie van waaruit hij nog één keer toe kon slaan, anders zou hij óf naar de oppervlakte komen om zich over te geven, óf een stuk dieper gaan zitten, op zoek naar een thermische laag om vervolgens te proberen zijn thuisbasis te bereiken – of was dit een zelfmoordmissie? Nee, deze bijna-sprint aan de oppervlakte moest de inleiding zijn tot een aanval.

'De onderzeeboot draait.' McAllen was kalm. Alan voelde de vermoeidheid van Afrika en de acht uur durende vlucht achter zijn ogen en in zijn gewrichten, in zijn gewonde handen. 'Ik denk dat hij van plan is nog een schot af te geven. We zullen onze dieptebom moeten gebruiken.'

'Doe het.' Ook Rafe klonk afgemat. Na alle andere stunts die hij bij deze vlucht had uitgehaald vloog hij nu al bijna een uur op minimale hoogte. 'Boor hem definitief in de grond, Mac. Ik heb geen brandstof meer om nóg een aanvalsrun uit te voeren.' Het toestel leunde als een vermoeide vogel op één vleugel en koerste met de neus iets naar beneden naar de plek in het water die McAllen had gemarkeerd. Cutter had zich uitgerekt om over het instrumentenpaneel heen te kunnen kijken.

'Ik zie hem. Recht voor ons uit.'

'Pak hem.' Dat was de stem van Rafe.

Alan had een paar seconden. Hij was niet degene die de dieptebom zou afwerpen. Hij liep alle schermen door en keek naar de Libische Su-22's. Die zonden radarsignalen uit en waren nog maar vijftien mijl verwijderd. Twee zaten er vrij laag – tweeduizend voet, zeshonderd meter, op weg naar de *Philly*. Maar geen geleide wapens tegen schepen. De F-14's, die ook hun radar hadden ingeschakeld, waren nog maar net hun kant uit gedraaid.

De S-3 vloog bijgetrimd en keurig horizontaal op een hoogte van honderd voet boven de golven. Rafe keek niet langer naar McAllens markering op zijn console; hij zag nu hetzelfde als Cutter, een slanke vorm, nauwelijks donkerder dan het water.

McAllen zag het niet, maar hij wist dat de minionderzeeër zijn draai bijna had voltooid en nu aan het oplijnen was voor een schot. Hij klapte het doorzichtig plastic hoesje omhoog en wachtte, de vingers aan de schakelaar. Hij telde binnensmonds af. Hij had tijdens oefeningen uiterst kleine doelwitten weten te raken. Vijf, vier, drie, twee, één. Hij haalde de schakelaar over.

Toen het gewicht van de dieptebom wegviel leek het toestel een sprongetje omhoog te maken; Rafe trok de neus scherp omhoog om zo veel mogelijk hoogte te winnen, telde de secondes af tot de dieptebom tot ontploffing zou komen, draaide de staart in de richting van de plek waarvan hij vermoedde dat de explosie vandaan zou komen, en ging vervolgens weer over in horizontale vlucht. Toen de schokgolf hen raakte werd het toestel heel even door elkaar geschud, maar ze bevonden zich nu op een hoogte van vijfhonderd voet boven het water en Rafe wist het toestel onder controle te houden.

'Pitcher? Hier Zulu Bravo, over.' De stem klonk opgetogen. 'Je hebt hem geraakt. Je hebt hem geraakt. Er zijn wrakstukken zichtbaar.' McAllen juichte, en Alan en hij voerde een *high-five* uit. Rafe liet de vleugels van het toestel een paar keer op en neer gaan.

Rose zag hoe de cijfers op een LCD-schermpje flikkerend aftelden. De explosie van de dieptebom en het iele gejuich aan dek vertelden haar wat er gebeurd was, maar het speelde zich allemaal in de verte af, vormde een heel ander soort probleem dan waarmee ze nu werd geconfronteerd. Zij en Valdez waren bezig met de laatste seconden van het aftellen. Ze wist dat de Libische vliegtuigen snel dichterbij kwamen, maar zonder een datalink of direct contact met Alans toestel was ze niet in staat om vast te stellen hóe dichtbij. *12... 11... 10.* Er klonk gerommel aan dek toen de hydraulisch bediende lanceertorens verwijderd werden, achterover knikten als reusachtige bidsprinkhanen, zodat de raket nu eenzaam omhoogstak. Valdez sprak in de missierecorder. Rose schakelde de scheepsintercom in.

'Gereedmaken voor lancering over tien seconden! Dekking zoeken! Dekking zoeken! Zeven! Zes! Vijf!'

Iedereen moest het nu wel hebben gehoord.

Drie, twee...

'*Ignition*. Begin met het tellen van de missie! Plus één, twee, drie, vier – '

De motoren lieten een oorverdovend gebulder horen. De stuwkracht van de raket was zó groot dat het voorschip van de *Philly* merkbaar dieper het water in werd gedrukt.

'*Lift-off* – we hebben een *lift-off* – negen, tien – '

Aan dek werd het water van het ene op het andere moment verneveld, om vervolgens als een regenvlaag tegen de raampjes van de module te worden geslingerd. Witte rook en stoom onttrokken de raket aan het oog, verwaaiden toen, en Rose moest zich uitrekken en opzij buigen om de felle lichtflits te kunnen zien die zich vanaf het dek verhief en toen naar het noorden afboog, richting Venetië. Het withete lichtschijnsel veranderde in goud en leek te pulseren, om vervolgens snel zwakker te worden en te verkleuren tot koper, en vervolgens tot een soort mat aluminium toen de raket het lage wolkendek binnenvloog.

Naast haar boog Valdez zich naar voren en sprak in de microfoon.

'Lanceerprocedure voltooid. Peacemaker gelanceerd om 06.31 uur plaatselijke tijd, onder verdomd moeilijke omstandigheden, als ik zo vrij mag zijn dat op te merken. Dit zal een stuk makkelijker moeten worden. Het is volslagen on- mogelijk om dit ding onder oorlogsomstandigheden te lanceren met inachtne- ming van een acht uur durende aftelprocedure. Dat zou dwaasheid zijn.'

Twee vertegenwoordigers van leveranciers voerden een *high-five* met elkaar uit; Maulcker, de hautaine, kale knaap, keek somber voor zich uit. Hij had altijd ge- roepen dat een lancering zonder een volledig uitgevoerde aftelprocedure on- mogelijk was. En nu hij de grijns op Rose's gezicht zag, merkte hij op: 'Hij kan een eind verderop nog steeds het spoor bijster raken, weet je. De telemetrie is niet gecontroleerd, er heeft geen énkele controle plaatsgevonden! Er kunnen computers beschadigd zijn – verdomme, als dat ding in de verkeerde baan komt of neerstort, is het jóuw verdomde schuld, vergeet dat niet!'

Ze bleef hem breed grijnzend aankijken. Het was haar gelukt Peacemaker de lucht in te krijgen vóór die Libische toestellen waren gearriveerd, en dat was momenteel het enige wat telde.

In een voorstad van Washington keek Ray Suter, met een telefoonhoorn tegen zijn oor gedrukt, naar de telemetriegegevens. '*Ignition* – het tellen begint – Jezus, dat ding komt van het dek omhoog – dat ding gaat de lucht in – ! Het is 'r gelukt. Verdomme, het is 'r gelukt!' Hij was van mening geweest dat alles vergeefs zou zijn. Hij had gedacht dat het een hopeloze zaak zou zijn. 'Het is 'r gelukt!' schreeuwde hij opnieuw. Op dat moment was hij vergeten hoezeer hij haar haatte. Het enige dat hij kon denken was: *We kunnen door, we kunnen door – !*

Alan zag hoe de raket bij de *Philadelphia* vandaan klom. Op een afstand van één kilometer rees het projectiel met een bedrieglijke traagheid door de dikke lucht en stond al op het punt in de wolken te verdwijnen, waarbij haar uitlaat- gassen oplichtten als een zilveren zon. Vlak vóór het in de laaghangende be- wolking verdween leek het plotseling te accelereren. Toen hij op zijn scherm keek, was de vorm ervan op zijn netvlies gebrand en bleef het silhouet ervan hem over het scherm volgen, en kon hij alleen maar vanuit zijn ooghoeken naar de displays kijken.

Hij bestudeerde de datalink met de *Fort Klock*, waarop nu, verbazingwekkend genoeg en godzijdank, te zien was hoe de Libische vliegtuigen rechtsomkeert maakten, nauwelijks vijf mijl van het schip verwijderd, achttien mijl bij op wraak beluste F-14's vandaan. Misschien hadden ze gedacht dat Peacemaker een reusachtige luchtdoelraket was. Of misschien hadden ze het bij nader inzien toch niet verstandig geacht de strijd met de Tomcats aan te gaan. Of misschien hadden de Libiërs ook te horen gekregen dat ze zich terug moesten trekken.

Rafe hield de S-3 een meter of wat boven het wateroppervlak.

'Rekening houdend met onze brandstofsituatie,' merkte Cutter op, 'hoe lang moeten we hier nog rond blijven hangen?'

Alan moest glimlachen en zei: 'De *Klock* is veertig mijl van ons verwijderd en komt op volle kracht hierheen. Voor de *Philly* is eindelijk hulp onderweg.'

Rafe had de Strike-frequentie al geactiveerd en bond de F-14's op het hart om nieuwe brandstof te tanken en vervolgens hun positie weer in te nemen. 'Roger, roger,' zei hij uiteindelijk met een vermoeide stem, en schakelde over op de intercom. 'Twintig minuten. We blijven in de buurt totdat ze terug zijn.' Hij zuchtte. 'Sorry, jongens. Ik zal straks moeten landen op het Kustwachtveld van Lampedusa. De KC-10 heeft niet voldoende voor ons om de boot te kunnen halen én om de F-14's die van de "kettingzaag" afkomen van nieuwe brandstof te voorzien.' Een heel koor van gekreun was het gevolg, inclusief dat van Alan, maar hij had aan precies hetzelfde moeten denken en had het lef niet gehad het te vragen – dat als ze uitweken naar Lampedusa, een klein Italiaans eilandje waar de Amerikaanse Kustwacht een detachement had gestationeerd en dat in feite dichter bij Afrika lag dan bij Europa, ze hier nog wat langer konden rondcirkelen en zijn vrouw een halfuurtje extra bescherming konden bieden. Hij kreunde weliswaar, maar hij was er gelukkig mee.

'We tanken op Lampedusa bij, slapen wat en vliegen dan naar de boot terug.'

Rafe klonk mat.

Alan keek vanuit zijn raampje naar het water. Van de minionderzeeër was geen spoor meer te bekennen, en zijn identiteit en zijn achtergrond waren waarschijnlijk mét hem ten onder gegaan. Rose had aan boord van de *Philadelphia* twee gevangenen gemaakt die binnenkort zouden worden verhoord, zei ze, plus een gewonde knaap die zich ergens aan boord verborgen hield. Dat zou best nog grappig kunnen worden, die knakker uit zijn schuilplaats zien te krijgen, hoewel de kans bestond dat hij allang dood in de kettingbak of de dubbele bodem lag. Misschien konden die twee andere mannen vertellen wie die kleefmijn had geplaatst.

Alan voelde de vermoeidheid opnieuw keihard toeslaan, en zei: 'Hoe gaat het met jou, Rafe? Ik heb het zo'n beetje gehad.'

Er klonk wat gegrom en er werd een hand omhooggestoken. Rafe leek wat dat betreft een beetje op Rose, bedacht hij, iemand die zichzelf in de hand hield door alles strikt gescheiden te houden. Hij had niet één keer contact met de *Jefferson* opgenomen om naar de toestand van Christy te informeren. Hij stopte alles weg.

Toen kwam door zijn raampje de *Philadelphia* in zicht. Ze zag eruit als een vrij gewoon schip, niet een schip waar minder dan een uur geleden een stelletje mariniers het had moeten opnemen tegen een enterploeg, of dat een kleefmijn had overleefd. De lanceertorens hadden voor hetzelfde geld dekkranen kunnen zijn, en het geblakerde lanceerplatform had best een heliplatform of een of ander vreemd onderdeel van het dek kunnen zijn. Toch had dit schip het weten te overleven – de commandant dood, enkele bemanningsleden gesneuveld, een groot gat in de romp. Het moest een verdomd goed schip zijn, ook al was het niet gebouwd om strijd te leveren.

Maar toen namen een paar duizend voet bóven hen met een wijde bocht de F-14's hun positie in, en Rafe nam met enkele woorden afscheid van ze, en ze wiebelden om de beurt even met hun vleugels, en waren vervolgens verdwenen, snel in westelijke richting klimmend om aan hun patrouille boven de *Philadelphia* te beginnen. Nou, hij had haar in een deken van veiligheid willen wikkelen. Kon dat beter dan op déze wijze?

' – bericht van de battle group.' Op de radio klonk plotseling een vreemde stem. Rafe zwaaide heel even met een vinger. Iedereen luisterde. 'Het Witte Huis heeft zojuist deze boodschap van de Libische regering vrijgegeven, zoals aan hen doorgestuurd door de regering van de Russische Republiek. De boodschap luidt: "De staat Libië betreurt het misverstand dat heeft geleid tot het zonder waarschuwing vooraf tot zinken brengen van een van haar patrouilleboten. De regering van Libië betreurt het verder dat haar pogingen om een schip in nood te helpen dat zich in internationale wateren in de buurt van haar kust bevond verkeerd werden geïnterpreteerd, en ze wenst met alle mogelijke morele nadruk onder de aandacht te brengen dat ze op geen enkele wijze betrokken is bij de gebeurtenissen die hebben geleid tot het onklaar raken van het schip, ondanks het feit dat dit vaartuig de landen rond de Middellandse Zee op ernstige wijze heeft geprovoceerd door in strijd met het Verdrag tegen Antiballistische Raketten en de duidelijk naar voren gebrachte wensen van alle vredelievende naties, een ruimtevaartuig te lanceren. Als bewijs van haar vreedzame bedoelingen heeft de regering van de republiek Libië alle militaire eenheden uit de directe omgeving van het schip teruggetrokken. Als verder bewijs van haar positieve benadering van de mensenrechten en de internationale vrede, heeft Libië de internationale oorlogsmisdadiger Zoltan Panic, eveneens bekend als kolonel Zulu, uitgewezen. De regering van de republiek Libië zal samenwerken met andere landen rond de Middellandse Zee, om te voorkomen dat deze zware crimineel naar een hem sympathiek deel in het voormalige Joegoslavië zal kunnen ontkomen." Einde bericht.' De stem zweeg en even later was er een andere stem te horen. 'Hier spreekt admiraal Pilchard. Uitstekend gedaan, mannen.'

Zulu. Het horen van die naam maakte dat Alan weer onmiddellijk aan de *Philadelphia* moest denken. Het bracht hem enigszins in verwarring, alsof hij na de maand die hij in Afrika had gezeten en daar zo plotseling was weggerukt, daar nu weer van het ene op het andere moment was teruggekeerd. Dukas had hem de boodschap gestuurd dat Zulu dood was. Toen begreep hij het: de Libiërs hadden hem al láng voordat ze deze boodschap hadden doen uitgaan het land uit gezet; ze wísten niet dat hij al dood was. Nu alles achter de rug was eisten ze simpelweg de eer op voor het feit dat ze hem het land uit hadden gezet.

41

9 december

In het hoofdkantoor van het IVI, gevestigd ergens in een voorstad in de staat Maryland, transpireerde Ray Suter hevig. Hij had zojuist zijn colbert uitgetrokken, dat als een onderdeel van een lichaam over zijn stoel hing. Ondanks de airconditioning was Suter drijfnat. Hij had altijd gedacht dat het niet zou werken, maar het had wél gewerkt.

Het was nog nét geen drie uur in de ochtend. Het IVI was nagenoeg verlaten, alleen enkele wachtofficieren en veiligheidsmensen waren aanwezig, plus nog een paar mensen die nachtdienst hadden. En Suter.

Hij keek naar de telemetriegegevens van Peacemaker. Ondanks de ingekorte aftelprocedure, ondanks datgene wat er met de *Philadelphia* was gebeurd, bevond Peacemaker zich in een baan rond de aarde, gleed over Frans-Jozefland, een bewegende vonk aan de nachtelijke hemel, als je over de instrumenten beschikte om haar te zien. Ze volgde nét geen baan die beide polen omvatte, en vloog dan ook over Alaska, om vervolgens aan de andere kant van de aarde naar het zuiden koers te zetten, over de Grote Oceaan en over een stukje van Antarctica. Daarna zou Suter de computer opdracht geven de omloop langzaam maar zeker aan te passen, aanpassingen die ertoe moesten leiden dat de koers van Peacemaker in oostelijke richting naar het zuidelijk deel van de Atlantische Oceaan werd verschoven, zodat die op een gegeven moment het oostelijke uiteinde van het eiland Zuid-Georgië zou raken. Dáár, eenentwintig mijl ten oosten van het hoofdeiland, zou een onbewoond rotseilandje bestookt worden met een regen aan staafjes afgewerkt uranium die Peacemaker bij zich had, slechts geobserveerd door instrumenten die nog maar één week geleden waren geïnstalleerd, en door een stuk of wat verwilderde geiten die daar leefden, afstammelingen van de dieren die daar anderhalve eeuw eerder door walvisvaarders waren achtergelaten.

Suter rookte onafgebroken, terwijl hij al drie jaar geen sigaret had aangeraakt. Nu beet hij op zijn onderlip, stak de ene na de andere sigaret op en tikte met het pakje op de mousepad, om de halve minuut op zijn horloge kijkend en direct daarna naar de grote wandklok. Eenendertig minuten.

De telefoon rinkelde.

'Suter.'

'Meneer, hier de officier van dienst. We hebben zojuist een spoedbericht van het Witte Huis binnengekregen, Code Rood. De boodschap luidt: "Operatie staken." Ik herhaal, de boodschap luidt: "Operatie Staken." Meneer, u dient de gegevens te blijven opslaan, maar uw console in de passieve stand te zetten. Ik verwijs hierbij naar pagina 1.12.47 van de operationele handleiding, "Bevelsniveaus". Er komt iemand naar u toe die – '

'Waar heb je het verdómme over?' Suter stond plotseling te schreeuwen. Vervolgens gooide hij de hoorn op de haak. *Het Witte Huis! Wie trok zich verdomme nog iets van het Witte Huis aan?*

De groene telefoon ging over en hij griste de hoorn van de haak, maar voor hij iets kon zeggen meldde een stem: 'Een telefonische boodschap van generaal Touhey in Houston, meneer – of u hem onmiddellijk via een beschermde lijn wilt bellen.'

'"Operatie staken"? Was dat de boodschap van het Witte Huis? Probeer daar verdómme bevestiging van te krijgen – zorg onmiddellijk – '

'Die bevestiging is al binnen, meneer.'

Suter keek naar de klok. Dertig minuten. *Operatie staken.* Wel verdómme! Het Witte Huis was door de knieën gegaan! Maar waarom? De afgelopen drie dagen was er enorme druk op hen uitgeoefend; terwijl ze geen enkele krimp hadden gegeven. De Chinese ambassadeur bij de VN had gisteravond een vernietigende toespraak tot de Algemene Vergadering gehouden – dus wat was er gebeurd? Operatie staken? *Nu?*

Touhey wachtte in Houston. Hij was kortaf, een duidelijk teken dat hij woedend was. Het enige dat hij zei was: 'Ik heb het gehoord. Een momentje.' Vervolgens was er een hoop elektronisch geroezemoes te horen, en plotseling was er een nieuwe stem te horen, kil en ironisch. Het was Shreed. Met z'n drieën voerden ze gelijktijdig telefonisch overleg. 'Ik heb gehoord dat de meester "Áf, jongen!" heeft geroepen,' merkte Shreed op.

'Die klootzak kent het verschil niet tussen strategie en apenstront!' brieste Touhey.

Shreed moest lachen. 'O jee.' Hij klonk niet bepaald geamuseerd. 'Ben jij er ook, Suter?'

'Jawel, meneer. Ik ben laaiend! Verbijsterd! Dit kunnen ze niet dóen!'

'Natúúrlijk kunnen ze dit doen.'

'We kunnen zeggen dat we de boodschap niet hebben ontvangen,' gromde Touhey. Hij wist wel beter. De boodschap was al in het logboek genoteerd.

Suter keek op de klok. Zevenentwintig minuten. 'Als we die testdrop niet laten doorgaan, hebben we geen gegevens en ook geen videobeelden.' Hij wist dat met name Shreed die videobeelden graag had willen hebben. Dat zou het bewijs vormen, het bewijs dat vervolgens gelekt zou kunnen worden naar landen die niet in de pas wensten te lopen. Suter wist niet dat Shreed de resultaten on-middellijk aan de Chinezen zou doorspelen, maar hij wist wel dat China angst aanjagen een van de beoogde doelen was.

'Ik sta bij de Senaat op de stoep zodra daar morgenochtend de deuren open-gaan. Ik zal ze in het Witte Huis het vuur wel eens na aan de schenen leggen, dáár kunnen ze verdomme vergíf op innemen!'

'Daar kunnen we de test niet mee redden.' Shreed klonk koeltjes, afstandelijk. Alsof hij hier absoluut niet bij betrokken was, hij er geen enkel belang bij had. 'De Britten gaan er niet langer mee akkoord dat wij van Zuid-Georgië ge-bruikmaken – drie minuten geleden hebben we dat te horen gekregen. En om zeker van hun zaak te zijn hebben ze een stoorzender op het eiland gericht en hebben ze de stroom afgesneden. Het is afgelopen.'

'We kunnen van doelwit veranderen!' schreeuwde Touhey. 'Verdómme, dan ko-men we er nú mee naar buiten! Als het moet kunnen we de baan moeiteloos honderd kilometer verleggen, om wat later nóg een kleine aanpassing te maken, zeg het maar. Drie minuten, vier – Jezus, we zijn allemaal in het bezit van die doelwitgegevens, het zit állemaal in de computer, het enige wat we hoeven te doen is het *toepassen* – we werpen die staafjes af en de president bekíjkt het ver-der maar!'

'En hoe mogen jij en ik dat aan hem uitleggen?' merkte Shreed op. Maar het volgende moment klonk hij bijna weemoedig. 'Het gaat ontzettend moeilijk worden om ze op korte termijn zover te krijgen dat we die test nog eens mogen doen. Misschien wel nooit meer.' Vervolgens kreeg zijn stem iets vals. '"Tou-hey's Folly".'

'We zouden die dingen verdomme boven de Libische woestijn moeten afwer-pen! Daar zou niemand bezwaar tegen hebben! De mensen hebben de pést aan Libië – shit, ze hebben geprobeerd dat schip van ons in de grond te boren! Ze waren erbij; als ik me niet vergis was het hún minionderzeeër!'

'Je denkt niet na. Ik wel. Het is over en uit.'

Touhey begon ongecontroleerd te ratelen. Hij liet een hoop namen vallen, ge-bruikte een uiterst bonte collectie vloeken, maar het was allemaal reactie, geen áctie. Het was Touhey's manier om toe te geven dat het afgelopen was. Dat wel-licht ook zijn carrière ten einde was. Dat hij ziedend was en dat hij volkomen machteloos was.

Suter dacht na. Touhey brieste van woede en Suter dacht na. De klok tikte. Suter dacht eerst aan zichzelf, aan wat het betekende om aan een mislukking gekoppeld te zijn. Om verbonden te zijn aan een programma dat met onmid-dellijke ingang zou worden geschrapt. Touhey had eindeloos veel vijanden; het IVI beschikte over diverse concurrenten die het op haar budgetten en haar macht hadden voorzien. Volgend jaar zou er wel eens een heel ander bord bij de hoofdingang kunnen staan en heel andere mensen kunnen rondlopen.

Suter dacht aan Rose. *Al die vragen, tot aan het bittere einde aan toe. Ze geloofde me niet. Ze heeft zich tegen ons gekeerd. Ze heeft zich tegen mij gekeerd.*

Suter dacht aan Peacemaker. Geen doelwit, geen gegevens, geen videobeelden. Geen bedreiging voor de wereld. Maar als Peacemaker zijn vlucht zou vervolgen en zijn staafjes zou laten vallen, en de wereld zou wéten dat ze dat voor elkaar had gekregen, zou weten dat Peacemaker een doelwit had weten te raken – Twintig minuten.

'Ik heb een idee,' zei Suter. Zijn keel zat zó dichtgesnoerd dat hij nauwelijks iets kon zeggen. Toen hij een sigaret omhoog bracht van het bekertje dat hij als asbak gebruikte trilde zijn hand hevig.

'Een idee!' kraaide Shreed. 'Kijk eens aan, een idee! Ik ben gék op ideeën. Hoe luidt dat idee van jou, Suter – we hergroeperen ons en komen terug als de Three Stooges?'

'Ik ben doodserieus.' Plotseling besefte Suter hoezeer hij de pest had aan Shreed. Die reusachtige afkeer jegens de man had verder geen invloed op zijn werken voor hem; het was misschien zelfs beter zo, het zorgde ervoor dat hij extra scherp bleef, maar desalniettemin voelde hij een steek van haat door zich heen gaan. 'Ik ben volkomen serieus, ook al ben jij dat niet.'

Even was het stil. 'Aha,' zei Shreed. 'De worm kronkelt. Nou, nou. Oké, kom maar op met je idee.'

'Jullie zullen me dekking moeten geven.' Suter keek naar de klok. Negentien minuten.

'Waarvoor?'

'Jullie moeten beloven me volkomen te dekken, jullie alletwee! En geheimhouding. Absolute geheimhouding. Als dit niet werkt, zal nergens iets te vinden mogen zijn.'

Touhey begon iets te mompelen, maar Shreed viel hem onmiddellijk in de rede. 'Je bent inderdáád serieus,' zei hij, en het was duidelijk dat hij tegen Suter sprak, en niet tegen Touhey.

'Ik ben verdómde serieus.'

'In dat geval zal ik je ernstig nemen. Als jij kans ziet uit deze enorme hoop stront een diamant tevoorschijn te toveren, zorg ík voor dekking. Absolute dekking. Dat geldt voor ons beiden.' Het was nu duidelijk dat Shreed bijzonder geïnteresseerd was.

Suter slikte moeizaam iets weg en gooide zijn plan op tafel. 'We maken de *Philadelphia* tot doelwit,' zei hij.

Er klonk een gedempt geluid uit de telefoonhoorn, waarschijnlijk afkomstig van Touhey. Suter negeerde het.

'Ze vormt het perfecte doelwit: iedereen kijkt ernaar. Ze geeft signalen af, zodat Peacemaker zich erop kan richten. Ze is een geïsoleerd doelwit. Ze bevindt zich niet op buitenlands grondgebied, dus kan niemand grote bezwaren hebben.'

Shreed wachtte een seconde of twee, maar hij zou het ongetwijfeld doorzien, hád het waarschijnlijk al doorzien. Desalniettemin deed hij maar één stapje tegelijk. 'Waarom zou iemand geloven dat Peacemaker de *Philadelphia* als doelwit heeft geselecteerd?' vroeg hij.

'Omdat de lanceerofficier de aftelprocedure heeft ingekort zonder dat ze daar toestemming voor had, met als gevolg dat ze van de voorgeprogrammeerde data één grote puinhoop heeft gemaakt. In haar haast de raket te lanceren heeft ze per ongeluk de locatie van het schip als doelwit ingetoetst.'

'Jezus Christus,' kon Touhey alleen maar uitbrengen.

'Dat moet toch te zien zijn in de tapes,' reageerde Shreed.

Zestien minuten dertig seconden.

Suter veegde het zweet uit zijn rechteroog. 'Ik kan die banden opnieuw maken, hoewel daarbij misschien een leemte van een paar seconden kan ontstaan.'

Touhey gromde: 'Jongens, we hebben het hier wél over het moedwillig om het leven brengen van Amerikanen. Luister nou eens even – '

'Het zou erg vervélend zijn als ze op de kruiser terechtkwamen,' zei Shreed. Hij dacht alleen maar hardop. 'Ergens in de buurt hield zich een Russische onderzeeër op, maar die zal niet aan de oppervlakte varen. Jammer. Of misschien ook niet – het zou té veel complicaties opleveren als we die Russische boot zouden raken. Iets uit de Libische kust zou zich nog een Chinees spionagevaartuig moeten ophouden; dat zou een aardige – '

'Jongens,' klonk de waarschuwende stem van Touhey, 'wat ik hier allemaal hoor bevalt me absoluut niet.'

'Dus die staven komen naar beneden,' zei Shreed alsof hij Touhey niet had gehoord, 'en ze vernietigen het schip en de computers en de getuigen. Dát is de bedoeling, hè, Suter – het is de bedoeling dat alle getuigen definitief verdwijnen?'

'Ja, dat is precies wat ik bedoel.'

'Omdat wij, als die getuigen in leven blijven, wij tot onze oren in de stront zitten – is dat waar of niet?'

'Zo is het.'

Vijftien minuten, negentien seconden.

'Nou.' Shreeds stem klonk vol bewondering. 'Je bent een uiterst onaangenaam heerschap. Aanzienlijk onaangenamer dan ik ooit voor mogelijk had gehouden.' Hij stapte over op een scherpere, bijna treiterige toon. 'Touhey!' Shreed wachtte even. 'Ben je daar, Touhey?'

'Ja, ik ben hier nog. En ik doe niet mee.'

'Jazeker, je doet wel degelijk mee. Als ík meedoe, doe jij óók mee. Laat ik het zó zeggen, generaal. Als jij niet meedoet, maak ik je in de Senaat volkomen áf. Ik zal de commissies voor de inlichtingendiensten het IVI laten doorlichten alsof ze op zoek zijn naar het Ebola-virus. Je mag blij zijn als je er zonder gevangenisstraf afkomt. En ik ga dit niet nog eens herhalen, want daar is geen tijd meer voor. Ja of nee?'

Suter zag de klok verder tikken en kreeg op slag ook een pesthekel aan Touhey, al was het alleen maar omdat hij de zaak nodeloos ophield.

'Shreed,' hoorde hij Touhey zeggen, zijn stem vervormd door de een of andere krachtige emotie die maakte dat hij gromde als een slecht afgestelde geluiddemper. 'Je kunt barsten. Is dat duidelijk genoeg voor je? Sleep me maar voor die commissies, je gaat je gang maar! Het interesseert me geen donder wat je met me van plan bent. En jij, Suter – je bent bij deze ontslagen. Kruip jij maar terug naar die klote-CIA en vertel ze daar maar dat hier in de échte wereld een generaal rondloopt die er weinig voor voelt om Amerikanen over de kling te jagen, terwijl dat zijn carrière bepaald geen kwaad zal doen. Begrijp je me een beetje? Verdómme, Suter, geef antwoord! Begrijp je me een beetje?'

'Maar – '

'Blaas dan onmiddellijk die raket op! Haal binnen drie seconden die schakelaar over, anders laat ik je door de veiligheidsdienst arresteren wegens hoogverraad. Eén! Twee – !'

'Je bent volkomen geschift, Touhey!'

'Drie!'

Suter boog zich voorover, klapte het rode beschermkapje naar achteren en haalde de schakelaar over.

Peacemaker, die op dat moment het Antarctische pakijs naderde, spatte in de ruimte geluidloos uit elkaar, heel even oplichtend, terwijl de dodelijke staven zich verspreidden alsof ze door de wind uiteen werden geblazen om vervolgens aan hun lange, grillige, zinloze val richting aarde te beginnen, een aarde die ze nooit zouden bereiken omdat ze lang voor het bereiken ervan in de atmosfeer zouden verbranden – zonder ook maar enige schade aan te richten.

De Middellandse Zee.

Rafe draaide het toestel in de richting van het eiland Lampedusa. De S-3 liet haar vleugels heel even op en neer gaan toen ze dwars voor de *Philadelphia* langs vloog, een groet, een saluut aan een dapper schip. De Libische Nanoesjka verdween een kwart mijl verderop onder de golven, waarbij haar smalle achtersteven als laatste onder water verdween, en Alan bracht zijn rechterhand naar zijn voorhoofd – een saluut aan een ander dapper schip, een schip dat haar best had gedaan ten behoeve van een zaak die totaal verschilde van de zijne. Hij keek op de *Philly* neer toen ze er zo dichtbij mogelijk overheen vlogen. Op de achtersteven van de *Philadelphia* stond een kleine gestalte te zwaaien. Alan activeerde de infraroodscanner en bewoog die heen en weer toen ze over het schip heen denderden.

Rose stond aan het hoofddek van de *Philadelphia* en zag hoe in het noorden Alans S-3 eerst een klein stipje werd, en vervolgens onderdeel van de lucht ging uitmaken. Zij leefde nog; hij leefde nog. *Ze leefden nog!*
Op dat moment steeg er net een helikopter op met aan boord de gewonde marinier en een bemanningslid dat het vuurgevecht op het achterschip had overleefd. Ze drukte haar handen op haar haren om te voorkomen dat de downwash van de rotorbladen haar kapsel helemááal uit model zou rukken. Ze was ook helikopterpiloot, en op de een of andere manier zag ze zichzelf achter de stuurkolom van dat toestel zitten, steeds meer hoogte winnend, om haar as draaiend, om vervolgens in noordelijke richting weg te draaien, waar de kruiser en haar ziekenboeg al lagen te wachten.
'We hebben het gered, Gunny,' zei ze toen ze zich boven het lawaai van de schroefturbines uit verstaanbaar kon maken. 'Het is ons gelukt en we zijn oké!'
LaFond had zijn M-16 over zijn linkerschouder gehangen en op zijn wang zat een noodverband op de plek waar hij tijdens het vuurgevecht door iets geraakt was, naar alle waarschijnlijkheid een stukje metaal of een schilfer hard geworden verf. Het verband was vrij groot en wekte de indruk alsof hij een gezwollen wang had. Toen hij grinnikte, kroop die grijns van onderaf over zijn gezicht. 'Het was een paar keer kantje boord daar.' Hij deponeerde vakkundig een bruine fluim op het dek, ging er bovenop staan en bewoog zijn gevechtslaars een paar keer heen en weer alsof hij een sigarettenpeuk uitdrukte. Gunny gebruikte blijkbaar pruimtabak.
'Wat is er met die derde man van de enterploeg gebeurd?' Eigenlijk interesseerde het haar geen zier hoe het met die knakker was afgelopen; ze voelde zich uitgelaten. Maar ze was een goed commandant, en de vraag kwam automatisch. Langzaam maar zeker nam ze gas terug.
'De bemanning heeft hem ergens in een gang gevonden. Doodgebloed.' LaFond spuwde opnieuw. 'Alles oké met u?'
'Ik heb me nooit beter gevoeld!' In werkelijkheid voelde ze zich zwakjes in haar knieën, dwaas in het hoofd – ze voelde zich gelijktijdig gelukkig en afgepeigerd.

Het had wel iets weg van een geboorte. Zodra het achter de rug was volgde er een afknapper. *Maar deze geboorte wérkte. Deze heb ik succesvol afgerond.*

LaFond raakte haar arm even aan en wees. Iemand stond op de brug naar haar te zwaaien – de vrouwelijke scheepswerktuigkundige. Rose zwaaide terug, maar de vrouw begon nóg ferventer met haar arm te zwaaien en gebaarde dat ze moest komen.

'Ach, Jézus, wat nú weer?' mompelde ze. Ze voelde het als een zware last, maar besefte toen weer dat dit de last was die hoorde bij het bevel voeren over mensen. Ze draaide zich naar LaFond om. 'Vraag aan je mensen of ze onze wapens willen verzamelen. Laat ze ergens benedendeks opslaan vóór de kruiser langszij arriveert, oké? Laten we het schip weer enigszins aan kant maken.'

Toen ze het dek overstak had ze het gevoel dat dat even groot was als een voetbalveld. Haar heupen waren stijf, en haar linkerkuit zat zó in de knoop dat ze alleen maar kon strompelen. Toen ze zag dat de werktuigkundige nóg heviger zwaaide, probeerde ze te gaan hollen. *Laat dat.* Ze beklom moeizaam de trap en bereikte de brug.

'Iemand wil u spreken!' De vrouw wees op de intercom.

'Ja, Siciliano hier.'

'Hé, luitenant, jeetje!' Het was Valdez.

'Verdorie, Valdez, wat nu – !'

'Ik dacht dat u misschien wel wilde weten dat Peacemaker voortijdig tot ontploffing is gebracht. Kaboem! Kapot! Wég!'

Ze begreep hem niet. Dit sloeg nergens op. Ze was duizelig van vermoeidheid, verkeerde in een milde shock – wat had dát verdomme te betekenen?

'Hé, luitenant, bent u daar nog?'

'Ik – ja. Wat is er gebeurd?'

'Ze hebben Peacemaker voortijdig tot ontploffing gebracht. Vanuit het IVI. In opdracht van het Witte Huis. Ik kreeg die info via de vaste datalink binnen, en ik heb het nog niet goed en wel op scherm gezet of een van de wetenschappers gaat helemaal door het lint. Het is gedáán met zijn carrière, beweert hij, wat mij persoonlijk niet zo héél gek veel doet, maar wat me wél heel veel doet is het volgende: hij zegt: "Dit was het meest grandioze wapen ter wereld, en ze brengen het voortijdig tot ontploffing." Hoe vindt u dat – wapen, h'mm? *Wapen?*' Hij zweeg enkele ogenblikken. '*Wapen*, wat me weer aan die ontbrekende gegevens doet denken, toch?'

Ze moest onwillekeurig aan Abe Peretz denken. Ze moest ook denken aan het feit dat ze geweigerd had te kijken naar iets dat misschien wel heel voor de hand liggend was geweest. Wat maakte dat van haar – een toegewijd officier, of een dwaas?

'Kom aan dek en vertel me er alles over,' zei ze. Ze keek naar beneden, naar het grijze kolkende water. Het triomfantelijke gevoel was als een jas die niet paste van haar af gegleden. 'Kom hierheen, Valdez.' Ze gaf de hoorn van de intercom terug en liep naar buiten, voelde hoe de buitenlucht haar weer tot leven wekte, haar terug in de wereld trok, terwijl ze in feite alleen maar wilde slápen. Ze zag hoe de kleine gestalte van Valdez uit de module kwam en begon aan zijn tocht naar de brug, terwijl zij de trap afdaalde waarvoor ze nog maar een uur geleden hevig strijd hadden moeten leveren, en liep vervolgens richting boeg, liep hem tegemoet, beiden enigszins overhellend vanwege de slagzij die het schip toch nog bleek te maken. Nieuwe mensen bewogen zich over de dekken, specialisten op het gebied van averij, net ingevlogen vanaf de *Klock*, mariniers die LaFonds afgematte groepje moesten aflossen, nog meer IVI-technici. Zij en Valdez negeerden die allemaal, liepen op elkaar af.

Toen ze anderhalve meter van elkaar vandaan waren bleef Valdez staan. 'U heeft uw uiterste best gedaan! Ik wil niet dat u hierover gaat zitten tobben, hoort u me? Luitenant?'

Ze begon te grinniken. 'O, Valdez – !' Toen moest ze lachen, en de tranen liepen over haar gezicht. 'O, Valdez – er is geen betere dan jíj!'

42

In de S-3 was de vlucht naar Lampedusa zowel een anticlimax als een martel-gang. Zelfs een beetje bewegen in de uiterst kleine cabine hielp nauwelijks na negen uur in een schietstoel vastgesnoerd te zijn geweest, en elk bemanningslid had zoveel angstvlagen en adrenalinestoten ondergaan dat hun vliegeroveralls ervan stonken, en de cabine stonk mee. En er was geen koffie meer. Rafe kon-digde aan dat hij plotseling zin in een sigaret had, een reactie die hij al in geen jaren had gehad. Cutter deelde een plastic fles water met de anderen. Alan was ingedommeld, hoewel het eigenlijk meer een vorm van bewusteloosheid mocht worden genoemd. McAllen maakte hem pas twee minuten voor de landing wakker.

'Riemen vastmaken en strak trekken, meneer. Jeetje, wat een vlucht, hè? Ik vind het jammer dat we die torpedo niet hebben hoeven te gebruiken!' Alan, nog enigszins verward van de slaap, keek hem alleen maar aan. McAllen kwebbelde verder: 'Nou, we hebben een extra lading brandstof overgenomen en die hele-maal opgebruikt, niet? We hebben die Nanoesjka met een Harpoon de grond in geboord, niet? We hebben die minionderzeeër met die dieptebom tot zinken gebracht, niet? Dat mag toch een redelijk geslaagde missie worden genoemd, hè. Jammer dat we onze torpedo niet op die verdomde Sierra hebben mogen loslaten!' McAllen klonk alsof hij er helemaal klaar voor was het allemaal nog eens dunnetjes over te doen. Cutter moest lachen. Alan vroeg zich af of McAl-len meende wat hij zei. *De torpedo, op die Russische onderzeeboot afsturen?* Was die knaap écht nog zo jong?

Ze vlogen recht op de landingsbaan van Lampedusa aan, en Rafe zette het toe-stel aan de grond op een manier die alleen maar dramatisch kon worden ge-noemd vanwege het feit dat deze landing elke vorm van sierlijkheid en uiterlijk vertoon miste. Hij nam gas terug en liep, terwijl ze naar de minuscule verkeers-toren van de Kustwacht taxieden, samen met Cutter de checklist door.

'Als die Italianen stampij gaan maken omdat we nog een torpedo aan boord hebben, zeg je alleen maar dat we geen brandstof meer hadden. We zijn aan de grond, en dat is het enige dat telt.' Rafe klonk alsof hij al half sliep. 'Tenzij ze ons niet meer willen laten vertrekken. Dan dumpen we die torpedo hier en halen die dan een andere keer wel weer op.'

Hij en Alan waren de laatsten die het toestel verlieten, en samen liepen ze naar de verkeerstoren. Rafe wilde het liefst zo snel mogelijk de lucht weer in, ook al was hij nagenoeg uitgeput. Hij was momenteel waarnemend squadroncommandant; er lagen aan boord van het vliegdekschip een hoop zaken op hem te wachten. Om te beginnen de dood van vier squadronleden. Alan liep zwijgend naast hem, waarbij zijn vliegerschoenen over het beton schraapten, alsof hij te moe was om zijn voeten op te tillen. Hij deed zijn helm af en klemde die onder zijn arm, ondertussen denkend aan O'Neill, aan Djalik en aan Christy. Toen ze het gebouwtje bereikten klapte hij met zijn schouder tegen het deurkozijn, en hij leunde er even tegenaan, met één hand op de deurknop. 'Ik weet dat je een ellendige tijd doormaakt, Rafe.'

Rafe maakte een halfverdoofde indruk: *daar hoef je me niet aan te herinneren.* Geen woorden. Zijn kin was bedekt met een stevige stoppelbaard; hij had kringen onder zijn ogen; er hing een geur om hem heen als van een overvolle kleedkamer.

'Dat waren genoeg problemen voor één dag.' Hij wilde langs Alan in de richting van het basiskantoortje lopen, maar Alan bleef de deurknop vasthouden en dwong Rafe hem aan te kijken. 'Bedankt voor het feit dat je Rose hebt gered,' zei hij.

Rafe keek hem een ogenblik lang aan. 'Ja. Geen probleem.'

'Het spijt me van Christy. Er zijn grandioze artsen; die zullen al het mogelijke voor haar doen.'

Rafe stond daar maar. Hij knikte, maar keek daarbij niet naar Alan. Hij keek naar de deur – eigenlijk keek hij in het niets. Toen zei hij iets dat erop wees dat hij wel degelijk ook had lopen denken. 'Als haar toestel een geslaagde katapultstart had gemaakt, zouden wij nooit opgestegen zijn. En zij zouden het niet zo goed hebben gedaan als wij. Misschien dat deze dingen – om bepaalde redenen op een bepaalde manier gebeuren.' Hij maakte aanstalten nóg iets te zeggen, zweeg toen en keek Alan aan. In zijn eigen ogen was een onpeilbare pijn te zien, misschien wel een pijn die hij nog nooit eerder had gevoeld. 'Ik kan nog niet over haar praten. Als ze het redt, wil ik met haar – ik hóu van haar, Al.' Alan legde een hand op Rafe's schouder. Hij knikte opnieuw. Alan deed de deur open en Rafe stapte naar binnen.

Epiloog

De vrienden

Norfolk. Juni 1997.
Mikey Craik werd wakker en voelde de grote hondenkop op het bed naast hem. De hond deed dat soms – kwam dan gewoon binnen en legde terwijl Mikey sliep zijn kop daar neer. De boel even controleren. Het slaperige kind bewoog zijn hand in de richting van de natte neus, en de enorme staart zwiepte even heen en weer, en de hele hond bewoog, en Mikey's bed bewoog mee. Hij grinnikte.
Beneden maakten de volwassenen allerlei geluiden. Hij had in zijn leven, vóór zijn beide ouders waren teruggekeerd, maar weinig van dat soort geluiden gehoord. En nu waren er die geluiden, gelukkige geluiden.
Hij gleed uit bed en trippelde naar de deur, de hond vlak naast hem. Ze liepen de gang door en bereikten de trap, waarna het kleine jongetje tree voor tree behoedzaam naar beneden ging, zich vasthoudend aan de spijlen van de leuning totdat hij de trap voldoende was afgedaald om tússen de spijlen door de kamer in te kunnen kijken naar het groepje mensen daar.

Harry O'Neill zag er grandioos uit. Het was nauwelijks te zien dat hij een oog was kwijtgeraakt. Van de huid aan de binnenkant van een van zijn armen was een nieuw ooglid gemaakt, en zijn kunstoog was een prachtige kopie geworden, die zelfs méébewoog met zijn goede oog. Maar hij bleef natuurlijk blind aan die kant, en hij moest zijn hoofd wat meer draaien om de dingen aan zijn slechte kant goed te kunnen zien.
Hij droeg een nieuw Oxford-kostuum en zijn oude Lobb-schoenen die er zó magnifiek uitzagen dat alle andere mannelijke aanwezigen hun eigen schoenen het liefst aan het oog zouden willen onttrekken. Harry róók zelfs als een rijk iemand – een of andere eau de toilette die aan leer en nootmuskaat en bloemen en – nou ja, aan seks – deed denken.
Harry lachte. Hij had één arm rond Mike Dukas geslagen en de andere rond Abe Peretz, beiden tegen zich aan drukkend, en wel zó stevig tot hun hoofden zich vlak bij het zijne bevonden. 'En wat denken jullie ervan, jongens?'
Dukas gaf hem een vriendschappelijke stomp tussen zijn ribben in een poging zich te bevrijden. 'Ik niet. Ik ben zeer gevleid, maar ik heb de komende twee jaar nog een klus te klaren.'
'Mike, dit is veel beter!'

'Ik heb me gecommitteerd. De dingen komen momenteel in beweging. We hebben al wat arrestaties verricht.'

Abe trok een gezicht. 'Bea heeft je op CNN gezien! Ze wil graag weten wie die kleine sexy man was die naast je stond.'

'Sexy? Nee, dat was Pigoreau. Hij is m'n – ' Hij fronste zijn wenkbrauwen. *Pigoreau, sexy?* 'Jouw vrouw heeft een afgrijselijke smaak, Abe.'

'Hé, bedankt.'

'Niets te danken! Bovendien, Harry – ik moet er echt van afzien. Het klinkt interessant, het klinkt opwindend, maar toch – ik wil eerst de klus afmaken waarmee ik bezig ben.'

Harry kneep even in zijn schouder. 'Ik vond toch dat ik het moest proberen.' Hij keek Peretz aan. 'Abe?'

Abe hield zijn hoofd een tikkeltje schuin en wreef over zijn bovenlip. 'Geef me je kaartje maar. Dan moeten we er maar eens over praten. Tijdens een lunch wellicht?'

'Reken maar. Dan zoeken we ergens een restaurant waar jij me met je goede oor kunt horen, terwijl ik met mijn goede oog de meiden in de gaten kan houden.'

Hun kwetsuren waren al tot een soort galgenhumor geworden als ze met elkaar spraken. Abe had een gehoorapparaat – nauwelijks zichtbaar – in zijn rechteroor, en ter hoogte van zijn haarlijn was nog steeds – als je wist waar je moest kijken – een roze litteken te zien.

'Die opmerking over de meiden heb ik gehoord,' riep Rose van de andere kant van de kamer.

'Dit is mannenpraat.'

'Mannenpraat is alleen maar seksistische flauwekul.'

Dukas maakte zich van Harry los en liep naar Rose. 'Tijd voor vrouwenpraat,' hoorden de anderen hem zeggen toen hij haar bereikte.

Harry had ze tijdens de maaltijd verteld waarvoor hij aan het rekruteren was. Hij en de Agency waren op een prettige manier uit elkaar gegaan. 'Ze hadden geen moeite met een zwart iemand, maar een éénogige zwarte was net iets te veel van het goede. Ik heb geprobeerd ze uit te leggen dat het nóg erger kon; ik had ook Sammy Davis Junior kunnen zijn, maar dat begrepen ze geloof ik niet.' Hij had de tafel rondgekeken. Maar zijn disgenoten begrepen ook niet precies wat hij bedoelde. Harry had moeten lachen. 'Die knaap met één oog die ook nog op het jodendom is overgestapt. Als hij ook nog eens homo zou zijn geweest, was het helemaal rond geweest.' Nu was hij een ontluikende entrepreneur en was hij op zoek naar wat hij 'partners' noemde, een ander woord voor medewerkers, maar hij was alleen maar op zoek naar gespecialiseerde mensen met specifieke talenten.

Alan had hem over tafel glimlachend aangekeken. Dit was de nieuwe Harry O'Neill – rustiger, taaier, elegant. De Agency had hem van de *Rangoon* naar een luchtmachtziekenhuis in Duitsland laten overbrengen, en vervolgens naar Washington, waar hij verschillende keren onder het mes was geweest. Toen hij aan de beterende hand was, was hij naar zijn ouders gegaan en had hij binnen de kortste keren een eind gemaakt aan hun hoop dat hij eindelijk verstandig was geworden en rechten zou gaan studeren, en of ze hem alsjeblieft een half miljoen dollar wilden geven; ze mochten het aftrekken van zijn latere erfenis. Hij had vijf dagen nodig om hun nogal foutieve ideeën omtrent hun zoon aan de realiteit aan te passen, en op dat moment waren ze begonnen bij te draaien. Nu had Harry zijn half miljoen beginkapitaal, en met hulp van zijn vader en moeder was hij erin geslaagd om bij de juridische elite van Washington nog eens drie miljoen risicodragend kapitaal bijeen te krijgen. Alan was de enige die wist dat hij nog steeds last had van flashbacks en nachtmerries, en dat hij de komende twee jaar om de drie maanden een HIV-test moest ondergaan – of totdat zou blijken dat hij positief was.

'Zo,' zei hij nu tegen Abe, 'je bent dus geïnteresseerd.'

Abe bracht hem met een gefronste wenkbrauw tot zwijgen, en keek daarbij richting keuken, waar Bea druk bezig in de deuropening te zien was. 'We praten met elkaar. Laten we zeggen – het Bureau is nogal vasthoudend.'

Harry begon onmiddellijk wat zachter te praten en ging met zijn rug naar Rose staan. 'Hoe zit het dan met wat jou is overkomen. Heb jij ooit – ?'

'Ik wil daar graag nog een paar zaken afronden. Ik heb daar al wat ideeën over. Ik neem aan dat deze nieuwe activiteiten van jou niet hoeven te betekenen dat een van je "partners" niet van z'n bronnen gebruik kan maken om af en toe eens een zijpad te betreden?'

'Shit, man, wij gaan – '

Alan kwam bij hen staan. 'Hebben we het over de nieuwe zaak?'

'We vergelijken onze invaliditeitsuitkering. Heb ik je trouwens al verteld dat ik Mike Djalik in dienst heb genomen?'

'Dat heb je me inderdaad verteld, alleen nog niet waarom.'

Harry draaide zijn hoofd net een fractie van een centimeter te veel, waardoor te zien was dat hij zijn linkeroog miste. 'Hij bezit vaardigheden die ik nodig heb. En ervaring in Afrika.'

'Djalik vond Afrika vréselijk.'

'Nó-u-u – het ligt wat ingewikkelder dan dát.'

'Heeft hij nog steeds de pest aan me?'

'Laten we zeggen dat je nog steeds niet zijn favoriete persoon bent. Hij is je dankbaar, Al, maar – '

'Ik weet het, ik weet het.' Hij glimlachte. 'In elk geval heeft hij er nu een me-daille bij.' Alan had er persoonlijk voor gezorgd dat de man voor een onder-scheiding in aanmerking kwam: hij had Djalik voorgedragen voor een tweede Silver Star, en hij had er bij Parsills op aangedrongen dat hijzelf níet zou wor-den voorgedragen; nérgens voor. Hij had geprobeerd het uit te leggen: 'Wat ik heb gedaan kwam voort uit – vriendschap. Wat Djalik heeft gedaan was uit plichtsbesef – en later voor iets dat vér boven die plicht uitsteeg. En dáár wor-den onderscheidingen voor gegeven.' Djalik had zijn medaille gekregen, maar hij had Alan Afrika nog steeds niet vergeven; waar zijn linkerhand had gezeten, zat nu een prothese. Ze hadden elkaar nog één keer gesproken, en geen van bei-den had zich daarbij erg op z'n gemak gevoeld.

Abe, die merkte dat Alan zich onbehaaglijk voelde, zei tegen O'Neill: 'Ga je niet proberen de alom bekende Craik bij de marine los te weken?'

'Dat probéér ik niet eens! Dat is zinloos – toch, Alan?'

Hij keek Abe met een trage, scheve grijns aan. 'Ik meen te mogen zeggen dat Harry me vrij goed kent.'

Hij keek naar Rose, die een eindje verderop stond. Ze bloosde van plezier en opwinding. Hij was nu twee weken thuis en ze waren druk bezig elkaar op-nieuw te ontdekken. Bij het IVI was ze bevorderd en was nu met een heel an-der project bezig; Peacemaker was nagenoeg van het toneel verdwenen; Suter was opgeslokt in het zwarte gat van de Agency. Rose was toegelaten tot het astronautenprogramma, waarvoor met name generaal Touhey zich zeer had in-gespannen. Hij had geweldige dingen over haar geschreven. Geweldige dingen. Bijna net iets té geweldige dingen – alsof hij haar wilde belonen door haar uit zijn leven te bannen.

Alan keek Abe aan. 'We moeten binnenkort eens praten. Bepaalde dingen zijn me nog niet helemaal duidelijk – en dan heb ik het over jouw twijfels over Peacemaker.' Hij en Abe keken elkaar aan, en de stilte communiceerde voor hen. 'Rose heeft me gisteren verteld dat volgens jou Shreed bij dit alles betrok-ken was.'

'Ja, we moeten eens praten. Over niet te lange tijd. Bea – '

Hij maakte zijn zin niet af. Bea was uit de keuken tevoorschijn gekomen met in haar handen een dienblad met daarop een fles champagne en glazen. Ze zette het blad neer op de salontafel die tussen hen in stond, haastte zich naar Abe en sloeg een arm om die van hem. Alan was verrast door deze aanzienlijk rustiger vrouw die zichtbaar zoveel meer van haar man afhankelijk was dan hij zich kon herinneren.

'Wie brengt een toast uit?' zei Rose. Ze draaiden zich om. Rose schonk zes glazen champagne in.

'Dit wordt een ritueel,' zei Harry. 'Nóg een keer, en we hebben er speciale muziek bij nodig.'

Ze gingen met z'n allen rond de lage tafel staan, zich half bewust van het feit dat ze op dezelfde plaats stonden als een jaar geleden. Rose en Bea deelden de glazen uit, en heel even was het stil. Rose pakte Alans hand stevig beet en zei: 'Ik breng geen toast uit, want daar ben ik niet bijzonder goed in. Maar ik wil wél zeggen hoe heerlijk het is hier weer iedereen bij elkaar te hebben. Harry – Abe – Mike – goddank leven we allemaal nog.' Ze grinnikte, moest een paar keer met haar ogen knipperen tegen de tranen. 'Harry, breng een toast uit!'

En Harry was er klaar voor. Hij tikte tegen de rand van zijn glas, keek naar beneden, richtte zijn blik toen op en glimlachte. 'We zijn een vreemd stelletje. Een nikker – twee smousen – een spaghettivreter – een verloren Griek – en een blanke protestant van onbesproken gedrag. Mensen, als wíj het kunnen, kan iedereen het.' Hij bracht zijn glas omhoog. 'Een toast op – ' Maar vóór hij het woord *ons* kon uitspreken, zweeg hij abrupt, want hij keek langs hen heen en zag het gezicht van een kind tussen de spijlen van de trap. Met een slaperig gezicht, een tikkeltje verblind door het licht, keek het jongetje hen glimlachend aan. Harry bracht opnieuw zijn glas omhoog. 'Op de toekomst.'

MICHAEL DIMERCURIO

De Barracuda-strategie

Auteur van o.a. *De missie van de Devilfish* en *De jacht van de Phoenix*

Auteur Michael Dimercurio studeerde af aan de Naval Academy te Annapolis, was jarenlang paratrooper en marineofficier en deed dienst op vele onderzeeboten. Hij schreef veel boeken in het genre van de submarine-thriller, die alle in het Nederlands zullen verschijnen.

In *De Barracuda-strategie* is opnieuw de hoofdrol weggelegd voor Michael Pacino, de charismatische commandant, die in *De missie van de Devilfish* geïntroduceerd werd.

Bezoek ook Michael Dimercurio's website: ussdevilfish.com

Uit de politieke en militaire chaos ten gevolge van de ondergang van de Sovjet-Unie en de democratische revolutie in China is een nieuwe staat ontstaan: Groot-Mantsjoerije. Een jong land met een agressieve leider en een eigen nucleair wapenarsenaal... Japan voelt zich bedreigd en ziet zich al snel geroepen deze nieuwe buurman aan te vallen met geavanceerde wapens.

In reactie op de wereldwijde verontwaardiging over deze agressie besluit de VN tot een economische blokkade van Japan. Maar dat land is daarop voorbereid: de oorlogsmachine staat op scherp en de onderzeevloot ligt klaar om deze blokkade te doorbreken.

Om een nieuwe wereldoorlog te voorkomen geeft admiraal Michael Pacino zijn commandant opdracht om de Japanse vloot tot zinken te brengen. Een *mission impossible*. Maar vooral een laatste, wanhopige zet in een riskant kansspel.

ISBN 90 6112 221 X